资治通鉴

全本全注全译

第二十二册

唐纪

［宋］司马光　编著
张大可　韩兆琦　等　注译

浙江人民出版社

图书在版编目（CIP）数据

资治通鉴全本全注全译. 第二十二册 / （宋）司马光编著 ； 张大可等注译. -- 杭州 ： 浙江人民出版社, 2024. 10（2025. 6重印）. -- ISBN 978-7-213-11687-2

Ⅰ. K204. 3

中国国家版本馆CIP数据核字第2024UE7159号

资治通鉴全本全注全译　第二十二册

ZIZHI TONGJIAN QUANBEN QUANZHU QUANYI

［宋］司马光　编著　　张大可　韩兆琦　等　注译

出版发行：浙江人民出版社（杭州市环城北路 177 号　邮编　310006）
市场部电话：（0571）85061682　85176516
选题策划：胡俊生
项目统筹：潘海林　魏　力
责任编辑：方　程　陈佳迪
特约编辑：褚　燕
营销编辑：周乐兮
责任校对：王欢燕　姚建国　何培玉　马　玉
责任印务：程　琳　幸天骄
封面设计：北京之江文化传媒有限公司
电脑制版：北京之江文化传媒有限公司
印　　刷：浙江新华数码印务有限公司
开　　本：710 毫米 ×1000 毫米　1/16　　印　　张：50
字　　数：978 千字　　插　　页：4
版　　次：2024 年 10 月第 1 版　　印　　次：2025 年 6 月第 2 次印刷
书　　号：ISBN 978-7-213-11687-2
定　　价：124.00 元

目　录

卷第二百五十一　唐纪六十七

起著雍困敦（戊子，公元八六八年），尽屠维赤奋若（己丑，公元八六九年），凡二年。

【题解】

本卷记事起公元八六八年，迄公元八六九年，凡二年，当唐懿宗咸通九年、十年。这两年最大的政治事件是徐州骄兵作乱，祸害淮河两岸，唐王朝遭受沉重打击。起因是徐州兵戍守桂州，朝廷失信更代，戍兵擅自北还。戍兵推举庞勋为帅，庞勋至徐州倡乱，徐州守军囚主帅，迎庞勋，贼势大盛。庞勋求节钺，朝廷不许，发兵征讨，由于诸镇兵作战不力，贼势猖狂。辛谠助杜慆守泗州，成为东南屏障，并成为牵制叛军的重要力量。经过一年多的征战，官军讨平了庞勋之乱，而唐王朝力量受损，更加虚弱。庞勋之乱为王仙芝、黄巢大起义准备了成熟的条件。中原战乱，南诏进一步祸乱西疆。在内忧外患之中，唐懿宗依然荒淫游宴，实在是一个无可救药的误国昏君。

【原文】

懿宗昭圣恭惠孝皇帝中

咸通九年（戊子，公元八六八年）

夏，六月，凤翔少尹①李师望上言：“巂州控扼南诏，为其要冲。成都道远，难以节制。请建定边军②，屯重兵于巂州，以邛州为理所。”朝廷以为信然，以师望为巂州刺史③，充定边军节度，眉、蜀、邛、雅、嘉、黎④等州观察，统押⑤诸蛮并统领诸道行营、制置等使。师望利于专制方面⑥，故建此策。其实邛距成都才百六十里，巂距邛千里，其欺罔如此⑦。

初，南诏陷安南，敕徐泗募兵二千赴援，分八百人别戍桂州，初约三年一代。徐泗观察使崔彦曾⑧，慎由之从子也，性严刻⑨。朝

【语译】

懿宗昭圣恭惠孝皇帝中

咸通九年（戊子，公元八六八年）

夏，六月，凤翔府少尹李师望上奏说："巂州控制南诏，是南诏进入内地必经之地。成都距离边地遥远，难以控制。请求设置定边军，在巂州驻扎重兵，把邛州作为定边军的治所。"朝廷认为确实如此，任命李师望为巂州刺史，充任定边军节度，兼眉、蜀、邛、雅、嘉、黎等州观察，统管诸蛮并统领诸道行营、制置等使。李师望认为独断一方有利于自己，所以提出这一个建议。其实邛州距离成都才一百六十里路，巂州距离邛州却有千里，他竟然这样欺骗朝廷。

当初，南诏攻下安南，敕命徐泗招募二千名兵士前去支援，从中分出八百人另外戍守桂州，最初约定三年轮换一次。徐泗观察使崔彦曾，是崔慎由的侄子，个性严厉

廷以徐兵骄，命镇之。都押牙尹戡、教练使⑩杜璋、兵马使徐行俭用事，军中怨之。戍桂州者已六年，屡求代还。戡言于彦曾，以军帑空虚，发兵所费颇多，请更留旧[1]戍卒一年，彦曾从之。戍卒闻之，怒。

都虞候许佶、军校⑪赵可立、姚周、张行实皆故徐州群盗，州县不能讨，招出之，补牙职。会桂管观察使李丛移湖南，新使未至，秋，七月，佶等作乱，杀都将王仲甫，推粮料判官⑫庞勋为主，劫库兵⑬北还，所过剽掠，州县莫能御。朝廷闻之，八月，遣高品⑭张敬思赦其罪，部送⑮归徐州，戍卒乃止剽掠。

以前静海节度使高骈为右金吾大将军。骈请以从孙浔代镇交趾，从之。

九月戊戌⑯，以山南东道节度使卢耽为西川节度使。以有定边军之故，不领统押诸蛮、安抚等使。

庞勋等至湖南，监军以计诱之，使悉输⑰其甲兵。山南东道节度使崔铉严兵守要害，徐卒不敢入境，泛舟沿江东下。许佶等相与谋曰："吾辈罪大于银刀⑱，朝廷所以赦之者，虑缘道攻劫⑲，或溃散为患耳。若至徐州，必菹醢⑳矣！"乃各以私财造甲兵旗帜，过浙西，入淮南。淮南节度使令狐绹遣使慰劳，给刍米㉑。

都押牙李湘言于绹曰："徐卒擅归，势必为乱，虽无敕令诛讨，藩镇大臣当临事制宜。高邮㉒岸峻[2]而水深狭，请将奇兵伏于其侧，焚荻舟㉓以塞其前，以劲兵蹙其后，可尽擒也。不然，纵之使得渡淮，至徐州，与怨愤之众合，为患必大。"绹素懦怯，且以无敕书，乃曰："彼在淮南不为暴，听其自过，余非吾事也。"

苛刻。朝廷认为徐州的士兵骄横，所以任命崔彦曾来统领他们。都押牙尹戡、教练使杜璋、兵马使徐行俭在府中主政，军中将士都怨恨他们。戍守桂州的士兵已经六年，多次请求替换回来。尹戡对崔彦曾说，因为军中钱财匮乏，调发兵员去替代花费颇多，请求再留旧戍卒一年，崔彦曾听从了尹戡的意见。桂州戍守的士卒听到这个消息，非常生气。

都虞候许佶、军校赵可立、姚周、张行实都是原来徐州的盗贼，州县官不能讨灭，就招募他们出来，补任衙职。适逢桂管观察使李丛调往湖南，新任的观察使没有到任，秋，七月，许佶等人发动叛乱，杀掉了都将王仲甫，推举粮料判官庞勋为首领，抢夺了武器库中的兵器，所经之处，抢劫财物，州县抵御不了。朝廷听到这一消息，八月，派遣高品宦官张敬思去赦免他们的罪过，安排送他们回徐州，戍卒才停止了抢劫。

任命前静海节度使高骈为右金吾大将军。高骈请求任命他的侄孙高浔接替他镇守交趾，朝廷听从了。

九月初八日戊戌，任命山南东道节度使卢耽为西川节度使。由于有定边军，西川节度使就不再兼领统押诸蛮、安抚等使的职务了。

庞勋等到了湖南，监军用计诱骗他们，让他们全部交出盔甲兵器。山南东道节度使崔铉整兵严守要害，徐州戍卒不敢进入山南东道辖境，乘船沿长江东下。许佶等人一起谋划说："我们的罪过大于银刀军，朝廷赦免我们的原因，是担心我们沿路抢劫，或是溃散以后成为祸患而已。如果到了徐州，一定会被剁成肉酱！"于是各自用私钱制作武器和旗帜，经过浙西道，进入淮南道。淮南节度使令狐绹遣使慰劳他们，并供给他们粮草。

都押牙李湘对令狐绹说："徐州戍守桂州士卒擅自回来，势必作乱，虽然朝廷没有敕命诛讨他们，作为藩镇大臣应该遇事随机制宜。高邮河岸险峻而水深地狭，请让我带领奇兵在旁边埋伏，焚烧装满苇草的船用来堵塞他们前进的道路，再派劲兵在他们后面追杀，可以全部擒获他们。不然的话，放走他们，使他们得以渡过淮河，到达徐州，和怨愤的民众结合起来，造成的祸患一定很大。"令狐绹一向懦弱胆小，又因没有朝廷的敕命，于是说："他们在淮南地方不做坏事，就听任他们经过，其他问题不是我的事情。"

【段旨】

以上为第一段，写徐州兵戍守桂州，朝廷失信更代，戍兵擅自北还，推粮料判官庞勋为主，庞勋遂煽动戍兵叛乱。

【注释】

①少尹：官名，为府尹之副，从四品下。②定边军：方镇名，咸通九年（《新唐书·方镇表》作“八年”）置，治所邛州，在今四川邛崃。咸通十一年（公元八七〇年）废。重兵置于巂州，在今四川西昌。③刺史：官名，一州的行政军事长官。李师望任凤翔府少尹，品级低于下州刺史。因妄言置定边军，以巂州为军镇治所，李师望任职刺史，由从四品下，跃升为从三品，上升了三级。④眉、蜀、邛、雅、嘉、黎：皆州名。眉州，治所通义，在今四川眉山。蜀州，治所晋原，在今四川崇州。雅州，治所在今四川雅安。嘉州，治所龙游，在今四川乐山。黎州，治所在今四川汉源西北。⑤统押：统率；总管。⑥专制方面：独断一方。⑦欺罔如此：敢于欺骗到这样的程度。邛州距离成都不过一百余里，巂州距离邛州却有千里，由成都节度使直接控制巂州很方便，增置定边军多一道领属关系，反而不便。⑧崔彦曾：清河武城（今河北清河县东北）人，官至武宁军节度使。庞勋叛变，被杀。〖按〗据两唐书《崔慎由传》，彦曾乃慎由从弟，《资治通

【原文】

勋招集银刀等都㉔窜匿者[3]及诸亡命匿于舟中，众至千人。丁巳㉕，至泗州㉖。刺史杜慆㉗飨之于球场，优人致辞㉘。徐卒以为玩㉙己，擒优人，欲斩之，坐者惊散。慆素为之备，徐卒不敢为乱而止。慆，悰之弟也。

先是，朝廷屡敕崔彦曾慰抚戍卒擅归者，勿使忧疑。彦曾遣使以敕意谕之，道路相望。勋亦申状相继，辞礼甚恭。戊午㉚，行及徐城㉛，勋与许佶等乃言于众曰：“吾辈擅归，思见妻子耳。今闻已有密敕下本军，至则支分㉜灭族矣！丈夫与其自投网罗，为天下笑，曷若㉝相与戮力㉞同心，赴蹈汤火，岂徒脱祸，兼富贵可求。况城中将士皆吾辈父兄子弟，吾辈一唱于外，彼必响应于内矣。然后遵王侍中故事㉟，五十万赏钱，可翘足[4]待也。”众皆呼跃称善。将士赵武等十二人独忧惧，欲逃去，勋[5]悉斩之，遣使致其首于彦曾，且为申状㊱，称：“勋等远戍六年，实怀乡里。而武等因众心不安，辄萌奸计。将士诚知诖误㊲，敢避诛夷！今既蒙恩全宥㊳，辄共诛首恶，以补愆

鉴》作“从子”，误。⑨ 严刻：严厉苛刻。⑩ 教练使：官名，掌军队教练之事。⑪ 军校：官名，任辅助之职的军官。⑫ 粮料判官：官名，凡行军，置随军粮料使，兵少的军队置粮料判官，掌军粮供应。⑬ 库兵：武库中的兵器。⑭ 高品：内侍省品位高的太监称高品内侍，简称高品。⑮ 部送：安排遣送。⑯ 戊戌：九月初八日。⑰ 输：交出。⑱ 银刀：指武宁节度使王智兴之亲兵。智兴离任后，常为乱。朝廷任命王式为武宁节度使率兵讨平，银刀军数千人皆诛死。⑲ 缘道攻劫：沿路抢劫。缘，沿着。⑳ 菹醢：捣成肉酱。菹，切碎。醢，肉酱。㉑ 刍米：粮草。㉒ 高邮：县名，县治在今江苏高邮。㉓ 荻舟：装载芦苇的船只。

【校记】

［1］旧：原无此字。据章钰校，十二行本、乙十一行本皆有此字，张敦仁《通鉴刊本识误》同，今据补。［2］峻：原作“峡”。据章钰校，十二行本、乙十一行本皆作“峻”，张敦仁《通鉴刊本识误》同，今据改。

【语译】

庞勋招集银刀军等逃匿山泽的人和亡命之徒，将他们藏在船中，部众达到一千人。九月二十七日丁巳，到达泗州。刺史杜慆在球场设宴款待他们，演戏的人致颂辞。徐州戍卒以为是在玩弄自己，把演戏的人抓了起来，想杀掉他，在座的人惊慌四散。杜慆一向有防备，徐州戍卒不敢为乱，只好作罢。杜慆，是杜悰的弟弟。

此前，朝廷多次敕令崔彦曾慰抚擅自回来的兵卒，不要使他们担忧和疑虑。崔彦曾派遣使者把朝廷的敕意告诉他们，使者在路上前后相继。庞勋申诉情况的文状也前后不断，词语中表现得十分恭谨。九月二十八日戊午，到达徐城县，庞勋与许佶等人对大家说：“我们擅自回来，不过想见妻室儿女而已。现在听说已有秘密的敕令下达徐州军，只要我们到达就会肢体分解举族灭亡！大丈夫与其自投罗网，被天下人耻笑，哪赶得上互相同心协力，赴汤蹈火，岂止摆脱灾祸，还可以求得富贵。况且城中将士都是我们的父兄子弟，我们在城外一号召，他们一定会在城内响应。然后遵照王智兴过去的旧例，五十万赏钱，就能马上得到了。”兵众都欢呼跳跃着说好。将士赵武等十二人独独感到忧恐，想逃走，庞勋把他们全部杀了，派遣使者把这些人的头颅送给崔彦曾，并且写一申诉状，说：“庞勋等在远地戍守了六年，的确想念家乡。而赵武等人乘着兵众不安，就萌生奸计。将士们确实知道受了连累，怎敢逃避处斩！现在既然承蒙皇恩全部宽大免罪，就一起杀了带头干坏事的人，以此

尤㊴。”冬，十月甲子㊵，使者至彭城，彦曾执而讯之，具得其情，乃囚之。丁卯㊶，勋复于递中㊷申状，称：“将士自负罪戾㊸，各怀忧疑，今已及苻离㊹，尚未释甲。盖以军将尹戡、杜璋、徐行俭等狡诈多疑，必生衅隙，乞且停此三人职任，以安众心，仍乞戍还将士别置二营㊺，共为一将。”

【段旨】

以上为第二段，写庞勋诡诈，设计偷袭徐州。

【注释】

㉔都：唐代军队编制的一种称号，藩镇亲军亦称都。㉕丁巳：九月二十七日。㉖泗州：州名，治所临淮，在今江苏盱眙。㉗杜慆：唐武宗、唐宣宗、唐懿宗三朝宰相杜悰之弟，官至义成节度使。传见《新唐书》卷一百六十六。㉘致辞：朝廷或官府举行大宴，惯例由优伶献颂辞，称致辞或致语。㉙玩：戏弄。㉚戊午：九月二十八日。㉛徐城：县名，县治在今江苏盱眙西北。㉜支分：即肢解。分解四肢的一种酷刑。支，通“肢”。㉝曷若：怎么赶得上。㉞戮力：并力。㉟王侍中故事：王侍中即王智兴。其为武宁节度副使

【原文】

时戍卒拒㊻彭城止四驿㊼，阖㊽城恟惧。彦曾召诸将谋之，皆泣曰：“比以㊾银刀凶悍，使一军㊿皆蒙恶名，歼夷流窜，不无枉滥(51)。今冤痛之声未已，而桂州戍卒复尔猖狂。若纵使入城，必为逆乱，如此，则阖境涂地(52)矣！不若乘其远来疲弊，发兵击之，我逸彼劳，往无不捷。”彦曾犹豫未决。团练判官温廷皓(53)[6]复言于彦曾曰：“安危之兆，已在目前，得失之机，决于今日。今击之有三难，而舍之有五害：诏释其罪而擅诛之，一难也。帅其父兄，讨其子弟，二难也。枝党(54)钩连，刑戮必多，三难也。然当道(55)戍卒若[7]擅归不诛，则诸道戍边者皆效之，无以制御，一害也。将(56)者一军之首，而辄敢害之，

来补救过失。”冬，十月初四日甲子，庞勋的使者到彭城，崔彦曾把使者抓起来进行审讯，把情况都了解清楚了，就囚禁了使者。初七日丁卯，庞勋又通过驿站邮筒投状申诉说：“将士们自身负有罪责，各自心怀忧愁和疑虑，现在已经快到达苻离县了，还没有脱下甲胄。这是由于军将尹戡、杜璋、徐行俭等人狡诈多疑，一定会发生隔阂和矛盾，请求暂时停止这三个人的职任，以便使众人安下心来，还请求把戍守回来的将士另外设置二营，共同由一位将领领导。”

时，拥兵自立，驱逐节度使崔群。朝廷无力讨伐，遂加任命。事见本书卷二百四十二唐穆宗长庆二年。㊱申状：一种上行公文。㊲诖误：被贻误；受连累。㊳全宥：宽赦保全。㊴愆尤：过失。㊵甲子：十月初四日。㊶丁卯：十月初七日。㊷递中：投入驿站邮筒递送。㊸罪戾：罪过。㊹苻离：县名，县治在今安徽宿州市。㊺别置二营：另外设置二营。

【校记】

［3］者：原无此字。据章钰校，十二行本、乙十一行本皆有此字，今据补。［4］可翘足：据章钰校，十二行本、乙十一行本皆作“翘足可”。［5］勋：原无此字。据章钰校，十二行本、乙十一行本皆有此字，张敦仁《通鉴刊本识误》同，今据补。

【语译】

当时戍卒距离彭城只有四驿路程，全城惶恐。崔彦曾召集诸将商量对策，大家都流着泪说：“近来因为银刀军的凶恶强悍，使全军都蒙受了坏名声，有的被杀，有的被流放，没有不被冤枉和被牵连的人。现在呼叫冤痛的声音还没有停止，而桂州戍卒又如此猖狂。假如放任他们进到城里来，一定会发生叛乱，这样一来，那么就会全城涂炭了！不如乘他们远来疲敝，出兵攻打他们，我逸彼劳，没有不打胜仗的。”崔彦曾犹豫不决。团练判官温廷皓又对崔彦曾说：“安危的情况，已经摆在目前，是得是失的机遇，就看现在如何决定了。如今进攻他们有三方面的困难，而放过他们有五大危害：朝廷有诏令赦免他们的罪行而我们又擅自诛杀他们，是第一个困难。率领他们的父兄去讨伐他们的子弟，是第二个困难。枝党牵连，要惩办杀戮的人必定很多，是第三个困难。然而本道的戍卒如果擅自回来不惩罚他们，那么其他道戍边士卒都仿效他们，就没有办法控制，这是第一个危害。将领是一军的首长，而士卒敢于随便杀害他，

则凡为将者，何以号令士卒！二害也。所过剽掠，自为甲兵，招纳亡命，此而不讨，何以惩恶！三害也。军中将士，皆其亲属，银刀余党，潜匿山泽，一旦内外俱发，何以支梧[57]！四害也。逼胁军府，诛所忌三将[58]，又欲自为一营，从之则银刀之患复起，违之则托此为作乱之端，五害也。惟明公去其三难，绝其五害，早定大计，以副众望。”

时城中有兵四千三百，彦曾乃命都虞候元密等将兵三千人讨勋，数勋之罪以令士众，且曰：“非惟涂炭平人，实亦污染[59]将士。傥国家发兵诛讨，则玉石俱焚[60]矣！”又曰：“凡彼亲属，无用忧疑，罪止一身，必无连坐[61]。”仍命宿州出兵苻离，泗州出兵于虹[62]以邀之，且奏其状。彦曾戒元密无伤敕使[63]。

戊辰[64]，元密发彭城，军容甚盛。诸将至任山[65]北数里，顿兵不进，共思所以夺敕使之计，欲俟贼入馆，乃纵兵击之，遣人变服负薪以诇贼。日暮，贼至任山，馆中空无人，又无供给，疑之。见负薪者，执而榜[66]之，果得其情。乃为偶人[67]，执旗帜[8]，列于山下而潜遁。比夜，官军始觉之，恐贼潜伏山谷及间道[68]来袭，复引兵退宿于城南，明旦，乃进追之。

【段旨】

以上为第三段，写徐州官军出兵讨贼。

【注释】

㊻拒：同“距”。㊼驿：一驿三十里。㊽阖：全。㊾比以：近来因为。㊿一军：指武宁军。51枉滥：无辜受罪，扩大冤狱。52涂地：犹涂炭，比喻灾难困苦。53温廷皓：唐太宗尚书右仆射温彦博裔孙，晚唐著名诗人温庭筠之弟。任徐州从事，后为庞勋所杀。传见《旧唐书》卷一百九十下、《新唐书》卷九十一。54枝党：谓宗族党羽。55当道：本道。56将：指都将王仲甫。57支梧：支撑。屋顶小柱为支，斜柱为梧，借此为喻。58三将：指尹戡、杜璋、徐行俭。59污染：牵连；连累。60玉石俱焚：语出《尚书·胤征》，

那么那些担任将领的人，怎么号令他们的士卒呢！这是第二个危害。他们所过之处抢劫掠夺，自己置办武器盔甲，招纳亡命之徒，这种情况不加征讨，怎么去惩戒恶人！这是第三个危害。我们军队中的将士，都是他们的亲属，银刀军的余党，潜藏在山泽之中，一旦内外一齐起事，怎么支撑得了！这是第四个危害。逼迫军府诛杀他们忌恨的三名将领，又想自己单独建立军营，听从他们，那么银刀军之患又兴起来了，违背他们，就会以此为借口挑起祸乱，这是第五个危害。希望明公铲除三方面的困难，杜绝五个危害，早些决定大计，以符合大家的期望。”

当时彭城城中有兵员四千三百人，崔彦曾于是命令都虞候元密等带领三千人讨伐庞勋，历数庞勋的罪行用来激励士众，并且说：“不仅涂炭平民，其实也使将士受到牵连。倘若国家发兵诛讨，那么就要玉石俱焚了！”又说：“凡是戍卒的亲属，不要担忧害怕，犯罪的只限于本人，一定不会牵连其他人入罪。”又命令宿州从苻离出兵，泗州从虹县出兵，截击庞勋的部队，并且将情况报告朝廷。崔彦曾告诫元密不要伤害敕使张敬思。

十月初八日戊辰，元密从彭城出发，军队阵容非常盛大。诸将到达任山北边数里，屯兵不进，共同商量用来夺取敕使的办法，想等到叛贼进入驿馆后，就纵兵袭击他们，并派人穿着便服担着柴火去侦察贼情。傍晚时，叛贼到达任山，驿馆中空无一人，又没有供应食物，他们产生了怀疑。看到一个担着柴火的人，抓了起来，鞭打他，果然得到了官兵的情况。叛贼就制作一些假人，手执旗帜，排列在山下，自己却暗地跑掉了。等到夜晚，官军才发觉叛贼不见了，担心他们潜伏在山谷中和从小路前来偷袭，又带领军队退回城南暂宿，第二天早上，才进兵追赶庞勋的部队。

“火炎昆冈，玉石俱焚”。比喻不分好坏，同归于尽。㉑连坐：一人犯法，他人牵连入罪。㉒虹：县名，县治在今安徽泗县。㉓无伤敕使：时敕使张敬思尚在庞勋军中。㉔戊辰：十月初八日。㉕任山：山名，在今江苏徐州西南。㉖榜：鞭打。㉗偶人：以土、木做成的假人。㉘间道：小路。

【校记】

［6］温廷皓：据章钰校，十二行本、乙十一行本、孔天胤本皆作“温庭皓”。〖按〗《新唐书》卷九十一《温彦博传》与底本同，《旧唐书》卷一百九十下《温庭筠传》与十二行本同。［7］若：原无此字。据章钰校，十二行本、乙十一行本皆有此字，张敦仁《通鉴刊本识误》同，今据补。［8］执旗帜：原无此三字。据章钰校，十二行本、乙十一行本、孔天胤本皆有此三字，张敦仁《通鉴刊本识误》同，今据补。

【原文】

时贼已至苻离，宿州戍卒五百人出战于濉水⑥⑨上，望风奔溃，贼遂抵宿州。时宿州阙刺史，观察副使焦璐摄州事，城中无复余兵。庚午⑦⓪，贼攻陷之，璐走免。贼悉聚城中货财，令百姓来取之。一日之中，四远云集，然后选募为兵，有不愿者立斩之，自旦至暮，得数千人。于是勒兵乘城，庞勋自称兵马留后。

再宿⑦①，官军始至。贼守备已严，不可复攻。先是，焦璐闻苻离败，决汴水以断北路。贼至，水尚浅可涉，比官军至，已深矣。壬申⑦②，元密引兵渡水，将围城。会大风，贼以火箭射城外茅屋[9]，延及官军营，士卒进则冒矢石，退则限⑦③水火，贼急击之，死者近三百人。元密等以为贼必固守，但为攻取之计。

贼夜使妇人持更⑦④，掠城中大船三百艘，备载资粮，顺流而下，欲入江湖为盗。以千缣⑦⑤赠张敬思，遣骑送至汴⑦⑥之东境，纵使西归⑦⑦。

明旦，官军知贼已去，狼狈追之。士卒皆未食，比追及，已饥乏。贼舣舟⑦⑧堤⑦⑨下而陈于堤外，伏千人于舟中。官军将至，陈者皆走入陂中⑧⓪。密以为畏己，纵兵追之。贼自舟中出，夹攻之，自午及申⑧①，官军大败。密引兵走，陷于荷涫⑧②，贼追及之，密等诸将及监陈敕使⑧③皆死，士卒死者殆千人，其余皆降于贼，无一人还徐者。贼问降卒以彭城人情计谋，知其无备，始有攻彭城之志。

乙亥⑧④，庞勋引兵北渡濉水，逾山趣彭城。其夕，崔彦曾始知元密败，移牒邻道求救。明日，塞门，选城中丁壮为守备。内外震恐，无复固志⑧⑤。或劝彦曾奔兖州，彦曾怒曰："吾为元帅，城陷而死，职也！"立斩言者。

丁丑⑧⑥，贼至城下，众六七千人，鼓噪动地。民居在城外者，贼皆慰抚，无所侵扰。由是人争归之，不移时⑧⑦，克罗城⑧⑧。彦曾退保子城，民助贼攻之，推草车塞门而焚之，城陷。贼囚彦曾于大彭馆，执尹戡、杜璋、徐行俭，刳而锉之⑧⑨，尽灭其族。勋坐听事⑨⓪，盛陈兵卫，文武

【语译】

当时叛贼已经到达苻离县，宿州戍卒五百人到濉水上和庞勋部队作战，听到风声就逃散了，叛贼于是抵达宿州城。当时宿州没有刺史，观察副使焦璐代理州中政事，城中没有军队。十月初十日庚午，叛贼攻下了宿州城，焦璐逃脱了。叛贼把城中的钱财货物集中起来，叫老百姓来领取。一天之内，四方远处的人云集，然后选募一些人编入军队，有不愿意的立即杀掉，从早到晚，得到了数千人。于是指挥军队登城防守，庞勋自称兵马留后。

住了两晚，官军才到来。叛贼守备已经很严整巩固了，不能再攻打了。在这之前，焦璐听说苻离官军打了败仗，就把汴水堤挖开用来切断由北边进入宿州的道路。叛贼到达时，水还浅，可以从水中走过，到官军抵达时，水已经很深了。十月十二日壬申，元密带领军队渡水，将要围城。碰上刮大风，叛贼用火箭射向城外茅草屋，大火延及官军营，士卒前进就要遭到矢石的射击，后退则被水火所阻，叛贼乘势急攻，官军死去的将近三百人。元密等人以为叛贼必定固守此城，只考虑攻取城池的办法。

叛贼夜里叫妇人在城里打更，抢夺城里三百艘大船，装载着资财粮食，顺汴水而下，想到江湖中当强盗。又拿出一千匹细绢送给张敬思，派骑兵送他到汴州东境，放他西回长安。

第二天早上，官军知道叛贼已经离开，才急忙追击他们。士卒们都没有吃饭，等到追上了，已经是又饥饿又疲乏。叛贼把船停靠在堤下而在堤外摆好了阵势，在船中埋伏了一千人。官军快要到达时，军阵中的人都跑到岸边。元密以为是叛贼惧怕自己，便纵兵追击他们。叛贼从船中出来，和岸上的叛贼夹攻官兵，从午时战斗到申时，官军大败。元密带领官兵逃走，陷在荷涫地方，叛贼追上了，元密等将领和监阵敕使都战死了，士卒死去的大约有一千人，其余的人都投降了叛贼，没有一个人返回徐州。叛贼询问降卒有关彭城的人情和筹划情况，得知那里毫无防守准备，才有了进攻彭城的打算。

十月十五日乙亥，庞勋带兵向北渡过濉水，翻山赶往彭城。当天晚上，崔彦曾才知道元密战败，向邻道发出文书求救。第二天，堵上城门，挑选城中丁壮进行守卫防备。这时内外的人们都震惊和恐惧，已经没有固守的想法了。有人劝崔彦曾逃往兖州，崔彦曾大怒说："我担任元帅，城被攻下而战死，是我的职责！"马上把进言的人杀了。

十月十七日丁丑，叛贼到达城下，兵众有六七千人，鼓噪声震天动地。居住在城外的民众，叛贼对他们都进行慰抚，一点也不侵扰他们。因此，民众争相归附他们，不多时，就攻克了外城。崔彦曾退保内城，民众帮助叛贼攻城，推着装满茅草的车子堵塞城门点火焚烧，内城陷落。叛贼把崔彦曾囚禁在大彭馆，抓到了尹戡、杜璋和徐行俭，剖腹铡身，把他们的家族成员都杀掉了。庞勋坐在厅堂上，排列很

将吏伏谒，莫敢仰视。即日，城中愿附从者万余人。

戊寅[91]，勋召温庭皓，使草表求节钺[92]。庭皓曰："此事甚大，非顷刻[93]可成，请还家徐草之。"勋许之。明旦，勋使趣之，庭皓来见勋曰："昨日所以不即拒者，欲一见妻子耳。今已与妻子别，谨来就死。"勋熟视，笑曰："书生敢尔，不畏死邪！庞勋能取徐州，何患无人草表！"遂释之。

【段旨】

以上为第四段，写叛军庞勋攻占徐州。

【注释】

⑲ 濉水：水名，自河南开封分古鸿沟而东流，经杞县、夏邑、安徽濉溪、江苏宿迁入泗水。此指虹县东南一段濉水。⑳ 庚午：十月初十日。㉑ 再宿：第二夜。㉒ 壬申：十月十二日。㉓ 限：阻。㉔ 持更：打更。㉕ 缣：细绢。㉖ 汴：指汴州。㉗ 西归：谓西归长安。㉘ 舣舟：船泊岸边。㉙ 堤：河岸。㉚ 陂中：岸边。㉛ 自午及申：上午十一时至下午

【原文】

有周重者，每以才略自负，勋迎为上客。重为勋草表，称："臣之一军，乃汉室兴王之地[94]。顷因节度使刻削军府[95]，刑赏失中[96]，遂致迫逐[97]。陛下夺其节制，翦灭一军[98]，或死或流，冤横无数。今闻本道复欲诛夷，将士不胜痛愤，推臣权[99]兵马留后，弹压十万之师，抚有四州[100]之地。臣闻见利乘时，帝王之资也。臣见利不失，遇时不疑。伏乞圣慈，复赐旌节。不然，挥戈曳戟，诣阙非迟[101]！"庚辰[102]，遣押牙张琯奉表诣京师。

勋以许佶为都虞候，赵可立为都游弈使，党与各补牙职，分将诸军。又遣旧将刘行及将千五百人屯濠州，李圆将二千人屯泗州，梁丕将千人屯宿州，自余要害县镇，悉缮完[103]戍守。徐人谓旌节之至不过

多兵卫，文武将吏伏地拜见，都不敢抬头看他。当天，城中愿意归附他的有一万多人。

十月十八日戊寅，庞勋招来温庭皓，叫他草拟奏表向朝廷要求担任节度使。温庭皓说："这是一件很大的事情，不是片刻可以写成，请求让我回家慢慢起草。"庞勋答应了。第二天早晨，庞勋派人去催促他，温庭皓前来谒见庞勋说："昨天没有当即拒绝草拟奏表，是想见一次妻儿而已。现在已经与妻儿诀别了，特地来受死。"庞勋注视着他，笑着说："书生竟敢这么做，不怕死吗！庞勋我能拿下徐州，怎会怕没有人草拟奏表！"于是释放了温庭皓。

四时。⑫ 荷涫：地名，在宿州境内。⑬ 监陈敕使：奉诏命督阵的宦官。陈，通"阵"。⑭ 乙亥：十月十五日。⑮ 固志：指固守彭城之志。⑯ 丁丑：十月十七日。⑰ 不移时：不多时。⑱ 罗城：外围大城，其内小城谓之子城。⑲ 刳而锉之：剖腹铡身。⑳ 听事：指徐州观察使厅堂。㉑ 戊寅：十月十八日。㉒ 求节钺：谓请求朝廷任命为节度使。㉓ 顷刻：片刻。

【校记】

［9］屋：据章钰校，十二行本、乙十一行本、孔天胤本皆作"舍"。

【语译】

有个叫周重的人，常常自己以为很有才略，庞勋把他接来作为上宾。周重为庞勋草拟奏表，说："臣的这支军队，是处在汉朝兴起为王的地方。近来因节度使侵害军府官兵利益，刑赏不公平，于是导致被将士驱逐。陛下因此取消节度使的设置，要消灭这一支军队，有的人被处死，有的人被流放，遭冤枉横祸的数也数不清。现在听说又要诛杀本军，将士们非常痛愤，推举臣暂时代理兵马留后，统领十万大军，据有四州之地。臣听说看到利益、抓住时机，是做帝王的根本。臣看到利益就不失去，碰上时机就毫不犹豫。拜伏乞请圣上仁慈，再赐给徐州节度使旌节。不然的话，挥舞武器，兵往长安，不会迟延！"十月二十日庚辰，派遣押牙张琯前往京师奉送奏表。

庞勋任命许佶为都虞候，赵可立为都游弈使，其余同党个个都补了衙门中的各种官职，分别统率各支军队。又派遣旧将刘行及带领一千五百人屯驻濠州，李圆带领二千人屯驻泗州，梁丕带领一千人屯驻宿州，其余的要害县镇，全都整修戍守。

旬月[104]，愿效力献策者远近辐凑[105]，乃至光、蔡、淮、浙、兖、郓、沂、密群盗皆倍道[106]归之，阗溢[107]郛郭[108]，旬日间，米斗直钱二百。勋诈为崔彦曾请翦灭徐州表，其略曰："一军暴卒，尽可翦除，五县[109]愚民，各宜配隶[110]。"又作诏书，依其所请，传布境内。徐人信之，皆归怨朝廷，曰："微桂州将士回戈，吾徒悉为鱼肉矣！"

刘行及引兵至涡口[111]，道路附从者增倍。濠州兵才数百，刺史卢望回素不设备，不知所为，乃开门具牛酒迎之。行及入城，囚望回，自行刺史事。泗州刺史杜慆闻勋作乱，完守备以待之，且求救于江、淮。李圆遣精卒百人先入泗州，封府库。慆遣人迎劳[112]，诱之入城，悉诛之。明日，圆至，即引兵围城，城上矢石雨下，贼死者数百，乃敛兵[113]屯城西。勋以泗州当江、淮之冲[114]，益发兵助圆攻之，众至万余，终不能克。

初，朝廷闻庞勋自任山还趣宿州，遣高品康道伟赍敕书抚慰之。十一月，道伟至彭城。勋出郊迎，自任山至子城三十里，大陈甲兵，号令金鼓响震山谷，城中丁壮，悉驱使乘城。宴道伟于球场，使人诈为群盗降者数千人，诸寨告捷者数十辈。复作求节钺表，附道伟以闻。

【段旨】

以上为第五段，写庞勋一面四出略地，一面要挟朝廷求节钺。

【注释】

⑭汉室兴王之地：汉高祖起于沛，唐时沛县属于徐州，故称之以自夸大。⑮刻削军府：侵害军府官兵利益。⑯失中：有失公平。⑰遂致迫逐：谓士卒迫逐节度使，皆因节度使所作所为而导致。⑱翦灭一军：指王式尽诛银刀等七都。⑲权：代理。⑩四州：武宁军领徐、宿、濠、泗四州。⑩不然三句：否则，挥舞武器，兵往长安，不会延迟。

徐州人以为节度使的旌旗符节过不了十天半个月就会到来，愿意为庞勋效力献策的人，不论远的近的纷纷从四面八方到来，以至光、蔡、淮、浙、兖、郓、沂、密等州的群盗都兼程归附庞勋，外城都住满了人，十来天时间，一斗米涨到了二百钱。庞勋伪造了一份崔彦曾请求翦灭徐州的奏表，内容大略说："全军的暴卒，都可以杀掉，徐州五县的百姓，都应当发配服劳役。"又制作假诏书，说是听从了崔彦曾的请求，将诏书在徐州境内流传。徐州人相信了这些，全都归怨朝廷，说："要是没有桂州将士返回来，我们这些人都成为任人宰割的鱼肉了！"

刘行及带领军队到达涡口，沿途归从的人成倍增加。濠州的守兵才几百人，刺史卢望回向来就不设防备，这时他不知道怎么办。于是大开城门准备牛肉和酒来迎接大军。刘行及进城后，囚禁了卢望回，自己行使州刺史的职务。泗州刺史杜慆得知庞勋作乱，完善守城设备以等待敌人，并向江南、淮南求援。叛将李圆派精卒百人先进入泗州，封存府库。杜慆派人去迎接慰劳，引诱他们入城后，把他们全部杀掉了。第二天，李圆到达，立即带兵包围州城，城上的箭和石头像下雨一样落下，叛贼死了几百人，于是收兵屯驻在城西。庞勋认为泗州处于进入江、淮的要冲，就增加援兵帮助李圆攻城，军队达到一万多人，终究没有攻克泗州城。

当初，朝廷听说庞勋从任山返回奔赴宿州，就派遣高品级宦官康道伟带着敕书去安抚庞勋。十一月，康道伟到达彭城。庞勋到城郊迎接，从任山到子城的三十里长的路上，大量排列身着铠甲的士兵，发号施令的金鼓声震山谷，城中的丁壮，全部驱赶登城守备。庞勋在球场设宴欢迎康道伟，使数千人假装是群盗前来投降，各寨报告胜利消息的有数十批人。又写了请求节钺的奏章，交给康道伟带给懿宗。

挥戈曳戟，挥动矛戈，拖曳戟钺。诣阙，指兵锋将直指京师长安。⑩ 庚辰：十月二十日。⑩ 缮完：整修。⑩ 旌节之至不过旬月：朝廷授予庞勋节度使旌旗符节，要不了十天半月就会来到。⑩ 辐凑：车辐凑集于轴心，比喻人或物集聚一起。辐，车轮中连接轴心与轮圈的直木。⑩ 倍道：兼程；一日行两日路程。⑩ 阗溢：充满。⑩ 郛郭：外城。⑩ 五县：指徐州所辖彭城、萧、丰、沛、滕五县。⑩ 配隶：流放和服劳役。⑪ 涡口：涡水入淮之口，在今安徽怀远东北。⑪ 迎劳：迎接慰问。⑪ 敛兵：收兵。⑪ 冲：要冲；交通要道。

【原文】

初，辛云京[115]之孙谠[116]寓居广陵[117]，喜任侠，年五十不仕。与杜慆有旧[118]，闻庞勋作乱，诣泗州，劝慆挈[119]家避之。慆曰："安平享其禄位，危难弃其城池，吾不为也！且人各有家，谁不爱之？我独求生，何以安众！誓与将士共死此城耳！"谠曰："公能如是，仆与公同死！"乃还广陵，与其家诀，壬辰[120]，复如泗州。时民避乱，扶老携幼，塞涂而来。见谠，皆止之曰："人皆南走，子独北行，取死何为！"谠不应。至泗州，贼已至城下。谠急棹[121]小舟得入，慆即署团练判官。城中危惧，都押牙李雅有勇略，为慆设守备，帅众鼓噪，四出击贼，贼退屯徐城，众心稍安。

庞勋募人为兵，人利于剽掠，争赴之，至父遣其子，妻勉其夫，皆断锄首而锐之[122]，执以应募。

邻道闻勋据徐州，各遣兵据[10]要害。而官军尚少，贼众日滋，官军数不利，贼遂破鱼台[123]等[11]近十县。宋州东有磨山[124]，民逃匿其上，勋遣其将张玄稔围之。会旱，山泉竭，数万口皆渴死。

或说勋曰："留后止欲求节钺，当恭顺尽礼以事天子，外戢[125]士卒，内抚百姓，庶几可得。"勋虽不能用，然国忌犹行香[126]，飨士卒必先西向拜谢[127]。癸卯[128]，勋闻敕使入境，以为必赐旌节，众皆贺。明日，敕使至，但责崔彦曾及监军张道谨，贬其官。勋大失望，遂囚敕使，不听归。

诏以右金吾大将军康承训为义成节度使、徐州行营都招讨使，神武大将军王晏权为徐州北面行营招讨使，羽林将军戴可师为徐州南面行营招讨使，大发诸道兵以隶三帅[129]。承训奏乞沙陀三部落[130]使朱邪赤心及吐谷浑、达靼、契苾酋长各帅其众以自随，诏许之。

【语译】

起初，辛云京的孙子辛谠寄居在广陵县，喜欢侠义，五十岁了还未做官。他与杜慆有旧交，听说庞勋作乱，前往泗州，劝说杜慆带领家属躲避。杜慆说："安定平静的时候享受国家的禄位，危险艰难的时候抛弃国家的城池，我不干那种事！况且人们各自有家，哪个人不爱自己的家？我独自一人去寻求生路，怎么来安抚民众！我决心和将士们一起死在这座城池！"辛谠说："公能这样干，我愿和您生死与共！"于是回到广陵，和他的家人诀别，十一月初三日壬辰，又前往泗州。当时民众躲避战乱，扶老携幼，堵塞了道路，向南而来。看见辛谠，都阻止他说："别人都向南逃跑，你却北行，为什么要去送死！"辛谠不作声。到了泗州，叛贼已经到达城下。辛谠急忙划着小船才得以进城，杜慆立即任命他为团练判官。城中的人都感到危险而恐惧，都押牙李雅有勇有谋，为杜慆安排防守事宜，带领兵众鼓噪，四出击贼，叛贼后退驻扎在徐城，群众的情绪逐渐安定下来。

庞勋招募民众当兵，民众认为当兵抢掠有利可图，争相应募，以至于父亲打发儿子、妻子劝勉丈夫，都把锄头折断而将头部磨锐利，拿着它来应募。

相邻的各道听说庞勋占据了徐州，各自派遣军队据守要害地方。然而官军人数还很少，叛贼的军队一天天壮大，官军多次失败，叛贼于是攻下鱼台县等近十座县城。宋州东边有座磨山，民众逃走后藏匿在山上，庞勋派将领张玄稔包围了磨山，遇上天旱，山泉枯竭，数万人都干渴死了。

有人劝庞勋说："留后只想取得节度使官职，就应当恭顺尽礼来侍奉天子，对外安戢士卒，对内抚慰百姓，这样大概可以得到官职。"庞勋虽然没有采纳这一建议，但是逢国忌日还是去寺观设斋焚香，宴飨士卒时一定先面向西望阙谢恩。十一月十四日癸卯，庞勋听说朝廷敕使进入徐州地界，以为一定会赐给他旌节，大家都向他祝贺。第二天，敕使到了，只是责备崔彦曾和监军张道谨，贬谪他们的官职。庞勋大失所望，于是囚禁了敕使，不让他回京师。

朝廷下诏任命右金吾大将军康承训为义成节度使、徐州行营都招讨使，神武大将军王晏权为徐州北面行营招讨使，羽林将军戴可师为徐州南面行营招讨使，大规模调发各道的军队，归三帅指挥。康承训奏请沙陀三部落使朱邪赤心和吐谷浑、达靼、契苾酋长各自率领他们的部众跟随自己，朝廷下诏同意了。

【段旨】

以上为第六段，写辛谠助杜慆守泗州。朝廷大发兵三路讨贼。

【注释】

⑮ 辛云京（公元七一三至七六八年）：兰州金城（今甘肃兰州）人，唐代宗时官至太原尹，封金城郡王。传见《旧唐书》卷一百十、《新唐书》卷一百四十七。⑯ 谠：辛谠，辛云京之孙。为人慷慨，重然诺，赈人所急。庞勋反，围泗州。辛谠多次突围求救，使州得以保全，以功授亳州刺史。唐僖宗时官终岭南节度使。传见《旧唐书》卷一百八十七下、《新唐书》卷一百九十三。⑰ 广陵：县名，秦置，隋废。此沿用旧称。县治在今江苏扬州。⑱ 有旧：有旧交情。两《唐书》辛谠本传未言辛谠与杜慆有交情，《旧唐书》本传明确说，两人没有见过面。⑲ 挈：带领。⑳ 壬辰：十一月初三日。㉑ 棹：划船。㉒ 断锄首而锐之：折断锄把，把锄头磨锐利作武器。㉓ 鱼台：县名，县治在今山东鱼台

【原文】

庞勋以李圆攻泗州久不克，遣其将吴迥代之。丙午㉛，复进攻泗州，昼夜不息。时敕使郭厚本将淮南兵千五百人救泗州，至洪泽㉜，畏贼强，不敢进。辛谠请往求救，杜慆许之。丁未㉝夜，乘小舟潜渡淮，至洪泽，说厚本，厚本不听，比明，复还。己酉㉞，贼攻城益急，欲焚水门㉟，城中几不能御，谠请复往求救。

慆曰："前往徒还，今往何益？"谠曰："此行得兵则生返，不得则死之。"慆与之泣别。谠复乘小舟负户突围出，见厚本，为陈利害。厚本将从之，淮南都将袁公弁曰："贼势如此，自保恐不足，何暇救人！"谠拔剑瞋目㊱谓公弁曰："贼百道㊲攻城，陷在朝夕。公受诏救援而逗留不进，岂惟上负国恩！若泗州不守，则淮南遂为寇场，公讵能独存邪！我当杀公而后死[12]耳！"起，欲击之。厚本趋[13]抱止之，公弁仅免。谠乃回望泗州，恸哭终日，士卒皆为之流涕。厚本乃许分五百人与之，仍问将士，将士皆愿行。谠举身㊳自掷[14]，叩头以谢将士，遂帅之抵淮南岸。望贼方攻城，有军吏言曰："贼势㊴已似入城，还去则便㊵。"谠逐之，揽得其髻㊶，举剑击之。士卒共救之，曰："千五百人判官，不可杀也。"谠曰："临陈妄言惑众，必不可舍！"众请不能

西。⑫④磨山：山名，在今河南夏邑东。⑫⑤戢：安定。⑫⑥国忌犹行香：唐自中世以后，遇皇帝、皇后忌日，令京城及各州府于寺观设斋焚香。⑫⑦西向拜谢：凡方镇飨宴将士，必朝服，率将佐西向望阙谢恩。⑫⑧癸卯：十一月十四日。⑫⑨三帅：即康承训、王晏权、戴可师。⑬⓪三部落：指沙陀、萨葛、安庆三部。

【校记】

［10］据：据章钰校，十二行本、乙十一行本、孔天胤本皆作“戍守”二字。［11］等：原无此字。据章钰校，十二行本、乙十一行本、孔天胤本皆有此字，张敦仁《通鉴刊本识误》同，今据补。

【语译】

庞勋看到李圆攻打泗州很久没有攻下来，就派遣他的将领吴迥取代他。十一月十七日丙午，再进攻泗州，日夜不停地攻打。当时敕使郭厚本带领淮南兵一千五百人救援泗州，到达洪泽镇后，害怕贼军强大，不敢前进。辛谠请求前往求救，杜慆答应了。十八日丁未夜里，辛谠乘小船暗中渡过淮河，到达洪泽镇，劝说郭厚本，郭厚本不听从，到天亮时，又返回泗州。二十日己酉，叛贼攻打州城更加紧急了，想烧掉水门，城中几乎不能抵挡了，辛谠请求再去求救。

杜慆说：“前次去白跑了一趟，现在前去有什么用？”辛谠说：“此行得到救兵就活着回来，得不到救兵就死在那里。”杜慆和他流泪告别。辛谠又乘小船背着门扇突围出来，见到郭厚本，向他陈述利害关系。郭厚本将要听从辛谠的请求，淮南都将袁公弁说：“叛贼势力如此强大，自保还担心力量不够，哪里有时间援救别人！”辛谠拔剑怒目对袁公弁说：“叛贼用多种办法攻打州城，很快就要攻陷。你受诏命救援而停留不肯前进，何止是对上背负了国恩！如果泗州失守，那么淮南地区就成了敌人活动的场所，你难道还能单独存在吗！我要杀掉你然后死去！”他站起来，想击杀袁公弁。郭厚本起身抱住辛谠加以阻止，袁公弁才得以脱离危险。辛谠于是回头望着泗州，痛哭了一整天，士卒们都被他这种行为感动得流出了眼泪。郭厚本于是答应分出五百人给辛谠，又询问将士，将士都愿意去支援。辛谠起身自投于地，磕头感谢将士，于是带领他们抵达淮河南岸。望见叛贼正在攻城，有个军官说：“根据叛贼的形势好像已经进城了，我们还军离去才有利。”辛谠追上他，抓住他的头发，举剑砍他。士卒们一起抢救，说：“他是一千五百人的判官，不能杀掉他。”辛谠说：“在军阵前乱说话蛊惑军心，一定不能放过他！”大家的请求得不到应允，就一起来抢

得，乃共夺之。说素多力⑭²，众不能夺。说曰："将士但登舟，我则舍此人。"众竞登舟，乃舍之。士卒有回顾者，则斫之。驱至淮北，勒兵击贼。慆于城上布兵与之相应，贼遂败走，鼓噪逐之，至晡而还⑭³。

庞勋遣其将刘佶[15]将精兵数千助吴迥攻泗州，刘行及自濠州遣其将王弘立引兵会之。戊午⑭⁴，镇海节度使杜审权遣都头翟行约将四千人救泗州。己未⑭⁵，行约引兵至泗州，贼逆击于淮南，遂[16]围之。城中兵少，不能救，行约及士卒尽死。先是，令狐绹遣李湘将兵数千救泗州，与郭厚本、袁公弁合兵屯都梁城⑭⁶，与泗州隔淮相望。贼既破翟行约，乘胜围之。十二月甲子⑭⁷，李湘等引兵出战，大败，贼遂陷都梁城，执湘及郭厚本送徐州，据淮口⑭⁸，漕驿路绝。

康承训军于新兴⑭⁹，贼将姚周屯柳子⑮⁰，出兵拒之。时诸道兵集者才万人，承训以众寡不敌，退屯宋州。庞勋以为官军不足畏，乃分遣其将丁从实等各将数千人南寇舒⑮¹、庐，北侵沂、海，破沭阳、下蔡、乌江⑮²、巢县，攻陷滁州，杀刺史高锡望。又寇和州⑮³，刺史崔雍遣人以牛酒犒之，引贼登楼共饮，命军士皆释甲，指所爱二人为子弟，乞全之，其余惟贼所处。贼遂大掠城中，杀士卒八百余人。

泗州援兵既绝，粮且尽，人食薄粥。闰月己亥⑮⁴，辛说言于杜慆，请出求救于淮、浙，夜，帅敢死士十人，执长柯⑮⁵斧，乘小舟，潜往斫贼水寨而出。明旦，贼乃觉之，以五舟遮其前，以五千人夹岸追之。贼舟重，行迟，说舟轻，行疾，力斗三十余里，乃得免。癸卯⑮⁶，至扬州，见令狐绹。甲辰⑮⁷，至润州，见杜审权。时泗州久无声问，或传已陷，说既至，审权乃遣押牙赵翼将甲士二千人，与淮南共输米五千斛、盐五百斛以救泗州。

人。辛谠一向力气很大，大家不能把军官抢回去。辛谠说："将士们只要上船，我就放了这个人。"众将士争着上船，辛谠就把军官放了。士卒们有回头看的人，辛谠就用剑砍他们。辛谠率士卒赶到淮河北岸，率军攻打叛贼。杜慆在城上部署兵力和辛谠相呼应，叛贼败逃，鸣鼓呼噪追赶他们，到下午三四点返回。

庞勋派部将刘佶带领精兵数千人协助吴迥攻打泗州，刘行及从濠州派遣他的将领王弘立带兵与他们会合。十一月二十九日戊午，镇海节度使杜审权派遣都头翟行约带领四千人救援泗州。三十日己未，翟行约带兵到达泗州，叛贼在淮河南岸迎击，于是包围了翟行约。泗州城里面兵员少，不能出来救援，翟行约和士卒全被杀死。此前，令狐绹派遣李湘带领数千士兵救泗州，和郭厚本、袁公弁合兵屯驻都梁城，与泗州隔淮相望。叛贼消灭了翟行约以后，乘胜包围了李湘等人的军队。十二月初五日甲子，李湘等人率军出战，大败，叛贼于是攻下了都梁城，抓了李湘和郭厚本送往徐州，占领了淮口，东南通往京城的漕运驿路断绝了。

康承训的军队驻扎在新兴镇，叛将姚周屯驻在柳子镇，出兵抵抗康承训。当时各道兵才集结了一万人，康承训感到众寡不敌，于是退到宋州屯驻。庞勋认为官军不足畏惧，于是分别派遣他的将领丁从实等人各率数千人向南侵扰舒州、庐州，向北侵扰沂州、海州，攻破了沭阳、下蔡、乌江、巢县，又攻下了滁州，杀死了刺史高锡望。又寇掠和州，刺史崔雍派人用牛肉和酒犒赏他们，带领叛贼上楼一起饮酒，命令军士都脱下盔甲，指出他所喜爱的两个人说是自己的子弟，乞求保全他们的性命，其余的人任由叛贼处置。叛贼于是在城里大肆抢掠，杀死士卒八百余人。

泗州在援兵断绝后，粮食快吃完了，人人只能吃稀粥。闰十二月初十日己亥，辛谠告诉杜慆，请求出城到淮南、浙西求救兵，当夜，带领敢死队兵士十个人，拿着长柄斧头，坐着小船，暗地里砍开叛贼的水寨出去。第二天早晨，叛贼发觉了，就派五艘船挡在前面，又派五千人夹着河岸追赶他们。叛贼的船重，走得慢，辛谠的船轻，走得快，奋力战斗三十多里路，才得以逃脱。十四日癸卯，到达扬州，拜见令狐绹。十五日甲辰，到达润州，拜见杜审权。当时泗州很久没有消息，有传闻说已经陷落，辛谠到达以后，杜审权就派押牙赵翼带领甲士二千人，和淮南道一起运送大米五千斛、盐五百斛以救援泗州。

【段旨】

以上为第七段，写杜慆坚守泗州，成为东南屏障。

【注释】

⑬¹ 丙午：十一月十七日。⑬² 洪泽：镇名，在今江苏淮安市洪泽区西北原淮河南岸。⑬³ 丁未：十一月十八日。⑬⁴ 己酉：十一月二十日。⑬⁵ 水门：泗州城东临淮水之门。⑬⁶ 瞋目：怒目。⑬⁷ 百道：多方。⑬⁸ 举身：起身。⑬⁹ 贼势：根据贼方形势。⑭⁰ 还去则便：还军离去才有利。⑭¹ 髻：挽束在头顶上的头发。⑭² 素多力：一向力大。⑭³ 至晡而还：到下午三四点钟才返回城中。晡，申时，下午三时至五时。⑭⁴ 戊午：十一月二十九日。⑭⁵ 己未：十一月三十日。⑭⁶ 都梁城：城名，在今江苏盱眙南都梁山。⑭⁷ 甲子：十二月初五日。⑭⁸ 淮口：地名，泗水入淮之口，当在今江苏淮安西。⑭⁹ 新兴：镇名，即今安徽涡阳。⑮⁰ 柳子：镇名，在今安徽濉溪西南。⑮¹ 舒：州名，治所怀宁，在今安徽潜山市。⑮² 沭阳、下蔡、乌江：皆县名。沭阳，县治在今江苏沭阳。下蔡，县治在今安徽凤台。乌江，县治在今安徽和县乌江镇。⑮³ 和州：州名，治所历阳，在今安徽和县。⑮⁴ 己亥：闰十二月十日。⑮⁵ 柯：斧柄。⑮⁶ 癸卯：闰十二月十四日。⑮⁷ 甲辰：闰十二月十五日。

【原文】

戴可师将兵三万渡淮，转战而前，贼尽弃淮南之守。可师欲先夺淮口，后救泗州。壬申⑮⁸，围都梁城。城中贼少，拜于城上曰："方与都头议出降。"可师为之退五里。贼夜遁，明旦，惟空城。可师恃胜不设备，是日大雾，濠州[17]贼将王弘立引兵数万疾径奄至⑮⁹，纵击官军。官军不及成列，遂大败，将士触兵及溺淮死，得免者才数百人，亡器械、资粮、车马以万计，贼传可师及监军、将校首于彭城。

庞勋自谓无敌于天下，作露布⑯⁰，散示诸寨及乡村。于是淮南士民震恐，往往避地江左⑯¹。令狐绹畏其侵轶，遣使诣勋说谕⑯²，许为奏请节钺，勋乃息兵俟命。由是淮南稍得收散卒，修守备。

时汴路既绝，江、淮往来皆出寿州。贼既破戴可师，乘胜围寿州，掠诸道贡献⑯³及商人货，其路复绝。勋益自骄，日事游宴。周重谏曰："自古骄满奢逸，得而复失，成而复败，多矣，况未得未成而为之者乎！"

诸道兵大集于宋州，徐州始惧，应募者益少，而诸寨求益兵者相

【校记】

［12］死：原作“止”。据章钰校，十二行本、乙十一行本皆作“死”，张敦仁《通鉴刊本识误》、张瑛《通鉴校勘记》同，今据改。［13］趋：原作“起”。据章钰校，十二行本、乙十一行本皆作“趋”，张敦仁《通鉴刊本识误》同，今据改。〖按〗“趋”字义长。［14］自掷：原无此二字。据章钰校，十二行本、乙十一行本、孔天胤本皆有此二字，张敦仁《通鉴刊本识误》同，今据补。［15］刘佶：张敦仁《通鉴刊本识误》作“许佶”，当是。许佶即庞勋都虞候。［16］遂：原无此字。据章钰校，十二行本、乙十一行本、孔天胤本皆有此字，张敦仁《通鉴刊本识误》同，今据补。

【语译】

戴可师领兵三万渡过淮河，转战前进，叛贼全部放弃了淮南各地的守备。戴可师想先夺取淮口，然后救援泗州。十二月十三日壬申，包围都梁城。城里叛贼很少，在城上拜揖说：“正在和都头商量出城投降。”戴可师为此后退五里。叛贼夜里逃走了，第二天早晨，只有一座空城。戴可师仗着打了胜仗，不设防备，当天大雾，濠州贼将王弘立带领数万人马抄小路突然到达，纵兵进攻官军。官军来不及列成阵式，于是大败，将士或被杀或在淮河中淹死，幸免于死的才数百人，丢失器械、资粮、车马以万计，叛贼将戴可师和监军、将校的头传送到彭城。

庞勋自认为天下无敌，发布告示，散发到各山寨和乡村。于是淮南士民震恐，往往到江东躲避。令狐绹畏惧他们侵扰，派遣使者到庞勋那里去劝说晓谕，答应为他奏请节度使节钺，庞勋于是罢兵，等待诏命。因此，淮南地方能够渐渐搜集散卒，修治守备。

当时往汴州的道路已经被切断，江、淮往来都从寿州出发。叛贼打败戴可师以后，乘胜包围了寿州，抢掠各道给朝廷贡献的财物和商人的货物，通往北方的道路又断绝了。庞勋更加骄傲自满，每天从事游宴。周重劝谏说：“自古以来，骄傲自满奢侈逸乐，使得到的又丢失，成功以后又失败，这样的事情很多，何况未得到又未成功就骄满奢逸啊！”

各道的军队在宋州大量集中，徐州方面开始畏惧，响应招募的人越来越少，而

继。勋乃使其党散入乡村，驱人为兵。又见[164]兵已及数万人，资粮匮竭，乃敛富室及商旅财，什取其七八，坐匿财夷宗[165]者数百家。又与勋同举兵于桂州者尤骄暴，夺人资财，掠人妇女，勋不能制。由是境内之民皆厌苦之，不聊生[166]矣。

王晏权兵数退衄[167]，朝廷命泰宁节度使[168]曹翔代晏权为徐州北面招讨使[169]。前天雄节度使何全皞[170]遣其将薛尤将兵万三千人讨庞勋，翔军于滕、沛[171]，尤军于丰、萧[172]。

是岁，江、淮旱，蝗。

【段旨】

以上为第八段，写官兵戴可师渡淮，兵败都梁城。

【注释】

⑱壬申：十二月十三日。⑲疾径奄至：走捷径突然来到。⑩露布：不封缄的文书，犹今之布告。⑪江左：即江东。古人在地理上以东为左，故名。⑫说谕：劝说晓谕。⑬贡献：贡品。⑭见：通“现”。⑮夷宗：夷灭宗族。⑯不聊生：无法维持生活。⑰退衄：败退。⑱泰宁节度使：方镇名，亦官名。〖按〗《新唐书·方镇表二》：昭宗乾宁四年（公元八九七年）“赐沂海节度使为泰宁军节度使”，则咸通时仍称沂海，《通鉴》误。⑲曹翔代晏权为徐州北面招讨使：〖按〗《通鉴考异》曰，“曹翔、马举为徐州南、北招讨使”。

【原文】

十年（己丑，公元八六九年）

春，正月，康承训将诸道军七万余人屯柳子之西，自新兴至鹿塘[173]三十里，壁垒相属。徐兵分戍四境，城中不及数千人，庞勋始惧。民多穴地[174]匿其中，勋遣人搜掘为兵，日不过得三二十人。

勋将孟敬文守丰县，狡悍而兵多，谋贰于勋，自为符谶[175]，勋闻之。会魏博攻丰，勋遣腹心将将三千[176]助敬文守丰。敬文与之约共击

各兵寨要求增加兵员的地方相继不断。庞勋于是使他的党徒分散到乡村，驱赶人们当兵。还有，现有的士兵已经达到数万人，物资和粮食供应匮乏，就向有钱人家和商人征收财物，十成取走七八成，因为隐匿财产而全宗族被杀的就有数百家。另外，和庞勋在桂州同时举兵的人尤其骄横暴虐，他们夺人财产，抢掠人家妻子女儿，庞勋不能制止。这样一来，庞勋统治境内的民众都感到很痛苦，无法生活下去了。

王晏权的军队多次退败，朝廷命令沂海节度使曹翔接替王晏权为徐州北面招讨使。前任魏博节度使何全皞派他的将领薛尤带领一万三千兵马讨伐庞勋，曹翔驻扎在滕县和沛县，薛尤驻扎在丰县和萧县。

这一年，江、淮一带干旱，发生蝗灾。

又，明年在马举解泗州围事下，胡注据此认为《通鉴》正文“曹翔为徐州北面招讨使”之下，当有“以马举为淮南节度使，充南面招讨使”十五字。⑰⓪ 前天雄节度使何全皞：〖按〗何全皞此时为魏博节度使，魏博于昭宗天祐元年（公元九〇四年）始号天雄军，此时不应有此称号，《通鉴》误。⑰① 滕、沛：皆县名。滕县，县治在今山东滕州。沛县，县治在今江苏沛县。⑰② 丰、萧：皆县名。丰县，县治在今江苏丰县。萧县，县治在今安徽萧县西北。

【校记】

［17］濠州：原无此二字。据章钰校，十二行本有此二字，张瑛《通鉴校勘记》同，今据补。

【语译】

十年（己丑，公元八六九年）

春，正月，康承训率领各道军队七万多人驻扎在柳子镇西边，从新兴镇到鹿塘的三十里路上，军营相连。徐州的军队分别戍守四周边境，城里驻军不到数千人，庞勋开始害怕了。很多民众挖地洞藏在里面，庞勋派人寻找，把他们搜出来当兵，每天不过得到二三十人。

庞勋的将领孟敬文驻守丰县，为人狡猾强悍，拥兵最多，阴谋背叛庞勋，自己造作符谶，庞勋听到了这个消息。适逢魏博镇的军队攻打丰县，庞勋派遣心腹将领率领三千名士兵帮助孟敬文防守丰县。孟敬文和庞勋派去的将领约定共同进击魏博

魏博军，且誉其勇，使为前锋。新军⑰既与魏博战，敬文引兵退走，新军尽没。勋乃遣使绐之曰："王弘立已克淮南，留后欲自往镇之。悉召诸将，欲选一人可守徐州者。"敬文喜，即驰诣彭城。未至城数里，勋伏兵擒之。辛酉⑱，杀之。

丁卯⑲，同昌公主⑳适右拾遗韦保衡，以保衡为起居郎、驸马都尉。公主，郭淑妃㉑之女，上特爱之，倾宫中珍玩以为资送，赐第于广化里，窗户皆饰以杂宝，井栏、药臼、槽匮亦以金银为之，编金缕以为箕筐，赐钱五百万缗，他物称㉒是。

徐贼寇海州。时诸道兵戍海州者已数千人，断贼所过桥柱而弗殊㉓，仍伏兵要害以待之。贼过，桥崩，苍黄㉔[18]散乱，伏兵发，尽殪㉕之。其攻寿州者复为南道军㉖所破，斩获数千人。

辛谠以浙西之军至楚州，敕使张存诚以舟助之。徐贼水陆布兵，锁断淮流。浙西军惮其强，不敢进。谠曰："我请为前锋，胜则继之，败则汝走。"犹不可。谠乃募选军中敢死士数十人，牒补职名，先以米舟三艘、盐舟一艘乘风逆流直进。贼夹攻之，矢著舟板如急雨。及锁，谠帅众死战，斧断其锁，乃得过。城上人喧呼动地，杜慆及将佐皆泣迎之。乙酉㉗，城上望见舟师张帆自东来，识其旗浙西军也；去城十余里，贼列火船拒之，帆止不进。慆令谠帅死士出迎之，乘战舰冲贼陈而过，见张存诚帅米舟九艘，曰："将士在道前却㉘，存诚屡欲自杀，仅得至此，今又不进。"谠扬言："贼不多，甚易与耳！"帅众扬旗鼓噪而前。贼见其势猛锐，避之，遂得入城。

二月，端州司马杨收长流驩州，寻赐死，其僚属党友坐长流岭表者十余人。

初，尚书右丞裴坦㉙子娶收女，资送甚盛，器用饰以犀玉。坦见之，怒曰："破我家矣！"立命坏之。已而收竟以贿败。

康承训使朱邪赤心将沙陀三千骑为前锋，陷陈却敌，十镇㉚之兵

军，并且称赞他们作战勇敢，叫他们担任先锋。这支部队和魏博军交战后，孟敬文却带着自己的军队退走了，这支军队全军覆没。庞勋于是派遣使者骗孟敬文说："王弘立已经攻下淮南镇，我想亲自去那里镇守。现在把各处将领都召集起来，想从中挑选一个可以驻守徐州的人。"孟敬文很高兴，立刻奔往彭城。走到离城还有数里路的地方，庞勋埋伏的士兵捉住了他。正月初三日辛酉，杀掉了孟敬文。

正月初九日丁卯，同昌公主嫁给右拾遗韦保衡，任命韦保衡为起居郎、驸马都尉。公主是郭淑妃的女儿，懿宗特别宠爱她，拿出宫中全部珍宝古玩作为她的嫁妆，在广化里赏赐她一座住宅，窗户都装饰着各种宝石，井栏、药臼、槽匮也是用金银制作的，箕筐是用金丝编成的，还赐给她五百万串钱，其他的财物和这些东西的价值相当。

徐州叛贼侵扰海州。当时戍守海州的各道兵已有数千人，他们将叛贼必经的桥柱锯得将断而未断，又在要害地方埋伏军队以等待叛贼。叛贼经过桥上时，桥垮了，一片慌张混乱，伏兵突然出现，把叛贼都消灭了。进攻寿州的叛贼又被南边各道兵打败，杀死和俘虏了数千人。

辛谠领着浙西道的军队到达楚州，敕使张存诚用船协助他。徐州叛贼在水上和陆地上都布置了兵力，又用锁链把淮水拦断了。浙西军队畏惧叛贼强大，不敢前进。辛谠说："我请求担任先锋，如果战胜了你们就接着上来，失败了你们就逃走。"这样仍然不肯前进。辛谠于是募选军中敢死士兵数十人，用文牒载上他们应补的官职，先用三艘装米的船、一艘装盐的船，乘风逆水径直前进。叛贼在两岸夹攻，箭头如急雨一样射中船板。到达设置锁链的地方，辛谠带领兵众拼死战斗，用斧头砍断锁链，才通过封锁线。泗州城上的人喧嚷欢呼，声动大地，杜慆和将佐们都流着泪迎接他们。正月二十七日乙酉，城上的人看到船队扬帆从东边开来，认识船上的旗号是浙西军；离城还有十多里，叛贼排列火船抵御船队，帆船停下来，不能前进。杜慆命令辛谠带领敢死之士出城去迎接他们，辛谠等乘着战舰冲过叛贼的兵阵，见到了张存诚率领的九艘装米的船，张存诚说："将士们在路上时进时退，存诚多次想自杀，才得以至此，现在又不能前进了。"辛谠扬言说："叛贼不多，很容易对付他们!"于是率领大家扬旗击鼓前进。叛贼看到他们来势凶猛犀利，就避开了，这样他们就进入了泗州城。

二月，端州司马杨收被长期流放驩州，不久赐他自杀，他的僚属和同党朋友等因牵连长期流放岭南的有十多人。

当初，尚书右丞裴坦的儿子娶杨收女儿为妻，陪嫁的资财很丰富，器物用具都装饰着犀牛角和玉石。裴坦看到后，生气地说："这是要败坏我的家啊!"立刻命令毁坏那些东西。不久，杨收最终因收受贿赂而身败名裂。

康承训使朱邪赤心带领沙陀三千名骑兵为前锋，冲锋陷阵，打退敌人，十镇的

伏其骁勇。承训尝引麾下千人渡[19]涣水⑲，贼伏兵围之。赤心帅五百骑奋村⑲[20]冲围，拔出承训，贼势披靡⑲，因合击，败之。承训数与贼战，贼军屡败。

王弘立自矜⑲淮口之捷，请独将所部三万人破承训，庞勋许之。己亥⑲，弘立引兵渡濉水，夜，袭鹿塘寨，黎明，围之。弘立与诸将临望，自谓功在漏刻⑲。沙陀左右突围，出入如飞，贼纷扰⑲移避，沙陀纵骑蹂⑲之，寨中诸军争出奋击，贼大败。官军蹙之于濉水，溺死者不可胜纪⑲，自鹿塘至襄城⑳，伏尸五十里，斩首二万余级。弘立单骑走免，所驱掠平民皆散走山谷，不复还营，委弃资粮、器械山积。时有敕，诸军破贼，得农民，皆释之，自是贼每与官军遇，其驱掠之民先自溃。庞勋、许佶以弘立骄惰致败，欲斩之，周重为之说勋曰："弘立再胜⑳未赏，一败而诛之，弃功录过，为敌报仇，诸将咸惧矣，不若赦之，责其后效。"勋乃释之。弘立收散卒才得[21]数百人，请取泗州以补过，勋益其兵而遣之。

【段旨】

以上为第九段，写辛谠引浙西兵救援泗州，贼将王弘立亦引兵增泗州之敌。

【注释】

⑰鹿塘：地名，在今安徽涡阳东北。⑰穴地：挖地为穴。⑰符谶：符命和谶语。自作符谶，以证应验天命而为帝王。⑰将将三千：〖按〗前"将"字为名词，将领。后"将"字为动词，率领。据胡注，"三千"之下，当有"人"字。⑰新军：庞勋新募之军。⑰辛酉：正月初三日。⑰丁卯：正月初九日。⑱同昌公主：唐懿宗女，咸通十一年薨，追赠卫国公主，谥文懿。传见《新唐书》卷八十三。⑱郭淑妃：懿宗淑妃。黄巢起事，天子仓促出逃，妃不及从，流落闾里，不知所终。传见《新唐书》卷七十七。⑱称：相当。⑱殊：断绝；分开。⑱苍黄：同"仓皇"，慌张、匆忙。⑱殪：死。⑱南道军：指淮南、浙西之军。⑱乙酉：正月二十七日。⑱前却：一进一退，进而又退。⑱裴坦：字

将士都佩服他们的勇敢。康承训曾经带领部下一千人渡过涣水，叛贼埋伏士兵包围了他们。朱邪赤心带领五百名骑兵扬起粗大马鞭冲击敌人包围圈，救出了康承训，叛贼势力溃散，官军乘势合力攻击，把叛贼打败了。康承训多次和叛贼作战，叛贼屡次被打败。

叛将王弘立自夸淮口之捷，请求单独带领他的部队三万人去破康承训，庞勋答应了。二月十一日己亥，王弘立带兵渡过濉水，当夜，袭击鹿塘寨，黎明时，包围了鹿塘寨。王弘立和其他将领去察看情况，自认为顷刻就可以建立大功。沙陀兵从左右两方面突围，出入如飞，叛贼混乱地避开沙陀兵，沙陀放纵骑兵践踏叛贼，兵寨中的各路官军也争相奋勇出击，叛贼大败。官军把叛贼逼到了濉水边上，溺死的叛贼数也数不清，从鹿塘到襄城寨，伏尸五十里，杀了二万多人。王弘立单骑逃脱，被叛贼驱赶当兵的平民都散走山谷中，不再返回军营，他们丢弃的钱粮、器械堆积如山。当时有敕令，诸军破贼时，俘虏了农民，都释放，从此叛贼每次和官军相遇时，他们抢掠来的平民预先就溃散了。庞勋和许佶认为王弘立由于骄傲怠惰而打了败仗，想杀了他，周重替王弘立劝庞勋说："王弘立两次打胜仗没有得到奖赏，打了一次败仗就诛杀他，抛开功劳不管只追究过错，是为敌人报了仇，其他将领都要因此而恐惧了，不如赦免他，督责他以后立功。"庞勋于是释放了王弘立。王弘立收集散卒才得到数百人，请求夺取泗州来补偿过失，庞勋分给他一部分军队后派他前往。

知进，累官礼部侍郎、江西观察使。召为中书侍郎、同平章事，数月即去世。传见《新唐书》卷一百八十二。⑲⓪十镇：谓义成、魏博、邠宁、义武、凤翔、义昌、兖海、宣武、忠武、天平。⑲①涣水：水名，自河南开封东分狼汤渠水，东南流经杞县，至安徽五河入淮。⑲②挝：马鞭。⑲③披靡：溃败。⑲④矜：夸耀。⑲⑤己亥：二月十一日。⑲⑥漏刻：顷刻；片刻。⑲⑦纷扰：混乱。⑲⑧蹂：践踏。⑲⑨纪：同"记"。⑳⓪襄城：地名，即襄城寨，在今安徽濉溪县境。⑳①再胜：指一取濠州，二破戴可师。

【校记】

［18］苍黄：据章钰校，孔天胤本作"仓徨"。［19］渡：据章钰校，十二行本、乙十一行本皆作"济"。［20］挝：原作"檛"。据章钰校，十二行本、乙十一行本皆作"挝"，张敦仁《通鉴刊本识误》同，今据改。［21］得：原无此字。据章钰校，十二行本、乙十一行本皆有此字，今据补。

【原文】

三月辛未[202]，以起居郎韦保衡为左谏议大夫，充翰林学士。

徙郢王侃为威王。

康承训既破王弘立，进逼柳子[203]，与姚周一月之间数十战。丁亥[204]，周引兵渡水[205]，官军急击之。周退走，官军逐之，遂围柳子。会大风，四面纵火，贼弃寨走。沙陀以精骑邀[206]之，屠杀殆尽，自柳子至芳城[207]，死者相枕[208]，斩其将刘丰。周将麾下数十人奔宿州，宿州守将梁丕素与之有隙，开城听入，执而斩之。

庞勋闻之大惧，与许佶议自将出战。周重泣言于勋曰："柳子地要兵精，姚周勇敢有谋，今一旦覆没，危如累卵[209]，不若遂建大号[210]，悉兵四出，决力死[22]战。"又劝杀崔彦曾以绝人望。术士曹君长亦言："徐州山川不容两帅，今观察使尚在，故留后[211]未兴[212]。"贼党皆以为然。夏，四月壬辰[213]，勋杀彦曾及监军张道谨、宣慰使仇大夫，僚佐焦璐、温庭皓等[23]，并其亲属、宾客、仆妾皆死。断淮南监军郭厚本、都押衙李湘手足，以示康承训军。勋乃集众扬言[214]曰："勋始望国恩[215]，庶全臣节。今日之事，前志已乖[216]。自此，勋与诸君真反者也，当扫境内之兵，戮力同心，转败为功耳。"众皆称善。于是命城中男子悉集球场，仍分遣诸将比屋大索[217]，敢匿一男子者族其家。选丁壮，得三万人，更造旗帜，给以精兵。许佶等共推勋为天册将军、大会明王。勋辞王爵。

先是，辛谠复自泗州引骁勇四百人迎粮于扬、润，贼夹岸攻之，转战百里，乃得出。至广陵，止于公馆，不敢归家，舟载盐米二万石，钱万三千缗。乙未[218]，还至斗山[219]。贼将王弘芝帅众万余，拒之于盱眙[220]，密布战舰百五十艘以塞淮流，又纵火船逆之。谠命以长叉托过，自卯战及未[221]，众寡不敌，官军不利。贼缚木于战舰，旁出四五尺为战棚[222]。谠命勇士乘小舟入其下，矢刃所不能及，以枪揭[223]火牛[224]焚之。战舰既然[225]，贼皆溃走，官军乃得过入城。

庞勋以父举直为大司马，与许佶等留守徐州。或曰："将军方耀兵威，不可以父子之亲，失上下之节。"乃令举直趋拜于庭，勋据

【语译】

三月十三日辛未，任命起居郎韦保衡为左谏议大夫，充任翰林学士。

改封郢王李侃为威王。

康承训打败王弘立之后，进军逼近柳子镇，和姚周在一个月的时间中交战数十次。三月二十九日丁亥，姚周带领军队渡过涣水，官军急忙迎击他们。姚周退去，官军追赶他们，乘势包围了柳子镇。恰遇大风，官军四面纵火。叛贼放弃寨子逃走。沙陀用精锐的骑兵拦击他们，把叛贼屠杀殆尽，从柳子镇到芳城，死尸一个挨一个，又杀了敌将刘丰。姚周带领部下数十人跑往宿州，宿州守将梁丕一向和姚周有矛盾，打开城门让姚周进去，把他抓起来杀了。

庞勋得知这一消息大为恐惧，就和许佶商议自己带兵出战。周重流着泪对庞勋说："柳子镇位置重要，兵士精锐，姚周勇敢而有计谋，现在一旦覆灭，危如累卵，不如建立帝号，让军队从四面出击，尽力拼死作战。"又劝庞勋杀掉崔彦曾以断绝人们对朝廷的企望。术士曹君长也说："徐州地方不能容纳两个元帅，现在观察使崔彦曾尚活着，所以留后你没有兴旺起来。"贼党都这样认为。夏，四月初五日壬辰，庞勋杀了崔彦曾和监军张道谨、宣慰使仇大夫，僚佐焦璐、温庭皓等，连同他们的亲属、宾客、仆妾都被杀死。砍断了淮南监军郭厚本和都押衙李湘的手脚，拿来给康承训军看。庞勋于是召集大家扬言说："我庞勋一开始希望得到国家恩典，以保全臣子的忠节。现在的形势，与以前的希望是违背的。从现在起，我庞勋和大家是真正的造反者了，将要集合境内的全部人马，同心协力，扭转败局以建立大功。"大家都说很好。于是命令城中的男子全部集中在球场，又分头派遣将领挨家挨户大肆搜索，有敢于藏匿一个男子的杀死全家。挑选精壮，得到三万人，又造作旗帜，授给精良的武器。许佶等共同推举庞勋为天册将军、大会明王。庞勋辞去王爵。

此前，辛谠再次从泗州带领骁勇的士兵四百人到扬州、润州去迎运粮食，叛贼夹岸攻击他们，转战百里，方才逃出。到达广陵后，住在公家客馆中，不敢回家去，用船装载盐和米共二万石，钱一万三千缗。四月初八日乙未，返回到斗山。贼将王弘芝带领部众一万多人，在盱眙县阻击，密布战舰一百五十艘用来堵住淮河的航道，又放出火船迎面而来。辛谠命令用长叉撑开敌船，从卯时战斗到未时，由于众寡不敌，官军失利。叛贼在战舰上捆上木条，从两旁伸出四五尺远作为战棚。辛谠叫勇士乘着小船进到战棚的下面，箭矢和刀刃够不到他们的地方，然后用枪举着火牛烧敌人的船。战舰燃烧后，叛贼全都溃逃了，官军这才通过，进入泗州城。

庞勋任命他的父亲庞举直为大司马，和许佶等人留守徐州。有人对庞勋说："将军正在显示兵威，不应当因为父子的亲属关系，失去上下级之间的礼节。"于是让庞举直在门庭前向庞勋拜谢，庞勋靠着几案接受了庞举直的拜见。当时魏博镇的军队

桉㉖[24]而受之。时魏博屡围丰县，庞勋欲先击之，丙申㉗，引兵发徐州。

戊戌㉘，以前淮南节度使、同平章事令狐绹为太保、分司㉙。

庞勋夜至丰县，潜入城，魏博军皆不之知。魏博分为五寨，其近城者屯数千人，勋纵兵围之，诸寨救之，勋伏兵要路，杀官军二千人，余皆返走。贼攻寨不克，至夜，解围去。官军畏其众，且闻勋自来，诸寨皆宵溃。曹翔方围滕县，闻魏博败，引兵退保兖州㉚。贼悉毁其城栅，运其资粮，传檄徐州，盛自夸大，谓官军为国贼云。

【段旨】

以上为第十段，写贼首庞勋杀俘，自立为天册将军示与唐决裂，亲自领兵出战，作困兽之斗。

【注释】

⑳②辛未：三月十三日。⑳③柳子：镇名，在今安徽宿州西。⑳④丁亥：三月二十九日。⑳⑤渡水：指渡涣水。⑳⑥邀：阻截。⑳⑦芳城：地名，一作芳亭，在今安徽濉溪县南。⑳⑧死者相枕：死尸互相叠压。枕，人睡觉垫头的卧具。以尸为枕，形容死人之多，叠压一片。⑳⑨危如累卵：危险之极。累卵，堆积在一起的蛋。㉑⓪大号：指帝号。㉑①留后：指庞勋。㉑②未兴：未能兴起。㉑③壬辰：四月初五日。㉑④扬言：当众声称。㉑⑤望国恩：希望得到国家恩典，谓盼望赐节度使官职。㉑⑥乖：违背；不顺。㉑⑦比屋大索：挨家挨户大肆搜索。㉑⑧乙未：四月初八日。㉑⑨斗山：山名，在今江苏盱眙东北。㉒⓪盱眙：县名，县

【原文】

马举将精兵三万救泗州，乙巳㉛，分军三道渡淮，至中流，大噪，声闻数里。贼大惊，不测众寡，敛兵屯城西寨。举就围之，纵火焚栅，贼众大败，斩首数千级，王弘立死，吴迥退保徐城，泗州之围始解。泗州被围凡七月，守城者不得寐，面目皆生疮。

庞勋留丰县数日，欲引兵西击康承训。或曰："天时向暑㉜，蚕

多次围攻丰县，庞勋想先进击他们，四月初九日丙申，率军从徐州出发。

四月十一日戊戌，任命前淮南节度使、同平章事令狐绹为太保、分司东都。

庞勋在夜晚到达丰县，潜入城内，魏博军没有一人觉察。魏博军分为五个营寨，近城的一个寨子屯驻数千人，庞勋派军队包围了它，其他各营寨来救援，庞勋在要道上埋伏了军队，杀死官军二千人，其余的官兵都逃了回去。叛贼没有攻下营寨，到了夜间，解除包围离开了。官军畏惧叛贼众多，并且听说庞勋亲自前来，各营寨都在晚上溃退了。曹翔正在包围滕县，听说魏博军打了败仗，便带领军队退回兖州守卫。叛贼把城栅都毁掉了，运走官军的物品和粮食，传捷报到徐州，自己大肆夸耀了一番，称官军为国贼。

治在今江苏盱眙。㉑ 自卯战及未：从清晨五时战斗至午后二时。㉒ 战棚：一种类似敌楼的木制装置。㉓ 揭：举。㉔ 火牛：犹火把。㉕ 然：同“燃”。㉖ 据桉：凭靠几案。㉗ 丙申：四月初九日。㉘ 戊戌：四月十一日。㉙ 太保分司：太保，三师之一，名义上的皇帝老师，正一品，实际无职事，无官署，只是尊礼重臣。分司，指分司东都，唐代两京，西京长安，东都洛阳。东都官为闲职。㉚ 退保兖州：曹翔为兖海节度使，驻节兖州，故退保该地。

【校记】

［22］力死：据章钰校，十二行本、乙十一行本皆作“死力”。［23］等：原无此字。据章钰校，十二行本、乙十一行本皆有此字，张敦仁《通鉴刊本识误》同，今据补。［24］桉：原误作“按”。据章钰校，十二行本、乙十一行本、孔天胤本皆作“桉”，今据校正。

【语译】

马举带领三万精兵救援泗州，四月十八日乙巳，把军队分成三路渡淮河，到中流时，大声喧叫，声音在数里外都能听到。叛贼大惊，不知道官军多少，收兵屯驻在城西的营寨中。马举就地将他们包围起来，放火焚烧寨栅，贼众大败，杀了数千人，王弘立战死，吴迥退到徐城自卫，泗州之围这才解除。泗州被围困总共七个月，守城的人不敢睡觉休息，脸上都长了毒疮。

庞勋在丰县停留了几天，想率军向西攻打康承训。有人说：“天气接近暑天，正

麦方急㉝，不若且休兵聚食，然后图之。”或曰：“将军出师数日，摧㉞七万之众㉟，西军㊱震恐，乘此声势，彼破走必矣，时不可失。”庞举直以书劝勋乘胜进军，勋意遂决。丁未㊲，发丰县。庚戌㊳，至萧，约襄城、留武、小睢㊴诸寨兵合五六万人，以二十九日迟明攻柳子。淮南败卒在贼中者，逃诣康承训，告以其期，承训得先为之备，秣马㊵整众，设伏以待之。丙辰㊶，襄城等兵先至柳子，遇伏，败走。庞勋既自失期，遽引兵自三十里外赴之。比至，诸寨已败。勋所将皆市井白徒㊷，睹官军势盛，皆不战而溃。承训命诸将急追之，以骑兵邀其前，步卒蹙其后，贼狼狈不知所之，自相蹈藉，僵尸数十里，死者数万人。勋解甲服布襦㊸而遁，收散卒，才及三千人，归彭城，使其将张实分诸寨兵屯第城驿㊹。

【段旨】

以上为第十一段，写官军解围泗州，大败庞勋。

【注释】

㉛乙巳：四月十八日。㉜向暑：将近伏暑。㉝蚕麦方急：正是急于收获蚕茧和小麦的时节。㉞摧：击败。㉟七万之众：指魏博五寨之兵。㊱西军：指康承训之军，时屯柳

【原文】

勋初起，下邳㊺土豪郑镒聚众三千，自备资粮器械以应之。勋以为将，谓之义军。五月，沂州遣军围下邳，勋命镒救之，镒帅所部来降。

六月，陕民作乱，逐观察使崔荛㊻。荛以器韵㊼自矜，不亲政事。民诉旱，荛指庭树曰：“此尚有叶，何旱之有！”杖之。民怒，故逐之。荛逃于民舍，渴求饮，民以溺㊽饮之。坐贬昭州司马。

急于收获蚕茧和小麦，不如暂时休兵屯聚粮食，然后再作打算。”又有人说：“将军出兵数日，击败了七万敌军，西边康承训的军队震惊恐惧，乘着这种声势，他们被打败逃跑是肯定的了，时机不可失去。”庞举直写信劝庞勋乘胜进军，庞勋于是下定了决心进攻康承训。四月二十日丁未，从丰县出发。二十三日庚戌，到达萧县，约定襄城、留武、小睢各寨兵共五六万人，在二十九日黎明时进攻柳子镇。在叛贼中的淮南败卒，逃到康承训那里，报告了庞勋进攻的日期，康承训得以预先做好了防备，喂饱了马，整肃了军队，设下埋伏以等庞勋来进攻。二十九日丙辰，襄城等寨的兵先到了柳子镇，碰上伏兵，战败逃走。庞勋已经错过了约定，便匆忙带兵从三十里外赶来。赶到时，各营寨的军队已经战败。庞勋所带领的军队都是市井中没有受过军事训练的平民，看到官军势力强盛，全都没有交战就溃败了。康承训命令诸将迅速追击，用骑兵拦在敌人前面，用步兵在后面压迫追，叛贼慌乱，不知往哪里跑，队伍互相践踏，尸体布满数十里，死去的有数万人。庞勋脱去铠甲，穿着短布衣逃走，搜集散卒，才得三千人，回到彭城，派将领张实从各寨分出一部分军队屯驻第城驿。

子，在丰县之西，故称。㉗丁未：四月二十日。㉘庚戌：四月二十三日。㉙留武、小睢：皆寨名，都在今安徽濉溪县境。㉚秣马：喂饱战马。㉛丙辰：四月二十九日。㉜市井白徒：未经军事训练的平民百姓。㉝布襦：布制短衣。㉞第城驿：地名，在今安徽宿州西。

【语译】

庞勋开始起兵时，下邳土豪郑镒集中了三千人，自己备齐了钱粮、器械来响应他。庞勋任他为将军，称他的部队为义军。五月，沂州派遣军队包围下邳，庞勋命令郑镒去救援，郑镒带领部众前来投降官军。

六月，陕民作乱，驱逐观察使崔荛。崔荛自认为有器度风韵而骄矜，不亲自处理政事。民众诉说遭旱灾，崔荛指着庭前的大树说：“这棵树上还长着叶子，有什么旱情呢！”杖击来告的民众。民众愤怒，所以驱逐了他。崔荛逃到平民家里，口渴了要水喝，平民拿尿来给他喝。结果他被贬谪为昭州司马。

以中书侍郎、同平章事徐商同平章事，充荆南节度使。癸卯[249]，以翰林学士承旨、户部侍郎刘瞻[250]同平章事。瞻，桂州人也。

马举自泗州引兵攻濠州，拔招义、钟离、定远[251]。刘行及设寨于城外以拒守，举先遣轻骑挑战，贼见其众少，争出寨西击之，举引大军数万自他道击其东南，遂焚其寨。贼入固守，举堑其三面[252]而围之，北面临淮，贼犹得与徐州通。庞勋遣吴迥助行及守濠州，屯兵北津[253]以相应。举遣别将渡淮击之，斩获数千人[25]，平其寨。

曹翔之退屯兖州也，留沧州卒[254]四千人戍鲁桥[255]，卒擅还，翔曰："以庞勋作乱，故讨之。今沧卒不从约束，是自乱也！"勒兵迎之，围于兖州城外，择违命者二千人悉诛之。朝廷闻魏博军败，以将军宋威为徐州西北面招讨使，将兵三万屯于丰、萧之间，翔复引兵会之。

秋，七月，康承训克临涣[256]，杀获万人，遂拔襄城、留武、小睢等寨。曹翔拔滕县，进击丰、沛。贼诸寨戍兵多相帅逃匿，保据山林，贼抄掠者过之辄为所杀，而五八村尤甚。有陈全裕者为之帅，凡叛勋者皆归之，众至数千人，战守之具皆备，环地数十[26]里，贼莫敢近。康承训遣人招之，遂举众来降，贼党益离。蕲县[257]土豪李衮杀贼守将，举城降于承训。沛县守将李直诣彭城计事，裨将朱玫举城降于曹翔。直自彭城还，玫逆击，走之，翔发兵戍沛。玫，邠州人也。勋遣其将孙章、许佶各将数千人攻陈全裕、朱玫，皆不克而还。康承训乘胜长驱，拔第城[258]，进抵宿州之西，筑城而守之。庞勋忧懑不知所为，但祷神饭僧[259]而已。

初，庞勋怒梁丕专杀姚周，黜之，使徐州旧将张玄稔代之治州事[260]，以其党张儒、张实等将城中兵数万拒官军。儒等列寨数重于城外，环水自固[261]，康承训围之。张实夜遣人潜出，以书白勋曰："今国兵[262]尽在城下，西方必虚。将军宜引兵出其不意，掠宋、亳之郊，彼必解围而西，将军设伏要害[263]，迎击其前，实等出城中兵蹙其后，破之必矣！"时曹翔使朱玫击丰，破之，乘胜攻徐城、下邳，皆拔之，斩获万计。勋方忧惧欲走，得实书，即从其策，使庞举直、许佶守徐州，引兵而西。

任命中书侍郎、同平章事徐商同平章事，充任荆南节度使。六月十七日癸卯，任命翰林学士承旨、户部侍郎刘瞻同平章事。刘瞻，是桂州人。

马举从泗州带兵攻打濠州，攻下了招义、钟离、定远。刘行及在城外设置营寨用来防守，马举先派轻骑挑战，叛贼见他的军队少，争着从寨西出动攻击官军，马举带领大军数万人从另外一条路攻击叛贼的东南边，于是烧掉了叛贼的营寨。叛贼入城固守，马举在城的三面挖壕沟包围它，北面临近淮河，叛贼还能够和徐州取得联系。庞勋派遣吴迥帮助刘行及守卫濠州，驻兵在北津渡口与刘行及相呼应。马举派遣别将渡过淮河攻打吴迥，斩首和俘虏了数千人，铲平了吴迥的营寨。

曹翔退屯兖州的时候，留下沧州士卒四千人戍守鲁桥镇，戍卒擅自返回，曹翔说："由于庞勋作乱，所以去讨伐他。现在沧州士卒不服从管束，这是自身内部叛乱！"于是指挥军队迎住叛兵，把他们包围在兖州城外，挑出违抗命令的二千人全部杀了。朝廷听说魏博军战败，于是任命将军宋威为徐州西北面招讨使，带领三万军队驻扎在丰县和萧县之间，曹翔又率军和他们会合。

秋，七月，康承训攻下临涣，杀死和俘虏一万人，于是攻取了襄城、留武、小睢等营寨。曹翔攻下了滕县，进军攻打丰县和沛县。叛贼各个寨子的戍兵大多一起逃匿，在山林中盘踞自保，抢掠的叛贼经过那里每每被他们杀掉，而在五八村尤其厉害。有个叫陈全裕的人是他们的头领，凡是反叛庞勋的人都归附于他，部众达到数千人，作战和防守的用具全都齐备，周围数十里，叛贼不敢接近。康承训派人去招抚陈全裕，于是陈全裕带着全部兵众前来投降，叛贼的党羽更加分崩离析。蕲县土豪李衮杀死叛贼的守将，全城投降了康承训。沛县守将李直前往彭城商量事情，裨将朱玫带领全城士众投降了曹翔。李直从彭城回来，朱玫迎头攻击，赶走了李直，曹翔就调军队戍守沛县。朱玫，是邠州人。庞勋派遣他的将领孙章、许佶各自带领数千人进攻陈全裕和朱玫，都没有取得胜利就退回去了。康承训乘胜长驱，攻取了第城驿，进兵抵达宿州的西面，筑城据守。庞勋忧愁烦闷不知如何是好，只是祈祷神灵施舍饭食给僧侣而已。

当初，庞勋对于梁丕擅自杀害姚周非常生气，就黜免了梁丕，叫徐州旧将张玄稔接替梁丕管理州事，又任命同党张儒、张实等带领城中数万军队抵抗官军。张儒等人在城外设置多重营寨，四周环水自固，康承训包围了他们。张实派人在夜里偷偷出去，用书信告诉庞勋："现在官兵都集中在宿州城下，徐州西面必然空虚。将军应当带领军队出其不意，攻掠宋州和亳州的城郊，他们必定会放弃包围宿州而引兵向西，将军在要害地方设下埋伏，在他的前面迎击，张实等带领城里的军队在后面追击他们，就一定可以打败他们！"当时曹翔派朱玫进攻丰县，攻下了，便乘胜攻打徐城、下邳，都攻取了，杀死和俘虏的叛贼以万计。庞勋正忧惧，打算逃跑，收到张实的信，立即听从他的计策，叫庞举直和许佶守徐州，自己带军队向西面进发。

八月壬子㉖④，康承训焚外寨㉖⑤，张儒等入保罗城，官军攻之，死者数千人，不能克。承训患之，遣辩士于城下招谕之。张玄稔尝戍边有功，虽胁从于贼，心常[27]忧愤。时将所部兵守子城，夜，召所亲数十人谋归国，因稍令布谕，协同者众。乃遣腹心张皋夜出，以状白承训，约期杀贼将，举城降，至日，请立青旌为应，使众心无疑。承训大喜，从之。九月丁巳㉖⑥，张儒等饮酒于柳溪亭㉖⑦，玄稔使部将董厚[28]等勒兵于亭西，玄稔先跃马而前，大呼曰："庞勋已枭首于仆射㉖⑧寨中，此辈何得尚存！"士卒竞进，遂斩张儒等数十人，城中大扰。玄稔谕以归国之计，及暮而定。戊午㉖⑨，开门出降。玄稔见承训，肉袒㉗⓪膝行㉗①，涕泣谢罪。承训慰劳，即宣敕，拜御史中丞，赐遗甚厚。

【段旨】

以上为第十二段，写官军节节胜利，合围叛贼庞勋。贼将张玄稔请降，叛贼分崩离析。

【注释】

㉔⑤下邳：县名，县治在今江苏睢宁西。㉔⑥崔荛：字野夫，卫州（今河南卫辉）人，累官至吏部侍郎、陕州观察使，终左散骑常侍。传见《旧唐书》卷一百七十七、《新唐书》卷一百四十四。㉔⑦器韵：器度风韵。㉔⑧溺：同"尿"。㉔⑨癸卯：六月十七日。㉕⓪刘瞻：字幾之，彭城（今江苏徐州）人，咸通十年为相，因上书言事忤旨，贬为州司户。唐僖宗时复任宰相。传见《旧唐书》卷一百七十七、《新唐书》卷一百八十一。㉕①招义、钟离、定远：皆县名。招义，县治在今江苏盱眙西。钟离，县治在今安徽凤阳钟离故城。定远，县治即今安徽定远。㉕②堑其三面：在濠州城三面挖壕沟。㉕③北津：渡口名，在濠州城北，淮水北岸。㉕④沧州卒：即义昌之兵。㉕⑤鲁桥：地名，在今山东济宁东南鲁桥镇。㉕⑥临涣：县名，县治在今安徽宿州西北。㉕⑦蕲县：县名，县治在今安徽宿州南蕲县集。㉕⑧第城：

八月二十七日壬子，康承训焚烧宿州城外的寨子，张儒等人就进外城防守，官军发动进攻，死了几千人，未能攻下来。康承训很担忧，就派遣能言善辩的人在城下对叛贼进行招降劝谕。张玄稔曾经戍守边疆立了功，虽然被胁迫加入了叛贼，而在心里常常忧愁不乐。当时他带领的部队据守内城，在夜里，他召集亲信数十人商量回到官军中去，因而叫他们悄悄告诉其他的人，愿意跟他一同行动的人很多。于是他派心腹张皋夜里出城，把情况告诉康承训，约定日期杀掉贼将，全城投降，到时候，请求树青色大旗以为接应，使贼众心里不存疑虑。康承训大喜，接受了这个安排。九月初三日丁巳，张儒等人在柳溪亭饮酒，张玄稔派部将董厚等在亭子西边部署部队，张玄稔首先跃马上前，大声呼叫说："庞勋已经在康仆射军寨中被砍头了，这群人哪能还存留下来!"士卒争着上前，就杀了张儒等数十人，城中大乱。张玄稔告诉大家回到朝廷的打算，到傍晚就安定了。初四日戊午，开城门出来投降。张玄稔拜见康承训，袒露着上身屈膝而行，流着泪请罪。康承训进行抚慰，随即宣布朝廷敕命，任命张玄稔为御史中丞，赏赐很丰厚。

即第城驿。㉝ 祷神饭僧：向神祈福和施舍饭食给僧人。㉞ 治州事：谓治理宿州政事。㉟ 环水自固：引汴水环绕四周以巩固自己的营寨。㊱ 国兵：指官军。㊲ 要害：地势险要之处。㊳ 壬子：八月二十七日。㊴ 外寨：宿州城外之寨。㊵ 丁巳：九月初三日。㊶ 柳溪亭：亭名，在今宿州城内。㊷ 仆射：指康承训。康时为检校尚书右仆射。㊸ 戊午：九月初四日。㊹ 肉袒：裸露上身以示谢罪。㊺ 膝行：跪地前行以示敬畏。

【校记】

［25］人：原无此字。据章钰校，十二行本、乙十一行本皆有此字，张敦仁《通鉴刊本识误》同，今据补。［26］十：原误作"千"。据章钰校，十二行本、乙十一行本皆作"十"，张敦仁《通鉴刊本识误》、张瑛《通鉴校勘记》同，今据校正。［27］常：原作"尝"。胡三省注云："当作'常'。"据章钰校，十二行本、孔天胤本皆作"常"，今据改。［28］厚：严衍《通鉴补》改作"原"。

【原文】

玄稔复进言："今举城归国，四远未知，请诈为城陷，引众趋苻离及徐州，贼党不疑，可尽擒也！"承训许之。宿州旧兵三万，承训益以数百骑，皆赏劳而遣之。玄稔复入城，暮发平安火[272]如常日。己未向晨[273]，玄稔积薪数千束，纵火焚之，如城陷军溃之状，直趋苻离，苻离纳之。既入，斩其守将，号令城中，皆听命，收其兵，复得万人，北趋徐州。庞举直、许佶闻之，婴城拒守[274]。

辛酉[275]，玄稔至彭城，引兵围之，按兵未攻，先谕城上人曰："朝廷唯诛逆党，不伤良人，汝曹奈何为贼城守？若尚狐疑[276]，须臾之间，同为鱼肉矣！"于是守城者稍稍弃甲投兵而下。崔彦曾故吏路审中开门纳官军，庞举直、许佶帅其党保子城。日昃[277]，贼党自北门出，玄稔遣兵追之，斩举直、佶首，余党多赴水死，悉捕戍桂州者亲族，斩之，死者数千人，徐州遂平。

庞勋将兵二万自石山[278]西出，所过焚掠无遗。庚申[279]，承训始知之[29]，引步骑八万西击之，使朱邪赤心将数千骑为前锋。勋袭宋州，陷其南城，刺史郑处冲守其北城。贼知有备，舍去，渡汴，南掠亳州，沙陀追及之。勋引兵循涣水而东，将归彭城，为沙陀所逼，不暇饮食，至蕲，将济水，李衮发桥[280]，勒兵拒之。贼惶惑不知所之，至故[30]县西，官军大集，纵击，杀贼近万人，余皆溺死，降者才及千人。勋亦死，而人莫之识，数日，乃获其尸。贼宿迁[281]等诸寨皆杀其守将而降。宋威亦取萧县，吴迥独守濠州不下。

冬，十月，以张玄稔为右骁卫大将军、御史大夫。

马举攻濠州，自夏及冬不克，城中粮尽，杀人而食之，官军深堑重围以守之。辛丑[282]夜，吴迥突围走。举勒兵追之，杀获殆尽，迥死于招义。

以康承训为河东节度使、同平章事，以杜慆为义成节度使。上嘉朱邪赤心之功，置大同军[283]于云州，以赤心为节度使，召见，留为左金吾上将军，赐姓名李国昌，赏赉[284]甚厚。以辛谠为亳州刺史。谠在泗州，

【语译】

张玄稔又对康承训说："现在宿州全城回归朝廷，四境远处还不知道，请让我假装州城陷落，带领部队奔往苻离和徐州，贼党不会怀疑，可以将他们全部擒获！"康承训同意了。宿州原有三万名军士，康承训又增加数百名骑兵，都进行了奖赏慰劳后再派遣他们。张玄稔又进到城中，傍晚和平时一样燃烧平安火。九月初五日己未天将亮，张玄稔堆积了数千捆薪柴，放火焚烧，好像州城陷落军队溃败的样子，径直奔往苻离，苻离守军接纳了。入城以后，张玄稔杀了守将，向城中发号施令，全都听命于他，搜集城里的军队，又得到一万人，向北奔往徐州。庞举直、许佶听说了，环城进行防守。

九月初七日辛酉，张玄稔到达彭城，带兵包围了它，按兵未动，先告谕城上的人说："朝廷只诛杀叛逆的党徒，不伤害良民百姓，你们为什么要为贼来守城？如果还犹疑不定，一会就要和叛贼一道成为被人宰割的鱼肉了！"于是守城的士兵逐渐有人脱去甲胄，放下兵器下了城。崔彦曾的旧官吏路审中打开城门接纳官兵，庞举直、许佶带领他们的党徒守卫内城。太阳偏西时，叛贼从北门出来，张玄稔派兵追赶他们，杀了庞举直和许佶，其余的叛贼大多投水而死，张玄稔把戍守桂州士卒的亲族全部抓起来，杀掉了，死去的有数千人，于是平定了徐州。

庞勋带领二万士兵从石山西边出发，所过之处焚烧抢掠无遗。到九月初六日庚申，康承训才知道，便带领步兵和骑兵八万人向西追击庞勋，派朱邪赤心带领数千骑兵作为前锋部队。庞勋袭击宋州，攻下了南城，刺史郑处冲据守北城。叛贼知道有了防备，放弃，离开了宋州，渡过汴水，向南抢掠亳州，沙陀兵追上了他们。庞勋带领部队沿着涣水东进，将回彭城，被沙陀兵所逼，无暇吃饭，到达蕲县，即将渡过涣水，李衮毁坏了桥梁，带兵防守着。叛贼惶惧困惑不知道向哪里走，到蕲县故城西边，官军大量集中，纵兵进攻，杀死叛贼近万人，其余的都淹死了，投降的才千余人。庞勋也战死了，但没有人认识他，几天后，才找到他的尸体。叛贼据守的宿迁等各兵寨都杀死守将后向官军投降。宋威也攻取了萧县，只有吴迥独自据守濠州未被攻下。

冬，十月，任命张玄稔为右骁卫大将军、御史大夫。

马举进攻濠州，从夏天一直到冬天也未攻下来，城里粮食吃完了，杀人而食，官军深挖壕沟用几重军队围困着。十月十七日辛丑夜里，吴迥冲出重围逃走。马举带兵追赶他，几乎杀死和俘虏了全部叛贼，吴迥在招义死去。

朝廷任命康承训为河东节度使、同平章事，任命杜慆为义成节度使。懿宗嘉奖朱邪赤心的功劳，在云州设置大同军，任命朱邪赤心为节度使，召见了他，留为左金吾上将军，赐姓名为李国昌，赏赐非常丰厚。任命辛谠为亳州刺史。辛谠在泗州

犯围[285]出迎兵粮，往返凡十二，及除亳州，上表言："臣之功，非杜慆不能成也！"赐和州刺史崔雍自尽[286]，家属流康州，兄弟五人皆远贬。

【段旨】

以上为第十三段，写官军讨灭庞勋之乱，朝廷重赏有功将士。

【注释】

[272]平安火：报平安的烽烟。本为边塞地区烽火台日暮所放，战时亦为各据点平安报信之用。[273]己未向晨：九月初五日天色将明之时。[274]婴城拒守：环城固守抗拒。[275]辛酉：九月初七日。[276]狐疑：犹豫不决。[277]日昃：日西斜。[278]石山：地名，当在徐州与宋州之

【原文】

上荒宴，不亲庶政，委任路岩。岩奢靡，颇通赂遗，左右用事。至德[287]令陈蟠叟因上书召对[288]，言："请破边咸一家，可赡军二年[289]。"上问："咸为谁？"对曰："路岩亲吏。"上怒，流蟠叟于爱州，自是无敢言者。

初，南诏遣使者杨酋庆来谢释董成[290]之囚，定边节度使李师望欲激怒南诏以求功，遂杀酋庆。西川大将恨师望分裂巡属[291]，阴遣人致意南诏，使入寇。师望贪残，聚私货以百万计，戍卒怨怒，欲生食之，师望以计免。朝廷征还，以太府少卿窦滂代之。滂贪残又甚于师望，故蛮寇未至，而定边固已困矣。

是月，南诏骠信酋龙倾国入寇，引数万众击董舂乌部[292]，破之。十一月，蛮进寇嶲州，定边都头安再荣守清溪关，蛮攻之，再荣退屯大渡河北，与之隔水相射九日八夜。蛮密[293]分军伐木[31]开道，逾雪坡[294]，奄[295]至沐源川[296]。滂遣兖海将黄卓帅五百人拒之，举军覆没。十二月丁酉[297]，蛮衣兖海之衣，诈为败卒，至江[298]岸呼船。已济，众乃

时，冲出包围出去迎接援兵和粮食，往返共有十二次，等到任命为亳州刺史时，上表说："臣的功劳，没有杜慆是不能取得的！"赐和州刺史崔雍自杀，家属被流放到康州，兄弟五人都被贬谪远地。

间。㉗⑨庚申：九月初六日。㉘⓪发桥：毁坏桥梁。㉘①宿迁：县名，宝应元年（公元七六二年）以宿预县改名宿迁县。县治在今江苏宿迁东南。㉘②辛丑：十月十七日。㉘③置大同军：会昌三年（公元八四三年）已置大同军团练使，四年升为防御使，现升为节度使。㉘④赏赉：赏赐。㉘⑤犯围：冲出包围。㉘⑥赐和州刺史崔雍自尽：〖按〗治其开城迎贼之罪。

【校记】

［29］之：原无此字。据章钰校，十二行本、乙十一行本皆有此字，今据补。［30］故：原无此字。据章钰校，十二行本有此字，张敦仁《通鉴刊本识误》同，今据补。

【语译】

懿宗沉溺于宴乐，不亲自处理政事，一切委任路岩。路岩奢侈华靡，大量接受贿赂，身边的人把持政事。至德县令陈蟠叟因为给懿宗上书，被召见对答，他说："请没收边咸一家的财产，就可以供军队两年开支。"懿宗问他："边咸是什么人？"陈蟠叟回答说："是路岩的亲近官吏。"懿宗大怒，把陈蟠叟流放到爱州，从此没有敢说话的人了。

当初，南诏派遣使者杨酋庆来向朝廷答谢释放被囚禁的董成一事，定边节度使李师望想激怒南诏以求取功业，于是把杨酋庆杀掉了。西川大将怨恨李师望分裂西川属地，暗地派人把想法告诉南诏，叫他们前来侵扰。李师望贪婪残暴，聚敛私财数百万，戍卒们既怨恨又愤怒，想要生吃了他，被李师望用计辞去官位，避免了一死。朝廷征调他回去，任命太府少卿窦滂代替他的职务。窦滂的贪婪残暴比李师望更厉害，所以南蛮入侵未到，而定边军就已经处于混乱窘困中了。

这个月，南诏骠信酋龙倾尽全国所有的兵马前来侵扰，带领数万人进击董春乌部，并打败了他。十一月，南蛮进入嶲州，定边军都头安再荣据守清溪关，南蛮进攻他，安再荣撤退屯驻大渡河北岸，和南蛮隔着河互相射箭了九天八夜。南蛮秘密地分出一部分军队伐木开路，越过雪坡，突然到达了沐源川。窦滂派兖海军的将领黄卓带领五百人抵抗，全军覆没。十二月十四日丁酉，南蛮穿着兖海军兵士的衣服，假称是败卒，到江边叫渡船。已经渡江后，官兵才发觉，于是南蛮攻下了犍为

觉之，遂陷犍为㉙，纵兵焚掠陵、荣二州㉚之境。后数日，蛮军大集于陵云寺㉛，与嘉州对岸，刺史杨忞与定边监军张允琼勒兵拒之。蛮潜遣奇兵自东津㉜济，夹击官军，杀忠武都将颜庆师，余众皆溃，忞、允琼脱身走。壬子㉝，陷嘉州。庆师，庆复之弟也。

窦滂自将兵拒蛮于大渡河，骠信诈遣清平官数人诣滂结[32]和。滂与语未毕，蛮乘船筏㉞争渡，忠武、徐宿㉟两军结陈㊱抗之。滂惧，自经㊲于帐中。徐州将苗全绪解之，曰："都统何至于是!"全绪与安再荣及忠武将勒兵出战，滂遂单骑宵遁。三将谋曰："今众寡不敌，明旦复战，吾属尽矣。不若乘夜攻之，使之惊乱，然后解去。"于是夜入蛮军。弓弩乱发，蛮大惊，三将乃全军引去。蛮遂[33]进陷黎、雅，民窜匿山谷，败军所在焚掠。滂奔导江㊳。邛州军资储偫㊴皆散于乱兵之手，蛮至，城已空，通行无碍矣。

诏左神武将军颜庆复将兵赴援。

【段旨】

以上为第十四段，写唐懿宗荒宴无节，南诏为祸西川。

【注释】

㉗至德：县名，县治在今安徽东至县北。㉘召对：被皇帝召见而对答。㉙赡军二年：可供应军队两年的粮饷。㉚释董成：董成为南诏所遣入唐使臣，被西川节度使李福所囚，朝廷释之。事见本书卷第二百五十唐懿宗咸通七年。㉛分裂巡属：指分西川所辖邛、嶲等七州别立定边军。事见本书卷第二百五十一咸通九年。巡属，犹言所辖之地。㉜董春乌部：南蛮之一部，时已内附于西川边塞一带。㉝密：秘密。㉞雪坡：地名，在今四川峨边西南。㉟奄：突然。㊱沐源川：水名，在今四川沐川县境内，为岷江支流。㊲丁酉：十二月十四日。㊳江：谓青衣江。㉙犍为：县名，县治在今四川犍为。㉚陵、荣二州：陵州，治所仁寿，在今重庆市荣昌区。荣州，治所旭川，在今四川荣县。㉛陵云寺：寺名，在今四川乐山市南大渡河南岸。㉜东津：渡口名，当在四川乐山市大渡河上游东岸。㉝壬子：十二月二十九日。㉞筏：同"筏"，渡水用的竹木排。㉟徐宿：即原武宁军所派的军队。㊱结陈：列阵相连。㊲自经：自缢；上吊。㊳导江：县名，县治在今四川都江堰市东。㊴储偫：储备。

县，放纵军队烧抢陵州、荣州二州区域。过了几天后，南蛮军队在陵云寺大量集中，和嘉州只隔着一条江，嘉州刺史杨忞和定边监军张允琼带兵抵抗南蛮的进攻。南蛮暗地派出一支奇兵从东津渡口过河，两面夹攻官军，杀死忠武军都将颜庆师，其余的兵众都溃散了，杨忞和张允琼脱身逃走。二十九日壬子，南蛮攻陷嘉州。颜庆师，是颜庆复的弟弟。

窦滂亲自带兵在大渡河抵抗南蛮，南蛮骠信假称派清平官数人到窦滂这里来谈判媾和事。窦滂和来人话还未讲完，南蛮已经乘着船和木筏争相渡河，忠武军和徐宿军的将士列阵相连抵抗。窦滂恐惧，在军帐中上吊自杀，徐州将领苗全绪发现后救下窦滂，说："都统何至于这样做！"苗全绪和安再荣及忠武军将领率军出战，窦滂于是单独骑着马在夜晚逃走了。苗全绪等三位将领商量说："现在敌众我寡难以抵挡，明天再作战，我们都要被消灭。不如乘夜进攻南蛮，使他们惊慌混乱，然后我们撤退。"于是在夜里攻入南蛮军中，弓弩乱发，南蛮大惊，三位将领趁机带领全军撤离。南蛮进兵攻陷黎州、雅州，民众逃窜藏匿到山谷之中，战败唐军却在所过的地方烧杀抢掠。窦滂逃奔至导江县。邛州的军资储备都散于乱兵手中，南蛮赶到后，城中已空，南蛮于是通行无阻地前进了。

朝廷诏令左神武将军颜庆复带领军队前去援助西川。

【校记】

[31] 伐木：原无此二字。据章钰校，十二行本、乙十一行本皆有此二字，张敦仁《通鉴刊本识误》、张瑛《通鉴校勘记》同，今据补。[32] 结：据章钰校，十二行本、乙十一行本皆作"约"。[33] 遂：原无此字。据章钰校，十二行本、乙十一行本皆有此字，今据补。

【研析】

本卷研析庞勋叛乱，辛谠、杜慆忠义，肉食之官令狐绹三事。

第一，庞勋叛乱。本卷主要史事是记载庞勋叛乱以及被剿灭的过程，这是腐朽的政府与野心家之间的残杀，无辜的戍兵与饥民被利用，遭涂炭，其情可悯。庞勋发动的是一场叛乱，不是农民起义。许多正统的历史作者，称庞勋领导了徐泗农民起义，是一个错误的定性，应予纠正。

庞勋叛乱由兵变引起。咸通四年（公元八六三年），南诏攻下安南，朝廷抽调二千名徐州兵去支援，分八百人别戍桂林，约定三年轮换。到了咸通九年（公元八六八年），徐州兵已戍守六年，戍兵多次提出代换，但徐州观察使崔彦曾为了节省一点军费，不顾戍兵要求，提出再戍守一年，也不做劝谕工作和发放奖赏。戍兵愤怒，都虞候许佶、军校赵可立、姚周、张行实等，原本是盗匪出身，趁机煽动戍兵叛乱，杀戍将王仲甫，推举粮料判官庞勋为主，抢了武库中的兵器，北还徐州，一路烧杀抢劫，地方州县无力禁止。

兵变发生在七月。八月朝廷派出高品位的宦官张敬思带着皇帝敕令向戍兵宣布，护送戍兵回徐州。沿途由政府接待，同时敕令徐泗观察使崔彦曾做好迎接工作，不许追究戍兵擅自回归的罪过。朝廷失信，但已做出了纠正，叛乱本可和平解决。可惜朝廷没有派出强有力的朝官去做戍兵的劝谕工作，也没派新的将领去统率，于是庞勋一路煽动戍兵反叛，又假传情报说朝廷有密令，等戍兵回到徐州将全部遭杀戮。戍兵群情激动，过淮西，入淮南，招纳亡命，到达泗州时已有千人。庞勋到达宿州，正式反叛，自称“兵马留后”。先前逃避朝廷镇压而亡命山泽的徐州银刀兵纷纷加入叛乱队伍。庞勋攻破徐州，招募兵员，那些饥民“父遣其子，妻勉其夫”争相加入，很快叛军达到二十多万人，攻下淮南、淮北多座城镇，切断了江淮通往长安的漕运线，朝廷震动。

庞勋攻破徐州，并没有杀害观察使崔彦曾，也没有杀监军张道谨，而是扣为人质，与朝廷讨价还价求节钺，朝廷不允。朝廷征讨大军四面云集，淮南节度使令狐绹答应为庞勋求节度，庞勋理应请罪改过，或许可得。但庞勋不自量力，反其道要挟朝廷，说什么“臣立于汉王朝兴起之地，统领十万大军，据有四州之地，圣上若不赐给徐州节度旌节，臣率领的大军，要不了多久就要抵达京师”，一派野心家的语言，并没有一丝解救苍生之情。庞勋已临近败亡，做垂死挣扎之际才杀了崔彦曾、张道谨等人，集众誓师，其父庞举直任叛军大司马，晋见庞勋竟然快步走，跪拜于庭，充分暴露出庞勋梦想做皇帝的心理，哪有一点农民起义的领袖气质。因而众叛亲离，叛军将领郑镒、张玄稔投降官军，庞勋在宿县南全军覆没，被官军杀死。一场惊天动地的反叛被讨平。

第二，辛谠、杜慆忠义。辛谠，故太原尹辛云京之孙，学《诗》《书》，能击剑，文武双全。曾仕大同防御使李峰幕僚，因事罢职，寓居扬州，目睹政治黑暗，年已五十，不再追求仕进，但仍然心系国事，寻找机会报效国家。泗州刺史杜慆，杜佑之子，杜悰之弟。杜佑、杜悰父子皆位至三公，入朝为相。庞勋叛乱，杜慆时为泗州刺史。泗州，治所临淮，在今江苏盱眙，是徐州东南淮水南岸的市镇，东南财赋运往京师运输线上的一个枢纽，影响军事、政治、经济极为重大的地理要冲。杜慆及时做好迎击叛寇的准备，合门百余口留在泗州与城共存亡，坚定地鼓舞士气。辛谠闻之，特地从扬州赶来，进入围城帮助杜慆守城。逃避战乱的人纷纷向南跑，唯独辛谠向北走进入危城。杜慆以寡击众，死守泗州，辛谠多次突围请救兵，筹粮饷，抵挡叛贼重兵攻城达七个月之久，有力地支援了官军困围徐州之乱，更重要的是阻敌于泗州，成了江淮大地东南的屏障。辛谠、杜慆两位忠义之士，在平乱之战中应列首功。他们在国难当头表现出的忠勇与爱国情怀，永垂不朽。

第三，肉食之官令狐绹。令狐绹，字子直，令狐楚之子。父子两代官至宰相。令狐绹在文宗朝辅政十年，大中十三年（公元八五九年）罢相，又历官河中尹、河中晋绛节度使、汴州刺史、宣武军节度使，咸通三年转淮南节度使。庞勋叛军过境，都押衙李湘主张设伏截击。令狐绹说："彼在淮南不为暴，听其自过，余非吾事也。"令狐绹只是把祸水引向邻郡就没事了。他说"余非吾事"，作为国家重臣，国家之事，就是自己的事，怎么能说与自己无关呢！庞勋反叛后，令狐绹受命为徐州南面招讨使，身肩讨贼重任，泗州告急，李湘带兵救援，令狐绹又受庞勋蒙骗，庞勋声称降朝，令狐绹替庞勋上奏请赐节钺，通告李湘不要进军，不准攻贼，不救泗州，等在淮口受降，结果使李湘放松戒备，遭到叛军偷袭，全军覆没。庞勋俘虏了数千名官军，蒸而食之，李湘被切断手脚，向攻战的官军示众。令狐绹丧师被罢官，徐州乱平，令狐绹又被起用，历官凤翔尹、凤翔陇节度使，封赵国公，食邑三千户。令狐绹败军误国，纵贼为祸，应当正法。因为他是大官，又依附宦官，依然飞黄腾达。正如春秋时曹刿所说"肉食者鄙"，令狐绹只是身居高位、俸禄丰厚却目光短浅的人。晚唐政治，肉食者当道于朝，宦官掌控皇帝于内，除了灭亡，无路可走。

卷第二百五十二　唐纪六十八

起上章摄提格（庚寅，公元八七〇年），尽柔兆涒滩（丙申公元八七六年），凡七年。

【题解】

本卷记事起公元八七〇年，迄公元八七六年，凡七年，当唐懿宗咸通十一年至唐僖宗乾符三年。七年史事为唐懿宗、僖宗两代皇帝各三年半。懿宗卒于咸通十四年七月，僖宗继立，到第二年懿宗咸通十五年十一月才改元乾符。懿宗晚年游宴、佞佛、滥赏，依然故我，毫无节制。咸通十一年，懿宗长女同昌公主薨，懿宗痛惜不已，厚葬公主，极度挥霍。其时，宰臣互相倾轧，节镇不听朝命，唐政治已败坏到极点。南诏寇西川，一度逼近成都。懿宗死，僖宗立，翰林学士卢携上奏，借新君之立，极言民众生活困苦，希望僖宗改善政治。僖宗年少登基，虚岁十三，在宦官操纵下，只知逸乐，不知治国。悍将高骈入西川，朝廷倚重高骈抗御南诏，高骈却排除异己，滥杀保卫成都、击退南诏的功臣西川突将数千人，制造了骇人的冤狱，国家纲纪遭破坏。黎民忍无可忍，于是，王仙芝、黄巢领导的农民大起义，在僖宗初即位的乾符元年、二年终于大爆发了。

【原文】

懿宗昭圣恭惠孝皇帝下

咸通十一年（庚寅，公元八七〇年）

春，正月甲寅朔[①]，群臣上尊号曰睿文英武明德至仁大圣广孝皇帝，赦天下。

西川之民闻蛮寇将至，争走入成都。时成都但有子城，亦无壕，人所占地各不过一席许，雨则戴箕盎[②]以自庇[③]。又乏水，取摩诃池[④]泥汁，澄而饮之。

将士不习武备，节度使卢耽召彭州[⑤]刺史吴行鲁使摄参谋，与前泸州刺史杨庆复共修守备，选将校，分职事，立战棚，具炮[⑥]檑[⑦]，造器备，严警逻。先是，西川将士多虚职名[⑧]，亦无禀给。至是，揭榜募骁勇之士，补以实职，厚给粮赐，应募者云集。庆复乃谕之曰："汝曹皆军中子弟，年少材勇[⑨]，平居[⑩]无由自进，今蛮寇凭陵[⑪]，乃

【语译】

懿宗昭圣恭惠孝皇帝下

咸通十一年（庚寅，公元八七〇年）

春，正月初一日甲寅，群臣奉上尊号称睿文英武明德至仁大圣广孝皇帝，大赦天下。

西川的民众听说南蛮就要入侵，争相逃入成都城。当时成都只有内城，也没有护城河，每人所占据的地方不过一张席子，下雨时就戴斗笠或大缶遮雨。又缺乏生活用水，就提取摩诃池的泥汁，澄清后饮用。

将士们不训练武事，节度使卢耽招来彭州刺史吴行鲁摄代参谋，和前任泸州刺史杨庆复共同修治防守设备，选择将校，分配所主事务，建立作战棚车，准备炮石和檑木，制造军用器械，严加警戒巡逻。此前，西川将士大多是虚职，也不发粮饷供应。到这时，贴出榜文招募骁勇之士，补任实际职务，发给优厚粮饷和赏赐，应募的人云集。杨庆复于是晓谕他们说："你们都是军队将士的子弟，年少有材力，又勇敢，平时自己没有途径进取，现在南蛮前来侵扰，正是你们取得富贵的时候，

汝曹取富贵之秋也，可不勉乎！”皆欢呼踊跃。于是列兵械于庭，使之各试所能，两两角胜，察其勇怯而进退之，得选兵三千人，号曰“突将”。行鲁，彭州人也。

戊午⑫，蛮至眉州，耽遣同节度副使王偃等赍书见其用事之臣杜元忠，与之约和。蛮报曰：“我辈行止⑬，只系雅怀⑭。”

路岩、韦保衡上言：“康承训讨庞勋时，逗挠⑮不进，又不能尽其余党，又贪虏获，不时上功⑯。”辛酉⑰，贬蜀王傅、分司，寻再贬恩州司马。

南诏进军新津⑱，定边⑲之北境也。卢耽遣同节度副使谭奉祀致书于杜元忠，问其所以来之意，蛮留之不还。耽遣使告急于朝，且请遣使与和，以纾⑳一时之患。朝廷命知四方馆㉑事、太仆卿支详为宣谕通和使㉒。蛮以耽待之恭，亦为之盘桓㉓，而成都守备由是粗完㉔。

【段旨】

以上为第一段，写南诏侵犯西川，直逼成都。

【注释】

①甲寅朔：正月初一日。②盎：一种腹大口小的瓦器，即缶。③庇：遮盖。④摩诃池：池名，在今四川成都东南。⑤彭州：州名，治所九陇，在今四川彭州。⑥炮：指炮

【原文】

甲子㉕，蛮长驱而北，陷双流㉖。庚午㉗，耽遣节度副使柳槃往见之。杜元忠授槃书一通，曰：“此通和㉘之后，骠信与军府相见之仪㉙也。”其仪皆[1]以王者自处，语极骄慢。又遣人负彩幕㉚至城南，云欲张陈蜀王厅㉛以居骠信。

癸酉㉜，废定边军，复以七州㉝归西川。

是日，蛮军抵成都城下。前一日，卢耽遣先锋游弈使王昼至汉州诇

能不努力吗!”大家都欢呼雀跃。于是在庭上排列着武器兵械，叫他们各人把自己技艺展示出来，又两人一组角斗胜负，从中察看他们的勇怯情况进行取舍，最后选出了三千名士兵，号称“突将”。吴行鲁，是彭州人。

正月初五日戊午，南蛮到达眉州，卢耽派遣同节度副使王偃等人带着书信去谒见蛮人主政大臣杜元忠，和他商谈议和之事。南蛮回答说：“我们的行动，一定使你们满意。”

路岩、韦保衡上奏说：“康承训在讨伐庞勋的时候，逗留拖延不肯进军，又没有把庞勋的余党全部消灭，又贪图抓获俘虏，不按时上报功劳。”正月初八日辛酉，贬谪康承训为蜀王傅、分司东都，不久再贬为恩州司马。

南诏进军到达新津，这里是定边军的北面边界。卢耽派遣同节度副使谭奉祀送信给杜元忠，询问他们领大军前来的用意，蛮人扣留了谭奉祀不让他回去。卢耽派遣使者向朝廷告急，并且请求派遣使者与南诏议和，以便缓和一时的祸患。朝廷任命知四方馆事、太仆卿支详为宣谕通和使。蛮人看到卢耽对待他们很恭谨，也就逗留不进，这样成都的防守准备粗略完成了。

石，古代炮车所抛射的石块。⑦ 檑：檑木，从高处推下以打击敌人的大木头。⑧ 虚职名：没有实际职务的虚设官位。⑨ 材勇：有材力，又勇敢。⑩ 平居：平日。⑪ 凭陵：同“冯陵”，侵犯、侵陵。⑫ 戊午：正月初五日。⑬ 行止：或前行，或停止。即行动。⑭ 只系雅怀：一定让你满意。雅，敬辞。⑮ 逗桡：逗留拖延。⑯ 不时上功：不按时呈报功劳。⑰ 辛酉：正月初八日。⑱ 新津：县名，县治在今四川新津。⑲ 定边：定边军。⑳ 纾：缓解。㉑ 四方馆：官署名，接待四方少数民族使者，负责往来及通商贸易等事。㉒ 宣谕通和使：官名，朝廷所派遣的宣旨媾和的使臣。㉓ 盘桓：逗留不进。㉔ 粗完：粗略完成。

【语译】

正月十一日甲子，蛮兵长驱北进，攻下了双流县。十七日庚午，卢耽派遣节度副使柳槃前往谒见蛮人。南诏的主政大臣杜元忠交给柳槃一封书信，并说：“信中写有在议和之后，骠信与贵节度使府相见时的礼仪规定。”在那个仪制中骠信都以国王自居，语言极其傲慢。杜元忠又派人背着五彩的帷幕到达成都南面，说要设置在蜀王府的厅堂中，以便让骠信居住。

正月二十日癸酉，撤销定边军，将其所领七州重归西川节度使管辖。

这一天，蛮军抵达成都城下。前一天，卢耽派遣先锋游弈使王昼到汉州去探问

援军[34]，且趣之。时兴元六千人、凤翔四千人已至汉州，会窦滂以忠武、义成、徐宿四千人自导江奔汉州，就援军以自存。丁丑[35]，王昼以兴元、资、简[36]兵三千余人军于毗桥[37]，遇蛮前锋，与战不利，退保汉州。时成都日望援军之至，而窦滂自以失地[38]，欲西川相继陷没以分其责，每援军自北至，辄说之曰："蛮众多于官军数十倍，官军远来疲弊[39]，未易遽前。"诸将信之，皆狐疑不进。成都十将李自孝阴与蛮通，欲焚城东仓为内应，城中执而杀之。后数日，蛮果攻城。久之，城中无应而止。

二月癸未朔[40]，蛮合梯[41]冲[42]四面攻成都，城上以钩缳[43]挽之使近，投火沃油焚之，攻者皆死。卢耽以杨庆复、摄左都押牙李骧各帅突将出战，杀伤蛮二千余人，会暮，焚其攻具三千余物而还。蜀人素怯，其突将新为庆复所奖拔，且利于厚赏，勇气自倍，其不得出者，皆愤郁求奋[44]。后数日，贼取民篱，重沓湿而屈之以为蓬[45]，置人其下，举以抵城而劚之[46]。矢石不能入，火不能然，庆复镕铁汁以灌之，攻者又死。

乙酉[47]，支详遣使与蛮约和。丁亥[48]，蛮敛兵请和。戊子[49]，遣使迎支详。时颜庆复以援军将至，详谓蛮使曰："受诏诣定边约和，今云南乃围成都，则与向日诏旨异矣。且朝廷所以和者，冀其不犯成都也。今矢石昼夜相交，何谓和乎！"蛮见和使不至，庚寅[50]，复进攻城。辛卯[51]，城中出兵击之，乃退。

初，韦皋招南诏以破吐蕃，既而蛮诉以无甲弩。皋使匠往[2]教之，数岁，蛮中甲弩皆精利。又，东蛮苴那时、勿邓、梦冲三部助皋破吐蕃有功[52]，其后边吏遇之无状，东蛮怨唐深，自附于南诏，每从南诏入寇，为之尽力，得唐人皆虐杀之。

朝廷贬窦滂为康州司户，以颜庆复为东川节度使，凡援蜀诸军，皆受庆复节制。癸巳[53]，庆复至新都[54]，蛮分兵往拒之。甲午[55]，与庆复遇，庆复大破蛮军，杀二千余人，蜀民数千人争操芟刀[56]、白棓[57]以助官军，呼声震野。乙未[58]，蛮步骑数万复至，会右武卫上将军宋威以忠武军[3]二千人至，即与诸军会战，蛮军大败，死者五千余人，退保星宿山[59]。威进军沱江驿[60]，距成都三十里。蛮遣其臣杨定保诣支详请

援军的消息，并且催促他们。当时兴元府的六千人、凤翔府的四千人已经到达汉州，恰好窦滂也带领忠武、义成、徐宿的四千人从导江来到汉州，与援军会合以自保。正月二十四日丁丑，王昼带领兴元和资州、简州的三千多人的军队驻扎在毗桥，与南蛮的前锋部队遭遇，王昼交战失利，退回汉州自保。当时成都日夜盼望援军到来，而窦滂自认为丢失了土地，希望西川相继失陷来分担自己的罪责，每每援军从北方到来时，就向他们说："蛮人的军队比官军要多数十倍，官军从远方赶来，很疲劳，不宜匆忙前进。"那些将领相信了他的话，都犹豫不进。成都十将李自孝暗地和蛮人勾通，打算火烧城东仓库作为内应，城中军民把他抓起来杀掉了。隔了几天后，蛮兵果然攻城。过了很久，城中没有人响应就停止了攻城。

二月初一日癸未，南蛮集中了云梯、冲车从四面攻打成都城，城上的官军用带绳索的钩子把敌人云梯、冲车拉近城墙，抛下火炬浇上油烧掉它，攻城的人都被杀死。卢耽派杨庆复、摄左都押牙李骧各自带领突将出城作战，杀伤蛮兵二千多人，赶上天色已晚，烧掉了蛮兵的攻城器具三千多件，回到城内。蜀人一向怯懦，这支突将新近受到杨庆复奖励提拔，并且贪图厚赏，所以勇气倍增，那些不能出去作战的，都愤愤不平要求奋力出战。隔了几天，蛮贼拿走民众的篱笆，重叠起来浸湿再让它弯曲编成竹篷，使人躲在下面，举起来抵达城下后掘城墙。箭矢和石头不能穿透竹篷，用火也烧不起来，杨庆复用熔化的铁汁往下倾倒，攻城的人又被烧死。

二月初三日乙酉，唐朝廷宣谕通和使支详派使者与南诏讲和。初五日丁亥，南诏收兵请求和谈。初六日戊子，又派使者迎接支详。当时颜庆复认为援军即将到来，支详对蛮人使者说："我受朝廷诏令到定边军谈判议和的事，现在云南的南诏军队还包围着成都，那么和过去诏令的旨意完全不同了。况且朝廷之所以议和，是希望你们不进犯成都。现在弓矢炮石日夜相交锋，怎么能说是讲和呢！"南诏看到议和的使者没有到来，初八日庚寅，又进军攻城。初九日辛卯，城中派兵出来反击，南诏军才退去。

当初，韦皋招来南诏用他们打败吐蕃，不久南诏蛮人声称没有甲胄和弓弩。韦皋叫工匠前往教他们，几年以后，南诏的甲胄弓弩都精良坚利。另外，东蛮苴那时、勿邓、梦冲三部帮助韦皋打败吐蕃有功劳，因后边境地方官对待他们很不友善，因此东蛮深深地怨恨唐人，自己依附于南诏，每次随从南诏入侵，尽力为他们作战，抓到了唐人都暴虐地将他们杀害。

朝廷贬窦滂为康州司户，任命颜庆复为东川节度使，所有援蜀的军队，都接受颜庆复调度指挥。二月十一日癸巳，颜庆复到达新都，南诏分兵前去抵御。十二日甲午，和颜庆复的军队相遇，颜庆复大败南诏蛮军，杀死二千多人。蜀地的民众数千人争相拿着镰刀、大棍来帮助官军，呼号声震动了原野。十三日乙未，南诏步兵骑兵数万人又赶来了，适逢右武卫上将军宋威带着忠武军二千人到达，随即和各路军一同与南诏作战，南诏蛮军大败，死了五千多人，退保星宿山。宋威进驻沱江驿，距离成都三十

和。详曰："宜先解围退军。"定保还，蛮围城如故。城中不知援军之至，但见其数来请和，知援军必胜矣。戊戌㉑，蛮复请和，使者十返，城中亦依违㉒答之。蛮以援军在近，攻城尤急，骠信以下亲立矢石之间。庚子㉓，官军至城下与蛮战，夺其升迁桥㉔。是夕，蛮自烧攻具遁去。比明，官军乃觉之。

初，朝廷使颜庆复救成都，命宋威屯绵、汉㉕为后继。威乘胜先至城下，破蛮军功居多，庆复疾之。威饭士欲追蛮军，城中战士亦欲与北军合势俱进，庆复牒威，夺其军，勒归汉州。蛮至双流，阻新穿水㉖，造桥未[4]成，狼狈失度㉗。三日，桥成，乃得过，断桥而去，甲兵服物遗弃于路，蜀人甚恨之。黎州刺史严师本收散卒数千保邛州，蛮围之，二日不克，亦舍去。

颜庆复始教蜀人筑壅门城㉘，穿堑引水满之，植鹿角㉙，分营铺㉚。蛮知有备，自是不复犯成都矣。

先是，西川牙将有职无官。及拒却南诏，四人以功授监察御史。堂帖，人输堂例钱三百缗㉛，贫者苦之。

【段旨】

以上为第二段，写官军击退南诏。

【注释】

㉕甲子：正月十一日。㉖双流：县名，县治在今四川成都市双流区。㉗庚午：正月十七日。㉘通和：往来和好。㉙相见之仪：指信中规定了南诏骠信与西川节度使相见的礼仪，即南诏王以王礼自处。㉚彩幕：五彩帐幕。指南诏行军的将军营帐。㉛张陈蜀王厅：把彩幕设在蜀王厅。蜀王厅，隋蜀王杨秀所筑。宏伟壮丽，在成都城内。㉜癸酉：正月二十日。㉝七州：即邛、眉、蜀、雅、嘉、黎、嶲七州。㉞诇援军：探问援军消息。诇，探问。㉟丁丑：正月二十四日。㊱资、简：皆州名。资州治所盘石县，在今四川资中北。简州治所阳安，在今四川简阳。㊲毗桥：桥名，在今四川新都西南。㊳失地：谓丧失定边军。㊴疲弊：疲惫、疲敝。弊，通"敝"。㊵癸未朔：二月初一日。㊶梯：云梯，

里。南诏派他们的大臣杨定保到支详那里请求议和。支详说："应当先解成都围退军。"杨定保回去后，南诏依然包围着成都城。城里面不知道援军到达，只看到南诏多次来请求议和，知道援军一定获胜了。十六日戊戌，南诏又来请和，使者往返十次，城里面也就模棱两可地回答他。南诏看到唐援军到了附近，攻城更加紧急，骠信以下的将吏亲自站立在矢石之间。十八日庚子，唐官军到城下和蛮兵交战，夺回被蛮兵占领的升迁桥。当天晚上，南诏蛮军自己烧掉攻城器具逃走了。等到天亮时，官军才发现。

当初，朝廷使颜庆复救援成都，命令宋威屯驻绵州、汉州为后续部队。宋威乘胜先到达成都城下，打败南诏蛮军的功劳大一些，颜庆复嫉妒他。宋威叫士兵赶紧吃饭，想追击乘夜色逃走的蛮军，城里的战士也想和北军合势共同追击，颜庆复下文牒给宋威，夺过他的军队，勒令他返回汉州。南诏蛮军到达双流，为新穿水所阻隔，桥还未造成，混乱失次。过了三天，桥修好了，才得通过，把桥破坏后离去，南诏蛮军的铠甲兵器衣服等物都抛弃在路上，蜀中人士对颜庆复不准宋威追击蛮军之事非常痛恨。黎州刺史严师本收集流散兵卒数千人守卫邛州，蛮军包围了它，过了两天没有攻下，也就放弃该城离开了。

颜庆复开始教蜀人修筑壅门城，又挖壕堑并灌满水，树立木杈，分设营房和哨楼。蛮人知道有了防守设备，从这以后不再进犯成都了。

此前，西川牙将只有职务没有官品。等到打退了南诏，有四人因功被授给监察御史官职。照堂帖规定，得官的人每人要交堂例钱三百串，家境贫穷的人深感忧虑。

攻城用的长梯。㊷冲：冲车，攻城用的战车。㊸钩缳：带绳索的钩子。缳，绳索。㊹求奋：要求奋力出战。㊺以为蓬：当作帐篷。蓬，同"篷"。㊻劚之：挖城。㊼乙酉：二月初三日。㊽丁亥：二月初五日。㊾戊子：二月初六日。㊿庚寅：二月初八日。51辛卯：二月初九日。52助皋破吐蕃有功：贞元五年（公元七八九年），剑南节度使韦皋联合东蛮苴那时等在台登大破吐蕃青海、腊城二节度使。事见本书卷二百三十三德宗贞元五年。53癸巳：二月十一日。54新都：县名，县治在今四川成都市新都区。55甲午：二月十二日。56芟刀：镰刀。57白棓：大棍；大杖。棓，同"棒"。58乙未：二月十三日。59星宿山：山名，在今四川成都北。60沱江驿：地名，在星宿山西北。61戊戌：二月十六日。62依违：模棱两可。63庚子：二月十八日。64升迁桥：桥名，在成都北，星宿山南。65绵、汉：皆州名。绵州治所巴西，在今四川绵阳东。汉州治所雒县，在今四川德阳。66新穿水：水名，在今四川新津。67失度：南诏军纷乱不堪，失去控制。68壅门城：遮掩城门的短墙。69植鹿角：在空旷的平地上插立木杈设防。70分营铺：分立营房和哨楼。71堂帖二句：按照堂帖惯例，升官的四位监察御史要交纳堂例钱三百缗。堂帖，宰相所下的判事文书，帖由政事堂出，故称堂帖。缗，一千钱为一缗，即一贯。

【校记】

［1］皆：原无此字。据章钰校，十二行本、乙十一行本皆有此字，今据补。［2］往：原无此字。据章钰校，十二行本、乙十一行本、孔天胤本皆有此字，张敦仁《通鉴刊本识

【原文】

三月，左仆射、同平章事曹确同平章事，充镇海节度使。

夏，四月丙午⑫，以翰林学士承旨、兵部侍郎韦保衡同平章事。

徐贼⑬余党犹相聚闾里为群盗，散居兖、郓、青、齐之间，诏徐州观察使夏侯瞳招谕之。

五月丁丑⑭，以邛州刺史吴行鲁为西川留后。

光州民逐刺史李弱翁，弱翁奔新息⑮。左补阙杨堪⑯等上言："刺史不道，百姓负冤，当诉于朝廷，置诸典刑⑰，岂得群党相聚，擅自斥逐，乱上下之分！此风殆不可长，宜加严诛，以惩来者。"

上令百官议处置徐州之宜⑱。六月丙午⑲，太子少傅李胶等状，以为："徐州虽屡构祸乱⑳，未必比屋顽凶，盖由统御失人，是致奸回㉑乘衅。今使名虽降㉒，兵额尚存，以为支郡则粮饷不给，分隶别藩则人心未服，或旧恶相济㉓，更成披猖㉔。惟泗州向因攻守，结衅已深，宜有更张㉕，庶为两便。"诏从之，徐州依旧为观察使，统徐、濠、宿三州，泗州为团练使，割隶淮南。

加幽州节度使张允伸兼侍中。

误》同，今据补。[3] 军：原无此字。据章钰校，十二行本、乙十一行本、孔天胤本皆有此字，今据补。[4] 未：据章钰校，此字下十二行本、乙十一行本、孔天胤本皆有“能”字，张敦仁《通鉴刊本识误》同。

【语译】

三月，左仆射、同平章事曹确改任同平章事，充任镇海节度使。

夏，四月二十四日丙午，任命翰林学士承旨、兵部侍郎韦保衡同平章事。

徐州庞勋叛贼的余众仍然聚集在乡里为盗贼，分散在兖、郓、青、齐各州之间，朝廷诏令徐州观察使夏侯瞳告谕招抚他们。

五月二十六日丁丑，任命邛州刺史吴行鲁为西川留后。

光州的民众赶走了刺史李弱翁，李弱翁逃往新息县。左补阙杨堪等人上奏说：“刺史无道，百姓遭受冤枉，应当上诉朝廷，按照刑法处置，怎么能聚众结党，擅自赶走上司，扰乱上下级之间的名分！这种风气恐怕是不应助长的，应当严加惩罚，以便警戒后人。”

懿宗叫百官讨论处理徐州后事最妥当的办法。六月二十五日丙午，太子少傅李胶等人进呈奏状，认为：“徐州地方虽然多次制造祸乱，未必家家都是顽恶凶险的人，大概是没有好的长官，才导致奸邪者乘机起事。现在虽然降节度使为观察使，但兵员还是那么多，把这些军队交由郡来管辖，郡里又无法供给足够的粮饷，如果分属其他藩镇，那么人心又不服；或者与旧的怨恨搅在一起，造成更大的祸乱。只有泗州因为前些时间处在敌我攻守之中，结仇已深，应当改变隶属关系，使两方面都满意。”懿宗下诏听从李胶等人的意见，徐州依旧设置观察使，统辖徐州、濠州、宿州三个州，泗州设团练使，从徐州划归淮南道管辖。

加授幽州节度使张允伸兼侍中。

【段旨】

以上为第三段，写西川遭南诏侵扰，徐州历庞勋之乱，朝廷调整人事与行政建制，以此善后。

【注释】

⑫ 丙午：四月二十四日。⑬ 徐贼：指庞勋叛军。⑭ 丁丑：五月二十六日。⑮ 新息：县名，县治在今河南息县。⑯ 杨堪：文宗朝京兆尹杨虞卿之子，官至吏部员外郎。事附《旧唐书》卷一百七十六、《新唐书》卷一百七十五《杨虞卿传》。⑰ 典刑：刑典、刑

【原文】

秋，八月乙未[86]，同昌公主薨。上痛悼不已，杀翰林医官韩宗劭等二十余人，悉收捕其亲族三百余人系京兆狱。中书侍郎、同平章事刘瞻召谏官使言之，谏官莫敢言者，乃自上言，以为："修短[87]之期，人之定分。昨公主有疾，深轸[88]圣慈。宗劭等诊疗之时，惟求疾愈，备施方术[89]，非不尽心，而祸福难移，竟成差跌[90]。原[91]其情状，亦可哀矜。而械系老幼三百余人，物议沸腾，道路嗟叹。奈何以达理知命之君，涉肆暴[92]不明之谤！盖由安不虑危，忿不思难之故也。伏愿少回圣虑[93]，宽释系者。"上览疏，不悦。瞻又与京兆尹温璋力谏于上前。上大怒，叱出之。

魏博节度使何全皞年少，骄暴好杀，又减将士衣粮。将士作乱，全皞单骑走，追杀之，推大将韩君雄[94]为留后。成德节度使王景崇为之请旌节。九月庚戌[95]，以君雄为魏博留后。

丙辰[96]，以刘瞻同平章事，充荆南节度使，贬温璋振州司马。璋叹曰："生不逢时，死何足惜！"是夕，仰药[97]卒。庚申[98][5]，敕曰："苟无蠹害[99]，何至于斯！恶实贯盈[100]，死有余责。宜令三日内且于城外权瘗[101]，俟经恩宥[102]，方许归葬，使中外快心，奸邪知惧。"己巳[103]，贬右谏议大夫高湘[104]，比部郎中、知制诰杨知至[105]，礼部郎中魏筜等于岭南，皆坐与刘瞻亲善，为韦保衡所逐也。知至，汝士之子。筜，扶之子也。保衡又与路岩共奏刘瞻，云与医官通谋，误投毒药[106]。丙子[107]，贬瞻康州刺史。翰林学士承旨郑畋[108]草瞻罢相制辞曰："安数亩之居，仍非己有。却四方之赂，惟畏人知。"岩谓畋曰："侍郎[109]乃表荐刘相也！"坐

法。⑱ 宜：事宜。⑲ 丙午：六月二十五日。⑳ 屡构祸乱：指银刀等七军及桂林戍卒之乱。㉑ 奸回：奸邪。㉒ 使名虽降：谓降节度使为观察使。按《新唐书·方镇表》，咸通三年罢武宁军节度使，置团练防御使。五年罢防御使，置观察使。节度使高于观察使，观察使高于团练使。㉓ 旧恶相济：与旧的怨恨搅在一起。㉔ 披猖：猖狂，意为更大的祸乱。㉕ 宜有更张：谓对泗州归属问题应另行处置。

【语译】

秋，八月十五日乙未，同昌公主去世。懿宗悲痛哀悼不已，竟下令杀死翰林医官韩宗劭等二十多人，又全部收捕他们的亲族三百多人囚禁在京兆府的监狱中。中书侍郎、同平章事刘瞻召集谏官叫他们向皇上进谏，谏官中没有人敢说话，于是刘瞻亲自向懿宗进言，认为："寿命期限的长短，每人有固定的命运。日前公主得了病，为圣慈深深挂念着。韩宗劭等人在治疗的时候，只希望把病治好，用尽了各种药方，并不是没有尽心竭力，而是难以改变祸福，终究造成了治疗的失败。推究他们的情状，也让人哀怜。然而用刑具囚禁了医官的家属老幼三百余人，致使人们议论纷纷，行人叹息。为什么达理知命的君主，何至于受到肆暴和不明事理的诽谤呢！大概是由于在安定中没有考虑到危险，在愤怒中没有想到艰难的缘故吧。希望稍微改变圣上的思虑，宽容释放无辜被捕的人。"懿宗看了刘瞻的奏疏，很不高兴。刘瞻又和京兆尹温璋在懿宗面前极力进谏。懿宗大怒，喝令他们斥责退出皇宫。

魏博节度使何全皞年少，骄横暴虐，喜好杀人，又削减将士衣粮。将士作乱，何全皞一人骑马逃跑，被将士追上杀死了，魏博将士推举大将韩君雄为留后。成德节度使王景崇替韩君雄向朝廷请求节度使的旌节。九月初一日庚戌，朝廷任命韩君雄为魏博留后。

九月初七日丙辰，朝廷任命刘瞻同平章事，充当荆南节度使，贬温璋为振州司马。温璋叹息说："生不逢时，生命哪值得珍惜！"当晚，服毒自杀了。十一日庚申，敕命说："假如没有为非作歹，何至于如此！实在是恶贯满盈，死有余辜。应当命令在三天内暂时掩埋在城外，等到施恩宽宥后，才允许归葬故乡，使朝廷内外之人高兴，奸邪之人知道畏惧。"二十日己巳，贬谪右谏议大夫高湘，比部郎中、知制诰杨知至，礼部郎中魏筜等人于岭南，都是因为和刘瞻亲善，被韦保衡所赶走的。杨知至，是杨汝士的儿子。魏筜，是魏扶的儿子。韦保衡又和路岩一起弹奏刘瞻，说他与医官串通谋划，误投毒药。二十七日丙子，贬刘瞻为康州刺史。翰林学士承旨郑畋起草罢免刘瞻宰相的制辞中说："安心住在数亩大的宅院中，但不是自己的财产。拒收四方的贿赂，只是怕别人知晓。"路岩对郑畋说："侍郎这是表扬推荐刘相吧！"

贬梧州刺史。御史中丞孙瑝坐为瞻所引[6]用，亦贬汀州刺史。路岩素与刘瞻论议多不叶，瞻既贬康州，岩犹不快，阅《十道图》⑩，以驩州去长安万里，再贬驩州司户。

冬，十月癸卯⑪，以西川留后吴行鲁为节度使。

十一月辛亥⑫，以兵部尚书、盐铁转运使王铎⑬为礼部尚书、同平章事。铎，起之兄子也。

丁卯⑭，复以徐州为感化军节度。

十二月，加成德节度使王景崇同平章事。以左金吾上将军李国昌为振武节度使。

【段旨】

以上为第四段，写唐懿宗凭好恶用刑，宰臣进谏遭排斥，节镇不断发生兵变，政治腐败到极点。

【注释】

㊅乙未：八月十五日。㊆修短：谓人的寿命的长短。㊇深轸：深深挂念。㊈方术：犹医术。⑩差跌：失误；失败。差，同“蹉”。⑪原：推究。⑫肆暴：恣意暴虐。⑬少回圣虑：稍微改变一下想法。⑭韩君雄：魏州（今河北大名东北）人，官至魏博节度使。唐僖宗赐名允中。传见《旧唐书》卷一百八十一、《新唐书》卷二百十。⑮庚戌：九月初一日。⑯丙辰：九月初七日。⑰仰药：服毒药自杀。⑱庚申：九月十一日。⑲蠹害：谓为非作歹。⑩恶实贯盈：恶贯满盈。贯盈，积累到极点。⑩城外权瘗：暂时埋葬在京郊。⑩恩宥：即恩赦，皇帝施恩颁布的特赦。⑩己巳：九月二十日。⑩高湘：字濬之，宋州宁陵（今河南宁陵东南）人，唐僖宗时官终江西观察使。传见《新唐书》卷一百七

【原文】

十二年（辛卯，公元八七一年）

春，正月辛酉⑮，葬文懿公主⑯。韦氏之人⑰争取庭祭⑱之灰，汰⑲其金银。凡服玩，每物皆百二十舆，以锦绣、珠玉为仪卫、明

因此郑畋被贬为梧州刺史。御史中丞孙瑝因为是刘瞻荐引任用的，也贬为汀州刺史。路岩向来和刘瞻讨论政事意见不一致，刘瞻贬谪康州以后，路岩还不满意，阅览《十道图》，因为骓州距离长安有一万里，就再次贬刘瞻为骓州司户。

冬，十月二十五日癸卯，任命西川留后吴行鲁为节度使。

十一月初三日辛亥，任命兵部尚书、盐铁转运使王铎为礼部尚书、同平章事。王铎，是王起哥哥的儿子。

十九日丁卯，又把徐州改置为感化军节度。

十二月，加授成德节度使王景崇同平章事。任命左金吾上将军李国昌为振武节度使。

十七，事附《旧唐书》卷一百六十八《高锴传》。⑩⑤杨知至：唐文宗时吏部尚书杨汝士之子，官至户部侍郎。事附《旧唐书》卷一百七十六、《新唐书》卷一百七十五《杨汝士传》。⑩⑥误投毒药：胡注，“谮言误投毒药，以致同昌公主于死。然既言误矣，又安可以为通谋邪”！⑩⑦丙子：九月二十七日。⑩⑧郑畋：字台文，荥阳（今河南荥阳）人，唐武宗朝给事中郑亚之子。唐僖宗朝官至宰相。传见《旧唐书》卷一百七十八、《新唐书》卷一百八十五。⑩⑨侍郎：指郑畋，畋时为户部侍郎。⑪⓪《十道图》：书名，《新唐书·艺文志》地理类有《十道图》十卷，李吉甫著。⑪①癸卯：十月二十五日。⑪②辛亥：十一月初三日。⑪③王铎：字昭范，唐懿宗朝宰相，唐僖宗时再度入相。后出为义成节度使，又徙义昌，过魏州，为魏博节度使乐彦祯之子所劫，遇害死。传见《旧唐书》卷一百六十四、《新唐书》卷一百八十五。⑪④丁卯：十一月十九日。

【校记】

［5］庚申：原无此二字。据章钰校，十二行本、乙十一行本、孔天胤本皆有此二字，张瑛《通鉴校勘记》同，今据补。［6］引：据章钰校，十二行本、乙十一行本皆作“擢”。

【语译】

十二年（辛卯，公元八七一年）

春，正月十四日辛酉，将文懿公主下葬。韦家的人争着收取在庭祭时烧祭物的灰烬，从中淘取金银。所有服饰珍玩，每一件物品都是一百二十车，用锦绣、珠玉

器[120]，辉焕[121]三十余里。赐酒百斛，饼餤[122]四十橐驼，以饲体夫[123]。上与郭淑妃思公主不已，乐工李可及作《叹百年曲》，其声凄惋。舞者数百人，发内库杂宝[124]为其首饰，以绝[125]八百匹为地衣[126]，舞罢，珠玑覆地。

以魏博留后韩君雄为节度使。

门下侍郎、同平章事路岩与韦保衡素相表里[127]，势倾天下。既而争权，浸有隙，保衡遂短严于上。夏，四月癸卯[128]，以岩同平章事，充西川节度使。岩出城，路人以瓦砾掷之。权京兆尹薛能，岩所擢也，岩谓能曰："临行，烦以瓦砾相饯[129]！"能徐举笏对曰："向来宰相出，府司[130]无例发人防卫。"岩甚惭。能，汾州人也。

五月，上幸安国寺，赐僧重谦、僧澈沈檀讲座[131]二，各高二丈，设万人斋。

秋，七月，以兵部尚书卢耽同平章事，充山南东道节度使。

冬，十月，以兵部侍郎、盐铁转运使刘邺为礼部尚书、同平章事。

【段旨】

以上为第五段，写唐懿宗厚葬同昌公主，恣意挥霍。同恶相济的宰臣互相倾轧。

【注释】

⑮ 辛酉：正月十四日。⑯ 文懿公主：同昌公主谥文懿。⑰ 韦氏之人：指韦保衡家族

【原文】

十三年（壬辰，公元八七二年）

春，正月，幽州节度使张允伸得风疾，请委军政[132]就医。许之，以其子简会[133]知[7]留后。疾甚，遣使上表纳旌节。丙申[134]，薨。允伸镇幽州二十三年，勤俭恭谨，边鄙[135]无警，上下安之。

装饰仪卫队和陪葬器物，光辉闪耀三十多里。赏赐给役夫酒一百斛，饼品四十驼，让役夫食用。懿宗和郭淑妃思念公主不已，乐工李可及作《叹百年曲》，声调凄凉哀婉。配舞的有数百人，从内库取出各种宝物作为他们的首饰，又用粗绸子八百匹为地毯，舞毕，地上布满了一层珠宝玑玉。

任命魏博留后韩君雄为节度使。

门下侍郎、同平章事路岩和韦保衡向来内外勾结，权倾天下。不久彼此争夺权力，渐渐产生了矛盾，韦保衡于是在懿宗面前说路岩的坏话。夏，四月二十七日癸卯，调任路岩带同平章事衔，充西川节度使。路岩出城时，路上的行人用瓦片石子投掷他。代理京兆尹薛能，是路岩提拔的，路岩对薛能说："我临走时，担心会有人用瓦片石子送行！"薛能慢慢举起笏回答说："向来宰相出外，京兆府主管部门没有先例派人防卫。"路岩很惭愧。薛能，是汾州人。

五月，懿宗到安国寺，赏赐给僧人重谦和僧澈用沉香、檀木做的讲座二个，各高二丈，又摆设万人的斋饭。

秋，七月，任命兵部尚书卢耽同平章事，充任山南东道节度使。

冬，十月，任命兵部侍郎、盐铁转运使刘邺为礼部尚书、同平章事。

之人。⑱ 庭祭：敕祭之于韦氏之庭，故曰庭祭。⑲ 汰：淘洗。⑳ 明器：即冥器，陪葬器物。㉑ 辉焕：辉煌。㉒ 饼餤：糕饼之类食物。㉓ 体夫：抬运灵柩的人。㉔ 杂宝：各种珠宝。㉕ 绝：粗绸。㉖ 地衣：地毯。㉗ 相表里：互相呼应。此指路岩、韦保衡两人狼狈为奸。路、韦两人，懿宗后期为相，同恶相济，为时人所忌。后两人互相倾轧，先后失势被诛，两《唐书》均有传。㉘ 癸卯：四月二十七日。㉙ 以瓦砾相饯：用砖头瓦片送行。㉚ 府司：指京兆府主管部门。㉛ 沈檀讲座：用沉香木、檀香木制作的讲坛。

【语译】

十三年（壬辰，公元八七二年）

春，正月，幽州节度使张允伸得了风病，请求把幽州的军政事务托付他人，自己就医。朝廷同意了，任命张允伸的儿子张简会主持留后职务。张允伸病情严重时，就派遣使者上表交出节度使旌节。二十五日丙申，张允伸去世。张允伸镇守幽州二十三年，勤俭恭谨，边境很安定，军民上下相安无事。

二月丁巳[136]，以兵部侍郎、同平章事于琮为山南东道节度使，以刑部侍郎、判户部奉天赵隐[137]为户部侍郎、同平章事。

平州刺史张公素[138]素有威望，为幽州[8]人所服。张允伸薨，公素帅州兵来奔丧。张简会惧，三月，奔京师，以为诸卫将军。

夏，四月，立皇子保为吉王，杰为寿王，倚为睦王。

以张公素为平卢[139]留后。

五月，国子司业[140]韦殷裕诣阁门告郭淑妃弟内作坊使[141]敬述阴事，上大怒，杖杀殷裕，籍没其家。乙亥[142]，阁门使田献铦夺紫[143]，改桥陵使[144]，以其受殷裕状故也。殷裕妻父太仆[9]少卿崔元应[145]、妻从兄中书舍人崔沆[146]、季父君卿皆贬岭南官，给事中杜裔休[147]坐与殷裕善，亦贬端州司户。沆，铉之子也。裔休，悰之子也。

丙子[148]，贬山南东道节度使于琮为普王[149]傅、分司，韦保衡谮之也。辛巳[150]，贬尚书左丞李当、吏部侍郎王沨、左散骑常侍李都、翰林学士承旨、兵部侍郎张裼[151]、前中书舍人封彦卿、左谏议大夫杨塾。癸未[152]，贬工部尚书严祁、给事中李贶、给事中张铎、左金吾大将军李敬仲、起居舍人萧遘[153]、李渎、郑彦特、李藻，皆处之湖、岭[154]之南，坐与琮厚善故也。贶，汉之子。遘，寘之子也。甲申[155]，贬前平卢节度使于琄为凉王府长史、分司，前湖南观察使于瓌为袁州刺史。瓌、琄，皆琮之兄也。寻再贬琮韶州[156]刺史。

琮妻广德公主，上之妹也，与琮偕之韶州，行则肩舆门相对，坐则执琮之带，琮由是获全。时诸公主多骄纵，惟广德动遵法度，事于氏宗亲尊卑无不如礼，内外称之。

六月，以卢龙留后张公素为节度使。

韦保衡欲以其党裴条为郎官[157]，惮左丞李璋方严[158]，恐其不放上[159]，先遣人达意[160]。璋曰："朝廷迁除[161]，不应见问。"秋，七月乙未[162]，以璋为宣歙观察使。

八月，归义节度使张义潮薨，沙州长史曹义金代领军府，制以义金为归义节度使。是后中原多故，朝命不及，回鹘陷甘州，自余[163]诸州隶归义者多为羌、胡所据。

二月十七日丁巳，任命兵部侍郎、同平章事于琮为山南东道节度使，任命刑部侍郎、判户部奉天人赵隐为户部侍郎、同平章事。

平州刺史张公素向来享有威望，为幽州人所信服。张允伸去世后，张公素带领本州的士兵前来吊丧。张简会很恐惧，三月，跑往京师，朝廷任命为诸卫将军。

夏，四月，册立皇子李保为吉王，李杰为寿王，李倚为睦王。

任命张公素为平卢留后。

五月，国子司业韦殷裕到阁门控告郭淑妃的弟弟内作坊使郭敬述所做许多见不得人的事情，懿宗大怒，用刑杖打死了韦殷裕，没收了他的家产。初六日乙亥，阁门使田献铦被夺去紫服，改任桥陵使，这是由于他接收韦殷裕的诉状。韦殷裕的岳父太仆少卿崔元应、妻从兄中书舍人崔沆、叔父韦君卿都贬任岭南地方官职，给事中杜裔休因为与韦殷裕关系好，也被贬为端州司户。崔沆是崔铉的儿子。杜裔休是杜悰的儿子。

五月初七日丙子，贬谪山南东道节度使于琮为普王傅、分司东都，这是因为韦保衡进谗言。十二日辛巳，贬谪尚书左丞李当、吏部侍郎王沨、左散骑常侍李都、翰林学士承旨兵部侍郎张裼、前中书舍人封彦卿、左谏议大夫杨塾。十四日癸未，贬谪工部尚书严祁、给事中李贶、给事中张铎、左金吾大将军李敬仲、起居舍人萧遘、李渎、郑彦特、李藻，全都安置在湖南、岭南的南边，是因为和于琮关系深厚。李贶，是李汉的儿子。萧遘，是萧寘的儿子。十五日甲申，贬谪前平卢节度使于琄为凉王府长史、分司东都，前湖南观察使于瓌为袁州刺史。于瓌和于琄都是于琮的哥哥。不久再次贬谪于琮为韶州刺史。

于琮的妻子广德公主，是懿宗的妹妹，和于琮一道去韶州，行走时与于琮的轿子门互相对着，坐下时公主就牵着于琮的衣带，因此于琮保住了性命。当时的公主们多半骄横放纵，只有广德公主一举一动奉法守度，侍奉于家的亲属不论尊卑大小都按规定的礼节进行，朝廷内外之人都称赞她。

六月，任命卢龙留后张公素为节度使。

韦保衡想让同党裴条担任郎官，畏惧尚书左丞李璋正直严明，担心李璋不让赴省供职，便先派人表达意见。李璋说："朝廷对官员的升迁除授，不应当探问我。"秋，七月二十七日乙未，调李璋为宣歙观察使。

八月，归义节度使张义潮去世，沙州长史曹义金代领军府的职务，朝廷诏令曹义金为归义节度使。从这以后中原内地多次发生变故，朝廷的命令到达不了边远地区，于是回鹘攻陷了甘州，其他隶属归义军的各州多半被羌、胡等族所据有。

冬，十二月，追上宣宗谥曰元圣至明成武献文睿智章仁神聪懿道大孝皇帝。

振武节度使李国昌恃功恣横，专杀长吏⑯。朝廷不能平⑯，徙国昌为大同军防御使，国昌称疾不赴。

【段旨】

以上为第六段，写唐懿宗护短，宰相韦保衡专权，朝廷黜陟不公，地方藩镇横恣，不听朝命。

【注释】

⑬委军政：把军政事务托付别人。⑬简会：张简会，卢龙节度使张允伸之子，任卢龙节度副使。允伸死，为留后。平州刺史张公素率兵赴丧，简会力不能制，即出奔。传见《旧唐书》卷一百八十、《新唐书》卷二百十二《张允伸传》。⑬丙申：正月二十五日。⑬边鄙：即边境。⑬丁巳：二月十七日。⑬赵隐：字大隐，京兆奉天（今陕西乾县）人，唐宣宗时官至兵部侍郎，唐懿宗咸通末为宰相，唐僖宗时官终吏部尚书。传见《旧唐书》卷一百七十八、《新唐书》卷一百八十二。⑬张公素：范阳（治今河北涿州）人，原卢龙节度使张允伸军校，累迁至平州刺史。允伸卒，任节度使。无几，为卢龙将李茂勋夺其位，贬复州司户参军。传见《旧唐书》卷一百八十、《新唐书》卷二百一十二。⑬平卢：胡注，"当作'卢龙'"。⑭国子司业：官名，国子监副长官，协助祭酒掌儒学训导之政。⑭内作坊使：官名，掌造内库军器。⑭乙亥：五月初六日。⑭夺紫：即削除三品之级。紫色为三品之服。⑭桥陵使：官名，掌管皇帝陵园墓寝维修守卫等事。⑭崔元应：据《旧唐书·懿宗纪》"太仆少卿崔元应州司户"，当作"崔元"。⑭崔沆：字内融，宣宗宰相崔铉之子。僖宗时任宰相。传见《旧唐书》卷一百六十三、《新唐书》卷一百六

【原文】

十四年（癸巳，公元八七三年）

春，三月癸巳⑯，上遣敕使诣法门寺迎佛骨。群臣谏者甚众，至有言宪宗迎佛骨⑯寻晏驾⑯者。上曰："朕生得见之，死亦无恨！"广造浮图⑯、宝帐、香舆、幡花⑰、幢盖⑰以迎之，皆饰以金玉、锦绣、珠翠。

冬，十二月，追上宣宗的谥号称元圣至明成武献文睿智章仁神聪懿道大孝皇帝。

振武节度使李国昌恃功恣纵，擅自杀害大吏。朝廷极不满意，调任李国昌为大同军防御使，李国昌借口有病不去上任。

十。⑭⑦杜裔休：宪宗宰相杜佑曾孙，懿宗宰相杜悰之子。懿宗朝历官翰林学士、给事中，贬端州司马。传见《新唐书》卷一百六十六。⑭⑧丙子：五月初七日。⑭⑨普王：指李俨，唐懿宗子，初封普王，咸通十四年（公元八七三年）即位，是为唐僖宗。⑮⓪辛巳：五月十二日。⑮①张裼（公元八一三至八七七年）：字公表，河间（今河北河间）人，唐懿宗时累官至兵部侍郎、翰林学士承旨。唐僖宗时官终天平军节度使。传见《旧唐书》卷一百七十八。⑮②癸未：五月十四日。⑮③萧遘：兰陵（今山东兰陵西南）人，乾符初任翰林学士、中书舍人、兵部侍郎。黄巢入长安，唐僖宗奔蜀，任为宰相。后为同列孔纬所谮，贬官赐死。传见《旧唐书》卷一百七十九、《新唐书》卷一百一。⑮④湖、岭：湖，指洞庭湖。岭，指南岭。⑮⑤甲申：五月十五日。⑮⑥韶州：州名，治所曲江，在今广东韶关市西南。⑮⑦郎官：唐代称尚书省六部各司的长官郎中、员外郎为郎官。⑮⑧方严：方正严明。⑮⑨不放上：谓不令赴省供职。唐制，尚书左、右丞分管六部二十四司。对郎官的除授，如非其人，可以纠劾，不令其赴任就职。⑯⓪达意：表达意思。⑯①迁除：对官员的升迁除授。⑯②乙未：七月二十七日。⑯③自余：其余。⑯④长吏：即大吏。指六百石以上的官吏。⑯⑤不能平：极不满意。平，满意。

【校记】

［7］知：据章钰校，十二行本、乙十一行本皆作“为”。［8］州：原无此字。据章钰校，孔天胤本有此字，张敦仁《通鉴刊本识误》同，今据补。［9］太仆：原误作“太府”。据章钰校，十二行本、乙十一行本皆作“太仆”，当是，今据改。〖按〗《旧唐书》卷十九上《懿宗纪》作“太仆”。

【语译】

十四年（癸巳，公元八七三年）

春，三月二十九日癸巳，懿宗派敕使前往法门寺迎接佛骨。群臣中有很多人谏阻，甚至有说宪宗迎佛骨后不久就死去的人。懿宗说：“朕在活着时能看到它，死了也没有遗憾！”广造佛塔、宝帐、香车、幡花、幢盖用来迎接佛骨，都用金玉、锦

自京城至寺三百里间，道路车马，昼夜不绝。夏，四月壬寅[172]，佛骨至京师，导以禁军兵仗[173]、公私音乐，沸天烛地，绵亘数十里，仪卫之盛，过于郊祀，元和之时不及远矣。富室夹道为彩楼及无遮会[174]，竞为侈靡。上御安福门，降楼膜拜[175]，流涕沾臆[176]，赐僧及京城耆老[177]尝见元和事者金帛。迎佛骨入禁中，三日，出置安国崇化寺。宰相已下竞施金帛，不可胜纪。因下德音[178]，降中外系囚[179]。

【段旨】

以上为第七段，写唐懿宗佞佛，极度铺张，近乎痴迷。

【注释】

⑯癸巳：三月二十九日。⑰宪宗迎佛骨：元和十四年（公元八一九年）宪宗遣中使从法门寺迎佛骨至京师。事见本书卷二百四十宪宗元和十四年。⑱晏驾：讳言帝王死亡，

【原文】

五月丁亥[180]，以西川节度使路岩兼中书令。

南诏寇西川，又寇黔南[181]。黔中经略使[182]秦匡谋兵少不敌，弃城奔荆南，荆南节度使杜悰囚而奏之。六月乙未[183]，敕斩匡谋，籍没其家赀，亲族应缘坐[184]者，令有司搜捕以闻。匡谋，凤翔人也。

以中书侍郎、同平章事王铎[185]同平章事，充宣武节度使。时韦保衡挟恩弄权，以刘瞻、于琮先在相位不礼于己，谮而逐之。王铎，保衡及第[186]时主文[187]也，萧遘[188]，同年进士也，二人素薄保衡之为人，保衡皆摈斥之。

秋，七月戊寅[189]，上疾大渐，左军中尉刘行深、右军中尉韩文约立少子普王俨。庚辰[190]，制："立俨为皇太子，权句当军国政事。"辛巳[191]，上崩于咸宁殿，遗诏以韦保衡摄冢宰。僖宗即位。八月丁未[192]，追尊母王贵妃为皇太子后，刘行深、韩文约皆封国公[193]。

绣、珠翠装饰起来。从京城到法门寺三百里内，道路上往来车马，日夜不断。夏，四月初八日壬寅，佛骨到了京师，用禁军兵仗、公私乐队为先导，乐声震天，烛光照地，绵延数十里，仪仗护卫的盛况，超过了祭天的仪式，元和年间的情况是远远比不上的了。有钱的人家在道路两边搭建彩楼并举办无遮会，竞相奢华。懿宗到安福门，下楼向佛骨膜拜，激动得眼泪浸湿了胸前，赏赐金帛给僧众和京城中那些曾看见过元和年间迎佛骨的老人。把佛骨迎入宫中，过了三天，送出安置在安国崇化寺。宰相以下的百官争着施舍金帛，数目无法统计。接着懿宗颁下德诏，减轻中外囚徒的刑罚。

称晏驾，谓宫车当驾而晚出。⑯浮图：梵文音译，佛塔。⑰幡花：彩花。⑱幢盖：羽毛装饰的车盖。⑲壬寅：四月初八日。此日为佛祖生日，故此日迎佛骨，礼极隆重。⑳兵仗：兵器。㉑无遮会：佛教举行的所谓能免除灾难的法会。㉒膜拜：礼拜神佛或崇敬者的一种仪式。合掌加额，伏地跪拜。㉓沾臆：浸湿前胸。㉔耆老：老人。六十曰耆，七十曰老。㉕德音：唐时的一种恩诏。㉖降中外系囚：对中央和地方囚犯减罪。

【语译】

五月二十四日丁亥，任命西川节度使路岩兼中书令。

南诏入侵西川，又进犯黔南。黔中经略使秦匡谋军队人少抵挡不了敌人，弃城逃往荆南，荆南节度使杜悰把秦匡谋囚禁起来并奏报朝廷。六月初二日乙未，懿宗下诏杀掉秦匡谋，没收他的家产，亲族应牵连定罪的，命令有关部门搜捕并奏报朝廷。秦匡谋，是凤翔人。

任命中书侍郎、同平章事王铎同平章事，充任宣武节度使。当时韦保衡利用懿宗的恩宠任意行使权力，因为刘瞻、于琮先在相位对自己不礼貌，就谮毁他们，赶出朝廷。王铎是韦保衡考中进士时的主考官，萧遘是与韦保衡同年的进士，这两个人向来看不起韦保衡的为人，韦保衡就把他们两人都排斥掉了。

秋，七月十六日戊寅，懿宗病危，左军中尉刘行深、右军中尉韩文约拥立懿宗少子普王李俨。十八日庚辰，制命说："立俨为皇太子，暂时处理军国政事。"十九日辛巳，懿宗在咸宁殿去世，遗诏要韦保衡担任冢宰。僖宗即皇帝位。八月十五日丁未，追尊僖宗的生母王贵妃为皇太后，刘行深、韩文约都被封为国公。

关东、河南大水。

九月，有司上先太后[194]谥曰惠安。

司徒、门下侍郎、同平章事韦保衡怨家[195]告其阴事[196]，贬保衡贺州刺史。

乐工李可及流岭南。可及有宠于懿宗，尝为子娶妇，懿宗赐之酒二银壶，启之无酒而中实[197]。右军中尉西门季玄屡以为言，懿宗不听。可及尝大受赐物，载以官车。季玄谓曰："汝他日破家[198]，此物复应以官车载还，非为受赐，徒烦牛足耳。"及流岭南，籍没其家，果如季玄言。

以西川节度使路岩兼侍中，加成德节度使王景崇中书令，魏博节度使韩君雄、卢龙节度使张公素、天平节度使高骈并同平章事。君雄仍赐名允中。

冬，十月乙未[199]，以左仆射萧倣为门下侍郎、同平章事。

韦保衡再贬崖州澄迈[200]令，寻赐自尽。又贬其弟翰林学士、兵部侍郎保乂[201]为宾州司户，所亲翰林学士、户部侍郎刘承雍[202]为涪州司马。承雍，禹锡之子也。

癸卯[203]，赦天下。

西川节度使路岩喜声色游宴，委军府政事于亲吏边咸、郭筹，皆先行后申[204]，上下畏之。尝大阅[205]，二人议事，默书纸相示而焚之。军中以为有异图，惊惧不安。朝廷闻之，十一月戊辰[206]，徙岩荆南节度使。咸、筹潜知其故，遂亡命。

以右仆射萧邺同平章事，充河东节度使。

十二月己亥[207]，诏送佛骨还法门寺。

再贬路岩为新州[208]刺史。

关东、河南地方发生大水。

九月，有关部门奉上先太后的谥号称惠安。

司徒、门下侍郎、同平章事韦保衡的仇人告发他暗中做的坏事，于是贬韦保衡为贺州刺史。

乐工李可及被流放到岭南。李可及很得懿宗宠爱，曾经为其儿子娶妇时，懿宗赏赐他两银壶酒，揭开壶盖，里面没有酒，而是装满宝物。右军中尉西门季玄屡次劝懿宗不要宠信李可及，懿宗不听。李可及曾大量接受赏赐物品，用官车装载。西门季玄对李可及说："你有一天家庭破败，这些东西又当用官车运回来，你不是在接受赏赐，是白白浪费牛力而已。"等到李可及流放岭南，抄没其家，果然像西门季玄所说。

任命西川节度使路岩兼任侍中，加授成德节度使王景崇中书令，魏博节度使韩君雄、卢龙节度使张公素、天平节度使高骈同平章事的官衔。韩君雄仍赐名韩允中。

冬，十月初四日乙未，任命左仆射萧倣为门下侍郎、同平章事。

韦保衡再贬为崖州澄迈县令，不久赐他自杀。又贬谪他的弟弟翰林学士、兵部侍郎韦保乂为宾州司户，他所亲近的翰林学士、户部侍郎刘承雍为涪州司马。刘承雍，是刘禹锡的儿子。

十月十二日癸卯，大赦天下。

西川节度使路岩喜欢声色游宴，把军府中的政事委任亲信府吏边咸和郭筹，他们都是先办事后呈报，上下的人都惧怕他们。曾经大规模举行军事检阅，二人在商量政事，默默地交换写了字的纸条看后随即烧了。军队中认为他俩可能有什么不可告人的阴谋，都惊惧不安。朝廷知道了这件事，十一月初七日戊辰，调路岩为荆南节度使。边咸和郭筹暗中知道路岩调职的原因，就逃走了。

任命右仆射萧邺同平章事，充任河东节度使。

十二月初八日己亥，诏令把佛骨送回法门寺。

再贬路岩为新州刺史。

【段旨】

以上为第八段，写唐懿宗崩，宦官拥立僖宗，僖宗年少即位，斥逐韦保衡等权奸。

【注释】

⑱⓪丁亥：五月二十四日。⑱①黔南：贵州的别称。贵州本简称黔，因位于国土之南，故名。⑱②黔中经略使：方镇名，开元二十六年（公元七三八年）置五溪经略使，大历十二年（公元七七七年）改为黔中经略招讨观察使。大顺元年（公元八九〇年）赐号武泰军节度。⑱③乙未：六月初二日。⑱④缘坐：犹连坐，因受牵连而入罪。⑱⑤王铎：字昭范，文宗朝宰相王播之孙。官至宰相，因门生韦保衡被排挤出朝。传见《旧唐书》卷一百六十四、《新唐书》卷一百八十五。⑱⑥及第：科举考中进士。⑱⑦主文：主考官。⑱⑧萧遘：唐玄宗朝宰相萧嵩第五代孙。高祖萧复，德宗朝宰相。父萧寘，懿宗朝宰相。遘与韦保衡同年进士，才貌出众，遭同门韦保衡排斥，由起居舍人贬为播州司马。僖宗时官至宰相。传见《旧唐书》卷一百七十九、《新唐书》卷一百一。⑱⑨戊寅：七月十六日。⑲⓪庚

【原文】

僖宗[209]**惠圣恭定孝皇帝上之上**

乾符元年（甲午，公元八七四年）

春，正月丁亥[210]，翰林学士卢携[211]上言，以为："陛下初临大宝[212]，宜深念黎元。国家之有百姓，如草木之有根柢[213]，若秋冬培溉，则春夏滋荣[214]。臣窃见关东去年旱灾，自虢[215]至海[216]，麦才半收，秋稼几无，冬菜至少，贫者硙[217]蓬实[218]为面，蓄槐叶为齑[219]。或更衰羸，亦难采[10]拾[220]。常年不稔[221]，则散之邻境。今所在皆饥，无所依投，坐守乡闾，待尽沟壑。其蠲免余税，实无可征；而州县以有上供[222]及三司钱[223]，督趣甚急，动加捶挞，虽撤屋伐木，雇妻鬻子[224]，止可供所由[225]酒食之费，未得至于府库也。或租税之外，更有他徭。朝廷傥不抚存，百姓实无生计。乞敕州县，应所欠残税，并一切停征，以俟蚕麦。仍发所在义仓[226]，亟加赈给。至深春之后，有草[11]叶木牙[227]，继以桑椹，渐有可食。在今数月之间，尤为窘急，行之不可稽缓[228]。"敕从其言，而有司竟不能行，徒为空文而已。

辰：七月十八日。⑲ 辛巳：七月十九日。⑲ 丁未：八月十五日。⑲ 国公：爵名，位在郡王之下，郡公之上。⑲ 先太后：即僖宗生母王贵妃。咸通七年死，故先追尊皇太后，再上谥号。传见《新唐书》卷七十七。⑲ 怨家：仇人。⑲ 阴事：隐秘之事。⑲ 中实：《旧唐书·曹确传》，"可及尝为子娶妇，帝赐酒二银樽，启之非酒，乃金翠也"。⑲ 破家：家庭破败，指被抄家。⑲ 乙未：十月初四日。⑳ 澄迈：县名，县治在今海南澄迈东北。⑳ 保义：韦保义，累官至兵部侍郎。传见《旧唐书》卷一百七十七、《新唐书》卷一百八十四。⑳ 刘承雍：唐代著名诗人刘禹锡之子，累官至刑部侍郎，后为王仙芝所杀。事附《旧唐书》卷一百六十《刘禹锡传》。⑳ 癸卯：十月十二日。⑳ 先行后申：先处理政事，然后向节度使呈报。⑳ 大阅：大规模检阅军队。⑳ 戊辰：十一月初七日。⑳ 己亥：十二月初八日。⑳ 新州：州名，治所新兴，在今广东新兴。

【语译】

僖宗惠圣恭定孝皇帝上之上

乾符元年（甲午，公元八七四年）

春，正月二十七日丁亥，翰林学士卢携呈上奏表，认为："陛下刚刚登上帝位，应当深切关心黎民百姓。国家有老百姓，就像草木有根柢，如果秋冬培土灌溉，那么春季滋生，夏季茂盛。臣看到关东地区去年遭受旱灾，从虢州一直到海边，麦子才收获五成，秋天的庄稼几乎全没有了，冬天的瓜菜也极少，贫穷的人把蓬草的种子磨碎来当面粉，蓄积槐树叶子做成切碎的腌菜。有些百姓更为衰弱，连采集这些东西也很困难。平常年份没有收成，就到邻近地方去谋生。现在到处都在闹饥荒，没有地方投靠，坐守乡间，等待死后抛尸于沟壑。那些说是减免的余税，其实是没有可以征收的；然而州县由于要上供和交三司的税钱，督促催迫非常紧急，动不动就用鞭子抽打，虽然拆房屋、砍树木，卖妻鬻子，筹得一点钱只能应付税吏的酒饭费用，不可能送到国家的仓库。有时在租税之外，还有其他徭役。朝廷倘若不加抚恤，百姓实在是没有生路。请敕令各州县，所有拖欠的残税，一切停止征收，等到蚕麦收成以后再说。还应打开各地的义仓，立即加以赈济。一直到深春以后，有了草叶木芽，长出桑椹，百姓逐渐有可吃的东西时，才能停止义仓赈济。现在这几个月时间，尤其困窘急迫，赈济行动的推行不能拖延。"朝廷敕令照卢携的意见去办，但是有关部门并没有照着执行，敕令只是一纸空文而已。

【段旨】

以上为第九段，写卢携上奏，极言当时民众生活之惨状。

【注释】

⑳⑨僖宗：初名俨，后改名儇，唐懿宗第五子，唐朝第十九位皇帝，公元八七三至八八八年在位。⑳⑩丁亥：正月二十七日。⑳⑪卢携：字子升，范阳（治今河北涿州）人，乾符元年任翰林学士，四年为相。排斥异己，任人唯亲。黄巢破潼关，罢相，服毒自杀。传见《旧唐书》卷一百七十八、《新唐书》卷一百八十四。⑳⑫大宝：指帝位。⑳⑬根柢：草木的根。柢，根。⑳⑭春夏滋荣：春季滋生，夏天茂盛。⑳⑮虢：州名，治所弘农，在今河南灵宝。⑳⑯海：指东海。⑳⑰硙：磨。⑳⑱蓬实：蓬草之籽。⑳⑲齑：切碎的腌菜。⑳⑳或更

【原文】

路岩行至江陵㉒⑨，敕削官爵，长流儋州。岩美姿仪，囚于江陵狱再宿，须发皆白。寻赐自尽，籍没其家。岩之为相也，密奏："三品以上赐死，皆令使者剔取结喉三寸以进，验其必死。"至是，自罹其祸，所死之处，乃杨收赐死之榻也。边咸、郭筹捕得，皆伏诛。

初，岩佐崔铉于淮南，为支使㉓⓪。铉知其必贵，曰："路十㉓①终须作彼一官㉓②。"既而入为监察御史，不出长安城，十年至宰相。其自监察入翰林也，铉犹在淮南，闻之，曰："路十今已入翰林，如何得老㉓③！"皆如铉言。

以太子少傅于琮同平章事，充山南东道节度使。

二月甲午㉓④，葬昭圣恭惠孝皇帝于简陵㉓⑤，庙号懿宗。

以中书侍郎、同平章事赵隐同平章事，充镇海节度使，以华州刺史裴坦为中书侍郎、同平章事。

以虢州刺史刘瞻为刑部尚书。瞻之贬㉓⑥也，人无贤愚，莫不痛惜。及其还也，长安两市㉓⑦人率钱㉓⑧雇百戏㉓⑨迎之。瞻闻之，改期，由他道而入。

衰羸二句：有的百姓更为衰弱，连采集这些东西也很困难。㉑ 常年不稔：平常年份无收成。稔，谷熟。㉒ 上供：指地方应上缴朝廷的赋税。唐宪宗时分天下之赋以为三，一曰上供，二曰送使，三曰留州。㉓ 三司钱：此指户部、度支、盐铁使所征收的商税、杂税以及粮、盐的赊卖款。㉔ 雇妻鬻子：卖妻子、儿女。㉕ 所由：所由吏。此指催督租税的差役。㉖ 义仓：国家或地方储粮备荒的仓库。㉗ 木牙：树芽。牙，同“芽”。㉘ 稽缓：延迟。

【校记】

［10］采：原作“收”。据章钰校，十二行本、乙十一行本皆作“采”，张瑛《通鉴校勘记》同，今从改。［11］草：原作“菜”。据章钰校，孔天胤本作“草”，张敦仁《通鉴刊本识误》同，今据改。

【语译】

路岩走到江陵，敕命削去官爵，长期流放儋州。路岩的仪表姿态俊美，囚禁在江陵监狱有两个晚上，胡须头发都全部变白了。不久，赐他自杀，抄没全部家产。在路岩任宰相的时候，曾秘密上奏说：“三品以上的官员赐死，都要叫使者剥取三寸长的喉管子进呈朝廷，来验证该人是一定死了。”到这个时候，自己也要遭割取喉管的灾祸。他所死的地方，就是杨收被赐死的同一张床。边咸和郭筹被捕以后，都被诛杀。

当初，路岩在淮南辅佐崔铉，担任支使。崔铉知道路岩将来一定会富贵，说：“路十这个人终究会当宰相。”不久路岩到朝廷去任监察御史，之后升官没有离开过长安城，十年官至宰相。路岩从监察御史升任翰林学士时，崔铉仍在淮南节度使任上，听到路岩升了翰林学士，就说：“路十现在已经担任翰林学士了，如何能够活到老啊！”结果都和崔铉说得一样。

任命太子少傅于琮同平章事，充任山南东道节度使。

二月初五日甲午，将昭圣恭惠孝皇帝葬于简陵，庙号懿宗。

任命中书侍郎、同平章事赵隐同平章事，充任镇海节度使，任命华州刺史裴坦为中书侍郎、同平章事。

任命虢州刺史刘瞻为刑部尚书。刘瞻被贬官的时候，人们不论贤愚，没有不痛惜的。等到他要回到朝廷时，长安东西两市民众出份子钱请来歌舞杂技人员演出节目来欢迎他。刘瞻听到这个消息，改变了回京日期，从另外一条路进入长安。

夏，五月乙未[240]，裴坦薨。以刘瞻为中书侍郎、同平章事。初，瞻南迁，刘邺附于韦、路[241]，共短之[242]。及瞻还为相，邺内惧。秋，八月丁巳朔[243]，邺延瞻，置酒于盐铁院[244]。瞻归而遇疾，辛未[245]，薨，时人皆以为邺鸩[246]之也。

以兵部侍郎、判度支崔彦昭[247]为中书侍郎、同平章事。彦昭，群之从子也。兵部侍郎王凝[248]，正雅之从孙也，其母，彦昭之从母[249]。凝、彦昭同举进士，凝先及第，尝衩衣[250]见彦昭，且戏之曰："君不若举明经[251]。"彦昭怒，遂为深仇。及彦昭为相，其母谓侍婢曰："为我多作袜履，王侍郎[252]母子必将窜逐[253]，吾当与妹偕行。"彦昭拜且泣，谢曰："必不敢！"凝由是获免。

【段旨】

以上为第十段，写奸相路岩害人害己得恶报，正人刘瞻遭小人暗算，王凝侥幸免遭报复。由此可见当时官场险恶。

【注释】

㉙江陵：县名，县治在今湖北荆州。㉚支使：官名，为节度使、观察使的僚属，掌文书之事。㉛路十：唐人习惯称排行，路岩排行第十，故称。㉜彼一官：指宰相。㉝如何得老：怎能到老。路岩为相时仅三十六岁，谓年少得志，如何能善终。㉞甲午：二月初五日。㉟简陵：唐懿宗陵，在今陕西富平。㊱瞻之贬：咸通十一年（公元八七〇年），刘瞻为冤狱囚徒请命而遭路岩排斥，贬为康州刺史，再贬驩州司户。今还京，人人称颂。㊲两市：长安城中有东、西两市。㊳率钱：按比例出钱，即出份子。㊴百戏：歌舞杂技总

【原文】

冬，十月，以门下侍郎、同平章事刘邺同平章事，充淮南节度使。以吏部侍郎郑畋为兵部侍郎，翰林学士承旨、户部侍郎卢携守本官，并同平章事。

夏，五月初八日乙未，裴坦去世。任命刘瞻为中书侍郎、同平章事。当初，刘瞻被贬去南方，刘邺依附于韦保衡和路岩，共同说刘瞻的坏话。等到刘瞻返京任宰相，刘邺内心恐惧。秋，八月初一日丁巳，刘邺迎请刘瞻，在盐铁转运使大院设酒宴。刘瞻回去后就得了病，十五日辛未，去世，当时人们都认为刘瞻是被刘邺毒死的。

任命兵部侍郎、判度支崔彦昭为中书侍郎、同平章事。崔彦昭，是崔群的侄子。兵部侍郎王凝，是王正雅的侄孙；王凝的母亲，是崔彦昭的姨母。王凝和崔彦昭同年考进士，王凝先考取了，曾经穿着便服去会见崔彦昭，并且对他开玩笑说："君不如去考明经科。"崔彦昭大怒，于是结下深仇。等到崔彦昭做了宰相，崔彦昭的母亲对侍婢们说："帮我多做一些袜子和鞋子，王侍郎母子一定会被流窜放逐，我要与妹妹一同去。"崔彦昭下拜，并且哭泣，谢罪说："一定不敢报复王凝！"王凝由此得以免罪。

称。㉔⓪乙未：五月初八日。㉔①韦、路：指韦保衡、路岩。㉔②短之：言其短处；说他的坏话。㉔③丁巳朔：八月初一日。㉔④盐铁院：官署名，掌全国盐铁的生产征榷。刘邺于咸通十二年（公元八七一年）以盐铁使为相，故宴于盐铁院。㉔⑤辛未：八月十五日。㉔⑥鸩：以毒酒杀人。㉔⑦崔彦昭：字思文，宪宗、穆宗两朝宰相崔群之侄。懿宗时任中书舍人、户部侍郎，河阳、河东等节度使。僖宗立，召为兵部侍郎、盐铁转运使，随即拜相。彦昭长于经济，精于吏事，所在颇有政绩。传见《旧唐书》卷一百七十八、《新唐书》卷一百八十三。㉔⑧王凝（公元八二〇至八七八年）：字致平，累官至兵部侍郎、领盐铁转运使。以不附权贵，出为宣歙观察使。传见《旧唐书》卷一百六十五、《新唐书》卷一百四十三。㉔⑨从母：姨母。㉕⓪衩衣：便服。㉕①明经：唐代科举取士的科目之一，主要考试经义。唐代重进士而轻明经，故下文说"彦昭怒"。㉕②王侍郎：谓王凝。㉕③窜逐：放逐；流放。

【语译】

冬，十月，任命门下侍郎、同平章事刘邺同平章事衔，充任淮南节度使。任命吏部侍郎郑畋为兵部侍郎，翰林学士承旨、户部侍郎卢携仍任本官，都为同平章事。

十一月庚寅[254]，日南至[255]，群臣上尊号曰圣神聪睿仁哲孝皇帝，改元[256]。

魏博节度使韩允中薨，军中立其子节度副使简[257]为留后。

南诏寇西川，作浮梁[258]，济大渡河。防河都知兵马使、黎州刺史黄景复俟其半济，击之，蛮败走，断其浮梁。蛮以中军多张旗帜当其前，而分兵潜出上、下流各二十里，夜，作浮梁，诘朝[259]，俱济，袭破诸城栅，夹攻景复。力战三日，景复阳[260]败走，蛮尽锐追之。景复设三伏以待之，蛮过三分之二，乃发伏击之，蛮兵大败，杀二千余人，追至大渡河南而还，复修完城栅而守之。蛮归，至之罗谷[261]，遇国中发兵继至，新旧[262]相合，钲[263]鼓声闻数十里，复寇大渡河，与唐夹水而军，诈云求和，又自上下流潜济，与景复战连日。西川援军[12]不至，而蛮众日益，景复不能支，军遂溃。

十二月，党项、回鹘寇天德军。

感化军奏群盗[264]寇掠，州县不能禁，敕兖、郓等道出兵讨之。

南诏乘胜陷黎州，入邛崃关，攻雅州。大渡河溃兵[265]奔入邛州，成都惊扰，民争入城，或北奔他州，城中大为守备，而堑垒比向时严固。骠信使其坦绰[266]遗节度使牛丛书云："非敢为寇也，欲入见天子，面诉数十年为谗人离间冤抑[267]之事。傥蒙圣恩矜恤[268]，当还与尚书[269]永敦邻好。今假道贵府，欲借蜀王厅留止数日，即东上。"丛素懦怯，欲许之。杨庆复以为不可，斩其使者，留二人，授以书，遣还，书辞极数其罪，詈辱之，蛮兵及新津而还。丛恐蛮至，豫焚城外，民居荡尽[270]，蜀人尤之[271]。诏发河东、山南西道、东川兵援之，仍命天平节度使高骈诣西川制置蛮事。

以韩简为魏博留后。

商州刺史王枢以军州空窘[272]，减折籴钱[273]，民相帅以白梃殴之，又殴杀官吏二人。朝廷更除刺史李诰到官，收捕民李叔汶等三十余[13]人斩之。

初，回鹘屡求册命，诏遣册立使郗宗莒诣其国。会回鹘为吐谷浑、嗢末所破，逃遁不知所之，诏宗莒以玉册[274]、国信[275]授灵盐节度使唐弘

十一月初五日庚寅，冬至，群臣给僖宗加尊号称圣神聪睿仁哲孝皇帝，改年号为乾符。

魏博节度使韩允中去世，军中拥立他的儿子节度副使韩简为留后。

南诏入侵西川，建造浮桥，准备渡过大渡河。防河都知兵马使、黎州刺史黄景复等到蛮军渡了一半人马时，就进攻他们，蛮军败逃，官军破坏掉了浮桥。蛮人又在中军打出很多旗帜部署在官军前面，而暗地分调军队从上游和下游各相距二十里的地方，在夜里建造浮桥，到第二天清早，都渡过了大渡河，偷袭攻破了各个护城寨，夹攻黄景复。拼力战斗了三天，黄景复假装败逃，蛮兵用全部精锐部队追赶黄景复。景复设下三处埋伏等待着蛮军，等到蛮军过了三分之二，就命伏兵起来进攻蛮军，蛮军大败，被杀了二千余人，官军追到大渡河南边才返回，又把城下寨栅修好据守着。蛮军回去时，到达之罗谷，碰上国内派来的军队相继到来，新旧两支军队会合在一起，钲鼓声闻数十里，又来进攻大渡河，和唐朝的军队隔着大渡河驻扎，假称求和，又从上下游暗中渡河，与黄景复交战了好几天。西川节度使的援军没有到达，而蛮军不断增加，黄景复不能支持，军队就溃散了。

十二月，党项和回鹘入侵天德军。

感化军上奏说群盗侵扰抢掠，州县制止不了，朝廷敕命兖州和郓州等道出兵讨伐他们。

南诏蛮军乘胜攻陷黎州，进入邛崃关，攻打雅州。大渡河溃败下来的官兵逃入邛州，成都惊扰不安，民众争相进城，有的向北逃到其他州去了。城中大力加强防守设备，堑壕兵垒比过去严密巩固。骠信派遣他的坦绰给西川节度使牛丛写信说："不是我们敢于作乱，是想到朝廷去谒见天子，当面诉说数十年来被谗人离间而受冤屈之事。倘若得到皇上圣恩矜恤，就回来与尚书结成永远友好的邻邦。现在借道贵府，想在蜀王府的厅堂住上几天，再东上长安。"牛丛向来懦弱胆小，想答应蛮人的要求。杨庆复认为不能答应，于是把他们的使者杀了，只留下两个人，交给他们一封信函，打发回去，信中极力数说蛮人的罪恶，并辱骂了他们，蛮兵到达新津就退回去了。牛丛害怕蛮军到来，预先焚烧城外，民众的房子烧光了，蜀人痛恨牛丛。朝廷下诏调发河东、山南西道、东川的军队去支援西川，还任命天平节度使高骈前往西川处置与蛮人的事宜。

任命韩简为魏博留后。

商州刺史王枢因为军州府库空竭，就降低实物折税钱的比例，民众便相互集结起来用大木棒殴打王枢，又打死官吏二人。朝廷改任李诰为商州刺史，李诰上任后即逮捕起事农民李叔汶等三十余人，并将他们全部斩首。

当初，回鹘多次请求册命，于是下诏派遣册立使郗宗莒到回鹘去。恰好遇上回鹘被吐谷浑、嗢末所打败，逃跑以后不知道到哪里去了，诏令郗宗莒把玉册、国信

夫掌之，还京师。

上年少，政在臣下，南牙、北司互相矛楯㉗⑥。自懿宗以来，奢侈日甚，用兵不息，赋敛愈急。关东㉗⑦连年水旱，州县不以实闻，上下相蒙，百姓流殍㉗⑧，无所控诉，相聚为盗，所在蜂起。州县兵少，加以承平㉗⑨日久，人不习战，每与盗遇，官军多败。是岁，濮州人王仙芝㉘⓪始聚众数千，起于长垣㉘①。

【段旨】

以上为第十一段，写南诏再度侵扰西川。朝廷内外不协，南牙北司，势同水火。百姓困苦，王仙芝起事。

【注释】

㉕④庚寅：十一月初五日。㉕⑤日南至：即冬至日。夏至以后，日自北而南；冬至以后，又自南而北。故称冬至为日南至。㉕⑥改元：此月始改元乾符。㉕⑦简：韩简，魏博节度使韩允中（旧名君雄）之子。父死，袭留后，不久为节度使。后为黄巢所署河阳节度使诸葛爽击败，忧愤病死。传见《旧唐书》卷一百八十一、《新唐书》卷二百十。㉕⑧浮梁：浮桥。㉕⑨诘朝：明晨。㉖⓪阳：通“佯”，假装。㉖①之罗谷：地名，位置不详，疑在黎、嶲二州之间。㉖②新旧：新指南诏新发之兵，旧乃败归之兵。㉖③钲：古代行军时用的一种打击乐器。形似钟而狭长，有柄可执，铜制。㉖④群盗：此指庞勋余部。㉖⑤大渡河溃兵：即黄

【原文】

二年（乙未，公元八七五年）

春，正月丙戌㉘②，以高骈为西川节度使。

辛卯㉘③[14]，上祀圜丘，赦天下。

高骈至剑州，先遣使走马开成都门㉘④。或曰：“蛮寇逼近成都，相公㉘⑤尚远，万一豨突㉘⑥，奈何？”骈曰：“吾在交趾破蛮㉘⑦二十万众，蛮闻我来，逃窜不暇，何敢辄犯成都！今春气向暖，数十万人蕴积城

交给灵盐节度使唐弘夫掌管，自己返回京师。

僖宗年纪轻，政权掌握在臣下手中，南牙朝官和北司宦官之间为争权互相攻击，矛盾很深。自从懿宗即位以来，奢侈浪费一天比一天厉害，又连年打仗，征收赋税越来越急。关东地区连年发生水灾和旱灾，州县不如实报告朝廷，上下互相蒙骗，百姓流浪饿死，无处诉说，相聚在一起当盗贼，各地纷纷出现。州县兵力不足，加上过了很长一段时间的太平日子，人们都不熟悉战斗，每次和盗贼遭遇，官军大多失败。这一年，濮州人王仙芝开始聚集数千人，在长垣县起事。

景复之军。㉖⑥坦绰：南诏清平官首称坦绰，次称布燮，再次称久赞。㉖⑦冤抑：冤屈。㉖⑧矜恤：怜惜。㉖⑨尚书：指牛丛。㉗⓪民居荡尽：民房被烧光。㉗①蜀人尤之：西川人极为痛恨牛丛。尤，切齿痛恨。㉗②空窘：军州府库空乏窘困。㉗③减折籴钱：压低对实物的折价，官府从中渔利。折籴，把农民交纳的各种实物折成所应征收的米粟价款。㉗④玉册：玉制的简册。用于祭祀、封禅、册命等。㉗⑤国信：两国通使作为凭证的符节文书。㉗⑥楯：同“盾”。㉗⑦关东：地区名，指潼关或函谷关以东广大中原地区。㉗⑧流殍：流浪饿死。㉗⑨承平：太平。㉘⓪王仙芝（？至公元八七八年）：濮州（治今山东鄄城）人，乾符元年聚众起事，称天补平均大将军。乾符五年，在蕲州黄梅（今湖北黄梅）兵败被杀。㉘①长垣：县名，县治在今河南长垣东北。

【校记】

［12］军：据章钰校，十二行本、乙十一行本皆作“兵”。［13］余：据章钰校，十二行本、乙十一行本皆无此字。

【语译】

二年（乙未，公元八七五年）

春，正月初二日丙戌，任命高骈为西川节度使。

初七日辛卯，僖宗在圜丘祭天，大赦天下。

高骈到达剑州，先派使者驱马去打开成都各城门。有人说：“蛮寇逼近成都，相公离成都还很远，万一敌人冲来攻城，那怎么办？”高骈说：“我在交趾打败了蛮军二十万人，蛮人听说我来了，逃跑还来不及，哪里敢随便进犯成都！现在春天来了，气候转

中，生死共处，污秽郁蒸[288]，将成疠疫[289]，不可缓也。”使者至成都，开城纵民出，各复常业，乘城者皆下城解甲，民大悦。蛮方攻雅州，闻之，遣使请和，引兵去。骈又奏：“南蛮小丑，易以枝梧。今西川新旧兵已多，所发长武、鄜坊、河东兵，徒有劳费，并乞勒还。”敕止河东兵而已[290]。

上之为普王也，小马坊使[291]田令孜[292]有宠。及即位，使知枢密，遂擢为中尉。上时年十四，专事游戏，政事一委令孜，呼为“阿父”。令孜颇读书，多巧数[293]，招权纳贿，除官及赐绯紫皆不关白于上。每见，常自备果食两盘，与上相对饮啖[294]，从容良久而退。上与内园小儿狎昵[295]，赏赐乐工、伎儿，所费动以万计，府藏空竭。令孜说上籍两市商旅宝货悉输内库[296]，有陈诉者，付京兆杖杀之。宰相以下，钳口[297]莫敢言。

高骈至成都，明日，发步骑五千追南诏，至大渡河，杀获甚众，擒其酋长数十人，至成都，斩之。修复邛崃关、大渡河诸城栅，又筑城于戎州马湖镇[298]，号平夷军，又筑城于沐源川，皆蛮入蜀之要路[15]也，各置兵数千戍之，自是蛮不复入寇。骈召黄景复，责以大渡河失守，腰斩之。骈又奏请自将本管[299]及天平、昭义、义成等军共六万人击南诏，诏不许。

先是，南诏督爽[300]屡牒中书[301]，辞语怨望[302]，中书不答。卢携奏称：“如此，则蛮益骄，谓唐无以答，宜数其十代[303]受恩以责之。然自中书发牒，则嫌于体敌[304]，请赐高骈及岭南西道节度使辛谠诏，使录诏白[305]，牒与之[306]。”从之。

【段旨】

以上为第十二段，写高骈入西川，镇摄南诏。宦官田令孜得势，专擅朝政。

暖，数十万人聚集在城里面，生人和死者处在一起，污秽闷热，将要形成瘟疫，不可延缓了。”使者到了成都，打开城门，放老百姓出入，各人恢复生业，在城上守卫的人都下城脱掉铠甲，民众大为高兴。蛮军正在进攻雅州，听到成都的消息，派使者来请求讲和，并带领军队走了。高骈又上奏说：“南蛮小丑，容易对付。现在西川新旧兵已经很多了，朝廷调发的长武、鄜坊、河东三镇的军队，只会增加辛劳和耗费，请求都命令返回本地。”敕命只停止调发河东镇的军队。

僖宗为普王时，宦官小马坊使田令孜受到宠爱。等到登上皇位，任命田令孜为枢密使，接着提升为神策军中尉。僖宗当时十四岁，一心游戏，政事全部交给田令孜，称他为“阿父”。田令孜读了很多书，多计巧和权术，揽权受贿，任用官吏和赐官封爵都不向僖宗打招呼。每次晋见僖宗，常常自己准备果食两盘，和僖宗相对食用，闲处很久以后才退出来。僖宗和内园小儿亲昵，赏赐乐工、伎儿，花费的钱动不动以万计，府库中的钱财都被用光了。田令孜劝说僖宗没收长安东、西两市商家的宝物财货全部送交内库，如有陈诉的人，就交给京兆府用刑杖打杀。宰相以下的官员，对此事都闭嘴不敢说话。

高骈到达成都，第二天，派出步兵骑兵五千人追赶南诏兵，到达大渡河，杀死和俘虏了很多敌人，抓到他们的酋长数十人，押到成都，都斩首了。修复了邛崃关和大渡河各城栅，又在戎州马湖镇修筑城池，称为平夷军，又在沐源川筑城，这些地方都是蛮人进入蜀地的重要通道，每处派兵数千人据守，从此蛮人不再入侵。高骈招来黄景复，追究他没有守住大渡河的责任，腰斩了他。高骈又奏请自己带领本部人马和天平、昭义、义成等军共六万人攻打南诏，朝廷下诏不许。

此前，南诏的督爽官多次送文牒给中书省，词语中多怨恨的话，中书省没有回复。卢携上奏说：“像这样下去，蛮人就会更加骄傲，以为我唐朝没有话可回答，应当历数他们十代受到唐朝的恩遇来责备他们今天的背叛。然而如果由中书省发去文牒，那么朝廷与南诏有地位相等的嫌疑，请求赐高骈和岭南西道节度使辛谠诏书，让他们以自己的口吻抄录诏书，回答南诏，用节度使公文形式送给南诏。”僖宗听从了。

【注释】

㉘② 丙戌：正月初二日。㉘③ 辛卯：正月初七日。㉘④ 成都门：指成都城各城门。㉘⑤ 相公：谓高骈。㉘⑥ 豨突：猪被惊骇而奔突。这里指南蛮突至。豨，豕。㉘⑦ 交趾破蛮：唐懿宗咸通七年（公元八六六年），高骈大破南诏蛮于交趾。事见本书卷第二百五十唐懿宗咸通七年。㉘⑧ 郁蒸：闷热。㉘⑨ 疠疫：瘟疫。㉙⓪ 敕止河东兵而已：朝廷下令只让河东兵回归

本镇罢了。㉑小马坊使：官名，掌小马坊养马之事。㉒田令孜：宦官。咸通时任小马坊使，累迁神策军中尉、观军容使，威权震天下。宰相萧遘率群臣上表劾其专国煽祸，请诛之。令孜惧，求为剑南西川监军使。后为养子永平节度使王建所杀。传见《旧唐书》卷一百八十四、《新唐书》卷二百八。㉓巧数：机巧权术。㉔啖：吃。㉕狎昵：亲昵戏耍。㉖籍两市商旅宝货悉输内库：没收长安东、西两市商贾的珍宝奇物，全部收藏入宫中内库。㉗钳口：闭口。㉘马湖镇：镇名，在今四川宜宾西南。㉙本管：谓西川节度使所管辖之军。㉚督爽：南诏官名，总管三省官，相当于唐之宰相。㉛屡牒中书：多次致函唐中书宰相。㉜怨望：怨恨。㉝十代：指酋龙、丰祐之前十代国王，皆受唐恩泽。㉞体敌：地位相等。㉟录诏白：以两镇地方官的口吻抄录诏书，回答南诏。㊱牒与之：以节度使公文形式送递南诏。

【原文】

三月，以魏博留后韩简为节度使。

去岁，感化军㊲发兵诣灵武防秋，会南诏寇西川，敕往救援㊳。未至成都[16]，蛮退，遣还。至凤翔，不肯诣灵武，欲擅归徐州。内养㊴王裕本、都将刘逢搜擒唱帅者胡雄等八人，斩之，众然后定。

初，南诏围成都，杨庆复以右职㊵优给募突将以御之，成都由是获全。及高骈至，悉令纳牒㊶。又托以蜀中屡遭蛮寇，人未复业，停其禀给，突将皆忿怨。骈好妖术，每发兵追蛮，皆夜张旗立队，对将士焚纸画人马，散小豆，曰："蜀兵懦怯，今遣玄女㊷神兵前行。"军中壮士皆耻之。又索阖境官有出于胥吏㊸者，皆停之。令民间皆用足陌钱㊹，陌不足者皆执之，劾以行赂，取与皆死。刑罚严酷，由是蜀人皆不悦。

夏，四月，突将作乱，大噪突入府廷。骈走匿于厕间，突将索之，不获。天平都将㊺张杰帅所部数百人被甲入府击突将，突将撤牙前[17]仪注兵仗㊻，无者奋梃挥拳，乘怒气力斗。天平军不能敌，走归营。突将追之，营门闭，不得入。监军使人招谕，许以复职名禀给㊼，

【校记】

［14］辛卯：原作“辛巳”。严衍《通鉴补》改作“辛卯”，今据改。〖按〗正月乙酉朔，无辛巳。《新唐书》卷九《僖宗纪》载：乾符二年正月“辛卯，有事于南郊，大赦。”严衍校改当即本此。［15］路：据章钰校，十二行本、乙十一行本皆作“道”。

【语译】

三月，任命魏博留后韩简为节度使。

去年，感化军调军队往灵武防秋，恰遇南诏入侵西川，朝廷命令他们前去救援。没有到达成都，蛮兵退走了，调遣他们返回戍地。到达凤翔时，他们不肯前往灵武，想擅自回到徐州，内养王裕本和都将刘逢搜捕擒获首先带头的胡雄等八人，杀了他们，之后兵众才安定下来。

当初，南诏包围成都，杨庆复用高官厚禄招募突将来防守，成都由此才得以保全。等高骈来到，让突将都上交授官文牒。又借口蜀地屡遭蛮人侵扰，人们没有恢复生产，停止对突将的供给，突将们都很愤恨。高骈喜好妖术，每次出兵追击蛮军，都要在夜里树立旗帜，排列军队，对着将士们焚烧纸画的人马，抛撒小豆，并说：“蜀兵懦弱胆小，现在派九天玄女神兵在前面开路。”军中的壮士都感到耻辱。又检查全境内的官员，如发现有人是从小员吏出身的，都停掉他们的职务。又命令民间都用足陌钱，凡是使用陌数不足的人，都抓起来，加给他们行贿的罪，买卖双方都处以死刑。刑罚严酷，由此蜀人都感不安。

夏，四月，突将作乱，大声呼喊冲入节度使府廷堂。高骈逃到厕所里躲起来，突将搜索他，没有找到。天平军都将张杰带领他的部下数百人穿上铠甲进入府中攻击突将，突将夺取衙门前的仪仗作为武器，没有武器的人就用木棒、拳头迎击，乘着愤怒的情绪尽力拼搏。天平军打不过他们，逃回营去了。突将追赶他们，营门关上了，不能进去。监军派人招呼告谕他们，答应恢复他们的职位和粮饷，相持了很

久之，乃肯还营。天平军复开门出，为追逐之势，至城北，时方修球场，役者数百人，天平军悉取其首，还诣府，云“已诛乱者”。骈出见之，厚以金帛赏之。明日，榜谢突将，悉还其职名、衣粮。自是日令诸道将士从己来者更直[318]府中，严兵自卫。

加成德节度使王景崇兼侍中。

浙西狼山[319]镇遏使王郢等六十九人有战功，节度使赵隐赏以职名，而不给衣粮。郢等论诉不获[320]，遂劫库兵[321]作乱，行收党众近万人，攻陷苏、常，乘舟往来，泛江入海，转掠二浙，南及福建，大为人患。

五月，以太傅、分司令狐绹同平章事，充凤翔节度使。

司空、同平章事萧倣薨[322]。

六月，以御史大夫李蔚[323]为中书侍郎、同平章事。

辛未[324]，高骈阴籍突将之名，使人夜掩捕之，围其家，排[325][18]墙坏户而入，老幼孕病，悉驱去杀之，婴儿或扑[326]于阶，或击于柱，流血成渠，号哭震天，死者数千人，夜，以车载尸投之于江。有一妇人，临刑，戟手大骂曰：“高骈！汝无故夺有功将士职名、衣粮，激成众怒。幸而得免，不省己自咎，乃更以诈杀无辜近万人，天地鬼神，岂容汝如此！我必诉汝于上帝，使汝他日举家屠灭如我今日！冤抑污辱如我今日！惊忧惴恐[327]如我今日！”言毕，拜天，怫然[328]就戮。久之，突将有自戍役[329]归者，骈复欲尽族之。有元从[330]亲吏王殷谏曰：“相公奉道[331]，宜好生恶杀，此属在外，初不同谋，若复诛之，则自危者多矣。”骈乃止。

【段旨】

以上为第十三段，写高骈滥杀有功突将，国家纲纪荡然无存。

久，才肯回营。天平军又开门出来，做出追赶突将的样子，到了城北，当时正在修建球场，有数百人服役，天平军把他们全部杀掉，返回后前往军府，说“已经杀掉了作乱的人”。高骈出来接见他们，用丰厚的金帛奖赏他们。第二天，贴出文告向突将道歉，全部归还他们的职名和衣粮。从这以后，高骈从各道将士中选择同自己一道来成都的人，轮流到军府中值班，整兵自卫。

加授成德节度使王景崇兼侍中。

浙西狼山镇遏使王郢等六十九人有战功，节度使赵隐赏给他们职名，而不发给衣粮。王郢等人论争申诉，得不到解决，于是抢了国家兵器库里的武器发动暴乱，在进兵过程中招纳党徒近一万人，攻陷苏州和常州，他们乘船往来，渡江到海上，辗转抢掠两浙，南边到达了福建，大为民患。

五月，任命太傅、分司令狐绹同平章事，充任凤翔节度使。

司空、同平章事萧倣去世。

六月，任命御史大夫李蔚为中书侍郎、同平章事。

六月二十日辛未，高骈暗地登记突将的姓名，派人在夜里突然逮捕他们，包围他们的家，推墙破门而入，不论男女老幼、孕妇病人，全部驱离杀死，婴儿有的被扑杀在石阶上，有的撞死在柱子下，流血成渠，号哭震天，死了数千人，在夜晚，用车子装着尸体抛到江里。有一个妇人，在被处死前，戟手大骂道：“高骈！你无故剥夺有功将士的职名和衣粮，激起众怒。你侥幸免于一死，不但不去反省自责，反而又用欺诈的手段，杀死无辜近一万人，天地鬼神，怎么会容许你这样！我一定要到上天那里控诉你，使你将来如同我现在一样全家被屠杀！如同我现在一样遭受冤屈和侮辱！如同我现在一样惊恐忧惧！”说完，向天跪拜，愤然接受刑戮。过了一些时，有突将从戍守边地回成都来，高骈又想把他们全家都杀掉。有一个从开始就跟随高骈的亲信官吏王殷谏阻说：“相公信奉道教，应当好生恶杀，这些突将在外地，当初不是同谋作乱，如果又杀掉他们，那么自危的人就会很多了。”高骈这才罢休。

【注释】

㉗感化军：方镇名，咸通十一年（公元八七〇年），徐州观察使升为感化军节度使，天复二年（公元九〇二年）废。㉘敕往救援：诏命前往救援成都。㉙内养：监军官官职名。㉚右职：高级职位。㉛纳牒：交出授官文牒。㉜玄女：即九天玄女，道教尊奉的神仙。㉝胥吏：小吏。㉞足陌钱：每贯十足为一千文，称足陌钱。㉟天平都将：随高骈自天平军调入西川的随从部将。㊱牙前仪注兵仗：节度使衙前为显示威仪而陈列的兵器。㊲复职名禀给：恢复官职和薪俸。㊳更直：轮流值班。直，通“值”。㊴狼山：山

名，在今江苏南通南。320 论诉不获：申辩诉说得不到解决。321 劫库兵：抢劫武器库的兵器。兵，兵器。322 萧倣薨：萧倣时为岭南节度使，卒于任上。323 李蔚（？至公元八七九年）：字茂休，陇西（今甘肃临洮）人，唐懿宗时累官至宣武、淮南等节度使。唐僖宗即位，召为吏部尚书，乾符二年为宰相。后出为东都留守，六年任河东节度使。传见《旧唐书》卷一百七十八、《新唐书》卷一百八十一。324 辛未：六月二十日。325 排：推。326 扑：谓扑杀，即诛杀。327 惴恐：恐惧。328 怫然：愤然；怨恨的样子。329 戍役：驻守边境。330 元从：从开始就相随从的人。331 奉道：信奉道教。

【原文】

王仙芝及其党尚君长攻陷濮州、曹州，众至数万，天平节度使薛崇出兵击之，为仙芝所败。

冤句人黄巢332亦聚众数千人应仙芝。巢少与仙芝皆以贩私盐为事，巢善骑射，喜任侠333，粗涉书传，屡举进士不第，遂为盗，与仙芝攻剽州县，横行山东，民之困于重敛334者争归之，数月之间，众至数万。

卢龙节度使张公素性暴戾，不为军士所附。大将李茂勋335本回鹘阿布思之族，回鹘败，降于张仲武，仲武使戍边，屡有功，赐姓名。纳降军336使陈贡言者，幽之宿将，为军士所信服。茂勋潜杀贡言，声云贡言，举兵向蓟。公素出战而败，奔京师。茂勋入城，众乃知非贡言也，不得已，推而立之，朝廷因以茂勋[19]为留后。

秋，七月，蝗自东而西，蔽日，所过赤地。京兆尹杨知至奏："蝗入京畿337，不食稼，皆抱荆棘而死。"宰相皆贺。

八月338，李茂勋为卢龙节度使。

九月，右[20]补阙董禹谏上游畋、乘驴击球，上赐金帛以褒之。

邠宁节度使李侃奏为假父339华清宫使340道雅求赠官，禹上疏论之，语颇侵341宦官。枢密使杨复恭342等列诉343于上，冬，十月，禹坐贬郴州司马。复恭，钦义之养孙也。

昭义军乱，大将刘广逐节度使高湜344，自为留后。以左金吾大将军曹翔为昭义节度使。

【校记】

［16］未至成都：原无此四字。据章钰校，十二行本、乙十一行本皆有此四字，张瑛《通鉴校勘记》同，今据补。［17］牙前：据章钰校，十二行本、乙十一行本二字互乙。［18］排：原作“挑”。胡三省注云：“蜀本作‘排’。”据章钰校，十二行本亦作“排”，于义较长，今从改。

【语译】

王仙芝和他的同党尚君长攻陷濮州、曹州，部众达到数万人，天平节度使薛崇出兵攻打他们，但被王仙芝打败。

冤句人黄巢也聚众数千人响应王仙芝。黄巢少年时和王仙芝都是以贩卖私盐为职业，黄巢善于骑马射箭，喜欢做侠义之事，粗涉典籍，多次投考进士没有被录取，于是做了强盗，和王仙芝一起攻打抢掠州县，横行于崤山的东地区，被繁重的赋税所困的民众争相归附黄巢，在几个月之内，部众达到数万人。

卢龙节度使张公素性情暴戾，军士都不依附他。大将李茂勋本来是回鹘阿布思的后裔，回鹘战败时，投降了张仲武，张仲武派他去戍边，多次立功，赐姓名叫李茂勋。纳降军使陈贡言这个人，是幽州的老将，被军士们所信服。李茂勋暗中杀了陈贡言，声称陈贡言的指令，率军向蓟州出发。张公素出兵应战被打败，逃往京师。李茂勋进城后，军士们才知道不是陈贡言，不得已，推举他为头领，朝廷因而任命李茂勋为卢龙留后。

秋，七月，蝗虫从东方飞向西方，遮天蔽日，所经过的地方一片精光。京兆尹杨知至上奏说：“蝗虫进入京畿地区，不吃庄稼，都抱着荆棘死去。”宰相们都向僖宗道贺。

八月，任命李茂勋为卢龙节度使。

九月，右补阙董禹谏阻僖宗游玩打猎，乘驴击球，僖宗赏赐金帛来褒奖他。

邠宁节度使李侃上奏为他的义父华清宫使道雅请求赠官，董禹上疏弹劾他，言辞上对宦官多有冒犯。枢密使杨复恭等人向僖宗控诉董禹，冬，十月，董禹因此被贬为郴州司马。杨复恭，是宦官杨钦义的养孙。

昭义军中发生叛乱，大将刘广驱逐了节度使高湜，自己当了留后。朝廷任命左金吾大将军曹翔为昭义节度使。

回鹘还至罗川㉟。十一月，遣使者同罗榆禄入贡，赐拯接绢㊻万匹。

群盗侵淫㊼，剽掠十余州，至于淮南，多者千余人，少者数百人。诏淮南、忠武、宣武、义成、天平五军节度使、监军亟加讨捕及招怀㊽。

十二月，王仙芝寇沂州，平卢节度使宋威表请以步骑五千别为一使，兼帅本道兵所在讨贼。乃[21]以威为诸道行营招讨草贼使，仍给禁兵三千、甲骑㊾五百。因诏河南方镇所遣讨贼都头并取威处分㊿。

【段旨】

以上为第十四段，写王仙芝、黄巢起义。

【注释】

㉜黄巢（？至公元八八四年）：曹州冤句（今山东菏泽）人，唐末率众起事。一度攻入长安，建立政权，国号大齐。传见《旧唐书》卷二百、《新唐书》卷二百二十五。㉝任侠：以行侠自任。㉞重敛：繁重的赋税。㉟李茂勋：回鹘人，唐武宗会昌年间投降卢龙节度使张仲武，为边将，以功赐姓名李茂勋。官至卢龙节度使。传见《新唐书》卷二百十二。㊱纳降军：军镇名，戍守于纳降城，在昔宛平境内。㊲蝗入京畿：蝗虫进入京都地区。㊳八月：胡三省注，“‘八月’之下当有‘以’字”。㊴假父：义父。㊵华清宫使：官名，管理华清宫事务，用宦官担任。㊶侵：触犯；冒犯。㊷杨复恭：宦官头目，

【原文】

三年（丙申，公元八七六年）

春，正月，天平军奏遣将士张晏等救沂州，还，至义桥㉛，闻北境复有盗起，留使扞御。晏等不从，喧噪趣郓州。都将张思泰、李承祐走马出城，裂袖㉜与盟，以俸钱备酒殽㉝慰谕，然后定。诏本军宣慰一切，无得穷诘㉞。

二月[22]，敕㉟福建、江西、湖南诸道观察、刺史皆训练士卒，又令天下乡村各置弓刀鼓板㊱，以备群盗。

回鹘回到罗川县。十一月，派使者同罗榆禄入朝进贡，朝廷赏赐拯接绢一万匹。

群盗逐渐扩展，抢掠十多个州，到达了淮南地方，多的一伙有一千多人，少的数百人。诏令淮南、忠武、宣武、义成、天平五军节度使和监军迅速加以讨伐收捕和招安。

十二月，王仙芝侵犯沂州，平卢节度使宋威上表奏请带领步兵骑兵五千人另立一个使节称号，同时带领本道兵在各处讨伐盗贼。朝廷于是任命宋威为诸道行营招讨草贼使，还给他三千名禁兵、五百名甲骑。接着诏令河南地区方镇所派出的讨贼都头都要听从宋威指挥。

官至枢密使、神策中尉、六军十二卫观军容使。唐僖宗去世，拥立唐昭宗而把持朝政，后被斩首。传见《旧唐书》卷一百八十四、《新唐书》卷二百八。㉞③列诉：陈诉。列，陈。㉞④高湜：高湘堂兄，官至礼部侍郎、昭义节度使。传见《旧唐书》卷一百六十八、《新唐书》卷一百七十七。㉞⑤罗川：县名，县治在今甘肃正宁西北。㉞⑥拯接绢：为救援接济而赐予的绢。㉞⑦侵淫：亦作“浸淫”，逐渐扩展。㉞⑧招怀：招抚；招安。㉞⑨甲骑：身披铠甲的骑兵。㉟⓪取威处分：听从宋威指挥。

【校记】

［19］茂勋：原无此二字。据章钰校，十二行本、乙十一行本皆有此二字，今据补。［20］右：据章钰校，十二行本、乙十一行本皆作“左”。［21］乃：原作“仍”。据章钰校，十二行本、乙十一行本皆作“乃”，张敦仁《通鉴刊本识误》同，今据改。

【语译】

三年（丙申，公元八七六年）

春，正月，天平军上奏派遣将士张晏等人去援救沂州，回来时走到义桥，听说北边又有盗贼兴起，要留下他们去抵御。张晏等没有听从，喧闹着赶往郓州。都将张思泰、李承祐骑马跑出城去，裂袖袒臂和张晏等立下盟约，用自己的俸钱备办酒食慰劳他们，之后才安定下来。朝廷诏令天平军一律加以告谕安慰，不要追究他们的过错。

二月，敕命福建、江西、湖南各道观察使、刺史都要训练士卒，又命令天下所有乡村都要置办弓箭、刀枪、战鼓、盾牌等，用来防备群盗。

赐兖海节度号泰宁军。

三月，卢龙节度使李茂勋请以其子幽州左司马可举[357]知留后，自求致仕[358]。诏茂勋以左仆射致仕，以可举为卢龙留后。

门下侍郎、同平章事崔彦昭罢为太子太傅，以左仆射王铎兼门下侍郎、同平章事。

南诏遣使者诣高骈求和，而盗边不息，骈斩其使者。蛮之陷交趾[359]也，虏安南经略判官杜骧妻李瑶。瑶，宗室之疏属[360]也。蛮遣瑶还，递木夹[361]以遗骈，称“督爽牒西川节度使”，辞极骄慢。骈送瑶京师。甲辰[362]，复牒南诏，数其负累圣[363]恩德，暴犯边境、残贼[364]欺诈之罪，安南、大度覆败之状[365]，折辱之。

【段旨】

以上为第十五段，写南诏与唐相互敌对冷战。

【注释】

[351]义桥：地名，位于沂州之西，在今山东临沂西。[352]裂袖：犹袒臂，盟誓时的一种动作。[353]殽：通“肴”，鱼肉类荤菜。[354]穷诘：寻根问底，追究原委。[355]敕：诏令。[356]鼓板：战鼓及盾牌。[357]可举：李可举，卢龙节度使李茂勋之子。茂勋致仕，可举继任。后

【原文】

原州刺史史怀操贪暴，夏，四月，军乱，逐之。

赐宣武、感化节度、泗州防御使密诏，选精兵数百人于巡内[366]游弈，防卫纲船[367]，五日一具上供钱米平安状闻奏。

五月，昭王汭[368]薨。

以卢龙留后李可举为节度使。

六月，抚王纮[369]薨。

雄州[370]地震裂，水涌，坏州城及公私庐舍俱尽。

赐兖海节度名为泰宁军。

三月，卢龙节度使李茂勋请求任命他的儿子幽州左司马李可举为留后，自己请求退休。朝廷下诏李茂勋由左仆射的官位退休，任命李可举为卢龙留后。

门下侍郎、同平章事崔彦昭被免职，改任太子太傅，任命左仆射王铎兼门下侍郎、同平章事。

南诏派遣使者到高骈那里求和，却又不停地侵扰边界，高骈杀了它的使者。蛮兵攻下交趾的时候，俘虏了安南经略判官杜骧的妻子李瑶。李瑶是唐宗室的远族。蛮人遣送李瑶回来，递上用木夹夹着的文牒给高骈，上面写着“督爽牒西川节度使”字样，言辞极为骄慢。高骈送李瑶回京师。三月二十六日甲辰，又送给南诏文牒，列举他们背弃唐朝历代皇帝的恩德，肆暴犯边、残害欺诈的罪行，在安南、大渡河覆灭惨败的情况，以羞辱他们。

为部将所攻，登楼自焚。传见《旧唐书》卷第一百八十、《新唐书》卷二百十二。㊳致仕：辞官退休。㊴蛮之陷交趾：指南诏攻没交趾。事见本书卷二百五十唐懿宗咸通六年。㊵疏属：远族。㊶木夹：递送文件所用的木制夹板。㊷甲辰：三月二十六日。㊸累圣：指历代皇帝。㊹残贼：残害杀戮。㊺覆败之状：指南诏两次被高骈所摧败的情况。

【校记】

［22］二月：原无此二字。据章钰校，十二行本、乙十一行本、孔天胤本皆有此二字，张敦仁《通鉴刊本识误》同，今据补。

【语译】

原州刺史史怀操贪婪暴虐，夏，四月，军队叛乱，赶走了他。

给宣武、感化两节度使和泗州防御使发去密诏，要他们选精兵数百人在辖境之内巡行，保卫运输货物的船队，五天就要向朝廷详细报告一次关于上供钱米运送情况。

五月，昭王李汭去世。

任命卢龙留后李可举为卢龙节度使。

六月，唐顺宗之子抚王李纮去世。

雄州发生地震，地面开裂，有水涌出，州城和公私房屋全部毁坏。

秋，七月，以前严州刺史高杰为左骁卫将军，充沿[23]海水军都知兵马使，以讨王郢。

鄂王润㉛薨。

加魏博节度使韩简同平章事。

宋威击王仙芝于沂州㉜城下，大破之，仙芝亡去。威奏仙芝已死，纵遣诸道兵，身还青州。百官皆入贺。居三日，州县奏仙芝尚在，攻剽如故。时兵始休，诏复发之，士皆忿怨思乱。

八月，仙芝陷阳翟、郏城㉝，诏忠武节度使崔安潜㉞发兵击之。安潜，慎由之弟也。又命[24]昭义节度使曹翔将步骑五千及义成兵卫东都宫，以左散骑常侍曾元裕为招讨副使，守东都。又诏山南东道节度使李福选步骑二千守汝、邓要路。仙芝进逼汝州，诏邠宁节度使李侃、凤翔节度使令狐绹选步兵一千、骑兵五百守陕州、潼关。

加成德节度使王景崇兼中书令。

九月乙亥朔㉟，日有食之。

丙子㊱，王仙芝陷汝州㊲，执刺史王镣㊳。镣，铎之从父兄弟也。东都大震，士民挈家逃出城。乙酉㊴，敕赦王仙芝、尚君长罪，除官，以招谕之。仙芝陷阳武㊵，攻郑州。昭义监军判官雷殷符屯中牟，击仙芝，破走之。冬，十月，仙芝南攻唐、邓。

【段旨】

以上为第十六段，写地方官吏贪暴，激起兵变，王仙芝战败，随即势力更盛。

【注释】

㊱巡内：辖境之内。㊲纲船：运送大宗货物的船队。㊳昭王汭：昭王李汭，唐宣宗第九子，大中八年（公元八五四年）封。传见《旧唐书》卷一百七十五、《新唐书》卷八十二。㊴抚王纮：抚王李纮，唐顺宗第十七子，贞元二十一年（公元八〇五年）封。历官司空、司徒、太尉。传见《旧唐书》卷一百五十、《新唐书》卷八十二。㊵雄州：州名，位于灵州西南，治所在今宁夏灵武西南。㉛鄂王润：鄂王李润，宣宗第六子。大中五年

秋，七月，任命前严州刺史高杰为左骁卫将军，充任沿海水军都知兵马使，以便讨伐王郢。

鄂王李润去世。

加授魏博节度使韩简同平章事官衔。

宋威在沂州城下进攻王仙芝，把他打得大败，王仙芝逃走。宋威上奏说王仙芝已经死了，便把各道援兵打发走了，自己返回了青州。百官全都入朝向僖宗道贺。过了三天，州县奏报说王仙芝还在世，攻掠如故。当时军队刚休息，朝廷又下诏征发他们，士卒都很愤怒，想发动叛乱。

八月，王仙芝攻下阳翟和郏城，朝廷诏令忠武节度使崔安潜发兵攻打王仙芝。崔安潜，是崔慎由的弟弟。又命昭义节度使曹翔带领步兵骑兵五千人和义成军一道保卫东都宫城，任命左散骑常侍曾元裕为招讨副使，守卫东都。又诏令山南东道节度使李福选二千步骑守卫汝州和邓州交通要道。王仙芝逼近汝州，诏令邠宁节度使李侃、凤翔节度使令狐绹选一千步兵，五百骑兵守卫陕州和潼关。

加授成德节度使王景崇兼中书令官衔。

九月初一日乙亥，发生日食。

九月初二日丙子，王仙芝攻陷汝州，抓住了刺史王镣。王镣，是王铎的叔伯堂兄弟。东都大为震动，士民带着家小逃出城去。十一日乙酉，朝廷敕令赦免王仙芝、尚君长的罪过，授予官职，用以招抚他们。王仙芝攻下阳武县，进击郑州。昭义监军判官雷殷符屯驻在中牟县，攻打王仙芝，把他攻破并击退。冬，十月，王仙芝南进攻打唐州和邓州。

封。传见《旧唐书》卷一百七十五、《新唐书》卷八十二。㊲沂州：州名，治所在今山东临沂。㊳郏城：县名，县治在今河南郏县。㊴崔安潜：字进之，清河武城（今河北张家口西）人，累官至忠武、西川等节度使。传见《旧唐书》卷一百七十七、《新唐书》卷一百十四。㊵乙亥朔：九月初一日。㊶丙子：九月初二日。㊷汝州：州名，治所在今河南汝州。㊸王镣：宰相王铎堂弟，累官至汝州刺史。王仙芝破汝州城，贬为韶州司马。官终太子宾客。传见《旧唐书》卷一百六十四、《新唐书》卷一百八十五。㊹乙酉：九月十一日。㊺阳武：县名，县治在今河南原阳。

【校记】

［23］沿：据章钰校，十二行本、乙十一行本皆作“缘”。［24］命：原无此字。据章钰校，十二行本、乙十一行本、孔天胤本皆有此字，张敦仁《通鉴刊本识误》同，今据补。

【原文】

西川节度使高骈筑成都罗城，使僧景仙[381]规度[382]，周二十五里，悉召县令庀徒赋役[383]，吏受百钱以上皆死。蜀土疏恶[384]，以甓甃之[385]，环城十里内取土，皆划丘垤平之[386]，无得为坎埳以害耕种[387]。役者不过十日而代，众乐其均，不费扑挞[388]而功办[389]。自八月癸丑[390]筑之，至十一月戊子[391]毕功。

役之始作也，骈恐南诏扬声[392]入寇，虽不敢决来，役者必惊扰。乃奏遣景仙托游行[393]入南诏，说谕骠信使归附中国，仍许妻以公主，因与议二国礼仪，久之不决。骈又声言欲巡边，朝夕通烽火，至大渡河，而实不行，蛮中惴恐。由是讫于城成，边候[394]无风尘[395]之警。先是，西川将吏入南诏，骠信皆坐受其拜。骈以其俗尚浮屠[396]，故遣景仙往，骠信果帅其大臣迎拜，信用其言。

【段旨】

以上为第十七段，写高骈施巧计加固成都城防。

【注释】

[381]景仙：僧人名。[382]规度：设计规划。[383]庀徒赋役：准备民工，分配劳役。成都领

【原文】

王仙芝攻郢、复二州，陷之。

王郢因温州[397]刺史鲁寔请降，寔屡为之论奏[398]，敕郢诣阙。郢拥兵迁延[399]，半年不至，固求望海镇使。朝廷不许，以郢为右率府率[400]，仍令左神策军补以重职，其先所掠之财，并令给与。

十二月，王仙芝攻申[401]、光、庐、寿、舒、通[402]等州。淮南节度使

【语译】

西川节度使高骈修筑成都外城，叫僧人景仙设计规划，外城周长二十五里，并把成都府所属各县全都召集起来，命令他们准备民工并分配劳役，征集民工时有受贿一百钱以上的官吏都被处以死刑。蜀地土质疏松，就用砖砌筑，在环城十里内取土，再铲取小丘之土把取土处填平，不得造成坑洼损害耕种。服役的人不超过十天就轮换，民众都为分派劳役平均而乐于接受，不用鞭打就把事情办成了。从八月初九日癸丑开工，到十一月十五日戊子就完工了。

在开始筑城的时候，高骈担心南诏扬言前来侵犯，虽然不敢说一定来，但是服役的民工必定会受到惊扰。于是他就上奏朝廷，建议派遣景仙假托出游进入南诏，劝说骠信，让他归附中国，还答应把公主嫁给他为妻，接着就商议两国间的礼仪，各不相让，此事很久决定不下来。高骈又扬言打算巡视边地，早晚烽火通天，来到大渡河，却不前行，蛮人听说高骈要率军南下惴惴不安。这样到外城修好为止，边境上的哨兵都没有发出战争的警报。此前，西川将吏去南诏，骠信都是坐着接受拜谒。高骈因为他们习俗信奉佛教，所以就派高僧景仙前去，骠信果然带领他的大臣们迎拜景仙，并相信景仙说的话，采用景仙之策。

十县，高骈将修城工程分摊十县承包。㊳④蜀土疏恶：蜀中土质疏松。㊳⑤以甓甃之：将土制成砖，再用以修建城墙。㊳⑥划丘垤平之：铲取小丘之土将原取土处填平。丘垤，小山丘。㊳⑦无得为坎培以害耕种：不得将农田造成坑洼，从而损害农耕。㊳⑧扑挞：笞打。㊳⑨功办：事成。㊴⓪癸丑：八月初九日。㊴①戊子：十一月十五日。㊴②扬声：声言；宣扬。㊴③游行：出游；云游。㊴④边候：边境瞭望哨。㊴⑤风尘：比喻战争。㊴⑥浮屠：佛。

【语译】

王仙芝攻打郢州、复州，攻了下来。

王郢通过温州刺史鲁寔请求投降，鲁寔多次为王郢上奏论说，朝廷敕令王郢前往京师。王郢拥兵拖延时间，半年没有到达，坚持要求担任望海镇使。朝廷不答应，任命他为右率府率，还要在左神策军补他一个重要职位，王郢先前所抢掠的财物，也一并归他。

十二月，王仙芝攻打申州、光州、庐州、寿州、舒州、通州等地。淮南节度使

刘邺奏求益兵，敕感化节度使薛能选精兵数千助之。

郑畋以言计不行，称疾逊位[403]，不许，乃上言："自沂州奏捷[404]之后，仙芝愈肆猖狂，屠陷五六州，疮痍[405]数千里。宋威衰老多病，自安奏[406]以来，诸道尤所不服。今淹留亳州，殊无进讨之意。曾元裕拥兵蕲、黄，专欲望风退缩。若使贼陷扬州，则江南亦非国有。崔安潜威望过人，张自勉骁雄良将，宫苑使李瑑，西平王晟[407]之孙，严而有勇。请以安潜为行营都统，瑑为招讨使代威，自勉为副使代元裕。"上颇采其言。

青、沧[408]军士戍安南，还，至桂州，逐观察使李瓒[409]。瓒，宗闵之子也。以右谏议大夫张禹谟为桂州观察使。

桂管监军李维周骄横，瓒曲奉[410]之，浸不能制[411]。桂管有兵八百人，防御使才得百人，余皆属监军。又预于逐帅[412]之谋，强取两使印[413]，擅补知州官，夺昭州送使钱[414]。诏禹谟并按之。禹谟，彻[415]之子也。

招讨副使、都监杨复光[416]奏尚君长弟让据查牙山[417]，官军退保邓州。复光，玄价[418]之养子也。

王仙芝攻蕲州。蕲州刺史裴渥[25]，王铎知举[419]时所擢进士也。王镣在贼中，为仙芝以书说渥。渥与仙芝约，敛兵不战，许为之奏官，镣亦说仙芝许以如约。渥乃开城延仙芝及黄巢辈三十余人入城，置酒，大陈货贿以赠之，表陈其状。诸宰相多言："先帝不赦庞勋，期年卒诛之。今仙芝小贼，非庞勋之比，赦罪除官，益长[420]奸宄。"王铎固请，许之。乃以仙芝为左神策军押牙兼监察御史，遣中使以告身即蕲州授之。

仙芝得之甚喜，镣、渥皆贺。未退，黄巢以官不及己，大怒，曰："始者共立大誓，横行天下。今独取官赴左军，使此五千余众[421]安所归乎！"因殴仙芝，伤其首，其众喧噪不已。仙芝畏众怒，遂不受命，大掠蕲州，城中之人，半驱半杀，焚其庐舍。渥奔鄂州，敕使[422]奔襄州，镣为贼所拘。贼乃分其军三千余人从仙芝及尚君长，二千余人从巢，各分道而去[423]。

刘邺上奏请求增加援兵，朝廷敕令感化节度使薛能选精兵数千人援助淮南。

郑畋由于自己所说的筹划没有被采纳，借口有病要辞去相位，僖宗不答应，于是郑畋上奏说："自从宋威于沂州报告打了胜仗以后，王仙芝更加猖狂，攻陷屠戮五六个州，数千里满目疮痍。宋威衰老多病，自从虚妄地奏报军情以后，各道更加不服从指挥。现在滞留在亳州，完全没有进攻征讨盗贼的打算。曾元裕拥兵驻扎在蕲州和黄州，一心观望形势退缩不前。倘若叛贼攻下了扬州，那么整个江南地区就不属于国家所有了。崔安潜威望超过他人，张自勉是骁勇的良将，宫苑使李瑑是西平王李晟之孙，既威严又勇敢。请求任命崔安潜为行营都统，李瑑为招讨使取代宋威，张自勉为副使取代曾元裕。"僖宗采纳了郑畋的意见。

青州和沧州的军队戍守安南，返回时，到了桂州，赶走了桂州观察使李瓒。李瓒，是李宗闵的儿子。朝廷任命右谏议大夫张禹谟为桂州观察使。

桂管监军李维周骄横，李瓒曲意奉承他，逐渐不能控制。桂管有兵八百人，防御使才得到一百人，其余的人都归属监军。李维周又参与了赶走观察使的阴谋，并强迫观察使和防御使交出印信，擅自增补知州官，夺取昭州送交给观察使的税钱。为此，诏令张禹谟一并审理李维周的案件。张禹谟是张彻的儿子。

招讨副使、都监杨复光上奏说尚君长的弟弟尚让据守在查牙山，官军退保邓州。杨复光，是杨玄价的养子。

王仙芝进攻蕲州。蕲州刺史裴渥是王铎知贡举时录取的进士。王镣在叛贼里面，替王仙芝写信游说裴渥。裴渥和王仙芝约合，收兵停战，答应为王仙芝奏请官职，王镣也劝说王仙芝答应裴渥的条件。裴渥于是打开城门迎接王仙芝和黄巢等三十余人进城，设置酒宴，摆放了很多财货赠送他们，还上表陈述王仙芝等接受安抚的情形。各宰相多数说："先帝不赦免庞勋，当年就诛杀了他。现在的王仙芝是个小盗贼，不能和庞勋相比，赦了他的罪，任命他做官，更加助长了坏人为恶。"王铎坚决请求，僖宗同意了。于是任命王仙芝为左神策军押牙兼监察御史，派中使到蕲州把委任状送给王仙芝。

王仙芝得到委任状很高兴，王镣和裴渥都向他道贺。还没有退出城，黄巢因为自己没有得到官职，大怒，说道："开始起事的时候共同立下誓言，横行天下。现在你独自得到官职去左神策军上任，让我们五千多兄弟到何处去呢！"接着就殴打王仙芝，打伤了他的头，他的部下也喧闹不已。王仙芝害怕部众愤怒，于是不接受朝廷的任命，在蕲州大肆抢掠，城里面的人，一半被赶走，一半被杀掉，房屋被焚烧。裴渥逃往鄂州，敕使跑往襄州，王镣被叛贼拘留。叛贼把他们分军行动，三千多人随从王仙芝及尚君长，二千多人跟随黄巢，各自分道离去。

【段旨】

以上为第十八段，写朝廷招抚王仙芝失败，赔了夫人又折兵。

【注释】

㊲97温州：州名，治所永嘉，在今浙江温州。㊲98论奏：论列情由，呈奏朝廷。㊲99迁延：拖延。㊵00右率府率：官名，太子率府分左右，掌兵仗、仪卫，其长官为率、副率。㊵01申：州名，治所义阳，在今河南信阳。㊵02通：胡注，“唐时淮南道未有通州，此必误。参考下文，‘通’当作‘蕲’”。㊵03逊位：让位；退位。㊵04沂州奏捷：指宋威奏破王仙芝于沂州城下。㊵05疮痍：战争给地方所造成的创伤。㊵06妄奏：谓奏王仙芝已死。㊵07西平王晟：即李晟，字良器，洮州临潭（今甘肃临潭东）人，唐名将。德宗时讨平朱泚叛乱，收复长安，拜凤翔、陇右、泾原三镇节度使，封西平郡王。官至太尉兼中书令。传见《旧唐书》卷一百三十三、《新唐书》卷一百五十四。㊵08青、沧：指平卢军和义昌军。㊵09李瓒：唐文宗宰相李宗闵之子。历任中书舍人、翰林学士，出为桂管观察使。为士卒所逐，卒于贬所。事附《旧唐书》卷一百七十六、《新唐书》卷一百七十四《李宗闵传》。㊶10曲奉：曲意奉承。㊶11浸不能制：逐渐不能控制。㊶12逐帅：指驱逐观察使李瓒。㊶13两使印：观察使和防御使官印。㊶14送使钱：诸州税钱三分之一送节度、观察使，称送使钱。㊶15彻：张彻，唐穆宗长庆时卢龙节度使判官，死于朱克融之乱。事见本书卷第二百四十二唐穆宗长庆元年。㊶16杨复光：杨复恭堂弟。任忠武军监军，与黄巢军作战有功，授天下兵马都监。招安黄巢大将朱温，出谋召李克用之兵攻黄巢而收复长安，随即病死。传见《旧唐书》卷一百八十四、《新唐书》卷二百七。㊶17查牙山：山名，亦作嵖岈山，在今河南遂平西。㊶18玄价：杨玄价，宦官。唐懿宗咸通时任左神策军中尉。㊶19知举：知贡举。主持进士考试。㊷20益长：更加助长。㊷21五千余众：〖按〗王仙芝、黄巢初起时，数月之间众至数万。至此才有五千余人，因游动作战，聚散无常之故。㊷22敕使：指授告身之中使。㊷23分道而去：从此王仙芝、黄巢分兵作战。王仙芝转战赣、鄂，死于黄梅。黄巢北攻齐、鲁，转向淮南、浙西，进入闽、广。复回师北上，攻陷东都洛阳。又向西进军，攻入长安，称帝。

【校记】

［25］渥：原作“偓”。据章钰校，十二行本、乙十一行本、孔天胤本皆作“渥”，今据改。下同。〖按〗《旧唐书》卷十九下《僖宗纪》和《新唐书》卷二百二十五下《逆臣下·黄巢传》亦皆作“渥”。

【研析】

唐懿宗、僖宗交替之际，正是黄巢大起义的前夜。此时唐王朝君不君，臣不臣，朋党交争，丧失人性，政治腐败到极点，人民生活在水深火热之中。本卷研析几件细事，以见当时人心世态之一斑。

第一，文人相轻。唐代科举有进士与明经两个途径。考进士用诗赋、对策，重文采，每年一科只取二三十人。明经考经学，明经进士每年每科取一百人，容易考取。在仕途上进士与明经待遇不同，入翰林做学士，入阁为相，多取进士出身。王凝和崔彦昭两人是姨表兄弟。两人母亲郑氏，崔彦昭之母为姐，王凝之母是妹。王凝年十五就明经及第，再登进士甲科，崔彦昭进士落第。王凝给彦昭开了一个玩笑说:“你去考明经吧。”崔彦昭大怒。崔彦昭比王凝升迁快。懿宗晚年，两人同任兵部侍郎。僖宗即位，乾符元年（公元八七四年）崔彦昭升任宰相。崔彦昭的母亲立即对侍婢们说:“赶快给我多做一些鞋袜，王侍郎母子即将有难，要流配外地，我要去陪伴妹妹。”崔彦昭明白母亲话中所指，哭着下跪对母亲发誓，“绝不敢报复王凝”。由于崔彦昭母亲的智慧和亲情，才化解了崔彦昭与王凝两人的矛盾，王凝这才免遭报复打击。当时朋党结派，文人相轻发展到深仇大恨。有许多人没有王凝那样幸运，不知哪一天，天外横祸就要飞来，自己还不知道是怎么一回事。

第二，官场险恶。王铎、刘瞻、于琮、路岩、韦保衡五人，在懿宗朝后期同朝为相。路岩、韦保衡两人品格低下，韦保衡更次。懿宗却最宠幸这两人。两人狼狈为奸，权倾天下，把王铎、刘瞻、于琮都排斥出朝。王铎是韦保衡进士及第的主考官，起居舍人萧遘是韦保衡的同年，亦在韦保衡的排斥之列。萧遘才能优异，为韦保衡所忌。萧遘又与于琮交好。一大批朝官，凡与于琮交好者都被贬官。有尚书左丞李当、吏部侍郎王沨、左散骑常侍李都、兵部侍郎张裼、前中书舍人封彦卿、左谏议大夫杨塾，同日遭贬。又贬工部尚书严祁、给事中李贶、张铎、左金吾大将军李敬仲、起居舍人李渎、郑彦特、李藻等。后路岩与韦保衡两人交恶，韦保衡打小报告给懿宗，路岩被贬出京。路岩名声太臭，出京之日，长安市人围观，向他投掷瓦片。京兆尹薛能是路岩提拔的人，路岩提出要薛能保护他，薛能翻脸不认人，说:“宰相出京，京兆府派人保护，没有这个惯例。”刘瞻被排斥出京，刘邺说了坏话。韦保衡倒台，刘瞻回京，刘邺内心不安，请刘瞻做客，疑在酒中暗中下毒，刘瞻回家后不久就死了。路岩、韦保衡多行不义，犯了众怒，失势后连续遭贬逐，最后被赐死。路岩任宰相时曾密奏，说:“三品以上官赐死，要使者割取三寸长的喉管进呈朝廷，用以验证该人确实已死。”路岩被贬儋州，走到江陵被囚禁在狱中，有诏赐死。这时路岩自己也要被割取三寸喉管，而且所死的狱室，恰是当年路岩害死杨收的地方，路岩也死在杨收的那一张床上，得了现世报。

唐朝后期的朋党斗争，彼此寻找借口，互相排斥，分裂成粉碎状态，崩溃是不可避免的了。

第三，无行朝官的拍马术。僖宗乾符二年秋七月，蝗虫由东向西铺天盖地飞来，蝗虫所过之地，寸草不留，禾稼吃光，一片赤地。京兆尹杨知至上奏朝廷说："蝗虫侵入京郊，不吃禾稼，成群地撞向荆棘而死。"宰相百官都向僖宗庆贺。胡三省评论说："杨国忠上奏连日大雨不伤害禾稼，韩晃上奏连日大雨没损害盐场。现今杨知至上奏蝗虫不吃禾稼自抱荆棘而死。唐室的朝官欺骗皇上成了积习，由来已久。"如此这般疯狂地拍马术，已丧失了人性。秦朝赵高指鹿为马，朝官在高压下说谎，还得有几分人性，晚唐君臣自欺说谎，丧尽了人性。唐之朝官，还不如秦末之朝官。"指鹿为马"与"蝗不食禾"，都是亡国之音。没有了真假是非，国不亡何待！

第四，无德武人便是屠夫。懿宗咸通十一年（公元八七〇年），南诏侵犯西川，成都兵力不足，杨庆复出赏金招募勇敢之士三千人，号为"突将"，即冲锋陷阵之将，今谓之"敢死队"。杨庆复依靠这支乡土生力军打退了南诏，立下赫赫战功，保卫了成都。突将经过实践洗礼正式编入了官军。僖宗乾符二年，南诏再次大举入侵西川，朝廷调天平节度使高骈为西川节度使进驻成都。高骈曾在安南打败南诏，朝廷是赖，高骈也自以为能，骄横不可一世。南诏退兵以后，高骈裁减突将，引起突将不满。四月，部分突将要驱逐高骈，监军出面平息骚乱，高骈答应不裁减突将，却暗中布置军力，屠杀突将。过了两个月，在六月二十日辛未那一天夜里，高骈采取突袭行动，不但包围突将军营，而且包围突将的家属，军士越墙破门而入，不分男女老幼、孕妇病人，全部抓去杀死，连婴儿也不能幸免，有的被扑杀在石阶上，有的被摔死在柱子下，血流成河，号哭之声震天动地，一共杀了数千人。有一个妇女愤怒地大骂高骈不得好死。作为一镇节度使的高骈，完全是一个屠夫。朝廷后来任命高骈为扬州大都督府长史、淮南节度使，与黄巢作战。高骈欲行割据，失去朝廷信任，为其部将所杀，遭族灭。

第五，卢携上奏，人民深陷涂炭。卢携，字子升，范阳人。大中九年进士及第，授集贤校理。咸通中为右拾遗、殿中侍御史，历官长安县令、郑州刺史、谏议大夫，乾符初任翰林学士，拜中书舍人。乾符四年入相。卢携内倚宦官田令孜，外结高骈为援，掌控朝政，随心所欲，是一个权奸。黄巢入长安，卢携罢相，当夜服毒自杀。即使是这样一个权奸，他目睹当时战乱中黎民深重灾难，为了维护唐王室的统治，也上书言事。乾符元年正月，卢携上奏新皇帝僖宗，深以国事为忧。卢携上奏说："陛下刚登上帝位，要关心百姓。去年关东地区大旱，秋天庄稼没有收成。贫穷的人把蓬蒿的种子舂碎当面粉，把槐树叶子采来当粮食。现在到处都在闹饥荒，讨饭都没地方，饥民只好坐守在乡间，等待死于沟壑。可是州县官府要上供和交三司的税钱，他们就用鞭子去抽打饥民，拆房砍树，逼交税钱。租税之外，还有徭役。朝廷再不爱惜百姓，百姓一点谋生的办法也没有。希望皇上敕令各州县立即停收拖欠的残税，还要打开各地的义仓赈济饥民。”朝廷虽然发下照办的敕令，但是各部门并不执行，赈济成了一纸空文。朝命失去了权威，统治不能照旧进行下去，人民没法生活，大起义的条件完全成熟。卢携上奏的当年，淮州人王仙芝在长垣起义。次年，冤句县人黄巢也聚众起义，响应王仙芝，数月间众至数万。唐末黄巢大起义，就这样爆发了。

卷第二百五十三　唐纪六十九

起强圉作噩（丁酉，公元八七七年），尽上章困敦（庚子，公元八八〇年）十月，凡三年有奇。

【题解】

本卷记事起公元八七七年，迄公元八八〇年十月，凡三年又十个月，当唐僖宗乾符四年至广明元年十月。这一时期最重大的事件是朝廷围剿王仙芝、黄巢农民军，王仙芝和黄巢在大江南北、东南浙闽，乃至岭南，在唐境的大半个中国流动作战。公元八七八年，王仙芝犯江陵，先胜后败，官军追剿，在今湖北黄梅大破王仙芝军，杀了王仙芝。第二年，黄巢退出唐朝重兵设防的河南，转战东南，打击唐朝财赋所出的生命线。黄巢在蕲州渡长江，被官军打得大败，官军留贼以为自存之资，纵贼东走。黄巢率领农民军走遍长江、闽江、珠江，在大范围流动作战。公元八八〇年，黄巢从广州北上，又回到河南，众数十万，唐军望风溃逃。在黄巢纵横江南之时，北方沙陀人李国昌、李克用父子又反于代地，打击唐王朝，使之雪上加霜。唐王朝已处在风雨飘摇之中，而唐僖宗仍游宴无度，好走马击球，甚至以击球胜负选节度，任用大将如同儿戏。宦官田令孜专权，宰臣不以国事民生为忧。唐室之危，危如累卵。

【原文】

僖宗惠圣恭定孝皇帝上之下

乾符四年（丁酉，公元八七七年）

春，正月，王郢诱鲁寔[①]入舟中，执之，将士从寔者皆奔溃。朝廷闻之，以右龙武大将军宋皓为江南诸道招讨使，先征诸道兵外，更发忠武、宣武、感化三道，宣、泗二州兵，新旧合万五千余人，并受皓节度。二月，郢攻陷望海镇，掠明州，又攻台州，陷之，刺史王葆退守唐兴。诏二浙、福建[②]各出舟师以讨之。

王仙芝陷鄂州[③]。

黄巢陷郓州[④]，杀节度使薛崇。

南诏酋龙嗣立以来，为边患殆二十年[⑤]，中国为之虚耗，而其国中亦疲弊。酋龙卒，谥曰景庄皇帝。子法立，改元贞明、承智、大

【语译】

僖宗惠圣恭定孝皇帝上之下

乾符四年（丁酉，公元八七七年）

春，正月，王郢把温州刺史鲁寔引诱到船上，把他抓了起来，跟随鲁寔的将士都逃散了。朝廷听到这个消息后，任命右龙武大将军宋皓为江南诸道招讨使，先征发各道兵以外，再调发忠武、宣武、感化三道和宣、泗两州的军队，新旧共一万五千多人，都交给宋皓指挥。二月，王郢攻下瞭望海镇，抢掠明州，又攻打台州，攻了下来，台州刺史王葆退守唐兴县。朝廷诏令两浙和福建各调派舟师进讨王郢。

王仙芝攻下鄂州。

黄巢攻下郓州，杀死了节度使薛崇。

南诏酋龙继位以来，在唐边疆为害将近二十年，朝廷因此财力空虚，而南诏国内也疲弊不堪。酋龙死后，谥号称景庄皇帝。他的儿子法继立，改年号为贞明、承

同[⑥]，国号鹤拓[⑦]，亦号大封人。法好畋猎酣饮，委国事于大臣。闰月，岭南西道节度使辛谠奏南诏遣陁西[⑧]段瑳宝等来请和，且言："诸道兵戍邕州岁久，馈饷之费，疲弊中国，请许其和，使羸瘵[⑨]息肩。"诏许之。谠遣大将杜弘等赍书币，送瑳宝还南诏，但留荆南、宣歙数军戍邕州，自余诸道兵什减其七。

王郢横行浙西，镇海节度使裴璩严兵设备，不与之战，密招其党朱实降之，散其徒六七千人，输器械二十余万，舟航[⑩]、粟帛称是。敕以实为金吾将军。于是郢党离散。郢收余众，东至明州，甬桥镇遏使刘巨容[⑪]以筒箭[⑫]射杀之，余党皆平。璩，谞[⑬]之从曾孙也。

【段旨】

以上为第一段，写官军剿灭叛贼王郢。

【注释】

①王郢诱鲁寔：乾符二年（公元八七五年），原浙西狼山镇遏使王郢因节度使处事不公而率众叛乱。三年，王郢通过温州刺史鲁寔请降，求望海镇使，朝廷不许，故有此举。②二浙、福建：方镇名，二浙为浙江东道节度使、浙江西道节度使，福建为观察使。二浙、福建，由江南东道分出，当今江苏、浙江、福建地区。③鄂州：州名，州治江夏，

【原文】

三月，黄巢陷沂州。

夏，四月壬申朔[⑭]，日有食之。

贼帅柳彦璋剽掠江西。

陕州军乱，逐观察使崔碣[⑮]。贬碣怀州司马。

黄巢与尚让合兵保查牙山。

五月甲子[⑯]，以给事中杨损[⑰]为陕虢观察使。损至官，诛首乱者。损，嗣复之子也。

智、大同，国号鹤拓，也号称大封人。法喜欢打猎饮酒，把国事交给大臣。闰二月，唐岭南西道节度使辛谠上奏说南诏派陁西段瑳宝等人来请和，并且说："各道兵调来戍守邕州的时间太长了，粮饷的耗费，使国家很疲弊，请求答应和他们媾和，让贫弱多病的民众得到喘息之机。"朝廷下诏答应了。辛谠派遣大将杜弘等人带着书信和礼物，送段瑳宝返回南诏，只留下荆南和宣歙几支军队戍守邕州，其余各道派来的军队十成减去七成。

王郢横行于浙西，镇海节度使裴璩严兵防守，不和他交战，秘密招降他的同党朱实，解散了他的徒众六七千人，交来器械二十多万件，舟船、粮食、绸帛等同样很多。朝廷敕令任命朱实为金吾将军。这样王郢的党羽离散了。王郢收拢余下的部众，向东到了明州，甬桥镇遏使刘巨容用筒箭射死了王郢，其余的同党全部平定。裴璩，是裴谞的侄曾孙。

在今湖北武汉市武昌区。属江南西道。④郓州：州名，州治郓城县，在今山东郓城东。属河南道。⑤殆二十年：南诏国酋龙于唐宣宗大中十三年（公元八五九年）嗣位，至乾符四年已十八年。⑥贞明、承智、大同：是南诏法王即位后使用的三个年号。⑦鹤拓：南诏的别称，法王的后裔所称，也自称为大封人。胡注认为是"以封为国号"。⑧陁西：南诏官名，军府设陁西，相当于中国的判官。⑨瘵：病。⑩舟航：连浮桥用的船只。⑪刘巨容：徐州人，为徐州大将，累官至山南东道节度使。黄巢入长安，授南面行营招讨使，后兵败入蜀为田令孜所害。传见《新唐书》卷一百八十六。⑫筒箭：长尺余，纳于竹筒内，箭力迅疾。⑬谞：裴谞，字士明，绛州闻喜（今山西闻喜）人，历仕唐代宗、唐德宗两朝，累官至兵部侍郎、河南尹、东都副留守。传见《旧唐书》卷一百二十六、《新唐书》卷一百三十。

【语译】

三月，黄巢攻陷沂州。

夏，四月初一日壬申，发生日食。

贼帅柳彦璋劫掠江西地区。

陕州军队叛乱，赶走了观察使崔碣。朝廷贬崔碣为怀州司马。

黄巢与尚让合兵守卫查牙山。

五月二十四日甲子，任命给事中杨损为陕虢观察使。杨损到任后，诛杀首倡叛乱的人。杨损，是杨嗣复的儿子。

初，桂管观察使李瓒失政⑱，支使薛坚石屡规正⑲之，瓒不能从。及瓒被逐，坚石摄留务，移牒邻道，禁遏⑳乱兵，一方以安。诏擢坚石为国子博士。

六月，柳彦璋袭陷江州，执刺史陶祥，使祥上表，彦璋亦自附降状。敕以彦璋为右监门将军，令散众赴京师，以左武卫将军刘秉仁为江州刺史。彦璋不从，以战舰百余固㉑湓江㉒为水寨，剽掠如故。

忠武都将李可封戍边还，至邠州，迫胁主帅，索旧欠粮盐，留止四日，阖境震惊。秋，七月，还至许州，节度使崔安潜悉按诛之。

庚申㉓，王仙芝、黄巢攻宋州，三道兵㉔与战，不利，贼遂围宋威于宋州。甲寅㉕，右[1]威卫上将军张自勉将忠武兵七千救宋州，杀贼二千余人，贼解围遁去。

王铎、卢携欲使张自勉以所将兵受宋威节度，郑畋以为威与自勉已有疑忿，若在麾下，必为所杀，不肯署奏㉖。八月辛未㉗，铎、携诉于上，求罢免，庚辰㉘，畋请归浐川㉙养疾，上皆不许。

王仙芝陷安州。

盐州军乱，逐刺史王承颜，诏高品牛从珪往慰谕之，贬承颜象州司户。承颜及崔碣素有政声㉚，以严肃为骄卒所逐，朝廷与贪暴致乱者同贬，时人惜之。从珪自盐州还，军中请以大将王宗诚为刺史。诏宗诚诣阙，将士皆释罪，仍加优给。

乙卯㉛，王仙芝陷随州，执刺史崔休徵。山南东道节度使李福遣其子将兵救随州，战死。福奏求援兵，遣左武卫大将军李昌言将凤翔五百骑赴之，仙芝遂转掠复、郢㉜。忠武大将张贯等四千人与宣武兵援襄州，自申、蔡间道逃归㉝。诏忠武节度使崔安潜、宣武节度使穆仁裕遣人约还㉞。

冬，十月，邠宁节度使李侃奏遣兵讨王宗诚，斩之，余党㉟悉平。

郑畋㊱与王铎、卢携争论用兵于上前，畋不胜，退，复上奏，以为："自王仙芝俶扰㊲，崔安潜首请会兵讨之，继发士卒，罄竭[2]资

当初，唐桂管观察使李瓒政事混乱，观察支使薛坚石多次规劝改正，李瓒不能听从。等到李瓒被赶走，薛坚石代理留后事务，送文牒到相邻各道，要他们制止乱兵横行，使桂州一带得以平安。朝廷诏令提拔薛坚石为国子博士。

六月，贼军柳彦璋攻下了江州，抓了唐江州刺史陶祥，叫陶祥向朝廷上奏，柳彦璋也把自己投降的状文附在后面。敕命柳彦璋为右监门将军，命令他解散部众前往京师，任命左武卫将军刘秉仁为江州刺史。柳彦璋不服从朝廷命令，用战舰一百多艘为水寨固守湓江，劫掠依旧。

忠武都将李可封戍边回来，到邠州时，逼迫邠州主帅，索取旧日拖欠的粮盐，停留四天，全境都震惊。秋，七月，回到许州，节度使崔安潜经过审问后将他们全部杀掉。

七月二十一日庚申，王仙芝、黄巢攻打宋州，平卢、宣武、忠武三道的军队和他们交战，官军没有取胜，叛贼便把宋威包围在宋州城。十五日甲寅，唐右威卫上将军张自勉带领忠武道的军队七千人救援宋州，杀死贼军二千余人，叛贼撤除包围逃走了。

宰相王铎和卢携想使张自勉把他所带领的军队接受宋威指挥，另一宰相郑畋认为宋威和张自勉已经有了猜疑和怨愤，若是把张自勉分在宋威部下，一定被宋威杀掉，因此不肯在奏章上署名。八月初三日辛未，王铎和卢携在僖宗面前申诉郑畋，要求僖宗将郑畋免官；十二日庚辰，郑畋请求返回浐川养病，僖宗对两方的请求都没有答应。

王仙芝攻陷安州。

盐州军队叛乱，赶走了刺史王承颜，朝廷诏令高品位宦臣牛从珪前去安抚告谕他们，贬王承颜为象州司户。王承颜和崔碣一向有政治声誉，由于办事严格被骄横的士卒赶走，朝廷把他们和那些因为贪暴而引起叛乱的人同样贬谪，当时的人都惋惜他们。牛从珪从盐州返回时，军队中请求以大将王宗诚为刺史。朝廷诏令王宗诚入朝，将士都免罪，还给他们优裕的赏赐。

九月十七日乙卯，王仙芝攻下随州，抓了刺史崔休徵。山南东道节度使李福派他的儿子带兵救援随州，在战斗中阵亡。李福上奏请求援兵，朝廷派左武卫大将军李昌言带领凤翔的五百名骑兵前往支援，王仙芝就转攻复州和郢州。忠武军的大将张贯等四千人和宣武镇的军队支援襄州，他们却从申州和蔡州的小路逃回本州。朝廷诏令忠武节度使崔安潜和宣武节度使穆仁裕派人去约束将士，回军救援襄州。

冬，十月，邠宁节度使李侃上奏说已派兵讨伐王宗诚，并把他杀了，其余党徒全部平定。

郑畋和王铎、卢携在僖宗面前争论用兵的计划，郑畋没有争赢，退了出来，再次上奏，认为："自从王仙芝开始动乱，崔安潜最先请求会合兵力讨伐叛乱者，接着

粮㊳。贼往来千里，涂炭诸州，独不敢犯其境。又以本道兵授张自勉，解宋州围，使江、淮漕运流通，不输寇手。今蒙尽以自勉所将七千兵令张贯将之，隶宋威。自勉独归许州，威复奏加诬毁。因功受辱，臣窃痛之。安潜出师，前后克捷非一，一旦强兵尽付他人，良将空还，若勍敌㊴[3]忽至，何以枝梧！臣请以忠武四千人授威，余三千人使自勉将之，守卫其境，既不侵宋威之功，又免使安潜愧耻。”时卢携不以为然，上不能决。畋复上言：“宋威欺罔朝廷，败衄狼藉。又闻王仙芝七状㊵请降，威不为闻奏，朝野切齿，以为宜正军法。迹状如此，不应复典兵权，愿与内大臣㊶参酌，早行罢黜。”不从。

河中军乱，逐节度使刘侔，纵兵焚掠。以京兆尹窦璟为河中宣慰制置使。

黄巢寇掠蕲、黄，曾元裕击破之，斩首四千余[4]级，巢遁去。

十一月己酉㊷，以窦璟为河中节度使。

招讨副使、都监杨复光遣人说谕王仙芝，仙芝遣尚君长等请降于复光㊸，宋威遣兵于道中劫取君长等。十二月，威奏与君长等战于颍州西南，生擒以献。复光奏君长等实降，非威所擒。诏侍御史归仁绍等鞫㊹之，竟不能明。斩君长等于狗脊岭。

黄巢陷匡城㊺，遂陷濮州。诏颍州刺史张自勉将诸道兵击之。

江州刺史刘秉仁乘驿之官，单舟入柳彦璋水寨。贼出不意，即迎拜，秉仁斩彦璋，散其众。

王仙芝寇荆南。节度使杨知温㊻，知至之兄也，以文学进，不知兵，或告贼至，知温以为妄，不设备。时汉水浅狭，贼自贾堑㊼度。

调发士卒，拿出所有的物资粮食来支持。贼军往来千里，涂炭各州，唯独不敢进犯崔安潜所统辖的忠武军境内。崔安潜又把本道兵交给张自勉，解救宋州的围困，使得江、淮之间的漕运畅通，没有落入敌人手中。现在蒙恩要将张自勉带领的七千名将士全部交给张贯带领，隶属于宋威。张自勉独自返回许州，宋威又上奏加以诬陷和诋毁。因为立了功反而受侮辱，臣私下感到很痛心。崔安潜出兵以来，前后打了不少胜仗，一旦把精锐部队全部交给别人，良将空手回来，倘若强敌突然到来，用什么去抵御！臣请求把忠武军中的四千人分给宋威，其余三千人仍由张自勉带领，守卫他所统辖的州境，这样既不侵占宋威的功劳，又避免了使崔安潜感到耻辱。”当时卢携不赞成这样办，僖宗不能决定下来。郑畋又上奏说：“宋威欺骗了朝廷，败军之将的声名远扬。又听说王仙芝七次上表请求投诚，宋威不为王仙芝上奏，朝野之人切齿痛恨，认为应当用军法处置他。宋威的行为表现这个样子，不应该再掌握兵权。希望和内大臣参议商酌，尽早罢免他。”僖宗不听从。

河中镇军队叛乱，赶走了节度使刘侔，乱军放纵士卒焚烧抢掠。朝廷任命京兆尹窦璟为河中宣慰制置使。

黄巢侵掠蕲州和黄州，曾元裕打败了他，斩杀四千余人，黄巢退走。

十一月十二日己酉，任命窦璟为河中节度使。

招讨副使、都监杨复光派人劝谕王仙芝，王仙芝派尚君长等向杨复光请降，宋威派军队在路上劫走了尚君长等人。十二月，宋威上奏说和尚君长等在颍州西南作战，活捉了尚君长等人献给朝廷。杨复光上奏说尚君长等人其实是投降，不是宋威擒获的。诏令侍御史归仁绍等人审问这件事，最终没有弄明白。在狗脊岭杀了尚君长等人。

黄巢攻陷匡城县，接着攻陷濮州。朝廷诏令颍州刺史张自勉带领各道人马攻打黄巢。

江州刺史刘秉仁乘驿站车船去上任，单独乘船进入柳彦璋的水寨。叛贼没有预料到他突然到来，立即迎拜，刘秉仁杀了柳彦璋，解散了他的部众。

王仙芝进犯荆南。荆南节度使杨知温，是杨知至的哥哥，由于文章才学优异被提拔，不懂得用兵，有人告诉他叛贼将要打来，杨知温以为是瞎说的，不作防备。当时汉水水浅河狭，叛贼从贾堑渡过了汉水。

【段旨】

以上为第二段，写宰相不和，唐僖宗无识断，诏令是非颠倒，功臣受屈，奸人得势，贼乱难平，兵变不断。

【注释】

⑭ 壬申朔：四月初一日。⑮ 崔碣：字东标，博陵安平（今河北安平）人，德宗京兆尹崔纵之孙。历任商州刺史、河南尹、陕虢观察使。军乱，贬怀州司马。传见《新唐书》卷一百二十。⑯ 甲子：五月二十四日。⑰ 杨损：字文默，唐文宗宰相杨嗣复之子。唐懿宗时官至殿中侍御史，唐僖宗时官至陕虢观察使、淄青节度使。传见《旧唐书》卷一百七十六、《新唐书》卷一百七十四。⑱ 失政：失理政事；政治混乱。⑲ 规正：劝其改正。⑳ 禁遏：禁止；阻止。㉑ 固：固守；坚守。㉒ 湓江：水名，源出江西瑞昌西南青江，东流至九江西北入长江。此处指九江城外一段。㉓ 庚申：七月二十一日。㉔ 三道兵：即平卢、宣武、忠武所派之兵。㉕ 甲寅：七月十五日。㉖ 署奏：在奏章上署名。㉗ 辛未：八月初三日。㉘ 庚辰：八月十二日。㉙ 浐川：地名，在今陕西西安东。㉚ 政声：政治声誉。㉛ 乙卯：九月十七日。㉜ 郢：州名，治所京山，在今湖北京山。㉝ 自申、蔡间道逃归：谓忠武与宣武兵自许昌开赴襄阳，行至半路，即从申、蔡二州之间小路逃回本镇。㉞ 约还：约束将士，使还军赴援襄州。㉟ 余党：逐王承颜之党羽。㊱ 郑畋：字台文，荥阳人，年十八进士及第。懿宗朝遭白敏中、令狐绹排斥，久不得意。僖宗立，入朝官至宰相，后

【原文】

五年（戊戌，公元八七八年）

春，正月丁酉朔[48]，大雪，知温方受贺[49]，贼已至城下，遂陷罗城，将佐共治子城而守之。及暮，知温犹不出。将佐请知温出抚士卒，知温纱帽皂裘而行，将佐请知温擐甲以备流矢。知温见士卒拒战[50]，犹赋诗示幕僚，遣使告急于山南东道节度使李福，福悉其众自将救之。时有沙陀五百在襄阳，福与之俱，至荆门[51]，遇贼，沙陀纵骑奋击，破之。仙芝闻之，焚掠江陵而去。江陵城下旧三十万户，至是死者什三四。

壬寅[52]，招讨副使曾元裕大破王仙芝于申州东，所杀万人，招降散遣者亦万人。敕以宋威久病，罢招讨使，还青州[53]。以曾元裕为招讨使，颍州刺史张自勉为副使。

庚戌[54]，以西川节度使高骈为荆南节度使兼盐铁转运使。

振武节度使李国昌之子克用[55]为沙陀副兵马使，戍蔚州。时河南盗贼[56]蜂起，云州沙陀兵马使李尽忠与牙将康君立、薛志勤、程怀信、

出为凤翔节度使，阻击黄巢不得西出关中，屏障西川，唐室得以苟延残喘。传见《旧唐书》卷一百七十八、《新唐书》卷一百八十五。㊲俶扰：开始动乱。俶，始。㊳罄竭资粮：竭尽所有的物资粮食。㊴勍敌：劲敌；强敌。㊵七状：七次上表。㊶内大臣：指两枢密使和左右神策护军中尉。时谓之四贵。㊷己酉：十一月十二日。㊸请降于复光：向杨复光请求投降。杨复光时屯邓州，王仙芝在郢州。尚君长请降，中途须经颍州。㊹鞫：审讯。㊺匡城：县名，即长垣县，武德八年（公元六二五年）改称匡城县，县治在今河南长垣东北。㊻杨知温：文宗朝刑部尚书杨汝士之子，官终荆南节度使。传见《旧唐书》卷一百七十六、《新唐书》卷一百七十五。㊼贾堑：地名，在今湖北钟祥南汉水北岸。

【校记】

［1］右：原作“左”。据章钰校，十二行本、乙十一行本、孔天胤本皆作“右”，今据改。〖按〗《旧唐书》卷九《僖宗纪》和《新唐书》卷二百二十五下《逆臣下·黄巢传》皆载张自勉为右威卫上将军。［2］竭：据章钰校，十二行本、乙十一行本皆作“供”，张敦仁《通鉴刊本识误》同。［3］敌：据章钰校，十二行本、乙十一行本皆作“寇”。［4］余：原无此字。据章钰校，十二行本、乙十一行本、孔天胤本皆有此字，今据补。

【语译】

五年（戊戌，公元八七八年）

春，正月初一日丁酉，大雪，荆南节度使杨知温正在接受僚属的拜贺，叛贼已到达城下，攻下了外城，将佐们一起修治内城据守。到傍晚时，杨知温还没有出节度使衙。将佐请求杨知温出来安抚士卒，杨知温不着戎装，戴着乌纱帽穿着黑皮袍来了，将佐请他穿上铠甲以防备流矢。杨知温看到戍卒们御敌作战，还作诗出示给幕僚，同时派遣使者向山南东道节度使李福告急，李福亲自带领他的全部人马前来救援。当时在襄阳有沙陀族士兵五百人，李福和他们一道去荆南，到荆门时，遇到贼军，沙陀族士放纵骑兵勇猛进击，打败了贼军。王仙芝听到被打败的消息后，在江陵城外焚烧抢掠后离去。江陵城下原来有三十万户人家，在这次战争中死了十分之三四。

正月初六日壬寅，招讨副使曾元裕在申州东大败王仙芝军，杀死了一万人，招降遣散的也有一万人。朝廷敕命说，由于宋威长久患病，免去了他的招讨使职务，让他返回青州。任命曾元裕为招讨使，颍州刺史张自勉为副招讨使。

正月十四日庚戌，任命西川节度使高骈为荆南节度使兼盐铁转运使。

振武节度使李国昌的儿子李克用为沙陀副兵马使，戍守蔚州。当时在黄河以南盗贼蜂起，云州沙陀兵马使李尽忠和牙将康君立、薛志勤、程怀信、李存璋等人商

李存璋等谋曰："今天下大乱，朝廷号令不复行于四方，此乃英雄立功名富贵之秋也。吾属虽各拥兵众，然李振武[57]功大官高，名闻天下，其子勇冠诸军，若辅以举事，代北不足平也。"众以为然。君立，兴唐[58]人。存璋，云州人。志勤，奉诚[59]人也。

会大同防御使段文楚兼水陆发运使，代北荐饥[60]，漕运不继，文楚颇减军士衣米，又用法稍峻，军士怨怒。尽忠遣君立潜诣蔚州说克用起兵，除文楚而代之。克用曰："吾父在振武，俟我禀之。"君立曰："今机事已泄，缓则生变，何暇千里禀命乎！"于是尽忠夜帅牙兵攻牙城，执文楚及判官柳汉璋等[5]系狱，自知军州事，遣召克用。克用帅其众趣云州，行收兵。二月庚午[61]，至城下，众且万人，屯于斗鸡台[62]下。壬申[63]，尽忠遣使送符印，请克用为防御留后。癸酉[64]，尽忠械文楚等五人送斗鸡台下，克用令军士冎[65]而食之，以骑践其骸。甲戌[66]，克用入府舍视事，令将士表求敕命，朝廷不许。

李国昌上言："乞朝廷速除大同防御使，若克用违命，臣请帅本道兵讨之，终不爱一子以负国家。"朝廷方欲使国昌谕克用，会得其奏，乃以司农卿支详为大同军宣慰使，诏国昌语克用，令迎候如常仪，除克用官，必令称惬[67]。又以太仆卿卢简方[68]为大同防御使。

贬杨知温为郴州司马[69]。

曾元裕奏大破王仙芝于黄梅[70]，杀五万余人，追斩仙芝，传首[71]，余党散去。

【段旨】

以上为第三段，写贼寇祸乱江陵。官军调整部署，破斩王仙芝。

议说："现今天下大乱，朝廷号令已不被各地奉行，这正是英雄们建功立业得富贵的时机。我们虽各自拥有兵众，而振武节度使李国昌功劳大，官位高，天下知名，他儿子勇冠诸军，如果辅助他们起事，代北地方就很容易平定了。"大家都认为是这样。康君立，是蔚州兴唐县人。李存璋，是云州人。薛志勤，是奉诚都督府人。

适逢大同防御使段文楚兼水陆发运使，代北地方连年饥荒，漕运供应不上，段文楚就减少了军士的衣服和粮食，另外执行法令又较严峻，军士既怨恨又恼怒。李尽忠派康君立暗地到蔚州劝说李克用起兵，除掉段文楚并取代他的职务。李克用说："我父亲在振武，等我禀告他。"康君立说："现在机密事情已经泄露，延缓就会发生变故，哪里有时间到千里之外去请示父命呢！"于是李尽忠夜里带领牙兵进攻云州防御使府的牙城，抓住段文楚和判官柳汉璋等人关进监狱，自己主持大同军云州的政事，派人叫来李克用。李克用带领他的部众奔赴云州，一路上又招收兵员。二月初四日庚午，到达云州城下，军队将近一万人，屯驻在斗鸡台下。初六日壬申，李尽忠派使者将符节印信送给李克用，请他担任大同防御使留后。初七日癸酉，李尽忠把段文楚等五人戴上刑械送到斗鸡台下，李克用命令军士剐了他们的肉吃掉，用骑兵践踏他们的尸骨。初八日甲戌，李克用进入州刺史府处理政事，叫将士向朝廷上奏表请求任职的敕命，朝廷没有答应。

李国昌上奏说："请求朝廷赶快任命大同防御使，如果李克用违抗命令，臣请求带领本道兵去讨伐他，我最终不会为了爱惜一个儿子而背弃国家的。"朝廷正打算让李国昌晓谕李克用，恰好收到他的奏表，就任命司农卿支详为大同军宣慰使，诏令李国昌告诉李克用，让他用常规礼仪迎接宣慰使，授任李克用的官职，必会让他满意。又任命太仆卿卢简方为大同防御使。

贬杨知温为郴州司马。

曾元裕上奏说在黄梅县大败王仙芝，杀了五万多人，追击斩杀了王仙芝，传首京师，余党逃散而去。

【注释】

㊽丁酉朔：正月初一日。㊾受贺：凡元旦、冬至，诸州镇长官皆在衙门接受属下将吏祝贺。㊿拒战：御敌作战。(51)荆门：县名，县治在今湖北荆门。(52)壬寅：正月初六日。(53)还青州：宋威本平卢节度使，故令还其治所。(54)庚戌：正月十四日。(55)克用：李克用（公元八五六至九〇八年），沙陀人，以镇压黄巢有功，授河东节度使，封晋王。以后割据一方，长期与朱温混战。死后其子存勖建立后唐，被尊为太祖。事见《新唐书》卷二百十八、《旧五代史》卷二、《新五代史》卷一。(56)河南盗贼：谓王仙芝、黄巢

等。㊺李振武：即李国昌，李克用之父，因其为振武节度使，故称。㊽兴唐：县名，至德二载（公元七五七年）改安边县置，县治在今河北蔚县。㊾奉诚：即饶乐都督府，贞元二十二年（公元六四八年）在奚族地置，治所在今内蒙古宁城。开元二十三年（公元七三五年）改名奉诚都督府。㊿荐饥：五谷连年不熟，即连年灾荒。(61)庚午：二月初四日。(62)斗鸡台：地名，在今山西大同城北。(63)壬申：二月初六日。(64)癸酉：二月初七日。(65)冎：同“剐”。(66)甲戌：二月初八日。(67)惬：快意；满意。(68)卢简方：史失其世系。卢钧镇太原，表为节度府判官。累迁江州刺史，擢义昌节度使，入拜太仆卿。出为大同防御使。传见《新唐书》卷一百八十二。(69)贬杨知温为郴州司马：因为王仙芝攻江陵，江陵几乎失守，士民多为杀掠。(70)黄梅：县名，县治在今湖北黄梅。(71)传首：将首级传送京师。

【原文】

黄巢方攻亳州未下，尚让帅仙芝余众归之，推巢为主，号冲天大将军，改元王霸，署官属(72)。巢袭陷沂州、濮州，既而屡为官军所败，乃遗天平节度使张裼(73)[6]书，请奏之。诏以巢为右卫将军，令就郓州解甲(74)，巢竟不至。

加山南东道节度使李福同平章事，赏救荆南之功也。

三月，群盗陷朗州、岳州。招讨使[7]曾元裕屯荆、襄，黄巢自滑州[8]略宋、汴，乃以副使张自勉充东南面行营招讨使。黄巢攻卫南(75)，遂攻叶(76)、阳翟。诏发河阳兵千人赴东都，与宣武、昭义兵二千人共卫宫阙(77)。以左神武大将军刘景仁充东都应援防遏使，并将三镇(78)兵，仍听于东都募兵二千人。景仁，昌(79)之孙也。又诏曾元裕将兵径还东都，发义成兵三千守轘辕、伊阙(80)、河阴(81)、武牢(82)。

王仙芝余党王重隐陷洪州，江西观察使高湘奔湖口(83)。贼转掠湖南，别将曹师雄掠宣、润，诏曾元裕、杨复光引兵救宣、润。

湖南军乱，都将高杰逐观察使崔瑾(84)。瑾，郾之子也。

黄巢引兵渡江，攻陷虔、吉、饶(85)、信等州。

【校记】

［5］等：原无此字。据章钰校，十二行本、乙十一行本、孔天胤本皆有此字，张敦仁《通鉴刊本识误》同，今据补。

【语译】

黄巢正在攻打亳州，尚未攻下来，尚让带领王仙芝的余众归附他，推举黄巢为首领，号冲天大将军，改年号为王霸，建置官属。黄巢袭取了沂州和濮州，不久多次被官军打败，于是就给天平节度使张裼一封信，请他上奏朝廷。朝廷下诏任命黄巢为右卫将军，命令他在郓州解甲投降，黄巢最终没有去郓州。

朝廷加授山南东道节度使李福同平章事官衔，是奖赏他救援荆南的功劳。

三月，群盗攻陷朗州和岳州。招讨使曾元裕屯驻在荆州和襄州，黄巢从滑州侵掠宋州和汴州，朝廷于是任命招讨副使张自勉担任东南面行营招讨使。黄巢进攻卫南县，接着攻打叶县和阳翟县。下诏调发河阳镇军队一千人前往东都，和宣武、昭义的军队二千人共同保卫东都的宫殿。任命左神武大将军刘景仁为东都应援防遏使，并统领三镇的军队，还让他在东都招募二千兵员。刘景仁，是刘昌的孙子。又诏令曾元裕带领部队直接返回东都，调发义成军三千人守卫轘辕、伊阙、河阴、武牢。

王仙芝的余党王重隐攻陷洪州，江西观察使高湘跑往湖口镇。叛贼转掠湖南，别将曹师雄抢掠宣州和润州，朝廷诏令曾元裕和杨复光带兵救援宣州和润州。

湖南的官军叛乱，都将高杰赶走了观察使崔瑾。崔瑾，是崔郾的儿子。

黄巢带兵渡过长江，攻陷虔州、吉州、饶州、信州。

【段旨】

以上为第四段，写黄巢为起义军首领，在河南流动作战。

【注释】

⑫署官属：设置属吏。⑬张裼：字公表，历官户部侍郎、吏部侍郎、京兆尹等，乾符四年卒于天平军节度使任上，传见《旧唐书》卷一百七十八。⑭解甲：脱去铠甲，谓投降。⑮卫南：县名，县治在今河南滑县东北。⑯叶：县名，县治在今河南叶县西南旧县镇。⑰共卫宫阙：共同守卫东都宫阙。⑱三镇：指河阳、宣武、昭义。⑲昌：刘昌，字公明，汴州开封（今河南开封）人，唐德宗时官至四镇、北庭行营兼泾原节度使。四镇为唐西域四镇，龟兹、于阗、焉耆、疏勒。传见《旧唐书》卷一百五十二、《新唐书》卷一百七十。⑳轘辕伊阙：皆关名，轘辕关在今河南偃师南轘辕山上，伊阙关在今河南洛阳南伊阙山上。㉑河阴：县名，县治在今河南荥阳东北。㉒武牢：关名，武牢关即虎牢关，唐避先祖李虎讳，改"虎"为"武"，在今河南荥阳西北汜水镇。㉓湖口：地名，即今江西鄱阳湖入长江之口。㉔崔瑾：唐文宗朝浙西观察使崔郾第三子，官至湖南观察使。事附《旧唐书》卷一百五十五、《新唐书》卷一百六十三《崔郾传》。㉕饶：州名，治所鄱阳，在今江西鄱阳。

【原文】

朝廷以李克用据云中，夏，四月，以前大同军防御使卢简方为振武节度使，以振武节度使李国昌为大同节度使，以为克用必无以拒也。

诏以东都军储不足，贷商旅富人钱谷，以供数月之费。仍赐空名[86]殿中侍御史告身五通[87]、监察御史告身十通，有能出家财助国稍多者赐之。时连岁旱、蝗，寇盗充斥，耕桑半废，租赋不足，内藏虚竭[88]，无所佽助[89]。兵部侍郎、判度支杨严[90]三表自陈才短，不能济办[91]，乞解使务[9]，辞极哀切，诏不许。

曹师雄寇湖州，镇海节度使裴璩遣兵击破之。

王重隐死，其将徐唐莒据洪州。

饶州将彭幼璋合义营兵[92]克复饶州。

南诏遣其酋望[93]赵宗政来请和亲，无表，但令督爽牒中书，请为弟而不称臣。诏百僚议之。礼部侍郎崔澹[94]等以为："南诏骄僭无礼，高骈不识[10]大体，反因一僧[95]呫嗫[96]卑辞诱致其使。若从其请，恐垂笑后代。"高骈闻之，上表与澹争辩，诏谕解之。澹，玙之子也。

【校记】

［6］张裼：“裼”字原作“杨”。章钰校云：“十二行本‘杨’作‘裼’，乙十一行本同，孔本同，熊校同。”是章钰所据胡克家刻本作“杨”，与校者所见不同。〖按〗《旧唐书》卷十九上《懿宗纪》、卷十九下《僖宗纪》、卷一百七十八张裼本传，以及《新唐书》卷九《僖宗纪》，皆作“裼”，当是，今据改。裼，裘服上覆加的华美外衣。张裼字公表，“裼”字与“公表”义相属，符合古人取名取字的习惯。又本卷下文正作“裼”，字尚不误。［7］招讨使：原无此三字。据章钰校，十二行本、乙十一行本、孔天胤本皆有此三字，张敦仁《通鉴刊本识误》、张瑛《通鉴校勘记》同，今据补。［8］滑州：据章钰校，十二行本、乙十一行本、孔天胤本皆作“濮州”，张敦仁《通鉴刊本识误》同。〖按〗疑“濮州”是。当时黄巢破考城，取濮州，所以才能自濮州出兵略地宋、汴。而滑州尚被唐滑州节度使李峄控制，黄巢无缘从滑州出兵略地宋、汴。事见《新唐书》卷二百二十五下《逆臣下・黄巢传》。

【语译】

朝廷因李克用据有云中，夏，四月，就任命前大同军防御使卢简方为振武节度使，任命振武节度使李国昌为大同节度使，认为这样做李克用一定没有理由拒绝。

朝廷下诏说，由于东都洛阳军队所需的储备不充足，向商人和富有之家借贷钱谷，以供数月的费用。又赐予空白殿中侍御史委任状五份、监察御史委任状十份，以便赏给那些能拿出较多家财帮助国家的人。当时连年发生旱灾和蝗灾，地方上寇盗充斥，农耕和桑蚕多半荒废，租赋收不上来，各家各户的仓库空虚了，没有财物用来资助。兵部侍郎、判度支杨严三次上奏表自我陈说才能浅薄，不能将事办好，请求解除他的判度支职务，言辞非常哀痛恳切，唐僖宗没有答应。

曹师雄寇掠湖州，镇海节度使裴璩派军队打败了他。

王重隐去世，他的将领徐唐莒据守洪州。

饶州将领彭幼璋联合义营兵收复了饶州。

南诏派遣酋望赵宗政向唐政府请求和亲，没有奏表文，只是叫督爽给中书省写了文牒，请求做弟弟而不称臣下。诏令百官们商议这件事。礼部侍郎崔澹等人认为：“南诏骄傲僭越，没有礼貌，高骈不识大体，反而通过一个和尚低声卑辞引诱南诏使者来到朝廷。如果答应了他们的请求，恐怕要给后代留下笑柄。”高骈听到了这种议论，上表和崔澹争辩，僖宗下诏晓谕调解他们。崔澹，是崔玙的儿子。

五月丙申朔[97]，郑畋、卢携议蛮事，携欲与之和亲，畋固争以为不可。携怒，拂衣起，袂罥[98]砚堕地，破之。上闻之，曰："大臣相诟，何以仪刑四海[99]！"丁酉[100]，畋、携皆罢为太子宾客、分司，以翰林学士承旨、户部侍郎豆卢瑑[101]为兵部侍郎，吏部侍郎崔沆为户部侍郎，并同平章事。

时宰相有好施者，常使人以布囊贮钱自随，行施丐者，每出，褴褛盈路。有朝士以书规之曰："今百姓疲弊，寇盗充斥，相公宜举贤任能，纪纲[102]庶务，捐不急之费[103]，杜私谒之门，使万物各得其所，则家给人足，自无贫者，何必如此行小惠乎！"宰相大怒。

邕州大将杜弘送段瑳宝至南诏，逾年而还。甲辰[104]，辛谠复遣摄巡官[105]贾宏、大将左瑜、曹朗使于南诏。

【段旨】

以上为第五段，写朝廷羁縻南诏。宰臣好施舍，务虚誉，不以国事民生为忧。

【注释】

㉖空名：指空白告身。告身，委任状。㉗通：量词，一份。㉘内藏虚竭：指各家各户积蓄耗尽。㉙无所佽助：无人出来应诏资助。㉚杨严：字凛之，唐懿宗宰相杨收之弟。咸通中历任给事中、工部侍郎。杨收为相，请外职，任浙东观察使。乾符中以兵部侍郎迁判度支。传见《旧唐书》卷一百七十七、《新唐书》卷一百八十四。㉛济办：办得成功。㉜义营兵：地方志愿组织的武装。此指饶州的起义者。㉝酋望：南诏清平官之一，位在大军将之下，久赞之上。㉞崔澹：唐武宗宰相崔珙之侄，位终吏部侍郎。传见《旧

【原文】

李国昌欲父子并据两镇，得大同制书，毁之，杀监军，不受代，与李克用合兵陷遮虏军[106]，进击宁武及岢岚军[107]。卢简方赴振武，至岚州[108]而薨。

五月初一日丙申，郑畋和卢携讨论关于南诏蛮的事情，卢携想与南诏和亲，郑畋力争，认为不能那么办。卢携大怒，拂衣站起来，衣袖挂起桌上的砚台掉在地上，打破了。僖宗听说了这件事，说："大臣互相诟骂，怎么做全国的榜样！"初二日丁酉，郑畋和卢携都被降职为太子宾客、分司东都，任命翰林学士承旨、户部侍郎豆卢瑑为兵部侍郎，吏部侍郎崔沆为户部侍郎，二人同时都担任同平章事。

当时宰相中有喜欢施舍的人，常常叫人用布袋子装些钱跟随自己，施舍给乞丐们，每次外出，穿着破衣服的乞丐挤满了道路。有朝廷官员写信规劝他们说："现在老百姓很贫困，强盗充斥，相公们应当举贤任能，治理国家各项工作，减少急需的费用，堵塞徇私舞弊的门路，使各种事务处置恰当，各得其所，那么人人有饭吃，就没有贫穷之人，又何必这样施舍小恩小惠呢！"宰相们大怒。

邕州大将杜弘送段瑳宝到南诏，过了一年才返回。五月初九日甲辰，辛谠又派摄巡官贾宏、大将左瑜、曹朗出使南诏。

唐书》卷一百七十七、《新唐书》卷一百八十二。㊼僧：指景仙。景仙出使南诏见本书卷二百五十二唐僖宗乾符三年。㊽呫嗫：低声絮语。㊾丙申朔：五月初一日。㊿罥：挂；缠绕。[99]仪刑四海：为天下的楷模。[100]丁酉：五月初二日。[101]豆卢瑑：字希真，历仕翰林学士、户部侍郎。乾符五年与崔沆同日拜相。黄巢入长安，被杀。传见《旧唐书》卷一百七十七、《新唐书》卷一百八十三。[102]纪纲：治理。[103]捐不急之费：裁减不急需的费用。[104]甲辰：五月初九日。[105]摄巡官：官名，节度、观察、防御诸使的幕僚，位在判官、推官之下。

【校记】

［9］乞解使务：原无此四字。据章钰校，十二行本、乙十一行本、孔天胤本皆有此四字，张敦仁《通鉴刊本识误》、张瑛《通鉴校勘记》同，今据补。［10］识：据章钰校，十二行本、乙十一行本、孔天胤本皆作"达"。

【语译】

李国昌想父子同时据有两个方镇，收到委任为大同节度使的诏书后，把它撕毁了，杀死监军，不接受替代，和李克用合兵攻下遮虏军，进击宁武军和岢岚军。卢简方前往振武军，到岚州后去世。

丁巳[109]，河东节度使窦澣发民堑晋阳[110]。己未[111]，以都押牙[11]康传圭为代州刺史，又发土团千人赴代[12]州。土团至城北，娖队不发[112]，求优赏。时府库空竭，澣遣马步都虞候邓虔往慰谕之。土团冎虔，床舁[113]其尸入府。澣与监军自出慰谕，人给钱三百，布一端，众乃定。押牙田公锷给乱军钱布，众遂劫之以为都将，赴代州，澣借商人钱五万缗以助军。朝廷以澣为不才[114]，六月，以前昭义节度使曹翔为河东节度使。

王仙芝余党剽掠浙西。朝廷以荆南节度使高骈先在天平有威名[115]，仙芝党多郓人，乃徙骈为镇海节度使。

沙陀焚唐林、崞县[116]，入忻州境。

秋，七月，曹翔至晋阳。己亥[117]，捕土团杀邓虔者十三人，杀之。义武兵至晋阳，不解甲，讙噪求优赏。翔斩其十将一人，乃定。发义成、忠武、昭义、河阳兵会于晋阳，以御沙陀。八月戊寅[118]，曹翔引兵救忻州。沙陀攻岢岚军，陷其罗城。败官军于洪谷[119]，晋阳闭门城守。

黄巢寇宣州，宣歙观察使王凝拒之，败于南陵[120]。巢攻宣州不克，乃引兵入[13]浙东，开山路七百里，攻剽福建诸州。

九月，平卢军奏节度使宋威薨。

辛丑[121]，以诸道行营招讨使曾元裕领平卢节度使。

壬寅[122]，曹翔暴薨[123]。

丙午[124]，昭义兵大掠晋阳，坊市[125]民自共击之[126]，杀千余人，乃溃。

中书侍郎、同平章事李蔚罢为东都留守，以吏部尚书郑从谠[127]为中书侍郎、同平章事。从谠，余庆[128]之孙也。

以户部尚书、判户部事李都同平章事兼河中节度使。

冬，十月，诏昭义节度使李钧、幽州节度使李可举与吐谷浑酋长赫连铎、白义诚、沙陀酋长安庆、萨葛酋长米海万，合兵讨李国昌父子于蔚州。十一月甲午[129][14]，岢岚军翻城应沙陀。丁未[130]，以河东宣慰使崔季康为河东节度、代北行营招讨使。沙陀攻石州。庚戌[131]，崔季康救之。

十二月甲戌[132]，黄巢陷福州，观察使韦岫[133]弃城走。

南诏使者赵宗政还其国。中书不答督爽牒，但作西川节度使崔安潜书意，使安潜答之。

五月二十二日丁巳，为对付李国昌父子，河东节度使窦瀚调发民夫挖掘晋阳城护城河。二十四日己未，任命都押牙康传圭为代州刺史，又调发地方土团一千人前往代州。土团到达晋阳城北，整顿好队伍却不出发，要求丰厚的赏赐。当时府库空竭，窦瀚派遣马步都虞候邓虔前去安慰晓谕他们。土团竟把邓虔凌迟处死，用床抬着邓虔的尸体进入节度使府。窦瀚只好和监军亲自出来安慰晓谕，每人发给三百文钱，一端布，才使土团安定下来。押牙官田公锷给乱军发钱和布，兵众就劫持他，要他担任都将，开赴代州。窦瀚向商人借了五万串钱用来补助军费。朝廷认为窦瀚没有才干，六月，任命前昭义节度使曹翔为河东节度使。

王仙芝余党抢掠浙西一带。朝廷认为荆南节度使高骈原先在天平军任职时有威名，而王仙芝的党羽大多是郓州人，于是就调高骈为镇海节度使。

沙陀军焚烧了唐林和崞县，进入忻州境内。

秋，七月，曹翔到达晋阳。初五日己亥，拘捕了土团杀邓虔的十三人，把他们杀掉了。义武军的士兵到达晋阳后，不脱下铠甲，喧闹着要求丰厚的赏赐。曹翔杀了十将中的一员，于是军队安定下来。朝廷调发义成、忠武、昭义、河阳各镇的军队到晋阳会合，用以抵御沙陀族军队。八月十五日戊寅，曹翔带兵援救忻州。沙陀军攻打岢岚军，攻陷外城，在洪谷打败了官军，晋阳关闭城门进行防守。

黄巢寇掠宣州，宣歙观察使王凝进行抵抗，在南陵打败了黄巢。黄巢没有攻下宣州，于是带兵进入浙东，开辟山路七百里，攻掠福建各州。

九月，平卢军奏报说节度使宋威去世。

初九日辛丑，任命诸道行营招讨使曾元裕兼任平卢节度使。

初十日壬寅，曹翔突然去世。

十四日丙午，昭义兵大肆抢掠晋阳，街市民众自动组织起来攻击他们，杀死一千多人，乱兵溃散。

中书侍郎、同平章事李蔚免官，担任东都留守，任命吏部尚书郑从谠为中书侍郎、同平章事。郑从谠，是郑余庆的孙子。

任命户部尚书、判户部事李都同平章事兼河中节度使。

冬，十月，诏令昭义节度使李钧、幽州节度使李可举和吐谷浑酋长赫连铎、白义诚、沙陀酋长安庆、萨葛酋长米海万，在蔚州会合军队讨伐李国昌父子。十一月初三日甲午，岢岚军翻出城接应沙陀军。十六日丁未，任命河东宣慰使崔季康为河东节度使、代北行营招讨使。沙陀军攻打石州。十九日庚戌，崔季康救援石州。

十二月十三日甲戌，黄巢攻陷福州，观察使韦岫丢下州城逃走了。

南诏使者赵宗政返回他的国家。中书省没有文牒回复督爽，只是用西川节度使崔安潜写信的方式，崔安潜回复南诏。

崔季康及昭义节度使李钧与李克用战于洪谷，两镇兵败，钧战死。昭义兵还至代州，士卒剽掠。代州民杀之殆尽，余众自鸦鸣谷⑬走归上党。

王郢之乱，临安人董昌⑬以土团讨贼有功，补石镜⑬镇将。

是岁，曹师雄寇掠[15]二浙，杭州募诸县乡兵各千人以讨之。昌与钱塘刘孟安、阮结、富阳闻人宇、盐官徐及、新城杜稜、余杭凌文举、临平曹信各为之都将，号杭州八都，昌为之长。其后宇卒，钱塘人成及代之。临安人钱镠⑬以骁勇事昌，以功为石镜都知兵马使。

【段旨】

以上为第六段，写贼乱未平，沙陀部李国昌、李克用父子又反于代北。

【注释】

⑩遮虏军：军镇名，治所在今山西五寨西北。⑩宁武及岢岚军：皆军镇名，宁武军治所在今山西宁武，岢岚军治所在今山西岢岚。⑩岚州：州名，治所宜芳，在今山西岚县北。⑩丁巳：五月二十二日。⑪晋阳：县名，县治在今山西太原南。⑪己未：五月二十四日。⑪娖队不发：整理好队伍，却不向前进发。娖，持整、整齐。⑪舁：抬。⑪不才：没有才干。⑪在天平有威名：高骈之威名在于交趾破南蛮，以其声威徙镇天平军，故郓人畏惧。⑪唐林、崞县：皆县名，唐林县治在今山西原平东南唐林岗，崞县县治在今山西原平北崞阳镇。⑪己亥：七月初五日。⑪戊寅：八月十五日。⑪洪谷：地名，即今山西岢岚东南洪谷堡。⑫南陵：县名，县治在今安徽南陵。⑫辛丑：九月初九日。⑫壬寅：九月初十日。⑫暴薨：突然死亡。⑫丙午：九月十四日。⑫坊市：街市。⑫自共击之：自发地一起攻击乱兵。⑫郑从谠：字正求，咸通中历任吏部侍郎及河东、宣武、岭南东道等节度使。唐僖宗时任刑部尚书、宰相、河东节度使。传见《旧唐书》卷一百五十八、《新唐书》卷一百六十五。⑫余庆：郑余庆，字居业，郑州荥阳（今河南荥阳）人，唐德宗、唐宪宗两朝宰相，封荥阳郡公。传与从谠同卷。⑫甲午：十一月初三日。⑬丁未：十一月十六日。⑬庚戌：十一月十九日。⑬甲戌：十二月十三日。⑬韦岫：字伯

崔季康和昭义节度使李钧与李克用在洪谷交战，河东、昭义两镇兵战败，李钧死去。昭义兵回到代州，士卒抢掠。代州的民众把他们差不多都杀掉了，残余兵士从鸦鸣谷跑回上党。

王郢叛乱的时候，临安人董昌领导土团讨贼立了功，补授董昌为石镜镇镇将。

这一年，曹师雄寇掠两浙，杭州招募各县乡兵各一千人来讨伐他。董昌和钱塘人刘孟安、阮结、富阳人闻人宇、盐官人徐及、新城人杜稜、余杭人凌文举、临平人曹信等担任各部乡兵的都将，号称杭州八都，董昌为八都的首领。后来闻人宇死了，由钱塘人成及接替他。临安人钱镠以骁勇跟随董昌，因立战功而升任石镜都知兵马使。

起，京兆万年（今陕西西安）人，父丹、兄宙皆以廉吏闻名。岫官至福建观察使。传见《新唐书》卷一百九十七。⑬④鸦鸣谷：地名，在今山西寿阳东北。⑬⑤董昌：杭州临安（今浙江杭州市临安区北）人，本石镜镇将，中和元年（公元八八一年）拒杭州刺史路审中到任，即自领州事，进义胜军节度使。乾宁二年（公元八九五年）称帝，国号大越罗平。镇海节度使钱镠出兵讨伐，斩昌，夷其族。传见《新唐书》卷二百二十五下。⑬⑥石镜：军镇名，治所在今浙江杭州市临安区东南。⑬⑦钱镠（公元八五二至九三二年）：字具美，杭州临安（今浙江杭州市临安区）人，唐昭宗朝官至镇海节度使。唐亡，被梁太祖朱温封为吴越王，建吴越国，为十国之一。传见《旧五代史》卷一百三十三、《新五代史》卷六十七。

【校记】

［11］牙：据章钰校，十二行本、乙十一行本皆作“衙”，二字通。［12］代：据章钰校，十二行本、乙十一行本、孔天胤本皆作“戍”，张敦仁《通鉴刊本识误》同。［13］入：原作“攻”。据章钰校，十二行本、乙十一行本、孔天胤本皆作“入”，张敦仁《通鉴刊本识误》同，今据改。［14］甲午：原无此二字。据章钰校，十二行本、乙十一行本、孔天胤本皆有此二字，张敦仁《通鉴刊本识误》、张瑛《通鉴校勘记》同，今据补。［15］掠：原无此字。据章钰校，十二行本、乙十一行本、孔天胤本皆有此字，张敦仁《通鉴刊本识误》同，今据补。

【原文】

六年（己亥，公元八七九年）

春，正月，魏王佾[138]薨。

镇海节度使高骈遣其将张璘、梁缵分道击黄巢，屡破之，降其将秦彦[139]、毕师铎[140]、李罕之[141]、许勍等数十人，巢遂趣广南[142]。彦，徐州人。师铎，冤句人。罕之，项城人也。

贾宏等未至南诏，相继卒于道中，从者死亦太半[143]。时辛谠已病风痹[144]，召摄巡官徐云虔，执其手曰："谠已奏朝廷发使入南诏，而使者相继物故，奈何？吾子既仕则思徇国[145]，能为此行乎？谠恨风痹不能拜耳！"因呜咽流涕。云虔曰："士为知己死！明公见辟[146]，恨无以报德，敢不承命！"谠喜，厚具资装而遣之。

二月丙寅[147]，云虔至善阐城，骠信见大使抗礼，受副使已下拜。己巳[148]，骠信使慈双羽、杨宗就馆谓云虔曰："贵府牒欲使骠信称臣，奉表贡方物，骠信已遣人自西川入唐，与唐约为兄弟，不[149]则舅甥。夫兄弟舅甥，书币[150]而已，何表贡之有？"云虔曰："骠信既欲为弟、为甥，骠信景庄[151]之子，景庄岂无兄弟，于骠信为诸父，骠信为君，则诸父皆称臣，况弟与甥乎！且骠信之先，由大唐之命，得合六诏为一[152]，恩德深厚，中间小忿，罪在边鄙[153]。今骠信欲修旧好，岂可违祖宗之故事乎！顺祖考[154]，孝也；事[155]大国，义也；息战争，仁也；审[156]名分，礼也。四者皆令德[157]也，可不勉乎！"骠信待云虔甚厚。云虔留善阐十七日而还。骠信以木夹二授云虔，其一上中书门下，其一牒岭南西道，然犹未肯奉表称贡[158]。

【段旨】

以上为第七段，写南诏拒绝称臣纳贡。

【语译】

六年（己亥，公元八七九年）

春，正月，魏王李佾去世。

镇海节度使高骈派遣他的属将张璘和梁缵分路进攻黄巢，多次打败了黄巢，使黄巢的将领秦彦、毕师铎、李罕之、许勍等数十人投降，黄巢于是跑到广南。秦彦，是徐州人。毕师铎，是冤句人。李罕之，是项城人。

贾宏等人没有到达南诏，相继死在路上，跟随的人也多半死了。当时辛谠已经得了风痹病，叫来摄巡官徐云虔，拉着他的手说："我辛谠已经上奏朝廷派遣使者去南诏，然而使者在路上相继死去，怎么办呢？先生既然做了官，那么就要想到为国捐躯，能不能出使南诏？我辛谠遗憾得了风痹病不能向你下拜了！"接着低声哭泣流泪。徐云虔说："士为知己死！明公召我做官，只恨未能报答你的恩德，怎敢不接受你的托付！"辛谠很高兴，准备了丰厚的钱物和行装打发他启程了。

二月初六日丙寅，徐云虔到达南诏的善阐城，骠信接见大使时采用平等的礼仪，并接受副使以下的人行拜见礼。初九日己巳，骠信使慈双羽、杨宗到客馆对徐云虔说："贵府牒文的意思是想使骠信称臣，奉表进贡地方特产，骠信已派人从西川去唐朝，与唐约定为兄弟关系，不然就称舅甥关系。兄弟或舅甥关系，来往只须书信、礼物而已，为什么还要奏表、贡物呢？"徐云虔回答说："骠信既然想为弟或为甥，骠信是景庄帝的儿子，景庄帝难道没有兄弟吗，他们对于骠信来说就是伯父或叔父，骠信做了国君，那么伯父或叔父都要称臣，何况是弟弟或外甥呢！况且骠信的祖先，由大唐册命，使六诏统一为一个国家，恩德深厚，中间发生过小的纠纷，过错在于边界地区的官吏。现在骠信想恢复旧日的友好关系，怎么可以违背祖宗的旧例不称臣呢！顺应祖考的旧规是孝，侍奉大国是义，停止战争是仁，明白名分是礼。这四个方面都是美德，能不努力去做吗！"骠信接待徐云虔很优厚。徐云虔在善阐停留了十七天后返回。骠信交给徐云虔两个装文件的木夹，其中一个是给朝廷中书门下省的，一个是给岭南西道的，然而还是不肯奉表称臣纳贡。

【注释】

⑬⑧魏王佾：魏王李佾，唐懿宗子，咸通三年（公元八六二年）封。传见《旧唐书》卷一百七十五、《新唐书》卷八十二。⑬⑨秦彦：本名立，原为徐州军卒，加入黄巢军，后降于高骈，历任和州刺史、宣歙观察使。光启三年（公元八八七年）入扬州，自立为帅。后被杀。传附《旧唐书》卷一百八十二《高骈传》。⑭⓪毕师铎：本为扬州牙将，光启三年

囚其帅高骈，迎秦彦入扬州，被署为行军司马，后被杀。传与秦彦同卷。⑭李罕之：陈州项城（今河南沈丘）人，初随黄巢起事，后投降高骈，任光州刺史。此后依违于李克用、朱全忠之间。传见《新唐书》卷一百八十七。⑭广南：岭南。⑭太半：大半。⑭风痹：手脚麻木之病。⑭徇国：为国捐躯。⑭见辟：召我做官。⑭丙寅：二月初六日。⑭己巳：二月初九日。⑭不：同“否”。⑮书币：书信和礼物。⑮景庄：景庄皇帝，酋龙谥号景庄。⑮合六诏为一：开元二十六年（公元七三八年）唐玄宗赐南诏王皮逻阁名蒙归义，封为云南王，准许其合六诏为一。事见本书卷二百十四唐玄宗开元二十六年。⑮罪在边鄙：谓南诏与西川因边境小事而动干戈，责任不在朝廷。⑮祖考：祖先。⑮事：侍奉。⑮审：明悉。⑮令德：美德。⑮称贡：进贡。

【原文】

辛未⑮，河东军至静乐⑯，士卒作乱，杀孔目官⑯石裕等。壬申⑯，崔季康逃归晋阳。甲戌⑯，都头张锴、郭咄帅行营兵攻东阳门⑯，入府，杀季康。辛巳⑯，以陕虢观察使高浔为昭义节度使，以邠宁节度使李侃为河东节度使。

三月，天平军节度使张裼薨，牙将崔君裕自知州事⑯，淄州刺史曹全晸讨诛之。

夏，四月庚申朔⑯，日有食之。

西川节度使崔安潜到官不诘盗⑯，蜀人怪之。安潜曰：“盗非所由通容则不能为⑯，今穷核⑰则应坐者众，搜捕则徒为烦扰。”甲子⑰，出库钱千五百缗，分置三市⑰，置榜其上曰：“有能告捕一盗，赏钱五百缗。盗不能独为，必有侣⑰，侣者告捕，释其罪，赏同平人。”未几，有捕盗而至者。盗不服，曰：“汝与我同为盗十七年，赃皆平分，汝安能捕我！我与汝同死耳。”安潜曰：“汝既知吾有榜，何不捕彼以来！则彼应死，汝受赏矣。汝既为所先，死复何辞⑰！”立命给捕者钱，使盗视之，然后冎盗于市⑰，并灭其家。于是诸盗与其侣互相疑，无地容足，夜不及旦，散逃出境，境内遂无一人之盗。

安潜以蜀兵怯弱，奏遣大将赍牒诣陈、许诸州[16]募壮士，与蜀

【语译】

二月十一日辛未，河东军到达静乐，士卒叛乱，杀死孔目官石裕等人。十二日壬申，崔季康逃回晋阳。十四日甲戌，都头张锴、郭昢带领行营兵进攻晋阳东阳门，进入节度使府，杀了崔季康。二十一日辛巳，朝廷任命陕虢观察使高浔为昭义节度使，任命邠宁节度使李侃为河东节度使。

三月，天平军节度使张裼去世，牙将崔君裕自己主持州中政事，淄州刺史曹全晸讨伐并杀了崔君裕。

夏，四月初一日庚申，发生日食。

西川节度使崔安潜上任后没有查究盗贼，蜀人对此很奇怪。崔安潜说："强盗如果没有地方官吏包容就不能有所作为，现在如果彻底查究，那么应该牵连获罪的人会很多，进行搜捕只能是徒然烦扰。"四月初五日甲子，崔安潜从官库取出一千五百串钱，分别放置在三个市场，在上面挂出告示，说："有能够告发捕获一名强盗的，赏钱五百串。盗窃不能一个人干，一定有同伙，同伙的人告发捕获，免掉他本人的罪，赏钱同平常人一样。"没有多久，有人捕获盗贼来到官府。被捕的强盗不服气，说："你和我一同做强盗有十七年，抢到的赃物都平分，你怎么能抓捕我！既使到官府，你和我一样要被处死。"崔安潜说："你已经知道我贴出了告示，你为什么不把他抓捕送来！如果你那样做，他应当被处死，你就要得到赏钱了。你既然被他抢先了一步，桉榜文应被处死，还有什么可说的！"立刻命令给捕盗的人赏钱，让强盗看着，然后把强盗在市场凌迟处死，并且杀掉了他的全家。于是那些强盗和同伙互相猜疑，没有地方可以立足，等不到天亮，就分散逃出本地境界，境内便一个强盗也没有了。

崔安潜认为蜀兵胆小软弱，上奏朝廷后派大将带着文牒到陈、许诸州招募壮士，

人相杂，训练用之，得三千人，分为三军，亦戴黄帽，号黄头军⑯。又奏乞洪州弩手，教蜀人用弩走丸⑰而射之，选得千人，号神机弩营，蜀兵由是浸强⑱。

【段旨】

以上为第八段，写西川节度使崔安潜智计除盗，强化蜀兵。

【注释】

⑲辛未：二月十一日。⑩静乐：县名，县治在今山西静乐。⑪孔目官：官名，掌管文书档案。⑫壬申：二月十二日。⑬甲戌：二月十四日。⑭东阳门：晋阳城河东节度府门。⑮辛巳：二月二十一日。⑯自知州事：自行执掌州府政事。州，指郓州，天平军治所。⑰庚申朔：四月初一日。⑱诘盗：审讯盗贼；查究盗贼。⑲盗非所由通容则不能为：指盗贼如无地方官吏的通容是不能为所欲为的。所由，指地方官吏。通容，默许、

【原文】

凉王侹⑲薨。

上以群盗为忧，王铎曰："臣为宰相之长⑳，在朝不足分陛下之忧，请自督诸将讨之。"乃以铎守司徒兼侍中，充荆南节度使、南面行营招讨都统。

五月辛卯㉑，敕赐河东军士银。牙将贺公雅所部士卒作乱，焚掠三城㉒，执孔目官王敬送马步司。节度使李侃与监军自出慰谕，为之斩敬于牙门，乃定。

泰宁节度使李系，晟之曾孙也，有口才而实无勇略。王铎以其家世良将，奏为行营副都统兼湖南观察使，使将精兵五万并土团屯潭州，以塞岭北㉓之路，拒黄巢。

河东都虞候每夜密捕贺公雅部卒作乱者[17]，族灭之。丁巳㉔，余党近百人称"报冤将"，大掠三城，焚马步都虞候张锴、府城㉕都虞候郭昢家。节度使李侃下令，以军府不安，曲顺军情，收锴、昢，斩于

和蜀人混杂在一起，经过训练后调用，得到三千人，分为三个军营，也和忠武军一样戴黄帽，号称黄头军。又奏请洪州的弓弩手，教蜀人用弩箭射滚动的圆靶子，挑选得到一千人，号称神机弩营，蜀兵由此逐渐强大起来。

放纵。⑰穷核：彻底核查。⑱甲子：四月初五日。⑫三市：指成都城中的蚕市、药市和七宝市。⑬侣：同伙。⑭汝既为所先二句：你既然被同伙抢先告发捕获，按榜文应处死，还有什么话可说。⑮丹盗于市：在闹市把盗贼凌迟处死。丹，同“剐”，古代的一种酷刑，将人一刀刀割死。⑯黄头军：忠武黄头军以勇闻名，故袭其号。⑰走丸：滚动的圆形物，用以为箭靶。⑱浸强：逐渐强悍起来。

【校记】

［16］诸州：原无此二字。据章钰校，十二行本、乙十一行本、孔天胤本皆有此二字，张敦仁《通鉴刊本识误》同，今据补。

【语译】

凉王李侹去世。

僖宗因群盗的事而忧虑，王铎说：“臣为首相，在朝廷不能够分担陛下的忧虑，请求亲自去监督诸将讨伐群盗。”于是任命王铎守司徒兼侍中，充任荆南节度使、南面行营招讨都统。

五月初二日辛卯，敕令赏赐河东军士银两。牙将贺公雅所辖士卒叛乱，焚烧抢掠晋阳三城，抓了孔目官王敬送到马步司。节度使李侃和监军亲自出来慰问告谕，又为了他们在牙门前杀了王敬，才使乱兵们安定下来。

泰宁军节度使李系，是李晟的曾孙，口才很好而实际上无勇无谋。王铎因他家世代都是良将，上奏推举他担任行营副都统兼湖南观察使，让他带领精兵五万人和地方武装驻扎在潭州，用以堵塞岭北的通道，抵御黄巢。

河东都虞候每夜都秘密抓捕贺公雅的作乱士卒，抓到后即将他们全家杀掉，五月二十八日丁巳，余党近百人号称“报冤将”，大肆劫掠晋阳三城，放火烧了马步都虞候张锴和府城都虞候郭昢的家。节度使李侃下令说，由于军府不安，需要委曲顺从军心，收捕了张锴和郭昢，在牙门前处斩，并驱逐了他们的家属，任命贺公雅为

牙门，并逐其家，以贺公雅为马步都虞候。错、咄临刑，泣言于众曰："所杀皆捕盗司⑱密申，今日冤死，独无烈士⑱相救乎！"于是军士复大噪，篡取⑱错、咄归都虞候司。寻下令，复其旧职，并召还其家，收捕盗司元义宗等三十余家诛灭之。己未⑱，以马步都教练使朱玫⑲等为三城斩斫使⑲，将兵分捕报冤将，悉斩之，军城始定。

黄巢与浙东观察使崔璆⑲、岭南东道节度使李迢书，求天平节度使，二人为之奏闻，朝廷不许。巢复上表求广州节度使⑲，上命大臣议之。左仆射于琮以为："广州市舶⑲宝货所聚，岂可令贼得之！"亦不许，乃议别除官。六月，宰相请除巢率府率⑲[18]，从之。

河东节度使李侃以军府数有乱，称疾，请寻医。敕以代州刺史康传圭为河东行军司马，征侃诣京师。秋，八月甲子⑲，侃发晋阳。寻以东都留守李蔚同平章事，充河东节度使。

【段旨】

以上为第九段，写河东节度使李侃无威略，多次发生兵变。

【注释】

⑰凉王侹：凉王李侹，唐懿宗子，咸通三年（公元八六二年）封。传见《旧唐书》卷一百七十五、《新唐书》卷八十二。⑱宰相之长：即首相。⑱辛卯：五月初二日。⑱三城：晋阳有东、西、中三城。东城在汾水之东，北齐时筑；西城在汾水之西，春秋时筑；中城在东西二城之间，唐时所筑。⑱岭北：地区名，指五岭之北，今湖南、江西南部。⑱丁巳：五月二十八日。⑱府城：节度使府城，即牙城。⑱捕盗司：官署名，节度府属下机构，掌督捕盗贼。⑱烈士：此指仗义勇为的人。⑱篡取：强力夺取。此指军士劫法场，救下张错、郭咄两都虞候，送归主管部门都虞候司处理。⑱己未：五月三十日。⑲朱玫：原为州戍将，累官至邠宁节度使。光启二年（公元八八六年）立嗣襄王煴

马步都虞候。张锴、郭昢临刑，哭着对大家说：“我们所杀的人都是捕盗司秘密命令干的，现在被冤屈而死，难道就没有仗义勇为的人相救吗！”于是军士们又大闹起来，劫走了张锴和郭昢回到都虞候司。不久李侃下令，恢复张锴和郭昢原来的官职，并把他们的家属召回来，收捕捕盗司元义宗等三十多家全部杀掉。三十日己未，任命马步都教练使朱玫等为三城斩斫使，带兵分头抓捕报冤将，把他们全部杀了，军城才安定下来。

黄巢写信给浙东观察使崔璆和岭南东道节度使李迢，索要天平节度使的职务，二人为黄巢奏报了朝廷，朝廷没有答应。黄巢又上奏表索求广州节度使的职务，僖宗命令大臣讨论这件事。左仆射于琮认为：“广州是海外商船和财货聚积之地，怎么能让叛贼得到它！”也不答应，于是讨论给黄巢另一个官职。六月，宰相请求任命黄巢为率府率，僖宗听从了。

河东节度使李侃由于军府多次叛乱，借口有病，请求寻医。朝廷下诏任命代州刺史康传圭为河东行军司马，征调李侃前往京师。秋，八月初七日甲子，李侃从晋阳出发。不久，任命东都留守李蔚同平章事，充任河东节度使。

为帝，自称大丞相，为部将王行瑜所杀。传见《旧唐书》卷一百七十五、《新唐书》卷二百二十四下。⑲斩斫使：临时设置的官名，掌行刑。⑲崔璆：文宗朝浙西观察使崔郾之子，官至浙东观察使。事附《旧唐书》卷一百五十五、《新唐书》卷一百六十三《崔郾传》。⑲广州节度使：即岭南东道节度使，治广州，故称。⑲市舶：指外国商船。⑲率府率：官名，即太子率府率，分左右，掌东宫兵仗、仪卫。⑲甲子：八月初七日。

【校记】

［17］作乱者：原无此三字。据章钰校，十二行本、乙十一行本、孔天胤本皆有此三字，张敦仁《通鉴刊本识误》同，今据补。［18］率府率：原“府”上脱“率”字。据章钰校，十二行本、乙十一行本、孔天胤本皆不脱，张敦仁《通鉴刊本识误》同，今据补。〚按〛《考异》引《实录》《旧唐书》之《黄巢传》《卢携传》皆作“率府率”。下文云“黄巢得率府率告身”，尚未脱“率”字。

【原文】

镇海节度使高骈奏："请以权舒州刺史郎幼复充留后，守浙西，遣都知兵马使张璘将兵五千于郴州守险，兵马留后王重任将兵八千于循、潮二州邀遮，臣将万人自大庾岭⑲⑦趣广州击黄巢。巢闻臣往，必当遁逃，乞敕王铎以所部兵三万于梧、桂、昭[19]、永四州守险。"诏不许。

九月，黄巢得率府率告身，大怒，诟执政，急攻广州，即日陷之，执节度使李迢，转掠岭南州县。巢使迢草表述其所怀，迢曰："予代受国恩⑲⑧，亲戚满朝，腕可断，表不可草。"巢杀之。

冬，十月，以镇海节度使高骈为淮南节度使，充盐铁转运使，以泾原节度使周宝⑲⑨为镇海节度使，以山南东道行军司马刘巨容为节度使。宝，平州人也。

黄巢在岭南，士卒罹瘴疫死者什三四，其徒劝之北还，以图大事，巢从之。自桂州编大筏数千[20]，乘暴水，沿湘江而下，历衡、永州，癸未⑳⓪，抵潭州城下。李系婴城不敢出战，巢急攻，一日陷之，系奔朗州。巢尽杀戍兵，流尸蔽江而下。尚让乘胜进逼江陵，众号五十万。时诸道兵未集，江陵兵不满万人，王铎留其将刘汉宏⑳①守江陵，自帅众趣襄阳，云欲会刘巨容之师。铎既去，汉宏大掠江陵，焚荡⑳②殆尽，士民逃窜山谷。会大雪，僵尸满野。后旬余，贼乃至。汉宏，兖州人也，帅其众北归为群盗。

闰月丁亥朔⑳③，河东节度使李蔚有疾，以供军副使李邵权观察留后，监军李奉皋权兵马留后。己丑⑳④，蔚薨。都虞候张锴、郭昢等[21]署状绌邵⑳⑤，以少尹丁球知观察留后。

十一月戊午⑳⑥，以定州已来制置使⑳⑦万年王处存⑳⑧为义武节度使，河东行军司马、雁门关已来制置使康传圭为河东节度使。

黄巢北趣襄阳，刘巨容与江西招讨使淄州刺史曹全晸合兵屯荆门以拒之。贼至，巨容伏兵林中，全晸以轻骑逆战，阳不胜而走。贼追之，伏发，大破贼众，乘胜逐北，比至江陵，俘斩其什七八，巢与尚让收余众渡江东走。或劝巨容穷追，贼可尽也。巨容曰："国家喜负

【语译】

镇海节度使高骈上奏说："请求任命暂代舒州刺史的郎幼复担任镇海留后，据守浙西，派遣都知兵马使张璘带领五千军队在郴州守卫险要地方，兵马使留后王重任带领八千军队在循州和潮州一带拦击敌人，臣自己带领一万人从大庾岭赶往广州进击黄巢。黄巢听说臣前往，一定会逃跑，请求朝廷命令王铎率领他的部下三万人在梧州、桂州、昭州和永州据守险要之地。"僖宗没有答应。

九月，黄巢得到朝廷率府率的委任状，大怒，辱骂宰相，急攻广州，当天攻陷了州城，抓住了节度使李迢，转而劫掠岭南州县。黄巢让李迢草拟奏表述说他的胸怀，李迢说："我世代蒙受国恩，亲戚满朝，可以砍断我的手腕，奏表不能草拟。"黄巢把他杀了。

冬，十月，任命镇海节度使高骈为淮南节度使，充任盐铁转运使，任命泾原节度使周宝为镇海节度使，任命山南东道行军司马刘巨容为山南东道节度使。周宝，是平州人。

黄巢在岭南，士卒中得瘴疫病死的十人中就有三四人，他的部众劝他回到北方，图谋大业，黄巢听从了他们的意见。他们在桂州编扎大木排数千个，乘着涨大水，沿湘江而下，经过衡州和永州，十月二十七日癸未，抵达潭州城下。湖南观察使李系环城据守不敢出战，黄巢快速进攻，一天攻下了潭州，李系逃往朗州。黄巢把守城的士卒都杀了，漂浮的尸体遮盖着江面顺流而下。尚让乘胜进逼江陵，徒众号称有五十万。当时各道援军没有集中赶来，江陵的士卒不到一万人，王铎留下他的部将刘汉宏守卫江陵，自己带领一部分军队赶往襄阳，说是想和刘巨容会师。王铎离开了以后，刘汉宏大肆抢掠江陵，几乎焚烧光了，士民逃窜山谷。适逢下大雪，被冻死的士民僵尸满山野。后来过了十多天，叛贼才到达。刘汉宏是兖州人，他带领部下回到北方做了强盗。

闰十月初一日丁亥，河东节度使李蔚得了病，任命供军副使李邵代理观察留后，监军李奉皋代理兵马留后。初三日己丑，李蔚去世。都虞候张锴和郭昢等人联名签署奏状罢免李邵，任命少尹丁球知观察留后。

十一月初三日戊午，任命定州已来制置使万年人王处存为义武节度使，河东行军司马、雁门关已来制置使康传圭为河东节度使。

黄巢向北面的襄阳进发，山南东道节度使刘巨容和江西招讨使淄州刺史曹全晸会合驻扎在荆门抵御黄巢。叛贼到达时，刘巨容在丛林中设下伏兵，曹全晸派轻骑迎战，假装被打败逃走。叛贼追赶他们，伏兵突然出现，大破贼众，乘胜追击他们，等到达江陵时，俘虏和歼灭了黄巢部队的十分之七八，黄巢和尚让收集余众渡过长江，向东逃去。有人劝刘巨容尽力追赶黄巢，可以把叛贼全部消灭。刘巨容说："朝

人[209]，有急则抚存将士，不爱官赏[210]，事宁[211]则弃之，或更得罪，不若留贼以为富贵之资。”众乃止。全晸渡江追贼，会朝廷以泰宁都将段彦谟代为招讨使，全晸亦止。由是贼势复振，攻鄂州，陷其外郭，转掠饶、信、池、宣、歙、杭十五州，众至二十万。

康传圭自代州赴晋阳，庚辰[212]，至乌城驿[213]。张锴、郭昢出迎，乱刀斫杀之，至府，又族其家[214]。

十二月，以王铎为太子宾客、分司[215]。

初，兵部尚书卢携尝荐高骈可为都统，至是，骈将张璘等屡破黄巢，乃复以携为门下侍郎、平章事，凡关东节度使，王铎、郑畋所除者，多易置[216]之。

是岁，桂阳[217]贼陈彦谦陷郴州，杀刺史董岳。

【段旨】

以上为第十段，写黄巢下广州，北上中原，一路势如破竹。官军大胜于江陵，纵寇东走，留贼以为自存之资。

【注释】

⑲⁷大庾岭：山名，在今江西大余、广东南雄二县之间，历为南北交通要隘。⑲⁸代受国恩：世代蒙受国恩。⑲⁹周宝：字上圭，平州卢龙（今河北卢龙）人，累官至泾原、镇海等节度使，后为钱镠所杀。传见《新唐书》卷一百八十六。⑳⁰癸未：十月二十七日。⑳¹刘汉宏：王铎部将，大掠江陵后为群盗，后降于崔锴，表为宿州刺史，官至浙东节度使。传见《新唐书》卷一百九十。⑳²焚荡：烧毁。⑳³丁亥朔：闰十月初一日。⑳⁴己丑：闰十月初三日。⑳⁵绌卲：罢黜李卲。⑳⁶戊午：十一月初三日。⑳⁷制置使：武官名，唐宣宗大中五年（公元八五一年）始置，为方面军征讨的最高指挥官，相当于前线总指挥。白敏中首任此职征讨党项人。⑳⁸王处存：京兆万年（今陕西西安）人，官至义武节

廷赏罚不公，常常言而无信，有了紧急情况就对将士安抚存问，不吝惜官爵和赏赐，事情安定以后就抛弃了他们，有的还获罪，不如留着叛贼作为我们取得富贵的一种资本。”众人就停止了追击。曹全晸渡江追击叛贼，遇上朝廷任命泰宁都将段彦谟接替他为招讨使，曹全晸也停止了追击黄巢。这样一来，叛贼的势力又振兴起来，进攻鄂州，攻陷了外城，转掠饶州、信州、池州、宣州、歙州、杭州等十五州，部众达到了二十万人。

康传圭从代州赶往晋阳，十一月二十五日庚辰，到达乌城驿。张锴和郭昢出去迎接，被乱刀砍死，康传圭到军府后，又把他们全家杀了。

十二月，任命王铎为太子宾客、分司东都。

当初，兵部尚书卢携曾推荐高骈为都统，到这时，高骈的将领张璘等人多次打败黄巢，于是又任命卢携为门下侍郎、平章事，关东各地的节度使，凡是王铎、郑畋所任命的，多半都改换了职任。

这一年，桂阳贼陈彦谦攻下郴州，杀掉了刺史董岳。

度使。传见《旧唐书》卷一百八十二、《新唐书》卷一百八十六。⑳⑨ 国家喜负人：指朝廷赏罚不公，常常言而无信。⑳⑩ 不爱官赏：不吝惜官爵和赏赐。爱，吝惜。⑳⑪ 宁：安定；平安。⑳⑫ 庚辰：十一月二十五日。⑳⑬ 乌城驿：地名，在今山西盂县西北。⑳⑭ 族其家：康传圭至乌城驿，即杀张锴、郭昢；到节度使府，又族灭二人之家。⑳⑮ 为太子宾客分司：因江陵之败而撤王铎都统之职，置之散地。⑳⑯ 易置：改换另置。⑳⑰ 桂阳：县名，县治在今广东连州。

【校记】

［19］桂昭：据章钰校，十二行本、乙十一行本、孔天胤本皆作“昭桂”。［20］数千：原作“数十”。据章钰校，十二行本、乙十一行本、孔天胤本皆作“数千”，今据改。〖按〗黄巢当时拥兵号称数十万，在桂州编大筏数十，断不能转徙全军，“十”必是“千”字残破字。［21］等：原无此字。据章钰校，十二行本、乙十一行本、孔天胤本皆有此字，今据补。

【原文】

广明元年（庚子，公元八八〇年）

春，正月乙卯朔[218]，改元。

沙陀入雁门关，寇忻、代。二月庚戌[219]，沙陀二万余人逼晋阳。辛亥[220]，陷太谷[221]。遣汝州防御使博昌诸葛爽[222]帅东都防御兵救河东。

河东节度使康传圭专事威刑，多复仇怨，强取富人财。遣前遮虏军使苏弘轸击沙陀于太谷，至秦城[223]，遇沙陀，战不利而还。传圭怒，斩弘轸。时沙陀已还代北，传圭遣都教练使张彦球将兵三千追之。壬戌[224]，至百井[225]，军变，还趣晋阳。传圭闭城拒之，乱兵自西明门入，杀传圭。监军周从寓自出慰谕，乃定，以彦球为府城都虞候。朝廷闻之，遣使宣慰曰："所杀节度使，事出一时，各宜自安，勿复忧惧。"

左拾遗侯昌业以盗贼满关东，而上不亲政事，专务游戏，赏赐无度，田令孜专权无上，天文变异[226]，社稷将危，上疏极谏。上大怒，召昌业至内侍省赐死。

上善[22]骑射、剑槊、法算[227]，至于音律[228]、蒱博[229]，无不精妙。好蹴鞠、斗鸡，与诸王赌鹅，鹅一头至直[23]五十缗。尤善击球，尝谓优人石野猪曰："朕若应击球进士举，须为状元。"对曰："若遇尧、舜作礼部侍郎，恐陛下不免驳放[230]。"上笑而已。

度支以用度不足，奏借富户及胡商货财，敕借其半。盐铁转运使高骈上言："天下盗贼蜂起，皆出于饥寒，独富户、胡商未耳。"乃止。

高骈奏改杨子院[231]为发运使。

【段旨】

以上为第十一段，写沙陀扰边、节镇兵变、关东流寇猖獗，唐僖宗仍游宴无度，杀戮谏官，田令孜专权，唐王室已在风雨飘摇中。

【语译】

广明元年（庚子，公元八八〇年）

春，正月初一日乙卯，改年号为广明。

沙陀族军队进入雁门关，侵扰忻州、代州。二月二十六日庚戌，沙陀兵二万余人逼近晋阳。二十七日辛亥，攻占了太谷县。朝廷派遣汝州防御使博昌人诸葛爽带领东都防御兵救援河东镇。

河东节度使康传圭一心使用严刑峻法，大肆复仇报怨，强取富人财物。康传圭派遣前遮虏军使苏弘轸在太谷攻击沙陀军队，到秦城时，遭遇沙陀兵，作战失利后返回。康传圭发怒，杀了苏弘轸。当时沙陀兵已经返回到代北，康传圭派遣都教练使张彦球带领士兵三千人追击他们。三月初九日壬戌，到达百井，军队发生变乱，赶回晋阳。康传圭关闭城门抵御乱兵，乱兵从西明门攻入城，杀了康传圭。监军周从寓亲自出来抚慰晓谕他们，才安定下来，任命张彦球为府城都虞候。朝廷听到这个消息，派遣使者宣慰说："所杀节度使，事情出于一时的激愤，各人应自己安定下来，不要再忧心恐惧。"

左拾遗侯昌业因盗贼遍布关东各地，而僖宗又不亲理政事，一味游玩，赏赐无度，宦臣田令孜独掌大权，不把僖宗放在眼里，天象变化异常，国家即将倾覆，因而他上疏直言进谏。僖宗大怒，把侯昌业召到内侍省命他自杀。

僖宗擅长骑马射箭，玩剑弄槊，算数计度，至于音乐和博戏，无不精通。爱好蹴球、斗鸡，与诸王赌鹅，鹅一头值五十串钱。尤其擅长打马球，他曾经对优人石野猪说："我要是参加打马球进士的考试，应是状元。"石野猪回答说："要是遇上尧、舜担任礼部侍郎，恐怕陛下难免要被斥责放黜。"僖宗笑笑罢了。

度支由于用度不足，上奏要求借富户和胡商的货财，敕命向他们借一半。盐铁转运使高骈上奏说："天下盗贼蜂起，都是由于饥寒，只有富户和胡商没有因饥寒而动乱。"于是这事就作罢了。

高骈上奏改杨子院为发运使。

【注释】

㉑⑧乙卯朔：正月初一日。㉑⑨庚戌：二月二十六日。㉒⓪辛亥：二月二十七日。㉒①太谷：县名，县治在今山西太谷县。㉒②诸葛爽：青州博昌（今山东博兴）人，原为县吏，趁战乱之机，先投庞勋，后降黄巢，又归附朝廷。官终河阳节度使。传见《旧唐书》卷一百八十二、《新唐书》卷一百八十七。㉒③秦城：地名，在今山西晋中市太谷区西南。㉒④壬戌：

三月初九日。㉕百井：地名，即今山西阳曲东北柏井村。㉖天文变异：天象变化异常。如乾符五年发生旱灾，六年出现日食等。㉗法算：算学；数学。㉘音律：音乐。㉙蒱博：赌博。㉚驳放：斥责贬黜。㉛杨子院：官署名，即盐铁转运使扬州巡院的简称。在今江苏扬州南扬子桥附近。旧以留后主持院事，现改名为转运使。杨，通“扬”。

【原文】

三月庚午[232]，以左金吾大将军陈敬瑄[233]为西川节度使。敬瑄，许州人，田令孜之兄也。

初，崔安潜镇许昌[234]，令孜为敬瑄求兵马使，安潜不许。敬瑄因令孜得隶左神策军，数岁，累迁至大将军。令孜见关东群盗日炽，阴为幸蜀之计，奏以敬瑄及其腹心左神策大将军杨师立、牛勖、罗元杲镇三川[235]。上令四人击球赌三川，敬瑄得第一筹[236]，即以为西川节度使，代安潜。

辛未[237]，以门下侍郎、同平章事郑从说同平章事，充河东节度使。康传圭既死，河东兵益骄，故以宰相镇之，使自择参佐。从说奏以长安令王调为节度副使，前兵部员外郎、史馆修撰刘崇龟[238]为节度判官，前司勋员外郎、史馆修撰赵崇为观察判官，前进士[239]刘崇鲁[240]为推官，时人谓之小朝廷，言名士之多也。崇龟、崇鲁，政会[241]之七世孙也。时承晋阳新乱之后，日有杀掠。从说貌温而气劲[242]，多谋而善断，将士欲为恶者，从说辄先觉，诛之，奸轨[243][24]惕息[244]。为善者抚待无疑，知[25]张彦球有方略，百井之变，非其本心，独推首乱者杀之，召彦球慰谕，悉以兵柄委之，军中由是遂安。彦球为从说尽死力，卒获其用。

【校记】

［22］善：原作“好”。据章钰校，十二行本、乙十一行本、孔天胤本皆作“善”，张敦仁《通鉴刊本识误》同，今据改。［23］直：原无此字。据章钰校，十二行本、乙十一行本、孔天胤本皆有此字，张敦仁《通鉴刊本识误》同，今据补。直，通“值”。

【语译】

三月十七日庚午，任命左金吾大将军陈敬瑄为西川节度使。陈敬瑄，是许州人，为田令孜的哥哥。

当初，崔安潜镇守许昌，田令孜为陈敬瑄请求担任兵马使，崔安潜不同意。陈敬瑄通过田令孜得到左神策军的职务，数年间，累迁到大将军。田令孜看到关东群盗一天比一天多起来，暗地里谋划到蜀地避乱，上奏请求任命陈敬瑄和他的心腹左神策大将军杨师立、牛勖、罗元杲镇守三川。僖宗命令四人通过打马球比赛得到三川的职位，陈敬瑄得到第一筹，就任命他为西川节度使，取代崔安潜。

三月十八日辛未，任命门下侍郎、同平章事郑从谠同平章事，充任河东节度使。康传圭死了以后，河东兵更加骄横，所以用宰相去镇守那个地方，让他自己选择僚属。郑从谠奏请任命长安令王调为节度副使，前兵部员外郎、史馆修撰刘崇龟为节度判官，前司勋员外郎、史馆修撰赵崇为观察判官，前进士刘崇鲁为推官，当时人称这套班子为小朝廷，是说其中名士很多。刘崇龟和刘崇鲁，都是刘政会的第七代孙。当时紧接晋阳新乱之后，每天都有残杀抢掠。郑从谠表面温和而气势刚劲，多谋而善断，将士中想做坏事的人，郑从谠每每事先觉察，把他们杀掉，奸邪之人很恐惧。郑从谠对于做好事的人安抚接待，不加猜疑，他知道张彦球有谋略，百井的兵变，不是张彦球的本意，于是只查出首先倡乱的人处死，把张彦球招来安慰和晓谕，又把兵权全部交给了他，军队因此就安定了。张彦球为郑从谠竭尽死力，最终发挥了很大的作用。

【段旨】

以上为第十二段，写权奸专政，唐僖宗以击球胜负选节度，如同儿戏。

【注释】

㉜庚午：三月十七日。㉝陈敬瑄：田令孜胞兄。令孜本姓陈，咸通中随义父入内侍省为宦者，遂冒姓田。田令孜有宠于僖宗，以故敬瑄得累官至左金吾大将军，迁剑南西川节度使。传见《新唐书》卷二百二十四。㉞许昌：指许州，时为忠武军治所。㉟三川：指剑南东川、西川和山南西道。㊱敬瑄得第一筹：陈敬瑄首先把球击入球门，获胜，得到第一筹。筹，即筹码。竹、木制成，用来计数或记胜负的工具。㊲辛未：三月十八日。㊳刘崇龟：字子长，官终清海军节度使。传见《旧唐书》卷一百七十九、《新唐书》卷九十。㊴前进士：进士及第而未做官称前进士。㊵刘崇鲁：字郊文，崇龟之弟。昭宗

【原文】

淮南节度使高骈遣其将张璘等击黄巢屡捷，卢携奏以骈为诸道行营兵马[26]都统。骈乃传檄征天下兵，且广召募，得土客之兵㊺共七万，威望大振，朝廷深倚之。

安南军乱，节度使曾衮出城避之，诸道兵戍邕管者往往自归。

夏，四月丁酉㊻，以太仆卿李琢㊼为蔚、朔等州招讨都统、行营节度使。琢，听之子也。

张璘渡江击贼帅王重霸，降之。屡破黄巢军，巢退保饶州，别将常宏以其众数万降。璘攻饶州，克之，巢走。时江、淮诸军屡奏破贼，率皆不实，宰相已[27]下表贺，朝廷差㊽以自安。

以李琢为蔚朔节度使，仍充都统。

以杨师立为东川节度使，牛勖为山南西道节度使。

以诸葛爽为北面行营副招讨。

初，刘巨容既还襄阳㊾，荆南监军杨复光以忠武都将宋浩权知府事，泰宁都将段彦謩以兵守其城。诏以浩为荆南安抚使㊿，彦謩耻居其下。浩禁军士翦伐街中槐柳，彦謩部卒犯令，浩杖其背。彦謩怒，挟刃驰入，并其二子杀之。复光奏浩残酷，为众所诛，诏以彦謩为朗州刺史，以工部侍郎郑绍业为荆南节度使。

时官至水部郎中，知制诰。传与崇龟同卷。㉑ 政会：即刘政会，滑州胙城（今河南延津东北）人，仕唐高祖、唐太宗两朝，官至洪州都督。传见《旧唐书》卷五十八、《新唐书》卷九十。㉒ 气劲：气势刚劲。㉓ 奸轨：奸宄。㉔ 惕息：恐惧。

【校记】

［24］轨：据章钰校，十二行本、乙十一行本、孔天胤本皆作“猾”，张敦仁《通鉴刊本识误》同。［25］知：原作“如”，形近致误。据章钰校，十二行本、乙十一行本、孔天胤本皆作“知”，张敦仁《通鉴刊本识误》同，今据校正。

【语译】

淮南节度使高骈派遣他的将领张璘等攻打黄巢，多次获胜，卢携上奏任命高骈为诸道行营兵马都统。高骈于是传檄征调天下兵马，并且广为招募兵员，获得土兵和客兵共七万人，声威大震，朝廷深深地倚重他。

安南军队叛乱，节度使曾衮出城躲避，派去戍守邕管地方的各道士兵往往自动返回本道。

夏，四月十四日丁酉，任命太仆卿李琢为蔚、朔等州招讨都统、行营节度使。李琢，是李听的儿子。

张璘渡过长江攻打贼帅王重霸，迫使他投降。多次打败黄巢的军队，黄巢退守饶州，别将常宏带领部下数万人投降官军。张璘攻打饶州，攻下来了，黄巢逃走。当时江、淮各路军队屡次上奏说打败了贼军，大多不是事实，宰相以下的官员上表道贺，朝廷略微自感安稳一些。

任命李琢为蔚朔节度使，仍然担任都统职务。

任命杨师立为东川节度使，牛勖为山南西道节度使。

任命诸葛爽为北面行营副招讨。

当初，刘巨容回襄阳以后，荆南监军杨复光用忠武军都将宋浩暂时主持节度使府的政事，泰宁军都将段彦謩带兵守护江陵城。朝廷诏令宋浩为荆南安抚使，段彦謩感到居于宋浩之下是耻辱。宋浩禁止军士砍伐街道中的槐树和柳树，段彦謩的部卒违犯禁令，宋浩用刑杖击犯禁士兵的背。段彦謩很生气，带着刀子跑进宋浩家，把宋浩及其两个儿子都杀了。杨复光上奏说宋浩残酷，被士兵诛杀，诏令任命段彦謩为朗州刺史，任命工部侍郎郑绍业为荆南节度使。

五月丁巳㉛，以汝州防御使诸葛爽为振武节度使。

刘汉宏之党浸盛，侵掠宋、兖。甲子㉜，征东方诸道㉝兵讨之。

黄巢屯信州，遇疾疫，卒徒多死。张璘急击之，巢以金啖㉞璘，且致书请降于高骈，求骈[28]保奏。骈欲诱致之，许为之求节钺。时昭义、感化㉟、义武等军皆至淮南，骈恐分其功，乃奏贼不日当平，不烦诸道兵，请悉遣归，朝廷许之。贼诇知诸道兵已北渡淮，乃告绝㊱于骈，且请战。骈怒，令璘击之。兵败，璘死，巢势复振。

【段旨】

以上为第十三段，写高骈贪功纵贼，贻害无穷。

【注释】

㉕土客之兵：土兵与客兵。土兵谓淮南本地之兵，客兵谓诸道派遣之兵。㉖丁酉：四月十四日。㉗李琢：名将李晟之孙。沙陀数寇边，琢乃宿将，故授蔚朔等州招讨都统、行营节度使、蔚朔节度使，以防御沙陀。传见《新唐书》卷一百五十四。㉘差：略微；尚可。㉙还襄阳：乾符六年（公元八七九年）以山南东道行军司马刘巨容为该道节度使，故还归治所襄阳。㉚安抚使：官名，唐代前期为朝廷所派遣巡视战争或水旱灾害地区的

【原文】

乙亥㊲，以枢密使西门思恭为凤翔监军。丙子㊳，以宣徽使李顺融为枢密使。皆降白麻，于阁门出案，与将相同㊴。

西川节度使陈敬瑄素微贱，报至蜀，蜀人皆惊，莫知为谁。有青城㊵妖人乘其声势，帅其党诈称陈仆射，止逆旅，呼巡虞候索白马甚急[29]。马步使㊶瞿大夫㊷觉其妄，执之，沃以狗血，即引服㊸，悉诛之。

五月初四日丁巳，任命汝州防御使诸葛爽为振武节度使。

刘汉宏的党徒逐渐强盛，侵掠宋州和兖州。五月十一日甲子，征调东方各道的军队讨伐刘汉宏。

黄巢军队屯驻信州，遇上了传染病，士卒多半死了。张璘加紧进攻他，黄巢用金钱引诱张璘，并且写信请求向高骈投降，要求高骈保举他。高骈想用引诱的办法抓住黄巢，答应为他请求节度使官职。当时昭义、感化、义武等军都到了淮南，高骈担心他们分享了自己的功劳，于是上奏说叛贼不多久应会平定，不需烦扰各道的军队，请求全部调遣返回本道，朝廷答应了。叛贼探听到各道的军队北去并已渡过淮河，就和高骈宣告决裂，并且向他挑战。高骈大怒，命令张璘进击黄巢。官军败北，张璘战死，黄巢的势力又振兴起来了。

使节，后期则为掌管一方军事和民政的大员。㉑ 丁巳：五月初四日。㉒ 甲子：五月十一日。㉓ 东方诸道：指宣武、忠武、义成、天平、泰宁、平卢、感化等节度使。㉔ 啖：以利诱人。㉕ 感化：方镇名，咸通三年（公元八六二年）罢武宁节度使，五年置徐泗观察使，十一年赐号感化军，治所徐州，在今江苏徐州。㉖ 告绝：宣告决裂。

【校记】

［26］兵马：原无此二字。据章钰校，十二行本、乙十一行本、孔天胤本皆有此二字，张敦仁《通鉴刊本识误》同，今据补。［27］已：据章钰校，十二行本、乙十一行本皆作“以”。〖按〗二字通。［28］骈：原无此字。据章钰校，十二行本、乙十一行本、孔天胤本皆有此字，今据补。

【语译】

五月二十二日乙亥，任命枢密使西门思恭为凤翔镇监军。二十三日丙子，任命宣徽使李顺融为枢密使。都是用白麻纸书写诏命，由中书省颁出，和任命将相时的规格一样。

西川节度使陈敬瑄一向微贱，任职公报传到蜀地，蜀人全都吃惊，不知道陈敬瑄是什么人。有一个青城县妖人利用陈敬瑄的声势，带领他的党徒假称是陈仆射，停留在旅舍，呼唤巡虞候，十分紧急地索要白马。马步使瞿大夫察觉他们是假装的，把他们抓了起来，用狗血淋头，这些人立即服罪，把他们全杀了。六月初

六月庚寅[264]，敬瑄至成都。

黄巢别将陷睦州、婺州。

卢携病风不能行，谒告[265]。己亥[266]，始入对，敕勿拜，遣二黄门掖之[267]。携内挟田令孜，外倚高骈，上宠遇甚厚。由是专制朝政，高下在心[268]。既病，精神不完[269]，事之可否决于亲吏杨温、李修，货赂公行。豆卢瑑无他才[30]，专附会携。崔沆时有启陈，常为所沮。

庚子[270]，李琢奏沙陀二千来降。琢时将兵万人屯代州，与卢龙节度使李可举、吐谷浑都督赫连铎共讨沙陀。李克用遣大将高文集守朔州，自将其众拒可举于雄武军。铎遣人说文集归国，文集执克用将傅文达，与沙陀酋长李友金、萨葛都督米海万、安庆都督史敬存皆降于琢，开门迎官军。友金，克用之族父也。

庚戌[271]，黄巢攻宣州，陷之。

刘汉宏南掠申、光。

赵宗政之还南诏也，西川节度使崔安潜表以崔澹之议[272][31]为是，且曰："南诏小蛮，本云南[273]一郡之地。今遣使与和，彼谓中国为怯，复求尚主，何以拒之！"上命宰相议之。卢携、豆卢瑑上言："大中之末，府库充实。自咸通以来，蛮两陷安南、邕管[274]，一入黔中[275]，四犯西川[276]，征兵运粮，天下疲弊，逾十五年，租赋太半不入京师，三使[277]、内库由兹空[32]竭，战士死于瘴疠，百姓困为盗贼，致中原榛杞[278]，皆蛮故也。前岁冬，蛮不为寇，由赵宗政未归。去岁冬，蛮不为寇，由徐云虔复命，蛮尚有觊[33]望[279]。今安南子城为叛卒所据，节度使[280]攻之未下，自余戍卒[281]，多已自归，邕管客军，又减其半。冬期且至，傥蛮寇侵轶，何以枝梧！不若且遣使臣报复[282]，纵未得其称臣奉贡，且不使之怀怨益深，坚决犯边，则可矣。"乃作诏赐陈敬瑄，许其和亲，不称臣，令敬瑄录诏白，并移书与之，仍增赐金帛。以嗣曹王龟年为宗正少卿充使，以徐云虔为副使，别遣内使[283]，共赍诣南诏。

八日庚寅，陈敬瑄到达成都。

黄巢另外一支部队的将领攻下睦州和婺州。

卢携得了风痛病不能行走，请假在家养病。六月十七日己亥，才入朝问对，唐僖宗令不要下拜，派了两个黄门官扶着他。卢携在朝廷内仗恃田令孜，在朝廷外倚靠高骈，僖宗对他给以优厚的待遇。这样一来他专断朝廷大政，随心所欲。得了病以后，精神不好，政事完全由他的亲信官员杨温和李修裁决，贿赂公行。豆卢瑑没有其他才干，一心附会卢携。崔沆不时有所陈奏，常常被豆卢瑑阻断。

六月十八日庚子，李琢上奏说沙陀族有二千人前来投降。李琢当时带领军队一万人屯驻代州，与卢龙节度使李可举、吐谷浑都督赫连铎共同讨伐沙陀。李克用派遣大将高文集据守朔州，亲自带领部下在雄武军抵御李可举。赫连铎派人去劝说高文集回归朝廷，高文集抓住了李克用的将领傅文达，和沙陀酋长李友金、萨葛都督米海万、安庆都督史敬存都向李琢投降，打开城门迎接官军。李友金，是李克用的族父。

六月二十八日庚戌，黄巢进攻宣州，攻下了宣州。

刘汉宏向南抢掠申州和光州。

赵宗政回南诏的时候，西川节度使崔安潜上表认为崔澹所说的对付南诏的建议是正确的，并且说："南诏小蛮，本来是云南一郡之地。现在派使者去与他们议和，他们会以为中国胆怯，如果又要求娶公主，我们怎么拒绝他们呢！"僖宗命令宰相们讨论这个问题。卢携和豆卢瑑上奏说："大中末年，府库充实。从咸通年间以来，蛮人两次攻下安南和邕管，一次侵入黔中，四次进犯西川，国家征兵运粮，全国疲弊，超过十五年，全国的租赋大半不能送到京师，掌管财赋的三使和内库由此枯竭，战士们因荒蛮之地的瘴疠之病而死去，老百姓因贫困而成为盗贼，使得中原地区榛杞丛生，这都是和蛮人作战带来的恶果。前年冬天，蛮人没有做侵掠之事，是由于赵宗政没有回去。去年冬天，蛮人没有做侵掠之事，是由于徐云虔回来复命，蛮人还抱有希望。现在安南的内城被叛卒所据有，节度使没有攻下，其余的戍卒，大多自己返回原籍，邕管军辖下的外地军队，又减少了一半。冬天即将到来，倘若蛮人发动进攻，怎样来抵御他们呢！不如暂且派遣使臣去回复，即使未能使他们称臣奉贡，也不致使他们怀怨更深，坚决犯边，这样也就可以了。"于是作诏赐给陈敬瑄，答应南诏的和亲要求，不称臣，叫陈敬瑄把诏书抄出来，连同书信送给南诏，还增加赏赐金帛。任命嗣曹王李龟年为宗正少卿担任使者，任命徐云虔为副使，另外派遣内使，共同带着书信财物往南诏。

【段旨】

以上为第十四段，写官军打败李克用父子，代北暂安。唐与南诏以平等礼媾和。

【注释】

㉗乙亥：五月二十二日。㉘丙子：五月二十三日。㉙皆降白麻三句：指对西门思恭、李顺融的任命，都是由阁门出案降白麻，即与朝官将相任命的手续相同。阁门出案，指任命文书由中书省颁出。按唐制故事，凡任命将相，前一日由中书省奏进，第二日降白麻出案。宦官任命由枢密院出令，降黄麻。宦官任命用将相礼仪，表明唐末宦官的恣横侵权。㉚青城：县名，县治在今四川都江堰市东南。㉛马步使：官名，节度使属下武官，掌马步军。㉜瞿大夫：人名，姓瞿，名大夫。㉝引服：认罪；服罪。㉞庚寅：六月初八日。㉟谒告：告假；请假。㊱己亥：六月十七日。㊲掖之：扶掖卢携。㊳高下在心：随心所欲。㊴不完：不健全。㊵庚子：六月十八日。㊶庚戌：六月二十八日。㊷崔澹之议：指崔澹不赞成南诏以兄弟之称与唐和亲，遭到当时西川节度使高骈的反对。事

【原文】

秋，七月，黄巢自采石[284]渡江，围天长、六合[285]，兵势甚盛。淮南将毕师铎言于高骈曰："朝廷倚公为安危，今贼数十万众乘胜长驱，若涉无人之境，不据险要之地以击之，使逾长淮[286]，不可复制，必为中原大患。"骈以诸道兵已散，张璘复死，自度力不能制，畏怯不敢出兵，但命诸将严备，自保而已；且上表告急，称："贼六十余万屯天长，去臣城无五十里。"先是，卢携谓"骈有文武长才[287]，若悉委以兵柄[288]，黄巢不足平"。朝野虽有谓骈不足恃者，然犹庶几望之。及骈表至，上下失望，人情大骇。诏书责骈散遣诸道兵，致贼乘无备渡江。骈上表言："臣奏闻遣归，亦非自专。今臣竭力保卫一方，必能济办。但恐贼迤逦[289]过淮，宜急敕东道[290]将士善为御备。"遂称风痹，不复出战。

诏河南诸道发兵屯溵水[291]，泰宁节度使齐克让屯汝州，以备黄巢。

辛酉[292]，以淄州刺史曹全晸为天平节度使，兼东面副都统。

见本书卷二百五十三唐僖宗乾符五年。㉗③云南：郡名，三国蜀汉建兴三年（公元二二五年）置，治所弄栋县，在今云南姚安。南朝齐废。㉗④两陷安南、邕管：陷安南，在咸通元年（公元八六〇年）、四年。陷邕管，在咸通二年。五年又围邕州。㉗⑤一入黔中：事在咸通十四年。㉗⑥四犯西川：实为六次，分别在咸通二、四、六、十、十一年和乾符元年（公元八七四年）。㉗⑦三使：户部、度支、盐铁。㉗⑧榛杞：榛杞丛生，比喻荒芜。㉗⑨觊望：希图。㉘⓪节度使：指曾衮时为安南节度使。㉘①自余戍卒：指诸道派戍邕管的士兵。自余，其余，其他。㉘②报复：回复；答复。㉘③内使：即中使。

【校记】

［29］止逆旅二句：原无此二句。据章钰校，十二行本、乙十一行本、孔天胤本皆有此二句，张敦仁《通鉴刊本识误》、张瑛《通鉴校勘记》同，今据补。［30］才：原作“材”。据章钰校，十二行本、乙十一行本皆作“才”，今从改。［31］议：原作“说”。据章钰校，十二行本、乙十一行本、孔天胤本皆作“议”，张敦仁《通鉴刊本识误》同，今据改。［32］空：据章钰校，十二行本、乙十一行本皆作“虚”。［33］觊：据章钰校，十二行本、乙十一行本、孔天胤本皆作“冀”。

【语译】

秋，七月，黄巢从采石戍渡过长江，包围了天长县、六合县，兵势极为强盛。淮南将毕师铎对高骈说：“朝廷倚靠你来决定国家的安危，现在叛贼的数十万军队乘胜长驱直入，就如同进入无人之地，如果不据守在险要的地方来打击他们，让他们渡过了长淮关，就不能再控制他们了，必为中原大患。”高骈因为各道的军队都散去了，张璘又战死，自己估量没有力量制止黄巢，畏惧不敢出兵，只是命令各将领严加防备，自我保存力量罢了；并且上奏表告急，说：“贼军六十多万屯驻天长县，离臣所在的城不到五十里。”此前，卢携称“高骈有文武英才，如果把兵权都交给他，黄巢是很容易平定的”。朝廷内外虽然有人认为高骈是不可依靠的，然而还是希望他有所作为。等到高骈的奏表到来，朝廷上上下下大失所望，人心大为惊骇。诏书责备高骈遣散各道的军队，致使叛贼乘官军没有防备渡过了长江。高骈上奏表说：“臣奏闻朝廷以后才遣归各道的军队，也不是自己一人所为。现在臣竭力保卫一方，一定能办成功。只是担心叛贼连续不断地渡过淮河，应当赶紧命令关东各道将士好好地进行防备。”高骈于是说得了风痹病，不再出兵作战。

朝廷诏令河南各道发兵屯驻溵水，泰宁节度使齐克让屯驻汝州，用以防御黄巢。

七月初九日辛酉，任命淄州刺史曹全晸为天平节度使兼东面副都统。

刘汉宏请降，戊辰[293]，以为宿州刺史。

李克用自雄武军引兵还击高文集于朔州，李可举遣行军司马韩玄绍邀之于药儿岭[294]，大破之，杀七千余人，李尽忠、程怀信[295]皆死。又败之于雄武军之境，杀万人。李琢、赫连铎进攻蔚州，李国昌战败，部众皆溃，独与克用及宗族北入达靼。诏以铎为云州刺史、大同军防御使，吐谷浑白义成为蔚州刺史，萨葛米海万为朔州刺史，加李可举兼侍中。

达靼本靺羯[296]之别部也，居于阴山。后数月，赫连铎阴赂达靼，使取李国昌父子。李克用知之，时与其豪帅[297]游猎，置马鞭、木叶或悬针，射之无不中，豪帅心服。又置酒与饮，酒酣，克用言曰："吾得罪天子，愿效忠而不得。今闻黄巢北来，必为中原患，一旦天子若赦吾罪，得与公辈南向共立大功，不亦快乎！人生几何，谁能老死沙碛邪！"达靼知无留意[298]，乃止。

八月甲午[299]，以前西川节度使崔安潜为太子宾客、分司。

九月，东都奏："汝州所募军李光庭等五百人自代州还，过东都，烧安喜门[300]，焚掠市肆，由长夏门[301]去。"

黄巢众号十五万，曹全晸以其众六千与之战，颇有杀获。以众寡不敌，退屯泗上[302]，以俟诸军至，并力击之。而高骈竟不之救，贼遂击全晸，破之。

徐州遣兵三千赴溵水，过许昌。徐卒素名凶悖，节度使薛能[303]自谓前镇彭城，有恩信于徐人，馆之球场。及暮，徐卒大噪，能登子城楼问之，对以供备疏阙[304]，慰劳久之，方定，许人大惧。时忠武亦遣大将周岌诣溵水，行未远，闻之，夜，引兵还，比明，入城，袭击徐卒，尽杀之；且怨能之厚徐卒也，遂逐之。能将奔襄阳，乱兵追杀之，并其家。岌自称留后。汝、郑把截制置使齐克让恐为岌所袭，引兵还兖州[305]，于是[34]诸道屯兵[35]溵水者皆散。黄巢遂悉众渡淮，所过不虏掠，惟取丁壮以益兵。

先是，征振武节度使吴师泰为左金吾大将军，以诸葛爽代之。师泰见朝廷多故，使军民上表留己。冬，十月，复以师泰为振武节度使，以爽为夏绥节度使。

刘汉宏请求投降，十六日戊辰，任命他为宿州刺史。

李克用从雄武军带兵返回朔州还击背叛自己的高文集，唐卢龙节度使李可举派遣行军司马韩玄绍在药儿岭拦击他，大败李克用，杀死七千余人，李尽忠、程怀信都战死了。李克用军又在雄武军境内被打败，被杀死上万人。李琢和赫连铎进攻蔚州，李国昌战败，部众都溃散了，李国昌独自和李克用以及宗族向北进入达靼境内。朝廷下诏任命赫连铎为云州刺史、大同军防御使，吐谷浑白义成为蔚州刺史，萨葛米海万为朔州刺史，加授李可举兼侍中。

达靼本来是靺鞨的别部，居住在阴山。此后几个月，赫连铎暗地贿赂达靼，叫他们捉拿李国昌父子。李克用知道了这件事，当时他和达靼部的豪帅游猎，放置马鞭、木叶或者悬针作射靶，没有射不中的，豪帅内心佩服他。又设置酒宴和豪帅对饮，酒意正浓，李克用说："我得罪于天子，愿为国家效忠而不可能。现在听说黄巢向北打来，一定成为中原地区的祸患，一旦天子赦免了我的罪过，就能够和你们一道到南方去共立大功，不是很快意的事吗！人生在世有多少时间，哪个能老死在沙碛啊！"达靼知道李国昌父子没有留下来的想法，就没有捉拿他们。

八月十三日甲午，任命前西川节度使崔安潜为太子宾客、分司东都。

九月，东都奏称："汝州所招募的军队中李光庭等五百人从代州回来，经过东都，焚烧了安喜门，焚烧抢劫商铺，从长夏门离去。"

黄巢的军队号称十五万人，曹全晸用他的部众六千人和黄巢作战，斩杀俘获颇多。由于众寡不敌，他撤退后屯驻在泗州，以等待其他各支援军的到来，合力攻打黄巢。但是高骈竟然不去救援他，贼军于是进击曹全晸，打败了他。

徐州派遣军队三千人赶往溵水，经过许昌。徐州的士卒向来以凶暴悖逆出名，节度使薛能自己认为从前镇守过彭城，对徐州人有恩信，把徐州士卒安置在球场。到傍晚时，徐州士卒大声喧闹，薛能登上子城楼询问发生了什么事，回答说是供应粗劣不全，薛能慰劳了很久，才安定下来，许昌人大为恐惧。当时忠武军也派遣了大将周岌到溵水，行进了没多远，听到徐卒闹事的消息，夜里，带兵返回，黎明，进入城中，袭击徐州士卒，把他们全都杀了；并且埋怨薛能对待徐州士卒优厚，于是把薛能赶走了。薛能将要跑往襄阳，乱兵追上去把他杀了，连家属也不放过。周岌自称忠武军留后。汝、郑把截制置使齐克让担心被周岌袭击，带兵返回兖州，于是各道驻防溵水的军队全部散去。黄巢于是命令全部人马渡过淮河，所经过之处不掳掠，只选取壮年男子来增加兵员。

此前，征调振武节度使吴师泰为左金吾大将军，由诸葛爽接替他为振武节度使。吴师泰看到朝廷变故太多，让军民上奏表挽留自己。冬，十月，朝廷又任命吴师泰为振武节度使，任命诸葛爽为夏绥节度使。

黄巢陷申州，遂入颍、宋、徐、兖之境，所至吏民逃溃。

群盗陷澧州，杀刺史李询、判官皇甫镇。镇举进士二十三上㉟⑥，不中第，询辟之。贼至，城陷，镇走，问人曰："使君㉟⑦免乎？"曰："贼执之矣！"镇曰："吾受知㉟⑧若此，去将何之！"遂还诣贼，竟与同死。

【段旨】

以上为第十五段，写黄巢渡长江，过淮河，纵横河南。

【注释】

㉘④采石：地名，即采石戍，在今安徽马鞍山市南长江南岸。㉘⑤天长、六合：皆县名，天长县治在今安徽天长，六合县治在今江苏南京市六合区。㉘⑥长淮：关名，在今安徽凤阳西北淮河南岸。㉘⑦长才：英才；高才。㉘⑧悉委以兵柄：即以高骈为诸道行营都统。兵柄，兵权。㉘⑨迤逦：连续不断。㉙⓪东道：关东诸道。㉙①溵水：县名，县治在今河南商水县南。㉙②辛酉：七月初九日。㉙③戊辰：七月十六日。㉙④药儿岭：山名，在今河北张家口市宣化区东。㉙⑤李尽忠、程怀信：皆沙陀将，与李克用同在蔚、朔起兵。㉙⑥靺羯：即"靺鞨"。少数民族名，周称肃慎，汉魏曰挹娄，北魏称勿吉，隋唐曰靺鞨。唐时分为黑水靺鞨与粟末靺鞨二部。黑水靺鞨居住在黑龙江下游；粟末靺鞨于武后圣历元年（公元六九八年）建立渤海国，位于松花江和牡丹江流域。㉙⑦豪帅：主帅。㉙⑧知无留意：知其志大，不肯久留而吞并其部落。㉙⑨甲午：八月十三日。㉚⓪安喜门：洛阳东北门。㉚①长夏门：洛阳东南门。㉚②泗上：即泗州。㉚③节度使薛能：薛能时为忠武节度使，驻节许昌。㉚④供备疏阙：供应准备粗劣不全。㉚⑤还兖州：齐克让本泰宁节度使，故还本镇治所。㉚⑥举进士二十三上：入京参加进士科考试二十三次。上，谓上京城应礼部试。㉚⑦使君：指刺史李询。㉚⑧受知：受知遇之恩。

【校记】

［34］于是：原无此二字。据章钰校，十二行本、乙十一行本、孔天胤本皆有此二字，张敦仁《通鉴刊本识误》同，今据补。［35］兵：原无此字。据章钰校，十二行本、乙十一行本皆有此字，今据补。

黄巢攻陷申州，于是进入颍州、宋州、徐州、兖州的境内，所到之处，官吏士民都逃散了。

群盗攻陷澧州，杀死刺史李询和判官皇甫镇。皇甫镇到礼部考进士二十三次，都没有考取，李询聘请他为判官。叛贼到达，澧州城被攻下，皇甫镇逃走时，询问别人说："刺史脱身了吗?"别人说："被叛贼抓住了!"皇甫镇说："我深受刺史的知遇之恩，出城又能到什么地方去呢!"于是返回前往叛贼那里，最终与李询一同死去。

【研析】

本卷研析王仙芝之死、黄巢流动作战、刘巨容纵寇以为资、僖宗游宴等四事。

第一，王仙芝之死。王仙芝是唐末大起义的发难者。僖宗乾符元年（公元八七四年）底，王仙芝在长垣（在今河南长垣东北）起义，有众数千。王仙芝自称天补平均大将军兼海内诸豪都统，传檄诸道，指陈吏贪赋重，赏罚不平，切中当时弊病，各地民众纷纷响应。第二年六月，王仙芝与其党尚君长攻破濮、曹二州，又打败天平节度使薛崇。这时冤句人黄巢起义响应，声势大振。当时淮南、忠武、宣武、义成、天平五镇地方，民众同时起义，攻击州县，拖住各镇的官军。乾符三年，唐朝廷下令天下乡村各备弓刀器械，组织地方土团配合官军围剿。官军诸道行营招讨草贼使宋威在沂州打败王仙芝，起义军转入河南，攻破汝州，东都大震。随后南下攻唐州、邓州，关东各州县守城自保，起义军各个击破，攻下郢州、复州，又攻申、光、卢、寿、舒等州，淮南告急。

起义军形势高涨，朝廷害怕失去扬州，贡赋断绝，惶恐失措之时，蕲州刺史裴渥开门请王仙芝、黄巢进城，游说王仙芝归唐，裴渥向朝廷上奏请求官位。朝廷派中使授给王仙芝左神策军押牙监察御史，黄巢不从，责骂王仙芝背叛，王仙芝不敢接受唐官，但两人关系破裂，起义军分为两部，王仙芝、黄巢各率领一部，分头转战。

乾符四年，王仙芝攻破鄂州，又破安州、随州。王仙芝虽然取得胜利，但已无斗志，七次向官军提出投降，招讨使宋威都不向朝廷转奏。宋威看不起王仙芝，决心打败王仙芝立功。招讨副使宦官杨复光暗中联络王仙芝，王仙芝派尚君长直接向朝廷投降。宋威派兵截击俘获尚君长，虚报战胜擒获贼首。王仙芝请降，遭到了官军的愚弄。起义军分裂，势力削弱，王仙芝向官军摇尾，士气低落，朝廷将尚君长正法。乾符五年，官军在申州大破王仙芝，追击到黄梅斩杀了王仙芝。一个起义军首领，变节利用起义军的鲜血来染红一顶官帽，结果可耻地失败了。王仙芝轰轰烈烈闹了五年，给了唐政权以沉重的打击，却又因为他自己的背叛行为，葬送了这一支起义军，大大削弱了对唐朝的攻击力，起义转入低潮。

第二，黄巢流动作战。黄巢和王仙芝都是贩私盐出身。盐铁专卖，是封建专制政权的一大经济支柱。盐是生活必需品，盐利是朝廷的重要收入。唐玄宗时，盐价每斗十钱，唐肃宗时加到一百钱，涨了十倍。唐德宗时涨到每斗三百七十钱。盐税从每岁四十万缗开始，到唐代宗时已增到每岁达六百万缗，占朝廷赋税之半，宫廷费用、军队粮饷、百官俸禄都靠盐税支撑。在重利之下，贩私盐猖獗。从唐德宗时起，课以重罚，朝廷派大批官吏查禁私盐，凡卖私盐一石以上，处以死刑，一斗以上，处以杖刑，卖盐一升，也要处罚。道高一尺，魔高一丈。贩私盐的人结伙成群与官府斗争，必须有计谋和勇力，长期的斗争，产生了领袖。王仙芝和黄巢都是私盐犯，在与官府斗争中积累了经验，尤其是黄巢，善骑射，喜任侠，有勇有谋，是一位杰出的首领。黄巢能文能武，他涉猎经传，屡次举进士不第，于是聚众响应王仙芝。私盐贩与起义群众相结合，成了一支有组织的队伍，因此官军屡讨不胜。

唐中期以后，府兵制破坏，雇佣兵成为唐政权的支柱。各地的雇佣兵分为三种情况。河北、河南军事重镇是骄兵悍将，特别是节度使的亲兵卫队，更是一群亡命之徒，往往一个人倡乱，群起附和。各节度时常发生的兵变，就是这群骄兵悍将发起。骄兵悍将纪律差，但战斗力强。庞勋的骨干就是这样一群武装。再一类是弱兵，军事上次要的镇，如淮南各道，有兵有将，战斗力不强，能听从朝廷指挥。第三类是虚兵，军事上不重要的地方，兵不足额，少训练，根本没有战斗力，江南东道、西道各镇就多虚兵，尤以江南东道为最。例如浙江东道设都团练观察使，治越州，辖有越、台、明等八州，各州兵都不满三百。黄巢针对这种情况，他出击避实就虚，采取大范围流动作战与官军周旋，力量壮大向中原进攻，作战不利向江淮以南转移，不守城池，流动就食。历代农民起义，总是以流动形式蓄聚力量，被称为流寇。但是黄巢流动作战，在中国农民战争史上空前绝后。他从山东转战河南，王仙芝战死，起义军转入低潮。黄巢渡过长江，转战江南东、西两道，纵横今江、浙、闽地区，然后进入岭南，下广州，力量壮大，北上中原，再入河南，最后破两京，在长安建立政权。黄巢流动作战，在大半个中国横冲直撞，行程数万里，创造了农民起义运动战的奇观。

第三，刘巨容纵寇以为资。刘巨容，徐州人，行伍出身为州大将。庞勋叛乱，刘巨容逃出投归官军，授甬桥镇遏使，以讨浙西王郢功，徙楚州团练使。黄巢乱江淮，朝廷任命刘巨容为襄州行军司马，不久升任山南东道节度使。乾符元年，黄巢由广州北上，刘巨容阻击黄巢于荆门关，大破黄巢，起义军全军覆没。刘巨容生俘起义军将领十三人，黄巢乘船顺江东走，诸将乘胜追击，要擒斩黄巢。刘巨容制止追击，对诸将说："朝廷经常忘恩负义，有事时就加官厚赏，国家无事就忘了功臣，不如留下黄巢，作为宝贵的资本。”诸将认为说得对，放跑了黄巢。王夫之认为，武人骄悍而愚笨，不懂得国家没有了，个人身家性命也保不住，痛斥刘巨容的行为是奸巧人的借口，懿宗、僖宗虽然无道，但也没有滥杀功臣，而是刘巨容负国，将遭天诛地灭。后来黄巢入长安，僖宗逃奔四川，刘巨容兵败入蜀，被田令孜所杀。王夫之所云，刘巨容将遭“天宪”即指此（《读通鉴论》卷二十七）。

第四，僖宗游宴。僖宗李儇，唐懿宗第五子。李儇，原名李俨，封普王，即位后改名李儇。李儇即位时只有十二岁，还是一个嬉游无节制的少年，在宦官引导下，整天纵乐游宴击球，不知治国为何物。朝政先被宦官左军中尉刘行深、右军中尉韩文约随后是田令孜掌控，小人当道，是非颠倒。当时中外大臣，只有宰相郑畋一人忧心国事，与王铎、卢携两相政见不合，常常在僖宗面前激烈争论。招讨使宋威无能，征讨失败，被黄巢围困于宋州，忠武大将张自勉率领忠武兵救援，解了宋州之围，宋威反而嫉妒，要兼统张自勉的忠武兵。王铎、卢携支持宋威，郑畋坚决反对，如果让张自勉隶属宋威，功臣将要受害。僖宗不辨是非，支持王铎、卢携，站在了奸佞一边。王铎、卢携、宋威等，均依附宦官，常常使是非颠倒，英雄夺气。刘巨容纵寇以为资，不无原因。僖宗爱好骑射，舞枪弄棒，算术、音律，样样精通，尤长于击球，常与诸王斗鸡斗鹅，整天嬉游无度，就是不关心国事。僖宗对身边的人说:“朕要是参加击球考试，一定是状元。”身边的人开玩笑回答说:“要是尧、舜在世当主考，陛下一定要被放黜。”僖宗听了，哈哈大笑。

由于僖宗只是一个玩耍的顽童，被宦官看中，懿宗病危，宦官杀了太子及年长的诸王，立了僖宗。自幼与僖宗“同卧起”的宦官田令孜，青云直上，僖宗呼之为“阿父”，把“政事一委之”，田令孜为中尉，掌控了朝政。田令孜，蜀郡人，本姓陈，字仲则，随义父改为田姓入宫为宦官。田令孜替其兄陈敬瑄谋求西川节度使，怂恿僖宗击球定胜负。左神策大将杨师立、牛勖、罗元杲三人都是田令孜的心腹，由他们三人与陈敬瑄一起击球，三人故意输给了陈敬瑄，就这样陈敬瑄得了西川节度使。此时，田令孜已经在安排逃蜀计划，唐王室处于风雨飘摇之中。

卷第二百五十四　唐纪七十

起上章困敦（庚子，公元八八〇年）十一月，尽玄黓摄提格（壬寅，公元八八二年）四月，凡一年有奇。

【题解】

本卷记事起公元八八〇年十一月，迄公元八八二年四月，凡一年又六个月，当唐僖宗广明元年十一月至中和元年四月。此时期，黄巢高奏凯歌，破东都，入长安，称帝建国号大齐，起义农民军势力达于巅峰。宦官田令孜劫持僖宗效唐玄宗入蜀。西川节度使陈敬瑄为田令孜兄，故田令孜入蜀，作威作福，祸害西川，陈敬瑄为虎作伥，驱良为盗。流亡的唐王室，走到哪里，把腐败带到哪里。凤翔节度使郑畋心向王室，阻击黄巢，传檄诸镇兵联手讨贼，诸镇响应，一度攻入长安。官军纪律败坏，入京师大肆抢劫，黄巢乘机杀回马枪，再入长安。黄巢初入长安纪律严明，受到京师民众欢迎。黄巢大杀百官，灭唐宗室，煽起了部属流寇气息，失去了民心。黄巢再入长安，于是大杀士民，注定了他的失败。唐王室气数将尽，黄巢又非真龙天子，各地拥有强兵的藩镇，野心日炽，军阀割据称雄的局面正悄悄到来。高骈据扬州按兵不动，是最早的一个野心家。可他好神仙，受巫师控制，注定了没有好下场。

【原文】

僖宗惠圣恭定孝皇帝中之上

广明元年（庚子，公元八八〇年）

十一月，河中都虞候王重荣[①]作乱，剽掠坊市俱空。

宿州刺史刘汉宏怨朝廷赏薄，甲寅[②]，以汉宏为浙东观察使。

诏河东节度使郑从谠以本道兵授诸葛爽及代州刺史朱玫，使南讨黄巢。

乙卯[③]，以代北都统李琢为河阳节度使[④]。

初，黄巢将渡淮，豆卢瑑请以天平节钺授巢，俟其到镇讨之。卢携曰："盗贼无厌[⑤]，虽与之节，不能止其剽掠。不若急发诸道兵扼泗州，汴州节度使为都统，贼既前不能入关，必还掠淮、浙，偷生海渚[⑥]耳。"从之。既而淮北[⑦]相继告急，携称疾不出，京师大恐。庚申[⑧]，东都奏黄巢入汝州境。

【语译】

僖宗惠圣恭定孝皇帝中之上

广明元年（庚子，公元八八〇年）

十一月，河中都虞候王重荣作乱，把坊市都抢掠光了。

宿州刺史刘汉宏埋怨朝廷赏赐微薄，初四日甲寅，任命刘汉宏为浙东观察使。

朝廷诏令河东节度使郑从谠把本道的军队交给诸葛爽和代州刺史朱玫，让他们南去讨伐黄巢。

初五日乙卯，任命代北都统李琢为河阳节度使。

当初，黄巢将要渡过淮河，豆卢瑑请求把天平节度使的节钺授给黄巢，等到黄巢赴镇后再讨伐他。卢携说："盗贼没有满足，虽然给他节度使之职，也不能制止他们抢掠。不如赶紧调发各道的军队扼守泗州，以汴州节度使为都统，贼军既然不能前进入关，一定会返回抢掠淮南、两浙地区，在海边偷生罢了。"僖宗听从了卢携的意见。不久淮北各地相继告急，卢携借口有病不再出面，京师大为恐惧。十一月初十日庚申，东都奏报说黄巢进入汝州境内。

辛酉[9]，以王重荣权知河中留后，以河中节度使、同平章事李都为太子少傅。

汝郑把截制置都指挥使[10]齐克让奏黄巢自称天补大将军，转牒诸军云："各宜守垒，勿犯吾锋！吾将入东都，即至京邑[11]，自欲问罪[12]，无预[13]众人。"上召宰相议之。豆卢瑑、崔沆请发关内诸镇及两神策军守潼关。壬戌[14]，日南至，上开延英，对宰相泣下。观军容使田令孜奏："请选左右神策军弓弩手守潼关，臣自为都指挥制置把截使。"上曰："侍卫将士，不习征战，恐未足用。"令孜曰："昔安禄山构逆[15]，玄宗幸蜀以避之。"崔沆曰："禄山众才五万，比之黄巢，不足言矣！"豆卢瑑曰："哥舒翰[16]以十五万众不能守潼关，今黄巢众六十万，而潼关又无哥舒之兵[17]。若令孜为社稷计，三川帅臣[18]皆令孜腹心，比于玄宗则有备矣。"上不怿，谓令孜曰："卿且为朕发兵守潼关。"是日，上幸左神策军，亲阅将士。令孜荐左军马军将军张承范、右军步军将军王师会、左军兵马使赵珂，上召见三人，以承范为兵马先锋使兼把截潼关制置使，师会为制置关塞粮料使，珂为句当寨栅使[19]，令孜为左右神策军内外八镇及诸道兵马都指挥制置招讨等使，飞龙使杨复恭为副使。

【段旨】

以上为第一段，写黄巢进逼东都，田令孜动议僖宗效唐玄宗入蜀，注定了两京不守。

【注释】

①王重荣（？至公元八八七年）：太原祁（今山西祁县）人，官终河中节度使。因镇压黄巢军有功，封琅邪郡王。传见《旧唐书》卷一百八十二、《新唐书》卷一百八十七。②甲寅：十一月初四日。③乙卯：十一月初五日。④以代北都统李琢为河阳节度使：

十一月十一日辛酉，任命王重荣暂时担任河中留后，任命河中节度使、同平章事李都为太子少傅。

汝郑把截制置都指挥使齐克让奏报，黄巢自称天补大将军，转发文牒给各路官军说："各部应当守卫营垒，不得侵犯我的军锋！我将要进入东都，随即到达京城，只想向朝廷问罪，与众人无关。"僖宗召集宰相商量对策。豆卢瑑、崔沆请求调派关内各镇和左右神策军防守潼关。十一月十二日壬戌，冬至，僖宗在延英殿召开会议，对着宰相们流下了眼泪。观军容使田令孜上奏说："请选左右神策军弓弩手守卫潼关，臣亲自担任都指挥制置把截使。"僖宗说："担任侍卫的将士，不熟悉征战之事，恐怕不能承担重任。"田令孜说："从前安禄山反叛，玄宗到蜀地躲避战乱。"崔沆说："安禄山的军队才五万人，与黄巢相比，不值得说了！"豆卢瑑说："哥舒翰带领十五万人马没有守住潼关，现在黄巢有六十万人马，而潼关又没有哥舒翰那样数量的军队。如果田令孜为国家着想，三川地方的帅臣都是田令孜的心腹，和玄宗那时相比，是更有准备了。"僖宗很不高兴，对田令孜说："你暂且为我调军队守卫潼关。"当天，僖宗到了左神策军，亲自检阅将士。田令孜推荐左军马军将军张承范、右军步军将军王师会、左军兵马使赵珂，僖宗召见了这三个人，任命张承范为兵马先锋使兼把截潼关制置使，王师会为制置关塞粮料使，赵珂为句当寨栅使，田令孜为左右神策军内外八镇和诸道兵马都指挥制置招讨等使，飞龙使杨复恭为副使。

代北已定，李琢内徙，亦以防备黄巢。⑤无厌：不满足。⑥海渚：海边。⑦淮北：地区名，指今浙江、安徽、河南三省淮河以北之地。⑧庚申：十一月初十日。⑨辛酉：十一月十一日。⑩把截制置都指挥使：官名，临时设置的军队指挥官，以堵截黄巢军。⑪京邑：京师长安。⑫问罪：谴责朝廷的罪恶。⑬无预：无关；无涉。⑭壬戌：十一月十二日。⑮构逆：叛逆；反叛。⑯哥舒翰：突厥人。官至陇右节度使，后兼河西节度使。天宝十四年（公元七五五年）安禄山反，哥舒翰守潼关，兵败，被叛军所俘，后为安庆绪杀害。⑰无哥舒之兵：连十五万兵也没有。⑱三川帅臣：指西川节度使陈敬瑄、东川节度使杨师立、山南西道节度使牛勖。⑲句当寨栅使：官名，临时因事命官，掌防御工事。句当，掌管、主持。句，同"勾"。

【原文】

癸亥[20]，齐克让奏："黄巢已入东都境，臣收军退保潼关，于关外置寨。将士屡经战斗，久乏资储，州县残破，人烟殆绝，东西南北不见王人[21]，冻馁交逼，兵械刓弊[22]，各思乡闾，恐一旦溃去，乞早遣资粮及援军。"上命选两神策弩手得二千八百人，令张承范等将以赴之。

丁卯[23]，黄巢陷东都，留守刘允章[24]帅百官迎谒。巢入城，劳问[25]而已，闾里晏然。允章，迺[26]之曾孙也。

田令孜奏募坊市人数千以补两军。

辛未[27]，陕州奏东都已陷。壬申[28]，以田令孜为汝、洛[29]、晋、绛、同、华都统，将左、右军[30]东讨。是日，贼陷虢州。

以神策将罗元杲为河阳节度使。

以周岌为忠武节度使。初，薛能遣牙将上蔡秦宗权[31]调发至蔡州，闻许州乱，托云赴难，选募蔡兵，遂逐刺史，据其城。及周岌为节度使，即以宗权为蔡州刺史。

乙亥[32]，张承范等将神策弩手发京师。神策军士皆长安富家子，赂宦官窜名[33]军籍，厚得禀赐，但华衣怒马[34]，凭势使气[35]，未尝更战陈[36]。闻当出征，父子聚泣，多以金帛雇病坊[37]贫人代行，往往不能操兵[38]。是日，上御章信门楼临遣之。承范进言："闻黄巢拥数十万之众，鼓行而西[39]。齐克让以饥卒万人依托关外，复遣臣以二千余人屯于关上，又未闻为馈饷之计，以此拒贼，臣窃寒心。愿陛下趣诸道精兵早为继援。"上曰："卿辈第行，兵寻至矣！"丁丑[40]，承范等至华州。会刺史裴虔余徙宣歙观察使，军民皆逃入华山[41]，城中索然[42]，州库唯尘埃鼠迹，赖仓中犹有米千余斛，军士裹三日粮而行。

十二月庚辰朔[43]，承范等至潼关，搜菁中[44]，得村民百许，使运石汲水，为守御之备。与齐克让军皆绝粮，士卒莫有斗志。是日，黄巢前锋军抵关下，白旗满野，不见其际。克让与战，贼小却。俄而巢至，举军大呼，声振河、华[45]。克让力战，自午至酉[46]始解，士卒饥甚，遂喧噪，烧营而溃，克让走入关。关左有谷，平日禁人往来，以榷征

【语译】

十一月十三日癸亥，齐克让上奏说："黄巢已经进入东都境界，臣收军退保潼关，在关外安营扎寨。将士经过多次战斗，早就没有储备的资粮了，州县残破，人烟几近断绝，东西南北，看不见官府吏员，士兵们冻饿交迫，兵器损坏，人人思念家乡，恐怕他们很容易溃散，请求早日派人运送资粮和调发援军。"僖宗于是下令选取两神策军的弓弩手，得到二千八百人，命令张承范等人带领前去支援。

十一月十七日丁卯，黄巢攻下东都，留守刘允章带领百官迎接拜见。黄巢进城，对城中百姓只是慰问一下而已，坊里百姓生活如常。刘允章，是刘迺的曾孙。

田令孜上奏招募坊市中数千人用来补充左、右神策军。

十一月二十一日辛未，陕州上奏说东都已被黄巢攻下。二十二日壬申，任命田令孜为汝、洛、晋、绛、同、华六州都统，带领左、右神策军东进讨伐黄巢。当天，贼军攻下了虢州。

任命神策军将军罗元杲为河阳节度使。

任命周岌为忠武节度使。当初，薛能派遣牙将上蔡人秦宗权到蔡州去调派军队，秦宗权听说许州动乱，借口前去救难，在蔡州选募军队，于是赶走了刺史，占据了蔡州城。等到周岌担任了节度使，就任命秦宗权为蔡州刺史。

十一月二十五日乙亥，张承范等带领神策军弓弩手从京师出发。神策军士卒都是长安富家子弟，通过贿赂宦官挂名军籍，得到了优厚的饷给和赏赐，他们只是有华丽的军装，健壮的马匹，凭借宦官的权势，气焰嚣张，从未经历过作战之事。听说要出征，父子聚集在一起哭泣，多用金帛雇请病坊中的贫穷人代替他们前去，那些人往往拿不动兵器。当天，僖宗到章信门城楼给他们送行。张承范向僖宗进言说："听说黄巢拥有数十万人马，击鼓西进。齐克让带着一万名饥饿的士卒驻扎在关外，又派臣带领二千余人屯驻在关上，又听说没有安排供应粮饷的办法，就这样抵御贼军，臣私下感到很寒心。希望陛下催促各道精兵早来支援。"僖宗说："你们只管前去，援军不久就会到达！"二十七日丁丑，张承范等到达华州。适遇刺史裴虔余改任宣歙观察使，军民都逃入华山，城中空荡荡的，州中库房只有灰尘鼠迹，幸好粮仓中还有一千余斛米，军士就带着三天的粮食向潼关前进。

十二月初一日庚辰，张承范等到达潼关，在林草茂盛之处找到村民一百人左右，叫他们运石头汲水，为守御关塞做准备。张承范和齐克让的军队都断了粮，士卒没有斗志。当天，黄巢的前锋部队抵达关下，白色的旗帜布满原野，看不到边际。齐克让和他们接战，叛贼稍微后退。一会儿黄巢到了，全军大声欢呼，声音振动了黄河和华山。齐克让拼力战斗，从午时战斗到酉时才停下来，士卒们极为饥饿，于是就喧闹起来，烧掉营房后溃散了，齐克让逃入潼关。潼关的左边有山谷，平日禁止

税，谓之“禁坑”。贼至仓猝，官军忘守之，溃兵自谷而入，谷中灌木寿藤㊼茂密如织，一夕践为坦涂。承范尽散其辎囊㊽以给士卒，遣使上表告急，称：“臣离京六日，甲卒未增一人，馈饷未闻影响㊾。到关之日，巨寇已来，以二千余人拒六十万众，外军㊿饥溃，蹋(51)开禁坑。臣之失守，鼎镬(52)甘心，朝廷谋臣，愧颜何寄！或闻陛下已议西巡(53)，苟銮舆一动，则上下土崩。臣敢以犹生之躯奋冒死之语，愿与近密(54)及宰臣熟议(55)，未可轻动[1]，急征兵以救关防，则高祖、太宗之业庶几犹可扶持，使黄巢继安禄山之亡，微臣胜哥舒翰之死(56)！”

辛巳(57)，贼急攻潼关，承范悉力拒之，自寅及申(58)，关上矢尽，投石以击之。关外有天堑，贼驱民千余人入其中，掘土填之，须臾即平，引兵而度。夜，纵火焚关楼俱尽。承范分兵八百人，使王师会守禁坑，比至，贼已入矣。壬午(59)旦，贼夹攻潼关，关上兵皆溃，师会自杀，承范变服(60)帅余众脱走。至野狐泉(61)，遇奉天(62)援兵二千继至。承范曰：“汝来晚矣！”博野、凤翔军还至渭桥(63)，见所募新军衣裘温鲜，怒曰：“此辈何功而然，我曹反冻馁！”遂掠之，更为贼乡导，以趣长安。

贼之攻潼关也，朝廷以前京兆尹萧廪(64)为东道转运粮料使。廪称疾，请休官，贬贺州司户。

黄巢入华州，留其将乔钤守之。河中留后王重荣请降于贼。

癸未(65)，制以巢为天平节度使。

甲申(66)，以翰林学士承旨、尚书左丞王徽(67)为户部侍郎，翰林学士、户部侍郎裴澈为工部侍郎，并同平章事。以卢携为太子宾客、分司。田令孜闻黄巢已入关，恐天子责己，乃归罪于携而贬之，荐徽、澈为相。是夕，携饮药死。澈，休之从子也。

百官退朝，闻乱兵入城，布路(68)窜匿。田令孜[2]帅神策兵五百奉帝自金光门(69)出，惟福、穆、泽、寿四王及妃嫔数人从行，百官皆莫知之。上奔驰昼夜不息，从官多不能及。车驾既去，军士及坊市民竞入府库盗金帛。

人们从谷中通过，以便征收关税，称这条谷为“禁坑”。贼军仓促到来，官军忘了守御它，溃散的官兵从谷中进入，谷中的灌木藤萝茂密如织，一个夜晚就被践踏成了平坦的道路。张承范把辎重和私财全部分给了士卒，并派遣使者上表告急，说:“臣离京六天，甲卒没有增加一个人，馈饷没有听到消息。到达潼关时，巨寇已经来到关下，用二千余人抵御六十万人，关外的官军由于饥饿而溃散，打开了禁坑。臣失守，受鼎镬之刑也心甘情愿，只是朝廷的谋臣，把羞愧的颜面放在何处！有人听说陛下已经讨论西行，假若皇上的銮舆一动，那么朝廷上下就会土崩瓦解。臣大胆地以暂且活着的身躯奋勇地冒着死罪说几句话，希望陛下和亲近的侍臣及宰相周密地商议，不可轻易行动，赶紧征调军队来援救关防，那么大唐高祖、太宗的基业或许还能够维持下来，使黄巢继安禄山之后灭亡，小臣之死胜过哥舒翰!”

十二月初二日辛巳，贼军急攻潼关，张承范全力抵御，从凌晨一直战斗到下午，关上的箭没有了，就投下石头来打击敌人。关外有一条天然壕沟，叛贼将一千多名老百姓驱赶到里面，掘土填沟，不一会儿就把沟填平了，带军队渡过壕沟。到夜晚，叛贼放火烧城楼，关楼被全部烧坏。张承范分出士兵八百人，派王师会带领防守禁坑，等到他们赶到时，贼军已经进入禁坑了。初三日壬午的早晨，贼军夹攻潼关，关上的官兵都溃散了，王师会自杀，张承范换上便服带领残余部众逃走了。到野狐泉，碰上奉天援兵二千人相继到来。张承范说:“你们来得太晚了!”博野、凤翔军退至渭桥，看到田令孜所招募的新军衣裘既保暖又鲜艳，愤怒地说:“这些人有什么功劳能穿上这么好的衣服，我们殊死拼战反而挨饿受冻!”于是抢掠了他们，又为贼军做向导，前往长安城。

贼军攻打潼关时，朝廷任命前京兆尹萧廪为东道转运粮料使。萧廪借口有病，请求辞去官职，因而被贬为贺州司户。

黄巢进入华州，留下将领乔钤据守。河中留后王重荣向叛贼请求投降。

十二月初四日癸未，唐僖宗下诏任命黄巢为天平节度使。

十二月初五日甲申，任命翰林学士承旨、尚书左丞王徽为户部侍郎，翰林学士、户部侍郎裴澈为工部侍郎，二人都同平章事。贬卢携为太子宾客、分司东都。田令孜听说黄巢已经入关，害怕天子责备自己，于是把罪责都推到卢携身上而贬谪了他，荐举王徽、裴澈为宰相。当晚，卢携服毒死去。裴澈，是裴休的侄子。

百官退朝时，听说乱兵进入城内，于是分路逃窜躲藏起来。田令孜带领五百名神策军兵士簇拥着僖宗从金光门逃出，只有福、穆、泽、寿四王和妃嫔数人随行，百官们都没有人知道这回事。僖宗奔驰昼夜不停，跟随的官员大多不能赶上。僖宗离开京城后，军士和街坊民众争着到皇家府库中去盗取金银布帛。

【段旨】

以上为第二段，写黄巢陷东都，破潼关，唐僖宗与宦官仓皇出逃，百官皆莫知之。

【注释】

⑳癸亥：十一月十三日。㉑王人：王之微官。指官府之吏员。㉒兵械刓弊：兵器损坏，锋刃用钝。㉓丁卯：十一月十七日。㉔刘允章：历官翰林学士承旨、礼部侍郎，迁东都留守。传见《旧唐书》卷一百五十三、《新唐书》卷一百六十。㉕劳问：慰问。㉖迺：刘迺，字永夷，河南伊阙（今河南伊川）人，德宗时任兵部侍郎。朱泚反，召迺，不从。后绝食死。传见《旧唐书》卷一百五十三、《新唐书》卷一百九十三。㉗辛未：十一月二十一日。㉘壬申：十一月二十二日。㉙洛：州名，唐初置，治所洛阳，在今河南洛阳东北。开元元年（公元七一三年）改为河南府。㉚左、右军：即左、右神策军。㉛秦宗权：上蔡（今河南上蔡）人，原为忠武军牙将，累官至蔡州刺史、奉国军节度使。中和三年（公元八八三年）因战败投降黄巢。巢死，称帝。后为部将申丛所囚，解至京师处死。传见《旧唐书》卷二百、《新唐书》卷二百二十五。㉜乙亥：十一月二十五日。㉝窜名：挂名。㉞华衣怒马：鲜艳的衣服，健壮的马匹。㉟凭势使气：凭借宦官的势力而气焰嚣张。㊱更战陈：经历过战斗。陈，通"阵"。㊲病坊：唐代公家所设收养病人的处所。㊳不能操兵：拿不动武器。㊴鼓行而西：整队向西行进，直指长安。鼓，击鼓进军。㊵丁丑：十一月二十七日。㊶华山：山名，在今陕西华阴南。㊷索然：空寂。㊸庚

【原文】

晡时[70]，黄巢前锋将柴存入长安，金吾大将军张直方帅文武数十人迎巢于霸上[71]。巢乘金装肩舆[72]，其徒皆被发，约[73]以红缯，衣锦绣，执兵以从，甲骑如流，辎重塞涂，千里络绎不绝。民夹道聚观，尚让历谕之曰："黄王起兵，本为百姓，非如李氏不爱汝曹，汝曹但安居无恐。"巢馆于田令孜第。其徒为盗久，不胜富[74]，见贫者，往往施与之。居数日，各出大掠，焚市肆[75]，杀人满街，巢不能禁。尤憎官吏，得者皆杀之。

上趣骆谷[76]，凤翔节度使郑畋谒上于道次[77]，请车驾留凤翔。上曰：

辰朔：十二月一日。㊹菁中：林草茂盛之处。㊺声振河、华：谓黄巢军队声势之盛，震撼了黄河和华山。㊻自午至酉：从上午十一时至下午七时。㊼寿藤：一种蔓生植物。㊽辎囊：辎谓辎重，随军公用物资。囊谓私囊，个人的行装物品。㊾影响：消息。㊿外军：指齐克让的泰宁军。(51)蹋：踏。(52)鼎镬：谓受鼎镬之刑，即被烹。(53)西巡：谓西行入蜀。(54)近密：指两中尉、两枢密。(55)熟议：周密地商议。(56)微臣胜哥舒翰之死：我为国捐躯重于哥舒翰被俘投降而死。(57)辛巳：十二月二日。(58)自寅及申：从凌晨三点至午后四点。(59)壬午：十二月三日。(60)变服：换上便衣。(61)野狐泉：地名，在今陕西潼关东北旧潼关之西。(62)奉天：县名，县治在今陕西乾县。(63)渭桥：桥名，又名中渭桥，在今陕西咸阳东渭河上。(64)萧廪：字富侯，懿宗宰相萧倣之子。官至谏议大夫、知制诰、京兆尹。传见《旧唐书》卷一百七十二、《新唐书》卷一百一。(65)癸未：十二月四日。(66)甲申：十二月五日。(67)王徽（？至公元八九〇年）：字昭文，京兆杜陵（今陕西西安东南）人，历任翰林学士承旨、户兵二部侍郎、尚书左丞，广明元年十二月拜相。是日黄巢入潼关，僖宗出奔，故未能治事。昭宗时任吏部尚书，进右仆射。传见《旧唐书》卷一百七十八、《新唐书》卷一百八十五。(68)布路：分路。(69)金光门：长安城西面有三座门，中门名金光门。

【校记】

［1］未可轻动：原无此四字。据章钰校，十二行本、乙十一行本、孔天胤本皆有此四字，张敦仁《通鉴刊本识误》同，今据补。［2］田令孜：原无“田”字。据章钰校，十二行本、乙十一行本、孔天胤本皆有“田”字，今据补。

【语译】

下午三四点钟的时候，黄巢的前锋将领柴存进入长安，唐金吾大将军张直方带领文武百官数十人到霸上迎接黄巢。黄巢乘坐黄金装饰的肩舆，他的随从人员都披着发，用红绸子扎着，穿着锦绣衣服，拿着武器跟随，甲士和骑兵如同流水一般，辎重车辆堵塞了道路，千里长的路上接连不断。民众夹道聚观，尚让在他经过的地方告诉老百姓说：“黄王起兵，本为百姓，不像李氏那样不爱护你们，大家尽管安居，不用恐惧。”黄巢住在田令孜的府宅中。他的部下为盗时间长，很是富有，看到贫穷的人，往往施舍钱物。但过了几天，又各自出去大肆抢掠，焚烧坊市店铺，在街上杀了很多人，黄巢也禁止不了。部下尤其憎恨官吏，抓到了就杀死。

僖宗奔赴骆谷，凤翔节度使郑畋在路上暂停之处拜见了僖宗，请求僖宗留在凤

"朕不欲密迩⑱巨寇，且幸兴元，征兵以图收复。卿东扞贼锋，西抚诸蕃，纠合邻道，勉建大勋。"畋曰："道路梗涩⑲，奏报难通，请得便宜从事。"许之。

戊子⑳，上至婿水㉑，诏牛勖、杨师立、陈敬瑄，谕以京城不守，且幸兴元，若贼势犹盛，将幸成都，宜豫为备拟㉒。

庚寅㉓，黄巢杀唐宗室在长安者无遗类。辛卯㉔，巢始入宫。壬辰㉕，巢即皇帝位于含元殿，画皂缯为衮衣㉖，击战鼓数百以代金石之乐。登丹凤楼，下赦书，国号大齐，改元金统。谓广明之号㉗，去唐下体而著黄家日月，以为己符瑞。唐官三品以上悉停任，四品以下位如故。以妻曹氏为皇后。以尚让为太尉兼中书令，赵璋兼侍中，崔璆、杨希古㉘并同平章事，孟楷、盖洪为左右仆射、知左右军事㉙，费传古为枢密使。以太常博士皮日休㉚为翰林学士。璆，邠[3]之子也㉛，时罢浙东观察使，在长安，巢得而相之。

诸葛爽以代北行营兵屯栎阳㉜，黄巢将砀山朱温㉝屯东渭桥㉞，巢使温诱说之，爽遂降于巢。温少孤贫，与兄昱、存随母王氏依萧县刘崇家，崇数笞辱之，崇母独怜之，戒家人曰："朱三，非常人也，汝曹善遇之。"巢以诸葛爽为河阳节度使。爽赴镇，罗元杲发兵拒之，士卒皆弃甲迎爽，元杲逃奔行在。

郑畋还凤翔，召将佐议拒贼，皆曰："贼势方炽，宜且从容以俟兵集，乃图收复。"畋曰："诸君劝畋臣贼乎！"因闷绝仆地，甃伤其面㉟，自午至明旦，尚未能言。会巢使者以赦书至，监军袁敬柔与将佐序立㊱宣示，代畋草表署名以谢巢。监军与巢使者宴，乐奏，将佐以下皆哭。使者怪之，幕客孙储㊲曰："以相公风痹㊳不能来，故悲耳。"民间闻者无不泣。畋闻之曰："吾固知人心尚未厌唐，贼授首㊴无日矣！"乃刺指血为表，遣所亲间道诣行在。召将佐谕以逆顺，皆听命，复刺血与盟，然后完城堑，缮器械，训士卒，密约邻道合兵讨贼，邻道皆许诺发兵，会于凤翔。时禁兵[4]分镇关中者⑩尚数万，闻天子幸蜀，无所归，畋使人招之，皆往从畋。畋分财以结其心，军势大振。

丁酉⑩，车驾至兴元，诏诸道各出全军收复京师。

翔。僖宗说："朕不想距强大的贼寇太近，暂且到兴元，征调各道人马以图收复京师。你东边要抵御叛贼的兵锋，西边要安抚各少数民族，联合邻近各道，努力建立大功业。"郑畋说："道路梗塞，奏报难通，请求给我见机行事的权力。"僖宗答应了。

十二月初九日戊子，僖宗到达婿水，下诏给牛勖、杨师立和陈敬瑄，通告京城失守，皇上暂时幸临兴元，倘若叛贼势力还强大的话，将到成都，你们要预先准备。

十二月十一日庚寅，黄巢屠杀留在长安的唐宗室，一个也不留。十二日辛卯，黄巢才进入皇宫。十三日壬辰，黄巢即帝位于含元殿，在黑色绸缎上绘画龙纹图案作为皇帝的礼服，击战鼓数百通以代替金石乐器。登上丹凤门城楼，颁下赦书，国号大齐，改年号为金统。说唐的"廣明"年号，是去掉"唐"字的下半部分，然后加上黄家日月，认为这是自己当皇帝的预兆。唐朝的官吏三品以上的全部停止任职，四品以下的仍旧担任原来的职位。封妻子曹氏为皇后。任命尚让为太尉兼中书令，赵璋兼侍中，崔璆、杨希古并同平章事，孟楷、盖洪为左右仆射、知左右军事，费传古为枢密使。任命太常博士皮日休为翰林学士。崔璆，是崔邠的儿子，当时被罢免了浙东观察使，人在长安，被黄巢俘获任命为宰相。

诸葛爽带领代北行营的军队屯驻在栎阳，黄巢的将领砀山人朱温屯驻在东渭桥，黄巢叫朱温去劝说诸葛爽归顺，诸葛爽于是投降了黄巢。朱温年少时父亲去世，家境贫穷，和哥哥朱昱、朱存跟随母亲王氏依靠萧县刘崇家生活，刘崇多次鞭辱朱温，只有刘崇的母亲怜惜朱温，告诫家人说："朱三，不是平常人，你们要好好对待他。"黄巢任命诸葛爽为河阳节度使。诸葛爽去上任，原任节度使罗元杲派军队抗拒他，士卒们都抛掉铠甲迎接诸葛爽，罗元杲无奈逃往僖宗的驻地。

唐凤翔节度使郑畋返回凤翔，召集将佐商议抵御叛贼，将佐们都说："叛贼的势力正强大，应当从容等待各方军队聚集后，再图谋收复京师。"郑畋说："你们劝我向叛贼称臣吗！"接着昏倒在地，脸上也被瓦砾刺伤了，从午间到第二天早晨，还不能说话。适遇黄巢的使者带着赦书到来，监军袁敬柔和将佐们依次站立接受宣布敕令，代替郑畋写奏表签名以答谢黄巢。监军和黄巢的使者举行宴饮，奏起了音乐，将佐以下的官吏都哭了。使者感到奇怪，幕客孙储说："由于军府相公刘畋得了中风病不能前来，所以大家感到悲伤而已。"民间听到这事的人没有不涕泣的。郑畋得知此事说："我本来就知道人心尚未厌弃唐朝，叛贼不要很久就会被消灭了！"于是刺破手指血写成奏表，派遣亲信抄小路送到僖宗那里。召集将佐说明逆顺的道理，将佐都听从郑畋的命令，郑畋又刺血和他们立下盟誓，然后修缮好城墙和护城河，修理兵器军械，训练士卒，秘密相约邻道合兵讨贼，邻道都答应发兵，在凤翔会合。当时分镇关中的禁卫兵还有数万人，听说天子到蜀地去了，无处归依，郑畋派人招集他们，都前往依从郑畋。郑畋分财物给他们，用以团结他们，军队的势力大大振兴起来。

十二月十八日丁酉，僖宗到达兴元，下诏各道出动全部军队收复京师。

己亥[102]，黄巢下令，百官诣赵璋第投名衔[103]者，复其官。豆卢瑑、崔沆及左仆射于琮、右仆射刘邺、太子少师裴谂、御史中丞赵濛、刑部侍郎李溥、京兆尹李汤[104]扈从不及，匿民间，巢搜获，皆杀之。广德公主[105]曰："我唐室之女，誓与于仆射俱死！"执贼刃不置[106]，贼并杀之。发卢携尸，戮之于市。将作监郑綦、库部郎中郑系义不臣贼，举家自杀。左金吾大将军张直方虽臣于巢，多纳亡命，匿公卿于复壁，巢杀之。

初，枢密使杨复恭荐处士河间张濬[107]，拜太常博士，迁度支员外郎。黄巢逼潼关，濬避乱商山[108]。上幸兴元，道中无供顿[109]。汉阴[110]令李康以骡负糗粮[111]数百驮[112]献之，从行军士始得食。上问康："卿为县令，何能如是？"对曰："臣不及此，乃张濬员外教臣。"上召濬诣行在，拜兵部郎中。

义武节度使王处存闻长安失守，号哭累日，不俟诏命，举军入援，遣二千人间道诣兴元卫车驾。

黄巢遣使调发河中，前后数百人，吏民不胜其苦。王重荣谓众曰："始吾屈节[113]以纾[114]军府之患，今调财不已，又将征兵，吾亡无日矣！不如发兵拒之。"众皆以为然，乃悉驱巢使者杀之。巢遣其将朱温自同州、弟黄邺自华州合兵击河中。重荣与战，大破之，获粮仗[115]四十余船，遣使与王处存结盟，引兵营于渭北[116]。

陈敬瑄闻车驾出幸，遣步骑三千奉迎，表请幸成都。时从兵浸多，兴元储偫[117]不丰，田令孜亦劝上，上从之。

【段旨】

以上为第三段，写黄巢破长安，称帝建国号大齐，大杀百官和唐宗室。唐僖宗蒙尘至兴元。

十二月二十日己亥，黄巢下令，到大齐宰相赵璋的住宅来交名帖的唐朝百官，就恢复官职。豆卢瑑、崔沆和左仆射于琮、右仆射刘邺、太子少师裴谂、御史中丞赵濛、刑部侍郎李溥、京兆尹李汤来不及跟随僖宗逃走，藏匿民间，黄巢搜查抓到了他们，全部杀死。广德公主说：“我是唐朝皇室之女，发誓要和于仆射一道死！”抓着叛贼的刀不放下，叛贼把她一起杀了。又把卢携的尸体挖出来，在闹市陈列示众砍杀。唐将作监郑綦和库部郎中郑系坚守节义，不做叛贼的臣子，全家自杀。唐左金吾大将军张直方虽然向黄巢称臣，但是接纳了很多逃亡的士大夫，把公卿们藏在夹壁中，黄巢发现后把张直方杀了。

当初，唐枢密使杨复恭推荐处士河间人张濬，被朝廷授予太常博士，迁升为度支员外郎。黄巢逼近潼关时，张濬跑到商山避乱。僖宗到兴元去时，路上没有食宿供应。汉阴县令李康用骡子运了数百驮食品献给僖宗，跟随僖宗的军士才得到饭食。僖宗问李康：“你担任县令，怎么会这样做？”李康回答说：“臣想不到这一点，是张濬员外郎教臣这样做的。”僖宗召张濬到住地，授给他兵部郎中。

唐义武节度使王处存听说长安失守，号哭多日，不等到朝廷的诏命，就率领全军前去援救，又派二千人从小路到兴元去保卫僖宗。

黄巢派遣使者到河中镇调运物资，前后去了数百人，吏民受不了征调之苦。王重荣对众人说：“开始时我屈节借以缓解军府的灾患，现在征调财物没完没了，又将征兵，我不要多久就会死掉！不如发兵抗拒他们。”大家都认为应当这样，于是全部驱除黄巢的使者，把他们杀了。黄巢派遣他的将领朱温从同州、他的弟弟黄邺从华州合兵进攻河中镇。王重荣和他们交战，大败黄巢军，缴获粮食兵器四十多船，派遣使者和王处存结成同盟，带领军队在渭北安营扎寨。

陈敬瑄听说僖宗出走，就派遣步兵和骑兵共三千人前去迎接，上表请求僖宗幸临成都。当时随从的士兵渐渐多了，兴元地方储备的物资不多，田令孜也劝僖宗去成都，僖宗听从了。

【注释】

⑰ 晡时：午后申时，当下午三点至五点。⑱ 霸上：地名，在今陕西西安东灞河西岸。霸，一作“灞”。⑲ 金装肩舆：用黄金装饰以人工扛抬的交通工具，犹今滑竿。⑳ 约：束；缠。㉑ 不胜富：非常富有。㉒ 市肆：市中店铺。㉓ 骆谷：谷名，关中通往汉中的谷道之一，在今陕西周至南。㉔ 道次：路上临时停留之所。㉕ 密迩：切近；靠近。㉖ 梗涩：梗塞。㉗ 戊子：十二月初九日。㉘ 婿水：水名，源出陕西佛坪，流经城固入汉水。今称湑

水。㊷备拟：备待，做好准备以待需时。㊸庚寅：十二月十一日。㊹辛卯：十二月十二日。㊺壬辰：十二月十三日。㊻画皂缯为衮衣：在黑色绸缎上画出龙纹图案作为皇帝的礼服。㊼广明之号："广明"这个年号，是将"唐"字去"肀""口"而加"黄"字为"廣"（"广"的繁体），合"日""月"而为"明"，亦即"广明"乃黄家日月，表明"黄"当代"唐"。故黄巢认为广明之号是自己的符瑞。㊽崔璆、杨希古：唐降官。㊾知左右军事：黄巢之军分左右，交付二人分别掌管。㊿皮日休：字袭美，晚唐诗人。咸通中官太常博士，投降黄巢，任翰林学士。《新唐书·艺文志》著录《皮日休集》十卷。[91]璆二句：璆，崔邠之子。据两唐书《崔郾传》，璆为郾之少子。邠，郾之兄。《通鉴》误。[92]栎阳：县名，县治在今陕西西安市临潼区北。[93]朱温（公元八五二至九一二年）：宋州砀山（今安徽砀山）人，乾符四年（公元八七七年）参加黄巢军，任同州防御使。中和二年（公元八八二年）降唐，官至宣武节度使。天祐元年（公元九〇四年）杀唐昭宗，立哀帝。四年废帝自立，国号梁。传见两《五代史》卷一。[94]东渭桥：桥名，在今陕西西安东北渭河上。[95]甃伤其面：郑畋扑地时脸被瓦砾刺伤。[96]序立：按官职高低依次站立。[97]孙储：人名，历官天雄节度使、兵部尚书兼京兆尹。事附《新唐书》卷一百八十三《孙偓传》。[98]风痹：得了中风的病。[99]授首：被杀。[100]禁兵分镇关中者：驻扎好

【原文】

中和元年（辛丑，公元八八一年）

春，正月，车驾发兴元。加牛勖同平章事。陈敬瑄以扈从之人骄纵难制，有内园小儿[118]先至成都，游于行宫，笑曰："人言西川是蛮，今日观之，亦不恶。"敬瑄执而杖杀之，由是众皆肃然。敬瑄迎谒于鹿头关[119]。辛未[120]，上至绵州，东川节度使杨师立谒见。壬申[121]，以兵部侍郎、判度支萧遘同平章事。

郑畋约前朔方节度使唐弘夫[5]、泾原节度使程宗楚同讨黄巢。巢遣其将王晖赍诏召畋，畋斩之，遣其子凝绩诣行在，凝绩追及上于汉州。

丁丑[122]，车驾至成都，馆于府舍。

上遣中[6]使趣高骈讨黄巢，道路相望，骈终不出兵。上至蜀，犹冀骈立功，诏骈巡内刺史及诸将有功者，自监察至常侍，听[123]以墨敕[124]除讫奏闻。

畤、麟游等关中八处之神策军。⑩ 丁酉：十二月十八日。⑩ 己亥：十二月二十日。⑩ 名衔：名帖，上书其官位姓名。⑩ 李汤（？至公元八八〇年）：唐文宗宰相李宗闵之侄。累官给事中、京兆尹。事附《旧唐书》卷一百七十六、《新唐书》卷一百七十四《李宗闵传》。⑩ 广德公主：宣宗女，于琮之妻。传见《新唐书》卷八十三。⑩ 不置：不放。⑩ 张濬：字禹川，河间（今河北河间）人，历任太常博士、谏议大夫、兵部侍郎、宰相。后讨李克用，兵败，贬连州刺史，官终尚书右仆射。传见《旧唐书》卷一百七十九、《新唐书》卷一百八十五。⑩ 商山：山名，一名商洛山，在今陕西商洛市商州区东南。⑩ 供顿：食宿供应。⑩ 汉阴：县名，县治在今陕西石泉东南汉江西南岸石泉嘴。⑪ 糗粮：干粮。⑫ 驮：牲畜负载之物曰驮。亦作量词，一驮百斤。⑬ 屈节：折节。⑭ 纾：缓解。⑮ 粮仗：粮食与兵器。⑯ 渭北：渭水北岸。⑰ 储偫：储备。

【校记】

［3］郊：严衍《通鉴补》改作“鄜”。［4］兵：据章钰校，十二行本、乙十一行本皆作“军”。

【语译】

中和元年（辛丑，公元八八一年）

春，正月，僖宗车驾从兴元出发。加授牛勖同平章事。陈敬瑄认为僖宗的侍从人员骄横难以控制，有内园小儿先来到成都，在行宫中游玩，笑着说：“人们说西川是蛮地，现在看起来，也不坏。”陈敬瑄把小儿抓起来用刑杖打死了，从此随从的人都不敢胡闹了。陈敬瑄在鹿头关迎接僖宗。二十二日辛未，僖宗到达绵州，东川节度使杨师立拜见了僖宗。二十三日壬申，任命兵部侍郎、判度支萧遘同平章事。

郑畋邀约前朔方节度使唐弘夫、泾原节度使程宗楚一起讨伐黄巢。黄巢派遣他的将领王晖带着诏书去招抚郑畋，郑畋杀了王晖，派儿子郑凝绩到僖宗那里去，郑凝绩在汉州追上了僖宗。

正月二十八日丁丑，僖宗抵达成都，住在西川节度使府。

僖宗派遣中使催促高骈讨伐黄巢，使者在道路上前后相望，高骈始终不出兵。僖宗到西川以后，还希望高骈讨贼立功，诏令高骈，凡在他管辖范围内的刺史和各将领有建立了功劳的人，听任他用墨敕任命从监察到常侍的官爵，先任命后奏闻朝廷。

裴澈自贼中奔诣行在。时百官未集，乏人草制。右拾遗乐朋龟谒田令孜而拜之，由是擢为翰林学士。张濬先亦拜令孜。令孜尝召宰相及朝贵[125]饮酒，濬耻于众中拜令孜，乃先谒令孜谢酒[126]。及宾客毕集[127]，令孜言曰："令孜与张郎中清浊异流[128]，尝蒙中外，既虑玷辱[129]，何惮改更，今日于隐处谢酒则又不可。"濬惭惧无所容。

二月己卯朔[130][7]，以太子少师王铎守司徒兼门下侍郎、同平章事。

丙申[131]，加郑畋同平章事。

加淮南节度使高骈东面都统，加河东节度使郑从谠兼侍中，依前行营招讨使。代北监军陈景思帅沙陀酋长李友金及萨葛、安庆、吐谷浑诸部入援京师。至绛州，将济河，绛州刺史瞿稹，亦沙陀也，谓景思曰："贼势方盛，未可轻进，不若且还代北募兵。"遂与景思俱还雁门。

以枢密使杨复光为京西南面行营都监。

黄巢以朱温为东南面行营都虞候，将兵攻邓州。三月辛亥[132]，陷之，执刺史赵戎[8]，因戍邓州以扼荆、襄。

壬子[133]，加陈敬瑄同平章事。甲寅[134]，敬瑄奏遣左黄头军[135]使李铤将兵击黄巢。

辛酉[136]，以郑畋为京城四面诸军行营都统。赐畋诏："凡蕃、汉将士赴难有功者，并听以墨敕除官。"畋奏以泾原节度使程宗楚为副都统，前朔方节度使唐弘夫为行军司马。黄巢遣其将尚让、王播[137]帅众五万寇凤翔。畋使弘夫伏兵要害，自以兵数千，多张旗帜，疏陈[138]于高冈。贼以畋书生，轻之，鼓行而前，无复行伍[139]。伏发，贼大败于龙尾陂[140]，斩首二万余级，伏尸数十里。

有书尚书省门为诗以嘲贼者，尚让怒，应[141]在省官及门卒，悉抉目[142]倒悬之。大索城中能为诗者，尽杀之，识字者给贱役，凡杀三千余人。

瞿稹、李友金至代州，募兵逾旬，得三万人，皆北方杂胡，屯于崞西[143]，犷悍暴横，稹与友金不能制。友金乃说陈景思曰："今虽有众数万，苟无威望[9]之将以统之，终无成功。吾兄司徒[144]父子，勇略过人，为众所服。骠骑[145]诚奏天子赦其罪，召以为帅，则代北之人一麾

裴澈从贼军中跑往僖宗住地。当时百官还没有集中，缺乏人起草诏书。右拾遗乐朋龟谒见田令孜并下拜，于是被提升为翰林学士。张濬原先也拜见过田令孜。田令孜曾经召集宰相和宦官权贵们一起饮酒，张濬耻于在众人中向田令孜下拜，于是事先拜谒田令孜谢酒。等到宾客全都到齐了，田令孜说道："我田令孜和张郎中清浊不同流品，曾经承蒙不弃与我建立了交情，既然担心受到玷辱，又何必要改时间于宴会前来敬酒呢，今天张郎中在隐蔽的地方向我敬酒是要不得的。"张濬羞惭恐惧到无地自容。

二月初一日己卯，任命太子少师王铎守司徒兼门下侍郎、同平章事。

十八日丙申，加授郑畋同平章事。

加授淮南节度使高骈为东面都统，加授河东节度使郑从谠兼侍中，依旧担任前行营招讨使。代北监军陈景思率领沙陀酋长李友金和萨葛、安庆、吐谷浑各部入援京师。到绛州，将要渡河，绛州刺史瞿稹，也是沙陀人，对陈景思说："叛贼势力正强大，不能轻率前进，不如暂时回到代北招募兵员。"于是就和陈景思一同返回雁门。

任命枢密使杨复光为京西南面行营都监。

黄巢任命朱温为东南面行营都虞候，带兵攻打邓州；三月初三日辛亥，攻陷邓州，抓住了刺史赵戎，于是驻守在邓州，用来控制荆州和襄州。

三月初四日壬子，加授陈敬瑄同平章事。初六日甲寅，陈敬瑄奏请委派左黄头军使李铤带兵攻打黄巢。

三月十三日辛酉，任命郑畋为京城四面诸军行营都统。赐给郑畋的诏书中说："凡是赴难有功的蕃、汉将士，都听凭你用墨敕任命他们官职。"郑畋上奏任命泾原节度使程宗楚为副都统，前朔方节度使唐弘夫为行军司马。黄巢派遣他的将领尚让、王播带领五万军队进攻凤翔。郑畋派唐弘夫在要害地方埋伏士兵，自己带领数千士兵，布置了很多旗帜，列阵于山岗上。叛贼认为郑畋是书生，很轻视他，击鼓前进，军队不再有队形。伏兵突然冲出，在龙尾陂大败贼军，杀死了二万多人，在数十里长路上都躺着贼军的尸体。

有人在尚书省的门上写诗来嘲讽叛贼，尚让愤怒，把所有在尚书省的官吏和守门的兵卒，全都挖掉眼珠倒挂着。大肆搜索城中能写诗的人，把他们都杀了，让认识字的人去服贱役，共杀了三千多人。

瞿稹和李友金到了代州，募兵十多天，得到三万人，都是北方的杂胡，屯驻在崞县西边，所招募的兵士剽悍横暴，瞿稹和李友金不能驾驭他们。李友金于是劝陈景思说："现在虽然拥有数万军队，假如没有有威望的将领来统领他们，最终还是不能成功。我的族兄李国昌司徒父子，智勇和谋略超过常人，为士众所信服。骠骑将军能够奏明天子，赦免他们的罪过，招来担任统帅，那么代北地方的群众都会马上

响应⑭⑯，狂贼不足平也。”景思以为然，遣使诣行在言之，诏如所请。友金以五百骑赍诏诣达靼迎之，李克用帅达靼诸部⑭⑰万人赴之。

群臣追从车驾者稍[10]集成都，南北司朝者近二百人，诸道及四夷贡献不绝，蜀中府库充实，与京师无异，赏赐不乏，士卒欣悦。

黄巢得王徽，逼以官。徽阳喑⑭⑱，不从，月余，逃奔河中，遣人间道奉绢表诣行在。诏以徽为兵部尚书。

前夏绥节度使诸葛爽复自河阳奉表自归⑭⑲，即以为河阳节度使。

宥州⑮⓪刺史拓跋思恭⑮①，本党项羌也，纠合夷、夏兵会鄜延⑮②节度使李孝昌于鄜州，同盟讨贼。

奉天镇使齐克俭遣使诣郑畋求自效。甲子⑮③，畋传檄天下藩镇，合兵讨贼。时天子在蜀，诏令不通，天下谓朝廷不能复振，及得畋檄，争发兵应之。贼惧，不敢复窥京西。

【段旨】

以上为第四段，写凤翔节度使郑畋阻击黄巢，传檄诸镇，合兵讨贼，防止了局势崩溃。

【注释】

⑪⑧内园小儿：在皇宫园圃种植瓜果蔬菜及服杂役的年少宦者。⑪⑨鹿头关：关名，在今四川德阳东北鹿头山上。⑫⓪辛未：正月二十二日。⑫①壬申：正月二十三日。⑫②丁丑：正月二十八日。⑫③听：听任；同意。⑫④墨敕：本指皇帝不经外廷而亲笔书写下达的诏令，此指授权高骈先以墨敕除授官职，事毕奏报。⑫⑤朝贵：朝中有权势的贵官。⑫⑥先谒令孜谢酒：张濬在宴会前独自去拜见田令孜谢酒。⑫⑦宾客毕集：宾客全部到齐。⑫⑧清浊异流：进士及第做官称清流，依托宦官做官为浊流。浊流官出身不正，受人轻视。⑫⑨既虑玷辱：既然顾虑受牵连被玷污。田令孜不满张濬偷偷摸摸地巴结自己，于是在大庭广众中揭露张濬，你既然顾虑向我跪拜玷污了你的清名，何必害怕改弦更张，可今日在隐蔽

响应他的号召，狂贼是不难平定的。”陈景思认为对，于是派使者到僖宗驻地去说明这件事，僖宗答应陈景思等人的请求。李友金率领五百名骑兵，带着僖宗诏书，前往达靼部迎接李氏父子，李克用率领达靼各部一万人前来应诏。

追随僖宗的群臣逐渐集中到成都，来朝见的南衙北司官员接近二百人，各道和四夷进贡连续不断，蜀中府库充实，和京师没有不同，赏赐也不缺乏，士卒们很高兴。

黄巢找到了王徽，逼迫他做官。王徽装哑，不听从，过了一个多月，逃往河中镇，派人从小路送去绢表给僖宗。僖宗下诏任命王徽为兵部尚书。

前夏绥节度使诸葛爽又从河阳送上奏表说自己回归朝廷，立即任命他为河阳节度使。

宥州刺史拓跋思恭，本来是党项羌族人，纠合夷、夏兵和鄜延节度使李孝昌在鄜州会合，共同盟誓讨伐黄巢。

奉天镇使齐克俭派遣使者前往郑畋那里要求为国家效力。三月十六日甲子，郑畋向全国各藩镇送去檄文，集合兵力讨伐黄巢。当时天子在蜀地，诏令不通，全国各地以为朝廷再也振兴不起来了，等到收到郑畋的檄文后，竞相发兵响应他的号召。叛贼恐惧了，不敢再窥视京西。

处向我跪拜谢酒，这是不可以的。⑬⓪己卯朔：二月初一日。⑬①丙申：二月十八日。⑬②辛亥：三月初三日。⑬③壬子：三月初四日。⑬④甲寅：三月初六日。⑬⑤黄头军：此为崔安潜所置西川黄头军。⑬⑥辛酉：三月十三日。⑬⑦王播:《新唐书》作“王璠”，当是。⑬⑧疏陈：布阵。⑬⑨无复行伍：不再排成队列。⑭⓪龙尾陂：地名，一作龙尾坡，在今陕西岐山县东。⑭①应：一应；一切。⑭②抉目：挖出眼珠。⑭③崞西：崞县之西。⑭④司徒：指李国昌。李国昌以平庞勋功为检校司徒。⑭⑤骠骑：骠骑大将军从一品，为武散官第一等。自高力士以来，宦者多加此官。这里借称陈景思。⑭⑥一麾响应：一招手，人们就像回声一样立即应和。⑭⑦李克用帅达靼诸部：陈景思请赦李国昌父子，而克用独至，因国昌已老之故。⑭⑧阳喑：装哑。⑭⑨自归：广明元年诸葛爽投降黄巢，现又归附朝廷。⑮⓪宥州：州名，治所长泽，在今内蒙古鄂托克旗东南。⑮①拓跋思恭：党项人。咸通末窃据宥州，称刺史。黄巢入长安，出兵镇压，唐僖宗任命为左武卫将军，权知夏绥节度使。巢平，封夏国公，赐姓李。事附《新唐书》卷二百二十一上《党项传》。⑮②鄜延：方镇名，上元元年（公元七六〇年）置，领鄜、坊、丹、延四州。中和二年（公元八八二年）赐号保大军，治所鄜州，在今陕西富县。⑮③甲子：三月十六日。

【校记】

［5］唐弘夫：据章钰校，十二行本、乙十一行本、孔天胤本皆作“田弘夫”。〖按〗《新唐书》卷九《僖宗纪》、卷二百二十五下《逆臣下·黄巢传》皆载“朔方节度使唐弘夫”，底本应不误。［6］中：原无此字。据章钰校，十二行本、乙十一行本、孔天胤本皆有此字，张敦仁《通鉴刊本识误》同，今据补。［7］二月己卯朔：“己”字原作

【原文】

夏，四月戊寅朔⑭，加王铎兼侍中。

以拓跋思恭权知夏绥节度使。

黄巢以其将王玫为邠宁节度使。邠州通塞镇⑮将朱玫起兵诛之，让别将李重古为节度使，自将兵讨巢。

是时，唐弘夫屯渭北，王重荣屯沙苑⑯，王处存屯渭桥，拓跋思恭屯武功⑰，郑畋屯盩厔⑱。弘夫乘龙尾之捷，进薄长安。

壬午⑲，黄巢帅众东走。程宗楚先自延秋门⑳入，弘夫继至，处存帅锐卒五千夜入城。坊市民喜，争欢呼出迎官军，或以瓦砾击贼，或拾箭以供官军。宗楚等恐诸将分其功，不报凤翔、鄜、夏㉑。军士释兵入第舍，掠金帛、妓妾。处存令军士首［11］系白𦈏㉒为号，坊市少年或窃其号以掠人。贼露宿霸上，诇知官军不整，且诸军不相继，引兵还袭之，自诸门分入，大战长安中。宗楚、弘夫死，军士重负㉓不能走，是以甚败，死者什八九，处存收余众还营。

丁亥㉔，巢复入长安，怒民之助官军，纵兵屠杀㉕，流血成川，谓之洗城。于是诸军皆退，贼势愈炽。

贼所署同州刺史王溥、华州刺史乔谦、商州刺史宋严闻巢弃长安，皆率众奔邓州。朱温斩溥、谦，释严，使还商州。

庚寅㉖，拓跋思恭、李孝昌与贼战于王桥㉗［12］，不利。

诏以河中留后王重荣为节度使。

“乙”，误。二月朔日为己卯。《新唐书·僖宗纪》载，中和元年二月己卯，太子少师王铎为司徒，兼门下侍郎、同中书门下平章事。严衍《通鉴补》已改作“己卯”，当是，今据校正。［8］戎：原误作“戒”。据章钰校，十二行本、乙十一行本、孔天胤本皆作“戎”，张瑛《通鉴校勘记》同，今据校正。〖按〗《新唐书·僖宗纪》作“戎”。［9］望：原作“信”。据章钰校，十二行本、乙十一行本、孔天胤本皆作“望”，义长，今从改。［10］稍：据章钰校，十二行本、乙十一行本皆重“稍”字。

【语译】

夏，四月初一日戊寅，加授王铎兼任侍中。

任命拓跋思恭暂时担任夏绥节度使。

黄巢任命他的将领王玫为邠宁节度使。邠州通塞镇将朱玫发兵杀了王玫，让别将李重古担任邠宁节度使，自己率军讨伐黄巢。

当时，唐弘夫屯驻在渭北，王重荣屯驻在沙苑，王处存屯驻在渭桥，拓跋思恭屯驻在武功，郑畋屯驻在盩厔。唐弘夫乘着龙尾陂的胜利气势，进逼长安。

四月初五日壬午，黄巢率军东去。程宗楚先从延秋门进入长安，唐弘夫相继到达，王处存带领锐卒五千人夜里进入长安城。街坊中的市民很高兴，争相欢呼着出来迎接官军，有的人用瓦片砖头打击叛贼，有的人捡箭供官军使用。程宗楚等担心其他将领分去了他们入城的功劳，没有把入城的事报告凤翔和鄜、夏节度使。军士们放下了武器，进入富人宅舍，抢掠金帛和伎妾。王处存命令军士头上用丝带束发作为标志，街坊中有的少年也利用这种标志去抢劫他人。贼军露宿在霸上，探知官军纪律很坏，并且各路军队不相接续，就领兵返回袭击官军，他们分头从各门进入，在长安城中大战。程宗楚和唐弘夫战死，官军士兵背着抢来的重东西不能奔跑，因此大败，死去的有十分之八九，王处存收集残余部队回到军营。

四月初十日丁亥，黄巢又回到长安，对民众帮助官军大为愤怒，放纵士兵屠杀民众，血流成河，称之为洗城。于是各路官军都撤退了，贼军势力更加强大。

叛贼所任命的同州刺史王溥、华州刺史乔谦和商州刺史宋严听说黄巢放弃了长安，都带领部众奔往邓州。朱温杀了王溥和乔谦，释放了宋严，让他返回商州。

四月十三日庚寅，拓跋思恭、李孝昌与贼军在王桥交战，没有取胜。

朝廷下诏任命河中留后王重荣为节度使。

【段旨】

以上为第五段，写官军克长安，军纪败坏而败。黄巢再入长安，大杀士民。

【注释】

⑭戊寅朔：四月初一日。⑮通塞镇：军镇名，治所在今陕西彬州。⑯沙苑：地名，又名沙阜、沙窝，在今陕西大荔南洛、渭二河之间，东西八十里，南北三十里。⑰武功：县名，县治在今陕西眉县东四十里渭河南岸。⑱盩厔：县名，县治在今陕西周至。⑲壬午：四月初五日。⑯延秋门：长安禁苑城西之门。⑯不报凤翔、鄜、夏：不向凤翔节度

【原文】

贼众上黄巢尊号曰承天应运启圣睿文宣武皇帝。

有双雉⑱集广陵府舍，占者以为野鸟来集，城邑将空之兆。高骈恶之，乃移檄四方，云将入讨黄巢，悉发巡内兵八万，舟二千艘，旌旗甲兵甚盛。五月己未⑲[13]，出屯东塘⑰。诸将数请行期，骈托风涛为阻，或云时日不利，竟不发。

李克用牒河东，称奉诏将兵五万讨黄巢，令具顿递⑰，郑从谠闭城以备之。克用屯于汾东，从谠犒劳，给其资粮，累日不发。克用自至城下大呼，求与从谠相见，从谠登城谢之。癸亥⑰，复求发军赏给⑰，从谠以钱千缗、米千斛遗之。甲子⑰，克用纵沙陀剽掠居民，城中大骇。从谠求救于振武节度使契苾璋。璋引突厥、吐谷浑救之，破沙陀两寨。克用追战至晋阳城南，璋引兵入城，沙陀掠阳曲、榆次⑰而归[14]。

黄巢之克长安也，忠武节度使周岌降之。岌尝夜宴，急召监军杨复光⑰，左右曰："周公臣贼，将不利于内侍⑰，不可往。"复光曰："事已如此，义不图全。"即诣之。酒酣，岌言及本朝，复光泣下，良久，曰："丈夫所感者恩义耳！公自匹夫为公侯，奈何舍十八叶⑰天子而臣贼乎！"岌亦流涕曰："吾不能独拒贼，故貌奉而心图之，今日召公，

使郑畋和鄜延节度使李孝昌及夏绥节度使拓跋思恭通报进城之事。⑯ 帣：束发用的丝带。⑯ 重负：士兵掠夺财物甚多，负担沉重。⑯ 丁亥：四月初十日。⑯ 纵兵屠杀：据《新唐书·黄巢传》载“杀八万人”。⑯ 庚寅：四月十三日。⑯ 王桥：地名，在今陕西西安西北汉长安城东。

【校记】

［11］首：原无此字。据章钰校，十二行本、乙十一行本、孔天胤本皆有此字，张敦仁《通鉴刊本识误》同，今据补。［12］王桥：原作“土桥”。据章钰校，十二行本、乙十一行本、孔天胤本皆作“王桥”，熊罗宿《胡刻资治通鉴校字记》同，今据改。

【语译】

贼众给黄巢上尊号称承天应运启圣睿文宣武皇帝。

有一对野鸡落在广陵淮南节度使府的房子上，占卜的人认为野鸟飞来落在这里，是城邑将要变成空地的凶兆。高骈讨厌和恐惧这件事，于是发檄文到各地，说是将要入长安讨伐黄巢，将管辖之内的八万军队全部调来，有二千艘船，旌旗武器等非常多。五月十二日己未，出兵屯驻在东塘。将领们多次问高骈出发的时间，高骈借口有风浪险阻，或者说时日不利，最终没有出发。

李克用给河东节度使府发送碟文，说是奉诏带领五万军队讨伐黄巢，叫河东节度使为他们准备食宿和邮驿，河东节度使郑从谠关闭了城门防备他们。李克用屯驻在汾水东岸，郑从谠犒劳了他们，供给了物资粮食，他们驻了几天也不走。李克用亲自到城下大声呼唤，要求和郑从谠会见，郑从谠登上城头表示谢意。五月十六日癸亥，李克用又要求发给军队赏钱和粮饷，郑从谠给了他们一千串钱、一千斛米。十七日甲子，李克用放纵沙陀兵抢劫居民，城中大为惊骇。郑从谠向振武节度使契苾璋求救。契苾璋带领突厥、吐谷浑部前来营救，攻破沙陀兵的两个营寨。李克用追战到晋阳城南面，契苾璋带军队进入城内，沙陀兵抢掠了阳曲、榆次以后才回去。

黄巢攻下长安时，忠武节度使周岌投降了黄巢。周岌曾经举行夜宴，急切召唤监军杨复光，杨复光身边的人说：“周岌臣服叛贼，将给内侍你造成危险，不能前往赴宴。”杨复光说：“事情已经这样了，坚守大义就不能考虑自身的安全。”随即前往赴会。酒喝到酣畅时，周岌讲到唐王朝的事，杨复光流着泪，过了好久，说：“大丈夫所要感激的只是恩义而已！公从匹夫到位列公侯，为什么要抛开唐朝十八代天子而去做叛贼的臣子呢！”周岌也流着眼泪说：“我不能单独抵抗贼军，所以表面上奉侍贼军而心中却在图谋他们，今天叫你来，正是为了这件事。”于是以酒洒地而祭，结

正为此耳。”因沥酒为盟。是夕，复光遣其养子守亮杀贼使者于驿。

时秦宗权据蔡州，不从岌命。复光将忠武兵三千诣蔡州，说宗权同举兵讨巢。宗权遣其将王淑将兵三千从复光击邓州，逗留不进，复光斩之，并其军，分忠武八千人为八都，遣牙将鹿晏弘、晋晖、王建⑰、韩建、张造、李师泰、庞从等八人将之。王建，舞阳人。韩建，长社⑱人。晏弘、晖、造、师泰，皆许州人也。复光帅八都与朱温战，败之，遂克邓州，逐北至蓝桥⑱而还。

昭义节度使高浔会王重荣攻华州，克之。

六月戊戌⑱，以郑畋为司空兼门下侍郎、同平章事，都统如故。

李克用遇大雨，己亥⑱[15]，引兵北还，陷忻、代二州，因留居代州。郑从谠遣教练使论安等军百井以备之。

邠宁节度副使朱玫屯兴平⑱，黄巢将王播围兴平，玫退屯奉天及龙尾陂。

西川黄头军使李铤将万人，巩咸将五千人，屯兴平，为二寨，与黄巢战，屡捷，陈敬瑄遣神机营使高仁厚⑱将二千人益之。

秋，七月丁巳⑱，改元，赦天下。

庚申⑱，以翰林学士承旨、兵部侍郎韦昭度⑱同平章事。

论安自百井擅还，郑从谠不解靴衫⑱斩之，灭其族，更遣都头温汉臣将兵屯百井。契苾璋引兵还振武。

【段旨】

以上为第六段，写讨贼藩镇，强力者野心勃发，高骈据扬州按兵不出，图谋割据；沙陀李克用奉诏勤王，趁火打劫，抢掠太原近郊而退还。

【注释】

⑱雉：野鸡。⑱己未：五月十二日。⑰东塘：地名，在今江苏扬州东。⑰顿递：沿途准备食宿和邮驿。⑰癸亥：五月十六日。⑰赏给：赏钱和粮饷。⑰甲子：五月十七日。⑰阳曲、榆次：皆县名。阳曲，县治在今山西太原市尖草坪区阳曲镇。榆次，县治在今山西晋中市榆次区。⑰召监军杨复光：杨复光为忠武监军，原屯邓州，后朱温攻陷邓

下盟约。当天晚上，杨复光派遣养子杨守亮在驿馆中杀了叛贼的使者。

当时秦宗权据守蔡州，不服从周岌的命令。杨复光带领忠武军的三千人前往蔡州，劝说秦宗权共同发兵讨伐黄巢。秦宗权派遣他的将领王淑带领士兵三千人跟随杨复光进攻邓州，王淑逗留不进，杨复光杀了王淑，合并了他的部队，分忠武军的八千人为八都，派牙将鹿晏弘、晋晖、王建、韩建、张造、李师泰、庞从等八人率领他们。王建，是舞阳人。韩建，是长社人。鹿晏弘、晋晖、张造、李师泰，都是许州人。杨复光带领八都士兵和朱温交战，打败了朱温，于是攻下了邓州，追赶败军到达蓝桥才返回。

唐昭义节度使高浔会合王重荣进攻华州，攻了下来。

六月二十二日戊戌，唐僖宗任命郑畋为司空兼门下侍郎、同平章事，仍担任都统。

李克用遇上大雨，六月二十三日己亥，带领军队返回北方，攻占了忻、代二州，因而留居代州。郑从谠派遣教练使论安等驻扎在百井以防备李克用。

邠宁节度副使朱玫屯驻兴平，黄巢的将领王播包围兴平，朱玫撤退到奉天县和龙尾陂驻扎。

西川黄头军使李铤带领一万人，巩咸带领五千人屯驻兴平，建立了两个营寨，与黄巢军交战，多次打了胜仗，陈敬瑄派遣神机营使高仁厚带领二千人去增援他们。

秋，七月十一日丁巳，改年号为中和，大赦天下。

十四日庚申，任命翰林学士承旨、兵部侍郎韦昭度同平章事。

论安从百井擅自返回，郑从谠将论安连靴子和外衣也不脱去就地问斩，灭了他的全家，另外派都头温汉臣带兵屯驻百井。契苾璋率军返回振武。

州，复光遂至许州依周岌。⑰ 内侍：唐代内侍省以内侍监为首长，内侍为之副。此指杨复光。⑱ 十八叶：自唐高祖至僖宗十八世。叶，世；代。⑲ 王建（公元八四七至九一八年）：字光图，许州舞阳（今河南舞阳）人，累官壁州刺史，后攻占剑南二川，被封蜀王。后梁代唐，建亦在成都称帝，国号蜀。传见《旧五代史》卷一百三十六、《新五代史》卷六十三。⑱ 长社：县名，县治在今河南许昌。⑱ 蓝桥：地名，在今陕西蓝田东南。⑱ 戊戌：六月二十二日。⑱ 己亥：六月二十三日。⑱ 兴平：县名，县治在今陕西兴平。⑱ 高仁厚：原为西川节度使陈敬瑄部将，累官眉州刺史、剑南东川节度使。后被陈敬瑄斩首。传见《新唐书》卷一百八十九。⑱ 丁巳：七月十一日。⑱ 庚申：七月十四日。⑱ 韦昭度：字正纪，京兆（今陕西西安）人，乾符中历任中书舍人、兵部侍郎，唐僖宗、唐昭宗两朝两度入相。奸相崔昭纬勾结藩镇上书谴贬昭度，不久被静难军节度使王行瑜杀害。传见《旧唐书》卷一百七十九、《新唐书》卷一百八十五。⑱ 靴衫：乘马时的穿着。指身着武装。

【校记】

［13］己未：原作“乙未”。据章钰校，十二行本、乙十一行本、孔天胤本皆作“己未”，张敦仁《通鉴刊本识误》同，今据改。〖按〗五月戊申朔，无乙未。［14］归：据章钰校，十二行本作“去”，张敦仁《通鉴刊本识误》同。［15］己亥：原无此二字。据章钰校，十二行本、乙十一行本、孔天胤本皆有此二字，张敦仁《通鉴刊本识误》同，今据补。

【原文】

初，车驾至成都，蜀军赏钱人三缗。田令孜为行在都指挥处置使，每四方贡金帛，辄颁赐从驾诸军无虚月［16］，不复及蜀军，蜀军颇有怨言。丙寅[190]，令孜宴土客都头[191]，以金杯行酒，因赐之，诸都头皆拜而受。西川黄头军使郭琪独不受，起言曰：“诸将月受俸料[192]，丰赡有余，常思难报，岂敢无厌！顾蜀军与诸军同宿卫，而赏赉悬殊，颇有觖望[193]，恐万一致变。愿军容减诸将之赐以均蜀军，使土客如一，则上下幸甚！”令孜默然有间，曰：“汝尝有何功？”对曰：“琪生长山东，征戍边鄙，尝与党项十七战，契丹十余战，金创[194]满身。又尝征吐谷浑，伤胁肠出，线缝复战。”令孜乃自酌酒于别樽以赐琪。琪知其毒，不得已，再拜饮之。归，杀一婢，吮其血以解毒，吐黑汁数升，遂帅所部作乱。丁卯[195]，焚掠坊市。令孜奉天子保东城，闭门登楼，命诸军击之。琪引兵还营，陈敬瑄命都押牙安金山将兵攻之，琪夜突围出，奔广都[196]，从兵皆溃，独厅吏一人从，息于江岸。琪谓厅吏曰：“陈公[197]知吾无罪，然军府惊扰，不可以莫之安也[198]。汝事吾能始终，今有以报汝。汝赍吾印剑诣陈公，曰：‘郭琪走渡江，我以剑击之，坠水，尸随湍流下矣，得其印剑以献。’陈公必据汝所言，榜悬印剑于市以安众。汝当获厚赏，吾家亦保无恙[199]。吾自此适广陵，归高公[200]，后数日，汝可密以语吾家也。”遂解印剑授之而逸[201]。厅吏以献敬瑄，果免琪家。

【语译】

当初，僖宗到成都，赏赐给蜀军每人三串钱。田令孜担任行在都指挥处置使后，每次四方贡献来的金帛，就作主每天颁赐从驾来到成都的外镇各路军队，而不再给蜀军，蜀军很有怨言。七月二十日丙寅，田令孜宴请土军和客军的都头，用金杯巡行酌酒劝饮，饮后就把杯子赏赐给众人，各都头都拜谢后接受了。只有西川黄头军使郭琪不接受，站起来说："将领们每月都有俸金和禄米，给养家口丰足有余，常常想到难以报答恩惠，怎么敢再不满足！看到蜀军和其他军队共同保卫天子，而赏赐悬殊，蜀军颇有抱怨，我担心万一导致变乱。希望田军容减少对诸将的赏赐，用这些财物均匀赏给蜀军，使土军和客军的待遇一个样子，那么上上下下的人都非常庆幸了！"田令孜沉默了一会儿，说："你曾经有什么功劳？"郭琪回答说："郭琪生长在崤山以东地区，在边疆征战戍守，曾经和党项十七战，和契丹十余战，满身刀箭的伤痕。又曾经征讨吐谷浑，肚子负伤肠子流了出来，用线缝合伤口后又去作战。"田令孜于是亲自用另外一个酒杯斟满酒赏赐郭琪。郭琪知道是毒酒，不得已，拜了两拜后把毒酒喝下去了。回到家，杀一女婢，吸吮她的血用来解毒，吐出数升黑汁，于是带领所辖部下作乱，二十一日丁卯，焚烧抢劫街坊市场。田令孜护着天子据守东城，闭了城门登上城楼，命令各路军攻打郭琪。郭琪带兵返回军营，陈敬瑄命令都押牙安金山带兵攻打郭琪，郭琪在夜里突围出去，奔往广都，跟随的兵士都溃散了，只有厅吏一人相随，在江边休息。郭琪对厅吏说："陈公知道我没有犯罪，然而军府受到惊扰，不可能不清除我而使军府安定下来。你侍奉我能够有始有终，现在有一个办法报答你。你带着我的印信和宝剑前往陈公那里，说：'郭琪逃跑渡江时，我用剑击杀他，落入水中，尸体随急流漂走了，获得他的印信和宝剑献给你。'陈公一定会根据你说的话，在坊市贴出告示、悬挂出印剑以安定军士们。你必当得到优厚的赏赐，我家里也能保证平安无忧。我从此前往广陵，投归高骈，过几天以后，你可以秘密地告诉我家里人知道。"于是就把印信和宝剑解下来交给厅吏，然后逃走了。厅吏把印剑献给了陈敬瑄，果然免除了郭琪家里人的罪责。

上日夕专与宦者同处，议天下事，待外臣㉒殊疏薄。庚午㉓，左拾遗孟昭图上疏，以为："治安之代，遐迩犹应同心，多难之时，中外㉔尤当一体。去冬车驾西幸，不告南司，遂使宰相、仆射以下悉为贼所屠㉕，独北司平善㉖。况今朝臣至者，皆冒死崎岖，远奉君亲，所宜自兹同休等戚㉗。伏见前夕黄头军作乱，陛下独与令孜、敬瑄及诸内臣闭城登楼，并不召王铎已下及收朝臣入城，翌日㉘，又不对宰相，又不宣慰朝臣。臣备位谏官，至今未知圣躬安否，况疏冗㉙乎！傥群臣不顾君上，罪固当诛；若陛下不恤群臣，于义安在！夫天下者，高祖、太宗之天下，非北司之天下；天子者，四海九州之天子，非北司之天子。北司未必尽可信，南司未必尽无用。岂天子与宰相了无关涉㉚，朝臣皆若路人！如此，恐收复之期，尚劳圣虑[17]，尸禄㉛之士，得以宴安。臣躬被宠荣，职在裨益㉜，虽遂事不谏㉝，而来者可追。"疏入，令孜屏不奏。辛未㉞，矫诏贬昭图嘉州司户，遣人沈于蟇颐津㉟，闻者气塞㊱而莫敢言。

【段旨】

以上为第七段，写宦官田令孜祸害西川。

【注释】

⑲⓪丙寅：七月二十日。⑲①土客都头：蜀军和从驾入蜀诸军的各部头领。⑲②俸料：俸金、禄米。⑲③觖望：抱怨。⑲④金创：中医名词，指硬金属如刀、箭对人体所致之创伤。⑲⑤丁卯：七月二十一日。⑲⑥广都：县名，县治在今四川成都市双流区东南。⑲⑦陈公：陈敬瑄。⑲⑧不可以莫之安也：不可以不使军府安定。⑲⑨无恙：无忧。引申为平安、完整。⑳⓪高公：指淮南节度使高骈，时驻节广陵。⑳①逸：逃亡。⑳②外臣：外廷之臣，即朝官。⑳③庚午：七月二十四日。⑳④中外：宫中与外廷。⑳⑤为贼所屠：指宰相豆卢瑑、崔沆，

僖宗一天到晚专门和宦官在一起，商议国家大事，对待外廷诸臣特别疏远淡薄。七月二十四日庚午，左拾遗孟昭图呈上奏疏，认为："太平的时代，远近还应当同心协力，多灾多难的时期，朝廷内外尤其应当团结一致。去年冬天皇上幸临蜀地，没有告诉南司宰相朝臣，于是使得宰相、仆射以下的官员全部被叛贼屠杀了，只有北司宦臣平安完好。何况现在朝臣到这里来的，都是冒着死亡的危险，经过崎岖道路，从很远来侍奉君亲，应当从此以后休戚与共。看到前晚黄头军作乱，陛下只和田令孜、陈敬瑄以及那些内侍诸臣关闭城门登上城楼，并不招呼王铎以下及其他朝臣入城，第二天，又未召对宰相，又不宣谕抚慰朝臣。我列位谏官，至今也不知道圣上是否安泰，何况那些疏远冗散的官吏呢！如果群臣不顾念君上，他们的罪过确实应当被杀；如果陛下不体恤群臣，那么理义又在哪里呢？现在的天下，是高祖、太宗的天下，不是北司宦臣的天下；天子，是四海九州的天子，不是北司宦臣的天子。北司宦臣未必全部可信，南朝官司未必全部无用。难道天子和宰相毫无关系，朝臣都陌如路人！这样下去，恐怕收复京师的时日，还要烦劳陛下思虑，而那些尸位素餐之人，却得以长享安乐。我受到陛下的宠信有幸被认为谏臣，职责在于裨补缺漏，虽然已完成的事不再劝谏，而对于未来的事还是会继续谏诤的。"奏疏送上去以后，田令孜把它放在一边，不上报僖宗。二十五日辛未，田令孜假传诏令贬孟昭图为嘉州司户，又派人在蟇颐津将孟昭图沉入江中淹死，听到这个消息的人感到义愤填膺，但没有人敢说话。

仆射于琮等被杀。⑳⑥ 平善：平安完好。⑳⑦ 同休等戚：即休戚与共。休戚，喜乐悲伤。⑳⑧ 翌日：明日。⑳⑨ 疏冗：指居于散位之官。㉑⓪ 了无关涉：全无关系。㉑① 尸禄：居位食禄而不做事。㉑② 职在裨益：职责在于裨补缺漏。㉑③ 遂事不谏：已完成之事不再劝谏。遂事，已经完成之事。语出《论语·八佾》。㉑④ 辛未：七月二十五日。㉑⑤ 蟇颐津：津渡名，在今四川眉山东。蟇，"蟆"的异体字。㉑⑥ 气塞：闷气。

【校记】

［16］月：原作"日"。据章钰校，十二行本、乙十一行本、孔天胤本皆作"月"，熊罗宿《胡刻资治通鉴校字记》同，今据改。［17］虑：据章钰校，十二行本、乙十一行本、孔天胤本皆作"宸"。

【原文】

鄜延节度使李孝昌、权夏州节度使拓跋思恭屯东渭桥，黄巢遣朱温拒之。

以义武节度使王处存为东南面行营招讨使，以邠宁节度副使朱玫为节度使。

八月己丑[217]夜，星交流如织，或大如杯碗[218]，至丁酉[219]乃止。

武宁节度使[220]支详遣牙将时溥[221]、陈璠将兵五千入关讨黄巢，二人皆详所奖拔[222]也。溥至东都，矫称详命，召师还与璠合兵，屠河阴，掠郑州而东。及彭城，详迎劳，犒赏甚厚。溥遣所亲说详曰："众心见迫，请公解印以相授。"详不能制，出居大彭馆，溥自知留务。璠谓溥曰："支仆射有惠于徐人，不杀，必成后悔。"溥不许，送详归朝。璠伏甲于七里亭[223]，并其家属杀之。诏以溥为武宁留后。溥表璠为宿州刺史。璠到官贪虐，溥以都将张友代还，杀之。

杨复光奏升蔡州为奉国军，以秦宗权为防御使。寿州屠者王绪与妹夫刘行全聚众五百，盗据本州。月余，复陷光州，自称将军，有众万余人，秦宗权表为光州刺史。固始县[224]佐[225]王潮[226]及弟审邽、审知[227]皆以材气知名，绪以潮为军正[228]，使典资粮，阅[229]士卒，信用之。

高浔与黄巢将李详战于石桥[230]，浔败，奔河中，详乘胜复取华州。巢以详为华州刺史。

以权知夏绥节度使拓跋思恭为节度使。

宗正少卿嗣曹王龟年自南诏还[231]，骠信上表款附[232]，请悉遵诏旨。

九月[18]，李孝昌、拓跋思恭与尚让、朱温战于东渭桥，不利，引去。

初，高骈与镇海节度使周宝俱出神策军，骈以兄事宝。及骈先贵有功，浸轻之[233]。既而封壤相邻[234]，数争细故，遂有隙。骈檄宝入援京师，宝治舟师[235]以俟之，怪其久不行，访诸幕客，或曰："高公幸朝廷多故，有并吞江东之志。声云入援，其实未必非图我也，宜为备。"宝未之信，使人觇骈，殊无北上意。会骈使人约宝面会瓜洲议军事，宝遂以言者为然，辞疾不往，且谓使者曰："吾非李康，高公复欲作家门功勋[236]以

【语译】

唐鄜延节度使李孝昌、代理夏州节度使拓跋思恭驻扎在东渭桥，黄巢派朱温抵御他们。

朝廷任命义武节度使王处存为东南面行营招讨使，任命邠宁节度副使朱玫为节度使。

八月十三日己丑夜晚，群星交流如织，有的大如杯子和碗，到二十一日丁酉才停止。

武宁节度使支详派遣牙将时溥、陈璠带领军队五千人入关讨伐黄巢，他们二人都是支详提拔起来的。时溥到达东都，假称支详的命令，将军队与陈璠合并在一起，屠灭河阴县，抢劫郑州后向东而去。到达彭城时，支详迎接慰劳，赏赐优厚。时溥派遣亲信劝支详说："迫于众人的心意，请您把大印解下来交给时溥。"支详不能制止，只好搬出军府住在大彭馆，时溥自己担任留后。陈璠对时溥说："支仆射对徐州有恩惠，不杀掉他，一定会后悔的。"时溥不答应，送支详回到朝廷中。陈璠在七里亭埋伏甲兵，将支详连同他的家属一起杀掉了。朝廷诏令时溥为武宁留后。时溥奏请陈璠为宿州刺史。陈璠上任后贪赃暴虐，时溥派都将张友替代陈璠，陈璠回徐州后被杀。

杨复光奏请升蔡州为奉国军，任命秦宗权为防御使。寿州屠夫王绪和妹夫刘行全聚集了五百人，占领了寿州。一个多月后，又攻陷光州，自称将军，拥有徒众一万多人，秦宗权表请王绪为光州刺史。固始县佐吏王潮和他的弟弟王审邽、王审知都由于有才气而闻名，王绪任用王潮为军正，叫王潮主管钱粮，巡视士卒，信任重用他。

唐昭仪节度使高浔率军和黄巢的将领李详在石桥交战，高浔失败，逃往河中，李详乘胜又夺取了华州。黄巢任命李详为华州刺史。

朝廷任命代理夏绥节度使的拓跋思恭为夏绥节度使。

唐宗正少卿嗣曹王李龟年从南诏回来，骠信上表诚心归附朝廷，请求一切都遵行诏旨。

九月，李孝昌、拓跋思恭和尚让、朱温在东渭桥交战，官军不利，退走。

当初，淮南节度使高骈和镇海节度使周宝都出自神策军，高骈把周宝当作兄长侍奉。等到高骈由于有功而先于周宝升任高官，逐渐看不起周宝。后来两人辖境相邻，多次为了一些小事争吵，于是有了矛盾。高骈发檄文给周宝叫他发兵援救京师，周宝准备船只和军队等待出发，对高骈久不出发感到奇怪，于是向幕客探求原因，有人说："高公希望朝廷多发生一些变故，想借机并吞江东。声称要去援救京师，其实未必不是打我们的主意，应当要防备他。"周宝不相信，派人察看高骈的情况，完全没有北上入援的意思。恰好高骈又派人约周宝在瓜洲会面，商量军事问题，周宝

欺朝廷邪！”骈怒，复遣使责宝：“何敢轻侮大臣！”宝诟之曰：“彼此夹江为节度使，汝为大臣，我岂坊门卒㉗邪！”由是遂为深仇。

骈留东塘百余日，诏屡趣之。骈上表，托以宝及浙东观察使刘汉宏将为后患。辛亥㉘，复罢兵还府，其实无赴难心，但欲禳雉集之异㉙耳。

高骈召石镜镇将董昌至广陵，欲与之俱击黄巢。昌将钱镠说昌曰：“观高公无讨贼心，不若以扞御乡里为辞而去之。”昌从之，骈听昌还。会杭州刺史路审中将之官，行至嘉兴㉚，昌自石镜引兵入据[19]杭州，审中惧而还。昌自称杭州都押牙，知州事，遣将吏请于周宝。宝不能制，表为杭州刺史。

临海㉛贼杜雄陷台州。

辛酉㉜，立皇子震为建王。

昭义十将成麟杀高浔㉝，引兵还据潞州。天井关戍将孟方立起兵攻麟，杀之。方立，邢州[20]人也。

忠武监军杨复光屯武功。

永嘉㉞贼朱褒陷温州。

凤翔行军司马李昌言将本军屯兴平㉟。时凤翔仓库虚竭㊱，犒赏稍薄，粮馈不继。昌言知府中兵少，因激怒其众。冬，十月，引军还袭府城。郑畋登城与士卒言，其众皆下马罗拜曰：“相公诚无负我曹。”畋曰：“行军苟能戢兵㊲爱人，为国灭贼，亦可以顺守㊳矣。”乃以留务委之，即日西赴行在。

天平节度使、南面招讨使曹全晸与贼战死，军中立其兄子存实为留后。

十一月乙巳㊴，孟楷、朱温袭鄜、夏二军㊵于富平，二军败，奔归本道。

郑畋至凤州㊶，累表辞位，诏以畋为太子少傅、分司。以李昌言为凤翔节度行营招讨使。

以门下侍郎、同平章事裴澈为鄂岳观察使。

加镇海节度使周宝同平章事。

遂昌㊷贼卢约陷处州。

才觉得幕客说的话是对的，借口有病不往瓜洲，并且对使者说：“我不是李康，高公还想在家族内建立功勋来欺骗朝廷吗！”高骈大怒，又派遣使者责备周宝：“你怎么敢轻视侮辱大臣！”周宝诟骂高骈说：“我们彼此隔着长江担任节度使，你是大臣，我难道是坊门的小卒吗！”从此两人结下了深仇。

高骈留在东塘一百多天，朝廷多次下诏催促他出兵。高骈上奏表，借口说周宝和浙东观察使刘汉宏将为后患。九月初六日辛亥，又罢兵返回扬州军府，其实高骈没有奔赴国难的心思，只是想消除雉鸡飞集府舍的灾异而已。

高骈叫石镜镇的将领董昌到广陵，想和他一起攻打黄巢。董昌的将领钱镠劝说董昌说：“看来高公没有讨贼的心意，不如用捍卫乡里为托词而离开他。”董昌听从了钱镠的意见，高骈就让董昌回到石镜镇。适逢杭州刺史路审中将要去杭州上任，走到嘉兴时，董昌从石镜带兵入据杭州，路审中害怕，退了回去。董昌自称杭州都押牙，掌管州中政事，派遣将吏向周宝请示。周宝不能制止，就上表推荐他为杭州刺史。

临海贼杜雄攻下了台州。

九月十六日辛酉，册立皇子李震为建王。

昭义镇十将成麟杀高浔，带兵回去据有潞州。天井关戍将孟方立起兵攻打成麟，杀了成麟。孟方立，是邢州人。

忠武军监军杨复光屯驻武功。

永嘉叛贼朱褒攻陷温州。

凤翔行军司马李昌言带领本军屯驻在兴平县。当时凤翔府仓库空虚，犒赏逐渐减少，粮饷也供应不上。李昌言知道节度使府兵员很少，因而故意激怒部下兵众。冬，十月，带兵返回袭击凤翔府城。郑畋登城和士卒说话，李昌言的士众都下马围着向郑畋下拜说：“相公实在是没有做对不起我们的事。”郑畋说：“行军司马假若能管束军队，爱护民众，为国灭贼，也是可以担任节度使的。”于是把留后的职务交给李昌言，自己当天就西行去僖宗那里。

天平节度使、南面招讨使曹全晸在和叛贼交战中死去，军中立他哥哥的儿子曹存实为留后。

十一月初一日乙巳，孟楷、朱温在富平袭击鄜、夏二军，二军战败，各自跑回本道。

郑畋到达凤州，连续上表辞职，僖宗下诏任命他为太子少傅、分司东都。朝廷任命李昌言为凤翔节度行营招讨使。

任命门下侍郎、同平章事裴澈为鄂岳观察使。

加授镇海节度使周宝同平章事。

遂昌县叛贼卢约攻陷处州。

十二月，江西将闵勖㉓戍湖南，还，过潭州，逐观察使李裕，自为留后。

以感化留后时溥为节度使。

赐夏州㉔号定难军。

初，高骈镇荆南㉕，补武陵蛮雷满为牙将，领蛮军，从骈至淮南，逃归，聚众千人，袭朗州，杀刺史崔翥，诏以满为朗州留后。岁中㉖，率三四引兵寇荆南，入其郛㉗，焚掠而去，大为荆人之患。

陬溪人周岳尝与满猎，争肉而斗，欲杀满，不果。闻满据朗州，亦聚众袭衡州，逐刺史徐颢，诏以岳为衡州刺史。石门㉘洞[21]蛮向瓌亦集夷獠数千攻陷澧州，杀刺史吕自牧，自称刺史。

王铎以高骈为诸道都统无心讨贼，自以身为首相，发愤请行，恳款㉙流涕，至于再三，上许之。

【段旨】

以上为第八段，写官军诸镇讨贼，不尽心国是，却野心日增，养成骄兵悍将，祸国殃民。

【注释】

㉑己丑：八月十三日。㉒碗：盛饭等的餐具。㉓丁酉：八月二十一日。㉔武宁节度使：〖按〗《新唐书·方镇表二》谓咸通十一年（公元八七〇年）“置徐泗观察使，寻赐号感化军节度使”，自此迄于唐亡，未曾复武宁旧称，故武宁当作“感化”，《通鉴》误。详见胡三省注。㉑时溥（？至公元八九三年）：徐州彭城（今江苏徐州）人，初为武宁军牙将，后军乱，遂为节度使。镇压黄巢军有功，拜蔡州行营兵马都统。在与朱全忠争战中失败，自焚而死。传见《旧唐书》卷一百八十二、《新唐书》卷一百八十八。㉒奖拔：奖励提拔。㉓七里亭：地名，在今江苏徐州西北，离城七里，故名。㉔固始县：县名，县治在今河南固始。㉕佐：佐吏；属吏。㉖王潮：字信臣，光州固始（今河南固始）人，初为县吏，参加王绪军任军正，不久被推为将军，据有福建五州之地，昭宗任为观察使。召还流民，定赋劝农，人赖以安。传见《新唐书》卷一百九十。㉗审邽、审知：同为王潮之弟。审邽任泉州刺史，审知在王潮病时权知节度。二人事附《王潮传》。㉘军正：官名，军中

十二月，江西将领闵勖戍守湖南，返回江西时，经过潭州，赶走了潭州观察使李裕，自己担任江西留后。

朝廷任命感化军留后时溥为节度使。

唐僖宗赐夏州称为定难军。

当初，高骈镇守荆南时，补授武陵蛮人雷满为牙将，带领蛮军，跟随高骈来到淮南道，后来雷满逃了回去，聚集了兵众一千人，袭击朗州，杀了刺史崔翥，朝廷下诏任命雷满为朗州留后。在一年中，雷满大概有三四次带兵侵扰荆南，进入荆南外城，焚烧抢掠后离去，成为荆州地区的大患。

陬溪人周岳曾经和雷满一起打猎，因争夺猎物而发生打斗，周岳想杀雷满，没有成功。听说雷满据有朗州，周岳也聚集士众袭击衡州，驱逐了刺史徐颢，朝廷下诏任命周岳为衡州刺史。石门洞蛮向瓌也聚集夷獠数千人攻陷澧州，杀死了刺史吕自牧，自称刺史。

王铎认为高骈担任诸道都统无心讨贼，自己觉得身为宰相，于是向僖宗发誓，请求亲自前去讨贼，其言恳切真诚，竟流下了眼泪，并再三恳求，僖宗最终答应了。

执法之官。㉙阅：检视；巡视。㉚石桥：地名，在今陕西渭南市华州区西。㉛自南诏还：嗣曹王李龟年，广明元年（公元八八〇年）出使南诏。事见本书卷二百五十三僖宗广明元年六月。㉜款附：诚心归附。㉝浸轻之：逐渐看不起周宝。㉞封壤相邻：淮南节度使与镇海军疆土相邻，以长江为界。封壤，封疆、疆界。㉟舟师：水军。㊱作家门功勋：指高崇文斩东川节度使李康。事见本书卷第二百三十七宪宗元和元年。家门，家族。高崇文乃高骈之祖。㊲坊门卒：长安城居住区共一百零六坊，坊皆有墙有门，门皆有守卒。㊳辛亥：九月初六日。㊴禳雉集之异：发兵出城，屯于东塘，应雉集城空之异兆，以消除此灾。㊵嘉兴：县名，县治在今浙江嘉兴西南。㊶临海：县名，县治在今浙江临海。㊷辛酉：九月十六日。㊸成麟杀高浔：因高浔石桥战败而杀之。此为借口，实欲自任节度使。㊹永嘉：县名，县治在今浙江温州。㊺兴平：县名，县治在今陕西兴平。㊻虚竭：空虚，一无所有。㊼戢兵：本义息兵。此为收敛约束士兵。㊽顺守：以武力夺天下为逆取，以文教治天下为顺守。此引申为以武力逐帅为逆取，讨贼立功而任节度使为顺守。㊾乙巳：十一月一日。㊿鄜、夏二军：即李孝昌鄜延之兵与拓跋思恭夏绥之兵。(251)凤州：州名，治所梁泉，在今陕西凤县东北。(252)遂昌：县名，县治在今浙江遂昌。(253)闵勖：《新唐书·僖宗纪》及散见之处皆作“闵顼”。(254)夏州：即夏绥节度使，驻节夏州，故又称夏州节度使。(255)高骈镇荆南：事在僖宗乾符五年（公元八七八年）。(256)岁中：一年之中。(257)郛：古代指城外面围着的大城。(258)石门：县名，县治在今湖南石门。(259)恳款：诚恳；恳切。

【校记】

［18］九月：原无此二字。据章钰校，十二行本、乙十一行本、孔天胤本皆有此二字，张瑛《通鉴校勘记》同，今据补。［19］据：原无此字。据章钰校，十二行本、乙十一行本、孔天胤本皆有此字，张敦仁《通鉴刊本识误》同，今据补。［20］邢州：原作“洴

【原文】

二年（壬寅，公元八八二年）

春，正月辛亥[260]，以王铎兼中书令，充诸道行营都都统，权知义成节度使，俟罢兵复还政府[261]。高骈但领盐铁转运使[262]，罢其都统及诸使。听王铎自辟将佐，以太子少师崔安潜为副都统。辛未[263]，以周岌、王重荣为都都统左右司马，诸葛爽及宣武节度使康实为左右先锋使，时溥为催遣纲运租赋防遏使[264]。以右神策观军容使西门思恭为诸道行营都都监。又以王处存、李孝昌、拓跋思恭为京城东北西面都统，以杨复光为南面行营都监使。又以中书舍人郑昌图为义成节度行军司马，给事中郑畯为判官，直弘文馆王抟[265]为推官，司勋员外郎裴贽[266]为掌书记。昌图，从谠之从祖兄弟。畯，畋之弟。抟，玙[267]之曾孙。贽，坦之子也。又以陕虢观察使王重盈为东面都供军使。重盈，重荣之兄也。

黄巢以朱温为同州刺史，令温自取之。二月，同州刺史米诚奔河中，温遂据之。

己卯[268]，以太子少傅、分司郑畋为司空兼门下侍郎、同平章事，召诣行在，军务一以咨之。以王铎判户部事。

朱温寇河中，王重荣击败之。

以李昌言为京城西面都统，朱玫为河南[269]都统。

泾原节度使胡公素薨，军中请命于都统王铎，承制以大将张钧为留后。

李克用寇蔚州。三月，振武节度使契苾璋奏与天德、大同共讨克用。诏郑从谠与相知[270]应接。

州”。据章钰校，十二行本、乙十一行本、孔天胤本皆作“邢州”，张敦仁《通鉴刊本识误》同，今据改。〖按〗《新唐书》卷一百八十七《孟方立传》载方立为邢州人。[21]洞：原无此字。据章钰校，十二行本、乙十一行本、孔天胤本皆有此字，张敦仁《通鉴刊本识误》同，今据补。

【语译】

二年（壬寅，公元八八二年）

春，正月初八日辛亥，朝廷任命王铎兼中书令，充任诸道行营都都统，暂时代理义成节度使，等到讨贼成功罢兵以后再返回政事堂任宰相。高骈只兼领盐铁转运使，免去都统和其他诸使职务。听任王铎自己聘用将佐，任命太子少师崔安潜为副都统。二十八日辛未，朝廷任命周岌和王重荣为都都统左右司马，诸葛爽和宣武节度使康实为左右先锋使，时溥为催遣纲运租赋防遏使。任命右神策观军容使西门思恭为诸道行营都都监。又分别任命王处存、李孝昌、拓跋思恭为京城东、北、西面都统，任命杨复光为南面行营都监使。又任命中书舍人郑昌图为义成节度行军司马，给事中郑畯为判官，直弘文馆王抟为推官，司勋员外郎裴贽为掌书记。郑昌图，是郑从谠的从祖兄弟。郑畯，是郑畋的弟弟。王抟，是王玙的曾孙。裴贽，是裴坦的儿子。又任命陕虢观察使王重盈为东面都供军使。王重盈，是王重荣的哥哥。

黄巢任命朱温为同州刺史，命令朱温自己夺取同州上任。二月，同州刺史米诚逃往河中，朱温于是占领了同州。

二月初六日己卯，任命太子少傅、分司东都郑畋为司空兼门下侍郎、同平章事，召他前往僖宗住处，军事方面的事务都要征询他的意见。任命王铎判户部事。

朱温侵扰河中府，王重荣打败了他。

朝廷任命李昌言为京城西面都统，朱玫为河南都统。

唐泾原节度使胡公素去世，军中向都统王铎请示，秉承皇上旨意任命大将张钧为留后。

李克用侵扰蔚州。三月，振武节度使契苾璋奏请与天德、大同共同讨伐李克用。朝廷诏令郑从谠和他们互相联络接应。

陈敬瑄多遣人历县镇诇事，谓之寻事人，所至多所求取。有二人过资阳镇[271]，独无所求。镇将[272]谢弘让邀之，不至。自疑有罪，夜亡入群盗中。明旦，二人去，弘让实无罪也。捕盗使杨迁诱弘让出首[273]，而执以送使[274]，云讨击擒获，以求功。敬瑄不之问，杖弘让脊二十，钉于西城二七日[275]，煎油泼之，又以胶麻[276]掣其疮，备极惨酷，见者冤之。又有邛州牙官阡能，因公事违期，避杖，亡命为盗，杨迁复诱之。能方出首，闻弘让之冤，大骂杨迁，发愤为盗，驱掠良民，不从者举家杀之，逾月，众至万人，立部伍，署职级[277]，横行邛、雅二州间，攻陷城邑，所过涂地。先是，蜀中少盗贼，自是纷纷竞起，州县不能制。敬瑄遣牙将杨行迁将三千人，胡洪略、莫匡时各将二千人以讨之。

【段旨】

以上为第九段，写西川节度使陈敬瑄驱良为盗。

【注释】

㉖⓪辛亥：正月初八日。㉖①政府：唐时称宰相治理政务之处为政府，即政事堂。㉖②但领盐铁转运使：淮南为南北交通要冲，故仍保留高骈盐铁转运使之职。㉖③辛未：正月二十八日。㉖④时溥为催遣纲运租赋防遏使：江南纲运，自江淮而来，皆由徐州境内通过，故以时溥任此职。㉖⑤王抟：字昭义，历任苏州刺史、户部侍郎判度支。昭宗乾宁初拜相。后贬溪州刺史，又贬崖州司户，赐死。传见《新唐书》卷一百十六。㉖⑥裴贽：字敬

【原文】

以右神策将军齐克俭为左右神策内外八镇兼博野、奉天节度使。

赐鄜坊军号保大。

夏，四月甲午[278]，加陈敬瑄兼侍中。

赫连铎、李可举与李克用战，不利。

初，高骈好神仙，有方士吕用之坐妖党亡命归骈，骈厚待之，补

西川节度使陈敬瑄派遣很多人到各县、镇探听阴事，称这些人为寻事人，他们所到之处，多所求取。有两个寻事人经过资阳镇，独独没有索要东西。镇将谢弘让邀请他们，也不到。镇将自己恐有得罪，晚上逃到群盗中去了。第二天早晨，二寻事人离去，谢弘让的确没有什么罪。捕盗使杨迁诱骗谢弘让出来自首时，把谢弘让抓起来送交节度使府，说是在讨伐中抓到的，想以此求取功劳。陈敬瑄不加审问，用刑杖打了谢弘让二十下，钉在西城十四天，把油烧热浇泼他，又用胶麻抽扯他的疮口，刑法极其残酷，看到的人都认为谢弘让冤枉。又有邛州牙官阡能，因为办公事超过了预定日期，为了躲避杖刑，逃亡做了强盗，杨迁又去诱骗他。阡能正要出来自首，听到了谢弘让的冤枉事，大骂杨迁，发愤去当强盗，驱掠良民，不服从的人就把他全家杀掉，过一个多月，兵众达到一万人，建立了军事组织，设置各级官吏，横行于邛、雅二州之间，攻占城镇和乡邑，他们经过的地方死伤遍地。此前，蜀中少有盗贼，从这以后竞相为盗，州县不能制止。陈敬瑄派遣牙将杨行迁带领三千人，胡洪略、莫匡时各带领二千人前去讨伐阡能。

臣，历任右补阙、御史中丞、刑部尚书。昭宗拜为宰相。朱全忠谋篡位，贬赞青州司户，杀之。传见《新唐书》卷一百八十二。㉖⑦ 玙：王玙，历仕唐玄宗、肃宗二朝，任祠祭使、太常卿。以言鬼神之事有宠于唐肃宗，位至宰相。传见《旧唐书》卷二百三十、《新唐书》卷一百九。㉖⑧ 己卯：二月初六日。㉖⑨ 河南：指今陕西大荔朝邑镇与山西永济蒲州镇之间黄河西岸。因黄河在此局部流向东南，古称南岸。㉗⓪ 相知：互相联络。时郑从谠为河东节度使，故有此诏。㉗① 资阳镇：镇名，在今四川资阳东。㉗② 镇将：官名，掌一镇治安。㉗③ 出首：自首。㉗④ 送使：送往节度使府。㉗⑤ 二七日：十四天。㉗⑥ 胶麻：涂胶的麻布。㉗⑦ 职级：牙前将吏自押牙、孔目官以下，分职各有等级。

【语译】

朝廷任命右神策将军齐克俭为左右神策内外八镇兼博野、奉天节度使。

朝廷赐鄜坊军号称保大军。

夏，四月二十二日甲午，朝廷加授陈敬瑄兼侍中官衔。

赫连铎、李可举与李克用交战，没有获胜。

当初，高骈喜好神仙之术，有方士吕用之因为参与妖党事发的牵连，逃命到高

以军职。用之，鄱阳㉗⑨茶商之子也，久客广陵，熟其人情，炉鼎㉘⓪之暇，颇言公私利病，故[22]骈愈[23]奇之，稍加信任。骈旧将梁缵、陈珙、冯绶、董瑾、俞公楚、姚归礼素为骈所厚，用之欲专权，浸以计去之。骈遂夺缵兵，族珙家，绶、瑾、公楚、归礼咸见疏。

用之又引其党张守一、诸葛殷共蛊惑骈。守一本沧、景村民，以术干骈，无所遇，穷困甚。用之谓曰："但与吾同心，勿忧不富贵。"遂荐于骈，骈宠待埒于用之。殷始自鄱阳来，用之先言于骈曰："玉皇㉘①以公职事繁重，辍左右尊神一人佐公为理，公善遇之。欲其久留，亦可縻㉘②以人间重职。"明日，殷谒见，诡辩风生，骈以为神，补盐铁剧职㉘③。骈严洁，甥侄辈未尝得接坐㉘④。殷病风疽㉘⑤，搔扪不替手㉘⑥，脓血满爪，骈独与之同席促膝，传杯器而食。左右以为言，骈曰："神仙以此试人耳。"骈有畜犬，闻其腥秽，多来近之。骈怪之，殷笑曰："殷尝于玉皇前见之，别来数百年，犹相识。"骈与郑畋有隙，用之谓骈曰："宰相有遣剑客来刺公者，今夕至矣。"骈大惧，问计安出。用之曰："张先生尝学斯术，可以御之。"骈请于守一，守一许诺。乃使骈衣妇人之服，潜于他室。而守一代居骈寝榻中，夜掷铜器于阶，令铿然有声。又密以囊盛彘㉘⑦血，洒于庭宇㉘⑧，如格斗之状。及旦，笑谓骈曰："几落奴手！"骈泣谢曰："先生于骈，乃更生㉘⑨之惠也！"厚酬以金宝。有萧胜者，赂用之，求盐城监㉙⓪，骈有难色。用之曰："用之非为胜也，近得上仙书云，有宝[24]剑在盐城井中，须一灵官㉙①往取之。以胜上仙左右之人，欲使取剑耳。"骈乃许之。胜至监数月，函一铜匕首㉙②以献，用之见，稽首曰："此北帝㉙③所佩，得之，则百里之内五兵㉙④不能犯。"骈乃饰以珠玉，常置坐隅。用之自谓磻溪㉙⑤真君，谓守一乃赤松子㉙⑥，殷乃葛将军，胜乃秦穆公之婿㉙⑦也。

用之又刻青石为奇字㉙⑧云："玉皇授白云先生高骈。"密令左右置道院香案。骈得之，惊喜。用之曰："玉皇以公焚修功著㉙⑨，将补真官㉚⓪，

骈这里，高骈对待他礼遇优厚，补授军队官职。吕用之是鄱阳茶商家的儿子，长期客居广陵，熟悉广陵地方的人情世故，在炼丹制药的暇隙中，谈了很多关于官场和私家的利弊得失，所以高骈更加感到他是一个奇才，逐渐信任他。高骈的旧将梁缵、陈珙、冯绶、董瑾、俞公楚、姚归礼向来得到高骈的厚待，吕用之想独揽大权，用计谋逐渐把他们除掉。于是高骈夺了梁缵的兵权，族灭了陈珙一家人，冯绶、董瑾、俞公楚和姚归礼都被高骈疏远了。

吕用之又带领同党张守一和诸葛殷一起蛊惑高骈。张守一本来是沧州和景州之间的村民，曾用方术向高骈寻求进取，没有被接待，穷困到了极点。吕用之对张守一说："只要与我同心，不用担心不会富贵。"于是向高骈推荐张守一，高骈宠爱张守一如同对待吕用之一样。诸葛殷最初从鄱阳县来的时候，吕用之预先对高骈说："玉皇大帝认为你的职务太繁重了，派左右尊神一人辅助你治理政事，你要好好地对待他。如果想要他长久留下来，可以用人间的重要职务来系住他。"第二天，诸葛殷进见高骈，诡辩迅捷，谈笑风生，高骈认为他是神仙，补授盐铁要职。高骈特别爱清洁，外甥侄儿这班人未曾和他同席坐过。诸葛殷得了恶疮，手抓摸不停，手指沾满了脓和血，高骈独独和他同席挨在一起，互相传递杯盘饮宴。身边的侍从向高骈报告这个情况，高骈说："这是神仙用这种样子来考验我罢了。"高骈养了一条狗，闻到诸葛殷身上的腥秽，常常来靠近诸葛殷。高骈见了感到奇怪，诸葛殷笑着说："我曾经在玉皇大帝座前见过这只狗，分别以来有了几百年，还互相认识。"高骈和郑畋有仇隙，吕用之对高骈说："宰相有派剑客前来刺杀你，今夜就要到了。"高骈大为恐惧，问吕用之有什么计策，吕用之说："张先生曾经学过这种本领，可以抵御刺客。"高骈就去请张守一，张守一答应了。于是叫高骈穿上妇人的衣服，暗藏在另外一间房子里。而张守一替换他处在高骈的床榻中，夜里把铜器抛掷在台阶上，使它发出铿铿的声音。又暗地里用袋子盛着猪血，洒在庭院中，做出进行过格斗的样子。到第二天早晨，笑着对高骈说："几乎败落在奴才手里！"高骈流着泪感谢说："先生对于我来说，是再生的大恩人了！"用金银财宝厚赏张守一。有个叫萧胜的人，贿赂吕用之，请求担任盐城监，高骈表示出为难的样子。吕用之说："我吕用之不是为了萧胜，近来得到上仙的书信说，有一柄宝剑在盐城井中，需要一位仙官前往取出来。因为萧胜是上仙身边的人，想叫他去取剑罢了。"高骈于是答应了。萧胜到盐城监几个月后，用盒子装着一把铜匕首献给高骈，吕用之看到了，磕着头说："这是北帝佩带的，得到了它，那么在一百里以内各种兵器都不能侵犯。"高骈于是用珠玉来装饰它，常常摆在座位旁边。吕用之自称为磻溪真君，称张守一为赤松子，诸葛殷为葛将军，萧胜是秦穆公的女婿。

吕用之又在青石上刻着奇字说："玉皇授白云先生高骈。"秘密叫左右的人把它放在道院香案上。高骈得到了青石，又惊又喜。吕用之说："玉皇大帝认为你焚香修

计鸾鹤不日当降此际。用之等谪限[301]亦满，必得陪幢节[302]，同归上清[303]耳。”是后，骈于道院庭中刻木鹤，时著羽服[304]跨之，日夕斋醮[305]，炼金烧丹，费以巨万计。

用之微时[306]，依止[307]江阳[308]后土庙[309]，举动祈祷[310]。及得志，白骈崇大[311]其庙，极江南工材[312]之选，每军旅大事，以少牢[313]祷之。用之又言神仙好楼居，说骈作迎仙楼，费十五万缗。又作延和阁，高八丈。

用之每对骈呵叱[314]风雨，仰揖空际，云有神仙过云表[315]，骈辄随而拜之。然常厚赂骈左右，使伺骈动静，共为欺罔，骈不之寤。左右小有异议者，辄为用之陷死不旋踵[316]，但潜抚膺鸣指[317]，口不敢言。骈倚用之如左右手，公私大小之事皆决于用之。退贤进不肖，淫刑滥赏，骈之政事于是大坏矣。

用之知上下怨愤，恐有窃发[318]，请置巡察使。骈即以用之领之，募险狯[319]者百余人，纵横闾巷间，谓之“察子”，民间呵妻詈子，靡不知之。用之欲夺人货[25]财，掠人妇女，辄诬以叛逆，搒掠[320]取服[321]，杀其人而取之，所破灭者数百家，道路以目，将吏士民虽家居，皆重足[322]屏气。

用之又欲以兵威胁制[323]诸将，请选募诸军骁勇之士二万人，号左、右莫邪都[324]。骈即以张守一及用之为左、右莫邪军使，署置将吏如帅府，器械精利，衣装华洁，每出入，导从[325]近千人。

用之侍妾百余人，自奉[326]奢靡，用度不足，辄留三司纲[327]输其家。

用之犹虑人泄其奸谋，乃言于骈曰：“神仙不难致，但恨学道[26]者不能绝俗累[328]，故不肯降临耳。”骈乃悉去姬妾[27]，谢绝人事，宾客、将吏皆不得见。有不得已见之者，皆先令沐浴斋祓[329]，然后见，拜起才毕，已复引出。由是用之得专行威福，无所忌惮，境内不复知有骈矣。

王铎将两川、兴元之军屯灵感寺，泾原屯京西，易定、河中屯渭北，邠宁、凤翔屯兴平，保大、定难屯渭桥，忠武屯武功，官军四集。

行功德显著，将要补授仙官，估计鸾鹤不久应该下降到这里。我吕用之等人谪降人间的期限也快到了，一定能够陪同你，一同回到上清仙境去。”此后，高骈在道院庭中雕刻木鹤，时常穿着羽毛装饰的衣服骑坐在木鹤上，早晚斋戒祭神，烧炼金丹，花费以亿万计。

吕用之微贱时，居住在江阳县的后土庙，一举一动先要祈祷。等到得志以后，告诉高骈把这个庙修高加大，用江南最好的工匠和最好的材料来修庙，每有军旅大事，就用猪、羊祭祷。吕用之又说神仙喜欢居住在楼上，劝说高骈修建迎仙楼，花费了十五万串钱。又建造延和阁，高八丈。

吕用之常常在高骈面前呼风唤雨，抬头向空中作揖，说是有神仙经过云中，高骈立即跟着揖拜天空。吕用之常常重赂高骈身边的人，叫他们伺察高骈的动静，一起进行欺诈，高骈没有醒悟。身边的人稍有不同的意见，立即被吕用之陷害而死，其他的人气得只能暗地捶胸弹指，不敢说出来，高骈依靠吕用之如左右手一样，公私大小事情都由吕用之裁决。屏退贤能的人，进用不肖之徒，过分使用刑罚，随意进行奖赏，高骈的政务因此受到极大的破坏。

吕用之知道军府上上下下的人都怨恨他，担心有人暗中告发，便请求设置巡察使。高骈就让吕用之兼任这项职务，招募了一百多个阴险狡狯的人，在闾巷之间横行，称他们为“察子”，民间呵妻骂子，没有他不知道的。吕用之想夺取别人的货财，抢掠妇女，就诬陷他们反叛，严刑拷打，使人服罪，然后杀死当事人而夺取所要的东西，广陵城中被吕用之破灭的有数百家，致使道路上行人相见只是用眼睛示意，不敢说话，将吏士民虽待在家里，都迭足而立，不敢出气。

吕用之又想用兵力来挟制诸将，请求在各处军队中选募骁勇的士兵二万人，名为左、右莫邪都。高骈就派张守一和吕用之为左、右莫邪军使，设置任命的将吏如同节度使府，武器军械精良锋利，衣服装备华丽整洁，每次出入时，前呼后拥的护卫人员接近一千名。

吕用之的侍从姬妾有一百多人，自己的生活供养奢侈华靡，用费不够时，就扣留三司运往京师的钱物，运送到自己家里。

吕用之还忧虑别人泄露他的奸谋，于是对高骈说：“要神仙到来并不难，只遗憾学道的人不能断绝世俗的拖累，所以神仙就不肯降临。”于是高骈就让姬妾全部离开，谢绝人事，宾客和将吏都不能见到他。有不得已要接见的，都先叫他们洗澡，斋戒祈福，然后接见，拜揖刚完，便被带出。因此吕用之得以擅作威福，肆无忌惮，辖境之内不再知道有高骈的存在了。

王铎率领两川和兴元的军队屯驻在灵感寺，泾原军屯驻在京西，易定军和河中军屯驻在渭北，邠宁军和凤翔军屯驻在兴平，保大军和定难军屯驻在渭桥，忠武军屯驻在武功，官军从四面八方集中。黄巢的势力已大大缩小，号令所行超不出同州

黄巢势已[28]蹙，号令所行不出同、华㉚。民避乱皆入深山筑栅自保，农事俱废，长安城中斗米直三十缗。贼买[29]人于官军以为粮，官军或执山寨[30]之民鬻之，人直数百缗，以肥瘠论价。

【段旨】

以上为第十段，写高骈好神仙，受奸邪巫师控制。

【注释】

㉗⑧ 甲午：四月二十二日。㉗⑨ 鄱阳：县名，县治在今江西鄱阳。㉘⓪ 炉鼎：指方士炼丹。㉘① 玉皇：道家谓天帝为玉皇大帝。㉘② 縻：羁縻；笼络。㉘③ 剧职：重要的职务。㉘④ 接坐：同席而坐。㉘⑤ 风疽：疠疮；恶疮。㉘⑥ 搔扪不替手：抓痒搔摩不停手。㉘⑦ 彘：猪。㉘⑧ 庭宇：庭院。㉘⑨ 更生：再生；重新获得生命。㉙⓪ 盐城监：官名，盐城县南有盐亭，为海岸煮盐之所，置监以管盐亭一百二十三座。盐城县治在今江苏盐城。㉙① 灵官：仙官。㉙② 函一铜匕首：将一把铜匕首装入匣中。㉙③ 北帝：北方黑帝，五天帝之一。㉙④ 五兵：五种兵器。说法不一，《汉书》云“矛、戟、弓、剑、戈”。㉙⑤ 磻溪：水名，在今陕西宝鸡东南。传说吕尚（姜太公）钓鱼之处。用之姓吕，故附会以为仙。㉙⑥ 赤松子：神农时雨师，传说中的仙人。㉙⑦ 秦穆公之婿：即萧史，善吹箫，秦穆公以女弄玉嫁之。后夫妻二人乘龙凤升天。萧胜亦以姓附会。㉙⑧ 奇字：王莽时六书之一，据战国文字改编而成。㉙⑨ 焚修功著：焚香修行功德显著。㉚⓪ 真官：仙官，即有官职的仙人。㉚① 谪限：仙人谪降人间的期限。㉚② 幢节：旌旗符节，为节度使的仪仗。此指高骈。㉚③ 上清：道教以为在人界、天界之外，还有三清仙境，为太清、玉清、上清三界，均仙人居住之处。㉚④ 羽服：用鸟的羽毛织成的衣服。此谓高骈幻想穿上羽服即可像鸟一样飞上天堂。㉚⑤ 斋醮：斋戒祭神，是道教设坛祈祷的一种仪式。醮，祭祀。㉚⑥ 微时：未显贵之时。㉚⑦ 依止：依傍栖息；居处。㉚⑧ 江阳：县名，县治在今江苏扬州。㉚⑨ 后土庙：土神庙。在扬州城东南。㉛⓪ 举动祈祷：一举一动先要祈祷。㉛① 崇大：修高加大。㉛② 工材：工料。㉛③ 少牢：用猪、羊祭祀称少牢。㉛④ 呵叱：呼唤。㉛⑤ 云表：云外。㉛⑥ 不旋踵：来不及转动脚跟，形容迅速。㉛⑦ 但潜抚膺鸣指：憎恨吕用之的人，只能暗地里捶胸弹指，敢怒不敢言。潜，暗中，偷偷的。抚膺，捶胸。气愤之状。鸣指，弹指。㉛⑧ 窃发：暗中告发。㉛⑨ 险狯：险恶奸猾。㉜⓪ 搒掠：拷打。㉜① 取服：使人服罪。㉜② 重足：迭足而立，不敢移动，形容恐惧。㉜③ 胁制：强迫；控制。㉜④ 莫邪都：以宝剑莫邪之名命其军，取其锐利之意。㉜⑤ 导从：前呼后拥的侍卫人员。㉜⑥ 自奉：自己的生活供养。㉜⑦ 留三司纲：扣留户部、度支、盐铁三司从淮南发往朝

和华州。民众避乱，都逃入深山，筑起栅寨自卫，农事全都荒废了，在长安城中一斗米价值要三十串钱。叛贼向官军买人口当作粮食，官军中有的人抓来山寨中的民众卖给他们，一个人值数百串钱，根据肥瘦论价。

廷的财物。㉘绝俗累：断绝世俗的拖累。俗累，指生活琐事。㉙斋祓：斋戒祈福。㉚号令所行不出同、华：时黄巢大将朱温占据同州，李详占据华州，其余地方非巢所有，故号令只行此二州。

【校记】

［22］故：据章钰校，十二行本、乙十一行本皆无此字，张敦仁《通鉴刊本识误》同。［23］愈：据章钰校，十二行本、乙十一行本皆作“益”，张敦仁《通鉴刊本识误》同。［24］宝：原作“官”。据章钰校，十二行本、乙十一行本、孔天胤本皆作“宝”，熊罗宿《胡刻资治通鉴校字记》同，今据改。［25］货：据章钰校，十二行本、乙十一行本皆作“赀”。［26］道：原无此字。据章钰校，十二行本、乙十一行本、孔天胤本皆有此字，今据补。［27］姬妾：原作“宾客”。据章钰校，十二行本、乙十一行本、孔天胤本皆作“姬妾”，今据改。［28］已：据章钰校，十二行本作“日”。［29］买：原误作“卖”。据章钰校，十二行本、乙十一行本、孔天胤本皆作“买”，张敦仁《通鉴刊本识误》同，今据改。［30］寨：据章钰校，十二行本、乙十一行本、孔天胤本皆作“栅”。

【研析】

本卷研析僖宗入蜀前前后后的政治事件，着重讨论三件：黄巢入长安，郑畋阻击黄巢，田令孜为害西川。

第一，黄巢入长安。僖宗广明元年（公元八八〇年）十二月，黄巢入长安。十二月五日，田令孜率神策军五百人拥僖宗奔成都，军士抢劫府库。同日，黄巢先锋将柴存入长安，唐金吾大将军张直方率文武数十人迎黄巢于霸上。黄巢乘金装肩舆入城，长安居民夹道聚观。尚让告谕市民说：“黄王起兵，本为百姓，不像李氏不爱百姓，众百姓安居不要害怕。”黄巢军士，看见贫苦市民，往往施舍，而抓到当官的，捉一个杀一个，捉两个杀一双。皇帝李氏子孙，留在长安的全部被杀灭。十二月十三日，黄巢称帝，国号大齐，改元金统，以妻曹氏为皇后。以尚让、赵璋、崔璆、杨希古为宰相，孟楷、盖洪为左右军中尉，朱温、张言、李逵等为诸卫大将军、四面游弈使，皮日休为翰林学士，王播为京兆尹。唐朝官吏四品以上停职，四品以下留任。黄巢从公元八七八年三月渡江南下，到公元八八〇年十二月入长安建立大齐农民政权，转战数万里，历时仅两年又十个月，这是起义军发展最极盛的时期。

第二，郑畋阻击黄巢。唐僖宗西逃入蜀，敕令凤翔节度使郑畋阻击黄巢，可便宜从事。凤翔监军袁敬柔接受黄巢的招降，设宴款待黄巢的使者，凤翔的将官都悲伤哭泣。郑畋当时得了中风病，没有参加宴会。郑畋听到将佐哭泣的消息，感慨地说："人心尚未厌弃唐朝，贼人要不了多久就会被消灭。"郑畋刺破手指写血表上奏朝廷，召集将佐晓谕忠义，又刺血立誓，激励将士，然后修守备、训士卒，军势大振。朝廷任用郑畋为京城四面诸军行营都统，授予郑畋用墨敕任用将官的特殊职权。驻守关中各地的神策军都接受郑畋的指挥。黄巢派尚让、王播领兵五万来攻凤翔，尚让认为郑畋是书生不懂军事，骄傲轻敌，被郑畋打得大败。郑畋阻止了黄巢向西发展，并传檄诸道，各镇响应，合兵围困长安。黄巢流动作战，有效打击唐官兵，这是好事。但不建立根据地，一味流动作战，犯了致命的错误。正如王夫之所说："黄巢之易使坐毙也，非禄山、朱泚之比也。"安禄山根植于幽、燕，收地二千余里，有后勤补给。朱泚为逆，有朱滔在卢龙为外援，李纳、王武俊与之为唇齿，尚且相继败亡。而黄巢攻陷广州随后丢弃，践踏湖、湘随后丢弃，渡江、淮随后丢弃，甚至攻破东都也不留兵防守，数十万大军全部进入长安，实际上全部钻入了唐官军的口袋。郑畋振臂一呼，官军四集。郑畋据盩厔，泾原镇兵据渭北，河中镇兵据沙苑，易定镇兵据渭桥，鄜延、忠武二镇兵据武功，邠宁镇兵据兴平。黄巢称帝，很快腐化，醉生梦死，几十万起义士兵本是朴素的农民，为了推翻腐败的唐朝，他们义无反顾追随黄巢，希望摆脱苦难，结果被黄巢带入了不是饿死，就是战死的绝境。黄巢不是一个真命天子，他没有长远眼光，没有治国方略，不能吸纳人才，只是报仇血战，滥杀唐官，成了一位"强盗"，只是一个草头王。因此黄巢入长安，是他事业的顶点，也是他失败的起点。郑畋阻击黄巢取得成功，就是这一胜败的转折点。

第三，田令孜为害西川。黄巢入长安，田令孜挟帝西逃西川，效仿唐玄宗入蜀。僖宗怕田令孜在路途把自己甩掉，沿路给他加官进爵，先封他为十军十二卫观军容制置左右神策护驾使，又封他为左金吾卫上将军，兼判四卫事，爵晋国公。田令孜的权力越来越大，僖宗在蜀不得召见宰相，不能与群臣相谋，群臣求见不许，一切听令田令孜。僖宗在蜀如同囚徒，心情十分郁闷，于是田令孜导引僖宗日夜吃酒行乐，嫔妃围绕，万岁之声不绝于耳，同时谎报军情，安慰僖宗。

田令孜歧视蜀军，赏赐不均，激起了黄头军事变。"黄头军"原是成都为防蛮招募的一支军队，因戴黄帽而称黄头军。田令孜犒赏从驾诸军无虚日，尽赐田宅，而不及黄头军，黄头军怨声四起。田令孜又宴请诸将，用黄金杯行酒，喝完即赏赐。黄头军将领郭琪不肯饮酒，起身说："希望军容使一碗水端平，也给蜀军一些赏赐。"田令孜听了很不高兴说："你有什么功劳吗？"郭琪回答："战党项，逼契丹，数十战，这就是我郭琪的功劳。"田令孜冷笑着说："知道了。"然后密令以鸩毒注酒中，端杯庆贺郭琪。郭琪明知有毒，勉强饮毕，驰马回营，杀一奴婢，喝了鲜血，方得解毒不死。于是郭琪发动兵变，徙营房，四处抢掠，成都大乱。田令孜急忙挟僖宗躲到东城自守。陈敬瑄打败了黄头军，成都才平静下来。左拾遗孟昭图激于义愤，上奏弹劾田令孜，说:“天下是高祖、太宗的天下，不是北司的天下；陛下是天下的天子，不是北司的天子。北司难道都比南司忠诚？如果是这样，君臣怎么一同安危?”疏入，田令孜扣下不上奏，还假传诏令贬孟昭图为嘉州司户参军。孟昭图赴任，田令孜派人在半道把孟昭图投入水中活活淹死。田令孜兄，西川节度使陈敬瑄仗势横行，逼迫蜀中良民纷纷为盗。京师的腐败积习，伴随流亡朝廷带到了蜀地，宦官专皇权的政治，也被田令孜带进了西川流亡的小朝廷中来。

卷第二百五十五　唐纪七十一

起玄黓摄提格（壬寅，公元八八二年）五月，尽阏逢执徐（甲辰，公元八八四年）五月，凡二年有奇。

【题解】

本卷记事起公元八八二年五月，迄公元八八四年五月，载述史事凡二年又一个月，当唐僖宗中和二年五月至中和四年五月。此时期是唐王朝进剿黄巢最紧要的阶段。黄巢入都建号，但全国藩镇不奉伪号。西川、淮南、岭南、河北是天子鞭长莫及的地区，藩镇互相攻伐，大大小小军阀林立，一片混战。环黄巢所据关中节镇，依然奉唐朝僖宗皇帝号令，勤王之师四集，沙陀李克用为诸军之冠，是讨灭黄巢的主力军。当李克用进军关中，黄巢部众已有离异之心。黄巢部将、独当一面的同州防御使朱温降唐，赐名全忠，授宣义节度使，此为黄巢衰败的标志。僖宗不明，重用降将，为后梁代唐张本。李克用光复长安，黄巢东窜，为祸河南数十州，围困陈州近一年。又是李克用进讨，解陈州之围，再败黄巢于汴州，黄巢全军覆没，逃窜兖州。朱全忠忌功，欲暗杀李克用，未果，从此朱李交恶。宦官田令孜挟持僖宗幸蜀之功，得宠专权，外结四川陈敬瑄，唐皇室旧祸未已，新祸方兴，国无宁日矣。

【原文】

僖宗惠圣恭定孝皇帝中之下

中和二年（壬寅，公元八八二年）

五月，以湖南①观察使②闵勖权充③镇南④节度使⑤。勖屡求于湖南建节⑥，朝廷恐诸道观察使效之，不许。先是，王仙芝⑦寇掠江西⑧，高安⑨人锺传⑩聚蛮獠⑪，依山为堡，众至万人。仙芝陷抚州⑫而不能守，传入据之，诏即以为刺史⑬。至是，又逐江西观察使高茂卿，据洪州。朝廷以勖本江西牙将⑭，故复置镇南军，使勖领之，若传不受代⑮，令勖因而讨之。勖知朝廷意欲斗两盗⑯使相毙，辞不行。

加淮南⑰节度使高骈⑱兼侍中⑲，罢其盐铁转运使⑳，骈既失兵柄㉑，又解利权㉒，攘袂大诟㉓，遣其幕僚顾云草表自诉㉔，言辞不逊㉕，

【语译】

僖宗惠圣恭定孝皇帝中之下

中和二年（壬寅，公元八八二年）

五月，朝廷任命湖南观察使闵勖暂时代理镇南节度使。闵勖多次要求在湖南设置节度使，朝廷担心各道观察使都效仿他，没有答应。此前，王仙芝寇掠江西，高安人锺传聚集蛮人、獠人，依傍山势修建城堡，部众达到上万人。王仙芝攻克了抚州而不能据守，锺传进城占领了抚州。唐僖宗立即下诏任命锺传为刺史。到这时，锺传又驱逐江西观察使高茂卿，据守洪州。朝廷认为闵勖本来是江西牙将，所以又设置镇南军，让闵勖兼管。如果锺传不愿接受管理，就命令闵勖借此讨伐锺传。闵勖知道朝廷的用意是想使他[illegible]斗，两败俱伤，所以推辞不愿成行。

朝廷加封淮南节度使[illegible]兼任侍中，罢免他的盐铁转运使之职。高骈已经失去了兵权，又解除了财[illegible]卷起袖子，破口大骂，让幕僚顾云起草表文自我申诉，言

其略曰:“是陛下不用微臣,固非微臣有负陛下。”又曰:“奸臣[26]未悟,陛下犹迷,不思宗庙[27]之焚烧,不痛园陵[28]之开毁。”又曰:“王铎[29]偾军之将[30],崔安潜[31]在蜀贪黩[32],岂二儒士能戢强兵[33]!”又曰:“今之所用,上至帅臣,下及裨将[34],以臣所料,悉可坐擒。”又曰:“无使百代有抱恨之臣,千古留刮席之耻[35]。臣但虑[1]寇生东土,刘氏复兴[36],即轵道之灾[37],岂独往日!”又曰:“今贤才在野,憸人[38]满朝,致陛下为亡国之君,此子等计将安出!”上命郑畋[39]草诏切责[40]之,其略曰:“绾利[41]则牢盆[42]在手,主兵则都统[43]当权,直至京北、京西[44]神策诸镇,悉在指挥之下,可知董制[45]之权,而又贵作司徒[46],荣为太尉[47]。以为不用,如何为用乎?”又曰:“朕缘久[48]付卿兵柄,不能翦荡元凶,自天长[49]漏网过淮[50],不出一兵袭逐,奄残京国[51],首尾三年[52]。广陵之师[53],未离封部,忠臣积望[54],勇士兴讥[55],所以擢用元臣[56],诛夷巨寇[57]。”又曰:“从来倚仗[58]之意,一旦控告[59]无门,凝睇[60]东南,惟增凄恻[61]!”又曰:“谢玄破苻坚于淝水[62],裴度平元济于淮西[63],未必儒臣[64]不如武将。”又谓[2]:“宗庙焚烧,园陵开毁,龟玉毁椟[65],谁之过欤!”又曰:“‘奸臣未悟’之言,何人肯认!‘陛下犹迷’之语,朕不敢当!”又曰:“卿尚不能缚黄巢于天长,安能坐擒诸将[66]!”又曰:“卿云刘氏复兴,不知谁为魁首?比朕于刘玄、子婴,何太诬罔!”又曰:“况天步[67]未倾,皇纲[68]尚整,三灵[69]不昧[70],百度[71]俱存,君臣之礼仪,上下之名分,所宜遵守,未可堕陵[72]。朕虽冲人[73],安得轻侮!”骈臣节既亏,自是贡赋遂绝。

【段旨】

以上为第一段,写闵勖、高骈跋扈不臣。

辞傲慢无礼，大意说："这是陛下不任用我这小臣，却非我这小臣辜负陛下。"又说："奸臣没有醒悟，陛下仍然迷惑，不思考先祖的宗庙被焚烧，不痛心先王的陵园被挖掘。"又说："王铎是败军将领，崔安潜在蜀地贪污腐败，难道两个儒士能平定强大的叛军！"又说："今天您所任用的人，上至将帅，下到副将，依臣料想，都可以很容易擒获他们。"又说："不要使百代留有抱恨终生的臣子，千古留下像淮阳王刘玄俯首刮席的耻辱。我只担心寇盗发生在东方，又要出现刘邦一样的人，秦王子婴到轵道投降的灾祸，哪里只会发生在过去呢！"又说："现在贤才身处荒野，小人充斥朝廷，致使您成为亡国的君王，他们这些人又能有什么计策呢！"僖宗命令郑畋起草诏书痛加申斥，大意说："谈到统管财利，你盐业大权在手；说到执掌军队，你身居都统大权在握，一直到京北、京西神策军各镇，全部在你的指挥之下，握有辖制之权。而且你又贵为司徒，荣为太尉，如果认为这是不受重用，怎么样算是受重用呢？"又说："我长期给你军事大权，你不能消灭敌人元凶。自从黄巢在天长县漏网渡过淮水，你不派一兵一卒去追击，致使国都残破，前后为时三年。你在广陵的军队，没有离开过所封的属地，忠臣满腹怨望，勇士讥笑讽刺，所以我提拔任用元老重臣，来消灭强大的敌人。"又说："我向来依赖你，一旦没有地方可以诉说，凝望着战乱的东南方，只能增多凄楚悲痛！"又说："谢玄大败苻坚于淝水，裴度平定吴元济于淮西，儒臣未必不如武将。"又说："先祖的宗庙被焚烧，先王的园陵被挖掘，龟甲、宝玉装在木匣中被毁坏，这是谁的过错呢！"又说："'奸臣没有醒悟'这句话，什么人肯承认呢！'陛下尚还迷惑'这个说法，朕是不敢担当的！"又说："你尚且不能在天长县抓获黄巢，又怎么能很容易地抓获各位将领呢！"又说："你说刘邦这样的人又要崛起，不知道谁是罪魁祸首？把朕比作刘玄、子婴，这不是诬蔑过甚！"又说："何况国运还没有倾塌，国家纲纪尚且完整，日、月、星三灵还未昏暗，各种规章制度都还存在，君臣之间的礼节、上下之间的名分，都应该遵守，不可以毁坏陵越。朕虽然年纪幼小，岂能轻易侮辱！"高骈已经有愧于臣子节操，从此纳贡和上交赋税就都断绝了。

【注释】

①湖南：方镇名，置观察使。唐代宗广德二年（公元七六四年）置，治所衡州。大历四年（公元七六九年）徙治潭州，在今湖南长沙。唐僖宗中和三年（公元八八三年）更号为钦化军节度使。②观察使：官名，即观察处置使，掌考察州县官员政绩，后亦兼理民事，所辖地区即为一道。不设节度使之处，即以观察使掌理一州政务。③权充：代理；兼领。④镇南：方镇名，即江南西道，置观察使；唐懿宗咸通六年（公元八六五年）升江南西道观察使为镇南军节度使。唐僖宗乾符元年（公元八七四年）废镇南节度使，复为江南

西道观察使。治所洪州，在今江西南昌。咸通六年，闵勖据洪州，懿宗授节闵勖，欲使之与锺传相争，两败俱伤。⑤节度使：官名，总揽一区军、民、财政，所辖州数不等，辖区内刺史均为其下属。肃宗至德以后，天下用兵，中原刺史亦受节度使之号。⑥建节：设置节度使。节度使受命之日，赐之旌节，行则建节符，树六纛。此指闵勖要求朝廷升湖南观察使为湖南节度使。⑦王仙芝（？至公元八七八年）：唐末义军领导者之一。传见《新唐书》卷二百二十五。⑧江西：江南西道。⑨高安：县名，县治在今江西高安。⑩锺传（？至公元九〇六年）：官至镇南节度使。传见《新唐书》卷一百九十、《旧五代史》卷十七、《新五代史》卷四十一。⑪蛮獠：指当时南方的少数民族仡佬族。⑫抚州：州名，治所临川，在今江西抚州市临川区。抚州至洪州二百四十里。⑬刺史：官名，州的行政长官。⑭牙将：节度使府的副将、偏将。⑮受代：卸任离职，接受新官接代。这里指接受管理。因锺传已接管了洪州，只是刺史，今置节度使由闵勖去接管，位在锺传之上，故此处受代是指受管理。⑯两盗：此指闵勖和锺传。其时闵勖据潭州为观察使，要挟朝廷加官为节度使；锺传擅据洪州，不受朝廷号令，故称两盗。唐僖宗以锺传所据之洪州复置镇南军节度使，而使闵勖兼任，加锺传为江西团练使，挑动两人相斗，以坐收渔人之利。闵勖辞不受，则无以要挟朝廷为节度使，锺传遂领镇南节度使，听受朝命。此计一石两鸟，两镇遂安。⑰淮南：方镇名，唐肃宗至德元载（公元七五六年）置，治所扬州，在今江苏扬州。⑱高骈（公元八二一至八八七年）：淮南节度使兼江淮盐铁转运使、诸道行营都统。传见《旧唐书》卷一百八十二、《新唐书》卷二百二十四。⑲侍中：官名，门下省长官，职司宰相。方镇将领加侍中，只是一种荣衔。⑳盐铁转运使：掌江淮盐铁运输及税收。㉑兵柄：兵权。㉒利权：财权。僖宗于这年（中和二年）春正月罢高骈都统，失其督率诸道之兵权；今又罢盐铁转运使，是解其财权。㉓攘袂大诟：暴跳大骂。攘袂，捋袖伸臂，发怒的样子。朝廷给高骈加官侍中，使其就虚职而免除其转运使实职，故高骈发狂怒骂。㉔草表自诉：书写章奏，自我剖白。㉕言辞不逊：指高骈所上奏章，言语犯上，失人臣礼。㉖奸臣：高骈所指奸臣为王铎、崔安潜。㉗宗庙：指唐皇室祖庙。㉘园陵：指唐皇帝诸陵。此指僖宗广明元年（公元八八〇年）十二月，黄巢攻入长安，宗庙与皇陵遭兵火之灾。㉙王铎（？至公元八八五年）：字昭范，时为中书令。僖宗解除高骈诸道行营都统，以王铎代行，规复两京。传见《旧唐书》卷一百六十四、《新唐书》卷一百八十五。㉚偾军之将：败军之将。此指乾符六年（公元八七九年），王铎为南面行营招讨都统，守江陵，为黄巢所败。㉛崔安潜（？至约公元八九〇年）：时从僖宗幸蜀为太子少师。王铎代高骈为诸道行营都统，以崔安潜为副，故高骈恨他们。传见《旧唐书》卷一百七十七、《新唐书》卷一百十四。㉜贪黩：贪污。㉝戢强兵：指平息黄巢的强大军队。戢，止息、平定。㉞裨将：副将。㉟刮席之耻：借东汉末淮阳王刘玄故事讥讽唐僖宗。《汉纪》载，淮阳王刘玄即帝位于洛阳，王莽败后，迁都长安，面对官吏、宫女，羞怍汗颜，俯首刮席不敢视。刮席，以手擦席，形容手足无措的样子。㊱刘氏复兴：将有汉高祖刘邦那样的人兴起于山东草泽之中。㊲轵道之灾：高骈以秦王子婴亡国之君指斥唐僖宗。轵道，亭名，在今陕西咸阳东北。公元前二〇六年十月，刘邦入关，秦王子婴迎降刘邦，即在轵道之旁。㊳憸人：小人；奸邪之人。㊴郑畋（公元八二五至八八三年）：累官以兵部侍郎进同平章事。传见《旧唐书》卷一百七十八、《新唐书》卷一百八十五。㊵切责：深切批驳；痛加申斥。㊶绾利：指高骈曾为盐铁使，专有江淮盐利。绾，专擅。㊷牢盆：煮盐器。㊸都统：官名，掌征伐，可督统诸道之兵，位在节度使之上，兵罢则省。㊹京北京西：指京北、京西行营。京，长安。㊺董制：总领。㊻司徒：官名，掌民政，东汉以来，即为三公（太尉、司徒、司空）之一。唐代三公不任实职，只授给有资望的大臣作荣职。高骈为西川节度使时，曾进位检校司徒。㊼太尉：官名，三公之一，掌军政。唐代多为加官。两京陷后，僖宗为了笼络高骈，欲其立功，特进位检校太尉以荣之。㊽缘久：已有很久。㊾天长：县名，县治在今安徽天长。㊿漏网过淮：广明元年（公元八八〇年）七月，黄巢北上围天长，高骈畏怯，拥众不战，致使黄巢过淮。事详本书卷二百五十三。(51)奄残京国：指黄巢攻陷京都，残破国家。(52)首尾三年：指黄巢广明元年十二月攻入长安，至今中和二年，前后已三年。(53)广陵之师：指高骈所领淮南之师。广陵，即淮南节度治所扬州，天宝年间一度改称广陵郡。(54)积望：怨恨累积。(55)兴讥：奋起指斥。(56)元臣：大臣。指首相王铎。(57)巨寇：大盗。此指黄巢。(58)倚仗：依恃。(59)控告：赴告。(60)凝睇：注视。(61)凄恻：悲伤。这几句意谓僖宗一向依恃高骈，而高骈抵御黄巢很不得力，致使黄巢军渡过淮河。消息传到京师，上下失望，人情大骇。作为皇帝，面对这种局面，无所赴告，只能注视着东南局势的恶化，增加悲伤。(62)谢玄破苻坚于淝水：指淝水之战，东晋名将谢玄破前秦皇帝苻坚于淝水。事详本书卷一百五晋孝武帝太元八年。(63)裴度平元济于淮西：指唐平藩镇的蔡州之战。裴度，宪宗朝贤相，元和十二年（公元八一七年）督师破蔡州，擒蔡州刺史吴元济。事详本书卷二百四十宪宗元和十二年。(64)儒臣：文臣。此指裴度。(65)龟玉毁椟：出自《论语·季氏》。龟玉、宝龟和宝玉，皆为国家重器，借指国运。椟，木匣。龟玉毁于椟中，典守者不得辞其过，而今国运衰落，像高骈这样的守土封疆大臣，岂能辞其咎。(66)卿尚不能缚黄巢于天长二句：公元八八〇年七月，黄巢由江南采石渡江围天长、六合，高骈拥兵不战，致使黄巢长驱北进。故诏书责之。(67)天步：天行。天行（星象运行）未倾，指天行有度，喻国运兴隆。天行失度，喻国运中衰。典出《晋书·慕容暐载记》："朝纲不振，天步孔艰。"(68)皇纲：朝纲。此指帝王的权柄、纲纪。(69)三灵：即三光，日、月、星。(70)昧：昏暗。三灵不昧，喻政通人和。(71)百度：各种法度。此指百官有司遵循的法度，与上文"皇纲"相对，亦是互文。(72)堕陵：败坏废弛。堕，通"隳"。(73)冲人：年少寡知之人。时僖宗仅二十一岁，故谦称冲人。

【校记】

［1］虑：原作"恐"。据章钰校，十二行本、乙十一行本皆作"虑"，今从改。［2］谓：原作"曰"。据章钰校，十二行本、乙十一行本皆作"谓"，今从改。

【原文】

以天平[74]留后[75]曹存实[76]为节度使。

黄巢攻兴平[77]，兴平诸军退屯奉天[78]。

加河阳节度使[79]诸葛爽[80]同平章事。

六月，以泾原[81]留后张钧为节度使。

荆南节度使[82]段彦谟与监军[83]朱敬玫相恶，敬玫别选壮士三千人，号忠勇军，自将之。彦谟谋杀敬玫。己亥[84]，敬玫先帅众攻彦谟，杀之，以少尹[85]李燧为留后。

蜀人罗浑擎、句胡僧、罗夫子各聚众数千人以应阡能[86]，杨行迁[87]等与之战，数不利，求益兵[88]。府中兵尽，陈敬瑄[89]悉搜仓库门庭之卒以给之。是月，大战于乾溪[90]，官军大败。行迁等恐无功获罪，多执村民为俘送府，日数十百人，敬瑄不问，悉斩之。其中亦有老弱及妇女，观者或问之，皆曰："我方治田绩麻[91]，官军忽入村，系虏以来，竟不知何罪！"

秋，七月己巳[92]，以锺传为江西观察使，从高骈之请也。传既去[93]抚州，南城[94]人危全讽复据之，又遣其弟仔倡据信州[95]。

尚让[96]攻宜君寨[97]，会大雪盈尺，贼冻死者什二三。

蜀人韩求聚众数千人应阡能。

镇海[98]节度使周宝[99]奏高骈承制[100]以贼帅孙端为宣歙[101]观察使。诏宝与宣歙观察使裴虔余发兵拒之。

南诏[102]上书请早降公主[103]，诏报[104]以方议礼仪。

以保大[105]留后东方逵为节度使，充京城东面行营招讨使[106]。

闰月，加魏博[107]节度使韩简[108]兼侍中[109]。

八月，以兵部侍郎[110]、判度支[111]郑绍业同平章事，兼荆南[112]节度使。

浙东[113]观察使刘汉宏[114]遣弟汉宥及马步军[3]都虞候[115]辛约将兵二万营于西陵，谋兼并浙西，杭州刺史董昌[116]遣都知兵马使[117]钱镠[118]拒之。壬子[119]，镠乘雾夜济江，袭其营，大破之，所杀殆尽，汉宥、辛约皆走。

魏博节度使韩简亦有兼并之志[120]，自将兵三万攻河阳，败诸葛爽于修武[121]。爽弃城走，简留兵戍之，因掠邢、洺[122]而还。

李国昌[123]自达靼[124]帅其族迁于代州[125]。

【语译】

朝廷任命天平留后曹存实为节度使。

黄巢攻打兴平，兴平的各路军队退驻奉天。

朝廷加官河阳节度使诸葛爽为同平章事。

六月，朝廷任命泾原留后张钧为节度使。

荆南节度使段彦谟和监军朱敬玫相恶，朱敬玫另外挑选了壮士三千人，号称忠勇军，亲自统率他们。段彦谟策划杀死朱敬玫。二十八日己亥，朱敬玫率先带领部众攻打段彦谟，杀死了他，让少尹李燧为留后。

蜀人罗浑擎、句胡僧、罗夫子各自聚集部众数千人来响应阡能，杨行迁等人与他们交战，多次出兵不利，要求增派兵力。官府中没有士兵了，陈敬瑄尽量寻找看管仓库门庭的士兵来送给杨行迁。这一月，在乾溪大战，官军大败。杨行迁等人害怕无功获罪，就抓了许多村民作为俘虏送至官府，每天有数十至一百人，陈敬瑄不加询问，把他们全部处死。其中也有老弱和妇女，旁观的人有的询问他们，都回答说："我们正在耕种田地，手搓麻线，官军忽然进入村中，把我们捆绑俘虏了送到这里来，到底也不知道有什么罪!"

秋，七月二十九日己巳，朝廷任命锺传为江西观察使，这是听从了高骈的要求。锺传已经离开抚州，南城人危全讽又占据了这个地方，还派遣他的弟弟危仔倡占据了信州。

尚让攻打宜君寨，遇上大雪，有一尺厚，敌人冻死的有十分之二三。

蜀人韩求聚集部众数千人响应阡能。

镇海节度使周宝上书僖宗，说高骈打着秉承皇上旨意任用贼帅孙端为宣歙观察使。僖宗下令周宝与宣歙观察使裴虔余发兵抵御孙端。

南诏国呈上书请求僖宗早日下嫁公主，僖宗降旨回报说正在商议相关的礼仪。

朝廷任命保大留后东方逵为节度使，充任京城东面行营招讨使。

闰七月，朝廷加封魏博节度使韩简兼任侍中。

八月，朝廷任命兵部侍郎、判度支郑绍业同平章事，兼任荆南节度使。

浙东观察使刘汉宏派遣他的弟弟刘汉宥以及马步军都虞候辛约统率士兵二万人在西陵扎营，策划兼并浙西。杭州刺史董昌派遣都知兵马使钱镠率兵抵挡他们。八月十三日壬子，钱镠乘着大雾，夜间渡江，偷袭敌营，大破敌军，斩杀殆尽。刘汉宥和辛约都逃走了。

魏博节度使韩简也有兼并之意，亲自率兵三万人攻打河阳，在修武打败了诸葛爽。诸葛爽弃城逃走，韩简留兵戍守，乘机抢掠邢州、洺州后才回去。

李国昌率领他的部族从达靼迁徙到代州。

【段旨】

以上为第二段，写黄巢祸乱关中，全国各地大小军阀林立，互相攻战，不听朝命。

【注释】

⑭ 天平：方镇名，唐宪宗元和十四年（公元八一九年）置郓曹濮节度使，十五年改称天平军节度使，仍领郓、曹、濮三州。治所郓州（须昌），在今山东东平西北。⑮ 留后：官名，代行节度使之职，多由前任节度使之子弟或亲信将领为之。⑯ 曹存实：天平节度使曹全晸之侄。中和元年（公元八八一年）曹全晸战死，军中立曹存实为留后。⑰ 兴平：县名，县治在今陕西兴平。当时凤翔、邠宁军屯兴平。⑱ 奉天：县名，县治在今陕西乾县。⑲ 河阳节度使：方镇名，德宗建中四年（公元七八三年）置河阳军节度使，领孟、怀二州。治所孟州，即河阳城，在今河南孟州西。⑳ 诸葛爽（？至公元八八六年）：青州博昌（今山东博兴）人，初为庞勋士卒，累功为大将，归正授汝州防御使。黄巢入长安，诸葛爽降黄巢任河阳节度使。巢败，复归正。光启二年（公元八八六年）卒。传见《旧唐书》卷一百八十二、《新唐书》卷一百八十七。㉑ 泾原：方镇名，唐代宗大历三年（公元七六八年）置，乾宁后改称彰义军，领泾、原二州。治所泾州，在今甘肃泾川北。㉒ 荆南节度使：方镇名，肃宗至德二载（公元七五七年）置。治所荆川，在今湖北荆州江陵城。㉓ 监军：官名，中唐以后，凡节度使、观察使，例置监军代表朝廷以察动静，一般由宦官充任，实质是皇帝的密探。㉔ 己亥：六月二十八日。㉕ 少尹：官名，州、府行政长官之副职，与别驾、长史、司马分治州、府庶务。㉖ 阡能（？至公元八八二年）：邛州牙官。因公事违期，畏罪，于中和二年三月起兵反唐。十一月兵败战死。㉗ 杨行迁：西川牙将。此时补为军前四面都指挥使。㉘ 益兵：增兵。㉙ 陈敬瑄（？至公元八九三年）：把持朝政的宦官田令孜之兄。累擢西川节度使加同平章事。传见《新唐书》卷二百二十四下。㉚ 乾溪：镇名，在今四川大邑东。㉛ 治田绩麻：耕种田地，搓理麻线。麻线用以织布。㉜ 己巳：七月二十九日。㉝ 去：离。此时锺传已占据洪州。㉞ 南城：县名，县治在今江西南城东南。㉟ 信州：州名，治所在今江西上饶。㊱ 尚让（？至公元八八四年）：黄巢军将领。㊲ 宜君寨：地名，唐属京兆华原县，在今陕西宜君。是时勤王之师于宜君立寨。㊳ 镇海：方镇名，唐肃宗乾元元年（公元七五八年）置浙江西道，唐德宗建中年间建号镇海军。治所多次变迁，唐德宗贞元后治所在润州(今江苏镇江)。㊴ 周宝（公元八一一至八八五年）：字上邽，平州卢龙（今属河北）人，历官泾原、镇海节度使，为当时良将。传见《新唐书》卷一百八十六。⑩⓪ 承制：代表皇帝发布命令。⑩① 宣歙：

方镇名，唐德宗贞元年间分浙江东西道为三，其中宣歙置观察使。治所宣州，在今安徽宣城市宣州区。⑩² 南诏：古国名，唐代以乌蛮为主体建立的政权。国都太和城，在今云南大理南太和村西。⑩³ 请早降公主：南诏请求唐早日下嫁公主。广明元年（公元八八〇年）六月，嗣曹王李龟年使南诏，以宗室女安化长公主许婚。降，下嫁。⑩⁴ 诏报：僖宗皇帝降旨回报。⑩⁵ 保大：方镇名，唐僖宗中和二年（公元八八二年）三月赐鄜坊节度号保大军，治所鄜州，在今陕西富县。⑩⁶ 招讨使：官名，德宗贞元末始置，为临时军事长官，掌招抚讨伐事务，兵罢即废。⑩⁷ 魏博：方镇名，唐代宗广德元年（公元七六三年）所置河北三镇之一。治所魏州，在今河北大名东北。⑩⁸ 韩简：魏州人，魏博节度使，加官检校工部尚书。最终兵败于诸葛爽，单骑脱逃而忧死。传见《旧唐书》卷一百八十一、《新唐书》卷二百十。⑩⁹ 侍中：官名，为门下省长官，正三品，掌封驳制敕，与中书令共参议军国大政，居宰相之任。此处为优崇韩简之荣衔。⑪⁰ 兵部侍郎：官名，为兵部长官尚书的副手，正四品下。⑪¹ 判度支：唐制，以高官兼任低职称“判”。度支即户部，显庆间改称度支。⑪² 荆南：方镇名，唐肃宗至德二载（公元七五七年）置，治所荆州，在今湖北荆州江陵城。⑪³ 浙东：方镇名，即浙江东道。治所越州，在今浙江绍兴。⑪⁴ 刘汉宏（？至公元八八六年）：官至浙西节度使，与杭州刺史董昌相攻，兵败被杀。传见《新唐书》卷一百九十。⑪⁵ 都虞候：官名，唐中叶以后，节度使置此官，为整肃军纪要职。⑪⁶ 董昌（？至公元八九五年）：中和年间，为杭州刺史、义胜军节度使。乾宁二年（公元八九五年）二月自立为帝，国号大越罗平。为钱镠所杀。传见《新唐书》卷二百二十五。⑪⁷ 都知兵马使：官名，为藩镇储帅。⑪⁸ 钱镠（公元八五二至九三二年）：字具美，临安人，五代时吴越国的建立者。公元九〇七至九三二年在位。曾从董昌与黄巢作战，积官镇海节度使。后梁开平元年（公元九〇七年）封为吴越王。⑪⁹ 壬子：八月十三日。⑫⁰ 兼并之志：指韩简欲兼并河阳。其时诸葛爽投降黄巢，领伪职，韩简攻爽，以顺讨逆，取得胜利。后志骄欲行割据，最终兵败于爽。⑫¹ 修武：县名，县治在今河南焦作东修武。⑫² 邢、洺：邢即邢州，治所在今河北邢台，洺即洺州，治所在今河北邯郸市永年区东南。⑫³ 李国昌（？至公元八八七年）：原名朱邪赤心，唐西突厥沙陀族人。李克用之父。曾助唐镇压庞勋，进大同军节度使，赐名李国昌。传附《新唐书》卷二百十八《沙陀传》。⑫⁴ 达靼：部落名，本靺鞨别部，后为蒙古的别称。⑫⁵ 代州：州名，治所在今山西代县。中和元年四月，李克用陷沂、代二州后留居代州，所以其父帅其族自达靼还。

【校记】

［3］军：原无此字。据章钰校，十二行本、乙十一行本皆有此字，今据补。

【原文】

黄巢所署同州⑫⁶防御使⑫⁷朱温屡请益兵以扞⑫⁸河中⑫⁹，知右军事⑬⁰孟楷抑之⑬¹，不报。温见巢兵势日蹙⑬²，知其将亡，亲将胡真⑬³、谢瞳⑬⁴劝温归国。九月丙戌⑬⁵，温杀其监军严实，举州降王重荣⑬⁶。温以舅事重荣⑬⁷，王铎承制以温为同华⑬⁸节度使，使瞳奉表诣⑬⁹行在⑭⁰。瞳，福州人也。

李详以重荣待温厚，亦欲归之，为监军所告。黄巢杀之，以其弟思邺为华州⑭¹刺史。

桂邕州⑭²军乱，逐节度使张从训，以前容管⑭³经略使⑭⁴崔焯为岭南西道⑭⁵节度使。

平卢⑭⁶大将王敬武⑭⁷逐节度使安师儒，自为留后。

初，朝廷以庞勋降将汤群为岚州⑭⁸刺史，群潜通⑭⁹沙陀⑮⁰。朝廷疑之，徙群怀州⑮¹刺史，郑从谠⑮²遣使赍⑮³告身⑮⁴授之。冬，十月庚子朔⑮⁵，群杀使者，据城叛，附于沙陀。壬寅⑮⁶，从谠遣马步军[4]都虞候张彦球将兵讨之。

贼帅韩秀升、屈行从起兵，断峡江⑮⁷路。癸丑⑮⁸，陈敬瑄遣押牙⑮⁹庄梦蝶将二千人讨之，又遣押牙胡弘略将千人继之。

韩简复引兵击郓州⑯⁰，节度使曹存实逆战⑯¹，败死。天平都将⑯²下邑⑯³朱瑄⑯⁴收余众，婴城拒守⑯⁵，简攻之不下。诏以瑄权知天平留后。

以朱温为右金吾大将军⑯⁶、河中⑯⁷行营招讨副使，赐名全忠。

李克用虽累表请降，而据忻⑯⁸、代州，数侵掠并、汾⑯⁹，争楼烦监⑰⁰。义武⑰¹节度使王处存⑰²与克用世为婚姻，诏处存谕克用："若诚心款附⑰³，宜且归朔州⑰⁴俟朝命；若暴横如故，当与河东⑰⁵、大同⑰⁶[5]共讨之。"

以平卢大将王敬武⑰⁷为留后。时诸道兵皆会关中⑰⁸讨黄巢，独平卢不至，王铎遣都统判官⑰⁹、谏议大夫⑱⁰张濬⑱¹往说之。敬武已受黄巢官爵，不出迎，濬见敬武，责之曰："公为天子藩臣，侮慢诏使，不能事上，何以使下！"敬武愕然，谢之。既宣诏，将士皆不应，濬徐谕之曰："人生当先晓逆顺⑱²，次知利害。黄巢，前日贩盐虏⑱³耳，公等舍累

【语译】

黄巢所委任的同州防御使朱温多次请求增派兵力来保卫河中，掌理右军事的孟楷把这事扣压下来，不上报。朱温看到黄巢的兵势日衰，知道他将要灭亡了，朱温的亲信将领胡真、谢瞳劝他归附唐朝。九月十七日丙戌，朱温杀了监军严实，以同州全城投降王重荣。朱温对待王重荣就像侍奉舅舅一样。王铎以皇上名义任朱温为同华节度使，派遣谢瞳送上表文到僖宗所在地。谢瞳是福州人。

李详因为王重荣厚待朱温，也想归附王重荣，被监军举报。黄巢杀死李详，任命他的弟弟黄思邺为华州刺史。

桂州、邕州的军队叛乱，驱逐了节度使张从训，让以前的容管经略使崔焯做岭南西道节度使。

平卢军大将王敬武驱逐节度使安师儒，自己担任留后。

起初，朝廷任命庞勋的降将汤群为岚州刺史，汤群背地里勾结沙陀。朝廷怀疑他，调动汤群为怀州刺史，郑从谠派遣使者携带委任状去送给汤群。冬，十月初一日庚子，汤群杀害使者，占据岚州叛变，投靠沙陀。初三日壬寅，郑从谠派遣马步军都虞候张彦球率军讨伐汤群。

贼军首领韩秀升、屈行从起兵，截断峡江路。十月十四日癸丑，陈敬瑄派遣押牙庄梦蝶统率二千人讨伐叛贼，又继续派遣押牙胡弘略统率一千人前往。

韩简又率军攻打郓州，节度使曹存实迎战，战败身死。天平军都将下邑人朱瑄收拢剩下的将士，环城固守，韩简攻打不下来。僖宗下诏任命朱瑄临时代理天平军留后。

朝廷任命朱温为右金吾大将军、河中行营招讨副使，赐名全忠。

李克用虽然一再上表请求投降，却占据忻州、代州，多次侵掠并州、汾州，争夺楼烦监。义武节度使王处存和李克用世代为婚，僖宗下诏命王处存告谕李克用："如果诚心归附，应该回到朔州等待朝廷的命令；如果依旧暴虐横行，朝廷就会汇集河东和大同的军队一起进行讨伐。"

朝廷任命平卢军大将王敬武为留后。当时各道的军队都会集关中讨伐黄巢，只有平卢的军队没有到来，王铎派遣都统判官、谏议大夫张濬前去劝说他。王敬武已经接受了黄巢封的官爵，不出来迎接张濬。张濬见到王敬武，批评他说："你身为天子藩臣，却蔑视怠慢传达诏令的使者，你不能侍奉君主，如何能指挥下属！"王敬武愣住了，表示谢罪。张濬宣读完了诏命，将士们全都没有反应，张濬慢慢地晓谕大家说："一个人活着应当首先知道什么是反动叛逆，什么是顺应时势，其次应当知道干什么有利，干什么有害。黄巢以前是卖盐的小贩，你们舍弃世世代代的天子而去

叶天子⑱而臣之，果何利哉！今天下勤王之师皆集京畿⑱，而淄青独不至⑱；一旦贼平，天子返正⑱，公等何面目见天下之人乎！不亟⑱往分功名、取富贵，后悔无及矣！”将士皆改容引咎⑱，顾谓敬武曰：“谏议之言是也。”敬武即发兵从濬而西。

刘汉宏又遣登高镇将王镇将兵七万屯西陵，钱镠复夜[6]济江袭击，大破之，斩获万计，得汉宏补诸将官伪敕⑲二百余通；镇奔诸暨⑲。

黄巢兵势尚彊，王重荣患之，谓行营都监⑲杨复光⑲曰：“臣贼⑲则负国⑲，讨贼则力不足，奈何？”复光曰：“雁门⑲李仆射⑲，骁勇，有强兵，其家尊⑲与吾先人⑲尝共事相善，彼亦有徇国之志⑳，所以不至者，以与河东⑳结隙⑳耳。诚以朝旨谕郑公而召之，必来，来则贼不足平矣！”东面宣慰使⑳王徽⑳亦以为然。时王铎在河中，乃以墨敕⑳召李克用，谕郑从谠。十一月，克用将沙陀万七千自岚、石⑳路趣⑳河中，不敢入太原境，独与数百骑过晋阳⑳城下与从谠别，从谠以名马、器币赠之。

李详旧卒共逐黄思邺⑳，推华阴镇使王遇为主，以华州降于王重荣，王铎承制以遇为刺史。

【段旨】

以上为第三段，写唐朝勤王之师会集关中，黄巢部众已有异心，朱温降唐，赐名全忠，为后梁代唐张本。

【注释】

⑫⑥同州：州名，治所在今陕西大荔。当河中通长安军事要冲。⑫⑦防御使：官名，武则天圣历间始置于夏州，掌本区军事防务，位团练使下。⑫⑧扞：护卫。⑫⑨河中：府名，治所在今山西永济西蒲州镇。⑬⓪知右军事：黄巢所设武职官员。以佐官身份代理右军事称知右军事。⑬①抑之：按下朱温所上请兵奏章，不报黄巢。⑬②日蹙：一天比一天减弱。⑬③胡真：朱温手下将领，江陵人，终官容州刺史、检校太保。传见《旧五代史》卷十六。⑬④谢瞳：朱温手下将领，福州人，终官太中大夫、检校右仆射。传见《旧五代史》卷二十。⑬⑤丙戌：九月十七日。⑬⑥王重荣（？至公元八八七年）：太原祁人，与杨复光、

臣服于他，结果有什么利益呢！如今天下保卫皇帝的军队都会集京城一带，而淄青的官军不前来。一旦贼寇被平息了，皇帝回到国都，你们还有什么脸面去见天下的人民呢！现在不赶快去分享功名，获取富贵，将来后悔就来不及了！”将士们全都改变了态度，承认错误，看着王敬武说：“谏议大夫的话是对的。”王敬武当即发兵跟随张濬向西进发。

刘汉宏又派遣登高镇将王镇统率士兵七万人屯驻西陵。钱镠再次夜里渡江袭击，大破王镇的军队，斩首和俘虏的人数以万计，缴获刘汉宏矫诏任命各将官的敕令二百多件。王镇逃往诸暨。

黄巢的兵力仍很强大，王重荣忧心这件事，他对行营都监杨复光说：“向贼寇称臣则有负于国家，讨伐贼寇又力量不足，该怎么办呢？”杨复光说：“雁门李克用勇猛善战，拥有强大的军队，他的父亲与我的先祖曾经共事过，关系很好，李克用也有献身国事的志向，这一次没有来讨伐黄巢，是因为和河东节度使郑从谠结仇的缘故。如果用朝廷圣旨告知郑从谠去召李克用来，李克用一定前来。他来了，平定贼寇就不成问题了！”东面宣慰使王徽也认为这有道理。当时王铎在河中，就用墨笔书写诏令召李克用来，并告诉了郑从谠。十一月，李克用率领沙陀士兵一万七千人从岚州、石州取道赶往河中，不敢进入太原境内，独自与几百名骑兵经过晋阳城下和郑从谠辞别。郑从谠拿名贵的马匹、器物、钱币赠送给李克用。

李详原先的士兵共同驱逐黄思邺，推举华阴镇使王遇为主帅，以华州城向王重荣投降，王铎借皇帝之命委任王遇为刺史。

李克用联合镇压黄巢，拜检校太尉。传见《旧唐书》卷一百八十二、《新唐书》卷一百八十七。⑬⑦温以舅事重荣：朱温母王氏，与重荣同姓，所以把王重荣当作舅舅。⑬⑧同华：方镇名，治所同州，在今陕西大荔。⑬⑨诣：前往。⑭⓪行在：皇帝出巡所住的地方。其时，唐僖宗西逃在四川成都。⑭①华州：州名，治所在今陕西华县。⑭②桂邕州：二州名，桂州为桂管节度使治所，在今广西桂林。邕州为邕管节度使治所，在今广西南宁。⑭③容管：置经略使，统容管二州。治所容州，在今广西北流。⑭④经略使：官名，唐初边州别置经略使，为边防军事长官，后多由节度使兼任。⑭⑤岭南西道：方镇名，唐懿宗咸通三年（公元八六二年）将岭南节度分为东西两道。邕管为岭南西道，治所邕州，在今广西南宁。⑭⑥平卢：方镇名，唐玄宗开元七年（公元七一九年）始置。治所营州，在今辽宁朝阳。⑭⑦王敬武（？至公元八八九年）：传见《新唐书》卷一百八十七、《旧五代史》卷十三、《新五代史》卷四十二。⑭⑧岚州：州名，治所在今山西岚县北。⑭⑨潜通：暗自私通。⑮⓪沙陀：部落名，西突厥别部。⑮①怀州：州名，治所河内，在今河南沁阳。⑮②郑从

说（？至公元八八八年）：时为河东节度兼行营招讨使。传见《新唐书》卷一百六十五，传又附《旧唐书》卷一百五十八《郑余庆传》。⑬贲：带着。⑭告身：委任状。⑮庚子朔：十月初一日。⑯壬寅：十月初三日。⑰峡江：长江川鄂交界的三峡段称峡江。断峡江路，则荆、蜀信使不通，朝廷的法令将不能通行于江南。⑱癸丑：十月十四日。⑲押牙：一作押衙。藩镇所置亲信武官，掌仪仗侍卫，出入衙内。主官为都押牙。⑳郓州：州名，治所须昌，在今山东东平西北。⑯逆战：迎战。⑯都将：统兵官名。⑯下邑：地名，唐属宋州，在今河南夏邑。⑯朱瑄（？至公元八九七年）：一作朱宣。兵败，为朱温所杀。传见《旧唐书》卷一百八十二、《新唐书》卷一百八十八、《旧五代史》卷十三、《新五代史》卷四十二。⑯婴城拒守：环城抵御守卫。⑯右金吾大将军：官名，右金吾卫的长官，掌京城巡警。⑯河中：方镇名，唐肃宗至德二载（公元七五七年）置。治所蒲州，在今山西永济蒲州镇。⑯忻：州名，治所在今山西忻州。⑯并、汾：地区名，古指山西太原府和汾州一带。⑰楼烦监：地名，在今山西静乐南七十里。⑰义武：方镇名，唐德宗建中三年（公元七八二年）置。治所定州，在今河北定州。⑰王处存（公元八三〇至八九五年）：京兆万年人，世籍神策军。传见《旧唐书》卷一百八十二、《新唐书》卷一百八十六。⑰款附：诚心归附。⑰朔州：州名，治所在今山西朔州。⑰河东：方镇名，治所太原府晋阳，在今山西太原西南。是时，郑从谠帅河东。⑰大同：方镇名，治所云州，在今山西大同。亦称云中节度。⑰王敬武：青州人，本平卢偏将，逐节度使安师儒，自为留后。王铎承制授平卢节度使。传见《新唐书》卷一百八十七。⑰关中：地区名，泛指函谷关以西，相当于今陕西中部的地区。⑰都统判官：官名，唐节度、观察、防御诸使的僚属，佐理政事。⑱谏议大夫：官名，属门下省，掌侍从赞相，谏诤讽喻。⑱张濬（？至公元九〇二年）：唐昭宗朝宰相。传见《旧唐书》卷一百七十九、《新唐书》卷一百八十五。⑱逆顺：逆，反叛朝廷。顺，归服朝廷。⑱贩盐虏：指黄巢贩盐出身。事见本书卷二百五十二唐僖宗乾符二年。⑱累叶天子：指大唐天子。累叶，累世。⑱京畿：国都所在地及其行政官署所管辖地区。⑱淄青独不至：唐肃宗上元二年（公元七六一年）合平卢与淄沂两镇为淄青平卢节度使。故此以淄青指代平卢留后

【原文】

阡能党愈炽，侵淫[210]入蜀州[211]境。陈敬瑄以杨行迁等久无功，以押牙高仁厚[212]为都招讨指挥使，将兵五百人往代之。未发前一日，有鬻面者，自旦至午，出入营中数四，逻者疑之，执而讯之，果阡能之谍也。仁厚命释缚，温言问之，对曰："某村民，阡能囚其父母妻子于

王敬武。⑱ 天子返正：天子返回京师。⑱ 亟：急速；赶快。⑱ 引咎：引罪；承担错误责任。⑲ 伪敕：假传诏命的手谕。此指刘汉宏矫诏所发的委任状。⑲ 诸暨：县名，县治在今浙江诸暨。⑲ 都监：官名，监军，以宦官充任，临时设置。⑲ 杨复光（公元八四二至八八三年）：宦官。为人慷慨有节义，多筹略，受诏充天下兵马都监，平定黄巢之乱，多有战功。传见《旧唐书》卷一百八十四、《新唐书》卷二百七。⑲ 臣贼：指向黄巢称臣。⑲ 负国：背叛朝廷。⑲ 雁门：方镇名，唐僖宗中和二年（公元八八二年）分河东节度忻、代二州为雁门节度使。治所代州，在今山西代县。时李克用据代州，故以李克用为雁门节度使。⑲ 仆射：官名，尚书省长官。⑲ 家尊：此指李克用之父李国昌。⑲ 先人：此指杨复光之养父杨玄价。杨玄价曾监盐州军，李克用父子归国，先由盐州，故与之相善。⑳ 徇国之志：为国牺牲的志向。徇，通“殉”。⑳ 河东：指河东节度使郑从谠。⑳ 结隙：感情上的裂痕。李克用与郑从谠结隙，指中和元年五月，李克用称奉诏将兵五万讨黄巢，令备酒食以供军。郑从谠闭城以备之。后李克用大掠河东而归。事见本书卷二百五十四僖宗中和元年。⑳ 宣慰使：官名，唐代出征元帅为招讨、宣慰、处置使。宣慰使亦以朝廷使者身份宣谕敕命，安抚百姓。⑳ 王徽（？至公元八九〇年）：字昭文，京兆杜德州市陵城区（今陕西西安市长安区东南）人，官至宰相。传见《旧唐书》卷一百七十八、《新唐书》卷一百八十五。⑳ 墨敕：由皇帝直接颁下、不经中书盖印的敕书。王铎为都统，可以便宜从事，凡征调除授，皆得用墨敕。⑳ 石：州名，治所在今山西吕梁市离石区。⑳ 趣：趋；向。⑳ 晋阳：河东节度使治所，在今山西太原西南。⑳ 黄思邺：时为黄巢所署华州刺史。

【校记】

［4］军：原无此字。据章钰校，十二行本、乙十一行本皆有此字，今据补。［5］大同：原作“大同军”。据章钰校，十二行本、乙十一行本皆无“军”字，今据删。［6］夜：原无此字。据章钰校，十二行本、乙十一行本、孔天胤本皆有此字，张敦仁《通鉴刊本识误》同，今据补。

【语译】

阡能的党徒越来越多，逐渐蔓延到蜀州境内。陈敬瑄因杨行迁等人久无战功，以押牙高仁厚担任都招讨指挥使，统率士兵五百人前去替代他。尚未出发的前一天，有一个卖面的人，从早上到中午，出入营中三四次。巡逻的人怀疑他，把他抓住进行讯问，果然是阡能的间谍。高仁厚命令解开捆绑，温和地询问他，间谍回答说：“我是某村的百姓，阡能把我的父母妻儿囚禁在监狱中，说：‘你去刺探情况回

狱，云：‘汝诇事㉑③归，得实则免汝家；不然，尽死。’某非愿尔也。”仁厚曰：“诚知汝如是，我何忍杀汝！今纵汝归，救汝父母妻子，但语㉑④阡能云：‘高尚书㉑⑤来日发，所将止五百人，无多兵也。’然我活汝一家，汝当为我潜语㉑⑥寨中人云：‘仆射㉑⑦愍㉑⑧汝曹㉑⑨皆良人，为贼所制，情非得已。尚书欲拯救湔洗㉒⓪汝曹，尚书来，汝曹各投兵迎降，尚书当使人书汝背为“归顺”字，遣汝复旧业。所欲诛者，阡能、罗浑擎、句胡僧、罗夫子、韩求五人耳，必不使横及百姓也。’”谍曰：“此皆百姓心上事，尚书尽知而赦之，其谁不舞跃㉒①听命！一口传百，百传千，川腾海沸，不可遏也。比㉒②尚书之至，百姓必尽奔赴如婴儿之见慈母，阡能孤居，立成擒矣！”遂遣之[7]

明日，仁厚引兵发，至双流㉒③，把截使㉒④白文现出迎。仁厚周视堑栅㉒⑤，怒曰：“阡能役夫㉒⑥，其众皆耕民耳，竭一府之兵，岁余不能擒，今观堑栅重复牢密如此，宜其可以安眠饱食，养寇邀功也！”命引出斩之。监军力救，久之，乃得免。命悉平堑栅，才留五百兵守之，余兵悉以自随，又召诸寨兵，相继皆集。

阡能闻仁厚将至，遣罗浑擎立五寨于双流之西，伏兵千人于野桥箐㉒⑦以邀㉒⑧官军。仁厚诇知㉒⑨，引兵围之，下令勿杀，遣人释戎服㉓⓪入贼中告谕，如昨日所以语谍者。贼大喜，呼噪，争弃甲投兵请降，拜如摧山㉓①。仁厚悉抚谕，书其背㉓②，使归语寨中未降者，寨中余众争出降。浑擎狼狈逾堑[8]走，其众执以诣仁厚，仁厚曰：“此愚夫，不足与语。”缚[9]以送府。悉命焚五寨及其甲兵，惟留旗帜，所降凡四千人。

明旦，仁厚谓降者曰：“始欲即遣汝归，而前涂诸寨百姓未知吾心，或有忧疑，藉汝曹为我前行，过穿口㉓③、新津㉓④寨下，示以背字告谕之，比至延贡㉓⑤，可归矣。”乃取浑擎旗倒系㉓⑥之，每五十人为队，授以一旗，使前走[10]，扬旗疾呼曰：“罗浑擎已生擒，送使府，大军行至。汝曹居寨中者，速如我出降，立得为良人，无事矣！”至穿口，句胡僧置十一寨，寨中人争出降；胡僧大惊，拔剑遏之，众投瓦石击之，

来，得到真实情况就释放你的全家；不然的话，全部处死。’我不是心甘情愿这样做的。”高仁厚说：“确实如你所说，我怎么忍心杀你呢！现在放你回去，解救你的父母妻儿，只要告诉阡能说：‘高仁厚明天出发，所率领的兵众只有五百人，没有更多的士兵。’但是，我救活你一家人，你应当替我暗地里告诉寨中人说：‘陈敬瑄怜悯你们都是善良百姓，被贼人所控制，事情是不得已而为之。高仁厚打算洗刷你们的过失挽救你们，他来到这里，你们每个人要放下兵器投降，高仁厚将派人在你们的背上书写“归顺”两字，遣送你们回去恢复旧业。所要诛杀的，只是阡能、罗浑擎、句胡僧、罗夫子、韩求五个人罢了，一定不牵连到老百姓。’”间谍说：“这都是老百姓的心上事，您全都知道了，而且赦免大家，还有谁不手舞足蹈地听从命令！一人传百,百人传千，犹如河川欢跃，海水沸扬，不可阻挡。等您到达时，老百姓必定全部奔跑过来，如同婴儿见到慈母一般，阡能孤立独处，立刻被活捉!”于是遣送他们。

次日，高仁厚率军出发，到达双流，把截使白文现出来迎接。高仁厚四周巡视堑壕栅栏，大怒道：“阡能是个卑下之人，他的部众都是种地的老百姓，你竭尽一府之兵，一年多还不能擒获他，如今看到这些堑壕栅栏，重重叠叠牢固细密成这个样子，怪不得可以吃饱饭安逸地睡大觉，养着敌人来请功了!”下令把白文现推出去斩首。监军竭力相救，很长时间，才得到赦免。高仁厚命令全部填平沟堑，毁掉木栅，只留下五百个士兵防守，其余的士兵都随身带领，又召集各寨的士兵，全都陆续集合起来。

阡能听说高仁厚即将到来，派遣罗浑擎在双流的西边建立五个寨子，在野桥箐埋伏一千名士兵用来拦击官军。高仁厚侦察知道了，率兵包围了他们，命令不要杀害，派遣士兵脱下军服进入敌人营中宣告，所说和昨天告诉间谍的话一样。敌人大为高兴，欢呼鼓噪，争先恐后地抛弃战甲，扔掉兵器，要求投降，下地跪拜势如山崩。高仁厚全部安抚告谕他们，在他们的背部写上“归顺”两字，让他们回去告诉寨子里没有投降的人，寨子里剩下的人都争着出来投降。罗浑擎狼狈不堪地翻过壕沟逃走，他的部众抓住他送往高仁厚，高仁厚说：“这是一个愚蠢的家伙，不值得和他谈话。”把他绑起来送到官府。下令把五个寨子和衣甲、兵器全部烧毁，只留下旗帜，投降的共有四千人。

第二天早上，高仁厚对投降的人说：“我起初想立刻遣送你们回去，然而前面沿路各个寨子的老百姓不知道我的想法，有的人还担心怀疑，想用你们为我在前面引路，经过穿口、新津寨时，就让他们看背上的文字，告诉他们情况，等到了延贡，你们就可以回家了。”于是拿罗浑擎的旗帜倒挂着，每五十人为一队，给一面旗帜，让他们往前走，挥动旗帜大声呼叫说：“罗浑擎已被活捉，送到官府去了，大军就要到来。你们住在寨子里的，赶快像我们一样出来投降，立即可以成为良民，没有什么事情的!”到达穿口，句胡僧设置了十一个寨子，寨子里的人争着出来投降；句胡僧大惊，拔出剑来进行阻止，大家丢瓦块、石头攻击句胡僧，一起把他捉住了，献

共擒以献仁厚，其众五千余人皆降。

又明旦，焚寨，使降者执旗先驱，一如双流。至新津，韩求置十三寨皆迎降。求自投深堑，其众钩出之，已死，斩首以献。将士欲焚寨，仁厚止之曰："降人皆[11]未食。"使先运出资粮，然后焚之。新降者竞炊爨㉝，与先降来告者共食之，语笑歌吹㉞，终夜不绝。

明日，仁厚纵双流、穿口降者先归，使新津降者执旗前[12]驱，且曰："入邛州㉟境，亦可散归矣。"罗夫子置九寨于延贡，其众前夕望新津火光，已不眠矣。及新津人至，罗夫子脱身弃寨奔阡能，其众皆降。

明日，罗夫子至阡能寨，与之谋悉㊵众决战。计未定，日向暮，延贡降者至，阡能、罗夫子走马巡寨，欲出兵，众皆不应。仁厚引兵连夜逼之，明旦，诸寨知大军已近，呼噪争出，执阡能，阡能窘急赴井㊶，为众所擒，不死。又执罗夫子，罗夫子自刭㊷。众挈罗夫子首，缚阡能，驱之前迎官军，见仁厚，拥马首大呼泣拜曰："百姓负冤日久，无所控诉。自谍者㊸还，百姓引领㊹，度顷刻如期年㊺。今遇尚书，如出九泉睹白日，已死而复生矣。"欢呼不可止。贼寨在他所者，分遣诸将往降之。仁厚出军凡六日，五贼㊻皆平，每下县镇，辄补镇遏使㊼，使安集户口。

于是陈敬瑄枭韩求、罗夫子首于市，钉阡能、罗浑擎、句胡僧[13]于城西，七日而冎㊽之。阡能孔目官㊾张荣，本安仁进士，屡举不中第，归于阡能，为之谋主，为草书檄㊿。阡能败，以诗启[251]求哀于仁厚，仁厚送府，钉于马市，自余不戮一人。

十二月，以仁厚为眉州防御使。

陈敬瑄榜[252]邛州，凡阡能等亲党皆不问。未几[253]，邛州刺史申[254]捕获阡能叔父行全家三十五人系狱[255]，请准法[256]。敬瑄以问孔目官唐溪，对曰："公已有榜，令勿问，而刺史复捕之，此必有故。今若杀之，岂惟使明公[257]失大信，窃恐阡能之党纷纷复起矣！"敬瑄从之，遣押牙牛晕往，集众于州门，破械而释之，因询其所以然，果行全有良田，刺史欲买之，不与，故恨之。敬瑄召刺史，将按其罪，刺史以忧死。他日，

给高仁厚，句胡僧的部众五千多人全部投降。

第三天早上，烧毁寨子，高仁厚派遣投降的人手持旗帜在前面引导开路，完全和从双流出发一样。到达新津，韩求设置的十三个寨子都出来投降。韩求自投到深沟中，他的部众把韩求钩了出来，韩求已经死了，便斩下他的头献上。将士们想要烧毁寨子，高仁厚阻止他们说："投降的人都还没有吃饭。"派人先运出资财粮食，然后烧毁寨子。新投降的人争着烧火做饭，和先投降来传告的人一起吃饭，谈笑歌唱，终夜不绝。

第四天，高仁厚放走双流、穿口投降的人先回家，派遣新津投降的人手持旗帜在前面引导开路，并且说："进入邛州境内，你们也可以解散回家了。"罗夫子在延贡设置了九个寨子，他的部众前一天夜里看见新津的火光，已经睡不着觉了。等到新津投降的人到来，罗夫子单身出走，抛弃寨子逃往阡能那里，他的部众都投降了。

第五天，罗夫子到达阡能的寨子里，与阡能谋划，拿全部兵力与官军决战。计策还没有确定，太阳西下，延贡投降的人到了。阡能、罗夫子走马巡视寨子，想要出兵，部众都不响应。高仁厚率兵连夜进逼，次日早上，各个寨子知道官军已经逼近，呼喊着，争先出寨投降。他们捉拿阡能，阡能窘急投井，被部众擒获，没有死成。又捉拿罗夫子，罗夫子自杀了。大家拿了罗夫子的头，捆绑了阡能，押着他迎接官军，见到高仁厚，抱住马头大声呼喊哭泣，跪拜说："老百姓含冤已经很久了，无处控告。自从那个间谍回来，我们都引领企盼，度日如年。今天见到您，犹如跳出九泉，重见青天白日，死而复生了。"欢呼不止。在其他地方的寨子，高仁厚就分别派遣各将领前往招降他们。高仁厚出兵一共六天，五个贼寇都讨平，每攻克一个县镇，就补上镇遏使，派他们安抚汇拢老百姓。

于是陈敬瑄在街市把韩求、罗夫子枭首示众，阡能、罗浑擎、句胡僧被钉在城西，七天后把他们凌迟处死。阡能的孔目官张荣，本来是安仁的士子，多次应举都没有及第，投靠阡能，是阡能的出谋划策人，替他起草书檄。阡能失败后，张荣以诗为信哀求高仁厚，高仁厚把他送到官府，钉在马市处死，除此之外不杀一个人。

十二月，朝廷任命高仁厚为眉州防御使。

陈敬瑄在邛州贴出布告，说凡是阡能等人的亲戚、党羽都不再追究。不久，邛州刺史报告捕获了阡能的叔父行全一家三十五人囚禁在监狱中，请求依法处治。陈敬瑄拿这件事询问孔目官唐溪，唐溪回答说："您已经贴出了布告，下令不再追究，然而刺史又缉捕他们，这里必有缘故。现在如果杀掉他们，不但会使您失去非常重要的信用，我还担心阡能的党徒又要纷纷起来作乱了！"陈敬瑄听从了唐溪的意见，派押牙牛晕前往，在州门会集众人，打开刑具，释放了行全一家人，顺便询问他们为什么被刺史抓起来。果然是因为行全家有良田，刺史想要购买，行全不卖给他，所以刺史忌恨行全。陈敬瑄招来刺史，要治他的罪行，刺史因此忧愁而死。有一天，

行全闻其家由唐溪[14]以免，密饷㉘溪蚀箔金㉙百两。溪怒曰：“此乃太师㉖仁明，何预吾事㉖，汝乃怀祸相饷乎！”还其金，斥逐使去。

【段旨】

以上为第四段，写高仁厚用只诛首恶的安抚政策攻心，六日平定了蜀中之乱。

【注释】

㉑侵淫：逐渐扩展。㉑蜀州：州名，治所在今四川崇州。㉑高仁厚（？至公元八八六年）：西川节度使营使，善战，讨贼立功，任剑南东川节度使。传见《新唐书》卷一百八十九。㉑诇事：侦探。㉑语：告诉。㉑高尚书：即高仁厚。因破贼阡能立功，授检校尚书左仆射、眉州刺史。㉑潜语：私下里散布。㉑仆射：此指西川节度使陈敬瑄，加官仆射，故称。㉑愍：通“悯”，怜悯。㉑汝曹：你们。㉒湔洗：洗刷污秽，喻使其改过自新。㉒舞跃：欢腾跳跃。㉒比：等到。㉒双流：县名，县治在今四川双流。㉒把截使：官名，据下文“竭一府之兵”云云诸语，可知把截使统领一府之兵。㉒堑栅：堑壕、栅栏。㉒役夫：被役使的卑下之人。此为轻蔑之词。㉒野桥箐：地名，当在双流之西。㉒邀：阻击。㉒诇知：侦察得知。㉓释戎服：脱去官军军衣，化装为民。㉓拜如摧山：形容群体拜降，有如山崩之势。㉓书其背：在背上书“归顺”字样。㉓穿口：寨名，即新津新穿口。㉓新津：县名，县治在今四川新津东三里。㉓延贡：寨名，在今四川大邑东南二十里。㉓倒系：取罗浑擎的军旗倒系，表示已得其渠帅。㉓炊爨：烧火做饭。㉓歌吹：讴歌、吹笙笛以示庆祝。㉓邛州：州名，治所在今四川邛崃。㉔悉：全部。㉔赴井：投井。㉔刭：用刀割脖子自杀。㉔谍者：此即高仁厚释放的卖面者。㉔引领：伸长脖子，形容盼望的殷切。㉔期年：一整年。㉔五贼：即阡能、罗浑擎、句胡僧、罗夫子、韩求五人。由于高仁厚镇压阡能有功，天子御楼劳军，授高仁厚检校尚书左仆

【原文】

河东节度使郑从谠奏克岚州，执汤群㉖，斩之。

以忻、代等州留后李克用为雁门节度使。

初，朝廷以郑绍业为荆南节度使，时段彦谟方据荆南，绍业

行全听说他们全家是由于唐溪才免除罪过的，就暗地里送给唐溪蚀箔金一百两。唐溪生气地说："这是太师陈敬瑄仁爱开明，和我有什么关系。你这是怀揣祸端来送给我啊！"就把金子退还给他，训斥后赶走了送金子的人。

射、眉州刺史。㉔⑦镇遏使：随事所设官名。镇抚流民。㉔⑧冎：通"剐"，凌迟。㉔⑨孔目官：官名，掌管文书档案，收贮图书。因事无大小，一孔一目，无不经理，故称。㉕⓪草书檄：起草征召、晓谕、申讨一类的官文书。㉕①诗启：以诗为书函。启，书函。㉕②榜：布告；告示。此处用如动词。㉕③未几：不久。㉕④申：官府行文，下级对上级称"申"。㉕⑤系狱：拘囚。㉕⑥准法：绳之以法。此处谓反逆亲属当从坐诛。㉕⑦明公：对权贵长官的尊称。㉕⑧饷：馈赠。㉕⑨蚀箔金：精制的纯金箔。㉖⓪太师：官名，与太傅、太保为三公。多为大官加衔，表示恩宠而无实职。此指陈敬瑄，敬瑄时为检校太师。㉖①何预吾事：意谓与我有什么相干。预，干涉。

【校记】

［7］遂遣之：原无此三字。据章钰校，十二行本、乙十一行本、孔天胤本皆有此三字，今据补。［8］逾堑：原作"逾寨"。据章钰校，十二行本、乙十一行本、孔天胤本皆作"逾堑"，今据改。〖按〗张敦仁《通鉴刊本识误》云："弃寨作'逾堑'。"［9］缚：原作"械"。张敦仁《通鉴刊本识误》作"缚"，当是，今据改。［10］授以一旗使前走：原无此七字。据章钰校，十二行本、乙十一行本、孔天胤本皆有此七字，张敦仁《通鉴刊本识误》同，今据补。［11］皆：原作"犹"。据章钰校，十二行本、乙十一行本皆作"皆"，今从改。［12］前：原作"先"。据章钰校，十二行本、乙十一行本皆作"前"，今从改。［13］句胡僧：原无此三字。据章钰校，十二行本、乙十一行本、孔天胤本皆有此三字，今据补。［14］唐溪：原无"唐"字。据章钰校，十二行本、乙十一行本皆有"唐"字，今据补。

【语译】

河东节度使郑从谠上奏说攻克了岚州，抓住了汤群，把他杀了。

朝廷任命忻、代等州的留后李克用为雁门节度使。

最初，朝廷任命郑绍业为荆南节度使，当时段彦谟正占据荆南，郑绍业畏惧

惮[263]之，逾[264]半岁，乃至镇[265]。上幸蜀，召绍业还，以彦谟为节度使。彦谟为朱敬玫所杀，复以绍业为节度使。绍业畏敬玫，逗遛不进，军中久无帅。至是，敬玫署押牙陈儒知府事[266]。儒，江陵人也。

加奉天[267]节度使齐克俭、河中节度使王重荣并同平章事。

李克用将兵四万至河中，遣从父弟[268]克脩[269]先将兵五百济河尝贼[270]。初，克用弟克让[271]为南山寺僧所杀，其仆浑进通归于黄巢。自高浔[272]之败，诸军皆畏贼，莫敢进。及克用军至，贼惮之，曰："鸦军[273]至矣，当避其锋。"克用军皆衣黑，故谓之鸦军。巢乃捕南山寺僧十余人，遣使赍诏书及重赂[274]，因浑进通诣克用以求和。克用杀僧，哭克让，受其赂以分诸将，焚其诏书，归其使者，引兵自夏阳[275]渡河，军于同州。

孟方立[276]既杀成麟[277]，引兵归邢州，潞[278]人请监军吴全勖知留后。是岁，王铎墨制以方立知邢州事，方立不受，囚全勖，与铎书，愿得儒臣镇潞州，铎以郑昌图知昭义[279]军事。既而朝廷以右仆射[280]、租庸使[281]王徽同平章事，充昭义节度使，徽以车驾播迁[282]，中原方扰，方立专据山东[283]邢、洺、磁[284]三州，度朝廷力未[15]能制，辞不行，请且委昌图[285]。诏以徽为大明宫[286]留守，京畿安抚、制置、修奉园陵使[287]。昌图至潞州，不三月而去，方立遂迁昭义军于邢州，自称留后，表[288]其将李殷锐为潞州刺史。

和州[289]刺史秦彦[290]使其子将兵数千袭宣州[291]，逐观察使窦潏而代之。

【段旨】

以上为第五段，写李克用勤王，进军攻黄巢。孟方立不遵朝命，自为昭义节度使。

段彦谟，过了半年才到镇上任。僖宗驾临蜀地，召郑绍业回来，任命段彦谟为节度使。段彦谟被朱敬玫所杀，又派郑绍业任节度使。郑绍业害怕朱敬玫，逗留不敢前进，军中长期没有主帅。到这时，朱敬玫委派押牙陈儒主持荆州府事务。陈儒，是江陵人。

对奉天节度使齐克俭、河中节度使王重荣均加官同平章事。

李克用率兵四万人到达河中，派遣堂弟李克脩先率兵五百人渡河试探进攻贼军。最初，李克用的弟弟李克让被南山寺僧所杀，李克让的仆人浑进通归附黄巢。自从高浔战败，各路军队都畏惧贼军，没有人敢前进。等到李克用的军队来了，贼军畏惧，说："乌鸦军到了，应该躲避他的锋芒。"李克用的部队都穿黑衣服，所以称作乌鸦军。黄巢便抓捕了十多个南山寺僧，派遣使者携带诏书和贵重的财物，利用浑进通的关系去李克用那里求和。李克用杀死僧人，哀哭李克让，接受黄巢的财物分送各位将领，烧掉他的诏书，送回他的使者，率兵从夏阳渡过黄河，屯驻在同州。

孟方立已经杀了成麟，率军返回邢州，潞州人请求监军吴全勗担任留后职务。这一年，王铎用墨笔书写僖宗的命令，任命孟方立主管邢州事务。孟方立不肯接受，拘禁了吴全勗，给王铎写信，希望能有儒臣镇守潞州，王铎任用郑昌图主管昭义军的事务。后来朝廷任命右仆射、租庸使王徽为同平章事，担任昭义节度使。王徽认为僖宗迁移流动，中原正纷扰动荡，孟方立个人占据了淆山以东的邢州、洺州、磁州三个州，考虑到朝廷无力制服他，便推辞不肯成行，请求暂时委派郑昌图。僖宗下诏任命王徽为大明宫留守，京畿安抚、制置、修奉园陵使。郑昌图到了潞州，不满三个月离去。孟方立就把昭义军迁徙到邢州，自称留后，上表让他的部将李殷锐担任潞州刺史。

和州刺史秦彦派遣他的儿子率兵几千人袭击宣州，驱逐了观察使窦潏，取代了他的职位。

【注释】

㉖② 汤群：时为岚州刺史，杀朝廷使者据城反叛归附沙陀，故斩之。㉖③ 惮：畏惧。㉖④ 逾：超过。㉖⑤ 至镇：到达荆南节度使治所荆州。㉖⑥ 知府事：主持荆州府事务。㉖⑦ 奉天：方镇名，治所乾州，在今陕西乾县。㉖⑧ 从父弟：堂弟。从父，父亲的兄弟。㉖⑨ 克脩（？至公元九二三年）：李克用堂弟李克脩。传见《旧五代史》卷五十、《新五代史》卷十四。㉗⓪ 尝贼：试探性进攻，用以侦知黄巢军的虚实，以今语言之，叫火力侦察。㉗① 克让：李克用之弟李克让（？至公元八八一年），黄巢进攻长安时，逃入南山为寺僧所杀。传见《旧唐书》卷五十、《新唐书》卷十四。㉗② 高浔：昭义节度使。唐僖宗中和元年（公元八八一

年）八月，浔与黄巢军将领李详战于石桥，败奔河中。事见本书卷二百五十四僖宗中和元年。㉗③鸦军：李克用少骁勇，军中号“李鸦儿”。其所率沙陀兵皆着黑衣，称“鸦儿军”。㉗④赂：财物。㉗⑤夏阳：县名，县治在今陕西合阳东。㉗⑥孟方立（？至公元八八九年）：邢州人，始为泽州天井关戍将，为昭义节度使高浔报仇，杀成麟，自为留后，逐朝廷所委昭义留后郑昌图，割据邢、洺、磁三州为节度使。后被李克用攻灭。传见《新唐书》卷一百八十七、《旧五代史》卷四十二。㉗⑦成麟：昭义节度使高浔之裨将。中和元年杀高浔。孟方立时为泽州天井戍将，率兵攻成麟，斩之。㉗⑧潞：州名，治所在今山西长治。成麟杀高浔后还据潞州。㉗⑨昭义：方镇名，唐代宗广德元年（公元七六三年）置相卫节度使，治所相州。大历元年（公元七六六年）赐号昭义军节度使，唐德宗建中元年（公元七八〇年）徙治潞州，在今山西长治。㉘⓪右仆射：官名，尚书省长官。唐制，左右仆射带同平章事之名，即为宰相。㉘①租庸使：官名，专事征敛军用资粮。㉘②车驾播迁：言黄巢军占领京师，僖宗出奔西川。播迁，流离迁徙。㉘③山东：泛指中原，即淆山以东

【原文】

三年（癸卯，公元八八三年）

春，正月，李克用将李存贞败黄揆于沙苑㉙②。己巳㉙③，克用进屯沙苑。揆，巢之弟也。王铎承制以克用为东北面行营都统㉙④，以杨复光为东面都统监军使，陈景思为北面都统监军使。

乙亥㉙⑤，制以中书令㉙⑥、充诸道行营都统王铎为义成㉙⑦节度使，令赴镇。田令孜㉙⑧欲归重北司㉙⑨，称铎讨黄巢久无功，卒用杨复光策，召沙陀而破之，故罢铎兵柄㉚⓪以悦复光。又以副都统崔安潜为东都㉚①留守，以都都监㉚②西门思恭为右神策中尉㉚③，充诸道租庸兼催促诸道进军等使。令孜自以建议幸蜀㉚④、收传国宝㉚⑤、列圣真容㉚⑥、散家财犒军为己功，令宰相藩镇共请加赏，上以令孜为十军兼十二卫观军容使㉚⑦。

成德㉚⑧节度使常山忠穆王王景崇㉚⑨薨㉛⓪，军中立其子节度副使镕㉛①知留后事，时镕生十年矣。

以天平留后朱瑄为节度使。

二月壬子㉛②，李克用进军乾坑㉛③，与河中、易定㉛④、忠武㉛⑤军合。尚

之地。㉘磁：州名，治所滏阳，在今河北磁县。㉘请且委昌图：朝廷委王徽为昭义节度使，王徽见当时孟方立割据山东三州，别为一镇，李克用也窥伺潞州，而朝廷无力控制，所以固让昌图，请朝廷承认王铎所署郑昌图为昭义节度使。郑昌图到任三个月后离去，于是孟方立自为昭义节度使。㉘大明宫：唐宫名，亦称东内。内有含元、宣政、紫宸三殿，故址在今陕西西安。㉘京畿安抚、制置、修奉园陵使：官名，当时黄巢军占领长安，以此职授王徽，以俟收复被战争所毁之园陵。㉘表：上书。㉘和州：州名，治所历阳，在今安徽和县。㉙秦彦（？至公元八八七年）：原为黄巢部将。乾符六年（公元八七九年）降高骈。其得和州，亦为高骈用之。传附《旧唐书》卷一百八十二、《新唐书》卷二百二十四《高骈传》。㉙宣州：州名，治所在今安徽宣城。

【校记】

[15] 未：原作“不”。据章钰校，十二行本、乙十一行本皆作“未”，今从改。

【语译】

三年（癸卯，公元八八三年）

春，正月，李克用的部将李存贞在沙苑打败了黄揆。初二日己巳，李克用进兵屯驻沙苑。黄揆，是黄巢的弟弟。王铎借用僖宗的名义任命李克用为东北面行营都统，任命杨复光为东面都统监军使，陈景思为北面都统监军使。

正月初八日乙亥，僖宗任命中书令、充当诸道行营都统的王铎为义成节度使，命令他前往镇所。田令孜想把大权归于北司，说王铎讨伐黄巢长期没有功劳，最后采用杨复光的计策，招来沙陀的军队才打败黄巢，所以解除王铎的兵权来取悦杨复光。又任命副都统崔安潜为东都留守，任命都都监西门思恭为右神策中尉，充当诸道租庸兼催促诸道进军等使。田令孜自以为建议僖宗驾临蜀地、收聚传国宝物和历朝皇帝图像、散发家财来犒劳军队都是自己的功劳，让宰相和藩镇共同请求僖宗加以赏赐。僖宗任命田令孜担任十军兼十二卫的观军容使。

成德节度使常山忠穆王王景崇去世，军中拥立他的儿子节度副使王镕代理留后的职务，这时王镕才十岁。

朝廷任命天平留后朱瑄为天平节度使。

二月十五日壬子，李克用进军乾坑，与河中、易定、忠武军的部队会合。尚让等人统率十五万部众屯驻于梁田陂。第二天，展开激战，从中午打到黄昏，贼兵大

让等将十五万众屯于梁田陂[316]，明日，大战，自午至晡[317]，贼众大败，俘斩数万，伏尸三十里。巢将王璠、黄揆袭华州，据之，王遇[318]亡去。

初，光州[319]刺史李罕之[320]为秦宗权[321]所攻，弃州奔项城[322]，余众[16]归诸葛爽，爽以为怀州刺史。韩简攻郓州，半年，不能下。爽复袭取河阳[323]，朱瑄请和，简乃舍之，引兵击河阳。爽遣罕之逆战于武陟[324]，魏军[325]大败而还。大将澶州[326]刺史乐行达[327]先归，据魏州[328]，军中共立行达为留后，简为部下所杀[329]。己未[330]，以行达为魏博留后。

甲子[331]，李克用进围华州，黄思邺、黄揆婴城固守；克用分骑屯渭北[332]。

以王镕为成德留后。

以郑绍业为太子宾客[333]、分司[334]，以陈儒[335]为荆南留后。

峡路招讨指挥使庄梦蝶为韩秀升、屈行从所败，退保忠州[336]，应援使胡弘略战亦不利。江、淮贡赋皆为贼所阻[337]，百官无俸。云安[338]、涪井[339]路不通，民间乏盐。陈敬瑄奏以眉州[340]防御使高仁厚为西川行军司马[341]，将三千兵讨之。

加凤翔[342]节度使李昌言同平章事。

黄巢兵数败，食复尽，阴为遁计[343]，发兵三万扼[344]蓝田[345]道。三月壬申[346]，遣尚让将兵救华州，李克用、王重荣引兵逆战于零口[347]，破之。克用进军渭桥[348]，骑军在渭北，克用每夜令其将薛志勤[349]、康君立[350]潜入长安，燔[351]积聚，斩虏而还，贼中大惊。

【段旨】

以上为第六段，写李克用节节胜利，兵围黄巢于长安。

败，俘虏斩杀几万人，横卧地上的尸体长达三十里。黄巢部将王璠、黄揆袭击华州，并占据了华州，王遇逃走了。

当初，光州刺史李罕之被秦宗权攻击，放弃州城逃往项城，残余部众投靠诸葛爽，诸葛爽让他做怀州刺史。韩简攻打郓州，半年时间，未能攻下。诸葛爽又袭取河阳。朱瑄请求讲和，韩简就放弃攻打郓州，率军进击河阳。诸葛爽派遣李罕之在武陟迎战，韩简的军队大败还军。大将澶州刺史乐行达先行返回，占据了魏州，军中共同推举乐行达为留后，韩简被部下杀死。二月二十二日己未，任命乐行达为魏博留后。

二月二十七日甲子，李克用进兵围困华州，黄思邺、黄揆环城固守。李克用分出部分骑兵屯驻渭北。

朝廷任命王镕为成德留后。

朝廷任命郑绍业为太子宾客、分司，任命陈儒为荆南留后。

峡路招讨指挥使庄梦蝶被韩秀升、屈行从所败，退兵据守忠州，应援使胡弘略战事也不利。江、淮的贡品和赋税都被贼军阻拦，百官没有俸禄。云安、淯井的道路不通，民间缺少盐。陈敬瑄上奏请以眉州防御使高仁厚为西川行军司马，率领三千名士兵讨伐贼军。

凤翔节度使李昌言加封同平章事。

黄巢的军队屡屡战败，粮食也吃光了，暗中筹划逃跑的计策，发兵三万扼守蓝田要道。三月初六日壬申，派遣尚让率军救援华州，李克用、王重荣率军在零口迎战，打败了敌军。李克用进军渭桥，骑兵在渭北，李克用每天夜间命令他的部将薛志勤、康君立潜入长安，焚烧黄巢积聚的财物，斩杀虏获黄巢的人马后返回，贼军大惊。

【注释】

㉜沙苑：地名，在今陕西大荔南十二里。㉝己巳：正月初二日。㉞行营都统：官名，掌征伐，控有军事大权，兵罢则省。㉟乙亥：正月初八日。㊱中书令：官名，朝廷政务中枢三省之一中书省的长官。㊲义成：方镇名，治所滑州，在今河南滑县。㊳田令孜（？至公元八九三年）：字仲则，本姓陈。宦官。僖宗朝恃宠骄横，把持朝政，僖宗呼之为“阿父”。黄巢攻入长安，挟僖宗逃往成都。光启二年（公元八八六年）自任西川监军使。唐昭宗景福二年（公元八九三年）被割据西川的王建杀死。传见《旧唐书》卷一百八十四、《新唐书》卷二百八。㊴归重北司：把重权归于北司。北司，唐内侍省，掌管宫内事务的机构，由宦官组成。因在皇宫之北，故称北司。㊵兵柄：兵权。田令孜见黄巢势力已衰，杨复光之功必成，故罢王铎兵权取悦杨复光。㊶东都：唐以洛阳为东都。㊷都都

监：官名。唐制，都都统总领诸道行营都统，都都监则为都都统的监军。㉝右神策中尉：官名，掌禁军。自代宗永泰年间始，左右神策军以中官为帅。德宗贞元中，特置神策军护军中尉，任以中官，时号两军中尉，中尉权倾天下。㉞幸蜀：广明元年十二月（公元八八一年一月）黄巢起义军直趋长安，田令孜率神策军五百拥帝奔成都。㉟传国宝：指传国的玉玺之类。㊱列圣真容：唐历代皇帝画像。㊲十军兼十二卫观军容使：官名。十军，指神策十军。十二卫，指南衙十二卫。唐禁兵分为南北衙。南衙指诸卫兵，北衙为禁军。观军容使是监视出征将帅的最高军职，以宦官之掌权者充任。㊳成德：方镇名，代宗宝应元年（公元七六二年）置。治所恒州，在今河北正定。㊴王景崇（公元八四六至八八三年）：四世为成德军节度使。僖宗朝进同中书门下平章事、检校太尉兼中书令，封常山王，谥忠穆。传见《旧唐书》卷一百四十二、《新唐书》卷二百十一。㊵薨：唐制，凡丧三品以上称薨。㊶镕：王镕（公元八七三至九二一年），回鹘人，成德节度使王武俊养子王庭凑之四代孙。成德节度使世袭，王镕十岁时被三军推为留后，朝廷授以节度使旌节。朱全忠僭号，王镕奉其正朔。后为部将王德明所杀，被赤族。传见《旧五代史》卷五十四、《新五代史》卷三十九。㊷壬子：二月十五日。㊸乾坑：地名，在今陕西大荔西三十里。㊹易定：易，易州。定，定州。属成德军节度。㊺忠武：方镇名，德宗贞元三年（公元七八七年）置陈许节度使，治所许州，在今河南许昌。贞元十年赐号忠武军。㊻梁田陂：地名，在今陕西华县西南。㊼晡：申时，即下午三时到五时。㊽王遇：原为黄巢将领，去年据华州投降朝廷。㊾光州：州名，治所定城，在今河南潢川县。㊿李罕之（公元八四〇至八九八年）：乾符六年（公元八七九年）与秦彦一起降高骈，骈使其守光州。传见《新唐书》卷一百八十七、《旧五代史》卷十五、《新五代史》卷四十二。(321)秦宗权（？至公元八八九年）：唐末割据淮西署伪号的军阀，昭宗大顺元年（公元八九〇年）被讨灭。与朱泚、黄巢同传。传见《旧唐书》卷二百、《新唐书》卷二百二十五。(322)项城：县名，县治在今河南沈丘。(323)爽复袭取河阳：僖宗中和二年（公元八八二年）十月，韩简破诸葛爽，取河阳。十月，移兵攻郓州。(324)武陟：县名，县治在今河

【原文】

以淮南押牙合肥杨行愍[352]为庐州[353]刺史。行愍本庐州牙将，勇敢，屡有战功，都将忌之，白刺史郎幼复遣使出戍于外。行愍过辞[354]，都将以甘言悦之，问其所须，行愍曰："正须汝头耳！"遂起斩之，并将诸营，自称八营都知兵马使。幼复不能制，荐于高骈，请以自代。骈以行愍为淮南押牙，知庐州事，朝廷因而命之。行愍闻州人王勖贤，

南武陟西南。㉕魏军：指韩简部队。㉖澶州：州名，治所顿丘，在今河南清丰西。㉗乐行达（？至公元八八八年）：僖宗中和四年（公元八八四年）赐名彦祯。传见《旧唐书》卷一百八十一、《新唐书》卷一百十。㉘魏州：州名，治所在今河北大名东北。㉙简为部下所杀：〖按〗据两《唐书》韩简本传，简兵败忧愤而死，并非为部下所杀。㉚己未：二月二十二日。㉛甲子：二月二十七日。㉜渭北：地区名，指渭水以北地区。㉝太子宾客：太子官属。正三品，掌调护、侍从、规谏。㉞分司：唐以洛阳为东都，仿照京师分设在东都的中央官员称为分司。除分司御史有监察职责外，其他分司官员均是闲职。㉟陈儒（？至公元八八五年）：江陵（今湖北荆州）人，官至荆南节度使。传见《新唐书》卷一百八十六。㊱忠州：州名，治所在今重庆市忠县。㊲江淮贡赋皆为贼所阻：时僖宗在蜀，江淮贡赋本来溯峡江而上。由于招讨使庄梦蝶退保忠州，江淮贡赋为韩秀升所阻。㊳云安：县名，县治在今四川云阳，有盐官。㊴淯井：地名，在今四川长宁南，产盐。㊵眉州：州名，治所通义，在今四川眉山市。㊶行军司马：官名，节度使之佐官。此以高仁厚代庄梦蝶进讨韩秀升等。㊷凤翔：方镇名，治所凤翔，在今陕西宝鸡市凤翔区。㊸阴为遁计：秘密地计议逃跑。㊹扼：控制；把守。㊺蓝田：县名，县治在今陕西蓝田。蓝田道是通往武关南下之路。㊻壬申：三月初六日。㊼零口：镇名，在今陕西西安市临潼区东四十五里。㊽渭桥：有三，一为中渭桥，故址在今咸阳东；二为东渭桥，故址在今西安东北灞水、泾水合渭处东侧；三为西渭桥，故址在今咸阳南。此指东渭桥。㊾薛志勤（公元八三六至八九九年）：小字铁山，骁勇善战，屡立战功。传见《旧五代史》卷五十五。㊿康君立（公元八四六至八九四年）：蔚州兴唐（今河北蔚县）人。传见《旧五代史》卷五十五。(351)燔：焚烧。

【校记】

［16］余众：原作“帅余众”。据章钰校，十二行本、乙十一行本皆无“帅”字，今据改。

【语译】

朝廷任命淮南押牙合肥人杨行愍为庐州刺史。杨行愍原来是庐州的牙将，勇猛果敢，屡立战功。行营都将妒忌他，就唆使刺史郎幼复派杨行愍到外面戍守。杨行愍到都将那里辞行时，都将假意对他好言相待，还询问他需要什么，杨行愍说：“我正需要你的头！”于是起身杀了都将，并统率各路军营，自称八营都知兵马使。郎幼复已无法辖制杨行愍，便把他举荐给高骈，请求用杨行愍来接替自己。高骈于是任用杨行愍做淮南的押牙将，主管庐州事务，朝廷顺势正式任命了杨行愍。杨行愍耳

召，欲用之，固辞。问其子弟，曰："子潜，好学慎密[355]，可任以事；弟子稔，有气节，可为将。"行愍召潜置门下，以稔及定远[356]人季章为骑将。

初，吕用之[357]因左骁雄军使俞公楚得见高骈。用之横甚[358]，或以咎[359]公楚，公楚数戒用之少自敛，毋相累，用之衔[360]之。右骁雄军使姚归礼，气直敢言，尤疾[361]用之所为，时面数其罪，常欲手刃之。癸未[362]夜，用之与其党会倡家[363]，归礼潜遣人爇[364]其室，杀貌类者数人，用之易服得免。明旦，穷治[365]其事，获纵火者，皆骁雄之卒，用之于是日夜谮[366]二将于骈。未几，骈使二将将骁雄卒三千袭贼于慎县[367]，用之密以语杨行愍云："公楚、归礼欲袭庐州。"行愍发兵掩之[368]，二将不为备，举军尽殪[369]，以二将谋乱告骈，骈不知用之谋，厚赏行愍。

【段旨】

以上为第七段，写杨行密兴起于淮南。

【注释】

[352]杨行愍（公元八五二至九〇五年）：即杨行密，字化源，合肥人，中和三年为庐州刺史。景福元年（公元八九二年）为淮南节度使，封吴王。割据淮南、江东一带。后其子杨溥称帝，追尊行密为太祖。是为五代十国之南吴建立者。传见《新唐书》卷一百八十八、《旧五代史》卷一百三十四、《新五代史》卷六十一。[353]庐州：州名，治所在今

【原文】

己丑[370]，以河中行营招讨副使朱全忠为宣武[371]节度使，俟克复长安，令赴镇。

癸巳[372]，李克用等拔华州，黄揆弃城走。

刘汉宏分兵屯黄岭、岩下、贞女[373]三镇，钱镠将八都[374]兵自富春[375]击之，破黄岭，擒岩下镇将史弁、贞女镇将杨元宗。汉宏以精兵

闻州人王勖贤能，就把他招来，想要任用他，王勖坚决推辞。杨行愍询问王勖弟弟和儿子的情况，王勖回答说："我的儿子王潜，爱好学习，为人谨慎周到，可以委任他职务；我的侄儿王稔，有气节，可以担任将领。"杨行愍招来王潜，安排在门下，任用王稔和定远人季章为骑将。

当初，吕用之借助左骁雄军使俞公楚才得以见到高骈。吕用之极为蛮横，有人因此怪罪俞公楚。俞公楚屡次劝诫吕用之稍为收敛，不要拖累自己，吕用之因此怀恨俞公楚。右骁雄军使姚归礼，脾气直爽，敢于说话，特别痛恨吕用之的所作所为，常常当面数落吕用之的罪过，多次想要亲手杀死他。三月十七日癸未的夜晚，吕用之和他的同党在娼妓家聚会，姚归礼暗中派人焚烧妓院，杀了好几个和吕用之长相相似的人，吕用之因换了衣服才得脱身。第二天早上，吕用之全力追查这件事，抓住了放火的人，都是骁雄军的士兵，吕用之于这天晚上向高骈诬陷俞公楚、姚归礼两人。不久，高骈派俞公楚、姚归礼两人统率骁雄军的士兵三千人到慎县袭击贼寇，吕用之秘密告诉杨行愍说："俞公楚、姚归礼打算袭击庐州。"杨行愍于是发兵偷袭，俞公楚、姚归礼两人没有防备，结果全军死亡殆尽。吕用之告诉高骈说俞公楚、姚归礼两人阴谋作乱，高骈不知道这是吕用之的阴谋，厚赏杨行愍。

安徽合肥。㉞过辞：到都将处辞行。㉟好学慎密：勤奋好学，为人谨慎周到。杨行愍仰慕王勖为人，因此改名行密。㊱定远：县名，县治在今安徽定远。㊲吕用之（？至公元八九一年）：方士，高骈幕僚。传附《新唐书》卷二百二十四下《高骈传》。㊳用之横甚：事见本书卷二百五十四僖宗中和元年。㊴咎：归罪。因吕用之骄横，有人归罪于俞公楚。㊵衔：怀恨。㊶疾：痛恨。㊷癸未：三月十七日。㊸倡家：妓院。倡，通"娼"。㊹爇：放火焚烧。㊺穷治：追究。㊻谮：进谗言。㊼慎县：县名，县治在今安徽合肥东北六十里。㊽掩之：乘人不备而进攻。㊾殪：死。

【语译】

三月二十三日己丑，朝廷任命河中行营招讨副使朱全忠为宣武节度使，等到收复长安后，让他去往镇所。

二十七日癸巳，李克用等人攻克华州，黄揆弃城逃走。

刘汉宏分出兵力屯驻黄岭、岩下、贞女三镇。钱镠率领八方军队从富春进攻他，攻破黄岭，擒获岩下镇的守将史弁、贞女镇的守将杨元宗。刘汉宏用精兵屯驻诸暨，屯诸暨，镠又击破之，汉宏走。

庄梦蝶与韩秀升、屈行从战，又败。其败兵纷纭还走[376]，所在慰谕[377]，不可遏，遇高仁厚于路，叱之，即止。仁厚斩都虞候一人，更令修娖[378]部伍。乃召耆老[379]，询以山川蹊径[380]及贼寨所据，喜曰："贼精兵尽在舟中，使老弱守寨，资粮皆在寨中，此所谓重战轻防[381]，其败必矣！"乃扬兵江上，为欲涉之状[382]。贼昼夜御备，遣兵挑战，仁厚不与交兵，潜发勇士千人执兵负藁[383]，夜，由间道[384]攻其寨，且焚之。贼望见，分兵往救之，不及，资粮荡尽，众心已摇。仁厚复募善游者凿其舟底[17]，相继皆沉，贼往来惶惑，不能相救，仁厚遣兵于要路邀击，且招之，贼众皆降。秀升、行从见众溃，挥剑乱斫[385]，欲止之，众愈怒，共执二人诣仁厚，仁厚诘[386]之曰："何故反？"秀升曰："自大中皇帝[387]晏驾[388]，天下无复公道，纽解纲绝[389]。今日反者，岂惟秀升！成是败非，机上之肉[390]，惟所烹醢[391]耳！"仁厚愀然[392]，命善食[393]而械之。夏，四月庚子[394]，献于行在，斩之。

李克用与忠武将庞从、河中将白志迁等引兵先进，与黄巢军战于渭南[395]，一日三战，皆捷。义成、义武等诸军继之，贼众大奔。甲辰[396]，克用等自光泰门[397]入京师，黄巢力战不胜，焚宫室遁去。贼死及降者甚众，官军暴掠，无异于贼，长安室屋及民所存无几。巢自蓝田入商山[398]，多遗珍宝于路，官军争取之，不急追，贼遂逸[399]去。

杨复光遣使告捷，百官入贺。诏留忠武等军二万人，委大明宫留守王徽及京畿制置使[400]田从异部分[401]，守卫长安。五月，加朱玫[402]、李克用[18]、东方逵同平章事。升陕州[403]为节度，以王重盈为节度使。又建延州[404]为保塞军[405]，以保大行军司马延州刺史李孝恭为节度使。克用时年二十八，于诸将最少，而破黄巢，复长安，功第一，兵势最强，诸将皆畏之。克用一目微眇[406]，时人谓之"独眼龙"。

诏以崔璆家贵身显，为黄巢相[407]首尾[408]三载，不逃不隐，于所在斩之。

黄巢使其骁将孟楷将万人为前锋，击蔡州[409]，节度使秦宗权逆战而败。贼进攻其城，宗权遂称臣于巢，与之连兵。

钱镠又击破了诸暨的军队，刘汉宏逃走了。

庄梦蝶和韩秀升、屈行从交战，再次失败了。庄梦蝶的败兵纷纷往回逃跑，败兵所到之处，庄梦蝶都安慰开导大家，但也不能阻止，在路上遇到高仁厚，高仁厚斥责大家，大家立刻停了下来。高仁厚杀了一个都虞候，又下令整顿队伍。高仁厚请来当地的老人，询问这里的山川道路和贼寨据点，高兴地说："贼军精兵全部在船中，用一些老弱士兵守卫寨子，物资、粮食全在寨子里，这就是所说的重视作战轻视防守，贼军失败是注定的了！"于是高仁厚扬兵江上，做出想要渡江的样子。贼军昼夜防备，派兵挑战。高仁厚不与他们交锋，暗中调发一千名勇士，拿着兵器，背着柴草，在夜里从小路进攻他们的寨子，并且放火焚烧。贼军远远望见，分兵前去救援，已经来不及了，物资、粮食全部被烧光，军心动摇。高仁厚又招募善于游水的人去凿穿他们的船底，船只全都相继沉没。贼军来来往往，惶恐疑惑，互相不能援救。高仁厚派遣士兵在要道上进行拦击，并且招降他们，贼众全都投降了。韩秀升、屈行从看到部下溃败，便挥剑乱砍，想要阻止他们，大家更加愤怒，一起抓住他们两人去见高仁厚。高仁厚责问韩秀升、屈行从说："你们是什么原因要造反呢？"韩秀升说："自从宣宗皇帝死后，天下再也没有公理了，国家丧失了纲纪。现在反叛的人，岂止我韩秀升一人！成功了就是对的，失败了就是错的。我已是案上之肉，要烹要剁随你们便了！"高仁厚愀然伤感，下令给他好吃的，戴上刑具。夏，四月初四日庚子，把韩秀升押送到僖宗的停留处，杀了韩秀升。

李克用和忠武军的将领庞从、河中的将领白志迁等人带兵率先进军，与黄巢的部队在渭南交战，一天打了三仗，都取得胜利。义成、义武等各路军队继续进攻，贼寇大军败逃。四月初八日甲辰，李克用等从光泰门进入京师，黄巢拼死接战不能取胜，烧毁宫室逃跑了。贼寇战死的、投降的非常多。官军大肆抢掠，无异于贼寇，长安的宫室、房屋和百姓所存无几。黄巢从蓝田进入商山，在道路上丢弃许多珍珠宝物，官军争着去捡财物，没有紧追，贼寇才得以逃走。

杨复光派遣使者告捷，百官入朝庆贺。僖宗下诏留下忠武等军二万人，委派大明宫留守王徽和京畿制置使田从异部署安排，守卫长安。五月，加官朱玫、李克用、东方逵为同平章事。把陕州升格为节度，任命王重盈为节度使。又在延州建立保塞军，任命保大行军司马延州刺史李孝恭为节度使。李克用当时二十八岁，在各个将领中年龄最小，而打败黄巢，收复长安，功劳第一，兵力也最为强大，各个将领都害怕他。李克用有一只眼睛微盲，当时人称他为"独眼龙"。

僖宗下诏说崔璆出身高贵，身居显要，却任黄巢宰相，勾结三年，不逃走也不躲藏，于是把崔璆在住所斩杀了。

黄巢派遣他的勇将孟楷率领一万人为前锋，攻打蔡州。节度使秦宗权迎战，被打败。孟楷进攻蔡州城，秦宗权于是向黄巢称臣，与黄巢联兵成一体。

初，巢在长安，陈州⑩刺史宛丘赵犨⑪谓将佐曰："巢不死长安，必东走，陈其冲⑫也。且巢素与忠武⑬为仇，不可不为之备⑭。"乃完城堑⑮，缮甲兵，积刍⑯粟，六十里之内，民有资粮者，悉徙之入城。多募勇士，使其弟昶珝、子麓林分将之。孟楷既下蔡州，移兵击陈，军于项城⑰。犨先示之弱，伺其无备，袭击之，杀获殆尽，生擒楷，斩之。巢闻楷死，惊怒[19]，悉众屯溵水⑱，六月，与秦宗权合兵围陈州，掘堑五重，百道攻之⑲。

陈人大恐，犨谕之曰："忠武素著义勇⑳，陈州号为劲兵，况吾家久食陈禄，誓与此州存亡。男子当求生于死中，且徇国而死，不愈㉑于臣贼㉒而生乎！有异议者斩！"数引锐兵开门出击贼，破之。巢益怒，营于州北，立宫室百司㉓，为持久之计。时民间无积聚，贼掠人为粮，生投于碓㉔硙㉕，并骨食之，号给粮之处曰"舂磨寨㉖"。纵兵四掠，自河南㉗、许、汝、唐、邓、孟、郑、汴、曹、濮、徐、兖㉘等数十州，咸被其毒㉙。

【段旨】

以上为第八段，写李克用复长安，黄巢东窜，为祸河南数十州，重兵围陈州。

【注释】

㊲⓪己丑：三月二十三日。㊲①宣武：方镇名，唐德宗建中二年（公元七八一年）置。治所宋州，在今河南商丘。㊲②癸巳：三月二十七日。㊲③黄岭、岩下、贞女：均为镇名，三镇在婺州和越州之间。㊲④八都：僖宗乾符二年（公元八七五年），浙西裨将王郢作乱，石鉴镇将董昌讨郢，以吴（钱）镠为偏将，击败王郢。是时黄巢初起，天下已乱，都统高骈表昌杭州刺史，昌乃集合诸县兵为八都。吴（钱）镠所率八都兵即此。㊲⑤富春：县名，即富阳县，县治在今浙江杭州市富阳区。㊲⑥还走：往回逃跑。㊲⑦所在慰谕：败兵所到之处，都加以安抚劝说。所在，到处、处处。㊲⑧修娖：整顿队伍。㊲⑨耆老：老年人。㊳⓪蹊径：路径。高仁厚向老年人了解山川道路及韩秀升兵寨布置的情况。㊳①重战轻防：韩秀升精兵皆在舟中准备作战，而寨中只留老弱把守。㊳②为欲涉之状：做出打算过江进攻的样子。㊳③藁：同"稿"，稻、麦的秆子。㊳④间道：偏僻的小路。㊳⑤斫：砍

当初，黄巢在长安时，陈州刺史宛丘人赵犨对部下将领说："黄巢不死在长安，一定会向东逃走，陈州便首当其冲。而且黄巢向来与忠武军为敌，不能不做防备。"于是把城墙、沟堑整修完备，缮治盔甲、兵器，囤积粮草，六十里以内，百姓有财物、粮食的，全部迁入城中；多招勇士，让他的弟弟赵昶珝、儿子赵麓林分别率领。孟楷已经攻下蔡州，移兵攻打陈州，驻军项城。赵犨先是向孟楷做出势单力薄的样子，乘他们没有防备时，袭击他们，几乎把他们都斩杀、俘获了，活捉了孟楷，杀死了他。黄巢听到孟楷死了，非常惊慌愤怒，把全部部众都驻扎在溵水，六月，黄巢与秦宗权合兵围攻陈州，挖了五重沟堑，从四面八方攻打陈州。

陈州百姓大为恐慌，赵犨告诉大家说："忠武军一向以义勇闻名，陈州的军队有劲兵之称，况且我家久食陈州俸禄，誓与陈州共存亡。男子汉应当在死中求生，况且殉身国事而死，不是比向贼寇称臣偷生更好吗！有不同意见的人斩首！"赵犨多次带领精兵打开城门出去攻击贼军，打败了他们。黄巢更加愤怒，在陈州的北面扎营，建立宫室，设置百官，做持久的打算。当时民间没有粮食积蓄，贼寇就抢人做粮食，把活人扔到碓磨中去粉碎，连骨头一起吃，把供给人肉粮食的地方叫作"舂磨寨"。还放纵士兵四处掠夺，从河南府起，许州、汝州、唐州、邓州、孟州、郑州、汴州、曹州、濮州、徐州、兖州等几十个州的地方，都遭受贼寇的荼毒。

杀。㊳诘：问。㊴大中皇帝：宣宗李忱。㊵晏驾：皇帝死亡的讳称。㊶纽解纲绝：纽为关键，纲为总要。比喻国家的根本已经瓦解。㊷机上之肉：案板上的肉。喻任人宰割。㊸醢：剁成肉酱。㊹愀然：忧伤的样子。㊺善食：给好的酒饭吃。㊻庚子：四月初四日。㊼渭南：县名，县治在今陕西渭南。㊽甲辰：四月初八日。㊾光泰门：唐禁苑之东南门，在长安城北。㊿商山：山名，在陕西商县东南，地形险阻。黄巢事先派兵扼守蓝田道，所以兵败后得由此路逃跑。(399)逸：逃跑。(400)制置使：官名，唐后期在用兵前后为控制地方秩序设置，位在刺史之下。(401)部分：部署。(402)朱玫（？至公元八八六年）：原为邠宁节度使，后拥立襄王煴，为部将所杀。传见《新唐书》卷二百二十四。(403)陕州：州名，治所在今河南三门峡。原为陕虢观察使治所，现升为节度使。(404)延州：州名，治所在今陕西延安东北。(405)保塞军：方镇名，领延州、丹州。(406)一目微眇：一目偏小失明。眇，一只眼瞎。(407)为黄巢相：黄巢攻入京城，即帝位，号大齐，建元金统，以尚让、赵璋、崔璆、杨希古为宰相。事载《新唐书》卷二百五十下。(408)首尾：勾结。(409)蔡州：州名，治所在今河南汝南县。唐初为豫州。(410)陈州：州名，治所宛丘，在今河南周口市淮阳区。(411)赵犨（公元八四三至八九五年）：为人勇果，累迁忠武军马步军都虞候。黄巢起事，陈州豪杰推赵犨为刺史以自保。传见《新唐书》卷一百八十九、《旧五代史》卷

十四、《新五代史》卷四十二。⑫冲：要道。赵犨分析黄巢如不在长安被消灭，一定向东逃跑。那么，陈州就是必经之要道。⑬忠武：即忠武军。黄巢初起兵时，与宋威、张自勉等累战。宋、张皆为忠武兵。⑭不可不为之备：陈州属忠武军，故赵犨要求大家不可不备。⑮完城堑：修整城墙和护城河。⑯刍：喂牲口的草。⑰项城：县名，在陈州治所宛丘东南。⑱溵水：县名，在陈州治所宛丘西南。⑲掘堑五重二句：黄巢军在陈州城外挖了五道壕沟，从四面八方发起进攻。百道，环城围攻。⑳素著义勇：向来以义勇著称。㉑愈：胜过。㉒臣贼：向贼称臣。臣用如动词。㉓百司：各官署有司。㉔碓：舂谷的设备。㉕硙：磨子。㉖舂磨寨：设碓硙处。㉗河南：治所在今河南洛阳。㉘许、汝、唐、邓、孟、郑、汴、曹、濮、徐、兖：皆州名。许州治所在今河南许昌，汝州治所在今河南汝州，唐州治所在今河南泌阳，邓州治所在今河南邓州，孟州治所在今河南孟州，郑州治所在今河南郑州，汴州治所在今河南开封，曹州治所在今山东菏泽，濮州治所在今山东鄄城北，徐州治所在今江苏徐州，兖州治所在今山东兖州。㉙咸被其毒：都受其残害。

【原文】

初，上蔡㉚人刘谦㉛为岭南㉜小校㉝，节度使韦宙㉞奇其器㉟，以兄女妻之。谦击群盗，屡有功，辛丑㊱，以谦为封州㊲刺史。

加东川㊳节度使杨师立同平章事。

宣武节度使朱全忠帅所部数百人赴镇。秋，七月丁卯㊴，至汴州。时汴、宋㊵荐饥㊶，公私穷竭，内则[20]骄军难制，外为大敌所攻，无日不战，众心危惧，而全忠勇气益振。诏以黄巢未平，加全忠东北面都招讨使。

南诏遣布燮㊷杨奇肱来迎公主。诏陈敬瑄与书，辞以銮舆㊸巡幸，仪物㊹未备，俟还京邑，然后出降。奇肱不从，直前至成都。

李克用自长安引兵还雁门，寻㊺有诏，以克用为河东节度使，召郑从谠诣行在。克用乃自东道过榆次㊻，诣雁门省其父。克用寻榜河东，安慰军民曰："勿为旧念㊼，各安家业。"

左骁卫上将军㊽杨复光卒于河中。复光慷慨，喜忠义，善抚士卒，军中恸哭累日㊾，八都将㊿鹿晏弘等各以其众散去。田令孜素畏忌之，闻其卒，甚喜，因摈斥(451)其兄枢密使复恭(452)为飞龙使(453)。令孜专权，人

【校记】

［17］底：原无此字。据章钰校，十二行本、乙十一行本、孔天胤本皆有此字，张敦仁《通鉴刊本识误》同，今据补。［18］李克用：原无“李”字。据章钰校，十二行本、孔天胤本皆有此字，张敦仁《通鉴刊本识误》同，今据补。［19］怒：原作“恐”。据章钰校，十二行本、乙十一行本皆作“怒”，张敦仁《通鉴刊本识误》同，今从改。

【语译】

当初，上蔡人刘谦做岭南小校，节度使韦宙赏识他的才能，把侄女嫁给刘谦为妻。刘谦攻打各股盗贼，屡立战功。六月初七日辛丑，朝廷任命刘谦为封州刺史。

朝廷为东川节度使杨师立加封同平章事。

宣武节度使朱全忠率领部属几百人赴镇所上任。秋，七月初三日丁卯，到达汴州。当时汴、宋连年饥荒，官府和民间的财力枯竭，内部有骄纵的军队难以控制，外面又被强寇攻击，没有一天不打仗，民心畏惧，而朱全忠的勇气却更加振奋。僖宗下诏认为黄巢尚未平定，加封朱全忠担任东北面都招讨使。

南诏国派遣布燮杨奇肱来迎娶公主。诏命陈敬瑄写信给杨奇肱，推辞说僖宗巡幸，礼仪所需之物都未齐备，等到返回京城，然后下嫁公主。杨奇肱不肯听从，直接前往成都去见僖宗。

李克用从长安带兵返回雁门，不久有诏书下达，任命李克用为河东节度使，召郑从谠前往驻跸处。李克用就从东道经过榆次，到雁门看望他的父亲。不久，李克用在河东贴出布告，安慰军民说：“不要再想过去与我交战的事情了，每人安心自己的家业。”

左骁卫上将军杨复光在河中去世。杨复光为人慷慨，喜欢忠义之人，善待士卒，军队中为杨复光之死大哭了好几天，八都将领鹿晏弘等人各自带领自己的部下离去。田令孜素来畏忌杨复光，听说杨复光死了，特别高兴，便借机排斥杨复光的哥哥枢密使杨复恭为飞龙使。田令孜专擅朝廷大权，没有人能与他抗衡，只有杨复恭一再

莫与之抗，惟复恭数与之争得失，故令孜恶之，复恭因称疾归蓝田。

以成德留后王镕、魏博留后乐行达、天平留后朱瑄为本道节度使。

司徒、门下侍郎㊹、同平章事郑畋虽当播越㊺，犹谨法度。田令孜为判官㊻[21]吴圆求郎官㊼，畋不许。陈敬瑄欲立于宰相之上，畋以故事㊽，使相㊾品秩㊿虽高，皆居真相之下，固争之。二人461乃令凤翔节度使李昌言上言军情猜忌，不可令畋扈从462过此。畋亦累表辞位，乃罢为太子太保463，又以其子兵部侍郎凝绩464为彭州465刺史，使之就养。以兵部尚书466、判度支裴澈为中书侍郎467、同平章事。

八月甲辰468，李克用至晋阳469，诏以前振武470节度使李国昌为代北471节度使，镇代州。

升湖南为钦化军，以观察使闵勖为节度使。

九月，加陈敬瑄兼中书令，进爵颍川郡王。

感化472节度使时溥473营于溵水474。加溥东面兵马都统。

以荆南留后陈儒为节度使。

昭义节度使孟方立，以潞州地险人劲475，屡篡主帅，欲渐弱之，乃迁治所于邢州，大将家及富室皆徙山东，潞人不悦。监军祁审诲因人心不安，使武乡476镇使477安居受潜以蜡丸乞师于李克用，请复军府于潞州。冬，十月，克用遣其将贺公雅等赴之，为方立所败，又遣李克脩击之。辛亥478，取潞州，杀其刺史李殷锐。是后克用每岁出兵争山东，三州479之人半为俘馘480，野无稼穑481矣。

以宗女482为安化长公主，妻南诏。

刘汉宏将十余万众出西陵，将击董昌。戊午483，钱镠济江迎战，大破之，汉宏易服持鲙刀484而遁。己未485，汉宏收余众四万复[22]战，镠又破之，斩其弟汉容及将辛约。

十一月甲子朔486，秦宗权围许州。

忠武大将鹿晏弘帅所部自河中南掠襄487、邓、金488、洋489，所过屠灭，声云490西赴行在。十二月，至兴元491，逐节度使牛勖，勖奔龙州492西山493。晏弘据兴元，自称留后。

武宁494节度使时溥因食中毒，疑判官李凝古而杀之。凝古父损，为

和田令孜争论得失，所以田令孜憎恨他。杨复恭借口有病，返回蓝田。

任命成德留后王镕、魏博留后乐行达、天平留后朱瑄担任本道的节度使。

司徒、门下侍郎、同平章事郑畋虽然身处僖宗流亡之际，仍然谨守国家法度。田令孜给判官吴圆求取郎中职位，郑畋不同意。陈敬瑄想让自己位列宰相之上，郑畋认为根据旧规，使相的官位品秩虽然很高，但都处在真相之下，一再争辩此事。田令孜和陈敬瑄就让凤翔节度使李昌言向僖宗进言说军中有猜疑妒忌之情，不能让郑畋扈从皇上车驾经过这里。郑畋也再三上表要求辞职，于是罢免郑畋的相位，任命他为太子太保，又任命他的儿子兵部侍郎郑凝绩为彭州刺史，让他就近奉养。任命兵部尚书、判度支裴澈为中书侍郎、同平章事。

八月十一日甲辰，李克用到达晋阳。僖宗下诏任命前振武节度使李国昌为代北节度使，镇守代州。

朝廷升格湖南的军队为钦化军，任命观察使闵勖为节度使。

九月，加官陈敬瑄兼任中书令，晋升爵位为颍川郡王。

感化节度使时溥扎营于溵水。加封时溥为东面兵马都统。

朝廷任命荆南留后陈儒为节度使。

昭义节度使孟方立以为潞州地势险要，民众刚猛强悍，多次篡夺主帅，想要逐渐削弱他们，就把治所迁到邢州，把大族及富豪都迁徙到山东，潞州的人很不高兴。监军祁审诲乘着人心不安，派武乡镇使安居受暗中用蜡丸封好书信向李克用乞师救助，要求在潞州恢复军府。冬，十月，李克用派遣他的将领贺公雅等人前往，被孟方立所败，又派李克脩去攻打。十八日辛亥，夺取潞州，杀了潞州刺史李殷锐。此后李克用每年出兵争夺山东，山东邢、洺、磁三州的人有一半被俘被杀，原野上没有庄稼了。

僖宗册封宗室女为安化长公主，嫁到南诏国。

刘汉宏统率十多万部众从西陵出发，准备进攻董昌。十月二十五日戊午，钱镠渡江迎战，把刘汉宏打得大败，刘汉宏更换衣服，手持切鱼刀逃走。二十六日己未，刘汉宏搜集残余部众四万人再次交战，钱镠又打败了他，杀了他的弟弟刘汉容和部将辛约。

十一月初一日甲子，秦宗权包围许州。

忠武军大将鹿晏弘统率他的部队从河中向南劫掠襄州、邓州、金州、洋州，所过斩尽杀绝，声称西去僖宗那儿。十二月，抵达兴元，赶走节度使牛勖，牛勖逃到龙州的西山。鹿晏弘占据了兴元，自称留后。

武宁节度使时溥由于食物中毒，怀疑判官李凝古下毒，就把他杀了。李凝古的

右散骑常侍㊾⑤，在成都，溥奏凝古与父同谋。田令孜受溥赂，令御史台㊾⑥鞫之㊾⑦。侍御史㊾⑧王华为损论冤㊾⑨，令孜矫诏⑤⓪⓪移损下神策⑤⓪①狱，华拒而不遣⑤⓪②。萧遘⑤⓪③奏称[23]："李凝古行毒，事出暧昧⑤⓪④，已为溥所杀，父损相别数年，声问不通，安得诬以同谋！溥恃功乱法，陵蔑⑤⓪⑤朝廷，欲杀天子侍臣⑤⓪⑥。若徇⑤⓪⑦其欲，行及臣辈，朝廷何以自立！"由是损得免死，归田里。时令孜专权，群臣莫敢迕⑤⓪⑧视，惟遘屡与争辩，朝廷倚之。

升浙东为义胜军，以刘汉宏为节度使。

赵犨遣人间道⑤⓪⑨求救于邻道，于是周岌、时溥、朱全忠皆引兵救之。全忠与黄巢之党战于鹿邑⑤①⓪，败之，斩首二千余级，遂引兵入亳州⑤①①而据之。

【段旨】

以上为第九段，写唐僖宗调整部署，以宣武节度使朱全忠为东北面都招讨使围剿黄巢余寇，李国昌、李克用父子因功皆为节度使。宦官田令孜专权。

【注释】

㊸⓪上蔡：县名，县治在今河南上蔡。㊸①刘谦：南汉国刘隐之父，广州牙将，官至封州刺史。传附《旧五代史》卷一百三十五、《新五代史》卷六十五《刘隐传》。㊸②岭南：道名，以在五岭之南得名。治所在今广东广州。㊸③小校：岭南道职位比较低下的武职吏员。㊸④韦宙（？至公元八六六年）：京兆万年县（今陕西西安市长安区）人，官至岭南节度使，加官检校尚书左仆射、同中书门下平章事。与其父韦丹同传，见《新唐书》卷一百九十七《循吏传》。㊸⑤奇其器：韦宙赏识刘谦的才能。㊸⑥辛丑：六月初七日。㊸⑦封州：州名，治所封川，在今广东封开。㊸⑧东川：方镇名，全名剑南东川节度使，肃宗至德二载（公元七五七年）分剑南节度东部地置。治所梓州，在今四川三台。㊸⑨丁卯：七月初三日。㊹⓪宋：州名，治所在今河南商丘。㊹①荐饥：接连发生饥荒。㊹②布燮：南诏官名，为南诏王之下最高行政长官。㊹③銮舆：皇帝的车驾，此处代称皇帝。㊹④仪物：礼仪所需之物。㊹⑤寻：旋即。㊹⑥榆次：县名，县治在今山西晋中市榆次区。㊹⑦勿为旧念：河东之人前此数与克用战，恐其不自安，故榜谕之。㊹⑧左骁卫上将军：武官名。左骁卫系中央十二卫之一，上将军为左骁卫长官。㊹⑨累日：连日；多日。㊺⓪八都将：秦宗权叛据蔡州，杨复光得忠武之师三千人入蔡州，劝说秦宗权共举义事。秦宗权遣将王淑率万

父亲李损担任右散骑常侍，当时在成都。时溥上奏僖宗说李凝古与李损同谋。田令孜接受了时溥的贿赂，命令御史台审问这件事。侍御史王华替李损申冤，田令孜伪造诏书移送李损到神策狱审理，王华违抗不予遣送。萧遘上奏说："李凝古下毒，事情并不很明白。李凝古已经被时溥杀死，他的父亲李损与他相别数年，不通音讯，怎么能诬称他们父子同谋！时溥恃功乱法，无视朝廷，想要杀害天子侍臣。如果屈从他的欲望，行将加害到臣子们身上，朝廷凭什么自立呢！"由此李损才得以免死，回归乡里。当时田令孜专权，群臣没有一个人敢于违背，只有萧遘多次与他争辩，朝廷很倚重萧遘。

僖宗提升浙东节度为义胜军，任命刘汉宏为节度使。

赵犨派人走小路向邻近地区求救，于是周岌、时溥、朱全忠都率军救援赵犨。朱全忠和黄巢的部众在鹿邑交战，打败了他们，杀了二千多人，便率军进入亳州，占领了这个地方。

人从杨复光收荆襄。兵驻邓州，王淑逗留不进，杨复光斩王淑，并其军，分为八都，鹿晏弘、晋晖、张造、李师泰、王建、韩建等，皆为八都之大将。㊿摈斥：排挤。㊾复恭：即杨复恭（？至公元八九二年），宦官。杨复光从兄。僖宗朝为枢密使，昭宗朝监诸道军，擅朝政。传见《旧唐书》卷一百八十四，传并附《新唐书》卷二百八《田令孜传》。⑷53飞龙使：官名，掌御厩之马。⑷54门下侍郎：官名，为门下省长官侍中之副。⑷55播越：流亡。⑷56判官：官名，唐代凡特派担任临时职务的大臣皆得自选中级官员奏请充任判官，以资佐理。⑷57郎官：官名，是帝王侍从官的通称。⑷58故事：成例；过去的典章制度。⑷59使相：唐末凡节度使带同平章事及检校三省长官、三公（太尉、司徒、司空）、三师（太师、太傅、太保）者，皆谓之使相。陈敬瑄时为西川节度使加同平章事，是为使相。⑷60品秩：官吏的职位、品级。⑷61二人：指田令孜、陈敬瑄兄弟。⑷62扈从：皇帝出巡时的护驾侍从人员。中和元年（公元八八一年），凤翔行军司马李昌言曾引兵攻府城，逼走凤翔节度使郑畋。朝廷进退宰相，受制于藩镇，自此始。⑷63太子太保：官名，为辅导太子的官，居东宫三师之末。实际上仅有其名，不任职事。⑷64凝绩：郑畋之子，官至刑部、户部侍郎。传附《旧唐书》卷一百七十八《郑畋传》。⑷65彭州：州名，治所在今四川彭州。⑷66兵部尚书：官名，兵部长官，掌全国武官的选用和兵籍、军械、军令之政。⑷67中书侍郎：官名，因中书令不轻以授人，中书侍郎即为中书省长官。唐代多以中书侍郎同中书门下平章事为宰相职衔。⑷68甲辰：八月十一日。⑷69李克用至晋阳：李克用自此以晋阳为争天下之根本。⑷70振武：方镇名，肃宗乾元元年（公元七五八年）分朔方节度置振武军，治所在今内蒙古自治区和林格尔。⑷71代北：方镇名，僖宗中和二年（公元八八二

年）分河东节度忻、代二州为雁门节度，三年更名为代北节度。治所代州，在今山西代县。㊼感化：方镇名，懿宗咸通十年（公元八六九年）复置徐泗观察使，十一年更号为感化军节度使。治所徐州，在今江苏徐州。㊽时溥（？至公元八九三年）：徐州彭城人，僖宗朝任武宁节度使，以其部将林言斩得黄巢首级，加检校司徒、同中书门下平章事，进检校太尉兼中书令，封巨鹿郡王。传见《旧唐书》卷一百八十二、《新唐书》卷一百八十八。㊾营于溵水：遏制黄巢之兵，且为陈州声援。㊿劲：刚猛强悍。(476)武乡：县名，县治在今山西武乡东。(477)镇使：官名，节度使下置镇将于诸县，自此县令不得举其职。武乡与河东巡属辽州邻境，故使其镇使向李克用乞师。(478)辛亥：十月十八日。(479)三州：指邢、洺、磁三州，属昭义军节度使。(480)俘馘：被歼灭。馘，战争中割取敌人左耳以记功。(481)稼穑：泛指农业劳动。种谷曰稼，收获曰穑。(482)宗女：同宗的女儿。(483)戊午：十月二十五日。(484)鲙刀：切鱼肉的刀。更换衣服，手持鲙刀，使敌人见之以为庖丁，不会怀疑是刘汉宏。(485)己未：十月二十六日。(486)甲子朔：十一月初一日。(487)襄：州名，治所在今湖北襄阳。(488)金：州名，治所在今陕西安康。(489)洋：州名，治所在今陕西洋县。(490)声云：声称；宣称。(491)兴元：府名，古梁州之境。治所南郑，在今陕西汉中。(492)龙州：州名，治所在今四川平武东南。(493)西山：地处松、茂二州交界。(494)武宁：方镇名，在此当作"感化"，即徐州节度。宪宗元和二年一度为武宁军节度，懿宗咸通十一年更号为感化军节度。(495)右散骑常侍：官名，唐代散骑常侍分隶门下省和中书省。在门下省者为左散

【原文】

四年（甲辰，公元八八四年）

春，正月，以鹿晏弘为兴元留后。

赐魏博节度使乐行达名彦祯。

东川节度使杨师立以陈敬瑄兄弟[512]权宠之盛，心不能平。敬瑄之遣高仁厚讨韩秀升也，语之曰："成功而还，当奏天子，以东川相赏。"师立闻之，怒曰："彼此列藩[513]，而遽[514]以我疆土许人，是无天地也！"田令孜恐其为乱，因其不发兵防遏，征[515]师立为右仆射。

黄巢兵尚强，周岌、时溥、朱全忠不能支，共求救于河东节度使李克用。二月，克用将蕃、汉兵五万出天井关[516]。河阳节度使诸葛爽辞以河桥[517]不完，屯兵万善[518]以拒之。克用乃还兵自陕、河中渡河而东。

骑常侍，在中书省者为右散骑常侍。多用为将相大臣的兼职。⑯ 御史台：官署名，专司弹劾、纠察之职。⑰ 鞫之：审讯；查问。⑱ 侍御史：官名，御史台的成员。唐制，侍御史所居之台院为御史台三院之首。掌审讯案件、纠劾百官之职。⑲ 论冤：申诉冤情。⑳ 矫诏：诈称皇帝之诏书。㉑ 神策：唐禁军名。㉒ 拒而不遣：王华拒绝田令孜的矫诏，不遣李损下神策狱。㉓ 萧遘（？至公元八八七年）：萧寘子，僖宗朝宰相。传见《旧唐书》卷一百七十九，并附《新唐书》卷一百一《萧寘传》。㉔ 暧昧：隐微不明。指时溥告李凝古行毒证据不足。㉕ 陵蔑：轻视；凌驾之上。㉖ 天子侍臣：李损为右散骑常侍。㉗ 徇：曲从。㉘ 迕：违背。㉙ 间道：径道；小路。㉚ 鹿邑：县名，县治在今河南鹿邑西。㉛ 亳州：州名，治所在今安徽亳州。

【校记】

［20］内则：原作“内外”。张敦仁《通鉴刊本识误》作“内则”，当是，今从改。〖按〗《旧五代史》卷一《梁书·太祖本纪》载：“时汴、宋连年阻饥，公私俱困，帑廪皆虚，外为大敌所攻，内则骄军难制，交锋接战，日甚一日。”［21］判官：原作“将官”。张瑛《通鉴校勘记》作“判官”，当是，今从改。［22］复：原作“又”。据章钰校，十二行本、乙十一行本、孔天胤本皆作“复”，今从改。［23］称：原无此字。据章钰校，十二行本、乙十一行本、孔天胤本皆有此字，张敦仁《通鉴刊本识误》同，今据补。

【语译】

四年（甲辰，公元八八四年）

春，正月，朝廷任命鹿晏弘为兴元留后。

僖宗赐魏博节度使乐行达名字叫彦祯。

东川节度使杨师立由于陈敬瑄、田令孜兄弟权力太大，受僖宗宠幸过盛，心怀不平。陈敬瑄派遣高仁厚讨伐韩秀升时，对高仁厚说：“你大功告成返回后，我会上奏天子，拿东川来奖赏你。”杨师立听到这件事，生气地说：“你我都列位藩镇，竟然把我的疆土许给别人，真是无视天地！”田令孜害怕杨师立作乱，趁他还没有出兵防范，就征召杨师立担任右仆射。

黄巢的兵力还比较强大，周岌、时溥、朱全忠力不能支，一起向河东节度使李克用求援。二月，李克用率领蕃兵、汉兵五万从天井关出发。河阳节度使诸葛爽以河阳桥没有修好为由来推托，屯兵万善来阻挡李克用。李克用就回军从陕州、河中渡过黄河东进。

杨师立得诏书，怒，不受代[519]，杀官告使[520]及监军使[521]，举兵，以讨陈敬瑄为名，大将有谏者辄杀之，进屯涪城[522]，遣其将郝蠲袭绵州[523]，不克。丙午[524]，以陈敬瑄为西川，东川，山南西道[525]都指挥、招讨、安抚、处置等使[526]。三月甲子[527]，杨师立移檄[528]行在百官及诸道将吏士庶，数[529]陈敬瑄十罪，自言集本道将士、八州坛丁[530]共十五万人，长驱问罪。诏削师立官爵，以眉州防御使高仁厚为东川留后，将兵五千讨之，以西川押牙杨茂言为行军副使。

朱全忠击黄巢瓦子寨[531]，拔之，巢将陕人李唐宾[532]、楚丘[533]王虔裕[534]降于全忠。

婺州[535]人王镇执刺史黄碣[536]，降于钱镠。刘汉宏遣其将娄赍杀镇而代之，浦阳[537]镇将蒋瓌召镠兵共攻婺州，擒赍而还。碣，闽人也。

高骈从子[538]左骁卫大将军澞，疏[539]吕用之罪状二十余幅，密以呈骈，且泣曰："用之内则假[540]神仙之说，蛊惑尊听[541]；外则盗节制[542]之权，残贼百姓。将佐惧死，莫之敢言。岁月浸深，羽翼将成，苟不除之，恐高氏奕代[543]勋庸[544]，一朝扫地矣！"因呜咽不自胜[545]。骈曰："汝醉邪！"命扶出。明日，以澞状示用之，用之曰："四十郎[546]尝以空乏[547]见告，未获遵命，故有此憾。"因出澞手书数幅呈之。骈甚惭，遂禁澞出入，后月余，以澞知舒州[548]事。

群盗陈儒攻舒州，澞求救于庐州。杨行愍力不能救，谋于其将李神福，神福请不用寸刃而逐之。乃多赍旗帜，间道入舒州，顷之，引舒州兵建庐州旗帜而出，指画地形，若布大陈[549]状。贼惧，宵遁[550]。神福，洺州人也。

久之，群盗吴迥、李本复攻舒州，澞不能守，弃城走，骈使人就杀之。杨行愍遣其将合肥陶雅、清流[551]张训等将兵击吴迥、李本，擒斩之，以雅摄[552]舒州刺史。秦宗权遣其弟将兵寇[553]庐州，据舒城[554]，杨行愍遣其将合肥田頵[555]击走之。

杨师立收到调他任右仆射的诏书，大怒，不接受职务的更换，杀死朝廷的官告使和东川监军使，起兵，以讨伐陈敬瑄为名，大将中有劝谏的，杨师立当即杀掉他，进军屯驻涪城，派遣他的将领郝蠲袭击绵州，未能攻克。二月十五日丙午，僖宗任命陈敬瑄为西川、东川、山南西道的都指挥、招讨、安抚、处置等使。三月初三日甲子，杨师立传送檄文给僖宗驻跸处的百官以及各道的将领、官吏、士人、庶民，历数陈敬瑄十大罪状，自称集合本道的将士和八州的民兵共十五万人，长驱直入，兴师问罪。僖宗下诏削除杨师立的官爵，任命眉州防御使高仁厚为东川留后，率兵五千人讨伐杨师立，派西川押牙杨茂言为行军副使。

朱全忠攻打黄巢的瓦子寨，予以攻占。黄巢部将陕州人李唐宾、楚丘人王虔裕向朱全忠投降。

婺州人王镇抓了刺史黄碣，投降钱镠。刘汉宏派遣他的部将娄赍杀死王镇，取而代之。浦阳镇将蒋瓌招来钱镠的军队一起攻打婺州，抓获娄赍后还军。黄碣，是闽人。

高骈侄子左骁卫大将军高澞列举吕用之的罪状，状纸达二十多篇，秘密呈报给高骈，并且哭泣着说："吕用之在府内假借神仙之说，来迷惑您的听闻。在府外窃取辖制之权，残害百姓。将官佐吏怕死，没有人敢说话。岁月渐久，他的羽翼即将形成，如果不除掉他，恐怕高家的累世功勋，有朝一日便要消失了！"高澞悲泣不能自止。高骈说："你醉了吧！"下令把高澞搀扶出去。次日，高骈拿出高澞的状纸给吕用之看，吕用之说："高澞曾曾因手头拮据请求帮助，没有获得允许，所以才对我怀恨在心。"说完就拿出高澞亲手书写的几张书信交给高骈。高骈深为惭愧，就禁止高澞出入府中，一个多月后，派高澞去管理舒州的事务。

盗贼陈儒攻打舒州，高澞向庐州杨行愍求救。杨行愍兵力不足不能去救援，和他的部将李神福商议，李神福自请不用丝毫刀兵就可把群盗驱逐出去。于是李神福携带了很多旗帜，从小路进入舒州，没多久，率领舒州士兵打着庐州的旗帜出来，指点规划地形，好像在布置庞大的军阵一样。盗贼很害怕，夜里就逃走了。李神福，是洺州人。

过了很久，盗贼吴迥、李本又攻打舒州，高澞守不住，弃城逃走，高骈派人就地杀了高澞。杨行愍派遣他的将领合肥人陶雅、清流人张训等率兵攻打吴迥、李本，把他们抓获后处死，任命陶雅代理舒州刺史。秦宗权派遣他的弟弟率兵进犯庐州，占据了舒城。杨行愍派遣他的将领合肥人田頵把秦宗权的弟弟打跑了。

【段旨】

以上为第十段，写西川杨师立与陈敬瑄相攻，高骈被吕用之蛊惑，是非不辨。

【注释】

[512] 陈敬瑄兄弟：即田令孜、陈敬瑄。[513] 彼此列藩：陈敬瑄为西川节度使，杨师立为东川节度使，故云彼此列藩。[514] 遽：竟然。[515] 征：召。[516] 天井关：关名，在今山西晋城南四十五里。一名太行关，为天然之险关。[517] 河桥：即河阳桥。诸葛爽原为夏绥银节度使，黄巢进攻京师时，曾投降并被署为河阳节度使。后又奉表僖宗以自明，诏拜节度使。此次李克用援陈，诸葛爽害怕，借口河阳桥不完，不肯假道，屯兵万善以拒。[518] 万善：镇名，在今河南沁阳北二十里。[519] 不受代：不接受诏令更代，即不让出职位。[520] 官告使：奉右仆射告身以征杨师立的使者。官告，即告身。[521] 监军使：此即东川监军使。[522] 涪城：县名，县治在今四川三台西北。[523] 绵州：州名，治所在今四川绵阳东北。[524] 丙午：二月十五日。[525] 山南西道：道名，原为山南道，唐贞观十道之一。唐玄宗开元年间分为山南东道、山南西道。西道治所梁州，在今陕西汉中。[526] 安抚处置等使：官名，行军主帅之兼职。[527] 甲子：三月初三日。[528] 移檄：以公文发往平行机关。此指向行在百官及诸道将吏士庶散发讨伐陈敬瑄的檄文。[529] 数：列举。[530] 坛丁：蜀中边郡民兵。[531] 瓦子寨：黄巢撤民居以为寨屋，叫作瓦子寨。[532] 李唐宾：陕人，生卒年不详。初为尚让偏将，兵败降朱全忠。传见《旧五代史》卷二十一，传又附《新五代史》卷二十一《朱珍传》。[533] 楚

【原文】

前杭州刺史路审中客居黄州[556]，闻鄂州[557]刺史崔绍卒，募兵三千人入据之。武昌牙将杜洪[558]亦逐岳州[559]刺史而代之。

黄巢围陈州几三百日，赵犨兄弟与之大小数百战，虽兵食将尽，而众心益固。李克用会许、汴、徐、兖之军于陈州，时尚让屯太康[560]，夏，四月癸巳[561]，诸军进拔太康。黄思邺屯西华[562]，诸军复攻之，思邺走。黄巢闻之惧，退军故阳里[563]，陈州围始解。

朱全忠闻黄巢将至，引军还大梁[564]。五月癸亥[565]，大雨，平地三尺，黄巢营为水所漂，且闻李克用将至，遂引兵东北趣汴州，屠尉氏[566]。尚让以骁骑[567]五千进逼大梁，至于繁台[568]。宣武将丰[569]人朱珍[570]、南华[571]庞师古[572]击却之，全忠复告急于李克用。丙寅[573]，克用与忠武都监使[574]田从异发许州。戊辰[575]，追及黄巢于中牟[576]北王满渡[577]，乘其半济[578]，奋击，大破之，杀万余人，贼遂溃。尚让帅其众降时溥，别

丘：地名，在今山东曹县东。㉞王虔裕（？至公元八九七年）：为人骁勇善骑射，入梁为骑将。传见《旧五代史》卷二十一、《新五代史》卷二十三。㉟婺州：州名，治所在今浙江金华。㊱黄碣（？至公元八九五年）：初为闽小将，从高骈讨安南有功，为漳州刺史，官至威胜军节度副使。节度使董昌反，黄碣劝谏，不从反，全家被害。传见《新唐书》卷一百九十三。㊲浦阳：县名，县治在今浙江浦江县。唐玄宗天宝十三载（公元七五四年）分婺州之义乌、兰溪及杭州之富阳，置浦阳县。㊳从子：兄弟的儿子；侄儿。㊴疏：分条陈述。㊵假：凭借。㊶蛊惑尊听：言吕用之借神仙之说迷惑高骈。㊷节制：指挥管辖。㊸奕代：一代接一代。高骈为南平郡王高崇文之孙，世代禁卫。㊹勋庸：功劳。㊺胜：禁得起。㊻四十郎：唐人多同宗兄弟大排行，高澞排行第四十。㊼空乏：财用缺少。此吕用之诬陷高演之辞。㊽舒州：州名，治所在今安徽潜山。㊾陈：通“阵”，战阵。㊿宵遁：乘夜逃跑。李神福让舒州兵树庐州旗帜，迷惑敌人。陈儒畏庐州兵，故乘夜逃跑。551清流：县名，县治在今安徽滁州。552摄：代理。553寇：侵犯；劫掠。554舒城：县名，县治在今安徽舒城。555田颓：字德臣，庐州合肥县（今安徽合肥）人，与杨行密同里，约为兄弟，助杨行密割据，后反目相争，兵败，为乱兵所杀。传见《新唐书》卷一百八十九、《旧五代史》卷十七。

【语译】

前任杭州刺史路审中客居在黄州，听说鄂州刺史崔绍死了，招募士兵三千人入据鄂州。武昌牙将杜洪也驱逐岳州刺史，取代了他的职位。

黄巢包围陈州几近三百天，赵犨兄弟与黄巢大小数百战，虽然军队的粮食快要没有了，但军心更加稳固。李克用在陈州集合了许州、汴州、徐州、兖州的军队，这时尚让屯驻太康。夏四月初三日癸巳，各路军队进兵攻克了太康。黄思邺屯兵西华，各路军队又向他进攻，黄思邺败逃。黄巢听到消息后很害怕，军队撤退到故阳里，陈州的包围这才解除。

朱全忠听说黄巢即将到来，率军返回大梁。五月初三日癸亥，下大雨，平地积水三尺，黄巢的军营被洪水所冲，又听说李克用就要到达，便率军从东北方奔赴汴州，屠灭尉氏。尚让用五千名精锐骑兵进逼大梁，抵达繁台。宣武军的将领丰人朱珍、南华人庞师古把尚让打退了，朱全忠又向李克用告急。初六日丙寅，李克用与忠武都监使田从异发兵许州。初八日戊辰，在中牟北面王满渡追上了黄巢，乘他们渡河到一半时，奋勇攻击，大破敌军，杀死一万多人，贼军便溃散了。尚让率领他

将[579]临晋[580]李谠[581]、曲周[582]霍存[583]、鄄城[584][24]葛从周[585]、冤句[586]张归霸[587]及从[25]弟归厚[588]帅其众降朱全忠。巢逾汴而北，己巳[589]，克用追击之于封丘[590]，又破之。庚午[591]夜，复大雨，贼惊惧东走，克用追之，过胙城[592]、匡城[593]。巢收余众近千人，东奔兖州。辛未[594]，克用追至冤句，骑能属[595]者才数百人，昼夜行二百余里，人马疲乏，粮尽，乃还汴州，欲裹粮复追之，获巢幼子及乘舆器服符印，得所掠男女万人，悉纵遣之。

癸酉[596]，高仁厚屯德阳[597]，杨师立遣其将郑君雄、张士安据鹿头关[598]以拒之。

【段旨】

以上为第十一段，写李克用进兵河南，大举剿灭黄巢余众。李克用解陈州之围，又败黄巢于汴，黄巢全军覆没，逃窜兖州。

【注释】

[556]黄州：州名，治所在今湖北黄冈。僖宗中和元年（公元八八一年）路审中赴杭州任，行至嘉兴，董昌自石镜引兵入杭州，审中惧而还，故云客居黄州。[557]鄂州：州名，治所江夏，在今湖北武汉市武昌区。[558]杜洪（？至公元九〇二年）：鄂州人，初为州将，逐岳州刺史而代之。入鄂，自为节度留后，僖宗任命他为本军节度使。后被杨行密杀死。传见《新唐书》卷一百九十、《旧五代史》卷十七。[559]岳州：州名，治所巴陵，在今湖南岳阳。[560]太康：县名，县治在今河南太康。[561]癸巳：四月初三日。[562]西华：县名，县治在今河南西华。[563]故阳里：地名，在陈州城，今河南周口市淮阳区北。[564]大梁：古城名，在今河南开封西北，秦时城毁。唐代通称开封为大梁。[565]癸亥：五月初三日。[566]尉氏：县名，县治在今河南尉氏。[567]骁骑：精壮的骑兵。[568]繁台：地名，在今河南开封东南禹王台公园内。相传为春秋时师旷吹乐之台。汉梁孝王增筑改为明台，常歌吹于此，又名吹台。[569]丰：县名，县治在今江苏丰县。[570]朱珍（？至公元八八九年）：徐州丰县（今属江苏）人，少从朱温为盗，后为朱温大将，多立战功。因擅杀朱温爱将李唐宾，被朱温所杀。传见《旧五代史》卷十九、《新五代史》卷二十一。[571]南华：县名，县治在今山东东明东南。[572]庞师古（？至公元八九七年）：初名从。自微时追随朱温征战，每出征必受朱温方略，死板执行，兵败由此。出讨杨行密，受朱温命屯于清口，军于低洼之地，遭淮水淹杀。传见《旧五代史》卷二十一、《新五代史》卷二十一。[573]丙寅：五月初六日。[574]都监

的部众投降了时溥，别将临晋人李谠、曲周人霍存、鄄城人葛从周、冤句人张归霸和他的堂弟张归厚率领他们的部众投降了朱全忠。黄巢越过汴州北行。初九日己巳，李克用在封丘追击黄巢，又打败了他。初十日庚午的夜里，又下大雨，贼军惊恐，向东逃走，李克用追赶他们，越过胙城、匡城。黄巢搜集残余的部众将近一千人，向东逃往兖州。十一日辛未，李克用追到冤句，骑兵相随的才几百人，一天一夜行军二百多里，人马疲惫，粮食已尽，于是返回汴州，想备好粮食再追赶黄巢，得到了黄巢的小儿子以及黄巢乘坐的车子、器用服饰、符信印玺等，还获得被黄巢掠走的男女一万人，把他们全部遣散。

十三日癸酉，高仁厚屯驻德阳，杨师立派遣他的将领郑君雄、张士安占据鹿头关来抵抗高仁厚。

使：即监军。《旧唐书》卷十九下《僖宗纪》称“忠武监军田从异”。监军以宦官充任。⑤⑦⑤戊辰：五月初八日。⑤⑦⑥中牟：县名，县治在今河南中牟东。⑤⑦⑦王满渡：渡口名，中牟北汴河渡口。⑤⑦⑧乘其半济：乘黄巢军渡河过半时。⑤⑦⑨别将：与主力军配合作战的部队将领。⑤⑧⓪临晋：县名，县治在今山西临猗。⑤⑧①李谠（？至公元九〇一年）：河中临晋县（今陕西大荔）人，仕黄巢为内枢密使。降朱温为骑将，多立战功。传见《旧五代史》卷十九。⑤⑧②曲周：县名，县治在今河北曲周东北。⑤⑧③霍存（？至公元八九三年）：洺州曲周县（今属河北）人，少从黄巢。巢败，降朱温，死于战阵。传见《旧五代史》卷二十一、《新五代史》卷二十一。⑤⑧④鄄城：县名，县治在今山东鄄城。⑤⑧⑤葛从周（？至公元九一五年）：濮州甄城人，少从黄巢，后降梁，为大将。梁太祖即位，从周拜左金吾卫上将军。传见《旧五代史》卷十六、《新五代史》卷二十一。⑤⑧⑥冤句：县名，县治在今山东曹县西北。⑤⑧⑦张归霸（？至公元九〇八年）：清河郡（今河北清河县）人，少从黄巢，巢败投梁，骁勇善战，官至河阳节度使。传见《旧五代史》卷十六、《新五代史》卷二十二。⑤⑧⑧及从弟归厚：张归厚是张归霸的堂弟。朱全忠后吞并诸镇，多用黄巢降将。⑤⑧⑨己巳：五月初九日。⑤⑨⓪封丘：县名，县治在今河南封丘。⑤⑨①庚午：五月初十日。⑤⑨②胙城：县名，县治在今河南延津东北三十里。⑤⑨③匡城：县名，县治在今河南长垣西南。⑤⑨④辛未：五月十一日。⑤⑨⑤属：跟随。⑤⑨⑥癸酉：五月十三日。⑤⑨⑦德阳：县名，县治在今四川德阳。⑤⑨⑧鹿头关：关名，在今四川德阳北。因鹿头山得名。

【校记】

［24］鄄城：原作“甄城”。严衍《通鉴补》改作“鄄城”，今据以校正。〖按〗《旧唐书》卷三十八《地理志》“鄄城”条称“武德四年，分置永定县。八年，并入鄄城”。［25］从：原无此字。据章钰校，十二行本、乙十一行本、孔天胤本皆有此字，张敦仁《通鉴刊本识误》同，今据补。

【原文】

甲戌[599]，李克用至汴州，营于城外。朱全忠固请入城，馆于上源驿[600]。全忠就置酒，声乐、馔具[601]皆精丰，礼貌甚恭。克用乘酒使气[602]，语颇侵之[603]，全忠不平。薄暮，罢酒，从者皆沾醉[604]，宣武将杨彦洪密与全忠谋，连车树栅[605]以塞衢路[606]，发兵围驿而攻之，呼声动地。克用醉，不之闻，亲兵薛志勤、史敬思[607]等十余人格斗，侍者郭景铢灭烛，扶克用匿床下，以水沃[608]其面，徐告以难[609]，克用始张目援弓而起。志勤射汴人，死者数十。须臾，烟火四合，会大雨震电，天地晦冥[610]，志勤扶克用帅左右数人，逾垣[611]突围，乘电光而行，汴人扼[612]桥，力战得度，史敬思为后拒，战死。克用登尉氏门[613]，缒[614]城得出，监军陈景思等三百余人，皆为汴人所杀。杨彦洪谓全忠曰："胡人急则乘马者[26]，见乘马则射之。"是夕，彦洪乘马适在全忠前，全忠射之，殪。

克用妻刘氏，多智略，左右先脱归者以汴人为变[615]告，刘氏神色不动，立斩之，阴[616]召大将约束[617]，谋保军以还。比明，克用至，欲勒[618]兵攻全忠，刘氏曰："公比[619]为国讨贼，救东诸侯[620]之急，今汴人不道，乃谋害公，自当诉之朝廷。若擅举兵相攻，则天下孰能辨其曲直[621]！且彼得以有辞矣。"克用从之，引兵去，但移书责全忠。全忠复书曰："前夕之变，仆不之知[622]，朝廷自遣使者与杨彦洪为谋，彦洪既伏其辜[623]，惟公谅察。"

克用养子嗣源[624]，年十七，从克用自上源出，矢石之间，独无所伤。嗣源本胡人，名邈佶烈，无姓。克用择军中骁勇[625]者，多养为子，名[626]回鹘[627]张政之子曰存信[628]，振武孙重进曰存进[629]，许州王贤曰存贤[630]，安敬思曰存孝[631]，皆冒姓李氏。

丙子[632]，克用至许州故寨，求粮于周岌，岌辞以粮乏，乃自陕济河还晋阳。

【语译】

五月十四日甲戌，李克用到达汴州，在城外扎营。朱全忠坚持请李克用进城，住在上源驿。朱全忠摆设酒席，音乐、馔食、器具都非常精美丰盛，非常礼貌恭敬。李克用借酒使气，话语对朱全忠颇有伤害，朱全忠愤愤不平。黄昏，酒席结束，李克用的随从人员都喝得大醉。宣武军的将领杨彦洪与朱全忠密谋，连接马车，用树木做栅栏来堵塞道路，发兵围攻上源驿，呼喊声震天动地。李克用烂醉，没有听到声音，他的亲兵薛志勤、史敬思等十多人奋力搏斗。侍从官郭景铢熄灭了火烛，搀扶李克用藏到床下，用水浇他的脸，慢慢地把变难告诉他，李克用这才睁开眼睛拿起弓箭一跃而起。薛志勤箭射汴人，死的有几十个。不一会儿，四面烟火连成一片，适遇大雨雷电，天昏地暗，薛志勤搀扶李克用，率领身边几个人，翻墙突围，借着雷电的闪光前行，汴人扼守桥梁，他们奋力作战才得以通过。史敬思在后面抵抗，战死。李克用登上尉氏门，用绳索吊下城墙才得逃出，监军陈景思等三百多人，都被汴人杀死了。杨彦洪告诉朱全忠说："胡人危急时就骑马，看见骑马的人就射杀他。"这一夜，杨彦洪正好骑着马在朱全忠的前面，朱全忠用箭射他，杨彦洪被射杀。

李克用的妻子刘氏，足智多谋。李克用贴身亲信先逃回来的把汴人作乱情况告诉刘氏，刘氏不动声色，立刻把他们杀了，暗中召集大将申明约束，谋划保护军队退却。天快亮时，李克用返回军营，想带兵攻打朱全忠，刘氏说："您近来为国家讨伐贼寇，拯救东方诸镇的危急，如今汴州人不讲道德，竟然谋害您，自当向朝廷申诉。如果擅自兴兵相攻，那么天下谁能分清是非曲直呢！而且朱全忠也有话可说了。"李克用听从她的话，率军离去，只送信责备朱全忠。朱全忠回信说："前天夜里的兵变，我不知道，是朝廷派遣使者和杨彦洪谋划的。杨彦洪已经伏罪死了，希望你能体察原谅。"

李克用的养子李嗣源，十七岁，随从李克用从上源驿逃出，乱箭飞石之间，独他没有受伤。李嗣源原来是胡人，名字叫邈佶烈，没有姓。李克用挑选军中骁勇善战的士卒，收养许多作为义子，给回鹘人张政的孩子取名叫存信，振武军的孙重进取名叫存进，许州人王贤取名叫存贤，安敬思取名叫存孝，都假冒姓李氏。

五月十六日丙子，李克用到许州旧时的寨子，向周岌索取粮食，周岌借口粮食缺乏来推辞，李克用便从陕州渡河返回晋阳。

【段旨】

以上为第十二段，写朱全忠与李克用交恶。

【注释】

⑤⑨⑨ 甲戌：五月十四日。⑥⓪⓪ 上源驿：馆驿名，在今河南开封东南。⑥⓪① 馔具：酒肴及食器。⑥⓪② 使气：意气用事。⑥⓪③ 语颇侵之：李克用乘酒言语之间触及朱全忠过去从黄巢之事。⑥⓪④ 沾醉：饮酒大醉，胸襟沾湿，不能自持。⑥⓪⑤ 树栅：结树为栅栏。⑥⓪⑥ 衢路：四通八达的道路。朱全忠用树栅把李克用馆驿周围道路堵塞。⑥⓪⑦ 史敬思（？至公元八八四年）：史建塘之父。父子二人皆晋王李克用部属，与后梁战，父子先后死于战阵。父子同传，见《旧五代史》卷五十五、《新五代史》卷二十五《史建塘传》。⑥⓪⑧ 沃：浇。此时李克用沉醉不醒。⑥⓪⑨ 徐告以难：慢慢地告诉克用事变，恐其惊吓。⑥①⓪ 晦冥：昏暗。⑥①① 逾垣：跳过矮墙。⑥①② 扼：把守。⑥①③ 尉氏门：汴州城南门。⑥①④ 缒：系在绳子上放下去。⑥①⑤ 汴人为变：即朱全忠夜袭李克用一事。⑥①⑥ 阴：秘密地。⑥①⑦ 约束：不许轻举妄动，以免事态扩大。⑥①⑧ 勒：统率。⑥①⑨ 比：近来。⑥②⓪ 东诸侯：指东方诸镇。⑥②① 天下孰能辨其曲直：如果李克用发兵攻朱全忠，则给朱全忠以口实，是非曲直难以辨明。⑥②② 不之知：宾语前置，言不知道这件事。⑥②③ 辜：罪。⑥②④ 嗣源：即李嗣源（公元八六七至九三三年），后唐明宗，公元九二六至

【原文】

郑君雄、张士安坚壁⑥③③不出，高仁厚曰：“攻之则彼利我伤，围之则彼困我逸。”遂列十二寨围之。丁丑⑥③④，夜二鼓⑥③⑤，君雄等出劲兵掩击城北副使寨，杨茂言不能御，帅众弃寨走，其旁数寨见副使走，亦走。东川人并兵南攻中军⑥③⑥，仁厚闻之，大开寨门，设炬火照之⑥③⑦，自帅士卒为两翼伏道左右。贼至，见门开，不敢入，还去，仁厚发伏击之，东川兵大奔，追至城下，蹙⑥③⑧之壕中，斩获甚众而还。

仁厚念诸弃寨走者，明旦所当诛杀甚多，乃密召孔目官张韶，谕之曰：“尔速遣步探子⑥③⑨将数十人分道追走者，自以尔意谕之曰：‘仆射⑥④⓪幸不出寨，皆不知，汝曹速归，来旦⑥④①牙参⑥④②如常[27]，勿忧也。’”韶素名长者，众信之，至四鼓，皆还寨，惟杨茂言走至张把⑥④③，

九三三年在位。沙陀部人。本名邈佶烈，为李克用之养子，改名嗣源。称帝后，改名亶。传见《旧五代史》卷三十五、《新五代史》卷六。㉕骁勇：勇猛矫健。㉖名：改名。用如动词。㉗回鹘：古族名，即回纥，贞元四年（公元七八八年）自请改称回鹘。㉘存信：即李存信（公元八六一至九〇二年），本名张污落。回鹘李思忠部族人。善骑射，为李克用养子。数从征伐，积功领郴州刺史。传见《旧五代史》卷五十三、《新五代史》卷三十六。㉙存进：即李存进（公元八五六至九二二年），振武人，原名孙重进。李克用养子，官至振武节度使。传见《旧五代史》卷五十三、《新五代史》卷三十六。㉚存贤：即李存贤（公元八五九至九二四年），许州人，本名王贤。李克用养子，官至卢龙节度使。传见《旧五代史》卷五十三、《新五代史》卷三十六。㉛存孝：即李存孝（？至公元八九二年），代州飞狐县（今河北涞源）人，本名安敬思，李克用养子。传见《旧五代史》卷五十三、《新五代史》卷三十六。信、进、贤、孝皆所谓李克用之义儿，号义儿军。㉜丙子：五月十六日。

【校记】

［26］者：原无此字。据章钰校，十二行本、乙十一行本、孔天胤本皆有此字，张敦仁《通鉴刊本识误》同，今据补。

【语译】

郑君雄、张士安坚守壁垒而不出来交战，高仁厚说："攻打他们，就对他们有利，我们有害；包围他们，他们就会困窘，我们能以逸待劳。"于是设置了十二个寨子来包围东川城。五月十七日丁丑，夜间二更时，郑君雄等出动精兵偷袭城北副使的寨子，杨茂言抵抗不住，率领部众丢弃寨子逃走。他旁边几个寨子看到副使逃走，也跟着逃跑。东川人合并军力向南进攻中军。高仁厚听说这事，大开寨门，设置火把照着这里，亲自率领士兵分成两翼，埋伏在道路左右两侧。贼寇到达，看见寨门开着，不敢进入，退了回去。高仁厚起动伏兵攻击他们，东川兵大败逃走。高仁厚的伏兵追赶到城下，迫使他们聚集在沟堑中，杀死和俘虏的敌人极多，然后回军。

高仁厚想到那些丢下寨子逃跑的士兵，明天早晨应该杀头的很多，就秘密召见孔目官张韶，命令他说："你赶快派遣步探子带领几十人分路追回逃走的官兵，用你的意思告诉他们说：'幸好高仁厚没有离开寨子，对发生的事全然不知。你们赶快回去，明天早晨诸将像平常一样到大将营中参见，你们不用担忧。'"张韶一向有忠厚长者的名声，大家都相信他，到了四更时，逃兵都回到寨子里，只有副使杨茂言跑

乃追及之。仁厚闻诸寨漏鼓⑭如故，喜曰："悉归矣！"诘旦⑮，诸将牙集⑯，以为仁厚诚不知也。坐良久，仁厚谓茂言曰："昨夜闻副使身先士卒，走至张把，有诸？"对曰："昨夜闻贼攻中军，左右言仆射已去，遂策马参随，既而审其虚，复还寨中。"仁厚曰："仁厚与副使俱受命天子，将兵讨贼，若仁厚先走，副使当叱下马，行军法，代总军事，然后奏闻。今副使既先走，又为欺罔⑰，理当何如？"茂言拱手曰："当死。"仁厚曰："然！"命左右扶下，斩之，诸将股栗⑱。仁厚乃召昨夜所俘获[28]虏数十人，释缚纵归⑲。君雄等闻之惧，曰："彼军法严整如是，自今兵不可复出矣！"

庚辰⑳，时溥遣其将李师悦将兵万人追黄巢。

癸未㉑，高仁厚陈于鹿头关城下，郑君雄等悉众出战。仁厚设伏于陈后，阳败走，君雄等追之，伏发㉒，君雄等大败；是夕，遁归梓州。陈敬瑄发兵三千以益仁厚军，进围梓州。

【段旨】

以上为第十三段，写高仁厚进讨杨师立，节节取胜。

【注释】

⑬坚壁：坚守营垒。⑭丁丑：五月十七日。⑮夜二鼓：夜二更。⑯中军：主帅高仁厚的大营。⑰炬火照之：诱敌深入之意。⑱蹙：逼迫聚集。⑲步探子：走小路刺探敌情的侦探。⑳仆射：指高仁厚。高仁厚以平阡能之功进检校仆射。㉑来旦：明晨。㉒牙参：凡行营诸将，每天早晨赴大将营参见，称牙参。㉓张把：镇名，当时属梓州郪县，在今四川三台南。把，当作"杷"。㉔漏鼓：报更漏的鼓。㉕诘旦：明旦；明朝。㉖牙集：聚集大营牙参。㉗欺罔：欺骗蒙蔽。㉘股栗：大腿发抖。形容十分恐惧。栗，通"慄"。㉙释缚纵归：意在使之回去言高仁厚用兵严整，令敌害怕，不敢再犯。㉚庚辰：五月二十日。㉛癸未：五月二十三日。㉜伏发：伏兵出击。

到张把，才追上他。高仁厚听到各寨子里打更击鼓和平常一样，高兴地说：“都回来了！”第二天早上，各将领到大营会集，以为高仁厚真不知道这件事。坐了很久，高仁厚对杨茂言说：“昨天夜里听说你带头逃跑，竟跑到了张把，有这回事吗？”杨茂言回答说：“昨夜听到贼寇进攻我们的中军，身边的人说您已经离去，我就骑马追随您，后来知道这是假的，又返回寨子里。”高仁厚说：“我和你都受命天子，率军讨贼。如果我高仁厚先逃走，你应当呵斥我下马，执行军法，代我总领军中事务，然后再上奏皇上。现在你抢先逃走，又进行欺骗，按理应该怎么办？”杨茂言拱手作揖说：“应当处死。”高仁厚说：“是的！”于是命令左右的人扶下杨茂言，处死了他，各将领都吓得双腿发抖。高仁厚便叫来昨夜捉到的俘虏几十个人，解开绳索放他们回去。郑君雄等人听到这件事很害怕，说：“他们军法如此严明，从今以后不能再出兵了！”

五月二十日庚辰，时溥派遣他的部将李师悦率兵一万人追击黄巢。

二十三日癸未，高仁厚在鹿头关城下布阵，郑君雄等人出动全部兵众作战。高仁厚在阵后设下埋伏，假装败逃。郑君雄等人追赶他们，伏兵出击，郑君雄大败；当天晚上，逃回梓州。陈敬瑄调动三千名士兵增强高仁厚的军力，进兵围攻梓州。

【校记】

［27］如常：原无此二字。据章钰校，十二行本、乙十一行本、孔天胤本皆有此二字，张敦仁《通鉴刊本识误》、张瑛《通鉴校勘记》同，今据补。［28］获：原无此字。据章钰校，十二行本、乙十一行本、孔天胤本皆有此字，今据补。

【研析】

本卷研析李克用收复长安，朱温降唐交恶李克用两件史事，为后梁、后唐的兴起与更替张本。

第一，李克用收复长安。李克用先人为西突厥人，以朱邪为姓，后世自号为沙陀。本居于北庭金满州，安史之乱北庭没入吐蕃。李克用祖父朱邪执宜在唐德宗时因不堪忍受吐蕃人的奴役，东走附唐，居盐州，部族隶属河西节度使范希朝。范希朝徙镇太原，朱邪执宜随从，居于定襄神武川，部众万骑，骁勇善战，号“沙陀军”。朱邪执宜死后，其子朱邪赤心领其众。唐懿宗咸通十年（公元八六九年），朱邪赤心奉命讨徐州庞勋之乱，立功拜单于大都护、振武军节度使，并赐姓皇室之姓，更名李国昌。李国昌，即李克用之父，已跻身于唐方面重镇大将。

李克用，勇武绝伦，能仰射双凫，其一目眇，军中戏称为“李鸦儿”，贵盛后称“独眼龙”。唐懿宗忧虑李国昌父子盛强，在咸通十三年诏命李国昌移镇为大同军防御使，李国昌拒命反于代北，兵败逃入达靼。黄巢入京师，唐僖宗下诏书从达靼召回李克用父子讨黄巢。僖宗中和二年（公元八八二年）十一月，李克用率领步骑一万七千人进军长安。中和三年正月，李克用出河中，行军至乾坑，黄巢震惊，说：“鸦儿军来也。”其时唐官军四集，宰相王铎任诸道行营都统，率十四镇勤王之兵包围长安。沙陀军勇猛善战，为讨逆官军的灵魂与核心。二月，李克用败黄巢将黄邺于石堤谷，三月又败赵璋、尚让于梁田陂，横尸三十里。李克用乘胜追击，与诸镇兵又大败黄巢于渭桥。黄巢军败，收缩入长安。李克用紧追，尾随黄巢军，从光泰门攻入长安，为诸军之冠。沙陀军神勇，如同一把尖刀直插敌军心脏，攻入望春宫升阳殿。黄巢败逃，长安为唐官军收复。论功，李克用第一。唐僖宗拜李克用检校司空、同中书门下平章事，实职为河东节度使，李国昌也授任为雁门以北行营节度使。十月，李国昌卒，整个沙陀部众为李克用统领。

李克用收复长安，威震全国，唐末一颗政治新星由此冉冉升起。黄巢退出长安，经蓝田、商山攻入河南，下蔡州，围陈州，黄巢大将孟楷战殁。黄巢愤怒，誓死破陈州。从公元八八二年五月围城直到第二年三月仍未攻下。又是李克用率领五万沙陀军南下解围，黄巢才退走，陈州生灵免遭涂炭。黄巢在半渡黄河时遭遇沙陀军，全军溃散，黄巢副帅尚让投降官军。黄巢突出重围，李克用追击，一日一夜驰击二百里，直到黄巢出生地冤句，没有追上才停止。黄巢只剩一千多人的残部逃入山东，第二年死于泰山狼虎谷。黄巢之乱彻底平息，李克用建立了盖世之功。

但是李克用平灭了黄巢，并没有带来唐朝的中兴，规模更大的军阀混战方兴未艾。李克用在回师途中，路过汴州，遭到朱全忠的暗算，朱李交恶，成为唐末更大军阀混战的导火索。李克用也从一个平乱英雄，转换成一个地方攻城略地的大军阀。

第二，朱温降唐交恶李克用。朱温，即后梁的建立者，弑帝篡唐的朱全忠，又名朱晃。朱全忠，宋州砀山午沟里人，排行第三，又称朱三。长兄朱全昱，忠厚老成，二兄朱存孔武有力，朱三尤为勇猛而凶悍。兄弟三人，家贫无业，替人做苦力。唐僖宗乾符四年（公元八七七年），朱三兄弟三人投入黄巢军中，黄巢攻岭南，朱存战死。朱三作战勇猛，数年间积功为黄巢大将。黄巢入长安，朱三为黄巢东南面行营先锋使，坐镇同州为同州防御使。同州是黄巢东面的门户，地位极其重要。

朱温反复无常，生性狡诈，在争战中渐生野心，观察时局，随波逐流等待机会。官军四集围攻黄巢于长安，朱温杀了黄巢监军严实，投降河中王重荣，被唐官军都统王铎任命为左金吾大将军、河南行营招讨副使，唐僖宗赐名为全忠，从此朱温称名朱全忠。

唐僖宗中和三年（公元八八三年）三月，僖宗任命朱全忠为汴州刺史、宣武军节度使，成为这方面的大镇将领。唐僖宗重用朱全忠，初始目的是想利用朱全忠征讨黄巢。其时黄巢余部尚强，围攻陈州。朱全忠作为一个降将，根底不固，僖宗重用朱全忠以分唐将诸节镇的威权。最终还是李克用打败了黄巢。李克用追击黄巢到冤句，回师路过汴州，朱全忠忌功，想暗杀李克用。朱全忠假意盛情邀请李克用进城相叙。朱全忠灌醉李克用，在夜间偷袭李克用所住上源驿站。李克用与几位亲将翻墙逃脱，九死一生回到军中。李克用欲整军攻打汴州，其妻刘氏有勇有谋，劝李克用回河东，上诉朝廷。唐僖宗昏庸，不问是非，一味和稀泥，目的是两存之使朱李相斗，朝廷坐收渔人之利。其结果是朱李敌对，蔡州秦宗权乘隙兴起，继黄巢而称帝，更大的祸乱在全国形成。

卷第二百五十六　唐纪七十二

起阏逢执徐（甲辰，公元八八四年）六月，尽强圉协洽（丁未，公元八八七年）三月，凡二年有奇。

【题解】

本卷记事起公元八八四年六月，迄公元八八七年三月，记事凡二年又九个月，当唐僖宗中和四年六月至光启三年三月。此时期全国军阀大混战，唐王朝中央完全失控。围剿黄巢，藩镇形式上听命于朝廷。此时黄巢已灭，藩镇失去一个共同敌人，唐僖宗受制于宦官田令孜，权威扫地，各地大小军阀肆行无忌。光启元年三月十二日僖宗还京，光启二年正月初八日僖宗被田令孜挟持第二次蒙尘，出逃兴元。僖宗还京不到十个月，长安京师再遭兵灾，化为灰烬。先是田令孜挟持僖宗以令藩镇，外结凤翔节度使李昌符、邠宁节度使朱玫对抗河中节度使王重荣。田令孜夺取王重荣所专盐利，更易节度使，挑起河北诸镇战端。王重荣抗命，朱玫、李昌符奉诏征讨。李克用援救王重荣，进兵长安，朱玫、李昌符也反戈一致上奏诛杀田令孜。于是田令孜挟僖宗出逃，李克用还师，朱玫控制京师，拥立襄王李煴另立朝廷，称帝号。河南蔡州节度使秦宗权收合黄巢余部，反叛朝廷，也称帝号。一时间三个皇帝鼎立，导致全国一片混乱。

【原文】

僖宗惠圣恭定孝皇帝下之上

中和四年（甲辰，公元八八四年）

六月壬辰①，东川留后高仁厚奏郑君雄斩杨师立出降。仁厚围梓州久不下，乃为书射城中，道②[1]其将士曰："仁厚不忍城中玉石俱焚，为诸君缓师十日，使诸君自成其功。若十日不送师立首，当分见兵③为五番④，番分昼夜以攻之，于此甚逸，于彼必困矣⑤。五日不下，四面俱进，克之必矣。诸君图⑥之！"数日，君雄大呼于众曰："天子所诛者元恶⑦耳，他人无预⑧也。"众呼万岁，大噪⑨，突入府中，师立自杀，君雄挈⑩其首出降。仁厚献其首及妻子于行在，陈敬瑄钉其子于城北，敬瑄三子出观之，钉者呼曰："兹事行及汝曹⑪，汝曹于后努力领取！"三子走马⑫而返。以高仁厚为东川节度使。

【语译】

僖宗惠圣恭定孝皇帝下之上

中和四年（甲辰，公元八八四年）

六月初三日壬辰，东川留后高仁厚奏报郑君雄杀死杨师立出城投降。高仁厚围攻梓州，久攻不下，于是写信射入城中，劝导城中的将士说：“我高仁厚不忍心城中的好人和坏人一同被毁掉，因此为了你们暂缓十天攻城，让你们自己建功。如果十天之内不送来杨师立的人头，我就把现在的军队分为五部，每一部轮流白天黑夜来攻打你们，这样我们非常闲逸，对于你们必定困乏不堪。如果五天还攻不下来，就四面一起进攻，一定可以攻克城池。你们考虑考虑吧！”过了几天，郑君雄对部下大声说：“皇上所要诛杀的只是首恶，与其他人没有关系。”大家高呼万岁，大声喧哗，冲进官府，杨师立自杀，郑君雄提着他的首级出城投降。高仁厚在僖宗那儿献上杨师立的首级以及他的妻妾子女。陈敬瑄把杨师立的儿子钉在城北，陈敬瑄的三个儿子出去观看，被钉的杨师立儿子喊着说：“这事不久就轮到你们身上，你们以后等着努力领受啊！”陈敬瑄的三个儿子驰骑返回。僖宗任命高仁厚为东川节度使。

甲辰[13]，武宁将李师悦与尚让追黄巢至瑕丘[14]，败之。巢众殆尽，走至狼虎谷[15]。丙午[16]，巢甥林言[17]斩巢兄弟[18]妻子首，将诣时溥[19]，遇沙陀博野军[20]，夺之，并斩言首以献于溥。

蔡州节度使秦宗权纵兵四出，侵噬[21]邻道。天平节度使朱瑄，有众三万，从父弟瑾[22]，勇冠军中。宣武节度使朱全忠为宗权所攻，势甚窘[23]，求救于瑄，瑄遣瑾将兵救之，败宗权于合乡[24]。全忠德之，与瑄约[25]为兄弟。

秋，七月壬午[26]，时溥遣使献黄巢及家人首并姬妾，上[27]御[28]大玄楼[29]受之。宣问[30]姬妾："汝曹皆勋贵子女[31]，世受国恩，何为从贼？"其居首者对曰："狂贼凶逆，国家以百万之众，失守宗祧[32]，播迁[33]巴、蜀。今陛下以不能拒贼责一女子，置公卿将帅于何地乎！"上不复问，皆戮之于市。人争与之酒，其余皆悲怖昏醉，居首者独不饮不泣，至于就刑，神色肃然[34]。

朱全忠击秦宗权，败宗权于溵水。

【段旨】

以上为第一段，写高仁厚歼灭杨师立为东川节度使。黄巢败殁。兵败降于黄巢的蔡州节度使秦宗权继起为祸。

【注释】

①壬辰：六月初三日。②道：通"导"，劝导。③见兵：现有的兵力。④五番：五部分。⑤于此甚逸二句：这样轮番攻打，对于高仁厚的军队来说，是安逸的；而叛军则陷入困境。此，指高仁厚。彼，指叛军。⑥图：考虑；谋划。⑦元恶：首恶。此指杨师立。⑧无预：没有干涉。⑨噪：喧闹。⑩挈：用手提着。⑪行及汝曹：将要临到你们身上。⑫走马：跑马；快马。⑬甲辰：六月十五日。⑭瑕丘：古县名，春秋时鲁负瑕邑，西汉置县。县治在今山东济宁市兖州区东北。⑮狼虎谷：地名，在今山东莱芜西南，亦名莱芜谷。⑯丙午：六月十七日。⑰林言：黄巢外甥。时黄巢见大势已去，自刎。林言斩其首献之。其事略见《旧唐书》卷二百、《新唐书》卷二百二十五等篇。⑱巢兄

六月十五日甲辰，武宁军的将领李师悦和尚让追击黄巢到了瑕丘，打败了黄巢。黄巢的部众损失殆尽，逃到狼虎谷。十七日丙午，黄巢的外甥林言斩下黄巢及其兄弟妻子儿女的头，将要前往时溥那里，路上遇到沙陀的博野军，夺走了这些首级，并且斩下林言的头一起献给时溥。

蔡州节度使秦宗权纵容军队四处掠夺，侵吞邻道疆界。天平节度使朱瑄拥有部众三万人，朱瑄的堂弟朱瑾，勇冠全军。宣武节度使朱全忠遭到秦宗权的进攻，形势非常危急，向朱瑄求援。朱瑄派遣朱瑾率兵救援朱全忠，在合乡打败了秦宗权。朱全忠感谢朱瑄的恩德，和朱瑄结拜为兄弟。

秋，七月二十四日壬午，时溥派遣使者献上黄巢和他家人的首级以及姬妾，僖宗驾临大玄楼接受使者所献。僖宗宣诏询问黄巢的姬妾："你们都是勋贵人家的子女，世世代代感受国恩，为什么要随从贼寇呢？"姬妾中站在最前面的一个回答说："猖狂的贼寇凶狠暴逆，国家拥有一百万军队，仍然失守宗庙，流落巴、蜀。如今陛下用不能拒贼反而来责备一个女子，那么把公卿将帅放在什么地位呢！"僖宗不再询问，下令在街市上把她们都杀了。人们争着送酒给她们，其他的人都悲伤恐惧，昏昏欲醉，只有站在最前面的那个女子，不喝酒不哭泣，到了服刑时，神色坦然镇定。

朱全忠攻打秦宗权，在溵水把秦宗权打败了。

弟：指黄巢及两弟黄揆、黄邺。⑲ 将诣时溥：将要到时溥那里去。时溥时任东面兵马都统。事详《旧唐书》卷一百八十二、《新唐书》卷一百八十八本传。⑳ 博野军：沙陀部之一。㉑ 侵噬：侵吞。㉒ 瑾：朱瑄从父弟。初从朱瑄居恽州，后拜泰宁军节度使。传见《旧唐书》卷一百八十二、《旧五代史》卷十三，并附《新五代史》卷四十二《朱瑄传》。㉓ 势甚窘：形势极为紧迫困难。㉔ 合乡：古县名，汉置，北齐废，故城在今山东滕州东二十里。㉕ 约：订立盟约。朱全忠与朱瑄同姓，故结为兄弟。㉖ 壬午：七月二十四日。㉗ 上：指僖宗。㉘ 御：驾临。㉙ 大玄楼：成都罗城正南门楼。罗城为高骈所建，竣工时高骈以《周易》占卦，得《大畜卦》，因卦象取名大玄楼。㉚ 宣问：唐僖宗宣诏审问。㉛ 勋贵子女：有功勋、地位的官宦人家的子女。㉜ 宗祧：宗庙。宗，祖庙。祧，远祖之庙。㉝ 播迁：迁徙流落。㉞ 神色肃然：神情脸色肃穆坦然。

【校记】

[1] 道：据章钰校，乙十一行本作"遗"。

【原文】

李克用至晋阳，大治甲兵[35]，遣榆次镇将雁门李承嗣[36]奉表诣行在，自陈有破黄巢大功，为朱全忠所图[37]，仅能自免，将佐已下从行者三百余人，并牌印[38]皆没不返。全忠仍榜东都[39]、陕[40]、孟[41]，云臣已死，行营兵溃，令所在邀遮[42]屠翦[43]，勿令漏失，将士皆号泣冤诉，请复仇雠[44]。臣以朝廷至公，当俟诏命，拊循[45]抑止[46]，复归本道[47]。乞遣使按问[48]，发兵诛讨，臣遣弟克勤将万骑[49]在河中俟命。时朝廷以大寇初平[50]，方务姑息[51]，得克用表，大恐，但遣中使[52]赐优诏[53]和解之。克用前后凡[54]八表，称全忠妒功疾能，阴狡祸贼[55]，异日[56]必为国患。惟乞下诏削其官爵，臣自帅本道兵讨之，不用度支粮饷[57]。上累遣杨复恭等谕指[58]，称“吾深知卿冤，方事之殷[59]，姑存大体[60]”。克用终郁郁不平。时藩镇相攻者，朝廷不复为之辩曲直。由是互相吞噬，惟力是视[61]，皆无所禀畏[62]矣！

八月，李克用奏请割麟州[63]隶河东，又奏[2]请以弟克脩[64]为昭义节度使，皆许之。由是昭义分为二镇[65]。进克用爵陇西郡王。克用奏罢云蔚[66]防御使，依旧隶河东，从之。

九月己未[67]，加朱全忠同平章事。

以右仆射、大明宫留守王徽知京兆尹[68]事。上以长安宫室焚毁，故久留蜀未归。徽招抚流散，户口稍归[69]，复缮治宫室，百司[70]粗有绪。冬，十月，关东[71]藩镇表请车驾还京师。

朱全忠之降也，义成节度使王铎为都统，承制除官[72]。全忠初镇大梁，事铎礼甚恭，铎依以为援[73]。而全忠兵浸强[74]，益骄倨[75]，铎知不足恃[76]，表请还朝，徙铎为义昌[77]节度使。

【语译】

李克用到达晋阳，大肆整修盔甲、兵器，派遣榆次的镇将雁门人李承嗣奉表前往僖宗那儿，自己说有打败黄巢的重大功绩，但遭到朱全忠的暗算，仅仅免于一死，自将佐以下随行的三百多人以及他们的职官牌印都没有了，不能找回来。朱全忠还在东都、陕州、孟州贴出告示，说臣已经死了，行营士卒溃散，命令各地予以拦截消灭，不要让一个人遗漏。臣的将士都号哭诉冤，要求报仇雪恨。臣认为朝廷最为公正，应该等待陛下的诏命再行动，因此安抚慰藉手下人马，阻止了他们复仇的行动，使他们回到原来的营地。臣请求派遣使者来考察审问，发兵诛讨朱全忠。臣派遣臣的弟弟李克勤率领一万名骑兵在河中等候命令。当时朝廷认为巨寇黄巢刚刚平定，正对各方采取宽容姑息的政策，看到了李克用的表章，非常害怕，只好派遣宦中官官送给李克用好言好语的诏书，从中进行调解。李克用前后总共八次上奏表章，称说朱全忠妒忌有功又有才能的人，阴险狡猾，祸国殃民，以后一定成为国家的祸患。臣乞求皇上下诏削除他的官爵，臣自己率领本道的军队去讨伐他，不用户部度支粮饷。僖宗多次派遣杨复恭等人晓谕旨意，说道“我深知你的冤屈，眼下正是多事之秋，姑且维持国家大局”。李克用始终郁郁不平。当时藩镇之间互相攻击的，朝廷不再为他们辨明是非曲直。从此，藩镇互相吞并，只看力量的大小，都不禀命朝廷，无所畏忌。

八月，李克用上奏请求把本属振武节度的麟州隶属河东节度，又上奏书请求任命他的弟弟李克脩为昭义节度使，朝廷都同意了。由此昭义分为两镇。朝廷又进爵李克用为陇西郡王。李克用上奏罢免云蔚防御使，仍旧隶属河东，朝廷听从了他的意见。

九月初二日己未，加封朱全忠为同平章事。

任命右仆射、大明宫留守王徽掌管京兆尹的事务。僖宗因为长安的宫殿、房屋被烧毁，所以长久滞留蜀地没有回来。王徽招抚流亡散失的人，人户才逐渐回归，又修缮宫殿、房屋，百官机构略具头绪。冬，十月，关东地区藩镇上表请求僖宗返回京城。

朱全忠投降唐朝时，义成节度使王铎任都统，以僖宗的名义授予朱全忠官职。朱全忠最初镇守大梁，对待王铎的礼节非常恭敬，王铎也依靠朱全忠作为帮手。朱全忠兵力逐渐强大，愈益骄横傲慢，王铎知道朱全忠不能依靠了，上表请求返回朝廷。朝廷改任王铎为义昌节度使。

【段旨】

以上为第二段，写朱全忠与李克用各拥兵自重，势力日炽。

【注释】

㉟甲兵：铠甲和兵器。此处泛指武备。㊱李承嗣（公元八六五至九二〇年）：代州雁门人，李克用部将，官至楚州节度使。传见《旧五代史》卷五十五。㊲为朱全忠所图：遭到朱全忠的谋害。㊳牌印：唐代始置职印。任其职的人，传相使用。印盛在匣子里，另置一牌，由吏属掌管。用印时凭牌取印，牌入印出；用完后印入牌出。故云牌印。㊴东都：唐高宗显庆二年（公元六五七年）以洛阳为东都。㊵陕：陕州。治所在今河南三门峡市陕州区。㊶孟：即孟州。治所河阳，在今河南孟州南。㊷邀遮：拦截阻击。㊸屠翦：杀戮消灭。㊹仇雠：仇敌；仇恨。㊺拊循：安抚；抚慰。㊻抑止：制止将士们复仇的行动。㊼复归本道：率部回到河东节度。㊽按问：审察、追究。李克用要求朝廷派官员追究朱全忠，并发兵诛讨。㊾将万骑：率领一万骑兵。㊿大寇初平：指黄巢刚刚被消灭。(51)方务姑息：正在勉力从事安定政局的工作，所以采取宽容的政策。(52)中使：皇帝宫廷派出的使者，指宦官。(53)优诏：褒奖的诏书。(54)凡：共。(55)祸贼：祸国殃民的乱臣贼子。(56)异日：他日；将来。(57)度支粮饷：唐制，凡诸镇兵出境征讨，则由朝廷供给粮饷。度支，户部下设四部，即户部、度支、金部、仓部。度支主管天下租赋，计算各方所需，转运征敛。边军又有支度使，计划军用资粮，上报度支，度支负责调配。(58)谕指：皇帝对臣下的命令。指，通“旨”。(59)方事之殷：言正当国家多事之秋。殷，众多。(60)姑存大体：姑且照顾大局。(61)惟力是视：只看谁的势力大。(62)无所禀畏：既不请命，也无

【原文】

鹿晏弘之去(78)河中也[3]，王建(79)、韩建(80)、张造、晋晖、李师泰各帅其众与之俱，及据兴元，以建等为巡内刺史(81)，不遣之官(82)。晏弘猜忌，众心不附，王建、韩建素相亲善，晏弘尤忌之，数引入卧内，待之加厚，二建密[4]相谓曰：“仆射甘言厚意，疑我也，祸将至矣！”田令孜密遣人以厚利诱之。十一月，二建与张造、晋晖、李师泰帅众数千逃奔行在(83)，令孜皆养为假子(84)，赐与巨万，拜诸卫(85)将军，使各将其众，号随驾五都(86)。又遣禁兵讨晏弘，晏弘率众[5]弃兴元走。

所畏惧。⑥③麟州：州名，治所新秦，在今陕西神木北。本属振武节度。⑥④克脩：即李克脩（公元八五九至八九〇年），字崇远，李克用的堂弟。作战英勇，多立战功，官至昭义节度使。性节俭，李克用怒其供膳菲薄，笞骂辱之，克脩忧死，时年三十一。传见《旧五代史》卷五十、《新五代史》卷十四。⑥⑤昭义分为二镇：昭义，方镇名，唐代宗大历元年（公元七六六年）号相卫六州节度为昭义军，十二年与泽潞沁节度合为一镇。唐僖宗中和三年（公元八八三年）九月昭义节度使孟方立迁治所于邢州，领邢、洺、磁三州为一镇；四年八月，李克用以其从弟李克脩为昭义节度使，领泽、潞二州为一镇，治潞州。自此，昭义分为二镇。⑥⑥云蔚：方镇名，置防御使。唐武宗会昌三年（公元八四三年），分河东云、蔚、朔三州置大同军都团练使。次年，升为都防御使。云，州名，治所定襄，在今山西大同，后改名云中。蔚，州名，治所灵丘，在今山西灵丘。⑥⑦己未：九月初二日。⑥⑧京兆尹：官名，京师所在地区的行政长官。⑥⑨户口稍归：流亡在外的人户逐渐回来。⑦⓪百司：朝廷大臣、王公以下百官的总称。⑦①关东：地区名，指函谷关或潼关以东地区。⑦②承制除官：朱全忠降唐时，王铎秉承皇帝旨意给朱全忠授官。事见本书卷二百五十五中和二年。⑦③依以为援：依靠朱全忠作为自己的援助力量。时王铎为义成节度使，治滑州，朱全忠为宣武节度使，治汴州，汴、滑邻道。而王铎于全忠有恩，故依以为援。⑦④浸强：势力渐渐强大起来。⑦⑤骄倨：骄横傲慢。⑦⑥不足恃：不足依靠。⑦⑦义昌：方镇名，又名横海、沧景，唐德宗贞元三年（公元七八七年）置，治所沧州，在今河北沧州东南。唐文宗太和五年（公元八三一年）号义昌军。

【校记】

［2］奏：原无此字。据章钰校，十二行本、乙十一行本、孔天胤本皆有此字，今据补。

【语译】

鹿晏弘离开河中，王建、韩建、张造、晋晖、李师泰各自率领他们的部众与鹿晏弘同行，等到占领兴元以后，鹿晏弘任命王建等人做巡内刺史，不派他们赴任。鹿晏弘为人猜忌，大家心里不肯依附。王建、韩建一向很亲密要好，鹿晏弘特别妒忌两人，多次请两人到卧室中，招待两人更加优厚。王建、韩建私下互相商量说：“鹿晏弘甜言蜜语，厚意相待，是在怀疑我们，灾祸快要来到了！”田令孜秘密派人用丰厚的财物去引诱王建等人。十一月，王建、韩建与张造、晋晖、李师泰率领部众数千人逃跑到僖宗那儿，田令孜都收养为义子，赏赐金钱无数，任命他们为诸卫将军，令各率自己的部众，号称随驾五都。又派遣禁兵讨伐鹿晏弘，鹿晏弘率众丢下兴元逃走了。

初，宦者曹知悫，本华原[87]富家子，有胆略。黄巢陷长安，知悫归乡里，集壮士，据嵯峨山[88]南，为堡自固，巢党不敢近。知悫数遣壮士变衣服语言，效巢党[89]，夜入长安攻贼营，贼惊以为鬼神，又疑其下有叛者，由是心不自安。朝廷闻而嘉之[90]，就除内常侍[91]，赐金紫[92]。知悫闻车驾将还，谓人曰："吾施小术，使诸军[93]得成大功，从驾群臣但平步[94]往来，俟至大散关[95]，当阅其可归者[96]纳之。"行在闻之，恐其为变。田令孜尤恶之，密以敕旨谕邠宁[97]节度使王行瑜[98]，使诛之，行瑜潜师[99]自嵯峨山北乘高攻之，知悫不为备，举营尽殪。令孜益骄横，禁制天子，不得有所主断。上患其专，时语左右而流涕。

鹿晏弘引兵东出襄州[100]，秦宗权遣其将秦诰、赵德諲[101]将兵会之，共攻襄州，陷之。山南东道[102]节度使刘巨容[103]奔成都。德諲，蔡州人也。晏弘引兵转掠襄、邓、均、房、庐、寿[104]，复还许州[105]。忠武节度使周岌闻其至，弃镇走，晏弘遂据许州，自称留后，朝廷不能讨，因以为忠武节度使。

十二月己丑[106]，陈敬瑄表辞三川都指挥[107]、招讨、制置、安抚等使。从之。

初，黄巢转掠福建[108]，建州[109]人陈岩聚众数千保乡里，号九龙军，福建观察使郑镒奏为团练副使[110]。泉州[111]刺史、左厢都虞候[112]李连有罪，亡入溪洞，合众攻福州[6]，岩击败之。镒畏岩之逼，表岩自代[113]。壬寅[114]，以岩为福建观察使。岩为治有威惠[115]，闽人安之。

义昌节度使兼中书令王铎，厚于奉养[116]，过魏州，侍妾成列，服御[117]鲜华，如承平[118]之态。魏博节度使乐彦祯[119]之子从训[120]，伏卒数百人[7]于漳南[121]高鸡泊[122]，围而杀之，及宾僚从者三百余人皆死，掠其资装侍妾而还。彦祯奏云为盗所杀，朝廷不能诘[123]。

赐邠宁军号曰静难。

是岁，余杭[124]镇使陈晟逐睦州[125]刺史柳超，颍州[126]都知兵马使[127]汝阴[128]王敬荛[129]逐其刺史，各领州事，朝廷因命为刺史。

均州贼帅孙喜聚众数千人，谋攻州城，刺史吕晔[8]不知所为。都将[130]武当[131]冯行袭[132]伏兵江南[133]，自乘小舟迎喜，谓曰："州人得良

当初，宦官曹知悫，本来是华原的富家子弟，有胆有谋。黄巢攻陷长安，曹知悫回归乡里，聚集壮士，占据嵯峨山南，建堡自卫，黄巢的部众不敢靠近。曹知悫多次派遣壮士更换服装，改变口音，效仿黄巢的部众，夜间进入长安攻打贼营，贼军大惊，以为是鬼神；黄巢又怀疑自己的部下有叛变的，因此心中惶惶不安。朝廷听到了，嘉美曹知悫，就地授给他内常侍的官，赐予金印紫绶。曹知悫听说僖宗将要返回长安，对人说："我使用了一点小计谋，让各路军队取得收复长安的重大功绩，从驾群臣只是轻松地往来，等到了大散关，应该看一看哪个可以回来才让他进关。"朝廷听到了，担心他作乱。田令孜尤其憎恨曹知悫，秘密用僖宗的圣旨告诉邠宁节度使王行瑜，命令他杀死曹知悫。王行瑜秘密发兵，从嵯峨山的北面，居高攻击曹知悫，曹知悫没有防备，全营都被杀死了。田令孜从此更加骄横，干涉僖宗言行，僖宗不能自主决断。僖宗忧虑田令孜专权，常常流泪，向身边的人诉说。

鹿晏弘率军从襄州出发向东进军，秦宗权派遣他的部将秦诰、赵德諲率军与他会合，一起攻打襄州，并攻陷了它。山南东道节度使刘巨容逃往成都。赵德諲，是蔡州人。鹿晏弘带领军队转往襄州、邓州、均州、房州、庐州、寿州各地掠夺，又返回许州。忠武节度使周岌听说鹿晏弘来了，丢下镇所逃走。鹿晏弘就占据了许州，自称为留后。朝廷没有能力讨伐鹿晏弘，便任命他为忠武节度使。

十二月初三日己丑，陈敬瑄上表辞去三川都指挥、招讨、制置、安抚等使。僖宗同意了。

当初，黄巢转往福建掠夺时，建州人陈岩聚集民众几千人来保卫乡里，号称九龙军，福建观察使郑镒奏请僖宗任命他为团练副使。泉州刺史、左厢都虞候李连因有罪，逃到溪谷洞穴中，聚众攻打福州，陈岩打败了李连。郑镒害怕陈岩的威势，上表让陈岩替代自己。十二月十六日壬寅，任命陈岩为福建观察使。陈岩治理政事有威严施恩惠，福建人得到了安宁。

义昌节度使兼中书令王铎，自我供养丰厚，路过魏州，侍妾排列成行，服饰车马艳美，如同太平时期的样子。魏博节度使乐彦祯的儿子乐从训，在漳南高鸡泊埋伏了几百名士兵，包围了王铎，把他杀死了，王铎的宾客僚属等随从三百多人也都死了，乐从训夺取了王铎的财物和侍妾才返回。乐彦祯上奏说王铎是被强盗所杀，朝廷也无法追究。

朝廷赐邠宁军号称静难。

这一年，余杭镇使陈晟驱逐睦州刺史柳超，颍州都知兵马使汝阴人王敬荛驱逐颍州刺史，两人各掌理州中事务，朝廷也就分别任命他们为刺史。

均州贼寇首领孙喜聚集部众几千人，谋划攻打州城，刺史吕晔不知道该怎么办。都将武当人冯行袭在汉江南面埋伏了军队，自己搭乘小船迎接孙喜，对他说："州里

牧[134]，无不归心，然公所从之卒太多，州人惧于剽掠[135]，尚以为疑。不若置军江北，独与腹心[136]轻骑俱进，行袭请为前道[137]，告谕州人，无不服者矣。”喜以为然，从之。既渡江，军吏迎谒[138]，伏兵发，行袭手击喜，斩之，从喜者皆死，江北军望之俱溃。山南东道节度使上其功，诏以行袭为均州刺史。州西有长山，当襄、邓入蜀之道，群盗据之，抄掠[139]贡赋，行袭讨诛之，蜀道以通。

凤翔[140]节度使李昌言病，表弟昌符知留后[141]。昌言薨，制[142]以昌符为凤翔节度使。

时黄巢虽平，秦宗权复炽[143]，命将出兵，寇掠邻道，陈彦[144]侵淮南[145]，秦贤侵江南[146]，秦诰陷襄、唐、邓，孙儒[147]陷东都[148]、孟、陕、虢[149]，张晊陷汝、郑，卢塘[9]攻汴、宋，所至屠翦焚荡[150]，殆无孑遗[151]。其残暴又甚于巢，军行未始转粮[152]，车载盐尸[153]以从。北至卫、滑[154]，西及关辅[155]，东尽青、齐[156]，南出江、淮[157]，州镇存者仅保一城，极目千里，无复烟火[158]。上[159]将还长安，畏宗权为患。

【段旨】

以上为第三段，写僖宗受制于田令孜，心不能平。各地军阀混战，朝廷失控。鹿晏弘据许州，依附秦宗权，秦宗权势力日涨。

【注释】

⑱ 去：离开。鹿晏弘原为忠武大将，中和三年十一月，率所部自河中南掠，至兴元，逐节度使牛勖，自称留后。⑲ 王建（公元八四七至九一八年）：字光图，许州舞阳（今属河南）人，五代时期前蜀国的建立者。出身于忠武军卒，随鹿晏弘镇压黄巢，后为刺史。唐昭宗天复三年（公元九〇三年）封为蜀王，后梁开平元年（公元九〇七年）在成都自立为帝，国号蜀，史称前蜀。在位十二年。传见《旧五代史》卷一百三十六、《新五代史》卷六十三。⑳ 韩建（公元八五五至九一三年）：字佐时，许州长社（今河南许昌）人，唐末任华商节度使、潼关守捉使，驻节华州，为朱全忠党援，曾逼迫唐昭宗，兵围十六宅，擅杀诸王。入梁，官至司徒，平章事，充盐铁转运使。传见《旧五代史》卷十

的百姓有了像你这样好的州官，心里没有不顺从的，但是您随从的士兵太多，州中百姓害怕被抢掠，还在怀疑。不如把军队安置在汉江北面，独自和心腹部属骑马轻装前进，请让我在前面为您引导，告谕州中百姓，没有不归顺的。”孙喜认为冯行袭说得对，同意了。已经渡过汉江，军吏迎接拜见，埋伏的士兵发动攻击，冯行袭亲手攻击孙喜，把他斩了，跟随孙喜的人也都死了，江北的军队望见这一情况全都溃逃。山南东道节度使上奏冯行袭的功劳，僖宗下诏任命冯行袭为均州刺史。均州的西部有座长山，地处襄州、邓州进入蜀地的交通要道，成群的盗贼占据了长山，抄掠贡品、税赋，冯行袭前去讨伐，诛杀盗贼，前往蜀地的道路得以畅通。

凤翔节度使李昌言患病，他的表弟李昌符担任留后的职务。李昌言去世，僖宗任命李昌符为凤翔节度使。

当时黄巢虽然已经平定，但秦宗权的势力又强盛起来，命令将领出动军队，劫掠邻近各道，陈彦侵犯淮南，秦贤侵犯江南，秦诰攻陷襄、唐、邓等州，孙儒攻陷东都、孟州、陕州、虢州等地，张晊攻陷汝州、郑州，卢塘攻打汴州、宋州，所到之处，屠戮、毁灭、焚烧、扫荡，几乎没有留下一个活人。他们的残暴超过了黄巢。行军时没有转运粮食，用车子装载用盐腌的尸体随从军后。北面到卫州、滑州，西面至关中、京畿一带，东面包括青州、齐州，南面直抵江、淮，各州镇中存留下来的仅仅能保留住一个城市，放眼千里，再没有烟火人家。僖宗将要返回长安，害怕秦宗权作乱危害。

五、《新五代史》卷四十。㉛巡内刺史：节度使所领属的州刺史。㉜不遣之官：不派他们到任上。㉝逃奔行在：时僖宗在成都，王建等人见鹿晏弘猜忌，故弃之奔蜀。㉞假子：义子。㉟诸卫：唐代中央军职南衙有十六卫，即左右卫、左右骁卫、左右武卫、左右威卫、左右领军卫、左右金吾卫、左右千牛卫、左右监门卫。诸卫即指上述各卫。㊱都：唐代军队的一种称号。田令孜已募新军五十四都分隶两神策军，现又得王建等五支部队，不敢分其众隶属两军，所以别号“随驾五都”。㊲华原：县名，县治在今陕西铜川市耀州区东南。㊳嵯峨山：山名，在京兆云阳县北十五里，今陕西淳化东南。㊴效巢党：模仿黄巢军队。㊵嘉之：嘉美曹知悫。㊶内常侍：官名，唐代内侍省长官，掌管宫廷事务，专由宦官担任。㊷金紫：金印紫绶的简称。唐代光禄大夫加金印紫绶者，称金紫光禄大夫。㊸诸军：指收复京城的诸镇大军。曹知悫说自己经常夜间攻打黄巢军，为诸镇大军收复长安创造了有利的条件。㊹平步：平常之举步，犹言轻易。㊺大散关：关名，即散关。因在陕西宝鸡西南大散岭上，故又名大散关。㊻可归者：有资格可以返回长安的从驾群臣。㊼邠宁：方镇名，唐肃宗乾元二年（公元七五九年）置，治所邠州，在

今陕西彬州。⑱王行瑜（？至公元八九五年）：邠州人，从邠宁节度使朱玫讨黄巢，为列校。光启二年（公元八八六年）朱玫奉嗣襄王煴为帝，授天平节度使。行瑜引兵还长安，斩朱玫。光启三年授邠宁节度使。此时为邠宁部将。传见《旧唐书》卷一百七十五、《新唐书》卷二百二十四。⑲潜师：秘密发兵。⑳襄州：州名，治所襄阳，在今湖北襄樊。㉑赵德諲：从秦宗权为右将，以讨黄巢功授申州刺史，又为山南东道节度留后，举地归附朱全忠。传见《新唐书》卷一百八十六，并附《旧五代史》卷十七、《新五代史》卷四十一《赵匡凝传》。㉒山南东道：方镇名，唐肃宗至德二载（公元七五七年）升襄阳防御使为山南东道节度使，领襄、邓、隋、唐、安、均、房、金、商九州，治所襄州，在今湖北襄阳。㉓刘巨容（？至公元八八九年）：徐州人。传见《新唐书》卷一百八十六。㉔襄、邓、均、房、庐、寿：均州名。襄州，见前注。邓州，治所穰县，在今河南邓州。均州，治所武当，在今湖北丹江口西北。房州，治所房陵，在今湖北房县。庐州，治所合肥，在今安徽合肥。寿州，治所寿春，在今安徽寿县。㉕复还许州：鹿晏弘于中和元年（公元八八一年）自许州从杨复光勤王，事见本书卷二百五十四中和元年。㉖己丑：十二月初三日。㉗三川都指挥：官名，中和三年二月，以陈敬瑄为西川、东川、山南西道都指挥、招讨、安抚、处置使，以讨杨师立。现师立已死，故辞之。㉘福建：方镇名，唐玄宗开元二十一年（公元七三三年）置福建经略使，领福、泉、建、漳、潮五州，治所福州，在今福建福州。唐肃宗乾元二年（公元七五九年）改福建经略使为都防御使兼宁海军使，上元元年（公元七六〇年）升福建都防御使为节度使。黄巢转战福建，见本书卷二百五十三乾符五年。㉙建州：州名，治所建安，在今福建建瓯。㉚团练副使：官名，唐代中叶以后，在不设节度使的地区置团练使，掌本区各州军事。常与观察使、防御使互兼，团练副使系副职。㉛泉州：州名，治所晋江，在今福建泉州。㉜左厢都虞候：军法官。唐中叶以后，藩镇皆置都虞候，位次于节度副使。㉝表岩自代：郑镒害怕陈岩的势力，上表要求由陈岩代替自己为福建观察使。㉞壬寅：十二月十六日。㉟威惠：威信和恩惠。此言陈岩为官有威有德。㊱厚于奉养：供养丰厚。㊲服御：服饰车马之类。㊳承平：太平。㊴乐彦祯：生卒年不详。好儒术，诏检校工部尚书，领留后，进魏博节度使。传见《旧唐书》卷一百八十一、《新唐书》卷二百十。㊵从训：乐彦祯之子乐从训，生性顽劣，贼杀王铎，为众所议。乐彦祯出乐从训为相州刺史，后为罗弘信所杀。传附其父《乐彦祯传》。㊶漳南：古县名，县治在今河北故城东北。㊷高鸡泊：地名，在今山东武城境。是漳河水汇成的一片水泊，广袤数百里。现已夷为平陆。㊸诘：追问。〖按〗王铎身为朝廷重臣，却以承平之态处乱世，丧身亡家，祸由自取。㊹余杭：郡名，治所杭州，在今浙江杭州西。唐代安史之乱后，在内地也设“军”。杭州即置余杭军，浙江西道的节度副使兼余杭军使。㊺睦州：州名，治所建德，在今浙江建德。㊻颍州：州名，治所汝阴，在今安徽阜阳。㊼兵马使：官名，唐代藩镇自置的部队统率官。其权尤重者称为都知兵马使。㊽汝阴：古县名，唐时为颍州治所，天宝、至德年间一度改颍州为汝阴郡。⑫⑨ 王敬荛：颍州汝阴（在今安徽阜阳）人，后梁勇将，官至左卫将军。传见《旧五代史》卷二十、《新五代史》卷四十三。⑬⓪ 都将：统兵武官名。⑬① 武当：县名，以武当山得名。县治在今湖北丹江口西北。⑬② 冯行袭：字正臣，均州武当人，历唐僖宗、昭宗为节镇，入梁，官至司空。传见《新唐书》卷一百八十六、《旧五代史》卷十五、《新五代史》卷四十二。⑬③ 江南：汉江之南。⑬④ 良牧：好的州官。此处是故意恭维孙喜的话。⑬⑤ 剽掠：抢劫掠夺。⑬⑥ 腹心：心腹之人。⑬⑦ 前道：即前导。⑬⑧ 迎谒：迎接拜见。⑬⑨ 抄掠：搜查抢掠。〖按〗时僖宗在蜀，各地贡赋经由襄、邓二州运入，长山为要冲，故群盗据此抢掠贡赋。⑭⓪ 凤翔：方镇名，唐高宗上元元年（公元六七四年）置兴凤陇节度使。治所凤翔，在今陕西宝鸡市凤翔区。⑭① 知留后：担任节度留后的职务。唐末节度使之子弟或亲信将吏代行节度使职权者称留后。⑭② 制：皇帝的命令。⑭③ 复炽：力量又强盛起来。⑭④ 陈彦：秦宗权的部将，以下秦贤、秦诰、孙儒、张晊、卢瑭同。⑭⑤ 淮南：方镇名，治所扬州，在今江苏扬州。⑭⑥ 江南：道名，唐贞观十道之一。此处泛指长江以南地区。⑭⑦ 孙儒（？至公元八九二年）：传见《新唐书》卷一百八十八。〖按〗自孙儒以下，事皆在是年之后，此处为概言之。⑭⑧ 东都：洛阳。⑭⑨ 孟、陕、虢：皆州名。孟州治所河阳，在今河南孟州。陕州治所陕县，在今河南三门峡。虢州治所弘农，在今河南灵宝。⑮⓪ 屠翦焚荡：屠杀、焚毁、扫荡。⑮① 殆无孑遗：几乎没有遗留下一个活人。孑遗，遗留；余剩。⑮② 转粮：转运军粮。⑮③ 盐尸：用盐腌渍人尸，用作军粮。⑮④ 卫滑：皆州名。卫州治所汲县，在今河南卫辉。滑州治所白马（滑台城），在今河南滑县东。⑮⑤ 关辅：函谷关及京畿一带。辅，京城附近的地方。⑮⑥ 青、齐：皆州名。青州治所东阳，在今山东青州。齐州治所历城，在今山东济南。⑮⑦ 江、淮：泛指淮河、长江下游一带。⑮⑧ 无复烟火：再也看不到烟火。州镇大都被攻陷，幸存者也只能保住一座城池而已，极目千里，荒无人烟。⑮⑨ 上：指僖宗皇帝。

【校记】

［3］也：原无此字。据章钰校，十二行本、乙十一行本、孔天胤本皆有此字，今据补。［4］密：原无此字。据章钰校，十二行本、乙十一行本皆有此字，今据补。［5］率众：原无此二字。据章钰校，十二行本、乙十一行本皆有此二字，张敦仁《通鉴刊本识误》同，今据补。［6］合众攻福州：原无此五字。据章钰校，十二行本、乙十一行本、孔天胤本皆有此五字，张敦仁《通鉴刊本识误》、张瑛《通鉴校勘记》同，今据补。［7］人：原无此字。据章钰校，十二行本、乙十一行本、孔天胤本皆有此字，张敦仁《通鉴刊本识误》同，今据补。［8］吕晔：原作“吕烨”。据章钰校，十二行本、乙十一行本、孔天胤本皆作“吕晔”，今从改。［9］卢塘：原作“卢瑭”。据章钰校，十二行本、乙十一行本皆作“卢塘”，今从改。

【原文】

光启元年（乙巳，公元八八五年）

春，正月戊午[160]，下诏招抚之。

己卯[161]，车驾发成都，陈敬瑄送至汉州[162]而还。

荆南监军朱敬玫所募忠勇军[163]暴横，节度使[10]陈儒[164]患之。郑绍业之镇荆南[165]也，遣大将申屠琮将兵五千击黄巢于长安，军还，儒告琮，使除之[166]。忠勇将程君从闻之，帅其众奔朗州[167]，琮追击之，杀百余人，余众皆溃[11]，自是琮复专军政。

雷满[168]屡攻掠荆南，儒重赂[169]以却之。淮南将张瓌、韩师德叛高骈[170]，据复[171]、岳[172]二州，自称刺史，儒请瓌摄[173]行军司马[174]，师德摄节度副使，将兵击雷满。师德引兵上峡[175]大掠，归于岳州，瓌还兵逐儒而代之。儒将奔行在，瓌劫还，囚之。瓌，滑州[12]人，性贪暴，荆南旧将夷灭殆尽。

先是，朱敬玫屡杀大将及富商以致富，朝廷遣中使[176]杨玄晦代之。敬玫留居荆南，尝曝衣[177]，瓌见而欲之，遣卒夜攻之，杀敬玫，尽取其财。瓌恶[178]牙将郭禹[179]慓悍[180]，欲杀之，禹结党千人亡去，庚申[181]，袭归州[182]，据之，自称刺史。禹，青州人成汭也，因杀人亡命，更其姓名。

南康[183]贼帅卢光稠[184]陷虔州[185]，自称刺史，以其里人谭全播[186]为谋主。

秦宗权责租赋[187]于光州[188]刺史王绪，绪不能给，宗权怒，发兵击之。绪惧，悉举光、寿[189]二州[13]兵五千人，驱吏民渡江，以刘行全为前锋，转掠江[190]、洪、虔州，是月，陷汀[191]、漳[192]二州，然皆不能守也。

秦宗权寇颍、亳[193]，朱全忠败之于焦夷[194]。

二月丙申[195]，车驾至凤翔。三月丁卯[196]，至京师。荆棘满城，狐兔纵横[197]，上凄然不乐。己巳[198]，赦天下，改元[199]。时朝廷号令所行，惟河西[200]、山南[201]、剑南[202]、岭南[203]数十州而已。

秦宗权称帝，置百官，诏以武宁节度使时溥为蔡州[204]四面行营兵马都统[205]以讨之。

【语译】

光启元年（乙巳，公元八八五年）

春，正月初二日戊午，僖宗下诏招抚秦宗权。

二十三日己卯，僖宗从成都出发，陈敬瑄送到汉州才返回。

荆南监军朱敬玫所招募的忠勇军凶暴蛮横，节度使陈儒对他们很忧虑。郑绍业镇守荆南时，派遣大将申屠琮率兵五千人在长安攻打黄巢，军队返回后，陈儒告诉申屠琮，让他除掉忠勇军。忠勇军的将领程君从听到这一消息，率领他的部众逃往朗州。申屠琮追击他们，杀死一百多人，剩下的人皆溃散了，从此，申屠琮又专擅军政。

雷满多次攻打劫掠荆南，陈儒送上丰厚的财货使雷满退兵。淮南的将领张瓌、韩师德背叛高骈，占据了复、岳两州，自称刺史。陈儒请张瓌代理行军司马，韩师德代理节度副使，率兵进攻雷满。韩师德带领军队上赴巫峡大肆抢掠，回到岳州，张瓌回军后驱逐陈儒，取代了他的职位。陈儒将要逃往僖宗那里，张瓌把他抓了回来，囚禁了他。张瓌是滑州人，本性贪婪暴虐，荆南旧时的将领几乎被他杀光了。

此前，朱敬玫多次杀害大将和富商，使自己富了起来，朝廷派遣中使杨玄晦取代他的职位。朱敬玫留下住在荆南，他曾经晒的衣服，被张瓌看到而想得到它，便派遣士兵在晚上攻打朱敬玫，杀了他，夺取了朱敬玫的所有财物。张瓌憎恨牙将郭禹矫健勇猛，想要杀死他，郭禹纠集同党千人逃走了，正月初四日庚申，郭禹袭击归州，予以占领，自称刺史。郭禹，就是青州人成汭，因为杀人逃亡，更改了他的姓名。

南康郡贼寇首领卢光稠攻陷虔州，自称刺史，任用同乡谭全播出谋划策。

秦宗权向光州刺史王绪要求供给租赋，王绪不能供给，秦宗权很生气，发兵攻打他。王绪害怕了，调动全部光、寿二州士兵五千人，驱赶官吏和百姓渡江，用刘行全为前锋，先后抢掠江州、洪州和虔州。这个月，攻陷汀州、漳州两地，但是都未能守住两州。

秦宗权侵扰颍州、亳州，朱全忠在焦夷把秦宗权打败了。

二月初十日丙申，僖宗到达凤翔。三月十二日丁卯，到达京城。京城满城荆棘，狐兔乱窜，僖宗凄凉悲伤，闷闷不乐。十四日己巳，大赦天下，改换年号。当时朝廷号令能够推行的，只有河西、山南、剑南、岭南中的几十个州而已。

秦宗权自称皇帝，设置百官。僖宗下诏任命武宁节度使时溥为蔡州四面行营兵马都统，讨伐秦宗权。

【段旨】

以上为第四段，写荆南监军朱敬玫贪财丧身。唐僖宗由蜀还京，秦宗权称帝于蔡州。

【注释】

⑯⓪戊午：正月初二日。⑯①己卯：正月二十三日。⑯②汉州：州名，治所雒县，在今四川广汉北。⑯③忠勇军：朱敬玫募集的军队，共三千人，号忠勇军。⑯④陈儒（？至公元八八五年）：江陵人，时为荆南节度使。传见《新唐书》卷一百八十九。⑯⑤郑绍业之镇荆南：时在广明元年。朱敬玫募忠勇军也在这一年。⑯⑥使除之：陈儒使申屠琮除掉朱敬玫的忠勇军。⑯⑦朗州：州名，治所武陵，在今湖南常德。⑯⑧雷满（？至公元九〇一年）：朗州武陵人，时为朗州兵马留后。传附《新唐书》卷一百八十六《邓处讷传》。⑯⑨重赂：贵重的财物。陈儒送给雷满重赂使其退兵。⑰⓪高骈：时高骈为淮南节度使。⑰①复：州名，治所建兴，在今湖北仙桃。⑰②岳：州名，治所巴陵，在今湖南岳阳。⑰③摄：代理。⑰④行军司马：官名，唐代开元年间各节度使皆置此官，掌军政，权任甚重。⑰⑤峡：巫峡。韩师德据岳州，溯江而上故云“上峡”。⑰⑥中使：皇帝宫廷中派出的使者，指宦官。⑰⑦曝衣：晒衣物。⑰⑧恶：憎恨。⑰⑨郭禹（？至公元九〇三年）：原名成汭，青州（今山东青州）人，少年任侠，杀人亡命，改名郭禹。传见《新唐书》卷一百九十、《旧五代史》卷十七。⑱⓪慓悍：矫健勇猛。慓，同“剽”。⑱①庚申：正月初四日。⑱②归州：州名，唐高祖武德元年（公元六一八年）分夔州秭归、巴东两县置。治所秭归，在今湖北秭归。因三峡水库，秭归今已移动位置，从原临江山腰移于山顶。⑱③南康：郡名，治所在今江西赣州市南康区。⑱④卢光稠（？至公元九一一年）：南康（今属江西）人，入梁为镇南使，

【原文】

卢龙[206]节度使李可举[207]、成德节度使王镕恶李克用之强，而义武节度使王处存与克用亲善，为侄邺娶克用女。又，河北诸镇，惟义武尚属朝廷，可举等恐其窥伺山东[208]，终为己患，乃相与谋曰：“易、定，燕、赵之余[209]也。”约共灭处存而分其地。又说云中[210]节度使赫连铎[211]使攻克用之背。可举遣其将李全忠[212]将兵六万攻易州，镕遣将将兵攻无极[213]。处存告急于克用，克用遣其将康君立[214]等将兵救之。

守虔、韶二州。传见《新唐书》卷一百九十、《新五代史》卷四十一。⑱虔州：州名，治所赣县，在今江西赣州。⑱谭全播（公元八三四至九一八年）：与卢光稠皆为南康人。谭全播为卢光稠部属，守虔州。传见《新五代史》卷四十一。⑱责租赋：索取租赋。⑱光州：州名，治所定城，在今河南潢川县。⑱寿：州名，治所寿春，在今安徽寿县。⑲江：州名，治所浔阳，在今江西九江市。⑲汀：州名，治所长汀，在今福建长汀。⑲漳：州名，初治漳浦，乾元初移治龙溪，在今福建漳州南。⑲亳：州名，治所谯县，在今安徽亳州。⑲焦夷：地名，在亳州城父县界。⑲丙申：二月初十日。⑲丁卯：三月十二日。⑲狐兔纵横：狐兔到处乱跑，形容京师一片荒凉景象。⑲己巳：三月十四日。⑲改元：皇帝更改年号。此指唐僖宗改元光启。⑳河西：方镇名，唐睿宗景云元年（公元七一〇年）置，治所凉州，在今甘肃武威。⑳山南：道名，唐贞观十道之一，贞观元年（公元六二七年）置，以在秦岭以南而得名。治所襄州，在今湖北襄阳。⑳剑南：道名，贞观元年置，以在剑阁之南得名。治所益州，在今四川成都。⑳岭南：方镇名，唐玄宗开元二十一年（公元七三三年）置。治所广州，在今广东广州。⑳蔡州：州名，治所汝阳，在今河南汝南县。⑳四面行营兵马都统：官名，掌征伐。位在节度使之上，可督统诸道之兵，兵罢则省。

【校记】

［10］节度使：原无此三字。据章钰校，十二行本、乙十一行本皆有此三字，张瑛《通鉴校勘记》同，今据补。［11］余众皆溃：原无此四字。据章钰校，十二行本、乙十一行本皆有此四字，张瑛《通鉴校勘记》同，今据补。〖按〗孔天胤本无“余众”二字。［12］滑州：原作“渭州”。严衍《通鉴补》改作“滑州”，今据以校正。［13］二州：原无此二字。据章钰校，十二行本、乙十一行本皆有此二字，张敦仁《通鉴刊本识误》同，今据补。

【语译】

卢龙节度使李可举、成德节度使王镕忌恨李克用兵力强大，而义武节度使王处存与李克用亲近友善，替侄子王郜迎娶李克用的女儿。另外，河北各镇，只有义武还归属朝廷，李可举等人害怕王处存暗中伺机侵占恒山以东地区，最终成为自己的隐患，于是我们便相互谋划说：“易州、定州，本来就是燕国、赵国所留下来的地方。”约定共同灭掉王处存，瓜分他的土地。又游说云中节度使赫连铎，让他攻打李克用的后方。李可举派遣他的部将李全忠率兵六万人攻打易州，王镕派遣部将率兵攻打无极。王处存向李克用告急，李克用派遣他的部将康君立等人率军救援。

闰月，秦宗权遣其弟宗言寇荆南。

初，田令孜在蜀募新军五十四都，每都千人，分隶两神策，为十军[215]以统之，又南牙[216]、北司[217]官兵[14]万余员。是时藩镇各专租税，河南·北、江、淮无复上供[218]，三司[219]转运无调发之所，度支惟收京畿、同、华、凤翔等数州租税，不能赡[220]，赏赉[221]不时，士卒有怨言。令孜患之，不知所出。先是，安邑[222]、解县[223]两池盐[224]皆隶盐铁，置官榷[225]之。中和以来，河中节度使王重荣专之[226]，岁献三千车以供国用，令孜奏复如旧制隶盐铁。夏，四月，令孜自兼两池榷盐使，收其利以赡军。重荣上章论诉[227]不已，遣中使往谕之，重荣不可。时令孜多遣亲信觇藩镇[228]，有不附己者，辄图之。令孜养子匡祐使河中，重荣待之甚厚，而匡祐傲甚，举军皆愤怒。重荣乃数令孜罪恶，责其无礼，监军为讲解[229]，仅得脱去。匡祐归，以告令孜，劝图之。五月，令孜徙重荣为泰宁[230]节度使，以泰宁节度使齐克让为义武节度使，以义武节度使王处存为河中节度使，仍诏李克用以河东军[15]援处存赴镇[231]。

卢龙兵攻易州，裨将刘仁恭[232]穴地入城[233]，遂克之。仁恭，深州[234]人也。李克用自将救无极，败成德兵，成德兵退保新城[235]，克用复进击，大破之，拔新城，成德兵走，追至九门[236]，斩首万余级。卢龙兵既得易州，骄怠，王处存夜遣卒三千蒙羊皮造城下，卢龙兵以为羊也，争出掠之，处存奋击，大破之，复取易州，李全忠走。

加陕虢[237]节度使王重盈同平章事[238]。

李全忠既丧师，恐获罪，收余众还袭幽州。六月，李可举窘急，举族登楼自焚死，全忠自为留后。

东都留守[239]李罕之与秦宗权将孙儒[240]相拒数月。罕之兵少食尽，弃城，西保渑池[241]，宗权陷东都。

秋，七月，以李全忠为卢龙留后。

闰三月，秦宗权派遣他的弟弟秦宗言侵扰荆南。

当初，田令孜在蜀地招募新军设五十四都，每都一千人，分别隶属于左、右两神策军，组成十个军来统领他们，又有南牙、北司的官兵共一万多人。这时藩镇都各自垄断租税，河南、河北、江、淮等地的租税都不再向朝廷贡纳，户部使、度支使、盐铁使没有转运调度的来源，度支只能收取京畿、同州、华州、凤翔等几个地区的租税，不够花费，奖赏供给不能按时，士兵有怨言。田令孜忧虑此事，不知道如何解决。此前，安邑、解县两地的池盐都归属盐铁使，设置官吏专门经营。中和年间以来，河中节度使王重荣独霸其利，每年贡献三千车盐来供应国家的需要。田令孜奏请恢复旧制，让池盐隶属盐铁使。夏，四月，田令孜亲自兼任两池榷盐使，收取盐利以供军需。王重荣上递章奏不停地论说，僖宗派遣中使前往劝谕他，王重荣仍然不同意。当时田令孜派遣很多亲信去窥视各个藩镇，如有不归附自己的，就经常谋算他们。田令孜的养子匡祐出使河中，王重荣接待他非常优厚，然而匡祐过分傲慢，全军都很愤怒。王重荣便列举田令孜的罪恶，斥责匡祐没有礼貌。监军为匡祐说情，匡祐才能脱身离去。匡祐回去以后，把这件事告诉了田令孜，劝说田令孜设法整治王重荣。五月，田令孜调离王重荣任泰宁节度使，任命泰宁节度使齐克让为义武节度使，任命义武节度使王处存为河中节度使，又诏令李克用用河东的军队援助王处存赴镇上任。

卢龙的军队攻打易州，副将刘仁恭挖通隧道进入城中，便攻下了易州。刘仁恭，是深州人。李克用亲自率兵救援无极，打败了成德的军队，成德的军队退守新城，李克用又进兵攻击，大败敌军，攻克新城，成德的军队逃跑了。李克用追到九门，斩首一万多人。卢龙的军队攻下易州后，骄傲松懈。王处存夜间派遣士兵三千人蒙上羊皮来到城下，卢龙士兵以为是羊群，争着出城抢羊。王处存奋力攻击，大败卢龙士兵，又夺回易州，李全忠逃走了。

朝廷加封陕虢节度使王重盈为同平章事。

李全忠失去军队后，担心获罪，收聚残余部众回去袭击幽州。六月，李可举处境危急，全家族登楼自焚而死。李全忠自任留后。

东都留守李罕之与秦宗权的部将孙儒对抗了好几个月。李罕之士兵少，军粮尽，丢下城池，往西退到渑池固守，于是秦宗权攻占了东都。

秋，七月，朝廷任命李全忠为卢龙留后。

【段旨】

以上为第五段，写田令孜专盐利，更易节度使，挑起河北诸镇战乱。

【注释】

㉖卢龙：方镇名，唐玄宗开元二年（公元七一四年）置幽州节度使，治所幽州，在今北京城西南。天宝元年（公元七四二年）改名范阳。唐代宗宝应元年（公元七六二年）复改幽州节度使，兼领卢龙节度使。⑳李可举（？至公元八八五年）：原卢龙节度使李茂勋之子。乾符三年（公元八七六年）代其父为卢龙节度使。传见《旧唐书》卷一百八十，并附《新唐书》卷二百十二《李茂勋传》。⑳山东：此指恒山以东。⑳易定二句：易州，本燕国南界，定州，本中山国都，而中山属赵国，故云。因义武节度领定州、易州二州，李可举此言为夺取易州、定州张本。⑳云中：方镇名，唐僖宗乾符五年（公元八七八年）升大同都防御使为节度使，兼云州刺史，治所云中，在今山西大同。⑪赫连铎：生卒年不详。吐谷浑首领，懿宗时以军功拜大同军节度使。传附《新五代史》卷七十四《四夷附录》。⑫李全忠（？至公元八八五年）：范阳（今北京市大兴）人，唐末官至范阳节度使。传见《旧唐书》卷一百八十、《新唐书》卷二百十二。⑬无极：县名，县治在今河北无极。⑭康君立（公元八四六至八九四年）：蔚州兴唐（今河北蔚县）人，乾符中为云州牙校。归附李克用任汾州刺史。传见《旧五代史》卷五十五。⑮为十军：将五十四都分为十军。⑯南牙：南衙。唐代以宰相以下群臣为南衙。⑰北司：宫中宦官。⑱无复上供：不再向朝廷进贡租税。⑲三司：唐代管理财赋的三大机构，长官称使。即盐铁使、度支使、户部使。⑳赡：供养。㉑赏赉：奖赏供给。㉒安邑：县名，县治安邑城，在今山西运城东北。㉓解县：县名，县治在今山西运城西南解县。㉔池盐：安邑、解县境内均有内陆盐湖。尤其是解池，历代为著名产池盐区。㉕榷：专利；专卖。㉖专之：

【原文】

乙巳[242]，右补阙[243]常濬上疏，以为陛下姑息藩镇太甚，是非功过，骈首并足[244]，致天下纷纷若此，犹未之寤，岂可不念骆谷[245]之艰危，复怀西顾[246]之计乎！宜稍振典刑[247]以威四方。田令孜之党[248]言于上曰："此疏传于藩镇，岂不致其猜忿[249]！"庚戌[250]，贬濬万州[251]司户[252]，寻赐死。

沧州[253]军乱，逐节度使杨全玫，立牙将卢彦威为留后，全玫奔幽州。以保銮都将[254]曹诚为义昌节度使，以彦威为德州[255]刺史。

孙儒据东都月余，烧宫室、官寺、民居，大掠席卷而去，城中寂无鸡犬[256]。李罕之复引其众入东都，筑垒于市西而居之。

专盐池之利。㉗论诉：辩解诉说。㉘觇藩镇：暗中侦察藩镇动静。㉙讲解：讲情；解释。㉚泰宁：方镇名，唐昭宗乾宁四年（公元八九七年）赐沂海节度泰宁军号，治所兖州，在今山东济宁市兖州区。㉛赴镇：指诏李克用援助王处存赴河中节度使治所蒲州上任。㉜刘仁恭（？至公元九一四年）：唐末割据幽州的军阀。传见《新唐书》卷二百十二、《旧五代史》卷一百三十五，并附《新五代史》卷三十九《刘守光传》。㉝穴地入城：穿地为道以攻城。刘仁恭因此号"刘窟头"。㉞深州：州名，治所陆泽，在今河北深州西。㉟新城：县名，县治新城，在今河北高碑店东南。㊱九门：县名，县治九门，在今河北石家庄市藁城区西北。㊲陕虢：方镇名，唐僖宗中和三年（公元八八三年）升陕虢防御观察使为节度使，治所陕州，在今河南三门峡西。㊳同平章事：官名，即同中书门下平章事。唐门下省长官侍中、中书省长官中书令为宰相，其余以他官知政事者加此称，与中书、门下协商处理政务。凡节度使加同平章事者，只是荣衔，不任职。㊴东都留守：官名，唐高宗、武后时，常驻洛阳，百官皆备。玄宗以后，定居长安，设东都留守，维持原设洛阳之官署。㊵孙儒（？至公元八九二年）：河南（今河南洛阳）人，唐末割据淮南的军阀，与杨行密争扬州，兵败被杀。孙儒此时为秦宗权部属。传见《新唐书》卷一百八十八。㊶渑池：县名，县治双桥，在今河南渑池，离东都洛阳一百五十六里。

【校记】

［14］兵：原作"共"。据章钰校，孔天胤本作"兵"，当是，今从改。［15］军：原作"兵"。据章钰校，十二行本、乙十一行本皆作"军"，今从改。

【语译】

七月二十三日乙巳，右补阙常濬上疏，认为皇上无原则地宽容放纵藩镇太过分了，是非功过都是头脚并列不加区别，以致天下纷扰到了这种地步，可皇上还没有觉悟。难道可以不回想一下在骆谷的艰险处境，难道还抱有西逃成都的打算吗！应该逐渐严肃法纪，立威天下。田令孜的党羽进言僖宗，说："这个奏章传到藩镇，岂不导致他们猜疑愤怒！"二十八日庚戌，常濬被贬为万州司户，不久，赐他自杀。

沧州士兵叛变，驱逐节度使杨全玫，拥立牙将卢彦威担任留后，杨全玫跑往幽州。朝廷任命保銮都将曹诚为义昌节度使，任命卢彦威为德州刺史。

孙儒占据东都一个多月，焚烧宫室、官府和民居，大肆抢掠，席卷而去，城中寂静，不见鸡犬。李罕之又带领他的部众进入东都，在市西筑垒居住。

王重荣自以有复京城功㉕⑦，为田令孜所摈㉕⑧，不肯之兖州㉕⑨，累表论令孜离间君臣，数令孜十罪。令孜结邠宁节度使朱玫㉖⓪、凤翔节度使李昌符以抗之。王处存亦上言："幽、镇兵㉖①新退，臣未敢离易、定。且王重荣无罪，有大功㉖②于国，不宜轻有改易，摇藩镇心[16]。"诏趣㉖③其上道。八月，处存引军至晋州㉖④，刺史冀君武闭城不内㉖⑤而还。

洺州刺史马爽，与昭义行军司马奚忠信不叶㉖⑥，起兵屯邢州南，胁㉖⑦孟方立请诛忠信。既而众溃，爽奔魏州㉖⑧，忠信使人赂乐彦祯而杀之。

秦宗权攻邻道二十余州，陷之。唯陈州距蔡百余里，兵力甚弱，刺史赵犨日与宗权战，宗权不能屈。诏以犨为蔡州节度使。犨德㉖⑨朱全忠之援，与全忠结昏㉗⓪，凡全忠所调发，无不立至。

【段旨】

以上为第六段，写田令孜挟僖宗以令藩镇，王重荣抗命。秦宗权为祸淮西，贼势日横。

【注释】

㉔②乙巳：七月二十三日。㉔③右补阙：官名，属中书省，职掌侍从讽谏。㉔④骈首并足：齐头并足，不分高低。此处是说功过是非不分，没有差别。㉔⑤骆谷：地名，在陕西周至西南。谷长四百余里，为关中与汉中间的交通要道之一。唐僖宗广明元年（公元八八〇年），黄巢军攻入长安，僖宗逃至骆谷，故云"骆谷之艰危"。㉔⑥西顾：指唐僖宗西奔成都。㉔⑦振典刑：严肃法纪。㉔⑧田令孜之党：〖按〗据《考异》，应为韦昭度。㉔⑨猜忿：猜忌和愤怨。言常濬的奏章传到藩镇，将会引起他们的愤怨。㉕⓪庚戌：七月二十八日。㉕①万州：州名，治所南浦，在今重庆市万州区。㉕②司户：官名，主管民户。唐制，在府为户曹参军，在州为司户参军，在县为司户。此为州司户。㉕③沧州：州名，治所清池，在今河北沧州东南。时沧州为义昌节度使治所。㉕④保銮都将：官名，保銮是神策五十四都之一。㉕⑤德州：州名，治所安德，在今山东德州市陵城区。㉕⑥寂无鸡犬：孙儒在东都烧杀抢掠，以致寂静、萧条到不见鸡犬。㉕⑦复京城功：指中和三年（公元八八三年）

王重荣自以为有收复京城的功劳，反被田令孜排斥，不愿前往兖州，多次上表说明田令孜离间君臣，列举田令孜的十条罪状。田令孜联合邠宁节度使朱玫、凤翔节度使李昌符对抗王重荣。王处存也向僖宗进言："幽州、镇州的军队刚刚撤走，我不敢离开易州、定州。况且王重荣没有罪过，对国家有重大功劳，不应该轻易地改换他的任职，动摇藩镇的忠心。"僖宗下诏催促王重荣上路。八月，王处存带领军队到达晋州，刺史冀君武关闭城门不让他进入，只好返回。

洺州刺史马爽与昭义行军司马奚忠信不和，起兵屯驻邢州的南边，威胁孟方立，让他诛杀奚忠信。后来马爽的部众溃散，马爽逃往魏州。奚忠信派人贿赂乐彦祯杀了马爽。

秦宗权攻打邻道的二十多个州，都攻了下来。只有陈州距离蔡州一百多里，兵力极弱，刺史赵犨每天与秦宗权交战，秦宗权竟不能使他屈服。僖宗下诏任命赵犨为蔡州节度使。赵犨感激朱全忠援助之恩，和朱全忠结为姻亲，凡是朱全忠所征调的，没有不立刻送到的。

王重荣与李克用合兵在零口破黄巢军，收复京城事。破黄巢后，王重荣据河中，专盐池之利。㉕⑧ 摈：排斥。㉕⑨ 不肯之兖州：田令孜排斥王重荣，自兼两池榷盐使，于是徙王重荣为泰宁节度使，王重荣拒绝赴任。兖州，时为泰宁节度使治所。㉖⓪ 朱玫（？至公元八八六年）：邠州人，原为邠宁节度使，光启二年立襄王煴，自为宰相专权，后为部将王行瑜所杀。传见《旧唐书》卷一百七十五、《新唐书》卷二百二十四。㉖① 幽镇兵：指李可举、王镕之兵。镇，州名，治所真定，在今河北正定。时王镕为成德节度使，治所恒州。唐宪宗元和十五年（公元八二〇年）改恒州置镇州，故云。㉖② 大功：指中和三年复京城功。㉖③ 趣：催促。㉖④ 晋州：州名，治所白马城，在今山西临汾。㉖⑤ 不内：不纳。河中节度统晋州、绛州、慈州、隰州等地。冀君武，王重荣之巡属。㉖⑥ 叶：和洽；合。㉖⑦ 胁：逼迫。㉖⑧ 魏州：州名，治所贵乡，在今河北大名北。㉖⑨ 德：这里用如动词，感恩。自中和三年以来，陈州屡受黄巢、秦宗权攻逼，皆以朱全忠为援，故德之。㉗⓪ 与全忠结昏：赵犨次子赵霖与朱全忠女（即入梁后之长乐公主）结亲。

【校记】

［16］摇藩镇心：原无此四字。据章钰校，十二行本、乙十一行本皆有此四字，张敦仁《通鉴刊本识误》同，今据补。

【原文】

王绪至漳州，以道险粮少，令军中无得㉗以老弱自随，犯者斩。唯王潮兄弟㉗扶其母董氏崎岖㉗从军，绪召潮等责之曰："军皆有法，未有无法之军。汝违吾令而不诛，是无法也。"三子曰："人皆有母，未有无母之人。将军奈何使人弃其母！"绪怒，命斩其母。三子曰："潮等事母如事将军，既杀其母，安用其子！请先母死。"将士皆为之请，乃舍之。

有望气者㉗谓绪曰："军中有王者气。"于是绪见将卒有勇略逾己及气质魁岸者皆杀之。刘行全亦死，众皆自危，曰："行全，亲也㉗。且军锋之冠㉗，犹不免，况吾属乎！"行至南安㉗，王潮说其前锋将曰："吾属违坟墓㉗，捐妻、子㉗，羁旅㉘外乡为群盗，岂所欲哉！乃为绪所迫胁故也。今绪猜刻㉘不仁，妄杀无辜，军中孑孑者㉘受诛且尽，子须眉若神㉘，骑射绝伦，又为前锋，吾窃为子危之！"前锋将执潮手泣，问计安出。潮为之谋，伏壮士数十人于篁竹㉘中，伺绪至，挺剑大呼跃出，就马上擒之，反缚以徇㉘，军中皆呼万岁。潮推前锋将为主，前锋将曰："吾属今日不为鱼肉㉘，皆王君力也。天以王君为主，谁敢先之！"相推让数四，卒㉘奉潮为将军。绪叹曰："此子在吾网中不能杀，岂非天哉！"

潮引兵将还光州，约其属，所过秋豪无犯㉘。行及沙县㉘，泉州人张延鲁等以刺史廖彦若贪暴，帅耆老㉙奉牛酒遮道，请潮留为州将，潮乃引兵围泉州。

【段旨】

以上为第七段，写王潮据泉州，为建立闽政权张本。

【注释】

㉗无得：不得；不准。王绪令军中不得携带老弱家属。㉗王潮兄弟：指王潮与其弟王审邽、王审知。王潮，字信臣，光州固始（今河南固始）人，唐末割据福建的军阀。其弟王审知建立闽国。传见《新唐书》卷一百九十。㉗崎岖：道路险阻不平。㉗望气者：

【语译】

王绪到达漳州，因为道路险阻粮食短缺，命令军中不得让年纪大身体弱的人跟随，违反的人立即斩杀。只有王潮兄弟搀扶他们的母亲董氏在崎岖不平的道路上随军行走。王绪叫来王潮兄弟，责备他们说："军队都有法纪，没有无法纪的军队。你们违反了我的命令而不处死，那是军队没有法纪。"董氏的三个儿子说："每个人都有母亲，没有无母亲的人。将军为什么要让人遗弃自己的母亲呢！"王绪大怒，下令杀死他们的母亲。董氏的三个儿子说："我们侍奉母亲如同侍奉将军，既然要杀死我们的母亲，何必还用我们呢！请让我们死在母亲的前面。"将士们都为王潮兄弟求情，这才放过他们。

有一个望云气测吉凶的人对王绪说："军中有王者之气。"于是王绪看到将领和士兵有勇略超过自己的以及气质特别、身体魁梧的，都把他们杀掉。刘行全也被杀死了，大家都人人自危，说："刘行全，是王绪的亲人。而且勇冠全军，还是不能免死，何况我们这些人啊！"走到南安，王潮游说王绪的前锋将领说："我们离开了先祖的坟墓，丢下妻子儿女，客居外乡做盗贼，这哪里是我们的愿望呢！这是被王绪所胁迫的缘故。现在王绪猜疑苛刻，不讲仁爱，乱杀无辜，军中孑然特立的人几乎被王绪杀尽。您的须眉宛如神仙，骑马射箭，无与伦比，又身为前锋，我私下为您感到危险！"前锋将领握住王潮的手哭泣，问有什么办法。王潮替他出主意，在竹林中埋伏几十个壮士，看见王绪到了，这些人拔剑大叫跳出来，在马上抓住王绪，把他反绑着游行，军中都高呼万岁。王潮推举前锋将领为主帅，前锋将领说："我们今天避免成为被人宰割的鱼肉，都是您王潮的力量。上天要您王潮做主帅，谁还敢抢先呢！"互相推让了多次，最终拥戴王潮为将军。王绪叹息说："王潮这个人是我手中之物却没能杀掉他，这岂不是天意吗！"

王潮带兵即将返回光州，约束他的部属，经过的地方一丝一毫都不侵犯。行军到沙县，泉州人张延鲁等人因为刺史廖彦若贪婪残暴，率领有声望的老年人献上牛和酒，拦住去路，请求王潮留下来担任泉州的将领，王潮于是率兵包围了泉州。

古代方士，据传能望云气以测吉凶征兆。275 行全二句：刘行全是王绪的妹夫。276 军锋之冠：勇冠三军。277 南安：县名，县治在今福建南安。278 违坟墓：离开祖先的坟墓，即背井离乡。279 捐妻、子：舍弃了妻、子。280 羁旅：客居他乡。此句谓弃光州、寿州而入闽。281 猜刻：猜疑严苛。282 孑孑者：杰出特立的人。283 须眉若神：形容长相不凡。284 篁竹：竹林。285 徇：巡行示众。286 鱼肉：喻受残害。287 卒：最终。288 秋豪无犯：丝毫不加侵犯，形容王潮部队纪律严明。豪，通"毫"。289 沙县：县名，县治在今福建沙县东。290 耆老：年高而负声望的老人。古称六十岁为耆。

【原文】

九月戊申[291]，以陈敬瑄为三川[292]及峡内诸州[293]都指挥、制置等使。

蔡军[294]围荆南，马步使[295]赵匡谋奉[296]前节度使陈儒[297]以出，留后张瓌觉之，杀匡及儒。

冬，十月癸丑[298]，秦宗权败朱全忠于八角[299]。

王重荣求救于李克用，克用方怨朝廷不罪[300]朱全忠，选兵市马[301]，聚结诸胡[302]，议攻汴州，报[303]曰："待吾先灭全忠，还扫鼠辈[304]如秋叶耳！"重荣曰："待公自关东[305]还，吾为虏矣。不若先除君侧之恶[306]，退擒全忠易矣。"时朱玫、李昌符亦阴附[307]朱全忠，克用乃上言[308]："玫、昌符与全忠相表里[309]，欲共灭臣，臣不得不自救，已集蕃、汉兵十五万，决以来年济河，自渭北讨二镇[310]，不近京城，保无惊扰。既诛二镇，乃旋师[311]灭全忠以雪仇耻。"上遣使者谕释[312]，冠盖相望[313]。

朱玫欲朝廷讨克用，数遣人潜入京城，烧积聚，或刺杀近侍[314]，声云[315]克用所为，于是京师震恐，日有讹言[316]。令孜遣玫、昌符将本军及神策鄜、延、灵、夏等军合[17]三万人屯沙苑[317]，以讨王重荣，重荣发兵拒之，告急于李克用，克用引兵赴之。

十一月，重荣遣兵攻同州[318]，刺史郭璋出战，败死。重荣与玫等相守[319]月余，克用兵至，与重荣俱壁[320]沙苑，表请诛令孜及玫、昌符，诏和解之，克用不听。

十二月癸酉[321]，合战[322]。玫、昌符大败，各走还本镇，溃军所过焚掠。克用进逼京城。乙亥[323]夜，令孜奉天子自开远门[324]出幸凤翔。

初，黄巢焚长安宫室而去，诸道兵入城纵掠，焚府寺民居[325]什六七，王徽累年补葺[326]，仅完一二，至是复为乱兵焚掠，无孑遗矣。

是岁，赐河中军号护国。

【语译】

九月二十七日戊申，朝廷任命陈敬瑄为三川及峡内诸州都指挥、制置等使。

蔡州的军队包围荆南，马步使赵匡策划拥戴前节度使陈儒复出，留后张瓌察觉此事，杀死了赵匡和陈儒。

冬，十月初二日癸丑，秦宗权在八角镇打败了朱全忠。

王重荣向李克用求救。李克用正在埋怨朝廷不治罪朱全忠，选兵买马，聚结各部胡人，商议攻打汴州。他回报王重荣说："等我先消灭朱全忠，回来再扫灭这些鼠辈，就像秋风扫落叶一样！"王重荣说："等您从关东回来，我已成为俘虏了。不如先除掉皇上身边的坏人，再回兵擒拿朱全忠就容易了。"当时朱玫、李昌符也背地里依附朱全忠，李克用就向僖宗进言说："朱玫、李昌符和朱全忠相呼应，想要一起灭掉我。我不得不自救，已经聚集蕃兵、汉兵十五万，决定明年渡过黄河，从渭北讨伐他们两镇。我不靠近京城，保证无所惊扰。平定两镇以后，就回军消灭朱全忠，报仇雪耻。"僖宗派遣使者劝解，前后络绎不绝。

朱玫想让朝廷讨伐李克用，多次派人潜入京城，烧毁府库积蓄，或者刺杀僖宗近侍，扬言李克用所为，于是京城震惊恐慌，每天都有谣言。田令孜派遣朱玫、李昌符率领自己的部队和神策、鄜州、延州、灵州、夏州等地军队共合三万人驻扎沙苑，以讨伐王重荣。王重荣发兵抵挡，告急于李克用，李克用率军前往救援。

十一月，王重荣派遣军队攻打同州，刺史郭璋出战，战败死去。王重荣和朱玫等相持了一个多月，李克用的军队到达，与王重荣都在沙苑筑垒驻扎，上表请求杀死田令孜以及朱玫、李昌符。僖宗下诏调解他们，李克用不同意。

十二月二十三日癸酉，两军会战。朱玫、李昌符大败，分别逃回自己的镇所，败军经过处大肆焚烧抢掠。李克用进逼京城。二十五日乙亥夜里，田令孜奉护僖宗从长安城开远门出去，到达凤翔。

当初，黄巢焚烧长安宫室后离去，各道军队进入城内，纵兵抢掠，烧毁官府、民居的十分之六七；王徽修缮多年，仅仅完成十分之一二，到这时又被乱兵焚烧抢掠，没有一点遗留了。

这一年，朝廷赐河中军护国称号。

【段旨】

以上为第八段，写李克用进兵长安以图田令孜，唐僖宗再度蒙尘，京师化为灰烬。

【注释】

(291)戊申：九月二十七日。(292)三川：唐中叶以后分剑南西川、剑南东川和山南西道各为一镇，谓之“三川”。(293)峡内诸州：指三峡地区的归州、峡州，属荆南节度，现均由陈敬瑄指挥制置，这是田令孜照顾其兄的缘故。(294)蔡军：秦宗权所遣秦宗言的部队。(295)马步使：官名，藩镇自置部队统率官。(296)谋奉：打算拥戴。(297)陈儒：〖按〗此年正月，陈儒被张瓌囚禁。(298)癸丑：十月初二日。(299)八角：地名，在河南开封西南，今名八角店。(300)不罪：不加罪、治罪。朱全忠曾在上源驿攻李克用，朝廷不能治其罪，李克用故怨之。(301)市马：买马。(302)诸胡：各路胡兵。“胡”是对西、北方各少数民族的泛称。(303)报：答复王重荣。(304)还扫鼠辈：灭朱全忠后回过头来再收拾田令孜、朱玫、李昌符等。(305)关东：泛指函谷关以东地区。此时朱全忠驻汴州，故云。(306)君侧之恶：指田令孜等人。(307)阴附：暗中依附。(308)上言：向皇帝进言。(309)相表里：互为呼应、补充。(310)二镇：朱玫、李昌符。时

【原文】

二年（丙午，公元八八六年）

春，正月，镇海[327]牙将张郁作乱，攻陷常州[328]。

李克用还军河中，与王重荣同表请大驾[329]还宫，因罪状田令孜，请诛之。上复以飞龙使杨复恭为枢密使[330]。

戊子[331]，令孜请上幸兴元，上不从。是夜，令孜引兵入宫[332]，劫上幸宝鸡[333]，黄门卫士[334]从者才数百人，宰相朝臣皆不知。翰林学士承旨[335]杜让能[336]宿直禁中[337]，闻之，步追乘舆，出城十余里，得人所遗马[338]，无羁勒[339]，解带系颈[340]而乘之，独追及上于宝鸡。明日，乃有太子少保[341]孔纬[342]等数人继至。让能，审权之子。纬，戣之孙也。宗正[343]奉太庙[344]神主[345]至鄠[346]，遇盗，皆失之。朝士追乘舆者至盩厔[347]，为乱兵所掠，衣装殆尽。

庚寅[348]，上以孔纬为御史大夫[349]，使还召百官，上留宝鸡以待之。

时田令孜弄权，再致播迁[350]，天下共忿疾之。朱玫、李昌符亦耻为之用，且惮李克用、王重荣之强，更与之合[351]。

萧遘因邠宁奏事判官[352]李松年至凤翔，遣召朱玫亟迎车驾。癸

朱玫为邠宁节度使，李昌符为凤翔节度使。⑪旋师：还师。⑫谕释：说明解释。⑬冠盖相望：皇帝的使者来往不绝，相望于路。冠，礼帽。盖，车盖。冠盖借指官吏。⑭近侍：皇帝身边的侍臣，指宦官。⑮声云：声言。⑯讹言：谣言；诈伪的话。⑰沙苑：地名，在今陕西大荔南。⑱同州：州名，治所冯翊，在今陕西大荔。⑲相守：相持。⑳壁：营垒。此处用如动词，意为筑垒驻扎。㉑癸酉：十二月二十三日。㉒合战：交锋。㉓乙亥：十二月二十五日。㉔开远门：长安城西边北数第一门。㉕府寺民居：官府与民宅。㉖补葺：修补。

【校记】

[17] 合：原作“各”。胡三省注云：“一镇亦恐不及三万人之数，田令孜张大言之耳。”据章钰校，十二行本作“合”，当是，今从改。

【语译】

二年（丙午，公元八八六年）

春，正月，镇海牙将张郁发动叛乱，攻陷常州。

李克用回军河中，与王重荣一起上表请求御驾回宫，并列举田令孜的罪恶，请求杀死他。僖宗再次任命飞龙使杨复恭为枢密使。

正月初八日戊子，田令孜请僖宗驾临兴元，僖宗没有同意。这天夜里，田令孜带领军队进入行宫，劫持僖宗到宝鸡去，宦官和卫士跟从的只有几百人，宰相、大臣都不知道。翰林学士承旨杜让能正好宿卫宫禁，听到了这件事，跑步追赶僖宗车驾，出凤翔城十多里路，得到别人抛弃的马匹，没有缰绳马嚼，只好解下衣带系在马脖，骑上它，独自在宝鸡追上了僖宗。第二天，太子少保孔纬等几个人才相继赶到。杜让能，是杜审权的儿子。孔纬，是孔戣的孙子。宗正官恭奉太庙先帝的牌位，到达鄠县时，遇上盗贼，都丢失了。朝官追赶僖宗车驾到了盩厔，都被作乱的军队抢掠，衣服、行装几乎都丢光了。

正月初十日庚寅，僖宗任命孔纬为御史大夫，命令他回凤翔招来百官，僖宗留在宝鸡等待他们。

当时田令孜凭借职位滥用权力，再次导致僖宗流离迁徙，天下人人都痛恨他。朱玫、李昌符也耻于被他利用，并且惧怕李克用、王重荣的强盛，便改变态度与李克用、王重荣合作。

宰相萧遘因为邠宁奏事判官李松年到达凤翔，便派遣李松年宣召朱玫赶快迎接

已[353]，玫引步骑五千至凤翔。孔纬诣宰相，欲宣诏召之。萧遘、裴澈以令孜在上侧，不欲往，辞疾[354]不见。纬令台吏[355]趣百官诣行在，皆辞以无袍笏[356]，纬召三院御史[357]，泣谓：“布衣亲旧有急，犹当赴之。岂有天子蒙尘[358]，为人臣子，累召而不往者邪〔18〕？”御史请办装[359]数日而行，纬拂衣[360]起曰：“吾妻病垂死且不顾，诸君善自为谋，请从此辞[361]！”乃诣李昌符，请骑卫送至行在，昌符义之，赠装钱，遣骑送之。

邠宁、凤翔兵追逼乘舆，败神策指挥使杨晟[362]于潘氏[363]，钲鼓之声[364]闻于行宫。田令孜奉上发宝鸡，留禁军〔19〕守石鼻[365]为后拒。置感义军[366]于兴、凤二州，以杨晟为节度使，守散关。时军民杂糅[367]，锋镝纵横[368]，以神策军使王建、晋晖为清道斩斫使，建以长剑五百前驱奋击，乘舆乃得前。上以传国宝[369]授建，使〔20〕负之以从，登大散岭[370]。李昌符焚阁道[371]丈余，将摧折[372]，王建扶掖[373]上自烟焰中跃过。夜，宿板下，上枕建膝而寝，既觉，始进食，解御袍赐建曰：“以其有泪痕故也。”车驾才入散关，朱玫已围宝鸡。石鼻军溃，玫长驱攻散关，不克。嗣襄王煴[374]，肃宗之玄孙[375]也，有疾，从上不及，留遵涂驿[376]，为玫所得，与之〔21〕俱还凤翔。

庚戌[377]，李克用还太原。

二月，王重荣、朱玫、李昌符复上表请诛田令孜。

以前东都留守郑从谠为守太傅兼侍中。

朱玫、李昌符使山南西道节度使石君涉栅绝险要[378]，烧邮驿[379]，上由他道以进。山谷崎岖，邠军[380]迫其后，危殆者数四，仅得达山南[381]。三月壬午[382]，石君涉弃镇[383]逃归朱玫。

癸未[384]，凤翔百官萧遘等罪状田令孜及其党韦昭度[385]，请诛之。初，昭度因供奉僧[386]澈结宦官，得为相。澈师知玄鄙澈所为，昭度每与同列[387]诣知玄，皆拜[388]之，知玄揖[389]使诣澈啜茶[390]。

山南西道监军冯翊严遵美[391]迎上于西县[392]，丙申[393]，车驾至兴元。

僖宗。正月十三日癸巳，朱玫带领骑兵五千人到达凤翔。孔纬到了宰相那里，想宣示诏书召宰相到皇帝身边。萧遘、裴澈因为田令孜在僖宗身边，不想去，借病推辞，不去谒见僖宗。孔纬命令御史台的官吏催促百官前往宝鸡僖宗驻地，都推辞说没有官袍和朝笏。孔纬招来三院御史，哭着说："平民百姓的亲戚故旧有急难的，还应赶去帮助他们。哪能天子蒙辱失位，做他人臣子的，多次招呼也不前去的呢?"御史们请求给几天时间准备好行装再去。孔纬振衣起身说："我的妻子病得快要死了都顾不上，各位自己好好地谋划一下吧，我就此告辞啦!"于是去见李昌符，请派骑兵护送他到僖宗那里。李昌符认为孔纬忠义，送给行装和钱财，派遣骑兵送他启行。

邠宁、凤翔的军队追赶逼近僖宗行宫，在潘氏堡打败了神策指挥使杨晟，激战的锣鼓声音，在行宫里就能听到。田令孜侍奉僖宗从宝鸡出发，留下禁军驻守石鼻寨，在后抵御。在兴州、凤州两地设置感义军，任命杨晟为节度使，坚守散关。当时军民混杂，刀锋箭镞纵横飞舞，僖宗任命神策军使王建、晋晖担任清道斩斫使。王建率五百人手持长剑，在前奋击开路，僖宗车驾才得以前进。僖宗把传国之宝交给王建，让他背着跟随，登上了大散岭。李昌符烧毁栈道一丈有余，栈道快要断了，王建扶着僖宗从烟火中跳过。夜晚，就睡在木板下，僖宗枕着王建的膝盖睡觉，醒了以后，才吃些食物。僖宗解下自己的袍子赐给王建说："因为这件衣服上沾有泪痕。"僖宗才进入散关，朱玫的人马已经包围了宝鸡。石鼻的军队溃败了，朱玫长驱直入攻打散关，没有攻打下来。嗣襄王李煴是唐肃宗的玄孙，身体有病，跟不上僖宗，留在遵涂驿，被朱玫抓获，和朱玫一起返回凤翔。

正月三十日庚戌，李克用返回太原。

二月，王重荣、朱玫、李昌符又上表请求诛杀田令孜。

任命前东都留守郑从谠暂时代理太傅兼任侍中。

朱玫、李昌符让山南西道节度使石君涉修建木栅阻绝险要通道，烧毁驿站，僖宗经由其他道路前行。山路崎岖，朱玫的军队在后面追逼，危险情况多次发生，僖宗勉强到达山南。三月初三日壬午，石君涉丢弃镇所逃归到朱玫那里。

三月初四日癸未，在凤翔的百官萧遘等人列举田令孜及其同党韦昭度的罪状，请求诛杀他们。当初，韦昭度借着供奉僧澈的关系结交宦官，得任宰相。僧澈的师父知玄鄙视僧澈的所作所为，韦昭度每次和同僚到知玄那里，都向知玄行拜手礼，而知玄仅行拱手礼便让他们到僧澈那里去喝茶。

山南西道监军冯翊人严遵美在西县迎接僖宗。十七日丙申，唐僖宗到达兴元。

【段旨】

以上为第九段，写田令孜劫持唐僖宗幸兴元。

【注释】

㉗镇海：方镇名，治所润州，在今江苏镇江。时节度使为周宝。周宝差张郁押兵士三百人戍于海次，张郁正月初一酗酒，杀死节度使府派来慰问戍兵的军将，自度不能免祸，于是作乱。⑶㉘常州：州名，治所晋陵，在今江苏常州。⑶㉙大驾：皇帝出行车驾。⑶㉚杨复恭为枢密使：中和三年，田令孜排斥杨复恭，改枢密使为飞龙使，掌御厩之马。⑶㉛戊子：正月初八日。⑶㉜引兵入宫：带兵入凤翔行宫。⑶㉝宝鸡：县名，县治在今陕西宝鸡。⑶㉞黄门卫士：宦官及值宿卫兵。⑶㉟翰林学士承旨：官名，唐玄宗置，从翰林学士中选取年深德重者担任，长学士院。凡大诰令、大废置、重要政事，皆得专对，权极重。⑶㊱杜让能（？至公元八九三年）：唐太宗时名相杜如晦的七世孙。公忠体国，景福二年被李茂贞所逼杀，时年五十三岁。追赠太师。传见《旧唐书》卷一百七十七，并附《新唐书》卷九十六《杜如晦传》。⑶㊲宿直禁中：此指值宿于行宫。⑶㊳遗马：被人遗弃而未及收的马。⑶㊴羁勒：缰绳马嚼。⑶㊵解带系颈：因遗马没有络头，故解下衣带系在马颈上乘骑。⑶㊶太子少保：官名，与太子少师、太子少傅共称为“东宫三少”，多为大臣的加官。⑶㊷孔纬（？至公元八九五年）：山东曲阜人，孔子后裔。宪宗朝岭南节度使孔戣之孙。传见《旧唐书》卷一百七十九、《新唐书》卷一百六十三。⑶㊸宗正：此指宗正寺长官，负责王室亲族的事务，一般由皇族担任。⑶㊹太庙：天子的祖庙。⑶㊺神主：宗庙内所设已死国君的牌位，以木或石做成。⑶㊻鄠：县名，县治在今陕西西安市鄠邑区。⑶㊼盩厔：县名，县治在今陕西周至。⑶㊽庚寅：正月初十日。⑶㊾御史大夫：官名，御史台之长，主管弹劾、纠察以及掌管图书秘籍。位仅次于丞相。⑶㊿播迁：流离迁徙。唐僖宗初因避黄巢而奔蜀，现在又避并、蒲之兵而出奔。再次播迁，系田令孜弄权所致。(351)更与之合：朱玫、李昌符耻为田令孜所用，所以反过来与李克用、王重荣合作。(352)奏事判官：官名，唐末藩镇派遣所属奏事，谓之奏事官。(353)癸巳：正月十三日。(354)辞疾：称病推辞。萧遘等因为田令孜在帝侧，故托辞有病不见孔纬。(355)台吏：御史下属的官吏。汉代以尚书为中台，御史为宪台，故后世称尚书或御史为台官。(356)袍笏：上朝的礼服和笏板。古代朝会时大臣手执笏板，有事则书于上，以备遗忘。(357)三院御史：唐制，御史分为三种，侍御史称为台院，地位较高；殿中侍御称为殿院，监察御史称为察院，是为三院御史。(358)蒙尘：喻皇帝流亡或失位，遭受垢辱。(359)办装：置办袍服。(360)拂衣：提衣；

【原文】

戊戌(394)，以御史大夫孔纬，翰林学士承旨、兵部尚书杜让能并为兵部侍郎，同平章事。

振衣。表示激动、生气。㊱辞：诀别；绝交；再不见面。㊲杨晟：后为威戎军节度使，守彭州，被四川王建攻杀。传见《新唐书》卷一百八十六。㊳潘氏：地名，在今陕西宝鸡东北。㊴钲鼓之声：作战的锣鼓之声。㊵石鼻：地名，在今陕西宝鸡东十里，一名石鼻寨。㊶置感义军：始设感义军镇，领兴、凤二州。兴州治所顺政，在今陕西略阳，凤州治所梁泉，在今陕西凤县东北，并为感义军治所。㊷军民杂糅：军队和老百姓混杂在一起。㊸锋镝纵横：交战的刀锋和箭头纵横飞舞，形容当时行在所处境地艰险。㊹传国宝：秦以后帝王历代相传的玉玺，传为秦始皇所作。方圆四寸，上纽交五龙，正面刻李斯所写"受命于天，既寿永昌"。僖宗让王建负传国宝跟从，表示信任。㊺大散岭：山名，在今陕西宝鸡西南。㊻阁道：即栈道。古时在川、陕悬崖峭壁上凿孔架桥连阁而成的道路。㊼摧折：栈道折断。㊽扶掖：搀扶。㊾嗣襄王煴：肃宗子襄王李僙的曾孙。传见《旧唐书》卷一百七十五、《新唐书》卷八十二。㊿玄孙：第五代孙。376遵涂驿：驿站名，在石鼻，亦称石鼻驿。377庚戌：正月三十日。378栅绝险要：在险要处设置栅栏阻绝交通。379邮驿：传递文书、供应食宿和车马的驿站。380邠军：朱玫的军队。朱玫为邠宁节度使，故云。381山南：道名，此指山南西道治所兴元府，在今陕西汉中。382壬午：三月初三日。383弃镇：山南西道节度使石君涉与朱玫等结党，车驾猝至，故弃镇而逃。384癸未：三月初四日。385韦昭度（？至公元八九四年）：字正纪，京兆人，中和元年七月以翰林学士承旨、兵部侍郎同平章事。传见《旧唐书》卷一百七十九、《新唐书》卷一百八十五。386供奉僧：在皇帝左右供职的僧人。387同列：同在朝班的官员，即同事。388拜：拜手礼，比拱手礼更为敬重。389揖：拱手礼。知玄鄙视韦昭度等人，不深加接待，只行一拱手礼就让他们到僧澈那里去喝茶。390啜茶：喝茶。391严遵美：宦官。传见《新唐书》卷二百七。392西县：县名，县治在今陕西勉县西。393丙申：三月十七日。

【校记】

[18] 邪：原无此字。据章钰校，十二行本、乙十一行本皆有此字，张敦仁《通鉴刊本识误》同，今据补。[19] 军：原作"兵"。据章钰校，十二行本、乙十一行本皆作"军"，今从改。[20] 使：原无此字。据章钰校，十二行本、乙十一行本皆有此字，张敦仁《通鉴刊本识误》同，今据补。[21] 之：原无此字。据章钰校，十二行本、乙十一行本皆有此字，今据补。

【语译】

三月十九日戊戌，任命御史大夫孔纬，翰林学士承旨、兵部尚书杜让能一起担任兵部侍郎、同平章事。

保銮都将李铤等败邠军于凤州。

诏加王重荣应接粮料使㉟，使[22]调本道㊱谷十五万斛㊲以济国用。重荣表称令孜未诛，不奉诏。

以尚书左丞㊳卢渥为户部尚书，充山南西道留后。以严遵美为内枢密使㊴，遣王建帅部兵戍三泉㊵，晋晖及神策军使张造帅四都兵㊶屯黑水㊷，修栈道以通往来。以建遥领㊸壁州㊹刺史。将帅遥领州镇自此始。

陈敬瑄疑东川节度使高仁厚，欲去之。遂州㊺刺史郑君雄[23]起兵攻陷汉州，进向成都。敬瑄遣其将李顺之逆战，君雄败死。敬瑄又发维㊻、茂㊼羌军㊽击仁厚，杀之。

朱玫以田令孜在天子左右，终不可去，言于萧遘曰："主上播迁六年，中原将士冒矢石㊾，百姓供馈饷㊿，战死饿死，什减七八(411)，仅得复京城。天下方喜车驾还宫，主上更以勤王之功为敕使之荣(412)，委以大权，使堕纲纪(413)，骚扰藩镇(414)，召乱生祸。玫昨奉尊命来迎大驾，不蒙信察，反类胁君(415)。吾辈报国之心极(416)矣，战贼之力殚(417)矣，安能垂头弭耳(418)，受制于阉寺(419)之手哉！李氏(420)孙尚多，相公(421)盍(422)改图(423)以利社稷乎？"遘曰："主上践阼(424)十余年，无大过恶。正以令孜专权肘腋(425)，致坐不安席，上每言之，流涕不已。近日上初无行意(426)，令孜陈兵帐前，迫胁以行，不容俟旦(427)。罪皆在令孜，人谁不知！足下尽心王室，正有(428)引兵还镇(429)，拜表迎銮(430)。废立重事(431)，伊、霍(432)所难，遘不敢闻命！"玫出，宣言曰："我立李氏一王，敢异议者斩！"

夏，四月壬子(433)，玫逼凤翔百官奉襄王煴权监军国事(434)，承制(435)封拜(436)指挥(437)，仍遣大臣入蜀迎驾，盟百官于石鼻驿。玫使萧遘为册文(438)，遘辞以文思荒落(439)，乃使兵部侍郎判(440)户部郑昌图为之。乙卯(441)，煴受册(442)，玫自兼左、右神策十军使(443)，帅百官奉煴还京师。以郑昌图同平章事，判度支、盐铁、户部，各置副使，三司之事一以委焉。河中百官(444)崔安潜等上襄王笺(445)，贺受册。

田令孜自知不为天下所容，乃荐枢密使杨复恭为左神策中尉(446)、观军容使(447)，自除西川(448)监军使，往依陈敬瑄。复恭斥令孜之党，出王建为利州(449)刺史，晋晖为集州(450)刺史，张造为万州刺史，李师泰为忠州刺史。

保銮都将李铤等人在凤州打败了朱玫的军队。

僖宗下诏加官王重荣为应接粮料使，让他调拨本道的谷米十五万斛以供国家需用。王重荣上表说田令孜还没有诛杀，他不接受诏命。

朝廷任命尚书左丞卢渥为户部尚书，充任山南西道留后。任命严遵美为内枢密使，派遣王建率领所部士兵戍守三泉。晋晖和神策军使张造率领四都的军队屯驻黑水，修葺栈道，打通往来道路。任命王建遥领壁州刺史。将帅遥领州镇从这时开始。

陈敬瑄对东川节度使高仁厚起了疑心，打算除掉他。遂州刺史郑君雄起兵攻陷汉州，向成都进军。陈敬瑄派遣他的部将李顺之迎战，郑君雄战败被杀。陈敬瑄又调发维州、茂州的羌族军队攻打高仁厚，把他杀了。

朱玫由于田令孜在天子身边，始终不能把他除去，对萧遘说："皇上在外流离迁徙六年了。中原将士身冒乱箭飞石，百姓供应军粮，战死的饿死的，丧失了十分之七八，才仅仅收复了京城。天下正在高兴皇上回到了宫中，皇上却把勤王的功劳算作敕使田令孜的成果，委以重权，致使纲纪败坏，骚扰藩镇，招致变乱，发生灾祸。我日前奉您的命令去迎接皇上，没有受到大家的信任和明察，反而像在胁迫君主。我们报效国家的心意已经到了极点，跟贼寇作战的力量也已经用尽了，怎么能俯首帖耳，受制于阉人之手！李氏的皇家子孙还很多，丞相您为什么不改变计划，以利于国家呢?"萧遘回答说："皇上即位十多年，没有大的过错。正是由于田令孜在身边专权，致使他坐不安席，皇上每次言及此事，流涕不止。近几天，皇上本不想走，田令孜在他的帐前布满了军队，胁迫他马上走，不允许等到天亮。所有的罪过全在田令孜一人，人们有谁不知道呢！你尽心王室，唯有带领军队返回镇所，恭敬地上表来迎接皇上。废立君主的大事，伊尹、霍光也感到很难，我萧遘不能听从你的命令！"朱玫出去后，宣布说："我拥立李氏的一个子孙为王，敢有异议的斩首！"

夏，四月初三日壬子，朱玫逼迫在凤翔的百官尊奉襄王李煴暂时监理军国大事，秉承君命封爵拜官指挥调遣，还派大臣到蜀地去迎接皇帝，在石鼻驿和百官盟誓。朱玫让萧遘撰写诏书，萧遘推辞说为文思路已经荒废。于是让兵部侍郎判户部郑昌图来撰写。初六日乙卯，李煴接受册封，朱玫自己兼任左、右神策十军使，率领百官奉侍李煴返回京师。任命郑昌图担任同平章事，判度支、盐铁、户部，各部门设置副使，御史大夫、中书、门下三司的事务全部委任郑昌图一人。在河中的百官崔安潜等人向襄王李煴奉上笺表，祝贺他接受册封。

田令孜自己知道不被天下人所宽容，就推荐枢密使杨复恭为左神策中尉、观军容使，自己担任西川监军使，去投靠陈敬瑄。杨复恭排斥田令孜的党羽，外任王建为利州刺史，晋晖为集州刺史，张造为万州刺史，李师泰为忠州刺史。

五月，朱玫以中书侍郎[451]、同平章事萧遘为太子太保，自加侍中、诸道盐铁、转运等使。加裴澈判度支，郑昌图判户部，以淮南节度使高骈兼中书令，充江、淮盐铁，转运等使，诸道行营兵马都统，淮南右都押牙[452]、和州刺史吕用之为岭南东道[453]节度使，大行封拜以悦藩镇。遣吏部侍郎[454]夏侯潭[455]宣谕河北，户部侍郎杨陟宣谕江、淮，诸藩镇受其命者什六七，高骈仍奉笺劝进[456]。

【段旨】

以上为第十段，写朱玫擅立襄王李煴监国，对抗唐僖宗，高骈上表劝进。

【注释】

㊴戊戌：三月十九日。㊵应接粮料使：官名，临时加官，负责调度朝廷粮饷。㊶本道：王重荣时为河中节度使，驻蒲州，属河东道。㊷斛：量器名，古代以十斗为一斛。㊸尚书左丞：官名，唐代尚书省设左、右丞，掌监察百官。㊹内枢密使：官名，唐代宗永泰中始置，以宦者充任，掌承受表奏。㊺三泉：县名，武德四年（公元六二一年）分利州之绵谷置三泉县，县治在今四川广元北。㊻四都兵：从驾部队为五都，王建以一都戍三泉，晋晖、张造以四都屯黑水。都，唐代禁军以千人为一都。㊼黑水：水名，在梁州城固县西北太白山，南流入汉。㊽遥领：担任职名，不亲往任职。㊾壁州：州名，治所在今四川通江县。㊿遂州：州名，治所在今四川遂宁。(406)维：州名，治所薛城，在今四川理县东北。(407)茂：州名，治所汶山，在今四川阿坝藏族羌族自治州。(408)羌军：羌族部队。羌族为我国西南少数民族之一。(409)冒矢石：出入战阵之中。矢石，指箭与石。古代作战，发矢抛石打击敌人。(410)馈饷：军粮。(411)什减七八：军队和百姓战死饿死十分之七八。(412)主上更以勤王之功为敕使之荣：谓皇帝反而把救援皇室的功劳归于宦官田令孜。敕使，皇帝的使者，此指田令孜。(413)堕纲纪：指宦官专权，败坏国家法纪。(414)骚扰藩镇：指光启元年（公元八八五年）田令孜更置节度使任所，徙河中节度使王重荣为泰宁节度使，原泰宁节度使齐克让为义武节度使，原义武节度使王处存为河中节度使，导致祸乱。(415)胁君：威胁皇帝。(416)极：至；达到最高程度。(417)殚：尽。(418)垂头弭耳：俯首帖耳。(419)阍寺：太监的贱称。(420)李氏：皇族。(421)相公：丞相。此指萧遘。(422)盍：副词，何不。(423)改图：改变计划。此处劝萧遘另拥立皇帝。(424)践阼：天子登位称践阼。帝王嗣位或祭祀时所登之阶称阼。僖宗于公元八七四年即位，至此时已十二年。(425)肘腋：喻切

五月，朱玫任命中书侍郎、同平章事萧遘为太子太保，自己加官侍中、诸道盐铁、转运等使。朝廷加官裴澈为判度支，郑昌图为判户部，任命淮南节度使高骈兼任中书令，代理江、淮盐铁，转运等使，诸道行营兵马都统，淮南右都押牙、和州刺史吕用之为岭南东道节度使，大肆进行封官拜爵，来取悦藩镇。派遣吏部侍郎夏侯潭宣示告谕河北，户部侍郎杨陟宣示告谕江、淮。各地藩镇接受襄王命令的有十分之六七，高骈就奉上笺表，劝襄王李煴即位为皇帝。

近的地方。㉖初无行意：言此次僖宗开始时并没有离开长安的意思。㉗俟旦：等到天亮。㉘正有：只有。㉙还镇：回到邠宁节度使的治所。㉚拜表迎銮：上表迎接僖宗銮驾返回长安。㉛废立重事：废掉皇帝，另立新君，乃朝廷大事。㉜伊、霍：指商朝的伊尹和汉朝的霍光。商王太甲纵欲无度，被伊尹放逐于桐宫。汉昌邑王刘贺即位后淫乱，被霍光废之，另立宣帝。后世将二人并称“伊霍”。㉝壬子：四月初三日。㉞权监军国事：代行处理国政、军事。唐以来称代理、摄守官职为权。君王外出，太子或诸王代为处理国政，谓之监国。㉟承制：原意为秉承皇帝旨意，此处指以皇帝的名义。㊱封拜：拜官授爵。㊲指挥：发令调遣。㊳册文：皇帝的诏书，凡立皇后、太子，封王、尊贤，都要有册书。㊴文思荒落：作文的思路荒废。此为萧遘推辞之语。㊵判：以高官兼任低职或以他官兼临时所设要职者。郑昌图以兵部侍郎判户部，即为户部实际负责人。户部的原官尚书反而不能举其职。㊶乙卯：四月初六日。㊷受册：接受册封。㊸左右神策十军使：官名，禁军的统帅。田令孜曾将神策军扩充为五十四都，分为十军。㊹河中百官：唐僖宗出奔，百官没有跟从而奔河中者。㊺笺：上太子、诸王之书谓之笺。㊻左神策中尉：官名，神策军的护军中尉，由宦官担任，起控制神策的作用。㊼观军容使：官名，即观军容宣慰处置使，亦简称军容，宦官鱼朝恩、田令孜皆担任此职，权极重。㊽西川：方镇名，唐肃宗至德二载（公元七五七年）分剑南道为西川、东川两节度使。西川领益州、彭州、蜀州、汉州、眉州、嘉州、邛州等地，治所成都。㊾利州：州名，治所绵谷，在今四川广元。㊿集州：州名，治所在今四川南江县。(451)中书侍郎：官名，中书令的副职，参与朝政。(452)右都押牙：官名，押牙是藩镇衙署内部的亲信武职，其主官称为都押牙。(453)岭南东道：方镇名，唐肃宗至德元载（公元七五六年）设岭南节度使。唐懿宗咸通三年（公元八六二年）将岭南节度分为东西两道，广管为岭南东道，治所广州，即今广东广州。(454)吏部侍郎：官名，吏部尚书的副职。唐代吏部掌内外官吏选授、勋封、考课等政令。(455)夏侯潭：夏侯孜之子，登进士第，累官至吏部侍郎。传附《旧唐书》卷一百七十七《夏侯孜传》。(456)奉笺劝进：高骈上书襄王李煴，劝即帝位。

【校记】

［22］使使："使"字原不重。据章钰校，十二行本、乙十一行本皆重"使"字，今据补。［23］君雄：原作"君立"。严衍《通鉴补》改作"君雄"，今据以校正。下同。

【原文】

吕用之建牙开幕[457]，一与骈同[458]，凡骈之腹心及将校能任事者，皆逼以从己，诸所施为，不复咨禀[459]。骈颇疑之，阴欲夺其权，而根蒂[460]已固，无如之何[461]。用之知之，甚惧，访于其党前度支巡官[462]郑杞、前知庐州事董瑾，杞曰："此固[463]为晚矣。"用之问策安出，杞曰："曹孟德[464]有言：'宁我负人，无人负我[465]。'"明日，与瑾共为书一缄[466]授用之，其语秘，人莫有知者。

萧遘称疾归永乐[467]。

初，凤翔节度使李昌符与朱玫同谋立襄王，既而玫自为宰相专权。昌符怒，不受其官，更通表兴元[468]。诏加昌符检校司徒[469]。

朱玫遣其将王行瑜将邠宁、河西[470]兵五万追乘舆，感义节度使杨晟战数却[471]，弃散关走，行瑜进屯凤州。

是时，诸道贡赋多之[472]长安，不之兴元，从官卫士皆乏食，上涕泣，不知为计。杜让能言于上曰："杨复光与王重荣同破黄巢，复京城，相亲善。复恭，其兄也。若遣重臣往谕以大义，且致复恭之意，宜有回虑归国之理[473]。"上从之，遣右谏议大夫[474]刘崇望[475]使于河中，赍诏谕重荣，重荣即听命，遣使表献绢十万匹，且请讨朱玫以自赎[476]。

戊戌[477]，襄王煴遣使至晋阳赐李克用诏，言上至半涂，六军[478]变扰，苍黄[479]晏驾[480]，吾为藩镇所推，今已受册。朱玫亦与克用书，克用闻其谋皆出于玫，大怒。大将盖寓[481]说克用曰："銮舆播迁，天下皆归咎于我[482]，今不诛玫，黜[483]李煴，无以自湔洗[484]。"克用从之，燔[485]诏书，囚使者，移[486]檄[487]邻道，称："玫敢欺藩方[488]，明言晏驾。当道[489]已发蕃、汉三万兵进讨凶逆，当共立大功。"寓，蔚州[490]人也。

【语译】

吕用之建立牙帐，设置幕府，完全和高骈相同，凡是高骈的心腹和将校能担任职事的，都强迫他们服从自己，所作所为，不再向高骈征询和禀告。高骈非常怀疑吕用之，暗中准备夺回他的权力，但是吕用之已经根深蒂固，高骈拿他无可奈何。吕用之知道高骈的疑心，非常害怕，询问他的同党前度支巡官郑杞、前知庐州事董瑾。郑杞说："高骈这样做为时已晚。"吕用之问该用什么计策，郑杞说："曹操有这样一句话：'宁可我辜负别人，不要别人辜负我。'"第二天，郑杞和董瑾一起写了一封信给吕用之，信中的话很机密，没有人知道它的内容。

萧遘称有病返回永乐。

当初，凤翔节度使李昌符和朱玫一起谋划拥立襄王，事后朱玫自己担任宰相独揽大权。李昌符很生气，不接受朱玫加封的官职，另上表到兴元。僖宗下诏加封李昌符为检校司徒。

朱玫派遣他的部将王行瑜率领邠宁、河西的军队五万人追赶僖宗，感义节度使杨晟多次交战败退，放弃散关逃走，王行瑜进兵屯驻凤州。

当时，各道上贡的赋税大多送往长安，不送往兴元。随从僖宗的官员、卫士都缺少粮食，僖宗涕泪交加，不知道采取什么主意。杜让能对僖宗说："杨复光和王重荣一起打败黄巢，收复京城，彼此关系亲密友好。杨复恭，是杨复光的哥哥。如果派遣重臣前往申明大义，并且传达杨复恭的心意，按理他们应该回心转意归顺朝廷。"僖宗听从他的意见，派遣右谏议大夫刘崇望出使河中，带着诏书告谕王重荣。王重荣立即听从命令，派遣使者上表，呈献绢十万匹，并且请求讨伐朱玫，自赎罪过。

五月二十日戊戌，襄王李煴派遣使者到晋阳赐给李克用诏书，说皇上走到半路，六军兵变骚乱，皇上仓促去世。我被藩镇拥举，现在已经接受册命了。朱玫也写信给李克用。李克用听说这些计谋都出自朱玫，大怒。大将盖寓劝李克用说："皇上流离迁徙，天下都归罪于我们，今天不杀死朱玫，废黜李煴，我们无法洗清责任。"李克用同意了他的建议，烧掉了李煴的诏书，囚禁了使者，传送檄文给邻近各道，说："朱玫胆敢欺骗各方藩镇，宣称皇上去世。我这里已调动蕃、汉三万士兵进军讨伐凶恶的逆贼，大家应当一起建立这一重大功业。"盖寓，是蔚州人。

秦贤寇宋、汴，朱全忠败之于尉氏[491]南。癸巳[492]，遣都将郭言[493]将步骑三万击蔡州。

六月，以扈跸都将[494]杨守亮[495]为金商[496]节度、京畿制置使，将兵二万出金州，与王重荣、李克用共讨朱玫。守亮本姓訾，名亮，曹州人，与弟信皆为杨复光假子，更名守亮、守信。

李克用遣使奉表，称方发兵济河，除逆党，迎车驾，愿诏诸道与臣协力。先是，山南之人皆言克用与朱玫合，人情恟惧[497]。表至，上出示从官，并谕山南诸镇，由是帖然[498]。然克用表犹以朱全忠为言[499]，上使杨复恭以书谕之云："俟三辅[500]事宁，别有进止[501]。"

衡州[502]刺史周岳发兵攻潭州[503]，钦化节度使闵勖[504]招淮西将[505]黄皓入城共守，皓遂杀勖。岳攻拔州城，擒皓，杀之。

镇海节度使周宝遣牙将丁从实袭常州，逐张郁，郁奔海陵[506]，依镇遏使南昌高霸。霸，高骈将也。镇海陵，有民五万户，兵三万人。

秋，七月，秦宗权陷许州，杀节度使鹿晏弘。

王行瑜进攻兴州[507]，感义节度使杨晟弃镇走，据文州[508]，诏保銮都将李铤、扈跸都将李茂贞[509]、陈佩屯大唐峰[510]以拒之。茂贞，博野[511]人，本姓宋，名文通，以功赐姓名。

更命钦化军曰武安，以衡州刺史周岳为节度使。

八月，卢龙节度使李全忠薨，以其子匡威[512]为留后。

王潮拔[513]泉州，杀廖彦若[514]。潮闻福建观察使[24]陈岩威名，不敢犯福州境，遣使降之，岩表潮为泉州刺史。潮沈勇[515]有智略，既得泉州，招怀离散[516]，均赋缮兵[517]，吏民悦服。幽王绪于别馆，绪惭，自杀。

九月，朱玫将张行实攻大唐峰，李铤等击却之。金吾将军满存与邠军战，破之，复取兴州，进守万仞寨[518]。

李克脩攻孟方立，甲午[519]，擒其将吕臻于焦冈[520]，拔固镇[521][25]、武安[522]、临洺[523]、邯郸[524]、沙河[525]。以大将安金俊为邢州刺史。

长安百官、太子太师裴璩等劝进于襄王煴。冬，十月，煴即皇帝位，改元建贞，遥尊上为太上元皇圣帝。

秦贤侵扰宋州、汴州，朱全忠在尉氏的南边打败了秦贤。五月十五日癸巳，派遣都将郭言率领步兵、骑兵三万人攻打蔡州。

六月，朝廷任命扈跸都将杨守亮为金商节度、京畿制置使，率领二万士兵从金州出发，与王重荣、李克用一起讨伐朱玫。杨守亮原本姓訾，名叫亮，是曹州人，和弟弟訾信都做了杨复光的义子，改名叫守亮、守信。

李克用派遣使者上表，说正发兵渡河，扫除逆党，迎接皇上，希望皇上下诏各道和臣协力作战。此前，山南的人都说李克用和朱玫联合，人心震恐。表文送到以后，僖宗出示给随从的官吏，并且告谕山南各镇，由此人心安定下来。然而李克用的表章仍然针对朱全忠讨说法，僖宗让杨复恭用书信告诉他说："等到三辅京兆、冯翊、扶风的事情安定后，我另有安排。"

衡州刺史周岳发兵攻打潭州，钦化节度使闵勖叫来淮西将领黄皓进入城中一起防守，黄皓便杀了闵勖。周岳攻克潭州，活捉黄皓，并杀了他。

镇海节度使周宝派遣牙将丁从实袭击常州，驱逐了张郁，张郁跑往海陵，依附镇遏使南昌人高霸。高霸，是高骈的部将。镇守海陵，有百姓五万户，士兵三万人。

秋，七月，秦宗权攻陷许州，杀了节度使鹿晏弘。

王行瑜进攻兴州，感义节度使杨晟丢弃镇所逃走，占据了文州。僖宗下诏命令保銮都将李铤、扈跸都将李茂贞、陈佩驻扎在大唐峰来抵抗王行瑜。李茂贞是博野人，原本姓宋，名叫文通，因为有功劳，赏赐这个姓名。

钦化军改名叫武安，任命衡州刺史周岳为节度使。

八月，卢龙节度使李全忠去世，任命他的儿子李匡威为留后。

王潮攻克泉州，杀死廖彦若。王潮听说福建观察使陈岩有威严的名声，不敢侵犯福州边界，派遣使者向陈岩投降。陈岩上表推举王潮为泉州刺史。王潮沉着勇敢，有智慧，有谋略，得到泉州以后，对妻离子散的进行招抚和体恤，平均赋税，修治兵器，官吏百姓都心悦诚服。王潮把王绪囚禁在另外一个馆所，王绪心生惭愧，自杀了。

九月，朱玫的部将张行实攻击大唐峰，李铤等人打退了他。金吾将军满存与朱玫的邠宁军交战，打败了邠宁军，又夺取了兴州，进军驻守万仞寨。

李克脩攻打孟方立，九月十八日甲午，在焦冈抓获了孟方立的部将吕臻，攻取固镇、武安、临洺、邯郸、沙河。任命大将安金俊为邢州刺史。

在长安的百官和太子太师裴璩等人劝襄王李煴进位为皇帝。冬，十月，李煴即位为皇帝，改年号为建贞，遥尊僖宗为太上元皇圣帝。

【段旨】

以上为第十一段，写李克用大军征讨朱玫，朱玫倒行逆施，拥立襄王李熅称帝。

【注释】

㊼建牙开幕：独立设置牙帐幕府。指吕用之不再听命于高骈。牙，军前大旗。幕，帐幕，指镇将府署。㊽一与骈同：一切设置等同高骈。㊾咨禀：征询意见和禀告。㊿根蒂：根茎，此喻基础，花及瓜果与枝茎相连的部分。461无如之何：无可奈何。462度支巡官：官名，唐时节度使的僚属，位居判官、推官之次，职掌财务。463固：已经。464曹孟德：曹操的字。465宁我负人二句：东汉末，曹操避董卓之难，路过故人吕伯奢家，吕杀猪宰羊相迎，曹听到磨刀声，以为吕要加害于他，杀了吕家八口逃走。事后说："宁我负人，毋人负我。"语见《三国志·魏书·武帝纪》裴松之注引孙盛《杂记》。郑杞此言，是劝吕用之消灭高骈。466为书一缄：写信一封。467永乐：县名，县治在今山西芮城西。萧遘弟萧蘧为永乐令，故往依之。468通表兴元：李昌符向僖宗行在上表，示意拥护僖宗还朝。469检校司徒：官名，检校是诏除而非正名的加官，司徒为三公之一。唐末武人这种加官很多，以示荣宠。470河西：方镇名，唐睿宗景云元年（公元七一〇年）置河西节度使，治所凉州，在今甘肃武威。安史之乱后没于吐蕃。宣宗时张义潮收凉州，河西又归属于唐。471却：败退。472之：送往。473回虑归国之理：按理，王重荣当回心转意，归服朝廷。474右谏议大夫：官名，掌论议。唐制，谏议大夫分左、右，分属门下省、中书省。475刘崇望：字希徒，为唐初图形凌烟阁功臣刘政会第八世孙，官至中书侍郎、同平章事，兼兵部、吏部尚书。传见《旧唐书》卷一百七十九，并附《新唐书》卷九十《刘政会传》。476自赎：自己主动立功赎罪。477戊戌：五月二十日。478六军：泛指朝廷的军队。479苍黄：同"仓皇"，匆促、慌张。480晏驾：皇帝死亡的讳辞。此处言唐僖宗晏驾是制造谎言。481盖寓（？至公元九〇五年）：李克用亲将，常卫从，特授检校太保，开国侯，食邑一千户。天祐二年卒。后唐庄宗即位，追赠太师。传见《旧五代史》卷五十五。482归咎于我：归罪于我们。因为唐僖宗出奔凤翔、兴元，是由于李克用与王重荣兵逼京城。归咎，归罪。483黜：废免。484湔洗：洗刷污秽，比喻改过自新。485燔：烧。486移：将公文发往平行机关。487檄：用以征召、晓谕或声讨的文书。488藩方：藩镇。方，地方；方面。489当道：本道。490蔚州：州名，治所灵丘，在今山西灵丘。491尉氏：县名，县

治在今河南尉氏。㊾癸巳：五月十五日。㊿郭言（？至公元八九二年）：太原人，家南阳新野，被黄巢裹胁为盗，后从朱全忠为裨校。积功任宿州刺史。景福元年，时溥攻宿州，郭言野战，中流矢死。传见《旧五代史》卷二十一。494扈跸都将：官名，扈跸都，神策五十四都之一。扈，侍从。跸，帝王出行时止行清道。495杨守亮：曹州人，初从王仙芝为盗，降杨复光为假子，以战功拜山南西道节度使。后奉诏入四川讨王建，兵败阆州，只身北奔太原，在商山为韩建所擒，槛车送京师被诛。传见《新唐书》卷一百八十六。496金商：方镇名，光启元年（公元八八五年）升金商都防御使为节度，兼京畿制置使。治所西城，在今陕西安康。497恟惧：震动恐惧。498帖然：安定。499以朱全忠为言：以弹劾朱全忠为进谏内容。500三辅：地区名，指关中京畿之地。501别有进止：另有安排。进止，升降。502衡州：州名，治所衡阳，在今湖南衡阳。503潭州：州名，治所长沙，在今湖南长沙。504闵勖：中和元年（公元八八一年）据潭州。505淮西将：即秦宗权将。淮西节度治所蔡州，秦宗权据蔡州，为节度使。506海陵：县名，县治在今江苏泰州。唐时为泰州治所。507兴州：州名，治所在今陕西略阳。508文州：州名，治所在今甘肃文县西南。509李茂贞（公元八五六至九二四年）：本姓宋，名文通，深州博野（今属河北）人，唐僖宗朝历任武定、凤翔节度使，封陇西郡王，赐姓李。传见《旧五代史》卷一百三十二、《新五代史》卷四十。510大唐峰：山名，即大唐山，在今陕西略阳东南。511博野：县名，县治在今河北蠡县。512匡威（？至公元八九三年）：范阳节度使李全忠之子。李匡威继父领节度使，被其弟李匡筹所逐。传附《旧唐书》卷一百八十、《新唐书》卷二百十二《李全忠传》。513拔：攻克。王潮于去年八月围泉州，至今攻克。514廖彦若（？至公元八八六年）：泉州刺史，为官贪暴。事略见《新唐书》卷一百九十《王潮传》。515沈勇：沉着勇敢。516招怀离散：招抚流亡，安置离散，恢复生产。517均赋缮兵：平均赋税，修整武备。518万仞寨：地名，在今陕西略阳西北长峰之北。519甲午：九月十八日。520焦冈：地名，在今河北武安西。521固镇：镇名，在今河北武安西南。522武安：县名，县治在今河北武安。523临洺：县名，县治在今河北邯郸市永年区西。524邯郸：县名，县治在今河北邯郸。525沙河：县名，县治在今河北沙河北。

【校记】

［24］使：原无此字。张敦仁《通鉴刊本识误》有此字，当是，今据补。［25］固镇：原作“故镇”。严衍《通鉴补》改作“固镇”，今据以校正。

【原文】

董昌谓钱镠曰："汝能取越州，吾以杭州授汝。"镠曰："然，不取终为后患。"遂将兵自诸暨趋平水[526]，凿山开道五百里，出曹娥埭[527]，浙东将鲍君福帅众降之。镠与浙东军战，屡破之，进屯丰山[528]。

感化[529]牙将张雄、冯弘铎得罪于节度使时溥，聚众三百，走渡江，袭苏州[530]，据之。雄自称刺史，稍[531]聚兵至五万，战舰千余，自号天成军。

河阳节度使诸葛爽薨，大将刘经、张全义[532]立爽子仲方为留后。全义，临濮人也。

李克脩攻邢州，不克而还。

十一月丙戌[533]，钱镠克越州，刘汉宏奔台州[534]。

义成节度使安师儒委政于两厢都虞候[535]夏侯晏、杜标，二人骄恣，军中忿之。小校张骁潜出，聚众二千攻州城，师儒斩晏、标首谕之，军中稍息。天平节度使朱瑄谋取滑州，遣濮州刺史朱裕将兵诱张骁，杀之。朱全忠先遣其将朱珍、李唐宾袭滑州，入境，遇大雪，珍等一夕驰至壁下[536]，百梯并升，遂克之，虏师儒以归。全忠以牙将江陵[537]胡真知义成留后。

田令孜至成都请寻医[538]，许之。

十二月戊寅[539]，诸军拔凤州，以满存为凤州防御使。

杨复恭传檄关中，称得朱玫首者，以静难[540]节度使赏之。王行瑜战数败[541]，恐获罪于玫，与其下谋曰："今无功，归亦死。曷若与汝曹斩玫首，定京城[26]，迎大驾，取邠宁节钺[542]乎？"众从之。甲寅[543]，行瑜自凤州擅引兵归京师，玫方视事[544]，闻之，怒，召行瑜，责之曰："汝擅归，欲反邪？"行瑜曰："吾不反，欲诛反者朱玫耳！"遂擒斩之，并杀其党数百人。诸军大乱，焚掠京城，士民无衣冻死者蔽地。裴澈、郑昌图帅百官二百余人奉襄王奔河中，王重荣诈为迎奉，执熅，杀之，囚澈、昌图，百官死者殆半。

台州刺史杜雄诱刘汉宏，执送董昌，斩之。昌徙镇越州，自称知

【语译】

董昌对钱镠说："你能攻取越州，我就把杭州送给你。"钱镠回答说："好，不攻取终究要成为后患。"于是率领军队从诸暨前往平水，凿山开路五百里，过了曹娥埭，浙东将领鲍君福率领部众投降钱镠。钱镠和浙东的军队交战，多次打败浙东军，进兵屯驻丰山。

感化军的牙将张雄、冯弘铎得罪了节度使时溥，聚集部众三百人，跑过长江，偷袭苏州，占据了它。张雄自称为刺史，逐渐收拢兵卒达到五万人，战船一千多艘，自称天成军。

河阳节度使诸葛爽去世，大将刘经、张全义立诸葛爽的儿子诸葛仲方为留后。张全义，是临濮人。

李克脩攻打邢州，没有攻克，便撤军了。

十一月十一日丙戌，钱镠攻克越州，刘汉宏逃往台州。

义成节度使安师儒把政事委托给两厢都虞候夏侯晏、杜标，这两个人骄横放肆，军中都愤恨他们。小校张骁偷偷溜出城，聚集士卒二千人攻打州城。安师儒斩了夏侯晏、杜标两人的头来劝导他们，军中才逐渐平定。天平节度使朱瑄谋划夺取滑州，派遣濮州刺史朱裕率军引诱张骁，杀死了他。朱全忠先派遣部将朱珍、李唐宾偷袭滑州，入境后，遇到了大雪，朱珍等人一夜就赶到城墙下，上百个梯子同时登城，就把滑州攻了下来，俘虏了安师儒后返回。朱全忠任命牙将江陵人胡真担任义成留后。

田令孜请求到成都求医治病，僖宗答应了。

十二月戊寅日，各路军队攻克凤州，任命满存为凤州防御使。

杨复恭传送檄文到关中，说得到朱玫首级的人，用静难节度使这一官职奖赏他。王行瑜作战多次失败，害怕获罪朱玫，和他的部下谋划说："如今作战没有功绩，回去也是处死。不如和你们去斩下朱玫的首级，平定京城，迎接皇上，得到邠宁节度使的职位吧?"大家同意他的意见。十二月初十日甲寅，王行瑜从凤州擅自带领军队返回京城，朱玫正在处理事务，听说了这件事，大怒，叫来王行瑜，责备他说："你擅自回来，想要造反吗?"王行瑜说："我不造反，想杀造反的人朱玫罢了!"于是把朱玫活捉处斩，并杀掉他的党羽几百人。各路军队大乱，焚烧掠夺京城，士人百姓没有衣服，遍地都是冻死的人。裴澈、郑昌图率领百官二百多人奉护襄王李煴跑到河中，王重荣假装迎接，抓住了李煴，把他杀了，囚禁了裴澈、郑昌图，官员死掉的大约有一半。

台州刺史杜雄引诱刘汉宏，把他抓住送到董昌那里，杀死了他。董昌迁到越州

浙东军府事，以钱镠知杭州事。

王重荣函襄王煴首[545]送[27]行在，刑部[546]请御兴元城南门[28]献馘[547]，百官毕贺[548]。太常博士[549]殷盈孙[550]议，以为煴为贼臣所逼，正[551]以不能死节[552]为罪耳。礼，公族罪在大辟[553]，君为之素服不举[554]。今煴已就诛，宜废为庶人，令所在葬其首。其献馘称贺之礼，请俟朱玫首至而行之。从之。盈孙，侑之孙也。

【段旨】

以上为第十二段，写董昌据越州，钱镠知杭州，为建立吴越张本。朱玫为部将所杀，襄王李煴走河中为王重荣所杀。

【注释】

[526]平水：镇名，在越州东南四十余里。[527]曹娥埭：镇名，在越州东五十里。[528]丰山：山名，在曹娥埭西。[529]感化：方镇名，唐宪宗元和二年（公元八〇七年）置武宁军节度使，治徐州。唐懿宗咸通十一年（公元八七〇年）置徐泗观察使，后赐号感化军节度使。[530]苏州：州名，治所在今江苏苏州。[531]稍：逐渐。[532]张全义（公元八五二至九二六年）：初名言，濮州临濮（今河南范县濮城）人，投黄巢任吏部尚书。巢败，降于河阳节度使诸葛爽，任泽州刺史。唐昭宗赐名全义。事迹散见《新唐书》卷一百八十七《李罕之传》等篇。[533]丙戌：十一月十一日。[534]台州：州名，治所临海，在今浙江临海。[535]两厢都虞候：军法官。唐后期藩镇皆置虞候，主官为都虞候。[536]壁下：城墙下。[537]江陵：府名，唐肃宗上元元年（公元七六〇年）升荆州为江陵府，治所在今湖北荆州。[538]寻医：求医。时田令孜已解西川监军使。[539]戊寅：十二月乙巳朔，无戊寅。戊寅，光启三年正月初四日。[540]静难：方镇名，即朱玫所任邠宁军节度使。中和四年（公元八八四年）十

【原文】

河阳大将刘经，畏李罕之之难制，自引兵镇洛阳，袭罕之于渑池[555]，为罕之所败。经弃洛阳走，罕之追杀殆尽。罕之军于巩[556]，将渡河，经遣张全义将兵拒之。时诸葛仲方幼弱，政在刘经，诸将多不附，全义

镇守，自称知浙东军府事，派钱镠去掌管杭州的事务。

王重荣用匣子装了襄王李煴的首级送到僖宗那里，刑部请僖宗亲临兴元城的南门举行呈献李煴首级的典礼，百官都来庆贺。太常博士殷盈孙建议，认为李煴是被贼臣朱玫逼迫称帝，他的罪过仅仅是不能以死殉节罢了。根据礼制，公族的人犯了死罪，国君要为他穿上素服，食不举乐。现在李煴已经伏诛，应该废为平民，命令所在地埋葬他的首级。至于举行呈献李煴首级进行庆贺的典礼，请等到朱玫的首级送来以后再举行。僖宗同意了他的意见。殷盈孙，是殷侑的孙子。

二月赐号静难。此以朱玫职任悬赏攻杀朱玫的人。㊶数败：王行瑜多次被李铤、满存等击败。㊷节钺：符节和斧钺。这里指代节度使。㊸甲寅：十二月初十日。㊹视事：办公。㊺函襄王煴首：把襄王煴的首级装在匣子里。函，匣子，此处用作动词。㊻刑部：官署名，唐六部之一。掌管国家法律、刑狱事务。㊼馘：古代战时割下所杀敌人的左耳，用以计功。这里指襄王煴的首级。㊽毕贺：皆贺。㊾太常博士：官名，唐制太常寺置博士四人，必以有学识的人充任，主要职务为讨论谥法。有应予谥者由博士献议。㊿殷盈孙（？至公元八八九年）：文宗朝刑部尚书殷侑之孙。传见《旧唐书》卷一百六十五、《新唐书》卷一百六十四。551正：恰；仅。552死节：守节义而死。此谓李煴是被朱玫等所逼使，其罪仅仅是不能为节义而死罢了。553大辟：死刑。554君为之素服不举：谓君主穿着素服，食不举乐，以示哀痛。《礼记·文王世子》云，公族有死罪，狱事结案后，如果定为死罪，“则曰某之罪在大辟”。处死后，君主“素服不举”。

【校记】

［26］定京城：原无此三字。据章钰校，十二行本、乙十一行本皆有此三字，张敦仁《通鉴刊本识误》、张瑛《通鉴校勘记》同，今据补。［27］送：原作“至”。据章钰校，十二行本、乙十一行本皆作“送”，张敦仁《通鉴刊本识误》同，今从改。［28］南门：原作“南楼”。据章钰校，十二行本、乙十一行本皆作“南门”，今从改。

【语译】

河阳的大将刘经，害怕李罕之难以控制，亲自率兵镇守洛阳，在渑池袭击李罕之，却被李罕之打败。刘经放弃洛阳逃走，李罕之追击，把刘经的军队几乎都杀光了。李罕之的军队在巩县驻扎，即将渡河，刘经派遣张全义率兵抵挡他。当时诸葛仲方年幼弱小，大权在刘经手中，各将领大多不肯依附。张全义便和李罕之联兵攻

遂与罕之合兵攻河阳，为经所败，罕之、全义走保怀州。

初，忠武决胜指挥使孙儒㊿⑦与龙骧指挥使㊿⑧朗山刘建锋㊿⑨戍蔡州，拒黄巢，扶沟马殷㊿⑩隶军中，以材勇闻。及秦宗权叛，儒等皆属焉。宗权遣儒将兵[29]攻陷郑州，刺史李璠奔大梁。儒进陷河阳，留后诸葛仲方奔大梁。儒自称节度使，张全义据怀州，李罕之据泽州[561]以拒之。

初，长安人张佶[562]为宣州幕僚[563]，恶观察使秦彦之为人，弃官去，过蔡州，宗权留以为行军司马[564]。佶谓刘建锋曰："秦公刚鸷[565]而猜忌，亡无日矣，吾属何以自免？"建锋方自危，遂与佶善。

寿州刺史张翱遣其将魏虔将万人寇庐州，庐州刺史杨行愍遣其将田颓、李神福、张训拒之，败虔于褚城[566]。滁州[567]刺史许勍袭舒州，刺史陶雅奔庐州。高骈命行愍更名行密。

是岁，天平牙将朱瑾[568]逐泰宁[569]节度使齐克让，自称留后。瑾将袭兖州，求婚于克让，乃自郓[570]盛饰车服，私藏兵甲[571]以赴之。亲迎之夕，甲士窃发[572]，逐克让而代之。朝廷因以瑾为泰宁节度使。

安陆[573]贼帅周通攻鄂州，路审中[574]亡去。岳州刺史杜洪[575]乘虚入鄂，自称武昌留后，朝廷因而[30]授之。湘阴[576]贼帅邓进思复乘虚陷岳州。

秦宗言围荆南二年，张瓌婴城自守[577]，城中米斗直[578]钱四十缗[579]，食甲[580]鼓皆尽，击门扉以警夜，死者相枕[581]。宗言竟不能克而去。

【段旨】

以上为第十三段，写黄河南北、荆南、淮南、闽浙等地的军阀混战。

打河阳，被刘经打败，李罕之、张全义退守怀州。

最初，忠武决胜指挥使孙儒和龙骧指挥使朗山人刘建锋戍守蔡州，抵御黄巢。扶沟人马殷隶属军中，以身材魁梧勇猛果敢闻名。等到秦宗权反叛，孙儒等人都归属了秦宗权。秦宗权派遣孙儒率军攻陷郑州，刺史李璠逃往大梁。孙儒进兵攻克河阳，留后诸葛仲方逃往大梁。孙儒自称为节度使。张全义占据了怀州，李罕之占据了泽州，一起抵挡孙儒。

当初，长安人张佶做宣州官府幕僚，憎恨观察使秦彦的为人，弃官离去，路过蔡州，秦宗权留下他担任行军司马。张佶对刘建锋说："秦宗权刚强凶悍，而又猜疑忌妒，没有多长时间就会灭亡，我们如何自免于难呢?"刘建锋正觉得自己有危险，就和张佶亲近起来。

寿州刺史张翱派他的部将魏虔率领一万人去侵扰庐州，庐州刺史杨行愍派他的部将田頵、李神福、张训抵挡魏虔，在褚城打败了魏虔。滁州刺史许勍袭击舒州，刺史陶雅逃往庐州。高骈让杨行愍改名行密。

这一年，天平牙将朱瑾驱逐泰宁节度使齐克让，自称为留后。朱瑾将要袭击兖州，向齐克让求婚，于是大饰车马，穿上盛装，暗藏兵甲，从郓州前往齐克让那里。迎亲的晚上，穿戴盔甲的士兵暗中发起袭击，驱逐了齐克让，朱瑾便取代了他。朝廷便就此任命朱瑾为泰宁节度使。

安陆贼帅周通攻打鄂州，路审中逃走了。岳州刺史杜洪乘虚进入鄂州，自称武昌留后，朝廷便正式授任杜洪为武昌留后。湘阴贼帅邓进思又乘虚攻陷岳州。

秦宗言包围荆南两年，张瓌亲自率兵环城据守，城中一斗米值钱四十缗，连甲衣、鼓皮都吃光了，夜里击打门板来戒备，死尸纵横，互相枕藉。秦宗言最终未能攻下，便离开了。

【注释】

⑮渑池：县名，县治在今河南渑池县西。⑯巩：县名，县治在今河南巩义东北。⑰孙儒：官至淮南节度使，为杨行密所灭。传见《新唐书》卷一百八十八。⑱龙骧指挥使：官名，指挥使为藩镇部属军将。决胜、龙骧为临时所加名号。⑲刘建锋：字锐端，朗山（今河南确山县）人，为忠武军部将，随孙儒征战，儒败，刘建锋略定江西洪州、虔州，为武安军节度使，因嗜酒贪淫，为御者所杀。传见《新唐书》卷一百九十。⑳马殷（公元八五二至九三〇年）：字霸图，许州扶沟（今河南扶沟）人，新、旧《五代史》作鄢陵（今河南鄢陵）人，五代时楚国的建立者，公元九〇七至九三〇年在位。此时为孙儒

将。传见《旧五代史》卷一百三十三、《新五代史》卷六十六。561 泽州：州名，治所晋城，在今山西晋城。562 张佶（？至公元九一一年）：京兆长安人，唐乾宁初任湖南行军司马，节帅刘建锋为部属所杀，张佶帅众迎马殷为节帅，自己复为行军司马，垂二十年。开平元年，马殷表张佶为朗州永顺军节度使，卒于官。传见《旧五代史》卷十七。563 幕僚：地方军政大吏幕府中参谋、书记之类的僚属。564 行军司马：官名，唐代出征将帅及节度使下置此官，多以手握军事实权者充任，几乎等于副帅。565 刚鸷：强硬凶悍。566 褚城：或作赭城，在今安徽合肥西北。567 滁州：州名，治所在今安徽滁州。568 朱瑾（公元八六六至九一八年）：朱瑄从弟。雄武绝伦，积功任兖州节度使，与朱全忠攻战，兵败渡淮依杨行密领徐州节度使。杨行密卒，徐温专政，虑朱瑾不附己而杀之。传见《旧唐书》卷一百八十二、《旧五代史》卷十三、《新五代史》卷四十二。569 泰宁：方镇名，即沂海节度使，唐僖宗乾符年间赐号泰宁军。治所兖州，在今山东济宁市兖州区。570 郓：即郓城，在今山东郓城。571 兵甲：武器。朱瑾为袭兖州而求婚于齐克让，故私藏武器于车中去迎亲。572 窃发：暗暗地突发。573 安陆：县名，县治在今湖北安陆。574 路审中：原为杭

【原文】

三年（丁未，公元八八七年）

春，正月，以邠州都将王行瑜为静难军节度使，扈跸都头李茂贞领武定[582]节度使，扈跸都头杨守宗为金商节度使，右卫大将军[583]顾彦朗[584]为东川节度使，金商节度使杨守亮为山南西道节度使。彦朗，丰县人也。

辛巳[585]，以董昌为浙东观察使，钱镠为杭州刺史。

秦宗权自以兵力十倍于朱全忠，而数为全忠[31]所败，耻之，欲悉力[586]以攻汴州。全忠患兵少，二月，以诸军都指挥使朱珍为淄州[587]刺史，募兵于东道，期[588]以初夏[589]而还。

戊辰[590]，削夺三川都监田令孜官爵，长流端州[591]。然令孜依陈敬瑄，竟不行。

代北[592]节度使李国昌[593]薨。

三月癸未[594]，诏伪宰相萧遘、郑昌图、裴澈，于所在集众斩之，皆死于岐山[595]。时朝士受煴官者甚众，法司[596]皆处以极法[597]，杜让能力争之，免者什七八。

州刺史，中和元年（公元八八一年）赴任时为董昌所拒，客居黄州。中和四年闻鄂州刺史崔绍卒，募兵据之。其事略见《新唐书》卷一百九十、《旧五代史》卷十七《杜洪传》等篇。㊄杜洪（？至公元九〇二年）：鄂州（今湖北武汉市武昌区）人，洪为州将，讨黄巢有功，僖宗拜洪为鄂州节度使。后与杨行密战，兵败被杀。传见《新唐书》卷一百九十、《旧五代史》卷十七。⑯湘阴：县名，县治在今湖南湘阴西。⑰婴城自守：据荆南城四面环守。⑱直：通“值”。⑲缗：原为穿钱的绳子，后亦指成串的钱，一千文为一缗。⑳甲：军人所服革制护身衣。因城中乏食，连甲衣和鼓上的皮都吃尽了。㉑死者相枕：死尸纵横，互相枕藉。

【校记】

［29］将兵：原无此二字。据章钰校，十二行本、乙十一行本皆有此二字，今据补。［30］而：原作“以”。据章钰校，十二行本、乙十一行本皆作“而”，今从改。

【语译】

三年（丁未，公元八八七年）

春，正月，任命邠州都将王行瑜为静难军节度使，扈跸都头李茂贞兼任武定节度使，扈跸都头杨守宗为金商节度使，右卫大将军顾彦朗为东川节度使，金商节度使杨守亮为山南西道节度使。顾彦朗是丰县人。

正月初七日辛巳，朝廷任命董昌为浙东观察使，钱镠为杭州刺史。

秦宗权自己认为兵力是朱全忠的十倍，但多次被朱全忠打败，感到耻辱，打算全力攻打汴州。朱全忠担心兵少，二月，任命诸军都指挥使朱珍为淄州刺史，到东边各路招募士兵，约定在初夏返回。

二月二十四日戊辰，朝廷削除三川都监田令孜的官爵，长期流放到端州。然而田令孜依靠陈敬瑄，竟然不出发上路。

代北节度使李国昌去世。

三月初九日癸未，僖宗下诏伪宰相萧遘、郑昌图、裴澈，就地聚集民众斩首，他们都死在岐山县。当时朝廷中士人接受李煴所封官职的很多，刑部把他们都处以极刑，杜让能竭力争辩，免死的人有十分之七八。

壬辰[598]，车驾至凤翔，节度使李昌符，恐车驾还京虽不治前过[599]，恩赏必疏，乃以宫室未完，固请驻跸[600]府舍，从之。

太傅兼侍中郑从谠罢为太子太保。

镇海节度使周宝募亲军千人，号后楼兵，禀给[601]倍于镇海军，镇海军皆怨，而后楼兵浸骄[602]不可制。宝溺于声色，不亲政事，筑罗城[603]二十余里，建东第[604]，人苦其役。宝与僚属宴后楼，有言镇海军怨望者，宝曰："乱则杀之！"度支催勘使[605]薛朗以其言告所善[606]镇海军将刘浩，戒之使戢士卒[607]，浩曰："惟反可以免死耳！"是夕，宝醉，方寝，浩帅其党作乱，攻府舍而焚之。宝惊起，徒跣[608]叩芙蓉门[609]呼后楼兵，后楼兵亦反矣。宝帅家人步走出青阳门[610]，遂奔常州，依刺史丁从实。浩杀诸僚佐。癸巳[611]，迎薛朗入府，推为留后。宝先兼租庸副使，城中货财山积，是日，尽于乱兵之手。

高骈闻宝败，列牙[612]受贺，遣使馈以齑粉[613]。宝怒，掷之地曰："汝有吕用之在，他日未可知[614]也！"扬州连岁饥，城中馁[615]死者日数千人，坊市[616]为之寥落[617]，灾异数见，骈悉以为周宝当[618]之。

山南西道节度使杨守亮忌利州[619]刺史王建骁勇，屡召之，建惧，不往。前龙州[620]司仓[621]周庠说建曰："唐祚[622]将终，藩镇互相吞噬[623]，皆无雄才远略，不能戡济[624]多难。公勇而有谋，得士卒心，立大功者非公而谁！然葭萌[625]四战之地[626]，难以久安。阆州地僻人富，杨茂实，陈、田[627]之腹心，不修职贡[628]，若表其罪，兴兵讨之，可一[32]战而擒也。"建从之，召募溪洞酋豪[629]，有众八千，沿嘉陵江[630]而下，袭阆州，逐其刺史杨茂实而据之，自称防御使，招纳亡命，军势益盛，守亮不能制。

部将张虔裕说建曰："公乘天子微弱，专据方州[631]，若唐室复兴，公无种[632]矣！宜遣使奉表天子，杖[633]大义以行师，蔑不济矣[634]。"部将綦毋谏[635]复说建养士爱民以观天下之变。建皆[33]从之。庠、虔裕、谏，皆许州人也。

初，建与东川节度使顾彦朗俱在神策军，同讨贼。建既据阆州，彦朗畏其侵暴，数遣使问遗[636]，馈以军食，建由是不犯东川。

初，周宝闻淮南六合[637]镇遏使徐约[638]兵精，诱之使击苏州。

三月十八日壬辰，僖宗到达凤翔，节度使李昌符害怕僖宗返回京城，虽然不处治他以前的过错，但恩惠赏赐一定很少，就借口宫室还没有修建完毕，坚决请求僖宗暂时留驻府舍，僖宗同意了他的要求。

太傅兼侍中郑从谠被罢免，担任太子太保。

镇海节度使周宝招募亲近的卫兵一千人，号称后楼兵，供给的粮饷是镇海军的一倍，镇海军的将士全都有怨气，而后楼兵越来越骄横，不能管束。周宝沉溺于声乐女色，不亲临政事，修筑罗城长二十多里，兴建东边的府第，百姓饱受劳役之苦。周宝和他的属僚在后楼饮宴，有人说出镇海军的怨恨，周宝说："作乱的就杀掉他们！"度支催勘使薛朗把周宝的话告诉了他的好友镇海军将领刘浩，劝告他要平息士兵的情绪，刘浩说："只有造反才能免于一死！"当晚，周宝醉了，正要睡觉，刘浩率领他的同伙作乱，攻打官府房舍，把它烧毁了。周宝受惊站起来，光着脚去敲打芙蓉门，呼叫后楼兵，后楼兵也造反了。周宝率领家人跑出青阳门，便逃往常州，投靠刺史丁从实。刘浩杀了周宝的属吏。三月十九日癸巳，刘浩迎接薛朗进入官府，推举他为留后。周宝早先兼任租庸副使，城中的钱财货物堆积如山，这一天，被乱兵抢得一干二净。

高骈听说周宝失败了，将吏排列衙外，接受大家的祝贺，并派遣使者赠送细粉给周宝，挖苦他身如细粉。周宝大怒，把它扔在地上说："你有吕用之在身边，以后日子还不得而知呢！"扬州连年饥荒，城中饿死的一天有几千人，街道集市萧条，灾异多次出现，高骈认为这些灾异都是应验了周宝的失败。

山南西道节度使杨守亮妒忌利州刺史王建勇猛矫健，多次召唤王建，王建恐惧，不敢前往。前龙州司仓周庠劝告王建说："唐朝的国运快要完了，藩镇互相吞并，全都没有雄才远略，面对多灾多难，不能戡乱救世。您勇敢而有谋略，深得士卒之心，能建立重大功业的人除了您还有谁呢！但是葭萌是个四面争战的地方，难以长期稳定。阆州地僻民富，杨茂实是陈敬瑄、田令孜的心腹，他不尽职贡纳，如果上表说明杨茂实的罪状，起兵讨伐他，就可以一战而活捉他。"王建同意了周庠的意见，招募溪洞中的部落酋长豪帅，有部众八千人，顺着嘉陵江向下游进发，袭击阆州，驱逐了它的刺史杨茂实，占据了阆州，自称防御使，招收亡命徒，军势愈益强盛，杨守亮不能控制他了。

部将张虔裕劝告王建说："您乘天子弱小，割据地方州郡；如果唐室复兴，您就要遭受灭族之灾啦！应该派遣使者上表天子，仗义行师，没有不成功的。"部将綦毋谏又劝告王建说，要供养士人，爱护百姓，来静观天下的变化。王建全都听从了他们的意见。周庠、张虔裕、綦毋谏，都是许州人。

当初，王建和东川节度使顾彦朗同在神策军，一起讨伐贼寇。王建占据了阆州后，顾彦朗害怕他侵刻暴虐，多次派遣使者问候和馈赠礼物，又供给他军粮。王建因此不进犯东川。

当初，周宝听说淮南六合镇遏使徐约的军队精良，便引诱徐约让他攻打苏州。

【段旨】

以上为第十四段，写唐僖宗下诏流放田令孜，诛杀李煴所署伪朝百官。王建据阆州，为前蜀建立张本。

【注释】

㊿②武定：方镇名，光启元年（公元八八五年）置武定军节度使，治所洋州，在今陕西西乡。㊿③右卫大将军：官名，右卫为唐代十六卫之一，置上将军、大将军各一人，掌宫禁宿卫。㊿④顾彦朗：丰县（今江苏丰县）人，与弟顾彦晖并为天德军小校，黄巢入长安，彦朗勤王，累迁右卫大将军，历官东川节度使，为西川王建所并。传见《新唐书》卷一百八十六。㊿⑤辛巳：正月初七日。㊿⑥悉力：竭尽全力。㊿⑦淄州：州名，治所淄川，在今山东淄博市淄川区。淄州本属平卢节度，朱全忠想在东方招兵，故以刺史授朱珍。㊿⑧期：约期。㊿⑨初夏：四月。㊿⓪戊辰：二月二十四日。㊿①端州：州名，治所高要，在今广东肇庆。㊿②代北：方镇名，即雁门节度使，唐僖宗中和三年（公元八八三年）更名为代北节度。治所代州，在今山西代县。㊿③李国昌：李克用之父。㊿④癸未：三月初九日。㊿⑤岐山：县名，县治在今陕西岐山县。㊿⑥法司：谓刑部。㊿⑦极法：极刑；死刑。㊿⑧壬辰：三月十八日。㊿⑨不治前过：不追究李昌符先前与朱玫一起追逐乘舆之过。⑥⓪⓪驻跸：帝王出行，中途暂住。此指李昌符欲取得僖宗好感，一再请求暂住凤翔府。⑥⓪①禀给：供给；给养。赐人以谷叫禀，也作廪。⑥⓪②浸骄：渐渐骄横起来。⑥⓪③罗城：为加强防守，在城墙外加建的凸出形小城圈。⑥⓪④第：府第。⑥⓪⑤度支催勘使：官名，朝廷派出统筹财政的临时职务。⑥⓪⑥所善：好朋友。⑥⓪⑦戒之使戢士卒：薛朗知道周宝要杀作乱的人，所以劝刘浩止息士卒的怨愤。戢，止息。⑥⓪⑧徒跣：光着脚。⑥⓪⑨芙蓉门：周宝府第与后楼兵营之间的门。⑥①⓪青阳门：润州城门。⑥①①癸巳：三月十九日。⑥①②列牙：吏员齐集衙门为列衙。牙，通“衙”。⑥①③齑粉：细粉；碎屑。高骈与周宝有仇，幸灾乐祸，故意送齑粉羞辱他，意思是挖苦他被碎为细粉。⑥①④他日未可知：来日没有好下场。吕用之原为高骈幕僚，光启二年（公元八八六年）为岭南东道节度使，阴谋消灭高骈。所以周宝说有吕用之在，高骈的下场也不会好。⑥①⑤馁：饥饿。⑥①⑥坊市：街市。坊，店铺。⑥①⑦寥落：冷落。⑥①⑧当：承受。高骈认为扬州连年出现的灾异现象，都应在周宝身上。⑥①⑨利州：属山南西道。⑥②⓪龙州：州名，治所在今四川平武东南。⑥②①司仓：官名，唐制，在府的叫仓曹参军，在州的叫司仓参军，主管仓库。⑥②②祚：皇位。⑥②③吞噬：吞食；兼并。⑥②④戡济：戡乱救世。⑥②⑤葭萌：邑名，在利州西南，即今四川广元昭化镇。这里代指利州。⑥②⑥四战之地：位置重要，为兵家四面交战必争之地。⑥②⑦陈、田：指陈敬瑄、田令孜。⑥②⑧职贡：职分应进之贡物。⑥②⑨溪洞酋豪：指居于嘉陵江流域的部落首领。⑥③⓪嘉陵江：长江上游支流。在今四川东部。源出陕西凤县东北嘉陵谷，西南流到略阳北纳西汉水，到四川广元昭化纳白龙江，

到重庆入长江。631 专据方州：割据地方州郡。632 无种：没有传宗接代的人。意谓灭门之灾。633 杖：通“仗”，凭恃。634 蔑不济矣：没有不成功的。635 綦毋谏：人名。綦毋，复姓。636 问遗：问候和馈赠礼物。637 六合：县名，县治在今江苏南京市六合区。638 徐约：曹州（治今山东曹县）人，曾官刺史，后被钱镠堂弟钱銶攻灭，入海死。传附《新唐书》卷一百九十《张雄传》。

【校记】

［31］全忠：原无此二字。据章钰校，十二行本、乙十一行本皆有此二字，今据补。［32］一：原作“不”。据章钰校，十二行本、乙十一行本、孔天胤本皆作“一”，张敦仁《通鉴刊本识误》同，今从改。［33］皆：原无此字。据章钰校，十二行本、乙十一行本、孔天胤本皆有此字，今据补。

【研析】

本卷研析黄巢授首，田令孜横恣，唐僖宗再度蒙尘三件史事。

第一，黄巢授首。黄巢入长安，“甲骑如流，辎重塞途，千里络绎不绝”，军威雄壮。黄巢在长安建立大齐政权，年号金统，势力达于极盛。可惜黄巢一向流动作战，多年来攻城略地，旋得旋失，千里大转移，忽而河南，忽而江南，甚至远窜岭南，奔袭三千里入长安，流寇成性，轻视根据地建设，也就疏于行政管理和治国之术。黄巢入长安，在军事和政治两个方面犯了大错。军事上没有抓住战机，阻止僖宗入蜀，所以全国藩镇奉唐正朔，不听黄巢号令，黄巢很快陷入四面楚歌声中。唐官军四集，诸镇合围长安，黄巢陷入了灭顶之灾。政治上，黄巢只对唐四品以下降官留任，三品以上全部停职，对不主动效命大齐的唐官杀无赦。这样不利于分化瓦解唐王室高层官僚，新政权得不到人心，政治基础不牢固，想要长久生存是不可能的。此外，黄巢建都长安不合时宜，关中狭窄，物产不足以承载大国首都，自两汉文景之后，京都长安就依赖中原漕转供给。唐都长安，后期要靠江淮物产支撑。黄巢在孤悬的长安建都，其实是坐以待毙。唐僖宗中和四年（公元八八四年）六月，黄巢被唐官军追杀于泰山狼虎谷，唐末大起义失败了。

黄巢虽死，而唐王朝遭受十年农民大起义的沉重打击而分崩离析。起义军从数千人发展到六十万人，南征北伐，横扫大半个中国，唐朝上百个州县城邑被攻没，不少官吏被惩处，地方豪强、门阀士族更遭到沉重打击。宋人王明清在《挥麈前录》卷二中说：“唐朝崔、卢、李、郑及城南韦、杜二家，蝉联珪组，世为显著，至本朝绝无闻人。”这说的是关中士族集团遭到灭顶之灾的情况。全国各地，凡农民军所到之处，豪绅、士族无不遭到打击。所以五代以后“取士不问家世，婚姻不问阀阅”。也就是说，在农民起义军打击下，唐末残存的士族终于被摧灭，成为历史的陈迹。

大量豪强地主被歼灭，土地高度集中得到缓解。这些为五代和北宋的社会经济发展创造了有利条件，这就是黄巢起义的价值。

第二，田令孜横恣。田令孜，四川人，本姓陈，字仲则，唐懿宗咸通年间随义父入内侍省为宦官，在内仆局的下属任马坊使。田令孜“颇知书，有谋略”。唐僖宗即位，破格提升田令孜为神策军中尉，执掌了禁军大权，成为权倾朝野的显赫人物。

唐僖宗李儇，又名李俨。僖宗是唐懿宗的第五子，受封为晋王时就特别宠爱田令孜，同床卧起。僖宗昏庸，喜欢声色犬马，斗鸡打球，田令孜导引固宠。田令孜的胞弟陈敬瑄用赌球的方式赢球当上了西川节度使。僖宗即位，一群蝗虫由东向西飞过天空，沿路吃光树叶、庄稼，最后落在长安城郊为灾，田令孜谎报说：“蝗虫不吃庄稼，并且抱着荆棘自杀了。”于是田令孜率文武百官向新皇帝祝贺，说蝗虫自杀是祥瑞，兆示新皇帝登基，五谷丰收。田令孜还卖官鬻爵，“除拜不待旨，假赐绯紫不以闻”，掠夺财货，残害平民，弄得朝廷百度崩弛，内外垢秽，终于爆发黄巢大起义，长安不守，奔逃西川。僖宗入蜀，一路上给田令孜加官晋爵，先封为十军十二观军容制置左右神策护驾使，又加封为左金吾卫上将军，兼判禁军军事，封晋国公。僖宗在四川，不得召宰相，不能谋群臣，如同一个囚徒。田令孜进奉声色，使宦官日夜与僖宗吃酒行乐，高呼万岁，在荒淫之中延引岁月。僖宗还朝，田令孜反以匡佐之功受赏，威权振天下。田令孜擅权，唐僖宗成为傀儡，丧失了重整山河中兴唐王室的机会。田令孜外结邠宁、凤翔两镇节度使与河中王重荣争盐利引发战争，拉开了唐末军阀大混战的序幕，罪大恶极。田令孜兵败，胁迫唐僖宗再度蒙尘，出逃山南。朝官、藩镇交相弹劾田令孜。此时僖宗病危，群臣瞩目寿王李晔，李晔是僖宗之弟，与田令孜有隙。田令孜内外交困，主动辞去官职，自请到剑南监军，连夜出逃西川去依附西川节度使陈敬瑄。数年后，田令孜与陈敬瑄都死于田令孜义子王建之手，结束了罪恶的一生。

第三，唐僖宗再度蒙尘。唐僖宗李儇是一个纨绔子弟，专事游戏，十二岁被宦官立为皇帝，目的就是在于好掌控。僖宗也一头栽到宦官的怀抱，呼田令孜为阿父，在田令孜的教唆下任意耗费财物，还到市场上去夺取商人的宝货。僖宗朝，宦官气焰达于鼎盛，南北司矛盾也更加激化，统治阶层的腐败日甚一日，终于爆发了黄巢农民大起义，以至于长安不守。僖宗广明元年（公元八八〇年），僖宗在田令孜的护卫下第一次蒙尘出逃，第二年入蜀到成都。僖宗出逃，没有通知南司，朝官因而许多丧生于黄巢，只有北司宦官独得安全。僖宗入蜀后，更加依赖宦官，在田令孜掌控下花天酒地，很少与朝官晤面。谏官孟昭图进谏，被田令孜贬出成都，又在路上被追杀。宦官拥有绝对权威，南北司更加水火不容。

黄巢败没，唐僖宗回到长安，大权旁落田令孜之手，僖宗没有权威来重整山河，当时全国军阀林立，更大的藩镇割据方兴未艾。安史之乱以后，河北陷于藩镇割据，黄河之南的中原，大江南北广大地区都在唐王室之手。这些地区的藩镇兵力薄弱，尤其是江南地区更是兵备空虚，所以黄巢起义，如入无人之境。黄巢纵横南北，官兵镇压，在全国各地产生了许多新军阀，各地州县、藩镇在镇压起义军过程中纷纷拥兵割据。黄巢未灭，全国军阀有一个共同的打击目标，表面上维护唐王室的号令。黄巢死后，没有了共同的打击目标，各自拥兵自重，更大规模的军阀割据混战就差一根导火索来点燃了。南北司对立，各自借重割据者来互相排斥，割据者也利用南北司的互斗来取得合法地位和扩大自己的势力。当时宣武镇朱全忠和河东镇李克用是最强大的两个割据者，朱李交恶与南北司冲突相结合，很快在全国形成了军阀大混战。公元八八四年以后，唐朝已是名存实亡，政令不出关中，全国疆域化为割据者的战场。

公元八八五年，田令孜外结邠宁节度使朱玫、凤翔节度使李昌符对抗河中节度使王重荣，要从王重荣手中收回安邑、解县池盐，引发战争，成为全国大混战的导火索。李克用气愤朝廷偏袒朱全忠，助王重荣攻击名义上的朝廷军。朱玫、李昌符战败，李克用进逼京师，田令孜胁迫唐僖宗第二次蒙尘，公元八八六年，僖宗一行逃往山南。朱玫、李昌符见田令孜败逃，改附李克用。这一回，大部分朝官憎恨田令孜，没有前往山南，这为朱玫、李昌符另立朝廷打下基础。李克用念念不忘攻击朱全忠，无意卷入与朱玫、李昌符的冲突，率兵返回太原。朱玫、李昌符与留京朝官拥立襄王李煴为皇帝，蔡州秦宗权趁机称帝。一时间，三个皇帝鼎立，唐末军阀大混战由此展开。

由上所述，唐僖宗的再度蒙尘，不仅丧失了唐王室中兴的机会，而且带来了两个严重后果，一是拉开唐末军阀大混战的序幕，二是激化南北司的冲突变成你死我活的争斗。两者矛盾交织，南司宰相崔胤外结朱全忠尽诛宦官，唐王室随着宦官这一肿瘤的割除，也寿终正寝。唐王室的灭亡重演了东汉覆亡的历史。黄巾大起义被镇压，并没有带来汉朝的复兴，而是全国军阀大混战，当祸国乱政的宦官被斩尽杀绝之时，也是旧王朝覆灭之日。无他，皇帝与宦官太近故也。唐僖宗就是李氏王朝的汉灵帝。

卷第二百五十七　唐纪七十三

起强圉协洽（丁未，公元八八七年）四月，尽著雍涒滩（戊申，公元八八八年），凡一年有奇。

【题解】

本卷记事起公元八八七年四月，迄于公元八八八年，所载史事凡一年又九个月，当僖宗光启三年四月至光启四年。此时期，唐僖宗返京驾崩，其弟唐昭宗李晔即位，欲有一番作为。全国军阀混战，主战场仍在河南，其次为淮南、西川、河阳。河南中原争战，朱全忠围困秦宗权于蔡州，又败兖、郓节镇朱瑄、朱瑾。河北魏博镇内讧，众推罗弘信为留后，罗氏诛杀前任乐彦祯、乐从训父子，交好朱全忠。河南尹张全义逐走河阳节度使李罕之，李罕之投附李克用，张全义引朱全忠为援，引发朱李大战，李克用兵败。至此，朱全忠势盛，称雄河南北，无人可敌。淮南战场，先是内讧，高骈部将毕师铎发动兵变诛吕用之，攻破广陵。吕用之出逃，以高骈名义招庐州刺史杨行密救广陵，毕师铎引援秦彦，秦彦兵败杀高骈，杨行密入据广陵。秦宗权又遣将孙儒来争广陵，杨行密败走。昭宗任命朱全忠为淮南节度使平乱，徐州时溥遮道，朱全忠军不得南下，奏请朝廷以杨行密为淮南留后。西川王建请命朝廷，得为永平军节度使，充行营诸军都指挥使，名正言顺讨伐陈敬瑄，军势日盛。

【原文】

僖宗惠圣恭定孝皇帝下之下

光启三年（丁未，公元八八七年）

夏，四月甲辰朔①，约逐苏州刺史张雄②，帅其众逃入海③。

高骈闻秦宗权将寇淮南，遣左厢都知兵马使毕师铎将百骑屯高邮④。

时吕用之用事⑤，宿将⑥多为所诛，师铎自以黄巢降将⑦，常自危。师铎有美妾，用之欲见之，师铎不许。用之因⑧师铎出，窃往见之，师铎惭怒，出⑨其妾，由是有隙⑩。

师铎将如⑪高邮，用之待之加厚，师铎益疑惧，谓祸在旦夕。师铎子娶高邮镇遏使张神剑女，师铎密与之谋，神剑以为无是事。神剑名雄，人以其善用剑，故谓之“神剑”。时府中藉藉⑫[1]，亦以为师铎

【语译】

僖宗惠圣恭定孝皇帝下之下

光启三年（丁未，公元八八七年）

夏，四月初一日甲辰，徐约驱逐苏州刺史张雄，张雄率领他的部众逃入海上。

高骈听说秦宗权将要侵犯淮南，派遣左厢都知兵马使毕师铎带领一百名骑兵屯驻高邮。

当时吕用之当政，旧时将领大多被他杀了，毕师铎自己认为是从黄巢那里投降过来的将领，经常感到自己危险。毕师铎有一个漂亮的姬妾，吕用之想要看看她，毕师铎不答应。吕用之乘毕师铎外出时，偷偷地前去看她。毕师铎羞怒，休弃了他的爱妾。由此毕师铎与吕用之有了矛盾。

毕师铎准备去高邮，吕用之对待他更加亲厚，毕师铎却愈益疑惧，认为灾难就在朝夕之间。毕师铎的儿子娶了高邮镇遏使张神剑的女儿，毕师铎秘密与张神剑商议，张神剑认为吕用之不会加害毕师铎。张神剑名雄，人们因为他擅长用剑，所以称他“神剑”。当时高邮府中传言纷纷，也有人认为毕师铎将要遭受杀身之祸。毕师且受诛，其母使人语之曰："设有是事，汝自努力前去，勿以老母、弱子为累！"师铎疑未决。

会骈子四十三郎⑬者素恶⑭用之，欲使师铎帅外镇将吏共[2]疏⑮用之罪恶，闻于其父，密使人绐⑯之曰："用之比来⑰频启令公⑱，欲因此相图⑲，已有委曲⑳在张尚书㉑所，宜备之！"师铎问神剑曰："昨夜使司㉒有文书，翁㉓胡㉔不言？"神剑不寤㉕，曰："无之。"师铎内[3]不自安，归营，谋于腹心，皆劝师铎起兵诛用之，师铎曰："用之数年以来，人怨鬼怒，安知天不假手于我诛之邪㉖！淮宁㉗军使郑汉章，我乡人㉘，昔归顺时㉙副将也，素切齿㉚于用之，闻吾谋，必喜。"乃夜与百骑潜诣㉛汉章，汉章大喜，悉发镇兵及驱居民合千余人从师铎至高邮。师铎诘㉜张神剑以所得委曲，神剑惊曰："无有。"师铎声色浸㉝厉，神剑奋㉞曰："公何见事㉟之暗！用之奸恶，天地所不容。况近者重赂权贵得岭南节度，复㊱不行，或云谋窃据此土㊲，使其得志，吾辈岂能握刀头㊳事此妖物㊴邪！要丹㊵此数贼㊶以谢淮海㊷，何必多言！"汉章喜，遽[4]命取酒，割臂血沥㊸酒，共饮之。乙巳㊹，众推师铎为行营使，为文告天地，移书㊺淮南境内，言诛用之及张守一、诸葛殷之意。以汉章为行营副使，神剑为都指挥使。

【段旨】

以上为第一段，写高骈部将毕师铎密谋发动兵变诛讨吕用之。

【注释】

①甲辰朔：四月初一日。②约逐苏州刺史张雄：指高骈所署六合镇将徐约攻陷苏州，驱逐刺史张雄。③帅其众逃入海：指张雄率领人马逃往海上。④高邮：县名，县治在今江苏高邮。⑤用事：主事；当权。⑥宿将：旧将。⑦黄巢降将：毕师铎于乾符六年（公元八七九年）降高骈。⑧因：趁。⑨出：休弃。⑩有隙：有了矛盾；有了怨恨。⑪如：往。⑫藉藉：传言纷纷。⑬四十三郎：唐人往往本族兄弟大排行，故有四十三郎之称。⑭素恶：一向厌恶。⑮疏：分条陈述。⑯绐：欺骗。⑰比来：近来。⑱频启

铎的母亲派人对毕师铎说："假设有这种事，你自己要想方设法逃走，不要因为老母、幼子拖累了你！"毕师铎犹豫不决。

适逢高骈的儿子四十三郎一向厌恶吕用之，他打算让毕师铎带着外边的镇将、官吏一同列举吕用之的罪恶，使他的父亲知道，便秘密派人欺骗毕师铎说："吕用之近来多次报告高骈，想借此算计你，已经有机密文书在张神剑那里，你应该防备他！"毕师铎问张神剑说："昨天夜里淮南节度使司有机密文书来，你这亲家翁为什么不说？"张神剑不明白，说："没有机密文书。"毕师铎内心不安，回到军营，和心腹商议，全都劝毕师铎起兵杀死吕用之，毕师铎说："吕用之几年以来，人怨鬼怒，怎么知道上天不会借用我的手杀掉他呢！淮宁军使郑汉章，是我的同乡，从前归顺时是一名副将，一向切齿痛恨吕用之，听到我的计划，一定高兴。"就在夜里和一百名骑兵暗中前往郑汉章那里，郑汉章大为高兴，调发全部镇兵以及驱使居民合在一起一千多人跟随毕师铎到达高邮。毕师铎拿机密文书这件事质问张神剑，张神剑惊讶地说："没有机密文书。"毕师铎声音脸色越来越严厉，张神剑激奋地说："您看事情怎么这样糊涂！吕用之为奸作恶，天地所不容。何况最近他重金贿赂当朝权贵得任岭南节度使，又不前去上任，有人说他阴谋窃据这个地方。如果让他想法得逞，我们这些人岂能握着刀身侍奉他这个妖人呢！一定要活剐这几个贼寇来谢罪淮海百姓，何必多说什么！"郑汉章很高兴，赶紧命令拿酒，割破手臂让血滴在酒中，一起喝了血酒。四月初二日乙巳，大家推举毕师铎为行营使，撰文告祭天地，在淮南境内传发檄书，说明诛杀吕用之和张守一、诸葛殷的用意。任命郑汉章为行营副使，张神剑为都指挥使。

令公：多次向高骈禀告。令公，对中书令的尊称。襄王煴曾加高骈中书令，故称。⑲因此相图：趁此次毕师铎去高邮的机会加害于他。⑳委曲：胡三省注，"当时机密文书谓之委曲"。㉑张尚书：指镇遏使张神剑。㉒使司：指淮南节度使机关。㉓翁：亲家翁。㉔胡：为什么。㉕寤：明白。㉖安知天不假手句：此言吕用之的行为激起天怒人怨，除掉吕用之是天意。假手，利用他人为自己做事。㉗淮宁：为高骈所置淮宁军，驻淮口。㉘乡人：同乡。毕师铎、郑汉章皆冤句（今山东曹县西北）人。㉙归顺时：从黄巢军归降高骈时。㉚切齿：咬牙切齿，形容痛恨到极点。㉛潜诣：偷偷地前往。㉜诘：质问。㉝浸：愈益；更加。㉞奋：振起；激奋；激昂。㉟见事：看问题。㊱复：又。㊲此土：指淮南。㊳刀头：刀身，对刀柄而言。手握刀头喻时刻处于危险之中。㊴妖物：吕用之是方士，故称之为妖物。㊵冎：即"剐"。割肉离骨。《说文》作"咼"。㊶数贼：指吕用之、张守一、诸葛殷等。㊷淮海：地区名，此指扬州以北的淮河下游地区，亦即淮南道。㊸沥：水下滴曰沥，此指割臂血滴于酒中共饮结盟，以示诚意和决心。㊹乙巳：四月初二日。㊺移书：将文件发往平行单位。

【校记】

[1] 藉藉：原作"籍籍"。据章钰校，十二行本、乙十一行本皆作"藉藉"，今从改。[2] 共：原无此字。据章钰校，十二行本、乙十一行本、孔天胤本皆有此字，张敦仁

【原文】

神剑以师铎成败未可知，请以所部留高邮，曰："一则为公声援，二则供给粮饷。"师铎不悦，汉章曰："张尚书谋亦善，苟终始同心，事捷之日㊻，子女玉帛㊼相与共之，今日岂可复相违！"师铎乃许之。戊申㊽，师铎、汉章发高邮。

庚戌㊾，诇骑㊿以白高骈，吕用之匿之。

朱珍至淄青旬日，应募者万余人，又袭青州㉛，获马千匹。辛亥㉜，还，至大梁，朱全忠喜曰："吾事济矣！"

时蔡人方寇汴州，其将张晊屯北郊㉝，秦贤屯板桥㉞，各有众数万，列三十六寨，连延二十余里。全忠谓诸将曰："彼蓄锐休兵，方来击我，未知朱珍之至，谓吾兵少，畏怯自守而已。宜出其不意，先击之。"乃自引兵攻秦贤寨，士卒踊跃争先。贤不为备，连拔四寨，斩万余级，蔡人大惊，以为神。

全忠又使牙将新野郭言㉟募兵于河阳㊱、陕、虢，得万余人而还。

毕师铎兵奄㊲至广陵㊳城下，城中惊扰。壬子㊴，吕用之引麾下劲兵，诱以重赏，出城力战。师铎兵少却㊵，用之始得断桥塞门为守备。是日，骈登延和阁㊶，闻喧[5]噪声，左右以师铎之变告。骈惊，急召用之诘之，用之徐对曰："师铎之众思归，为门卫所遏㊷，适已随宜区处㊸，计寻退散㊹。傥或不已，正烦玄女一力士耳，愿令公勿忧！"骈曰："近者觉君之妄㊺多矣，君善为之，勿使吾为周侍中㊻！"言毕，惨沮㊼久之，用之惭惧㊽而退。

师铎退屯山光寺㊾，以广陵城坚兵多，甚有悔色。癸丑㊿，遣其属

《通鉴刊本识误》同，今据补。[3] 内：原无此字。据章钰校，十二行本、乙十一行本皆有此字，今据补。[4] 遽：原作“遂”。据章钰校，十二行本、乙十一行本、孔天胤本皆作“遽”，今从改。

【语译】

张神剑认为毕师铎成败不可预料，请求把自己统率的部队留在高邮，说：“一来为您做声援，二来供给你们粮食和军饷。”毕师铎很不高兴，郑汉章说：“张神剑的计划也很好，假如我们始终同心，事情成功那一天，大家共获美女、玉帛，现在怎么可以再互相闹意见呢！”毕师铎这才同意张神剑的要求。四月初五日戊申，毕师铎、郑汉章从高邮出发。

四月初七日庚戌，毕师铎侦察骑兵前往广陵向高骈禀告出师情由，被吕用之隐瞒了这一消息。

朱珍到达淄青十天，前来应募的人有一万多，他又袭击青州，得到了一千匹马。初八日辛亥，返回到大梁，朱全忠高兴地说：“我的事情成功啦！”

当时蔡州的军队正在进犯汴州，秦宗权的将领张晊驻扎在汴州北郊，秦贤驻扎在板桥，各自拥有部众几万人，排列成三十六寨，连绵二十多里。朱全忠对各位将领说：“他们在养精蓄锐，让士兵休息后，再来攻打我们。他们不知道朱珍到来，以为我们兵少，畏惧胆怯，自求防守而已。现在我们应该出其不意，先去攻打他们。”于是亲自带领军队攻打秦贤的营寨，士兵们奋勇争先。秦贤没有设防，被连续攻下了四个营寨，杀掉一万多人。蔡州的军队大为惊恐，以为是神兵下临。

朱全忠又派遣牙将新野人郭言到河阳、陕、虢地区招募士兵，招到了一万多人后返回。

毕师铎的军队突然到了广陵城下，城中惊乱。四月初九日壬子，吕用之带领部下精兵，用重赏引诱他们，出城奋战。毕师铎的军队稍微后退，吕用之才得以毁掉城壕上的桥梁，堵住城门，加强守备。这一天，高骈登上延和阁，听到喧扰鼓噪的声音，身边的人向他报告毕师铎叛变的消息。高骈大吃一惊，急忙叫来吕用之询问情况，吕用之慢慢地回答说：“毕师铎的军队想要回来，被看门的卫兵阻止。刚才我已根据情况做了适当处理，估计不用多久就会后撤散去。如果还不停止，只有烦请九天玄女的一位大力士前来平定，希望您不要担心！”高骈说：“最近我发现你虚妄胡为的地方太多了，你要好自为之，不要使我成为周宝！”说完，伤心丧气了好长时间，吕用之又惭愧又惶恐，退了出去。

毕师铎后撤，驻扎在山光寺，因为广陵城池坚固、士兵众多，他露出很后悔的

孙约与其子诣宣州[71]，乞师于观察使秦彦，且许以克城之日迎彦为帅。会师铎馆客[72]毕慕颜自城中逃出，言“众心离散，用之忧窘[73]，若坚守之，不日当溃”。师铎乃悦。

是日未明，骈召用之，问以事本末，用之始以实对，骈曰：“吾不欲复出兵相攻，君可选一温信[74]大将，以我手札谕之，若其未从，当别处分。”用之退，念诸将皆仇敌，往[6]必不利于己。甲寅[75]，遣其[7]所部讨击副使许戡，赍骈委曲[76]及用之誓状[77]并酒殽[78]出劳师铎，师铎始亦望骈旧将劳问，得以具陈用之奸恶，披泄[79]积愤，见戡至，大骂曰：“梁缵[80]、韩问何在，乃使此秽物[81]来！”戡未及发言，已牵出斩之。乙卯[82]，师铎射书入城，用之不发[83]，即焚之。

丁巳[84]，用之以甲士百人入见骈于延和阁下，骈大惊，匿于寝室，久而后出，曰：“节度使所居，无故以兵入，欲反邪！”命左右驱出。用之大惧，出子城[85]南门，举策[86]指之曰：“吾不可复入此！”自是高、吕始判[87]矣。

是夜，骈召其从子前左金吾卫将军[88]杰密议军事。戊午[89]，署[90]杰都牢城使，泣而勉之，以亲信五百人给之。

用之命诸将大索城中丁壮，无问朝士[91]、书生，悉以白刃[92]驱缚登城，令分立城上，自旦至暮，不得休息。又恐其与外寇通，数易其地，家人饷之[93]，莫知所在。由是城中人亦恨师铎入城之晚也。

骈遣大将石锷以师铎幼子及其母书并骈委曲至扬子[94]谕师铎，师铎遽[95]遣其子还，曰：“令公但斩吕、张以示师铎，师铎不敢负恩，愿以妻子为质[96]。”骈恐用之屠其家，收师铎母妻子置使院[97]。

辛酉[98]，秦彦遣其将秦稠将兵三千至扬子助师铎。壬戌[99]，宣州军攻南门，不克。癸亥[100]，又攻罗城[101]东南隅，城几陷者数四。甲子[102]，罗城西南隅守者焚战格[103]以应师铎，师铎毁其城以内[104]其众。用之帅其众千人力战于三桥[105]北，师铎垂[106]败，会高杰以牢城兵自子城出，欲擒用之以授师铎，用之乃开参佐门[107]北走。骈召梁缵以昭义军[108]百余人保子城。

神色。四月初十日癸丑，毕师铎派遣他的部下孙约和他的儿子前往宣州，向观察使秦彦借兵，并且许诺秦彦在攻克广陵时迎接他做统帅。正遇上毕师铎的门客毕慕颜从城中逃出来，说“城里人心离散，吕用之忧愁困窘，如果坚守下去，没有几天城里就该溃散了”。毕师铎这才高兴起来。

这一天，天还未亮，高骈叫来吕用之，问他事情的始末，吕用之才开始如实回答。高骈说：“我不想再出兵互相攻打，你可以挑选一位温和诚实的大将，拿着我亲手写的书信去向毕师铎说明，如果他不听从，应当另作处理。”吕用之退出后，考虑到各将领都是自己的仇敌，他们前去一定不利于自己。四月十一日甲寅，吕用之派遣所辖部属讨击副使许戡，带着高骈的机密手书以及吕用之的誓状和酒食菜肴出城慰劳毕师铎。毕师铎开始时也希望高骈派出旧将来慰劳问候，能够把吕用之的奸恶全部说出来，倾吐宣泄一下郁积的愤恨，看到来的人是许戡，大骂道：“梁缵、韩问在什么地方？竟然派遣这个脏货来！”许戡还没来得及说话，已被带出去杀了。十二日乙卯，毕师铎射进城一封书信，吕用之不打开，就把它烧了。

四月十四日丁巳，吕用之派遣身穿甲胄的士兵一百人在延和阁入见高骈，高骈大惊，藏在卧室里，很长时间才出来，说：“节度使住的地方，无缘无故派兵闯入，想要造反啊！”命令身边的人把他们赶出去。吕用之非常害怕，从内城南门逃出，举起马鞭子指着南门说：“我不能再进入此门！”从此，高骈、吕用之才开始分离。

这一天夜里，高骈叫来他的侄子前左金吾卫将军高杰秘密商量军务。四月十五日戊午，任命高杰为都牢城使，哭着勉励他，把五百亲信送给他。

吕用之命令各个将领大肆搜索城中壮年男子，不论是朝中文官、普通书生，全都用锋利的刀子驱赶捆绑上城，命令他们分批站立在城墙上，从早晨到晚上，不能休息。又害怕他们和城外的敌人串通，多次变更他们防守的地方，家里人给他们送饭食，都不知道他们在什么地方。因此，城里的人也恨不得毕师铎早些攻进城中。

高骈派遣大将石锷携带毕师铎的小儿子和他母亲的书信以及高骈亲笔密信到扬子县晓谕毕师铎。毕师铎很快派他的儿子回去，说：“只要您杀掉吕用之、张守一给我看，我绝不敢辜负您的恩德，愿意用我的妻子、儿子做人质。”高骈担心吕用之屠杀毕师铎一家，于是收留毕师铎的母亲、妻儿安置在节度使官署。

四月十八日辛酉，秦彦派遣他的将领秦稠统率军队三千人到扬子县援助毕师铎。十九日壬戌，秦稠的军队攻打南门，没有攻下来。二十日癸亥，又攻打外围大城东南角，有好几次城池几乎就要陷落。二十一日甲子，外围大城西南角防守士兵烧了防御木栅来响应毕师铎，毕师铎毁掉城墙，接纳那些人。吕用之率领他的部众一千人在三桥北边拼死作战，毕师铎快要失败时，正好高杰带领牢城兵从内城出来，想要抓住吕用之交给毕师铎。吕用之就打开参佐门向北逃走。高骈招来梁缵用昭义军一百多人保卫内城。

乙丑⑩⑨，师铎纵兵大掠。骈不得已，命彻备⑪⑩，与师铎相见于延和阁下，交拜如宾主之仪，署师铎节度副使、行军司马⑪⑪，仍承制加左仆射，郑汉章等各迁官⑪⑫有差。

左莫邪⑪⑬都虞候申及，本徐州健将，入见骈，说之曰："师铎逆党不多，诸门尚未有守者[8]，请令公及此⑪⑭选元从⑪⑮三十人，夜自教场⑪⑯门出，比师铎觉之，追不及矣。然后发诸镇兵，还取府城，此转祸为福也！若一二日事定，浸恐艰难⑪⑰，及亦不得在左右矣。"言之，且泣，骈犹豫不听。及恐语泄，遂窜匿。会张雄至东塘⑪⑱，及往归之。

丙寅⑪⑨，师铎果分兵守诸门，搜捕用之亲党，悉诛之。师铎入居使院，秦稠以宣军千人分守使宅及诸仓库。丁卯⑫⓪[9]，骈牒⑫①请解所任，以师铎兼判⑫②府事。

【段旨】

以上为第二段，写毕师铎兵破广陵，吕用之出逃，亲党伏诛。

【注释】

㊻事捷之日：胜利的时候。㊼子女玉帛：泛指美女和金银财宝。㊽戊申：四月初五日。㊾庚戌：四月初七日。㊿诇骑：侦探骑兵。(51)青州：州名，治所益都，在今山东青州。(52)辛亥：四月初八日。(53)北郊：汴州城北郊原之地，当即赤冈。(54)板桥：镇名，在汴州城西，今河南中牟东北。为赴汴州孔道。(55)郭言（？至公元八九二年）：太原（今山西太原）人，家于新野（今河南新野）。光启间，宗权有兵数十万，朱全忠兵少，不过数十旅，乃命郭言率兵数千人，越河、洛，趋陕虢，招兵万余，迁为步军校尉。后随朱全忠打败宗权，尽收其地。传见《旧五代史》卷二十一。(56)河阳:《旧五代史》郭言本传作"河、洛"。(57)奄：忽然；急遽。(58)广陵：即今江苏扬州。(59)壬子：四月初九日。(60)却：退却。(61)延和阁：高骈听信吕用之的话，认为神仙好楼居，盖延和阁，高八丈。(62)遏：阻止。(63)随宜区处：根据具体情况适当处置。(64)计寻退散：估计不久就会退散。(65)妄：虚妄；胡乱作为。(66)周侍中：指周宝。周宝被逐事见上卷。(67)惨沮：伤心丧气。(68)惭懅：惭愧。(69)山光寺：在扬州城北。(70)癸丑：四月初十日。(71)宣州：州名，治所在今安徽宣城。(72)馆客：门客。(73)忧窘：忧愁窘迫。(74)温信：温和诚信。(75)甲寅：四月十一日。(76)委曲：机密手札。(77)誓状：吕用之与毕师铎的约誓文书。状，文体的一种。(78)酒殽：酒

四月二十二日乙丑，毕师铎放纵军队大肆抢掠。高骈不得已，下令撤除防备，和毕师铎在延和阁下相见，互施拜礼，如同宾主相会时的礼仪。高骈委任毕师铎为节度副使、行军司马，仍承受制命加任左仆射；郑汉章等人各自迁任不同等级的职位。

左莫邪都虞候申及，原来是徐州骁勇的将领，入见高骈，劝他说："毕师铎叛党不多，许多城门还没有人驻守，请您趁这个机会挑选原来的随从三十人，夜里从校场门出去，等到毕师铎觉察了，也追不上了。然后您调发各镇的军队，回来夺取府城，这就是转祸为福！您一两天内要把事情定下来，拖延的话恐怕就很困难了，我申及也不能在您身边侍奉了。"说着还哭了起来，高骈犹豫，没有同意。申及害怕说的话泄漏，就逃走躲藏起来，适逢张雄到达东塘，申及前往投靠张雄。

四月二十三日丙寅，毕师铎果然分派士兵防守各个城门，搜捕吕用之的亲人和党羽，把他们全杀了。毕师铎入居节度使官署，秦稠用宣州军一千人分别把守节度使宅院以及各个仓库。二十四日丁卯，高骈送上公文请求解除所担任的职务，以毕师铎兼管府中的事务。

菜。殽，通"肴"，荤菜。⑲披泄：敞开胸怀发泄。⑳梁缵：高骈部将。其事略见《新唐书》卷二百二十四下《高骈传》。㉑秽物：丑恶肮脏的东西。此为骂许戡的话。㉒乙卯：四月十二日。㉓不发：不打开。㉔丁巳：四月十四日。㉕子城：府衙内城。㉖举策：举鞭。㉗判：分开。㉘左金吾卫将军：官名，左右金吾卫是唐代十六卫之一，掌京城巡警。㉙戊午：四月十五日。㉚署：临时任命。㉛朝士：泛指朝廷的官吏。㉜白刃：刀子。㉝饷之：给他们送饭食。㉞扬子：县名，治所扬子镇，在今江苏仪征东南。㉟遽：迅速。㊱质：留作保证的人，即人质。时毕师铎母亲、妻子儿女尚在扬州城内。㊲使院：节度使官署。㊳辛酉：四月十八日。㊴壬戌：四月十九日。㊵癸亥：四月二十日。㊶罗城：外围大城谓之罗城，里面小城谓之子城，环卫节度使住处的第三重城谓之牙城。㊷甲子：四月二十一日。㊸战格：作战时所设置的防御栅。㊹内：通"纳"，接纳。㊺三桥：地名，在今江苏扬州西南隅。㊻垂：将要。㊼参佐门：旁侧小门。㊽昭义军：梁缵本为昭义军将领，屡次谏高骈疏远吕用之，高骈不听。梁缵很害怕，自解所领之兵，高骈把原昭义兵还给他，故称梁缵所率之军为昭义军。㊾乙丑：四月二十二日。㊿彻备：撤除戒备。彻，通"撤"。⑪行军司马：官名，唐代节度使下置行军司马，掌军政。⑫迁官：此指升官。⑬左莫邪：军名，元和二年（公元八八二年）高骈听信吕用之意见，选诸军骁勇者二万人，号左、右莫邪都。⑭及此：趁此时。⑮元从：自始就相从的人员。⑯教场：演武操练场。⑰浸恐艰难：拖下去恐怕形势困难。⑱东塘：镇名，在扬州东。⑲丙寅：四月二十三日。⑳丁卯：四月二十四日。㉑牒：公文。㉒判：表示判处某官事，并非实授其官。

【校记】

[5]喧：原作“諠”。据章钰校，乙十一行本作“喧”，当是，今从改。[6]往：原无此字。据章钰校，十二行本、乙十一行本皆有此字，今据补。[7]其：原无此字。据章钰

【原文】

师铎遣孙约至宣城，趣[123]秦彦过江。或[124]说师铎曰：“仆射[125]向者举兵，盖以用之辈奸邪暴横，高令公坐自聋瞽[126]，不能区理[127]，故顺众心为一方去害。今用之既败，军府廓然[128]，仆射宜复奉高公而佐之，但总[129]其兵权以号令，谁敢不服！用之乃淮南一叛将耳，移书所在，立可枭[130]擒。如此，则[10]外有推奉[131]之名，内得兼并之实，虽朝廷闻之，亦无亏臣节[132]。使高公聪明，必知内愧。如其不悛[133]，乃机上肉[134]耳，奈何以此功业付之他人，岂惟受制于人，终恐自相鱼肉[135]！前日秦稠先守仓库[136]，其相疑已可见。且秦司空[137]为节度使，庐州、寿州[138]其肯为之下乎！仆见战攻之端[139]未有穷已，岂惟淮南之人肝脑涂地[140]，窃恐仆射功名成败未可知也！不若及今亟止[141]秦司空勿使过江，彼若粗识[142]安危，必未[11]敢轻进。就使他日责我以负约[143]，犹不失为高氏忠臣也。”师铎大以为不然。明日，以告郑汉章，汉章曰：“此智士[144]也！”散求[145]之，其人畏祸，竟不复出。

戊辰[146]，骈迁家出居南第[147]，师铎以甲士百人为卫，其实囚之也。是日，宣军以所求未获，焚进奉两楼[148]数十间，宝货悉为煨烬[149]。己巳[150]，师铎于府厅视事，凡官吏非有兵权者皆如故，复迁骈于东第。自城陷，诸军大掠昼夜[12]不已，至是，师铎始以先锋使唐宏为静街使[151]，禁止之。

骈先为盐铁使[152]，积年不贡奉，货财在扬州者，填委[153]如山，骈作郊天、御楼六军[154]立仗[155]仪服，及大殿元会[156]、内署[157]行幸供张器用[158]，皆刻镂金玉、蟠龙蹙凤[159]数十万事[160]，悉为乱兵所掠，归于闾阎[161]，张陈[162]寝处[163]其中。

校，十二行本、乙十一行本皆有此字，今据补。[8] 诸门尚未有守者：原无此七字。据章钰校，十二行本、乙十一行本、孔天胤本皆有此七字，张敦仁《通鉴刊本识误》、张瑛《通鉴校勘记》同，今据补。[9] 丁卯：据章钰校，十二行本、乙十一行本皆作“丙寅”，张瑛《通鉴校勘记》同。〖按〗前已有“丙寅”，此处不当重出。

【语译】

毕师铎派遣孙约到宣城，催促秦彦渡过长江。有人劝毕师铎说：“您前些时候起兵，是因为吕用之之辈奸邪残暴，高骈坐在职位上听不到看不见，不能分辨处理，所以顺从大家的想法为地方除害。如今吕用之已经失败了，军府廓然肃静，您应当仍旧侍奉高骈，辅佐他，只要您总揽兵权来发号施令，谁敢不服从！吕用之只是淮南的一个叛将罢了，把一封书信送到他所在的地方，立刻可以抓住他斩首示众。这样，则外有拥戴长官之名，内有兼并之实，即使朝廷听到了，也无损臣子的节操。如果高骈聪明，一定晓得内心有愧。如果他不改正过错，那不过是桌上一块任意宰割的肉罢了，为什么要把这一功业送给别人！这样的话，岂止受制于人，最终恐怕要自相残杀！前些天秦稠首先守住仓库，他对您的怀疑已经可以看出来了。况且秦彦当了节度使，庐州的杨行密、寿州的张翱能愿意居于他的下边吗！我看战争的苗头没有停止，哪里仅仅是淮南的民众肝脑涂地，恐怕您的功名成败也不能预知！不如趁现在赶快阻止秦彦，不要让他渡过长江，他如果大略知道安危所在，必然不敢轻率前进。即使以后他责备您违反约定，您仍然不失为高骈的忠臣。”毕师铎很不以为然。第二天，把这事告诉了郑汉章。郑汉章说：“这是一个聪明智慧的人啊！”派人四处去找他，这个人害怕灾祸，竟然不再出来了。

四月二十五日戊辰，高骈把家搬迁到南边的府第，毕师铎派遣身穿甲胄的士兵一百人护卫，其实是囚禁他。这一天，秦稠的宣州军因为要求未能得到实现，便放火烧了进奉院两座楼的几十间房屋，珍宝财货都化为灰烬。二十六日己巳，毕师铎在府厅处理事务，凡是官吏没有兵权的都旧职如故，又把高骈迁往东边的宅第。自从广陵城陷落，各路军队从早到晚大掠不止，到这时，毕师铎才任命先锋使唐宏担任静街使，禁止军队抢掠。

高骈原先担任盐铁使，多年都不向朝廷贡纳，在扬州的钱财货物，堆积如山。高骈制作郊天祭祀大典和皇帝登楼宣布大赦时六军所用的仪仗服装，以及大殿中元旦的盛会、内府官署供皇帝亲临时陈设的器物，都镶嵌上金银、珠玉，雕刻盘旋的龙、收翼的凤，总共有几十万件，全部被乱兵抢掠，散入民间，陈设起来，寝处其中。

庚午[164]，获诸葛殷[165]，杖杀[166]之，弃尸道旁，怨家抉其目[167]，断其舌，众以瓦石投之，须臾成冢[168]。吕用之之败也，其党郑杞首归师铎，师铎署杞知海陵[169]监[170]事。杞至海陵，阴记[171]高霸得失，闻于师铎。霸获其书，杖杞背，断手足，刳目[172]截舌，然后斩之。

蔡将卢瑭屯于万胜[173]，夹汴水而军[174]，以绝汴州运路，朱全忠乘雾袭之，掩杀[175]殆尽。于是蔡兵皆徙就张晊[176]，屯于赤冈[177]。全忠复就击之，杀二万余人。蔡人大惧，或军中自相惊，全忠乃还大梁，养兵休士。

辛未[178]，高骈密以金遗守者[179]，毕师铎闻之。壬午[180]，复迎骈入道院[181]，收高氏子弟甥侄十余人同幽之。

【段旨】

以上为第三段，写毕师铎引秦彦为援，幽囚高骈。高骈所聚财货宝物，悉为乱兵所掠。

【注释】

⑫③趣：催促。⑫④或：有人。⑫⑤仆射：高骈已承制加师铎左仆射，故称。⑫⑥聋瞽：耳聋眼瞎，比喻高骈糊涂，没有观察力。⑫⑦区理：分别好坏加以治理。⑫⑧廓然：平静的样子。⑫⑨总：总揽。⑬⓪枭：斩头悬挂木上。⑬①推奉：拥戴。⑬②无亏臣节：表面上拥戴高骈，实际上取而代之，这样做，对于朝廷来说，亦未失去臣节，不为反叛。亏，损坏、失去。⑬③悛：改过。⑬④机上肉：案板上的肉。喻任人宰割。机，几案。⑬⑤自相鱼肉：指秦彦到来，早晚要与毕师铎自相残害。⑬⑥秦稠先守仓库：秦稠为秦彦之将，助毕师铎攻击吕用之而抢先占据府库，形迹可疑。⑬⑦秦司空：指秦彦。唐末武人多以加官为荣，检校司空为加官。⑬⑧庐州、寿州：指庐州刺史杨行密、寿州刺史张翱，皆高骈旧属。⑬⑨战攻之端：战争的苗头。⑭⓪肝脑涂地：形容战乱中死亡惨烈。⑭①亟止：立即制止。⑭②粗识：略识大体。⑭③负约：违背盟约。⑭④智士：聪明的人。郑汉章认为这个人对形势的分析非常正确，所以特别赞赏他。⑭⑤散求：派人四处去找。⑭⑥戊辰：四月二十五日。⑭⑦南第：府衙城南的居第，即将高骈逐出延和阁。⑭⑧进奉两楼：储放贡物的府库楼。高骈原兼盐铁转运使，贡献不入天子，宝货如山，堆积于进奉楼。⑭⑨煨烬：灰烬。煨，热灰。⑮⓪己巳：

四月二十七日庚午，诸葛殷被抓，被棍棒打死，弃尸于路边，诸葛殷的仇家挖出他的眼睛，割断他的舌头，大家用瓦砾、石块扔他，不一会儿堆积成了小山。吕用之失败时，他的党羽郑杞首先归降毕师铎，毕师铎委任郑杞管理海陵监的事务。郑杞到了海陵，暗中记下镇遏使高霸的过失，上报给毕师铎。高霸拿到了郑杞的这份记录，用棍棒拷打郑杞的背部，砍断了他的手脚，挖出眼睛，割下舌头，然后把他杀了。

蔡州的将领卢瑭屯兵万胜镇，在汴水两岸驻军，用以切断通往汴州的交通。朱全忠乘雾袭击卢瑭，把他的士兵掩杀殆尽。于是蔡州的士兵都跑到张晊那里，驻扎在赤冈。朱全忠再次率众前去攻打他们，杀死二万多人。蔡州的人非常害怕，有时军队中自相惊扰。朱全忠这才返回大梁，休养士兵。

四月二十八日辛未，高骈秘密地赠送金子给看守他的人，毕师铎听说了这件事。壬午日，又把高骈接到道院中居住，抓了高骈的子弟甥侄十多人一起囚禁起来。

四月二十六日。⑮① 静街使：临时性的戒严官名。负责维持秩序，制止诸军大掠。⑮② 盐铁使：高骈于乾符六年（公元八七九年）为盐铁使，中和二年（公元八八二年）解职。⑮③ 填委：堆积。⑮④ 六军：周制，天子有六军，这里指禁军。⑮⑤ 立仗：禁军仪仗。⑮⑥ 元会：皇帝元旦朝见群臣之会。⑮⑦ 内署：内府官署。⑮⑧ 供张器用：供张，即供帐，这里指陈设。器用，指高骈替皇室制作的郊礼祭天物品，天子登楼检阅六军或发布大赦令所用仪仗器物，以及皇帝在元旦朝会群臣、巡幸内署时供给的陈设器具等物品，高骈截留陈设在扬州进奉楼内。⑮⑨ 蹙凤：用金丝银线刺绣成屈缩的凤凰。⑯⓪ 事：件。⑯① 闾阎：民间。⑯② 张陈：陈设。⑯③ 寝处：坐卧。⑯④ 庚午：四月二十七日。⑯⑤ 诸葛殷：为市井狂人，吕用之的亲信。吕用之广树朋党，把诸葛殷推荐给高骈，用为牙将。被擒杀时，腰携金数斤，百姓交唾。其事散见《旧唐书》卷一百八十二、《新唐书》卷二百二十四下《高骈传》。⑯⑥ 杖杀：用棍棒打死。⑯⑦ 抉其目：挖出他的眼睛。⑯⑧ 冢：坟墓。这里指瓦石堆成像冢一样的小山。⑯⑨ 海陵：县名，县治在今江苏泰州。⑰⓪ 监：官名，负责食盐专卖，管理盐税。⑰① 阴记：暗中记下。时高霸为海陵镇遏使。⑰② 刳目：挖出眼珠。⑰③ 万胜：镇名，在今河南中牟西北。⑰④ 夹汴水而军：驻军于汴水两岸。汴水，流经汴京（今河南开封）的通济渠又称汴水。⑰⑤ 掩杀：乘人不备而进袭。⑰⑥ 张晊：秦宗权僭称帝，补署官吏，以张晊为将。其事略见《旧唐书》卷二百下《秦宗权传》。⑰⑦ 赤冈：地名，在汴州城北。⑰⑧ 辛未：四月二十八日。⑰⑨ 以金遗守者：高骈希望通过给守卫的人恩惠而逃出。遗，赠送。⑱⓪ 壬午：四月甲辰朔，无壬午。疑为壬申，四月二十九日。⑱① 道院：高骈所筑迎神道观。

【校记】

［10］则：原无此字。据章钰校，十二行本、乙十一行本、孔天胤本皆有此字，今据补。［11］未：原作“不”。据章钰校，十二行本、乙十一行本皆作“未”，今从改。［12］昼夜：原无此二字。据章钰校，十二行本、乙十一行本、孔天胤本皆有此二字，张敦仁《通鉴刊本识误》同，今据补。

【原文】

前苏州刺史张雄帅其众自海溯[182]江，屯于东塘，遣其将赵晖入据上元[183]。

毕师铎之攻广陵也，吕用之诈为高骈牒，署庐州刺史杨行密行军司马，追[184]兵入援。庐江[185]人袁袭说行密曰：“高公昏惑[186]，用之奸邪，师铎悖逆[187]，凶德参会[188]，而求兵于我，此天以淮南授明公[189]也！趣赴之！”行密乃悉发庐州兵，复借兵于和州刺史孙端[190]，合数千人赴之。五月，至天长[191]。郑汉章之从师铎也，留其妻守淮口，用之帅众攻之，旬日不克，汉章引兵救之，用之闻行密至天长，引兵归之[192]。

丙子[193]，朱全忠出击张晊，大破之。秦宗权闻之，自郑州引精兵会之[194]。

张神剑求货[195]于毕师铎，师铎报以俟秦司空之命，神剑怒，亦以其众归杨行密。及海陵镇遏使高霸、曲溪[196]人刘金、盱眙[197]人贾令威悉以其众属焉。行密众至万七千人，张神剑运高邮粮以给之。

朱全忠求救于兖、郓，朱瑄、朱瑾皆引兵赴之，义成军[198]亦至。辛巳[199]，全忠以四镇兵攻秦宗权于边孝村[200]，大破之，斩首二万余级。宗权宵遁[201]，全忠追之，至阳武桥[202]而还。全忠深德朱瑄，兄事之。蔡人之守东都、河阳、许、汝、怀、郑、陕、虢者，闻宗权败，皆弃去。宗权发郑州，孙儒发河阳，皆屠灭其人，焚其庐舍而去，宗权之势自是稍衰。朝廷以扈驾都头杨守宗知许州事，朱全忠以其将孙从益知郑州事。

【语译】

前任苏州刺史张雄率领他的部众从海上逆长江上行，屯兵东塘，派遣他的将领赵晖进入上元县据守。

毕师铎攻打广陵时，吕用之伪造高骈的公文，委任庐州刺史杨行密为行军司马，催促他的军队前来援助。庐江人袁袭劝杨行密说："高骈昏聩糊涂，吕用之奸诈邪恶，毕师铎悖乱犯上，三个品德凶恶的人聚到了一起，求兵于我们，这是上天把淮南这个地方送给您！您赶快前去！"杨行密便全部庐州调动的军队，又向和州刺史孙端借兵，加起来有几千人一同前往。五月，到达天长县。郑汉章跟随毕师铎出征时，留下他的妻子儿女守卫淮口。吕用之率领部众攻打淮口，十天未能攻克，郑汉章带兵救援。吕用之听到杨行密到了天长县，就带兵回去了。

五月初三日丙子，朱全忠出击张晊，把他打得大败。秦宗权听到这个消息，从郑州带领精锐的部队与张晊会合。

张神剑向毕师铎索求财物，毕师铎回应说要等待秦彦的命令。张神剑很生气，也率领他的部众归附杨行密。另外海陵镇遏使高霸、曲溪人刘金、盱眙人贾令威全都把他们的部众归属杨行密。杨行密的队伍达到一万七千人，张神剑运送高邮的粮食供给杨行密。

朱全忠向兖州、郓州求援，朱瑄、朱瑾都带兵前往，义成军也到了。五月初八日辛巳，朱全忠在边孝村用四镇的军队攻打秦宗权，把秦宗权打得大败，斩了二万多首级。秦宗权夜里逃走了，朱全忠追赶秦宗权，到达阳武桥才返回。朱全忠深为感谢朱瑄，把他像兄长一样对待。蔡州军队守卫东都、河阳、许州、汝州、怀州、郑州、陕州、虢州等地的，听到秦宗权失败了，都放弃守地逃走了。秦宗权从郑州出逃，孙儒从河阳出逃，都大肆屠杀当地百姓，烧毁了那里的房屋后才离去，秦宗权的势力从此渐渐地衰弱。朝廷任命扈驾都头杨守宗来掌管许州的事务，朱全忠用他的将领孙从益掌管郑州的事务。

钱镠遣东安⑳都将杜稜，浙江都将阮结、静江都㉔将成及将兵讨薛朗。

甲午㉕，秦彦将宣歙兵三万余人，乘竹筏沿江而下，赵晖邀击于上元，杀溺殆半。丙申㉖，彦入广陵，自称权知淮南节度事[13]，仍以毕师铎为行军司马，补池州㉗刺史赵锽为宣歙观察使。戊戌㉘，杨行密帅诸军抵广陵城下，为八寨㉙以守之，秦彦闭城自守。

【段旨】

以上为第四段，写秦彦入据广陵，高骈部属庐州刺史杨行密借高骈宣召之命起兵来争夺广陵。两军交战，杨行密初战取胜，秦彦困守广陵。

【注释】

⑱湖：逆流而上。⑱上元：县名，县治在今江苏南京北。⑱追：催。⑱庐江：县名，县治在今安徽庐江县。⑱昏惑：昏乱糊涂。⑱悖逆：悖乱叛逆。⑱凶德参会：指高骈之昏、吕用之之奸、毕师铎之逆，三种凶德会合在一起。参会，合集。⑱明公：对权贵长官的尊称，此指杨行密。⑲和州刺史孙端：中和三年（公元八八三年）孙端据和州。⑲天长：县名，县治在今安徽天长。⑲引兵归之：指吕用之带兵投归杨行密。⑲丙子：五月初三日。⑲会之：秦宗权率兵与张晊会合打击朱全忠。⑲货：财物。⑲曲溪：地名，在今

【原文】

六月戊申㉚，天威都㉛头杨守立与凤翔节度使李昌符争道，麾下相殴，帝命中使谕之，不止。是夕，宿卫㉜皆严兵为备。己酉㉝，昌符拥兵烧行宫。庚戌㉞，复攻大安门㉟，守立与昌符战于通衢㊱，昌符兵败，帅麾下走保陇州㊲。杜让能闻难，挺身步入侍上㊳[14]。韦昭度质㊴其家于军中，誓诛反贼，故军士力战而胜之。守立，复恭之假子也。壬子㊵，以扈驾都将、武定节度使李茂贞为陇州招讨使，以讨昌符。

甲寅㊶，河中牙将常行儒杀节度使王重荣。重荣用法严，末年尤

钱镠派遣东安都将杜稜、浙江都将阮结、静江都将成及带兵讨伐薛朗。

五月二十一日甲午，秦彦统率宣歙的军队三万多人，乘竹筏沿江而下，赵晖在上元县截击，杀死和淹死的士兵几乎有一半。二十三日丙申，秦彦进入广陵，自称暂时代理淮南节度之事，仍以毕师铎任行军司马，补任池州刺史赵锽为宣歙观察使。二十五日戊戌，杨行密统率各路军队抵达广陵城下，设置了八个营寨守住广陵周围，秦彦关闭城门自守。

江苏盱眙西南。⑲⑺盱眙：县名，县治在今江苏盱眙。⑲⑻义成军：方镇名，唐德宗贞元元年（公元七八五年）赐滑卫节度号义成军，治所滑州，在今河南滑县。唐僖宗光启二年（公元八八六年）朱全忠袭滑州，掳节度使安师儒而还，以牙将胡真知义成留后。现征其兵以攻蔡军。⑲⑼辛巳：五月初八日。⑳⑽边孝村：村名，在汴州北郊。⑳⑴宵遁：乘夜逃跑。⑳⑵阳武桥：在郑州阳武县（今河南原阳），县治在汴州西北九十里。⑳⑶东安：地名，在今浙江杭州。⑳⑷静江都：与浙江都同属钱镠的二支部队，分屯于杭州城外自定山至海门沿江一带。⑳⑸甲午：五月二十一日。⑳⑹丙申：五月二十三日。⑳⑺池州：州名，治所秋浦，在今安徽池州市贵池区。⑳⑻戊戌：五月二十五日。⑳⑼为八寨：设置八个营寨。

【校记】

［13］节度事：原作“节度使”。据章钰校，十二行本、乙十一行本皆作“节度事”，张敦仁《通鉴刊本识误》同，今从改。

【语译】

六月初六日戊申，天威都头杨守立和凤翔节度使李昌符争抢道路，部下互相殴打，僖宗派遣中使劝告他们，但没有止住。当天晚上，值宿的警卫都严加防备。初七日己酉，李昌符带兵烧毁了行宫。初八日庚戌，又攻打大安门，杨守立与李昌符在大路上交战，李昌符兵败，率领部下逃走守护陇州。杜让能听说发生战乱，挺身步行到宫中侍奉僖宗。韦昭度把他的家属质押在军队中，发誓要杀了造反的贼兵，所以军中士兵奋力作战，战胜了叛兵。杨守立，是杨复恭的义子。初十日壬子，任命扈驾都将、武定节度使李茂贞为陇州招讨使，去讨伐李昌符。

六月十二日甲寅，河中牙将常行儒杀了节度使王重荣。王重荣用法森严，晚年

甚，行儒尝被罚，耻之，遂作乱。夜，攻府舍，重荣逃于别墅。明旦，行儒得而杀之。制[222]以陕虢节度使王重盈为护国节度使[223]，又以重盈子珙[224]权知陕虢留后。重盈至河中，执行儒，杀之。

戊午[225]，秦彦遣毕师铎、秦稠将兵八千出城，西击杨行密，稠败死，士卒死者什七八。城中乏食，樵采[226]路绝，宣州军始食人。

壬戌[227]，亳州将谢殷逐其刺史宋衮。

孙儒既去河阳，李罕之召张全义于泽州[228]，与之收合余众。罕之据河阳，全义据东都，共求援于河东。李克用以其将安金俊为泽州刺史，将骑助之，表罕之为河阳节度使，全义为河南尹[229]。

初，东都经黄巢之乱，遗民聚为三城以相保，继以秦宗权、孙儒残暴，仅存坏垣[230]而已。全义初至，白骨蔽地，荆棘弥望[231]，居民不满百户，全义麾下才百余人，相与保中州城[232]，四野俱无耕者。全义乃于麾下选十八人材器可任者，人给一旗一榜，谓之屯将，使诣十八县[233]故墟落[234]中，植旗张榜，招怀流散，劝之树艺[235]。惟杀人者死，余但笞杖[236]而已，无严刑，无租税，民归之者如市[237]。又选壮者教之战陈[238]，以御寇盗。数年之后，都城坊曲[239]，渐复旧制，诸县户口，率皆归复，桑麻蔚然[240]，野无旷土[241]。其胜兵者[242]，大县至七千人，小县不减二千人，乃奏置令佐[243]以治之。全义明察，人不能欺，而为政宽简[244]。出，见田畴[245]美者，辄下马，与僚佐共观之，召田主，劳以酒食。有蚕麦善收[246]者，或亲至其家，悉呼出老幼，赐以茶彩[247]衣物。民间言："张公不喜声伎[248]，见之未尝笑，独见佳麦良茧则笑耳。"有田荒秽[249]者，则集众杖之。或诉以乏人牛[250]，乃召其邻里责之曰："彼诚乏人牛，何不助之？"众皆谢，乃释之。由是邻里有无相助，故比户[251]皆有蓄积，凶年不饥，遂成富庶焉。

更加厉害，常行儒曾经被处罚，对此感到很耻辱，就起来作乱。夜里，攻打官署和住宅，王重荣逃往别墅。第二天早晨，常行儒抓到王重荣并把他杀了。僖宗下制书任命陕虢节度使王重盈为护国节度使，又任命王重盈的儿子王珙暂时代理陕虢留后。王重盈到达河中，抓住了常行儒，把他杀了。

六月十六日戊午，秦彦派遣毕师铎、秦稠率兵八千人出城，西进攻打杨行密，秦稠战败身亡，士兵死去的有十分之七八。城里缺少吃的，砍柴的路也断了，宣州的军队开始吃起人来。

二十日壬戌，亳州的将领谢殷驱逐了刺史宋衮。

孙儒已经离开河阳，李罕之叫张全义到泽州来，与他收聚余下的部众。李罕之占据了河阳，张全义占据了东都，一起向河东求援。李克用任命他的将领安金俊为泽州刺史，率领骑兵来援助他们，上表请求任命李罕之为河阳节度使，张全义为河南尹。

当初，东都洛阳经过黄巢之乱，遗留下来的民众聚集在三个城里相互保护，接着秦宗权、孙儒凶残暴虐，只剩下毁坏的城墙而已。张全义刚刚到达时，白骨遍地，满目荆棘，居住的民众不满一百户，张全义的部下才一百多人，他们一起保护中州城，四面的旷野里都没有耕种的人。张全义便在部下选出十八个有才能有器度可以任用的，每人给一面旗帜、一张榜示，称之为屯将，使他们前往河南十八县的旧时村落中，竖起旗帜，张贴榜示，招抚流散的民众，勉励他们种植庄稼。只是杀人的处死，其余的仅用竹板、荆条拷打一下而已，没有严刑，没有租税，民众回来的多得像集市一样。又挑选身强力壮的人，训练他们作战，用来防御寇盗。几年以后，都城中的街坊曲巷，逐渐恢复到原来的规模，各县的户口，大致恢复到过去的水平，桑麻茂盛，田野里没有空闲的土地。那些能拿武器服兵役的人，大县达到七千人，小县不少于二千人，于是奏请设置县令、佐吏来治理这些地方。张全义明察秋毫，人们欺骗不了他，而他为政宽容简易。外出时，看见田里庄稼长得好的，常常下马，和幕僚佐吏一起观赏，叫来田地的主人，用酒食加以慰劳。有养蚕种麦收成好的，有时亲自到他们家里，把全家老幼叫出来，赏赐他们茶叶、彩色丝绸、衣服和日用物品。民间说："张全义不喜欢声乐舞伎，看到那些未尝发笑；只有看到好麦子、好蚕茧才发笑。"有让田地荒芜的人，张全义就集合民众用棍棒打他。有人说这人是因为缺少人力和耕牛，张全义便叫来这人的邻里责备说："他真的缺乏人力和耕牛，你们为什么不帮助他？"大家都认错道歉，这才放过了那个人。从此邻里相助，互通有无，所以户户都有积蓄，大灾之年也没有饥饿，这里便成了富庶的地方。

【段旨】

以上为第五段，写唐僖宗返京途中的兵变，河中、河南的变局，王重荣为其部属所杀，张全义入据东都。张全义招聚流亡，劝之农桑，数年后东都恢复为富庶之乡。

【注释】

㉑⓪ 戊申：六月初六日。㉑① 天威都：为神策五十四都之一。㉑② 宿卫：值宿警卫。㉑③ 己酉：六月初七日。㉑④ 庚戌：六月初八日。㉑⑤ 大安门：行宫门。㉑⑥ 通衢：四通八达的大道。㉑⑦ 陇州：州名，治所汧源，在今陕西陇县西南。由凤翔向西北至陇州一百五十里。㉑⑧ 步入侍上：步行到宫中侍奉皇上。㉑⑨ 质：作为保证人。杜让能挺身而出，韦昭度质家军中，皆表示讨叛决心。㉒⓪ 壬子：六月初十日。㉒① 甲寅：六月十二日。㉒② 制：皇帝所下制令。㉒③ 护国节度使：唐僖宗光启元年（公元八八五年）赐河中节度号护国军节度。王重盈为王重荣之兄。㉒④ 珙（？至公元八九九年）：河中节度使王重荣兄王重盈之子。王重荣死，王重盈继任河中节度使。重盈死，众立王重荣养子王珂为节度使，王珙与珂争位，珙为部将李璠所杀。传见《旧唐书》卷一百八十二、《新唐书》卷一百八十七、《旧

【原文】

杜稜等败薛朗将李君暀于阳羡[252]。

秋，七月癸未[253]，淮南将吴苗帅其徒八千人逾城[254]降杨行密。

八月壬寅朔[255]，李茂贞奏陇州刺史薛知筹以城降，斩李昌符，灭其族。

朱全忠引兵过亳州，遣其将霍存袭谢殷[256]，斩之。

丙子[257]，以李茂贞同平章事、充凤翔节度使。

以韦昭度守[258]太保[259]、兼侍中。

朱全忠欲兼兖、郓，而以朱瑄兄弟有功于己[260]，攻之无名，乃诬瑄招诱宣武军士，移书诮让[261]。瑄复书不逊[262]，全忠遣其将朱珍、葛从周袭曹州。壬子[263]，拔之，杀刺史丘弘礼。又攻濮州，与兖、郓兵战于刘桥[264]，杀数万人，朱瑄、朱瑾仅以身免。全忠与兖、郓始有隙。

五代史》卷十四。㉕戊午：六月十六日。㉖樵采：打柴。㉗壬戌：六月二十日。㉘泽州：州名，治所晋城，在今山西晋城。㉙河南尹：官名，即河南府尹，河南府的行政长官。㉚坏垣：断塌了的墙壁。㉛弥望：满眼。㉜中州城：洛阳三城之中城，在二城之中，故称中州城。㉝十八县：河南府二十县，除河南、洛阳二县在城中，还有偃师、巩、缑氏、阳城、登封、陆浑、伊阙、新安、渑池、福昌、长水、永宁、寿安、密、河清、颍阳、伊阳、王屋十八个县。㉞墟落：村落。㉟树艺：种植。㊱笞杖：用竹板或荆条打人脊背或臀腿的刑罚。㊲如市：形容归顺的人很多，像赶往市场一样。㊳战陈：作战的阵法。陈，通"阵"。㊴坊曲：小街曲巷。㊵蔚然：生长茂盛的样子。㊶旷土：闲置的土地。㊷胜兵者：能够扛武器服兵役的人，指战士。胜，胜任。㊸令佐：县令和佐吏。㊹为政宽简：施政宽松简易。㊺田畴：耕熟的田地。谷地为田，麻地为畴。这里指地上的庄稼长得好。㊻善收：收成好的。㊼彩：通"彩"，彩色丝织物。㊽声伎：声乐舞伎。㊾荒秽：荒芜。秽，田中杂草。㊿乏人牛：缺少人力、耕牛。(251)比户：每户；户户。

【校记】

［14］上：原无此字。据章钰校，十二行本、乙十一行本、孔天胤本皆有此字，张敦仁《通鉴刊本识误》同，今据补。

【语译】

杜稜等人在阳羡打败了薛朗的将领李君暀。

秋，七月十二日癸未，淮南将领吴苗率领他的部众八千人翻越城墙投降杨行密。

八月初一日壬寅，李茂贞奏报陇州刺史薛知筹举城投降，杀了李昌符，诛灭了他的全族。

朱全忠带兵经过亳州，派遣他的将领霍存袭击谢殷，杀了谢殷。

丙子日，任命李茂贞为同平章事，充任凤翔节度使。

任命韦昭度任太保，兼任侍中。

朱全忠打算兼并兖州、郓州，但是因为朱瑄兄弟对自己有功，攻打他们没有理由，就诬陷朱瑄招引宣武的军士，送去书信责备他。朱瑄回信不恭敬，朱全忠派遣他的将领朱珍、葛从周袭击曹州。八月十一日壬子，攻取曹州，杀了刺史丘弘礼。又攻打濮州，在刘桥和兖州、郓州的军队交战，杀了几万人，朱瑄、朱瑾仅仅自己脱身免死。朱全忠和朱瑄、朱瑾开始有了怨仇。

秦彦以张雄兵强，冀得其用，以仆射告身授雄，以尚书告身[265]三通[266]授裨将冯弘铎等。广陵人竞以金玉珠缯[267][15]诣雄军贸食[268]，通犀[269]带一，得米五升，锦衾[270]一，得糠五升。雄军既富，不复肯战，未几，复助杨行密。

丁卯[271]，彦悉出城中兵万二千人，遣毕师铎、郑汉章将之，陈于城西，延袤[272]数里，军势甚盛。行密安卧帐中，曰："贼近告我。"牙将李宗礼曰："众寡不敌，宜坚壁[273]自守，徐图[274]还师。"李涛怒曰："吾以顺讨逆[275]，何论众寡，大军至此，去将安归！涛愿将所部为前锋，保为公破之！"涛，赵州[276]人也。行密乃积金帛粺[277]米于一寨，使羸弱守之，多伏精兵于其旁，自将千余人冲其陈[278]。兵始交，行密阳[279]不胜而走，广陵兵追之，入空寨，争取金帛粺米，伏兵四起，广陵众乱，行密纵兵击之，俘斩殆尽，积尸十里，沟渎[280]皆满，师铎、汉章单骑仅免。自是秦彦不复言出师矣。

九月，以户部侍郎、判度支[281]张濬[282]为兵部侍郎、同平章事。

高骈在道院，秦彦供给甚薄，左右无食，至然[283]木像、煮革带食之，有相啖[284]者。彦与毕师铎出师屡败，疑骈为厌胜[285]，外围益急，恐骈党有为内应者。有妖尼[286]王奉仙言于彦曰："扬州分野[287]极灾，必有一大人死，自此喜矣。"甲戌[288]，命其将刘匡时杀骈，并其子弟甥侄无少长皆死，同坎瘗之[289]。乙亥[290]，杨行密闻之，帅士卒缟素向城大哭三日。

【段旨】

以上为第六段，写朱全忠欲并兖州、郓州，与朱瑄、朱瑾交恶。秦彦出战杨行密，兵败而怒，诛杀高骈一门。

秦彦因为张雄的兵力强盛，希望张雄能为自己所用，便拿仆射的委任状授予张雄，拿尚书的委任状三件授予副将冯弘铎等人。广陵人争着用金银、玉石、珠宝、丝绸前往张雄的军中交换粮食，一根通天犀带换取米五升，一床丝绸被子换取糠五升。张雄的士兵富有后，就不想再打仗，没多久，又去帮助杨行密。

八月二十六日丁卯，秦彦出动城中全部士兵一万二千人，派遣毕师铎、郑汉章统率他们，在广陵城西布阵，绵延数里，军势极为旺盛。杨行密安稳地躺在军帐中，说："敌寇靠近了来告诉我。"牙将李宗礼说："敌众我寡，打不过敌人，我们应该坚守壁垒，加强防守，慢慢想办法让部队撤回。"李涛生气地说："我们以正义讨伐叛逆，为什么要谈论人多人少呢，大军到了这里，撤离后将要到什么地方去？我李涛愿意率领所辖部队担任前锋，保证为您打败他们！"李涛，是赵州人。杨行密便把金银、布帛、粮食堆积在一个营寨，派遣老弱病残来防守，在旁边埋伏了很多精锐的士兵，自己率领一千多人去冲击敌人的军阵。两军刚交战，杨行密假装不胜逃走，广陵的军队追赶他们，进入空寨中，争着抢夺金银、布帛、粮食，伏兵四起，广陵的军队大乱，杨行密纵兵攻击，几乎把敌军俘虏、斩杀光了，堆积的尸体有十里路长，沟渠中都填满了。毕师铎、郑汉章仅仅单骑逃脱，免于一死。从此，秦彦不再说出兵了。

九月，任命户部侍郎、判度支张濬担任兵部侍郎、同平章事。

高骈住在道院中，秦彦供给高骈的食品很少，身边的人没有吃的，以至于烧木像、煮皮带来吃，更有吃人的。秦彦和毕师铎出兵多次失败，怀疑高骈使用了诅咒制胜的巫术。外面围攻更加紧急，害怕高骈的党羽有做内应的人。有一个妖尼王奉仙告诉秦彦说："扬州分野有大灾，必定有一位大人物死亡，从此以后这个地方就会好起来。"九月初四日甲戌，秦彦命令他的将领刘匡时杀掉高骈，连同高骈的子弟甥侄不论年龄大小，全部处死，都埋在一个坑中。初五日乙亥，杨行密听到这个消息，率领士兵穿着白色丧服面向广陵城大哭了三天。

【注释】

㉕② 阳羡：县名，县治在今江苏宜兴南。㉕③ 癸未：七月十二日。㉕④ 逾城：翻越扬州城。㉕⑤ 壬寅朔：八月初一日。㉕⑥ 霍存袭谢殷：是年六月，谢殷杀刺史，据亳州。后为部将霍存所杀。㉕⑦ 丙子：八月壬寅朔，无丙子，疑为丙午，八月初五日。㉕⑧ 守：官吏试职称守。㉕⑨ 太保：官名，三公之一，位次于太傅。多为勋戚文武大臣加衔。㉖⓪ 有功于己：朱瑄、朱瑾曾破蔡兵救汴州。㉖① 诮让：谴责。㉖② 不逊：不谦虚；不恭敬。㉖③ 壬子：八月十一日。㉖④ 刘桥：在今山东鄄城西南。㉖⑤ 告身：委任官职的文凭。唐末官爵冗滥，有很

多空白告身，可以随时填人名。此授张雄、冯弘铎的告身即是高骈任诸道都统时，朝廷给的空白告身。㉖⑥三通：三份。㉖⑦缯：丝织品的总称。㉖⑧贸食：换东西吃。贸，以物易物。㉖⑨通犀：犀牛角的一种，即通天犀，中央色白上下通贯的犀牛角。㉗⑩锦衾：用锦绣的被子。㉗①丁卯：八月二十六日。㉗②延袤：绵延而连续。㉗③坚壁：坚守营垒。㉗④徐图：慢慢地想办法。㉗⑤以顺讨逆：以正义之师讨伐叛逆之兵。㉗⑥赵州：州名，治所平棘，在今河北赵县。州南汶河上的安济桥，即举世闻名的赵州桥。㉗⑦麰：大麦。㉗⑧冲其陈：冲击毕师铎、郑汉章的军阵。㉗⑨阳：表面上。㉘⑩沟渎：沟渠。㉘①判度支：唐代度支为户部第二司，中期以后往往特派大臣专判度支，可以是户部的官，也可以是户部以外的官，权势很重。㉘②张濬（？至公元九〇二年）：字禹川，河间（今河北河间）人，官至尚书右仆射，致仕居洛长水墅。朱全忠篡唐，畏张濬不附己，盗杀张濬，屠其家百余人。传

【原文】

朱珍攻濮州，朱瑄遣其[16]弟罕将步骑万人救之。辛卯[291]，朱全忠逆击[292]罕于范[293]，擒斩之。

冬，十月，秦彦遣郑汉章将步骑五千出击张神剑、高霸寨，破之，神剑奔高邮，霸奔海陵[294]。

丁未[295]，朱珍拔濮州，刺史朱裕奔郓，珍进兵攻郓。瑄使裕诈遗珍书，约为内应，珍夜引兵赴之，瑄开门纳汴军，闭而杀之，死者数千人，汴军乃退。瑄乘胜复取曹州，以其属郭词为刺史。

甲寅[296]，立皇子陛[297]为益王。

杜稜等拔常州，丁从实奔海陵[298]。钱镠奉周宝归杭州，属櫜鞬[299]，具部将礼[300]，郊迎之。

杨行密围广陵且半年，秦彦、毕师铎大小数十战，多不利。城中无食，米斗直钱五十缗，草根木实皆尽，以堇泥[301]为饼食之，饿死者太半。宣军掠人诣肆[302]卖之，驱缚屠割如羊豕[303]，讫[304]无一声，积骸[305]流血，满于坊市。彦、师铎无如之何，噘蹙[306]而已。外围益急，彦、师铎忧懑[307]，殆无生意[308]，相对抱膝，终日悄然[309]。行密亦以城久不下，欲引还[310]。己巳[311]夜，大风雨，吕用之部将张审威帅麾下士

见《旧唐书》卷一百七十九、《新唐书》卷一百八十五。㉘③然：通“燃”。因住道院，故可以烧木像。㉘④相啖：人吃人。㉘⑤厌胜：古时迷信认为能以诅咒制胜。㉘⑥尼：尼姑。㉘⑦分野：古代天文学说，把天上十二星辰的位置跟地上州、国的位置相对应。就天文说，称为分星；就地上说，称为分野。战国以后也有以二十八宿来划分分野的。迷信的说法，认为天上该区发生的天象预兆着各对应地区的吉凶。㉘⑧甲戌：九月初四日。㉘⑨同坎瘞之：同穴埋葬。坎，穴。瘞，埋。㉙⓪乙亥：九月初五日。

【校记】

[15]金玉珠缯：原作“珠玉金缯”。据章钰校，十二行本、乙十一行本皆作“金玉珠缯”，今从改。

【语译】

朱珍攻打濮州，朱瑄派遣他的弟弟朱罕统率步兵、骑兵一万人援救濮州。九月二十一日辛卯，朱全忠在范县迎击朱罕，抓住朱罕杀了。

冬，十月，秦彦派遣郑汉章率领步兵、骑兵五千人出击张神剑、高霸的营寨，攻破了营寨。张神剑跑往高邮，高霸跑往海陵。

初七日丁未，朱珍攻取濮州，刺史朱裕跑往郓州，朱珍进兵攻打郓州。朱瑄让朱裕送给朱珍一封欺骗他的书信，说是约好作为内应。夜里朱珍带兵前往，朱瑄打开城门迎入汴州的军队，关闭城门后杀了他们，死了几千人，汴州的军队便撤退了。朱瑄乘胜又攻取曹州，派他的部下郭词担任刺史。

十月十四日甲寅，封皇子李陞为益王。

杜稜等人攻取常州，丁从实逃往海陵。钱镠护侍周宝返回杭州，佩系着弓箭，准备好了部将对上司的礼仪，在郊外迎接周宝。

杨行密包围广陵城已近半年，秦彦、毕师铎大小数十仗，大多都战败了。城里没有吃的，一斗米值五十缗钱，草根、树皮都吃光了，用黏土做成饼子来吃，饿死的人有一大半。宣州的士兵抢人到市场上出卖，就像羊和猪一样驱赶、捆绑、屠杀他们，终了没有说一句话，堆积的尸骸，流出的鲜血，遍布市场。秦彦、毕师铎也没有什么办法，只是皱眉蹙额而已。外面围攻更加紧急，秦彦、毕师铎忧愁烦闷，几乎没有活下去的念头，抱膝相对，成天忧心忡忡。杨行密也因为广陵城久攻不下，想要率军返回。十月二十九日己巳夜里，风雨大作，吕用之的将领张审威率领部下

三百，晨，伏于西壕[312]，俟守者易代[313]，潜登城，启关[314]纳其众，守者皆不斗而溃。先是，彦、师铎信重尼奉仙，虽战陈日时，赏罚轻重，皆取决[315]焉。至是复咨[316]于奉仙曰：“何以取济[317]？”奉仙曰：“走为上策！”乃自开化门出奔东塘。行密帅诸军合万五千人入城，以梁缵不尽节[318]于高氏，为秦、毕用，斩于戟门[319]之外，韩问[320]闻之，赴井死。以高骈从孙愈摄副使，使改殡[321]骈及其族。城中遗民才数百家，饥羸[322]非复人状，行密辇[323]西寨米[324]以赈之。行密自称淮南留后。

【段旨】

以上为第七段，写秦彦败走，杨行密入据广陵。

【注释】

[291]辛卯：九月二十一日。[292]逆击：迎击。[293]范：县名，县治在今河南范县。[294]神剑奔高邮二句：高邮和海陵，为张神剑、高霸旧屯之地。[295]丁未：十月初七日。[296]甲寅：十月十四日。[297]陛：李陛（？至公元八八七年），僖宗次子，封益王。传见《旧唐书》卷一百七十五、《新唐书》卷八十二。[298]奔海陵：丁从实于光启二年六月取常州，至此而败。[299]属櫜鞬：佩系着弓箭。古时迎接贵宾，命人负櫜鞬为前导。櫜鞬，盛弓箭之器。櫜以受弓，鞬以受箭。[300]具部将礼：杭州本为镇海军巡属，故钱镠以部将之礼迎接周宝。具，备办。[301]堇泥：黏土。[302]肆：店铺。[303]驱缚屠割如羊豕：宣州军绑缚驱赶屠杀百姓如同猪羊一样。豕，猪。[304]讫：终了。[305]积骸：尸骨堆积。[306]嚬蹙：皱眉蹙额，表示忧

【原文】

秦宗权遣其弟宗衡将兵万人渡淮，与杨行密争扬州，以孙儒为副，张佶、刘建锋、马殷及宗权族弟彦晖皆从。十一月辛未[325]，抵广陵城西，据行密故寨[326]，行密辎重之未入城者，为蔡人所得。秦彦、毕师铎至东塘，张雄不纳，将渡江趣宣州，宗衡召之，乃引兵还，与宗衡合。

未几，宗权召宗衡还蔡，拒朱全忠。孙儒知宗权势不能久，称疾

士兵三百人，凌晨埋伏在西边的壕沟里，等到守城的人换班时，偷偷地登上城墙，打开城门放部队进去。守城的人都没有抵抗就溃逃了。此前，秦彦、毕师铎信任依重妖尼王奉仙，即使是打仗时日、赏罚轻重，都取决于她。到这时又询问王奉仙说："怎么样才能渡过这个危难？"王奉仙说："走为上策！"于是从开化门出去逃往东塘。杨行密率领各路军队总共一万五千人进入城中，因梁缵不能向高骈竭尽臣节，被秦彦、毕师铎所用，就在戟门之外把他杀了，韩问听到这个消息，跳到井里死了。任命高骈的侄孙高愈代理副使的职务，让他改葬高骈及其族人。城中剩下的百姓只有几百家，饥饿瘦弱得不像人样子，杨行密用车子拉着军粮来赈济他们。杨行密自称为淮南留后。

虑和难过。嚬，眉蹙貌。⑩⑦ 忧懑：忧愁烦闷。⑩⑧ 殆无生意：几乎没有活下去的念头。⑩⑨ 悄然：忧愁的样子。⑪⓪ 引还：带兵返回庐州。⑪① 己巳：十月二十九日。⑪② 壕：护城河。⑪③ 易代：交接班的时候。⑪④ 启关：打开城门。⑪⑤ 取决：依之以决断。⑪⑥ 咨：询问；征求意见。⑪⑦ 取济：取得成功。指挽救危局。⑪⑧ 不尽节：指梁缵原为高骈部将，现为秦、毕所用。⑪⑨ 戟门：唐代有立戟于门的制度。庙社宫殿及各级官府依级别立戟数不同。⑫⓪ 韩问：与梁缵为一体之人，皆高骈旧将。梁缵被杀，韩自知不免于死，故赴井而死。其事略见《旧唐书》卷一百八十二、《新唐书》卷二百二十四下《高骈传》。⑫① 改殡：重新安葬高骈。⑫② 饥羸：饥饿瘦弱。⑫③ 辇：用车拉。⑫④ 西寨米：杨行密营寨在广陵城西，此为饷军之米。

【校记】

［16］其：原无此字。据章钰校，十二行本、乙十一行本皆有此字，今据补。

【语译】

秦宗权派遣他的弟弟秦宗衡率领士兵一万人渡过淮水，与杨行密争夺扬州，任命孙儒为副将，张佶、刘建锋、马殷以及秦宗权的堂弟秦彦晖跟随一起去。十一月初二日辛未，到达广陵城的西边，占据了杨行密以前的旧营寨，杨行密没有运进城去的军用物资，被秦宗衡的部队得到了。秦彦、毕师铎到达东塘，张雄不肯接纳他们。他们准备渡江前往宣州，秦宗衡召唤他们，他们便带领军队返回，与秦宗衡会合。

没多久，秦宗权叫秦宗衡返回蔡州，抵御朱全忠。孙儒知道秦宗权的势力不会

不行。宗衡屡促之，儒怒，甲戌㉗，与宗衡饮酒，坐中手刃㉘之，传首㉙于全忠。宗衡将安仁义㉚降于行密。仁义，本沙陀将也，行密悉以骑兵委之，列于田頵之上㉛。儒分兵掠邻州，未几，众至数万，以城下乏食，与彦、师铎袭高邮。

初，宣武都指挥使朱珍与排陈斩斫使㉜李唐宾，勇略、功名略相当，全忠每战，使二人偕㉝，往无不捷，然二人素不相下㉞。珍使[17]迎其妻于大梁，不白㉟全忠，全忠怒，追还其妻，杀守门者，使亲吏㊱蒋玄晖㊲召珍，以唐宾[18]代总其众。馆驿巡官㊳冯翊敬翔㊴谏曰："朱珍未易轻取，恐其猜惧㊵生变。"全忠悔，使人追止之。珍果自疑，丙子㊶夜，珍置酒召诸将。唐宾疑其有异图㊷，斩关㊸奔大梁，珍亦弃军单骑继至。全忠两惜其才，皆不罪，遣还濮州，因引兵归。

全忠多权数㊹，将佐莫测其所为，惟敬翔能逆知㊺之，往往助其所不及，全忠大悦，自恨得翔晚，凡军机㊻、民政悉以咨之。

辛巳㊼，高邮镇遏使张神剑帅麾下二百人逃归扬州。丙戌㊽，孙儒屠高邮。戊子㊾，高邮残兵七百人溃围而至，杨行密虑其为变，分隶诸将，一夕尽坑㊿之。明日，杀神剑于其第。

杨行密恐孙儒乘胜取海陵。壬寅(351)，命镇遏使高霸帅其兵民悉归府城(352)，曰："有违命者，族之。"于是数万户弃资产、焚庐舍、挈老幼迁于广陵。戊戌(353)，霸与弟晤(354)、部将余绕山、前常州刺史丁从实至广陵，行密出郭(355)迎之，与霸、晤约为兄弟(356)，置其将卒于法云寺(357)。

己亥(358)，秦宗权陷郑州。

朝廷以淮南久乱，闰月，以朱全忠兼淮南节度使、东南面招讨使。

太长久，便借口有病不去。秦宗衡一再催促他，孙儒很生气，十一月初五日甲戌，和秦宗衡喝酒，在酒席上亲手杀了秦宗衡，把他的首级传送给朱全忠。秦宗衡的部将安仁义投降了杨行密。安仁义，本来是沙陀的将领，杨行密把所有的骑兵都交给他带领，地位排在田頵的上面。孙儒分派士兵抢掠邻州，没有多久，部众达到几万人。因为城下缺少食物，孙儒便和秦彦、毕师铎去袭击高邮。

当初，宣武都指挥使朱珍和排陈斩斫使李唐宾二人勇敢、谋略、功劳、名位大体相当，朱全忠每次作战，让两人一同前往，所到之处没有不胜利的，可是两个人平时互不服气。朱珍派人到大梁去迎接他的妻子，没有告诉朱全忠，朱全忠生气了，追回了他的妻子，杀了守门的人，派亲近的官吏蒋玄晖召回朱珍，让李唐宾代为总领朱珍的部众。馆驿巡官冯翊人敬翔劝谏说："朱珍不能轻易取代，恐怕他疑惧生乱。"朱全忠后悔了，派人追上去阻止。朱珍果然自生疑心，十一月初七日丙子夜里，朱珍摆设酒席叫来各个将领。李唐宾怀疑他图谋叛乱，杀了守护城门的士兵，跑往大梁，朱珍也丢下部队独自骑马跟着到了大梁。朱全忠爱惜他们的才能，都未加处罚，送他们返回濮州，然后带兵回去了。

朱全忠多权谋，部将、佐吏们猜不出他想干什么，只有敬翔能够预先知道他的想法，常常帮助朱全忠弥补没有料到的地方，朱全忠非常高兴，恨自己得到敬翔晚了，凡是军事机密、民政大事都询问敬翔的意见。

十一月十二日辛巳，高邮镇遏使张神剑率领部下二百人逃回扬州。十七日丙戌，孙儒屠灭高邮。十九日戊子，高邮残存的士兵七百人冲破包围回来，杨行密怕他们叛乱，把他们分别隶属各个将领，在一个晚上全都活埋了。第二天，杨行密在张神剑的府邸把他杀了。

杨行密害怕孙儒乘胜夺取海陵。壬寅日，命令镇遏使高霸率领他的士兵和民众都返回扬州府城，说："有违反命令的，杀了他全族。"于是几万户人家丢弃资产，焚烧房屋，扶老携幼，迁入广陵城。十一月二十九日戊戌，高霸和他的弟弟高晤、部将余绕山、前常州刺史丁从实到达广陵，杨行密出城迎接他们，和高霸、高晤结拜为兄弟，把他们的将领和士兵安置在法云寺。

三十日己亥，秦宗权攻陷郑州。

朝廷因为淮南长期战乱，闰十一月，任命朱全忠兼任淮南节度使、东南面招讨使。

【段旨】

以上为第八段，写秦宗权遣将与杨行密争扬州，朝廷任命朱全忠兼淮南节度使、东南面招讨使平淮南之乱。

【注释】

㉕辛未：十一月初二日。㉖故寨：杨行密攻广陵，在城西扎寨，现蔡军又据西寨。㉗甲戌：十一月初五日。㉘手刃：亲手杀之。㉙传首：将首级传送。㉚安仁义：原为沙陀将，在李国昌部下，后入秦宗权军中。其事散见《新唐书》卷一百八十八《杨行密传》等。㉛行密悉以骑兵委之二句：杨行密起于合肥，当时田頵为诸将之冠。现把全部骑兵托付给安仁义，位在田頵之上，表现杨行密知人善任。㉜排陈斩斫使：官名，藩镇自行任命的军职。陈，通“阵”。㉝偕：一起。㉞素不相下：平素互不服气，谁也不愿居于下位。㉟白：禀告。㊱亲吏：身边亲信官吏。㊲蒋玄晖（？至公元九〇五年）：朱全忠的心腹。昭宗东迁，为枢密使。唐昭宗天复四年（公元九〇四年），蒋玄晖与龙武统军朱友恭、氏叔琮杀昭宗。后被朱全忠车裂。传见《新唐书》卷二百二十三。㊳馆驿巡官：官名，唐制，节度属官有馆驿巡官四人。㊴敬翔（？至公元九二三年）：字子振，同州冯翊（今陕西大荔）人，朱温的亲信，朱温称帝后，知崇政院事，封平阳郡侯，朱友珪即位，为宰相。传见《旧五代史》卷十八、《新五代史》卷二十一。㊵猜惧：猜疑而

【原文】

陈敬瑄恶顾彦朗与王建相亲[359]，恐其合兵图己，谋于田令孜。令孜曰：“建，吾子[360]也，不为杨兴元[361]所容，故作贼耳。今折简[362]召之，可致麾下。”乃遣使以书召之，建大喜，诣梓州见彦朗曰：“十军阿父[363]见召，当往省[364]之。因见陈太师[365]，求一大州，若得之，私愿足矣！”乃留其家于梓州[366]，帅麾下精兵二千，与从子宗鐬、假子[367]宗瑶、宗弼、宗侃、宗弁俱西。宗瑶，燕[368]人姜郅。宗弼[369]，许人魏弘夫。宗侃，许人田师侃。宗弁，鹿弁也。

建至鹿头关[370]，西川参谋[371]李乂谓敬瑄曰：“王建，虎也，奈何延[372]之入室？彼安肯为公下乎！”敬瑄悔，亟遣人止之，且增修守备。建怒，破关而进，败汉州刺史张顼于绵竹[373]，遂拔汉州，进军学射山[374]，又败西川将句惟立于蚕北[375][19]，又拔德阳[376]。敬瑄遣使让[377]之，对曰：“十军阿父召我来，及门而拒之，重为顾公[378]所疑，进退无归矣。”田令孜登楼[379]慰谕[380]之，建与诸将于清远桥[381]上髡发[382]罗拜[383]，

恐惧。㉞丙子：十一月初七日。㉞异图：反叛的图谋。㉞斩关：杀掉守护城门的士兵。关，城门、城门门闩。㉞权数：谋略；权术。㉞逆知：预先知道。㉞军机：军中机要之事。朱全忠凡事咨询敬翔，篡夺唐朝政权，全赖敬翔之力。㉞辛巳：十一月十二日。㉞丙戌：十一月十七日。㉞戊子：十一月十九日。㉟坑：活埋。㉟壬寅：上文叙事到十一月十九日戊子的次日，即二十日己丑，下文叙事起于十一月二十九日戊戌，“壬寅”当在这一时间内。但从二十日至二十九日之间无“壬寅”，疑为“壬辰”之误。壬辰是十一月二十三日。㉟府城：扬州府城。㉟戊戌：十一月二十九日。㉟暀：高霸之弟高暀。㉟郭：外城。㉟与霸暀约为兄弟：杨行密为了安定高霸兄弟的心，所以出郭相迎，约为兄弟。约，盟约。㉟法云寺：寺庙名，在扬州城内。㉟己亥：十一月三十日。

【校记】

[17]使：原作“使人”。据章钰校，十二行本、乙十一行本皆无“人”字，今据删。[18]唐宾：原作“汉宾”。张敦仁《通鉴刊本识误》作“唐宾”，当是，今从改。

【语译】

陈敬瑄厌恶顾彦朗和王建两人亲近，害怕他们连兵图谋自己，就和田令孜商议。田令孜说：“王建是我的养子，不被杨守亮所容纳，所以做了贼寇。现在我写封信招呼他，就可以来到你的麾下。”于是派遣使者用书信招呼王建，王建很高兴，前往梓州去见顾彦朗说：“我的养父叫我去，我应当前去探望他。顺便进见陈敬瑄，要一个大州，如果得到了，我的个人愿望就满足了！”就把他的家属留在梓州，率领部下精兵二千人，和侄子王宗鐬以及养子王宗瑶、王宗弼、王宗侃、王宗弁一同西去。王宗瑶，就是燕人姜郅。王宗弼，就是许人魏弘夫。王宗侃，就是许人田师侃。王宗弁，就是鹿弁。

王建到达鹿头关。西川参谋李乂对陈敬瑄说：“王建，是头老虎，为什么把他请到室内来呢？他怎么肯处在您的下位啊！”陈敬瑄后悔了，急忙派人阻止王建，并且增加守备。王建大怒，攻破鹿头关向前进军，在绵竹打败了汉州刺史张顼，又攻下汉州，进兵学射山；还在蚕北镇打败了西川将领句惟立，又攻取了德阳。陈敬瑄派遣使者去责备他，王建回答说：“我的养父招呼我来，到了关门口反而拒绝我，又加上被顾彦朗怀疑，真是进退都没有出路了。”田令孜登上城楼安慰他，说明情况，王建和各将领在清远桥上，剪去头发，罗列参拜，说：“今天既然没有了归路，只得告

曰:“今既无归，且辞阿父作贼矣!”顾彦朗以其弟彦晖[384]为汉州刺史，发兵助建，急攻成都，三日不克而退，还屯汉州。

敬瑄告难[385]于朝，诏遣中使和解之。又令李茂贞以书谕之，皆不从。

【段旨】

以上为第九段，写西川王建发兵取成都，连战皆捷，陈敬瑄告难于朝。

【注释】

[359]相亲：相友善、亲近。王建与顾彦朗原都在神策军，后顾彦朗为东川节度使，王建据阆州后，顾多次遣使问候，并赠军饷。[360]吾子：中和四年（公元八八四年）王建怕鹿晏弘猜忌，与张造、晋晖等逃奔行在，田令孜养为假子。[361]杨兴元：即杨守亮。杨为山南西道节度使，驻节兴元，故称杨兴元。传见《旧唐书》卷一百八十四、《新唐书》卷一百八十六。[362]折简：古人以竹简作书，简长二尺四寸，短者一半。折半之简，言礼轻、随便。此处意谓随便写封信他就会来。[363]十军阿父：即田令孜。田曾为神策十军观军容使，又待王建情同父子，故称。传见《旧唐书》卷一百八十四、《新唐书》卷二百八。[364]省：探望；问候。[365]陈太师：即陈敬瑄。唐僖宗自成都东还，进陈敬瑄为检校太师，故称。传见《新唐书》卷二百二十四下。[366]梓州：州名，治所在今四川三台。当时

【原文】

杨行密欲遣高霸屯天长以拒孙儒，袁袭曰:“霸，高氏旧将，常挟[386]两端，我胜则来，不胜则叛。今处之天长，是自绝其归路也，不如杀之。”己酉[387]，行密伏甲[388]执霸及丁从实、余绕山，皆杀之。又遣千骑掩杀其党于法云寺，死者数千人。是日，大雪，寺外数坊[389]地皆赤[390]。高晱出走，明日，获而杀之。

吕用之之在天长也，绐杨行密曰:“用之有银五万铤[391]，埋于所居，克城之日，愿备麾下一醉之资[392]。”庚戌[393]，行密阅[394]士卒，顾用之曰:

别您去做贼寇了！”顾彦朗派遣他的弟弟顾彦晖为汉州刺史，调兵帮助王建，急攻成都，三天未能攻克，就撤退了，返回后屯驻在汉州。

陈敬瑄向朝廷告急，僖宗下诏派遣中使调解他们。又下令李茂贞用书信晓谕他们，都没有听从。

顾彦朗治梓州。㊱假子：王建和田令孜一样，也爱认干儿子，所以义子很多。㊳燕：州名，州治在今北京市顺义北。㊴宗弼：王建养子王宗弼（？至公元九二五年），原名魏弘夫，许州人，官至中书令。蜀亡，为郭崇韬所杀。传附《新五代史》卷六十三《王建传》。㊵鹿头关：关名，在今四川德阳北。㊶参谋：官名，唐天下兵马元帅下有行军参谋，参与军中机密。㊷延：邀请。㊸绵竹：县名，县治在今四川绵竹。㊹学射山：山名，在四川成都北四十里。㊺蚕北：镇名，在成都府成都县。㊻德阳：县名，县治在今四川德阳。㊼让：责备。㊽顾公：即顾彦朗。传见《新唐书》卷一百八十六。㊾楼：成都南门楼，即大玄楼。㊿慰谕：安慰并说明情况使其理解。(381)清远桥：在成都南门大玄楼前面。(382)髡发：剃去头发。(383)罗拜：罗列而拜。(384)彦晖：顾彦朗之弟顾彦晖（？至公元八九七年）。传见《新唐书》卷一百八十六。(385)告难：报告王建、顾彦晖急攻成都之难。

【校记】

[19]蚕北：原作“蚕此”。据章钰校，乙十一行本作“蚕北”，今从改。

【语译】

杨行密打算派遣高霸驻扎在天长以便抵御孙儒。袁袭说：“高霸是高骈的旧时将领，常常脚踏两条船，我们胜了就来我们这里，不胜他就叛变。如今把他安置在天长，这是自己断了退路，不如把他杀了。”闰十一月初十日己酉，杨行密埋伏甲兵抓住了高霸和丁从实、余绕山，把他们都杀了。又派遣一千名骑兵到法云寺袭杀了他们的同伙，死的有几千人。这一天，下了大雪，法云寺外几个街市的地上都染红了。高睢出逃，第二天，抓住后把他杀了。

吕用之在天长时，欺骗杨行密说：“我吕用之有银子五万锭，埋在居住的地方，攻下城池那一天，我愿意备作您部下一次饮酒的费用。”闰十一月十一日庚戌，杨行

“仆射许此曹[395]银，何食言[396]邪!”因牵下械系[397]，命田颙鞫[398]之，云：“与郑杞、董瑾谋因[399]中元[400]夜，邀高骈至其第建黄箓斋[401]，乘其入静[402]，缢杀[403]之，声言上升[404]。因令莫邪都[405]帅诸军推用之为节度使。”是日，腰斩用之，怨家刳裂[20]立尽，并诛其族党。军士发[406]其中堂[407]，得桐人，书骈姓名于胸，桎梏[408]而钉之。

袁袭言于行密曰：“广陵饥弊已甚，蔡贼[409]复来，民必重困，不如避之。”甲寅[410]，行密遣和州将延陵宗[411]以其众二千人归和州。乙卯[412]，又命指挥使蔡俦将兵千人，辎重数千两[413]，归于庐州。

赵晖据上元，会周宝败，浙西溃卒[414]多归之，众至数万。晖遂自骄大，治南朝[415]台城[416]而居之，服器[21]奢僭[417]。张雄在东塘，晖不与通问，雄溯江而上，晖以兵塞其中流[418]。雄怒，戊午[419]，攻上元，拔之。晖奔当涂[420]，未至，为其下所杀。余众降，雄悉坑之。

朱全忠遣内客将[421]张廷范[422]致朝命于杨行密，以行密为淮南节度副使，又以宣武行军司马李璠为淮南留后，遣牙将郭言将兵千人送之。

感化节度使时溥自以于全忠为先进[423]，官为都统[424]，顾不得领[22]淮南，而全忠得之，意甚恨望[425]。全忠以书假道[426]于溥，溥不许。璠至泗州[427]，溥以兵袭之，郭言力战得免而还，徐、汴始构怨[428]。

十二月癸巳[429]，秦宗权所署山南东道留后赵德諲[430]陷荆南，杀[23]节度使张瓌，留其将王建肇守城而去，遗民才数百家。

饶州[431]刺史陈儒[432]陷衢州[433]。

上蔡[434]贼帅冯敬章陷蕲州[435]。

乙未[436]，周宝卒[437]于杭州。

钱镠以杜稜为常州制置使。命阮结等进攻润州，丙申[438]，克之，刘浩[439]走，擒薛朗以归。

密检阅士兵，回头看着吕用之说：“你答应给我部下银子，为什么说话不算数啊！”因此把他带下去，戴上刑具，命令田頵审问他，田頵说：“吕用之和郑杞、董瑾谋划趁七月十五日中元节的夜里，邀请高骈到他的府第去举行黄箓大斋，借着他入静时，勒死他，对外声称高骈升天成仙了。乘机命令莫邪都率领各路军队推举吕用之为节度使。”当天，吕用之被腰斩，他的仇家又刳裂尸体上的皮肉，立刻没了，又一起诛杀了吕用之的家族和同党。士兵们掘开吕用之厅堂的正中，得到一个桐木雕刻的人，胸部写着高骈的姓名，戴着刑具，身上钉着钉子。

袁袭告诉杨行密说：“广陵城饥荒到了极点，蔡州贼军再次前来，老百姓的穷困会更加深重，不如躲开他。”闰十一月十五日甲寅，杨行密派遣和州的将领延陵宗带领他的部众两千人返回和州。十六日乙卯，又命令指挥使蔡俦率领士兵一千人，运载军用物资的车子几千辆，返回庐州。

赵晖占据上元县，适逢周宝战败，浙西溃败的士卒多来归附他，部众达到几万人。赵晖便骄傲自大起来，整修南朝的台城来居住，衣服、器物奢侈越制。张雄在东塘，赵晖不和他互通问候，张雄逆江而上，赵晖派兵在江中心堵塞他们。张雄生气了，闰十一月十九日戊午，攻打上元县，攻取了它。赵晖逃往当涂，还未到达，被部下所杀。剩余的部众投降了，张雄将他们全都活埋了。

朱全忠派遣内客将张廷范送朝廷的命令给杨行密，任命杨行密为淮南节度副使，又任命宣武行军司马李璠为淮南留后，派遣牙将郭言率兵一千人护送李璠。

感化节度使时溥自认为比朱全忠资格老，官为都统，反而不能统领淮南之地，而被朱全忠得到了，心中极为怨恨。朱全忠写信向时溥借道，时溥不答应。李璠到达泗州，时溥派兵袭击他，郭言奋力作战才得以脱身返回。徐州的时溥、汴州的朱全忠开始结下了怨仇。

十二月二十五日癸巳，秦宗权所委任的山南东道留后赵德諲攻陷荆南，杀了节度使张瓌，留下自己的将领王建肇守城，然后离去，遗留的百姓才几百家。

饶州刺史陈儒攻陷衢州。

上蔡贼寇的首领冯敬章攻陷蕲州。

二十七日乙未，周宝死于杭州。

钱镠委任杜稜为常州制置使。命令阮结等人进攻润州，二十八日丙申，攻克润州，刘浩逃走了，活捉了薛朗返回。

【段旨】

以上为第十段，写杨行密诛杀吕用之。感化军节度使时溥不服朱全忠得淮南节度使之职，徐汴始交恶。

【注释】

㊳86挟：夹持。㊳87己酉：闰十一月初十日。㊳88伏甲：埋伏甲兵。甲，甲胄、盔甲。指全副武装的士兵。㊳89坊：街坊。㊳90赤：红色。被杀死的人数千之多，几条街坊都被鲜血染红。㊳91铤：专门铸成各种形状的金银块，可作为货币流通。㊳92一醉之资：一次喝酒的钱。是说这些银子可献给杨行密犒劳将士，用作买酒之资。㊳93庚戌：闰十一月十一日。㊳94阅：检阅。㊳95曹：辈。㊳96食言：说话不算话。㊳97械系：戴上刑具。械，桎梏。系，捆绑。㊳98鞫：审讯。㊳99因：趁。㊵00中元：道家书以正月十五为上元，七月十五为中元，十月十五为下元。㊵01黄箓斋：道教设此斋，普召天神、地祇、人鬼，设坛祈祷，追忏罪根，祈求升仙界。㊵02入静：道家语。静处一室，屏去左右，澄神静虑，无思无营，以接天神。㊵03缢杀：勒颈致死。㊵04上升：离世成仙。㊵05莫邪都：军名。㊵06发：挖掘。㊵07中堂：厅堂的正中。㊵08桎梏：脚镣手铐。㊵09蔡贼：指孙儒。㊵10甲寅：闰十一月十五日。㊵11延陵宗：毕师铎攻广陵时，杨行密向和州借兵，孙端所派即延陵宗部。现遣还。㊵12乙卯：闰十一月十六日。㊵13两：通“辆”。㊵14溃卒：败溃之兵。上元县近京口，攻浙西溃兵多归之。㊵15南朝：宋、齐、梁、陈。㊵16台城：古城名，本三国吴后苑城，东晋成帝时改建，为东晋、南朝台省（中央政府）和宫殿所在地，故名台城。隋平陈时，已全部毁掉，耕垦为田，至此时已堙废很久。故址在今江苏南京鸡鸣山南干河沿北。㊵17奢僭：器物服饰华丽超过制度。㊵18中流：江流中心。㊵19戊午：闰十一月十九日。㊵20当涂：县名，县治在今安徽当涂。㊵21内客将：官名，主唱导赞礼，接待宾客。㊵22张廷范：以优人为朱全忠所爱，官至河南尹、太常卿。朱全忠怒其加九锡迟缓，诛杀蒋玄晖，张廷范被车裂于洛阳。

【原文】

文德元年（戊申，公元八八八年）

春，正月甲寅㊹40，孙儒杀秦彦、毕师铎、郑汉章。彦等之归秦宗衡[24]也，其众犹二千余人，其后稍稍为儒所夺。裨将唐宏知其必及祸㊹41，恐并死㊹42，乃诬告彦等潜召汴军。儒杀彦等，以宏为马军使㊹43。

张守一与吕用之同归杨行密，复为诸将合㊹44仙丹，又欲干㊹45军府之政，行密怒而杀之。

蔡将石璠将万余人寇陈、亳，朱全忠遣朱珍、葛从周将数千骑击擒之。癸亥㊹46，以全忠为蔡州四面行营都统㊹47，代时溥，诸镇兵皆受全忠节度㊹48。

传见《新唐书》卷二百二十三《奸臣传》下。㊷③先进：前辈。㊷④都统：官名，可督统诸道之兵，位在节度使之上。㊷⑤望：怨；怨望。㊷⑥假道：借路。㊷⑦泗州：州名，治所临淮，在今江苏盱眙对岸。㊷⑧构怨：结怨。时溥为感化节度使，治徐州，故云徐、汴结怨。㊷⑨癸巳：十二月二十五日。㊸⓪赵德諲：字光仪，蔡州人，赵匡凝之父。传见《新唐书》卷一百八十六，并附《旧五代史》卷十七、《新五代史》卷四十一《赵匡凝传》。㊸①饶州：州名，治所鄱阳，在今江西鄱阳。㊸②陈儒：胡三省注引路振《九国志》，"陈儒，同安贼也"。与上卷朱敬玫将陈儒同名，非一人。㊸③衢州：州名，治所信安，在今浙江衢州。㊸④上蔡：县名，县治在今河南上蔡。㊸⑤蕲州：州名，治所蕲春，在今湖北蕲春。㊸⑥乙未：十二月二十七日。㊸⑦周宝卒：唐末周宝为镇海军节度使兼南面招讨使，与都统高骈共讨黄巢，镇杭州。传见《新唐书》卷一百八十六。本传载，周宝为钱镠所杀。据胡三省注所引《吴越备史》，周宝为病卒。㊸⑧丙申：十二月二十八日。㊸⑨刘浩：原为镇海军将，光启三年（公元八八七年）逐周宝而奉薛朗为镇海留后。其事略见《新唐书》卷一百八十六《周宝传》等。

【校记】

［20］刳裂：原作"刳割"。据章钰校，十二行本、乙十一行本、孔天胤本皆作"刳裂"，今从改。［21］服器：原作"服用"。据章钰校，十二行本、乙十一行本皆作"服器"，今从改。［22］领：据章钰校，十二行本、乙十一行本皆无此字。〖按〗有"领"字义长。［23］杀：原无此字。张敦仁《通鉴刊本识误》有此字，当是，今据补。

【语译】

文德元年（戊申，公元八八八年）

春，正月十六日甲寅，孙儒杀死秦彦、毕师铎、郑汉章。秦彦等人归附秦宗衡时，他们的部众仍有两千多人，后来逐渐被孙儒所夺。秦彦的裨将唐宏知道秦彦等人必遭祸殃，害怕一起死去，便诬告秦彦等暗中招引汴州的军队。孙儒杀死秦彦等人，任命唐宏为马军使。

张守一当初和吕用之一起归附杨行密，又给各将领调配仙丹，又想干预军府政务，杨行密很生气，杀了张守一。

蔡州的将领石璠率领一万多人去侵掠陈州、亳州，朱全忠派遣朱珍、葛从周统率几千名骑兵攻打石璠，活捉了他。正月二十五日癸亥，任命朱全忠为蔡州四面行营都统，代替时溥，各镇军队都受朱全忠的节制调度。

张廷范至广陵，杨行密厚礼之。及闻李璠来为留后，怒，有不受[449]之色。廷范密使人白全忠，宜自以大军赴镇，全忠从之。至宋州[450]，廷范自广陵逃来，曰：“行密未可图也。”甲子[451]，李璠至，言徐军[452]遮道，全忠乃止。

丙寅[453]，钱镠斩薛朗，剖其心以祭周宝[454]，以阮结为润州制置使。

二月，朱全忠奏以杨行密为淮南留后。

乙亥[455]，上不豫[456]。壬午[457]，发凤翔[458]。己丑[459]，至长安。庚寅[460]，赦天下，改元[461]。以韦昭度兼中书令。

【段旨】

以上为第十一段，写徐州时溥遮道，朱全忠不得入广陵，奏请杨行密为留后。僖宗还京师。

【注释】

[440] 甲寅：正月十六日。[441] 及祸：遭祸殃。[442] 并死：一起死。[443] 马军使：官名，节度使自行任命的官职，统马军。[444] 合：配。[445] 干：干预；过问。[446] 癸亥：正月二十五日。[447] 四面行营都统：官名，战时设置以节制各节度使的统领，战罢即省。[448] 节度：节制调度。诸镇兵受朱全忠统率，讨伐秦宗权。[449] 不受：不接受朝命。朱全忠派张廷范来

【原文】

魏博节度使乐彦祯[25]，骄泰[462]不法，发六州[463]民，筑罗城[464]，方八十里，人苦其役，其子从训，尤凶险。既杀王铎[465]，魏人皆恶之。从训聚亡命五百余人为亲兵，谓之子将，牙兵[466]疑之，藉藉[467][26]不安。从训惧，易服[468]逃出，止于近县，彦祯因以为相州[469]刺史，从训遣人至魏运甲兵、金帛，交错于路，牙兵益疑。彦祯惧，请避位，居龙兴寺为僧，众推都将赵文玣知留后事。

张廷范到达广陵，杨行密对他厚礼相待。等到听说李璠要来这里担任留后，非常生气，有不接受的神色。张廷范暗中派人报告朱全忠，应该亲自率领大军前往镇所，朱全忠听从了他的意见。到达宋州，张廷范从广陵跑来，说："还不能图谋杨行密。"正月二十六日甲子，李璠到了，说时溥的徐州军阻拦道路，朱全忠这才止步。

正月二十八日丙寅，钱镠杀死薛朗，挖出他的心来祭奠周宝，派阮结为润州制置使。

二月，朱全忠奏请任命杨行密担任淮南留后。

初七日乙亥，僖宗生病。十四日壬午，僖宗从凤翔出发。二十一日己丑，到达长安。二十二日庚寅，赦免天下，改换年号。任命韦昭度兼任中书令。

宣布朝命，以杨行密为淮南节度副使，又以李璠为淮南留后，故杨行密不悦。㊿宋州：州名，治所宋城，在今河南商丘。451 甲子：正月二十六日。452 徐军：指时溥军。453 丙寅：正月二十八日。454 祭周宝：薛朗曾逐周宝，故剖其心祭之。455 乙亥：二月初七日。456 不豫：皇帝有病的讳称。457 壬午：二月十四日。458 发凤翔：车驾从凤翔出发。459 己丑：二月二十一日。460 庚寅：二月二十二日。461 改元：改元文德。

【校记】

［24］秦宗衡：原无"秦"字。据章钰校，十二行本、乙十一行本皆有此字，张敦仁《通鉴刊本识误》、张瑛《通鉴校勘记》同，今据补。

【语译】

魏博节度使乐彦祯，傲慢奢侈，不守法纪，调动魏、博、贝、相、澶、卫六州民众修筑魏州的罗城，方圆八十里，人们深感劳役的苦重，他的儿子乐从训，尤为凶狠阴险。他杀了王铎后，魏州的民众都憎恨他。乐从训聚集亡命徒五百多人做亲兵，称为子将，牙兵怀疑这件事，纷纷骚动不安。乐从训很害怕，换衣服逃了出去，在附近的县停留下来。乐彦祯便任命他担任相州刺史。乐从训派人到魏州搬运铠甲、兵器、金银、布帛，车辆在道路上交错来往，牙兵更加怀疑。乐彦祯很害怕，请求辞职，住在龙兴寺做了和尚，大家推举都将赵文玣掌管留后的职务。

从训引兵三万至城下，文玠不出战，众复杀之，推牙将贵乡罗弘信⑩知留后事。先是，人有言“见白须翁，言弘信当为地主⑪”者，文玠既死，众群聚呼曰：“谁欲为节度使者？”弘信出应曰：“白须翁已命我矣。”众环视曰：“可也。”遂立之。弘信引兵出，与从训战，败之。从训收余众保内黄⑫，魏人围之。

先是，朱全忠将讨蔡州，遣押牙雷邺以银万两请籴⑬于魏。牙兵既逐彦祯，杀邺于馆。从训既败，乃求救于全忠。

初，河阳节度使李罕之与河南尹[27]张全义刻臂为盟，相得欢甚。罕之勇而无谋，性复贪暴，意轻⑭全义，闻其勤俭力穑⑮，笑曰：“此田舍一夫耳！”全义闻之，不以为忤⑯。罕之屡求谷帛，全义皆与之。而罕之征求无厌，河南不能给⑰，小不如⑱所欲，辄械⑲河南主吏[28]至河阳杖之，河南将佐皆愤怒。全义曰：“李太尉⑳[29]所求，奈何不与！”竭力奉之，状若畏之者，罕之益骄。罕之所部不耕稼，专以剽掠㉑为资，啖人为粮，至是悉其众攻绛州㉒，绛州刺史王友遇降之。进攻晋州㉓，护国节度使王重盈密结全义以图之。全义潜发屯兵㉔，夜，乘虚袭河阳，黎明，入三城㉕，罕之逾垣步走，全义悉俘其家，遂兼领河阳节度使。罕之奔泽州㉖，求救于李克用。

【段旨】

以上为第十二段，写魏博镇内讧，众推罗弘信为留后。河南尹张全义败李罕之，兼领河阳节度使。

【注释】

㉒骄泰：傲慢奢侈。㉓六州：指魏、博、贝、相、澶、卫六州。㉔罗城：魏州外围大城。㉕杀王铎：事见上卷中和四年。㉖牙兵：一名牙中军，即衙军。亲兵或卫队。魏博牙中军是唐肃宗至德年间，田承嗣招募军中子弟所建，颇拥权势，常常废置主帅。㉗藉藉：纷纷。牙兵本为亲兵，现乐从训又置子将，牙兵怀疑即将失势，故不安。㉘易服：更换便服。㉙相州：州名，治所安阳，在今河南安阳。⑩罗弘信（公元八三六至八九

乐从训带领士兵三万人到达魏州城下，赵文玣不出来作战，大家又杀掉了他，推举牙将贵乡人罗弘信掌管留后的职务。此前，民众中有说“看到白胡须的老翁，说罗弘信应当做本地的长官”的人，赵文玣死后，大家成群聚集在一起，呼叫说：“哪个人想做节度使?”罗弘信出来回答说：“白胡须的老翁已经命令我做了。”大家围着看他，说：“可以。”于是拥立了罗弘信。罗弘信带兵出城，与乐从训交战，打败了他。乐从训收拢余下的部众据守内黄县，魏州的士兵包围了他。

此前，朱全忠即将讨伐蔡州，派遣押牙雷邺用一万两银子到魏州买粮食。牙兵既然赶走了乐彦祯，便在客舍把雷邺杀了。乐从训战败后，就向朱全忠求救。

当初，河阳节度使李罕之和河南尹张全义在臂膀刺字结盟，关系融洽，非常高兴。李罕之勇而无谋，性格又贪婪残暴，心里轻视张全义，听说他勤劳节俭，尽力农耕，便笑着说：“这个人只是田舍的一个农夫而已!”张全义听到了，也不因此有所抵触。李罕之多次索求粮食、布帛，张全义都给了他。但李罕之索求无厌，河南不能满足，稍微不能如愿，就把河南的主管官吏戴上刑具送到河阳用棍棒拷打。河南的将领、佐吏都很愤怒。张全义说：“李罕之所要求的，为什么不给他呢!”张全义尽力侍奉李罕之，好像很害怕他的样子，李罕之愈加骄傲起来。李罕之所辖部队不种田，专门以抢掠作为供给，吃人肉作为食粮。到这时，他率领所有的部众攻打绛州，绛州刺史王友遇投降了。李罕之进军攻打晋州，护国节度使王重盈秘密联合张全义来谋算他。张全义暗中调动民兵，夜里，乘着李罕之后方空虚袭击河阳，天亮时，攻入河阳的南城、北城、中潬城，李罕之翻越城墙徒步逃走，张全义把他的全家都俘虏了，便兼领河阳节度使。李罕之逃往泽州，向李克用求救。

九年）：字德孚，魏州贵乡（今河北大名）人，魏州节度使。传见《旧唐书》卷一百八十、《新唐书》卷二百十、《旧五代史》卷十四、《新五代史》卷三十九。㊼地主：地方之主。㊽内黄：县名，县治在今河南内黄西北。㊾籴：买粮食。㊿意轻：内心看不起。(475)力穑：尽力耕作。(476)忤：抵触；不顺从。(477)给：足；充足。(478)小不如：稍有不能满足。(479)械：枷锁、镣铐一类刑具。此处用如动词。(480)李太尉：指李罕之。(481)剽掠：抢劫。(482)绛州：州名，治所正平，在今山西新绛。(483)晋州：州名，治所临汾，在今山西临汾。(484)屯兵：即民兵。张全义为河南尹，在所属十八个县各置屯将，带领、训练屯兵。(485)三城：河阳有南城、北城、中潬城。(486)泽州：州名，治所晋城，在今山西晋城。河阳向北至泽州九十里。

【校记】

［25］乐彦祯：据章钰校，十二行本、乙十一行本皆作“乐彦桢”。〖按〗《旧唐书》《新唐书》皆作“乐彦祯”，无“乐彦桢”。［26］藉藉：原作“籍籍”。据章钰校，十二行本、乙十一行本皆作“藉藉”，今从改。［27］河南尹：原无此三字。据章钰校，十二行

【原文】

三月戊戌朔[487]，日有食[488]之，既[489]。

己亥[490]，上疾复作[491]。壬寅[492]，大渐[493]。皇弟吉王保[494]，长而贤，群臣属望[495]。十军观军容使杨复恭请立其弟寿王杰[496]。是日，下诏，立杰为皇太弟，监军国事。右军中尉[497]刘季述[498]遣兵迎杰于六王宅[499]，入居少阳院[500]，宰相以下就见之。癸卯[501]，上崩于灵符殿[502]。遗制，太弟杰更名敏，以韦昭度摄冢宰[503]。

昭宗即位，体貌明粹，有英气，喜文学，以僖宗威令不振，朝廷日卑[504]，有恢复前烈[505]之志，尊礼[506]大臣，梦想贤豪，践阼之始，中外忻忻[507]焉。

朱全忠裹粮[508]于宋州，将讨[30]秦宗权。会乐从训来告急，乃移军屯滑州，遣都押牙李唐宾等将步骑三万攻蔡州，遣都指挥使朱珍等分兵救乐从训。自白马[509]济河[510]，下黎阳[511]、临河[512]、李固[513]三镇。进至内黄，败魏军万余人，获其将周儒等十人。

李克用以其将康君立为南面招讨使，督李存孝、薛阿檀、史俨、安金俊、安休休五将、骑七千，助李罕之攻河阳。张全义婴城[514]自守，城中食尽，求救于朱全忠，以妻子为质。

王建攻彭州[515]，陈敬瑄救之，乃去。建大掠西川，十二州[516]皆被[517]其患。

夏，四月庚午[518]，追尊上母王氏曰恭宪皇后。

壬午[519]，孙儒袭扬州，克之。杨行密出走，儒自称淮南节度使。行密将奔海陵，袁袭劝归庐州，再为进取之计，从之。

本、乙十一行本、孔天胤本皆有此三字，张敦仁《通鉴刊本识误》同，今据补。［28］主吏：据章钰校，乙十一行本作“注吏”。〖按〗“主吏”为节度使幕僚，非有“注吏”，乙十一行本恐有误。［29］太尉：据章钰校，十二行本、乙十一行本皆作“太傅”。〖按〗时李罕之官拜河阳节度使，似不当为太傅。“太尉”义长。

【语译】

三月初一日戊戌，发生日食，是日全食。

三月初二日己亥，僖宗的病又发作了。初五日壬寅，病情大大加重。僖宗的弟弟吉王李保，年长而又贤明，群臣都对他寄托希望。十军观军容使杨复恭请求立他的弟弟寿王李杰。这一天，下发诏命，立李杰为皇太弟，监领军国大事。右军中尉刘季述派遣士兵到六王宅迎接李杰，入住少阳院。宰相以下的官员到少阳院拜见李杰。初六日癸卯，僖宗在灵符殿去世。留下制命，皇太弟李杰改名李敏，任命韦昭度代理宰相。

昭宗即位，体貌明朗纯美，有威武的气概，喜欢文学。因为僖宗的威势和政令不能提振，朝廷的威望一天比一天下降，昭宗有恢复先帝功业的志向，尊敬礼遇大臣，想得到贤士豪杰。即位初期，朝廷内外都很欣喜。

朱全忠在宋州携带粮食，即将讨伐秦宗权。适逢乐从训前来告急，于是调动军队屯驻滑州，派遣都押牙李唐宾等人统率步卒、骑兵三万人攻打蔡州，派遣都指挥使朱珍等人分兵救援乐从训。从白马渡河，攻下黎阳、临河、李固三个镇。进兵到内黄，打败了魏州的军队一万多人，抓获了他的将领周儒等十人。

李克用任命他的部将康君立为南面招讨使，督领李存孝、薛阿檀、史俨、安金俊、安休休五个将领和骑兵七千人，帮助李罕之攻打河阳。张全义环城自守，城里的粮食吃完了，向朱全忠求救，拿自己的妻儿作为人质。

王建攻打彭州，陈敬瑄救援他，王建才离去。王建大肆抢掠西川，十二个州都遭受了他的祸害。

夏，四月初三日庚午，追尊昭宗的母亲王氏为恭宪皇后。

十五日壬午，孙儒袭击扬州，把他攻了下来。杨行密出走，孙儒自称为淮南节度使。杨行密准备逃往海陵，袁袭劝他返回庐州，再作进兵的打算，杨行密同意了这一建议。

朱全忠遣其将丁会[520]、葛从周、牛存节[521]将兵数万救河阳。李存孝令李罕之以步兵攻城，自帅骑兵逆战于温[522]，河东军败，安休休惧罪，奔蔡州。汴人分兵欲断太行路[523]，康君立等惧，引兵还。全忠表丁会为河阳留后，复以张全义为河南尹。会，寿春[524]人。存节，博昌[525]人也。全义德全忠出己[526]，由是尽心附之，全忠每出战，全义主给[527]其粮仗[528]无乏。

李罕之为泽州刺史，领河阳节度使。罕之留其子颀事克用，身还泽州，专以寇钞[529]为事，自怀、孟、晋、绛数百里间，州无刺史，县无令长，田无麦禾，邑[530]无烟火者，殆将十年。河中、绛州之间有摩云山[531]，绝高，民保聚其上，寇盗莫能近，罕之攻拔之，时人谓之"李摩云"。

乐从训移军洹水[532]，罗弘信遣其将程公信击从训，斩之，与父彦祯皆枭首军门。癸巳[533]，遣使以厚币[534]犒全忠军，请修好，全忠乃召军还。诏以罗弘信权知[535]魏博留后。

【段旨】

以上为第十三段，写僖宗崩，昭宗即位。淮南孙儒败杨行密入据广陵，自称淮南节度使。魏博罗弘信杀前任乐彦祯、乐从训父子，与朱全忠交好。李罕之引李克用为援，张全义归附朱全忠。

【注释】

[487]戊戌朔：三月初一日。[488]食：日食。[489]既：食尽，日全食。[490]己亥：三月初二日。[491]上疾复作：指僖宗再次生病。[492]壬寅：三月初五日。[493]渐：病情加剧。[494]吉王保：懿宗第六子李保，咸通十三年（公元八七二年）始封王。传见《旧唐书》卷一百七十五、《新唐书》卷八十二。[495]属望：注目；向往。[496]杰：即昭宗李杰。[497]右军中尉：官名，即右神策军护军中尉。[498]刘季述：唐末大宦官，助杨复恭立昭宗，杨复恭被斥逐，刘季述惊恐，擅自废帝立太子，欲尽诛百官，为宰相崔胤所杀。传见《新唐书》卷二百八。[499]六王宅：僖宗兄弟八人，李侹早薨，现有六王，居六王宅。[500]少阳院：大明宫日华门外有史馆，史馆之北为少阳院。[501]癸卯：三月初六日。[502]上崩于灵符殿：僖宗崩年二十七。大明宫东内苑有灵符应圣院，灵符殿疑即此院之殿。[503]摄冢宰：总领

朱全忠派遣他的部将丁会、葛从周、牛存节率领几万士兵救援河阳。李存孝命令李罕之利用步兵攻城，自己率领骑兵在温县迎战。河东的军队失败了，安休休害怕获罪，逃往蔡州。汴州军队分出部分兵力，打算切断通往太行的道路，康君立等人害怕了，带兵返回。朱全忠表请丁会为河阳留后，又以张全义为河南尹。丁会，是寿春人。牛存节，是博昌人。张全义感谢朱全忠帮助自己脱险，从此全心全意归附他。朱全忠每次外出作战，张全义负责供给他粮食、兵器，从不缺少。

李罕之担任泽州刺史，兼领河阳节度使。李罕之留下他的儿子李颀侍奉李克用，本人返回泽州，专事为寇抢掠。从怀州、孟州、晋州、绛州几百里之间，州没有刺史，县没有令长，田地没有禾麦，城邑没有人烟，这种情况，将近有十年。河中、绛州之间有座摩云山，极高，百姓聚集守护在上面，贼寇强盗不能接近，李罕之攻取了摩云山，当时人称他“李摩云”。

乐从训把军队迁徙到洹水，罗弘信派遣他的部将程公信攻打乐从训，杀死了他，在军门前与他父亲乐彦祯都枭首示众。四月二十六日癸巳，昭宗派遣使者带着丰厚的财物犒劳朱全忠的军队，请求建立友好关系，朱全忠便下令军队返回。昭宗下诏任命罗弘信暂时代理魏博留后的职位。

百官为首席辅政。冢宰，古官名，《周礼》：“冢宰掌邦治，统百官，均四海。”这里借为首辅之意。㉔卑：指朝纲衰微。㉕前烈：前辈明君如唐太宗、唐玄宗的功业。烈，功业。㉖尊礼：敬重礼遇。㉗中外忻忻：朝廷内外欣喜的样子。当时藩镇割据，社会动乱。人心厌乱思治，见昭宗初政，期望他能有所作为。忻，通“欣”。㉘裹粮：携带粮食，准备出战。㉙白马：县名，因其地有白马山得名，县治在今河南滑县东。㉚济河：渡过黄河。㉛黎阳：镇名，在今河南浚县东北。㉜临河：县名，县治在今河南濮阳西六十里。㉝李固：镇名，在今河北魏县。㉞婴城：环城。㉟彭州：州名，治所在今四川彭州。㊱十二州：西川节度统益、彭、蜀、汉、嘉、眉、邛、简、资、雅、黎、茂十二州。㊲被：遭受。㊳庚午：四月初三日。㊴壬午：四月十五日。㊵丁会（？至公元九一〇年）：字道隐，寿州寿春（今安徽寿县）人，朱全忠部将，多立战功。不满朱全忠篡唐，以潞州降李克用。传见《旧五代史》卷五十九、《新五代史》卷四十四。㊶牛存节：字赞贞，青州博昌（今山东博兴）人，本名礼，朱全忠改而字之。少以雄勇自负，投戎河阳节度使诸葛爽，爽卒，自归朱全忠，勇冠三军，官至六军马步都指挥使。梁末帝立，授郓州节度使，加淮南西北面行营招讨使，卒于官。传见《旧五代史》卷二十二、《新五代史》卷二十二。㊷温：县名，县治在今河南温县。㊸太行路：在河阳北，河东兵之归路。㊹寿春：县名，县治在今安徽寿县。㊺博昌：县名，县治在今山东博兴。㊻出

己：帮助自己脱险。出，脱离。㉗主给：主持供给；负责供给。㉘粮仗：粮食和武器。仗，刀戟等兵器的总称。㉙寇钞：为寇劫掠。㉚邑：城镇。古时大城市叫都，小城市为邑。㉛摩云山：山名，在当时蒲州、绛州之间。㉜洹水：县名，县治在今河北魏县南。㉝癸巳：四月二十六日。㉞厚币：丰厚的财物。㉟权知：暂代。

【原文】

归州[536]刺史郭禹[537]击荆南，逐王建肇[538]，建肇奔黔州[539]。诏以禹为荆南留后。荆南兵荒之余，止有一十七家，禹厉[31]精为治[540]，抚集凋残[541]，通商务农，晚年[542]殆及万户。时藩镇各务[543]兵力相残，莫以养民为事，独华州[544]刺史韩建[545]招抚流散，劝课[546]农桑，数年之间，民富军赡[547]。时人谓之北韩南郭。

秦宗权别将[548]常厚据夔州[549]，禹与其将汝阳[550]许存攻夺之。久之，朝廷以禹为荆南节度使，建肇为武泰[551]节度使。禹奏复姓名为成汭。

加李克用兼侍中。

五月己亥[552]，加朱全忠兼侍中。

赵德諲既失荆南[553]，且度秦宗权必败。壬寅[554]，举山南东道[555]来降，且自托[556]于朱全忠。全忠表请以德諲自副，制以山南东道为忠义军，以德諲为节度使，充蔡州四面行营副都统。

朱全忠既得洛、孟，无西顾之忧，乃大发兵击秦宗权，大破宗权于蔡州之南，克北关门[557]。宗权退[32]守中城[558][33]，全忠分诸将为二十八寨以环[559]之。

加凤翔节度使李茂贞检校侍中。

陈敬瑄方与王建相攻，贡赋中绝[560]。建以成都尚强，退无所掠，欲罢兵，周庠、綦毋谏以为不可，庠曰："邛州[561]城堑完固，食支数年，可据之以为根本。"建曰："吾在军中久，观用兵者不倚天子之重，则众心易离。不若疏敬瑄之罪，表请朝廷，命大臣为帅而佐之，则功庶[562]可成。"乃使庠草表，请讨敬瑄以赎罪，因求邛州。顾彦朗亦表请赦建罪，移敬瑄他镇以靖[563]两川。

【校记】

［30］讨：原作“攻”。据章钰校，十二行本、乙十一行本皆作“讨”，张敦仁《通鉴刊本识误》同，今从改。

【语译】

归州刺史郭禹攻打荆南，驱逐了王建肇，王建肇逃往黔州。昭宗下诏任命郭禹为荆南留后。荆南在兵荒马乱之后，仅有十七户人家。郭禹振奋精神，努力治理，抚慰招集疲困残剩的民众，通商务农，他晚年时民户有近万家。当时各个藩镇追求兵力相残，没有人以百姓休养生息为事，只有华州刺史韩建招集安抚流散的百姓，劝勉考察百姓种田植桑，几年之间，百姓富有，军队给养充足。当时的人称之为北韩南郭。

秦宗权的别将常厚占据了夔州，郭禹和他的部将汝阳人许存攻取了夔州。过了好长时间，朝廷任命郭禹为荆南节度使，王建肇为武泰节度使。郭禹奏请恢复原来的姓名成汭。

朝廷加封李克用兼任侍中。

五月初三日己亥，朝廷加封朱全忠兼任侍中。

赵德諲已经丢失了荆南，又考虑到秦宗权必定失败。初六日壬寅，他以山南东道前来投降，并且自己依托于朱全忠。朱全忠上表请以赵德諲为自己的副职，昭宗下制书以山南东道为忠义军，任命赵德諲为节度使，充任蔡州四面行营副都统。

朱全忠得到了洛州、孟州后，没有西面的顾虑了，便大规模调动军队攻打秦宗权，在蔡州的南面把秦宗权打得大败，攻下了北关门。秦宗权退守中城，朱全忠把各路将领分为二十八个营寨来包围秦宗权。

加封凤翔节度使李茂贞为检校侍中。

陈敬瑄正和王建相攻，献纳朝廷的贡品、赋税中断了。王建因为成都还很强盛，撤退又没有可以抢掠的，打算收兵。周庠、綦毋谏认为不可以，周庠说：“邛州的城墙沟堑完整坚固，粮食能够支撑好几年，可以占据这个地方作为基础。”王建说：“我在军队中很长时间，看到带领军队的人如果不依靠皇帝的威望，那么军心就容易离散。不如上疏陈述陈敬瑄的罪过，上表请求朝廷，命令大臣为帅，我们辅佐他，那么差不多可以成功。”于是让周庠起草表文，请求讨伐陈敬瑄来赎罪，趁机请求得到邛州这个地方。顾彦朗也上表请求赦免王建的罪过，迁徙陈敬瑄到别的镇所，来安定东、西两川。

初，黄巢之乱，上为寿王，从僖宗幸蜀。时事出仓猝[564]，诸王多徒行至山谷中，寿王疲乏，不能前，卧磻石[565]上。田令孜自后至，趣之行，王曰："足痛，幸[566]军容[567]给一马。"令孜曰："此深山，安得马！"以鞭挟[568]王使前，王顾而不言，心衔[569]之。及即位，遣人监西川军，令孜不奉诏[570]。上方愤藩镇跋扈[571]，欲以威制之。会[572]得彦朗、建表，以令孜所恃[573]者敬瑄耳。六月，以韦昭度兼中书令，充西川节度使，兼两川招抚、制置等使，征[574]敬瑄为龙武统军[575]。

王建军薪都[576][34]，时绵竹[577]土豪何义阳、安仁[578]费师懃等所在拥兵自保，众或万人，少者千人。建遣王宗瑶说之，皆帅众附于建，给其资粮，建军复振。

置佑国军[579]于河南府，以张全义为节度使。

秋，七月，李罕之引河东兵寇河阳，丁会击却之。

升凤州[580]为节度府，割兴、利州隶之，以凤州防御使满存为节度使、同平章事。

以权知魏博留后罗弘信为节度使。

八月戊辰[581]，朱全忠拔蔡州南城。

【段旨】

以上为第十四段，写成汭据荆南，朱全忠围困秦宗权于蔡州，王建请朝命征讨陈敬瑄，军势雄张。

【注释】

[536]归州：州名，治所秭归，在今湖北秭归。[537]郭禹：即成汭（？至公元九〇三年），淮西人，唐末割据荆南，入援鄂州，与杨行密战，兵败，投江而死。传见《新唐书》卷一百九十、《旧五代史》卷十七。[538]王建肇：赵德谭部将。去年十二月，赵德谭陷荆南，杀节度使张瓌，留王建肇守荆南。[539]黔州：州名，治所彭水，在今重庆市彭水苗族土家族自治县。[540]厉精为治：振奋精神，想办法把荆南治理好。[541]抚集凋残：抚慰招集疲困残剩的民众。[542]晚年：唐昭宗天复三年（公元九〇三年），成汭被淮南将李神福击败投江而死。晚年即指天复三年。[543]务：追求；勉力从事；致力于。[544]华州：州名，治所郑县，在今陕

当初，黄巢作乱时，昭宗还是寿王，随从僖宗到达蜀地。当时事出仓促，诸王大多徒步走到山谷中。寿王疲困，不能前行，躺在一块又厚又扁的大石头上。田令孜从后面赶到，催促他往前走。寿王说："我的脚疼，希望你能给我一匹马。"田令孜说："这里是深山，哪里能得到马！"用鞭抽打寿王，让他前行，寿王回视田令孜，没有说话，心里怨恨他。等到即皇帝位，派遣他人监领西川军，田令孜不接受诏令。昭宗正愤恨藩镇骄横跋扈，想利用皇帝的威势来制服他们。正好得到顾彦朗、王建的奏表，认为田令孜所依恃的只有陈敬瑄而已。六月，任命韦昭度兼中书令，充任西川节度使，兼任两川招抚、制置等使，征召陈敬瑄担任禁军的龙武统军。

王建驻军新都，当时绵竹的土豪何义阳、安仁的费师懃等人在当地拥兵自守，部众有的有一万人，少的有一千人。王建派遣王宗瑶劝说他们，他们都率领部众归附王建，供给他财物粮食，王建的军队又振兴起来。

朝廷在河南府设置佑国军，任命张全义任节度使。

秋，七月，李罕之带领河东的士兵入侵河阳，丁会打退了他。

朝廷把凤州升为节度府，割取兴州、利州隶属凤州，任命凤州防御使满存为节度使、同平章事。

朝廷任命暂时代理魏博留后职位的罗弘信为节度使。

八月初三日戊辰，朱全忠攻取蔡州南城。

西渭南市华州区。㊺韩建（公元八五四至九一二年）：许州（今河南许昌）人，初为忠武军校，唐僖宗朝拜华州刺史。唐昭宗乾宁三年（公元八九六年）李茂贞攻长安，韩建迎帝至华州，杀十一王。后降朱全忠。传见《旧五代史》卷十五、《新五代史》卷四十。㊻劝课：劝勉考察。㊼军赡：军队给养充足。㊽别将：分支部队的将领。㊾夔州：州名，唐高祖武德二年（公元六一九年）改信州置夔州。治所奉节，在今重庆奉节东。㊿汝阳：县名，县治在今河南汝阳。551武泰：方镇名，唐昭宗大顺元年（公元八九〇年）赐黔州观察使号武泰军节度。552己亥：五月初三日。553失荆南：赵德諲为秦宗权将，所守荆南当时被成汭所夺。554壬寅：五月初六日。555山南东道：道名，原为山南道，唐贞观十道之一。开元时分为山南东道、山南西道。东道治所襄阳，在今湖北襄阳。中和四年（公元八八四年），秦宗权遣赵德諲据襄阳。556托：投靠；依托。557北关门：蔡州城北门。558中城：蔡州中城。559环：包围。560贡赋中绝：朝贡断绝。陈敬瑄在此之前常向朝廷输送贡赋，由于和王建打仗，贡赋断绝。王建恰好抓住这一罪名离间陈敬瑄和朝廷的关系。561邛州：州名，唐初治所依政，在今四川邛崃东南。唐高宗显庆年间移治临邛，在今四川邛崃。562庶：差不多。563靖：安定。王建于东川巡内起兵攻西川，连续打仗，两川都不安定。564仓猝：也

作“仓卒”，突然。565 磻石：磐石；扁厚的大石。磻，通“磐”。566 幸：希望。567 军容：田令孜时为神策十军观军容使，故称。568 挟：鞭打。569 衔：怀恨。570 奉诏：接受皇帝的命令。时田令孜倚陈敬瑄，故不愿离开西川。571 跋扈：专横暴戾。572 会：恰好；适逢。573 恃：依仗。574 征：召。575 龙武统军：官名，唐代中央禁军分南、北衙，北衙六军中有左右龙武军，设大将军、统军、将军。576 新都：县名，县治在今成都市新都区。577 绵竹：县名，县治在今四川绵竹。578 安仁：县名，唐高祖武德三年（公元六二〇年）分临邛、依政置安仁县。县治在今四川邛崃东北。579 佑国军：方镇名，文德元年置。唐昭宗天复四年（公元九〇四年）迁都洛阳，徙佑国军于长安，治所在今陕西西安。580 凤州：州名，治所梁泉，在今陕西凤县东北。僖宗中和二年（公元八八二年），以兴、凤二州置感义军，杨晟为节度使，以守散关，但未及立军府。杨晟败走后，不再除帅，始立军府于凤州。581 戊辰：八月初三日。

【原文】

杨行密畏孙儒之逼，欲轻兵袭洪州[582]，袁袭曰：“锺传定江西已久，兵强食足，未易图也。赵锽新得宣州[583]，怙乱[584]残暴，众心不附。公宜卑辞厚币[585]，说和州孙端、上元张雄，使自采石[586]济江侵其境，彼必来逆战，公自铜官[587]济江会之，破锽必矣。”行密从之，使蔡俦守庐州，帅诸将济自糁潭[588]。

孙端、张雄为赵锽所败，锽将苏塘、漆朗将兵二万屯曷山[589]。袁袭曰：“公引兵急趋曷山，坚壁自守，彼求战不得，谓我畏怯，因其怠，可破也。”行密从之。塘等大败，遂围宣州。锽兄乾之自池州[590]帅众救宣州，行密使其将陶雅击乾之于九华[591]，破之。乾之奔江西，以雅为池州制置使。

九月，朱全忠以馈运[592]不继，且秦宗权残破不足忧，引兵还。丙申[593]，遣朱珍将兵五千送楚州刺史刘瓒之官[594]。

钱镠遣其从弟銶将兵攻徐约于苏州。

冬，十月，徐兵[595]邀[596]朱珍、刘瓒不听前[597]，珍等击之，取沛[598]、滕[599]二县，斩获万计。

孟方立遣其将奚忠信将兵三万袭辽州[600]，李克脩邀击，大破之，擒忠信送晋阳。

【校记】

［31］厉：原作“励”。据章钰校，十二行本、乙十一行本皆作“厉”，今从改。［32］退：原作“屯”。据章钰校，十二行本、乙十一行本、孔天胤本皆作“退”，今从改。［33］中城：原作“中州”。严衍《通鉴补》改作“中城”，今据以校正。［34］薪都：原作“新都”。据章钰校，孔天胤本作“薪都”，熊罗宿《胡刻资治通鉴校字记》同，今从改。

【语译】

杨行密惧怕孙儒的逼迫，打算轻装袭击洪州。袁袭说：“锺传平定江西已经很长时间，兵力强大，粮食充足，不容易算计他。赵锽刚刚得到宣州，乘乱取利，残横暴虐，民心不服。您应该言辞谦虚、钱财丰厚，去游说和州的孙端、上元的张雄，让他们从采石渡过长江，入侵赵锽的边境，赵锽必定前来迎战。您从铜官渡过长江与他们会合，肯定打败赵锽。”杨行密听从了这一建议，派蔡俦守卫庐州，自己率领各将领从糁潭渡过长江。

孙端、张雄被赵锽打败，赵锽的部将苏塘、漆朗率兵二万人屯驻曷山。袁袭说：“您带领士兵快速赶赴曷山，加固壁垒，做好自身的防守。他们要求会战，不能实现，就会认为我们惧怕了。乘着他们懈怠时，就可以打败他们。”杨行密听从了袁袭的意见。苏塘等人大败，杨行密便包围了宣州。赵锽的哥哥赵乾之从池州率军救援宣州，杨行密派遣他的将领陶雅在九华山攻打赵乾之，打败了他。赵乾之逃往江西。杨行密派陶雅担任池州制置使。

九月，朱全忠因为军需运送接续不上，而且秦宗权已经破败，不值得忧虑，就带兵回去了。初二日丙申，派遣朱珍率领军队五千人护送楚州刺史刘瓒赴任。

钱镠派遣他的堂弟钱銶带兵在苏州攻打徐约。

冬，十月，时溥的徐州兵拦击朱珍、刘瓒，不让他们前进。朱珍等人攻打徐州兵，夺取了沛、滕两个县，杀死和俘虏的人数以万计。

孟方立派遣他的部将奚忠信率领军队三万人袭击辽州。李克脩迎击，把奚忠信的部队打得大败，活捉了奚忠信送往晋阳。

辛卯⑥⓪①，葬惠圣恭定孝皇帝于靖陵⑥⓪②，庙号⑥⓪③僖宗。

陈敬瑄、田令孜闻韦昭度将至，治兵完城⑥⓪④以拒之。

十一月，时溥自将步骑七万屯吴康镇⑥⓪⑤，朱珍与战，大破之。朱全忠又遣别将攻宿州⑥⓪⑥，刺史张友降之。

丙申⑥⓪⑦，秦宗权别将攻陷许州，执忠武留后王蕴⑥⓪⑧，复取许州。

十二月，蔡将申丛执宗权，折⑥⓪⑨其足而囚之，降于全忠，全忠表丛为蔡州留后。

初，感义节度使杨晟既失兴、凤，走据文、龙、成、茂四州⑥①⓪。王建攻西川，田令孜以晟己之故将⑥①①，假⑥①②威戎军⑥①③节度使，使守彭州。王建攻彭州，陈敬瑄眉州⑥①④刺史山行章将兵五万壁⑥①⑤新繁⑥①⑥以救之。

丁亥⑥①⑦，以韦昭度为行营招讨使，山南西道节度使杨守亮副之，东川节度使顾彦朗为行军司马。割邛、蜀、黎、雅置永平军⑥①⑧，以王建为节度使，治邛州，充行营诸军都指挥使。

戊子⑥①⑨，削陈敬瑄官爵。

山南西道节度使杨守亮[35]陷夔州。

【段旨】

以上为第十五段，写杨行密失广陵，兵围宣州。秦宗权败殁。王建讨陈敬瑄，得朝命为永平军节度使，充行营诸军都指挥使。

【注释】

⑤⑧②洪州：治所南昌，在今江西南昌。唐僖宗中和二年（公元八八二年），锺传据洪州。⑤⑧③赵锽新得宣州：赵锽去年得宣州。⑤⑧④怙乱：乘乱取利；趁火打劫。⑤⑧⑤卑辞厚币：谦卑的言辞、丰厚的财物。⑤⑧⑥采石：地名，即采石矶。原名牛渚矶，三国吴时更名采石矶。在今安徽马鞍山市长江东岸。为牛渚山突出长江而成，江面较狭，形势险要，自古为江防重地。⑤⑧⑦铜官：地名，在今安徽铜陵。⑤⑧⑧糁潭：镇名，在今安徽无为。⑤⑧⑨曷山：在今安徽当涂西南。⑤⑨⓪池州：州名，唐高祖武德四年（公元六二一年），以宣州之秋浦、南陵二县置池州。唐太宗贞观元年（公元六二七年）废置。唐代宗永泰元年（公元七六五年）又分宣州之秋浦、青阳和饶州的至德置池州，治所秋浦，在今安徽池州市贵

二十七日辛卯，在靖陵埋葬了惠圣恭定孝皇帝，庙号叫僖宗。

陈敬瑄、田令孜听说韦昭度即将到达，便整顿军备，修缮城池来抵抗韦昭度。

十一月，时溥亲自率领步兵、骑兵七万人屯驻吴康镇。朱珍与时溥交战，大败时溥。朱全忠又派遣别将攻打宿州，刺史张友投降了朱全忠。

初三日丙申，秦宗权的别将攻陷许州，抓住了忠武留后王蕴，又夺取了许州。

十二月，蔡州的将领申丛抓住秦宗权，把他的脚折断了囚禁起来，投降了朱全忠。朱全忠上表请求派申丛担任蔡州留后。

当初，感义节度使杨晟失去兴州、凤州以后，逃走后占据了文、龙、成、茂四个州。王建攻打西川，田令孜因为杨晟是自己的旧时部将，让他代理威戎军节度使，派他守卫彭州。王建攻打彭州，陈敬瑄下属眉州刺史山行章率军五万人，在新繁修建营垒来救援杨晟。

十二月二十四日丁亥，任命韦昭度担任行营招讨使，山南西道节度使杨守亮做他的副使，东川节度使顾彦朗担任行军司马。割取邛、蜀、黎、雅四州设置永平军，任命王建担任节度使，治所在邛州，充任行营诸军都指挥使。

二十五日戊子，削除陈敬瑄的官爵。

山南西道节度使杨守亮攻陷夔州。

池区。⑸⑼⑴九华：山名，在今安徽青阳境。旧名九子山，李白以山峰有如莲华，改名九华山。⑸⑼⑵馈运：军饷运输。⑸⑼⑶丙申：九月初二日。⑸⑼⑷送楚州刺史刘瓒之官：朱全忠兼领淮南，楚州是淮南巡属，所以朱全忠可任命刺史。楚州，州名，治所山阳，在今江苏淮安。之官，到任上去。⑸⑼⑸徐兵：时溥驻徐州，徐兵实时溥之兵。⑸⑼⑹邀：阻击。⑸⑼⑺不听前：不让前行。⑸⑼⑻沛：县名，县治在今江苏沛县。⑸⑼⑼滕：县名，县治在今山东滕州。⑹⑽⑽辽州：州名，唐高祖武德三年（公元六二〇年）置辽州，治所辽山，在今山西左权。⑹⑽⑴辛卯：十月二十七日。⑹⑽⑵靖陵：在京兆奉天县东北十里，今陕西乾县境内。⑹⑽⑶庙号：皇帝死后，在太庙立室奉祀，并追尊以某祖、某宗的名号，称庙号。始于殷代。⑹⑽⑷治兵完城：整顿武器军备、修缮城池。⑹⑽⑸吴康镇：镇名，在今江苏丰县南。据《旧五代史·朱珍传》，朱珍以兵援刘瓒赴楚州，遇时溥军阻击，朱珍攻丰县，下之。时溥则以全师会战于丰县南吴康镇。⑹⑽⑹宿州：州名，治所符离，在今安徽宿州北。⑹⑽⑺丙申：十一月初三日。⑹⑽⑻王蕴：去年秦宗权被朱全忠打败，弃许州，朱全忠任命王蕴为忠武留后。⑹⑽⑼折：折断。⑹⑴⑽文、龙、成、茂四州：文州治所在今甘肃文县西南，龙州治所在今四川江油东北，成州治所在今甘肃西和西，茂州治所羌山在今四川阿坝藏族羌族自治州。⑹⑴⑴己之故将：杨晟原为神策军指挥使，故田令孜说是他的故将。⑹⑴⑵假：代理职务。⑹⑴⑶威戎军：田令孜临时设置

的方镇，治所彭州，在今四川彭州。⑭ 眉州：州名，治所在今四川眉山市。⑮ 壁：筑营垒驻扎。⑯ 新繁：县名，县治在今四川成都市新都区。⑰ 丁亥：十二月二十四日。⑱ 永平军：方镇名，僖宗文德元年（公元八八八年）置。领邛、蜀、黎、雅四州，治所邛州，在今四川邛崃。⑲ 戊子：十二月二十五日。

【校记】

［35］杨守亮：原作"杨守厚"。张敦仁《通鉴刊本识误》作"杨守亮"，当是，今从改。〖按〗杨守亮时帅山南西道，杨守厚为绵州刺史。

【研析】

本卷研析杨行密兴起淮南、张全义复兴东都、秦宗权为祸中原三件史事。

第一，杨行密兴起淮南。杨行密，字化源，庐州合肥人。高大有力，能举重一百斤，与乡人田頵、陶雅、刘威等交好。杨行密年二十投身黄巢起义，在作战中被庐州刺史郑綮俘获，郑綮异其状貌，令充当州兵，逐渐提升为庐州牙将。公元八八三年，杨行密杀都将，统领诸营，庐州刺史被迫让位，朝廷任命杨行密为庐州刺史，隶属淮南节度使高骈。杨行密部属刘威、陶雅、田頵、徐温等三十六人，号三十六"英雄"，这些人是杨行密的腹心骨干。公元八八七年，淮南节度使高骈被部将毕师铎围攻，宣歙观察使秦彦率师三万助毕师铎攻入扬州。秦彦自称淮南节度使，以毕师铎为行军司马。杨行密奉高骈之命救援，围攻扬州半年，秦彦、毕师铎在围城中乏粮，以人为食。扬州地处水陆交通要冲，人物殷阜，半年间，居民被秦彦兵几乎吃完。杨行密破城，只剩了几百户居民，全都是饿殍，一个个瘦弱不像人形，富饶的扬州成了一片废墟。秦彦不甘失败，引蔡州秦宗权救援。秦宗权遣其弟秦宗衡率领孙儒、刘建锋、马殷等来争扬州，蔡州兵十倍于杨行密。杨行密弃城回江南庐州。数年争战，孙儒败亡，杨行密重新占领扬州，朝廷任命杨行密为淮南节度使。杨行密招抚流亡，减轻租赋徭役，以茶盐与邻道通商以足军用。数年以后，民力恢复，淮南成为东南大镇。北起海州，南至虔州，东起常州，西至沔口，皆为淮南所有。朱全忠三次进攻，三次失败。杨行密建立吴国，后为南唐，历经五代阻挡了北方政权统一南方。朱梁、后唐两代统治者十分凶残。杨行密兴起，隔离南北，保护了江南人民生活的稳定与发展，在当时有着积极和进步的意义。杨行密割据淮南，在唐末群雄中最为开明，是一个比较得民心的地方政权。

第二，张全义复兴东都。张全义，字国维，濮州临濮人。年少时以农家子服县役，数为县令困辱，愤而投身黄巢起义军中。黄巢入长安，任命张全义为吏部尚书、水运使。黄巢败没，张全义投依河阳节度使诸葛爽，爽死，事其子诸葛仲方。秦宗权遣将孙儒逐走诸葛仲方，张全义与李罕之分别据守河阳、洛阳依附于朱全忠。李罕之据河阳，张全义据洛阳。洛阳为唐东都，多次兵灾之后成为一片废墟，户口不足一百。张全义据守以后披荆斩棘，招募流民，劝课耕殖，亲自载以酒食在农忙时深入田间慰问。在洛阳筑南北二城以护民人。数年以后，人物完盛，洛阳恢复了生气，流民得到了安置。朱全忠劫迁唐昭宗到东都，缮理宫阙、府库，都靠的是张全义之力。

张全义原名张言，唐昭宗赐名张全义。入梁，官拜河南尹，累迁至中书令，兼领忠武、陕虢、郑滑、河阳节度使，判六军诸卫事，天下兵马副元帅，封魏王。入唐，庄宗加拜全义右师尚书令，改封齐王。

在唐末割据者中，多数如秦彦、孙儒那样的吃人野兽，也有张全义这样恤民的军阀。张全义历梁、唐两朝得以善终，良有以也。

第三，秦宗权为祸中原。秦宗权，乱国贼子。许州人，为郡牙将。僖宗广明元年（公元八八〇年），黄巢渡淮北上，秦宗权抗击有功，得授蔡州节度使。中和三年（公元八八三年），黄巢退出长安东走，秦宗权迎战不利，投降黄巢。黄巢覆灭，秦宗权转强。李克用与朱全忠交恶，朝廷田令孜专权与河中王重荣交恶，官军无力征讨蔡州，秦宗权趁机遣将四出攻掠，扩张地盘，部属秦彦、秦贤、秦浩、孙儒、张晊、卢塘等皆虎狼之徒，以杀人为乐事。秦彦攻淮南，秦贤攻江南，秦浩攻襄阳，孙儒攻洛阳，张晊攻汝、邓，卢塘攻汴州。各路共攻陷二十余州，只有赵犨兄弟所守徐州、朱全忠所守汴州未下，城门之外为贼疆场，乡村邑落被破坏无遗。贼众所到之处，残杀人物，焚烧都邑村落，西至关内，东到青、徐，南至江、淮，北到卫、滑，广大中原大地，鱼烂鸟散，人烟断绝，荆榛蔽野。秦彦、孙儒最为野蛮，行军不带粮储，以人为食，军士盐尸而从。秦彦、孙儒入扬州，公然于市卖人肉，全城士民几乎杀光。秦宗权还狂妄称帝于蔡州。在唐末军阀割据中，秦宗权最为刻毒，他为祸中原，残害百姓，纯粹一个魔王。两《唐书》入秦宗权为《逆臣传》，与安禄山、史思明、朱泚等人并列。在诸逆臣中，秦宗权最为凶顽。公元八八八年，秦宗权被其爱将申丛捕获，打断双脚，囚送京师，与其妻俱斩于独柳之下。临刑，秦宗权对监斩官京兆尹孙揆说："尚书明鉴，秦宗权难道是一个造反的人吗？只是表达忠心的方式不妥罢了。"可以说是无耻之尤，引得围观的人哈哈大笑。

卷第二百五十八　唐纪七十四

起屠维作噩（己酉，公元八八九年），尽重光大渊献（辛亥，公元八九一年），凡三年。

【题解】

本卷记事起公元八八九年，迄公元八九一年，记载史事凡三年，当唐昭宗龙纪元年至大顺二年。昭宗体貌明粹，有英气，感慨僖宗威令不振，朝廷日卑，发愿重整雄风，恢复先代圣主的业绩。他利用军阀混战，以朝命任命韦昭度征讨西川陈敬瑄，纳宰相张濬之谋，以朱全忠及河北三镇为主力讨伐李克用。此时朝廷既无郭子仪、李晟、李愬之英才用兵，又无李泌、陆贽之贤杰为之谋，韦昭度庸懦，张濬轻佻，结果韦昭度见逐于王建，张濬全军败没。昭宗成府，巧借杨复恭义子李顺节以逐走杨复恭，继杀李顺节，朝纲仍然不振。宦官积恶已非一日，藩镇跋扈祸行全国，正气不伸，邪曲枉炽，一唐昭宗无如之何，盖大厦将倾，非独木能支也。此时期，军阀混战的主战场一是江南，二是西川。江南争战主要是据扬州的孙儒与杨行密争雄。杨行密得杭州钱镠之助，孙儒则有徐州时溥之援，各自无后顾之忧，故拼全力以战。孙儒凶残，常胜而不得人心，最后烧积聚，扫境渡江孤注一掷以图侥幸，取死之道。西川王建得势破成都，是此时期最大的赢家。中原争战，朱全忠与李克用互有胜败，打了一个平手。

【原文】

昭宗[①]圣穆景文孝皇帝上之上

龙纪元年（己酉，公元八八九年）

春，正月癸巳朔[②]，赦天下，改元[③]。

以翰林学士承旨、兵部侍郎刘崇望[④]同平章事。

汴将庞师古拔宿迁[⑤]，军于吕梁[⑥]。时溥逆战，大败，还保彭城[⑦]。

壬子[⑧]，蔡将郭璠杀申丛，送秦宗权于汴，告朱全忠云："丛谋复立宗权。"全忠以璠为淮西留后。

戊申[⑨]，王建大破山行章于新繁，杀获近万人，行章仅以身免。杨晟惧，徙屯三交[⑩]，行章屯濛阳[⑪]，与建相持。

二月，朱全忠送秦宗权至京师，斩于独柳[⑫]。京兆尹[⑬]孙揆[⑭]监刑，宗权于槛车[⑮]中引首[⑯]谓揆曰："尚书[⑰]察宗权岂反者邪？但输忠

【语译】

昭宗圣穆景文孝皇帝上之上

龙纪元年（己酉，公元八八九年）

春，正月初一日癸巳，唐昭宗赦免天下，改换年号。

朝廷任命翰林学士承旨、兵部侍郎刘崇望为同平章事。

汴州的将领庞师古攻取宿迁，驻军吕梁。时溥迎战，结果大败，返回防守彭城。

二十日壬子，蔡州的将领郭璠杀了申丛，把秦宗权送往汴州。郭璠告诉朱全忠说："申丛策划再次拥立秦宗权。"朱全忠派郭璠为淮西留后。

十六日戊申，王建在新繁大败山行章，杀死和俘虏的将近一万人，山行章仅能脱身免死。杨晟很惧怕，把军队迁移到三交驻扎，山行章驻扎在濛阳，和王建相对峙。

二月，朱全忠把秦宗权送到京师，在独柳处斩。京兆尹孙揆监督行刑，秦宗权在槛车中伸长脖子对孙揆说："您看我秦宗权难道是造反的人吗？只是尽忠国家没有

不效⑱耳。”观者皆笑。撰，逖⑲之族孙也。

三月，加朱全忠兼中书令，进爵东平郡王。全忠既克蔡州，军势益盛。

加忠义⑳[1]节度使赵德諲中书令，加蔡州节度使赵犨同平章事，充忠武节度使，以陈州为治所㉑[2]。会犨有疾，悉以军府事授其弟昶㉒，表乞骸骨㉓，诏以昶代为忠武节度使。未几，犨薨。

丙申㉔，钱铢[3]拔苏州，徐约㉕亡入海而死。钱镠以海昌㉖都将沈粲权知㉗苏州。

夏，四月，赐陕虢军号保义。

五月甲辰㉘，润州制置使阮结卒，钱镠以静江㉙都将成及代之。

李克用大发兵，遣李罕之、李存孝攻孟方立，六月，拔磁、洺二州。方立遣大将马溉、袁奉韬将兵数万拒之，战于琉璃陂㉚，方立兵大败，二将皆为所擒，克用乘胜进攻邢州。方立性猜忌，诸将多怨，至是皆不为方立用，方立惭惧，饮药死。弟摄洺州刺史迁㉛，素得士心，众奉之为留后，求援于朱全忠。全忠假道于魏博，罗弘信不许。全忠乃遣大将王虔裕将精甲数百，间道入邢州共守。

【段旨】

以上为第一段，写朱全忠并灭秦宗权，军力大盛，与李克用再次交战。

【注释】

①昭宗：原名杰，懿宗第七子，即位后改名敏，又改名晔。唐代第二十任国君，公元八八九至九〇四年在位。②癸巳朔：正月初一日。③改元：改文德二年为龙纪元年。④刘崇望：滑州胙（今河南延津）人，字希徒，唐初功臣邢国公刘政会第七世孙。官至兵部尚书。传见《旧唐书》卷一百七十九、《新唐书》卷九十。⑤宿迁：县名，县治在今江苏宿迁。⑥吕梁：镇名，在今江苏徐州东南。⑦彭城：县名，县治在今江苏徐州铜山区。⑧壬子：正月二十日。⑨戊申：正月十六日。⑩三交：城名，在今陕西宝鸡西。⑪濛阳：县名，在今四川彭州东三十里。⑫独柳：唐长安城有东、西市，西市有处决犯人之所，即独柳。⑬京兆尹：官名，掌治京师。唐玄宗开元初改雍州为京兆府，往

效果而已。”观看的人都笑了。孙揆，是孙逖的族孙。

三月，朝廷加封朱全忠兼任中书令，晋升爵位为东平郡王，朱全忠攻下蔡州后，兵力更加强大了。

朝廷加封忠义节度使赵德諲为中书令，加封蔡州节度使赵犨为同平章事，充任忠武节度使，以陈州作为治所。适逢赵犨有病，把全部军府事务交给了他的弟弟赵昶，自己上表乞身辞职。昭宗下令赵昶代理忠武节度使。没多久，赵犨去世。

初五日丙申，钱铢攻取苏州，徐约逃亡到海上后死了。钱镠派海昌都将沈粲暂时代理苏州的事务。

夏，四月，朝廷赐予陕虢军号叫保义。

五月十三日甲辰，润州制置使阮结死了，钱镠以静江都将成及代替阮结。

李克用大举调发军队，派遣李罕之、李存孝攻打孟方立。六月，攻取磁、洺二州。孟方立派遣大将马溉、袁奉韬率领部队几万人抵挡他们，在琉璃陂交战。孟方立的部队大败，马溉、袁奉韬二将都被俘虏了，李克用乘胜进攻邢州。孟方立性情猜疑妒忌，各个将领大多怨恨他，到这时都不替孟方立出力，孟方立又惭愧又害怕，喝毒药死了。他的弟弟代理洺州刺史孟迁，一向深得军心，大家拥举他担任留后，向朱全忠求援。朱全忠向魏博节度使罗弘信借路，罗弘信不答应；朱全忠便派遣大将王虔裕率领精兵几百人，从小路进入邢州去共同防守。

往以亲王领雍州牧，改雍州长史为京兆尹。⑭孙揆（？至公元八九〇年）：博州武水（今山东聊城西南）人，字圣圭，进士第，历官户部巡官、中书舍人、刑部侍郎、京兆尹。传见《新唐书》卷一百九十三。⑮槛车：带栅栏的囚车。⑯引首：伸长脖子。⑰尚书：对孙揆的尊称。唐代京兆尹为重任，往往出为节镇，内迁尚书侍郎，故称。⑱输忠不效：献忠心而未奏效。⑲逖：孙逖（？至公元七六一年），唐玄宗朝判刑部侍郎。传见《新唐书》卷二百二。孙揆是他的五世从孙。⑳忠义：方镇名。文德元年（公元八八八年），以襄州为忠义军，任命赵德諲为节度使。㉑治所：忠武节度使治所原为许州，因赵犨是陈州人，且守陈有功，故徙治所于陈州。㉒昶：赵昶（公元八四一至八九四年），字大东，赵犨部属，继犨任忠武节度使。传附《新唐书》卷一百八十九《赵犨传》，并见《旧五代史》卷十四、《新五代史》卷四十二。㉓表乞骸骨：上表乞身辞官。㉔丙申：三月初五日。㉕徐约：光启三年（公元八八七年）徐约据苏州，现败死。㉖海昌：县名，即盐官县，县治在今浙江海宁西南二十里。㉗权知：代理治事。㉘甲辰：五月十三日。㉙静江：钱镠的一支部队名静江都，屯于杭州城外。㉚琉璃陂：地名，在今河北邢台西南。㉛迁：孟迁，孟方立之从弟。传附《新唐书》卷一百八十七《孟方立传》。

【校记】

[1] 忠义：原作“奉国”。严衍《通鉴补》改作“忠义”，今据以校正。〖按〗朝廷于秦宗权殁后，未以奉国节度授人，此处当是“忠义”。[2] 治所：原作“理所”。据章钰校，十二行本、乙十一行本、孔天胤本皆作“治所”，今从改。[3] 钱铢：原作“钱銖”。据章钰校，十二行本、乙十一行本皆作“钱铢”，今从改。

【原文】

杨行密围宣州，城中食尽，人相啖，指挥使周进思据城逐赵锽。锽将奔广陵，田頵追擒之。未几，城中执进思以降。行密入宣州，诸将争取金帛，徐温[32]独据米囷，为粥以食饿者。温，朐山人也。锽将宿松[33]周本，勇冠军中，行密获而释之，以为裨将。锽既败，左右皆散，惟李德诚从锽不去，行密以宗女妻之。德诚，西华[34]人也。行密表言于朝，诏以行密为宣歙[35]观察使。

朱全忠与赵锽有旧，遣使求之。行密谋于袁袭，袭曰：“不若斩首以遗之。”行密从之。未几，袭卒，行密哭之曰：“天不欲成吾大功邪[36]？何为折吾股肱[37]也！吾好宽[38]而袭每劝我以杀，此其所以不寿与[39]？”

孙儒遣兵攻庐州，蔡俦以州降之。

朱珍拔萧县[40]，据之，与时溥相拒[41]，朱全忠欲自往临之。珍命诸军皆葺马厩，李唐宾部将严郊独惰慢，军吏责之，唐宾怒，见珍诉之。珍亦怒，以唐宾为无礼，拔剑斩之[42]，遣骑白全忠，云唐宾谋叛。淮南左司马[43]敬翔，恐全忠乘怒，仓猝处置违宜[44]，故留使者，逮夜[45]，然后从容白之[46]，全忠果大惊。翔因为画策，诈收唐宾妻子系狱，遣骑往慰抚，全忠从之，军中始安。

秋，七月，全忠如萧县，未至，珍出迎，命武士执之，责以专杀[47]而诛之。诸将霍存等数十人叩头为之请，全忠怒，以床掷之，乃退。丁未[48]，至萧县，以庞师古代珍为都指挥使。

八月丙子[49]，全忠进攻时溥壁，会大雨，引兵还。

【语译】

杨行密围攻宣州，城里的粮食都吃光了，人们吃起了人肉。指挥使周进思占据宣州城，赶走了赵锽。赵锽打算逃往广陵，田頵追赶赵锽，抓住了他。没多久，城里的人抓住周进思来投降。杨行密进入宣州，各个将领争相夺取金银布帛，只有徐温占据了粮仓，煮粥给饥饿的人吃。徐温是朐山人。赵锽的部将宿松人周本，勇冠全军，杨行密把他俘虏后又释放了，用他做副将。赵锽失败后，身边的人全都散了，只有李德诚随从赵锽没有离去，杨行密把同宗的女儿嫁给了李德诚。李德诚，是西华人。杨行密上表报告朝廷，昭宗下诏任命杨行密为宣歙观察使。

朱全忠与赵锽有旧交，派遣使者向杨行密索要赵锽。杨行密和袁袭商议，袁袭说："不如斩了赵锽的首级送给朱全忠。"杨行密同意了这个建议。没有多久，袁袭死了，杨行密为他痛哭，说："这是上天不想成就我的伟大功业吗？为什么要折损我的辅佐呢！我喜欢宽厚，而袁袭每每劝我杀戮，这难道是袁袭不能长寿的原因吗？"

孙儒派遣军队攻打庐州，蔡俦举州投降孙儒。

朱珍攻取萧县，占据了这个地方，和时溥对抗，朱全忠想亲自去那里督战。朱珍命令各路军队都要整修马厩，只有李唐宾的部将严郊懒惰怠慢，军吏责备他，李唐宾很生气，去见朱珍申诉。朱珍也非常生气，认为李唐宾没有礼貌，拔剑杀了李唐宾，派人骑马报告朱全忠，说李唐宾谋反。淮南左司马敬翔担心朱全忠趁着气头上，仓促处理，免不了失当欠妥，所以留下了报告的人，后来到了夜里，闲下来，才向朱全忠报告这件事，朱全忠果然大吃一惊。敬翔接着替他出谋划策，假称抓捕了李唐宾的妻子囚禁在监狱中，派遣骑兵前往朱珍那儿抚慰。朱全忠采纳了敬翔的计策，军队开始安定下来。

秋，七月，朱全忠前往萧县，还未到达，朱珍出来迎接，朱全忠命令武士抓捕了朱珍，责备他专权杀戮，处死了朱珍。各路将领霍存等几十个人磕头求情，朱全忠大怒，拿坐卧器具砸向他们，他们才退下。十七日丁未，到达萧县，任命庞师古代朱珍为都指挥使。

八月十七日丙子，朱全忠进攻时溥的营垒，正赶上大雨，朱全忠带领军队撤还。

【段旨】

以上为第二段，写杨行密得宣州，丢了庐州。朱全忠亲赴前线督阵讨时溥，会大雨而退兵。

【注释】

㉜徐温（公元八六一至九二七年）：字敦美，海州朐山（在今江苏连云港）人，辅杨行密据淮南，后专政吴国，为大丞相，封东海郡王。传见《新五代史》卷六十一。㉝宿松：县名，县治在今安徽宿松。㉞西华：县名，县治在今河南西华。㉟宣歙：方镇名，

【原文】

冬，十月，平卢节度使王敬武薨。子师范[50]，年十六，军中推为留后，棣州[51]刺史张蟾不从。诏以太子少师崔安潜兼侍中，充平卢节度使。蟾迎安潜至州，与之共讨师范。

以给事中[52]杜孺休[53]为苏州刺史。钱镠不悦，以知州事[54]沈粲为制置指挥使。

杨行密遣马步都虞候田頵等攻常州。

十一月，上改名晔。

上将祀圜丘[55]。故事[56]，中尉、枢密皆襆衫侍从[57]，僖宗之世，已具襴[58]笏。至是，又令有司制法服[59]，孔纬及谏官、礼官皆以为不可，上出手札谕之曰："卿等所论至当[60]。事有从权[61]，勿以小瑕遂妨大礼。"于是宦官始服剑佩侍祠[62]。己酉[63]，祀圜丘，赦天下。

上在藩邸[64]，素疾宦官，及即位，杨复恭恃援立功，所为多不法，上意不平。政事多谋于宰相，孔纬、张濬劝上举大中故事[65]抑宦者权。复恭常乘肩舆至太极殿[66]。他日，上与宰相言及四方反者，孔纬曰："陛下左右有将反者，况四方乎！"上矍然[67]问之，纬指复恭曰："复恭陛下家奴，乃肩舆造[68]前殿，多养壮士为假子，使典[69]禁兵，或为方镇[70]，非反而何！"复恭曰："子壮士，欲以收士心，卫国家，岂反邪！"

治所宣州，在今安徽宣城。㊱邪：通“耶”，疑问词。㊲股肱：大腿和胳膊。借喻辅佐大臣。㊳好宽：喜好施行宽大政策。㊴与：通“欤”，疑问词。㊵萧县：县名，县治在今安徽萧县。在徐州西南。㊶与时溥相拒：萧县在徐州西南，其时时溥在徐州，故朱珍拔萧县后则与时溥相抗。㊷拔剑斩之：朱珍与李唐宾久不和，乘怒斩之。㊸左司马：官名，行军司马之一，为节度使重要助手，总揽全军政令。朱全忠兼领淮南节度使，以敬翔为左司马。㊹违宜：不合适；失宜。㊺逮夜：到了夜间。㊻从容白之：谓空闲时告诉朱全忠。敬翔为人深沉有大略，从朱全忠用兵三十多年，朱全忠刚暴难近，凡遇不妥之处，敬翔一般都不当场直说。此及夜从容言之，朱全忠虽怒也不能爆发。㊼专杀：专权擅自杀人。㊽丁未：七月十七日。㊾丙子：八月十七日。

【语译】

冬，十月，平卢节度使王敬武去世。他的儿子王师范，十六岁，军中推举他做平卢留后。棣州刺史张蟾不肯听从。昭宗下诏任命太子少师崔安潜兼任侍中，充任平卢节度使。张蟾迎接崔安潜到棣州，和他一同讨伐王师范。

朝廷任命给事中杜孺休担任苏州刺史。钱镠不高兴，派知州事沈粲为制置指挥使。

杨行密派遣马步都虞候田頵等人攻打常州。

十一月，昭宗改名为晔。

昭宗准备在圜丘祭天。旧制，护军中尉、枢密使都要穿分襟的衣服侍从，僖宗的时候，这些人已经穿上了上下衣相连的衣服并且手执朝笏。到这时，又命令有关官吏衙门制造礼法规定的法服。孔纬和谏官、礼官们都认为不可以，昭宗亲手写信晓谕他们说：“你们所讨论的都很正确。但事情也有个变通，不要因为小的瑕疵妨碍了大的礼节。”从这时宦官开始冕服佩剑随侍祭祀。十一月二十一日己酉，在圜丘祭天，赦免天下。

昭宗在寿王府时，一向痛恨宦官。等到即位后，杨复恭倚恃拥立昭宗的功劳，所作所为很多地方不守法纪，昭宗心里不满意。政事大都和宰相商议。孔纬、张濬劝昭宗按内官以往的成例去做，抑制宦官的权力。杨复恭经常坐着轿子到太极殿。有一天，昭宗和宰相谈到四面八方造反的人，孔纬说：“您的身边就有准备造反的人，何况是四面八方呢！”昭宗惊惶四顾，问他，孔纬指着杨复恭说：“杨复恭是您的家奴，却坐着轿子到前殿，又养了很多壮士做义子，委任他们执掌禁兵，或者做节度使，这不是造反是什么呢！”杨复恭说：“以壮士做义子，是想笼络军心，保卫国家，

上曰："卿欲卫国家，何不使姓李而姓杨乎？"复恭无以对。

复恭假子天威军使杨守立，本姓胡，名弘立，勇冠六军，人皆畏之。上欲讨复恭，恐守立作乱，谓复恭曰[4]："朕欲得卿胡子在左右。"复恭见守立于上，上赐姓名李顺节，使掌六军管钥⑪，不期年，擢至天武⑫都头，领镇海节度使，俄⑬加平章事[5]。及谢⑭日，台吏⑮申请班见⑯百僚，孔纬判不集⑰。顺节至中书，色不悦。他日，语微及⑱之，纬曰："宰相师长百僚⑲，故有班见。相公职为都头⑳，而于政事堂㉑班见百僚，于意安乎？"顺节不敢复言。

朱全忠求领盐铁㉒，孔纬独执㉓以为不可，谓进奏吏㉔曰："朱公须㉕此职，非兴兵㉖不可！"全忠乃止。

田頵攻常州，为地道入城。中宵，旌旗甲兵出于制置使杜稜之寝室，遂虏之，以兵三万戍常州。

朱全忠遣庞师古将兵自颍上㉗趋淮南，击孙儒。

十二月甲子㉘，王建败山行章及西川骑将宋行能于广都㉙。行能奔还成都，行章退守眉州。壬申㉚，行章请降于建。

戊寅㉛，孙儒自广陵引兵度江。壬午㉜，逐田頵，取常州，以刘建锋守之。儒还广陵，建锋又逐成及㉝，取润州。

前山南东道节度使刘巨容之在襄阳也，有申屠生教之烧药为黄金。田令孜之弟过襄阳，巨容出金示之。及寓居成都㉞，令孜求其方，不与，恨之，是岁，令孜杀巨容，灭其族。

【段旨】

以上为第三段，写宦官杨复恭专横，唐昭宗阴欲除之。朱全忠求领盐铁，昭宗不允。

难道是造反吗!”昭宗说:“你想要保卫国家，为什么不让他们姓李而要他们姓杨呢?”杨复恭无话可答。

杨复恭的义子天威军使杨守立，本来姓胡，名叫弘立，勇冠六军，人们都惧怕他。昭宗打算讨伐杨复恭，担心杨守立作乱，对杨复恭说:“我想要你的姓胡的义子跟随我左右。”杨复恭向昭宗引见杨守立，昭宗赐给他姓名李顺节，让他掌管六军营门的钥匙，不满一年，提升到天武都头，兼领镇海节度使，不久又加封平章事。等到谢恩的那一天，台省的官吏申请按班次和百官相见，孔纬裁定不用会集百官。李顺节到了中书省，脸色很不高兴。有一天，说话间略微提到了这件事，孔纬说:“宰相为百官的师长，所以能按班次和百官相见。你的职位是神策军天武都头，而在政事堂中按班次和百官相见，你心里安稳吗?”李顺节不敢再说什么。

朱全忠要求兼领盐铁专卖的职务，孔纬独自坚持认为不可以，对进奏昭宗的官吏说:“朱全忠求得此职，非起兵作乱不可!”朱全忠这才作罢。

田頵攻打常州，挖通地道进入城中。半夜里，旌旗、披盔戴甲的士兵出现在制置使杜稜的卧室中，于是俘虏了杜稜，用三万名士兵驻守常州。

朱全忠派遣庞师古领兵从颍上赶往淮南，攻打孙儒。

十二月初七日甲子，王建在广都打败了山行章和西川骑将宋行能。宋行能逃回成都，山行章撤退守卫眉州。十五日壬申，山行章向王建请求投降。

十二月二十一日戊寅，孙儒从广陵带兵渡过长江。二十五日壬午，赶走了田頵，攻取常州，派刘建锋守卫常州。孙儒返回广陵，刘建锋又驱逐成及，攻取了润州。

前山南东道节度使刘巨容在襄阳时，有一个叫申屠生的人教他烧药炼黄金。田令孜的弟弟路过襄阳，刘巨容拿出黄金让他看。等到刘巨容住到成都，田令孜向他索求烧药炼黄金的方法，刘巨容不给他，田令孜怀恨刘巨容。这一年，田令孜杀了刘巨容，消灭了他的家族。

【注释】

㊿师范：王师范（？至公元九〇七年），青州人，平卢节度使王敬武之子，年十六嗣位领军，与朱全忠攻战，杀朱全忠从子朱友宁。后兵败降朱全忠，被族灭于洛阳。传见《新唐书》卷一百八十七、《旧五代史》卷十三、《新五代史》卷四十二。51棣州：州名，治所厌次，在今山东惠民东南。52给事中：官名，门下省要职。掌侍从左右，献纳得失，驳正文书。因给事殿中，故名。53杜孺休：京兆万年（今陕西西安）人，中唐名相杜佑第三代孙，任给事中。大顺元年（公元八九〇年），昭宗诏命杜孺休为苏州刺史，被钱镠都将沈粲所害。传见《新唐书》卷一百六十六。54知州事：官名，临时代理本州

政事。去年冬，钱銶攻苏州，刺史徐约入海而死，钱镠以沈粲权知州事。现朝廷派杜孺休为刺史，钱镠又以沈粲为制置使，控制军权，架空杜孺休。55 圜丘：古时祭天的圆形高坛。56 故事：先例；旧日的典章制度。57 褑衫侍从：皇帝祭天时，神策军中尉以及枢密使等宦官都要穿大襟分开的衣衫侍从。褑，衣裾、衣衫的大襟。58 襕：古时上下衣相连的服装。因下施横幅，故名。59 法服：符合礼制之服。此指冕服剑佩。60 至当：非常正确。61 从权：变通；机变。62 侍祠：随侍皇帝参与祭祀礼。63 己酉：十一月二十一日。64 藩邸：诸侯王的府第。65 大中故事：唐宣宗大中八年（公元八五四年），宣宗曾与翰林学士韦澳、宰相令狐绹商量抑制宦官权势问题。事见本书卷二百四十九。66 太极殿：唐宫殿名，位于大明宫西，是西内的前殿。唐高宗龙朔以后，皇帝常居大明宫，遇大礼大事，方居太极宫。67 瞿然：惊惶四顾的样子。68 造：到；去。69 典：主管；执掌。杨复恭以假子守立为天威军使，守信为玉山军使。70 为方镇：为节度使。杨复恭以假子守贞为龙剑节度，守忠为武定节度，守厚为绵州刺史，其余假子为州刺史者很多。又养子六百人，监诸道军。71 掌六军管钥：北军六军分别屯驻苑中，屯营各有门，晨启夕闭。72 天武：神策五十四都之一。73 俄：短时间。74 谢：谢恩。75 台吏：台省的官吏。唐代尚书省为中台，门下省称东台，中书省称西台，统称台省。76 班见：百官排列次序

【原文】

大顺元年（庚戌，公元八九〇年）

春，正月戊子朔[95]，群臣上尊号曰圣文睿德光武弘孝皇帝；改元。

李克用急攻邢州，孟迁食竭力尽，执王虔裕及汴兵以降。克用以安金俊为邢洺团练使。

壬寅[96]，王建攻邛州，陈敬瑄遣其大将彭城杨儒将兵三千助刺史毛湘守之，湘出战，屡败。杨儒登城，见建兵盛，叹曰："唐祚尽矣，王公[97]治众，严而不残，殆可以庇[98]民乎！"遂帅所部出降。建养以为子，更其姓名曰王宗儒。乙巳[99]，建留永平[100]节度判官张琳为邛南[101]招安使，引兵攻[6]成都。琳，许州人也。

陈敬瑄分兵布寨于犀浦[102]、郫[103]、导江[104]等县，发[105]城中民户一丁，昼则穿重壕，采竹木，运砖石，夜则登城，击柝[106]巡警，无休息。

韦昭度营于唐桥[107]，王建营于东闾门外，建事昭度甚谨。

见面。⑰ 判不集：裁定台吏申请，不同意集百官。⑱ 微及：稍微涉及。⑲ 师长百僚：宰相辅佐皇帝总百官、治万事，为百官之长。⑳ 都头：军职名，神策五十四都每都统兵官名都头，即都将。㉑ 政事堂：唐代宰相治理政务的处所。㉒ 领盐铁：兼领盐铁事，即担任盐铁使，掌收运盐铁之税。㉓ 执：坚持。㉔ 进奏吏：进奏院的官吏。唐代藩镇皆在京师置邸，名为上都知进奏院。置进奏官，掌章奏、诏令及各种文书的投递、承转。㉕ 须：求。㉖ 兴兵：起兵；打仗。因盐铁使掌全国重要税源，权利皆重，人必争之，故云。㉗ 颍上：县名，县治在今安徽颍上北。㉘ 甲子：十二月初七日。㉙ 广都：县名，县治在今四川成都市双流区东南。㊿ 壬申：十二月十五日。㊀ 戊寅：十二月二十一日。㊁ 壬午：十二月二十五日。㊂ 戍及：当时戍及为钱镠守卫润州。㊃ 寓居成都：中和四年（公元八八四年）刘巨容自襄阳奔成都。

【校记】

［4］曰：原无此字。据章钰校，十二行本、乙十一行本、孔天胤本皆有此字，今据补。［5］平章事：原作“同平章事”。据章钰校，十二行本、乙十一行本皆无“同”，今据删。

【语译】

大顺元年（庚戌，公元八九〇年）

春，正月初一日戊子，群臣上昭宗尊号为圣文睿德光武弘孝皇帝；改换年号。

李克用急速攻打邢州，孟迁食竭力尽，抓了王虔裕和汴州的部众向李克用投降。李克用任命安金俊为邢洺团练使。

正月十五日壬寅，王建攻打邛州，陈敬瑄派他的大将彭城人杨儒率兵三千人协助刺史毛湘守城。毛湘出战，一再失败。杨儒登上城墙，看见王建的军队气势很盛，感叹地说：“唐代的国运完了，王建治理军队，严格而不残暴，大概可以庇护民众吧！”于是率领所辖部队出城投降。王建收养他做义子，把他的姓名改称王宗儒。十八日乙巳，王建留下永平节度判官张琳担任邛南招安使，自己带兵攻打成都。张琳，是许州人。

陈敬瑄在犀浦、郫、导江等县分兵布寨，征发城中百姓每户出一个壮丁，白天去挖双重的壕沟，采伐竹子、树木，搬运砖块、石头，夜晚就登上城墙，敲打木梆巡逻警戒，没有休息的时候。

韦昭度在唐桥扎营，王建在东阊门外扎营，王建侍奉韦昭度非常恭敬小心。

辛亥⑱，简州⑲将杜有迁执刺史员虔嵩⑳降于建，建以有迁知州事。

汴将庞师古等众号十万，渡淮，声言救杨行密，攻下天长。壬子⑪，下高邮⑫。

二月己未⑬，资州⑭将侯元绰执刺史杨戡降于王建，建以元绰知州事。

乙丑⑮，加朱全忠守⑯中书令。

庞师古引兵深入淮南，己巳⑰，与孙儒战于陵亭⑱，师古兵败而还。

杨行密遣其将马敬言将兵五千，乘虚袭据润州。李友将兵二万屯青城⑲，将攻常州。安仁义、刘威、田頵败刘建锋于武进⑳，敬言、仁义、頵[7]屯润州。友，合肥人。威，慎县㉑人也。

李克用将兵攻云州防御使赫连铎，克其东城。铎求救于卢龙㉒节度使李匡威，匡威将兵三万赴之。丙子㉓，邢洺团练使安金俊中流矢死，河东万胜军㉔[8]申信叛降于铎。会幽州军至，克用引还。

时溥求救于河东，李克用遣其将石君和将五百骑赴之。

李克用巡潞州，以供具㉕不厚，怒昭义节度使李克脩，诟而笞之。克脩惭愤成疾，三月，薨。克用表其弟决胜军使克恭为昭义留后。

赐宣歙军号宁国，以杨行密为节度使。

夏，四月，宿州将张筠㉖逐刺史张绍光，附于时溥，朱全忠帅诸军讨之。溥出兵掠砀山㉗，全忠遣牙内都指挥使㉘朱友裕㉙击之，杀三千余人，擒石君和。友裕，全忠之子也。

乙丑㉚，陈敬瑄遣蜀州刺史任从海将兵二万救邛州，战败，欲以蜀州降王建，敬瑄杀之，以徐公鉥[9]代为蜀州刺史。丙寅㉛，嘉州㉜刺史朱实举州降于建。丙子㉝，僰道㉞土豪文武坚执戎州㉟刺史谢承恩降于建。

二十四日辛亥，简州将领杜有迁抓了刺史员虔嵩投降王建，王建让杜有迁执掌州里的事务。

泗州的将领庞师古等人的部众号称十万人，渡过淮水，扬言救援杨行密，攻下了天长镇。二十五日壬子，攻下了高邮。

二月初三日己未，资州将领侯元绰抓了刺史杨戡投降王建，王建让侯元绰执掌州里的事务。

初九日乙丑，朝廷加封朱全忠署理中书令。

庞师古率军深入淮南，十三日己巳，在陵亭和孙儒交战。庞师古兵败撤回。

杨行密派遣他的部将马敬言率领士兵五千人，乘虚袭击占领了润州。李友带兵二万人屯驻青城，准备攻打常州。安仁义、刘威、田頵在武进打败了刘建锋，马敬言、安仁义、田頵屯驻润州。李友，是合肥人。刘威，是慎县人。

李克用率军攻打云州防御使赫连铎，攻克了云州的东城。赫连铎向卢龙节度使李匡威求救，李匡威带兵三万人前往云州。二月二十日丙子，邢洺团练使安金俊被乱箭射死，河东万胜军申信叛变后向赫连铎投降。正遇上幽州的军队到达，李克用带兵撤还。

时溥向河东李克用请求救援，李克用派遣他的部将石君和带领五百名骑兵赶往时溥那里。

李克用巡视潞州，因为供奉的物品不丰富，对昭义节度使李克脩很生气，责骂他，又用鞭子抽打他。李克脩愧恨成疾，三月，去世了。李克用向昭宗上表任用他的弟弟决胜军使李克恭为昭义留后。

赐宣歙军号叫宁国，任命杨行密担任节度使。

夏，四月，宿州将领张筠赶走刺史张绍光，依附时溥，朱全忠统率各路军队讨伐张筠。时溥出兵抢掠砀山，朱全忠派牙内都指挥使朱友裕攻打时溥，杀死三千多人，活捉了石君和。朱友裕，是朱全忠的儿子。

四月初十日乙丑，陈敬瑄派蜀州刺史任从海率兵二万人救援邛州，打了败仗，打算以蜀州投降王建，陈敬瑄杀了任从海，派徐公钵担任蜀州刺史。十一日丙寅，嘉州刺史朱实以全州投降王建。二十一日丙子，僰道的土豪文武坚抓住戎州刺史谢承恩投降了王建。

【段旨】

以上为第四段，写王建兵围成都。朱全忠遣将深入淮南为孙儒所败。杨行密乘机兵取润州。朱杨联手夹击时溥，时溥北引李克用反夹击朱全忠。

【注释】

⑮ 戊子朔：正月初一日。⑯ 壬寅：正月十五日。⑰ 王公：指王建。⑱ 庇：保护；荫庇。⑲ 乙巳：正月十八日。⑳ 永平：方镇名，唐代宗大历七年（公元七七二年）赐滑亳节度永平军号，治所汴州，在今河南开封。㉑ 邛南：地区名，指邛水以南一带。㉒ 犀浦：县名，县治在今四川成都西北。㉓ 郫：县名，县治在今四川成都市郫都区。㉔ 导江：县名，县治在今四川都江堰市东。㉕ 发：征发。官府征集动用民间人力。㉖ 柝：打更用的梆子。㉗ 唐桥：桥名，郫江桥，在成都东南。㉘ 辛亥：正月二十四日。㉙ 简州：州名，治所阳安，在今四川简阳西北。㉚ 员虔嵩：姓员。员虔嵩任简州刺史被执事，《新唐书》卷十《昭宗纪》系于正月壬寅，与《通鉴》不同。㉛ 壬子：正月二十五日。㉜ 高邮：县名，县治在今江苏高邮。㉝ 己未：二月初三日。㉞ 资州：州名，治所在今四川资中。㉟ 乙丑：二月初九日。㊱ 守：署理的意思。官阶低而所署官高叫守。㊲ 己巳：二月十三日。㊳ 陵亭：镇名，在今江苏兴化南。㊴ 青城：镇名，在今江苏常州北。㊵ 武进：县名，县治在今江苏常州。青城即属武进县。㊶ 慎县：县名，县治在今安徽肥东县北。㊷ 卢

【原文】

赫连铎、李匡威表请讨李克用[136]。朱全忠亦上言："克用终为国患，今因其败，臣请帅汴、滑、孟三军，与河北三镇[137]共除之。乞朝廷命大臣为统帅。"

初，张濬因杨复恭以进[138]，复恭中废[139]，更附田令孜而薄复恭。及复恭再用事[140]，深恨之。上知濬与复恭有隙，特亲倚之。濬亦以功名为己任，每自比谢安[141]、裴度[142]。克用之讨黄巢屯河中也，濬为都统判官[143]。克用薄[144]其为人，闻其作相[145]，私谓诏使[146]曰："张公好虚谈而无实用，倾覆之士[147]也！主上采其名[148]而用之，他日交乱[149]天下，必是人也。"濬闻而衔之。

上从容与濬论古今治乱，濬曰："陛下英睿[150]如此，而中外制于强臣[151]，此臣日夜所痛心疾首也！"上问以当今所急，对曰："莫若强兵以服天下。"上于是广募兵于京师，至十万人。

及全忠等请讨克用，上命三省、御史台四品以上[152]议之，以为不可

龙：方镇名，治所幽州，在今北京市。⑫③丙子：二月二十日。⑫④万胜军：河东节度的一支部队。⑫⑤供具：摆设酒食的器具。此处指供应给予。⑫⑥张筠：海州（治所在今江苏东海）人，初事时溥为宿州刺史，后为昭德、永平节度使。传见《旧五代史》卷九十、《新五代史》卷四十七。⑫⑦砀山：县名，县治在今安徽砀山县。⑫⑧牙内都指挥使：官名，唐末藩镇相沿以亲子弟领衙内之职。牙，通“衙”。⑫⑨朱友裕：朱全忠长子，全忠称帝后封郴王。传见《旧五代史》卷十二、《新五代史》卷十三。⑬⓪乙丑：四月初十日。⑬①丙寅：四月十一日。⑬②嘉州：州名，治所在今四川乐山市。⑬③丙子：四月二十一日。⑬④僰道：县名，县治在今四川宜宾。⑬⑤戎州：州名，治所僰道，在今四川宜宾。

【校记】

［6］攻：原作“还”。严衍《通鉴补》改作“攻”，张敦仁《通鉴刊本识误》同，今据以校正。［7］颓：原作“威”。据章钰校，十二行本、乙十一行本皆作“颓”，今从改。［8］万胜军：原作“万胜军使”。据章钰校，十二行本、乙十一行本皆无“使”字，今据删。［9］徐公钵：据章钰校，十二行本、乙十一行本皆作“徐公鉥”。

【语译】

赫连铎、李匡威上表请求讨伐李克用，朱全忠也进言说：“李克用终究要成为国家的祸患，现在趁着他势力衰败的时候，臣请求率领汴州、滑州、孟州三路的军队和河北三镇人马一起除掉他。请朝廷派大臣作为统帅。”

当初，张濬依靠杨复恭得以进用，杨复恭中途被废黜，张濬改附田令孜而轻视杨复恭。等到杨复恭再次当权，对张濬深为痛恨。昭宗知道张濬和杨复恭有矛盾，就特别亲近张濬并依靠他。张濬也以建功扬名作为自己的责任，常常自比为谢安和裴度。李克用讨伐黄巢屯驻河中时，张濬担任都统判官。李克用鄙视他的为人，如今听说张濬做了宰相，私下告诉传达诏书的使者说：“张濬喜欢空谈而没有实际的作用，是使国家灭亡的人啊！皇上听信他的虚名而任用他，日后扰乱天下的，一定是这个人。”张濬听到这话，怀恨李克用。

昭宗闲暇时和张濬讨论古今治乱的事情，张濬说：“皇上如此英明睿智，可是在朝廷内外受制于强臣，这是臣子我日夜所痛心疾首的！”昭宗问张濬当前最紧急的事情，张濬回答说：“没有比用强大的军队来使天下人服从更重要的了。”昭宗于是广招士兵集中到京师里来，达到了十万人。

等到朱全忠等人请求讨伐李克用时，昭宗命令尚书、门下、中书三省及御史台

者什六七，杜让能、刘崇望亦以为不可。濬欲倚外势以挤杨复恭，乃曰："先帝再幸山南⑮，沙陀所为也。臣常虑其与河朔⑭相表里，致朝廷不能制。今两河藩镇⑮共请讨之，此千载一时⑯。但乞陛下付臣兵柄，旬月可平。失今不取，后悔无及。"孔纬曰："濬言是也。"复恭曰："先朝播迁，虽藩镇跋扈，亦由居中之臣⑰措置⑱未得其宜。今宗庙甫安，不宜更造兵端。"上曰："克用有兴复大功⑲，今乘其危而攻之，天下其谓我何⑳？"纬曰："陛下所言，一时之体㉑也。张濬所言，万世之利也！昨计用兵、馈运、犒赏之费，一二年间未至匮乏，在陛下断志㉒行之耳。"上以二相㉓言叶㉔，僶俛㉕从之，曰："兹事今付卿二人，无贻朕羞㉖！"

五月，诏削夺克用官爵、属籍㉗，以濬为河东行营都招讨、制置、宣慰使，京兆尹孙揆副之，以镇国节度使韩建为都虞候兼供军粮料使，以朱全忠为南面招讨使，王镕为东面招讨使[10]，李匡威为北面招讨使，赫连铎副之。

濬奏给事中牛徽㉘为行营判官，徽曰："国家以丧乱之余，欲为英武之举㉙，横挑强寇㉚，离诸侯心㉛，吾见其颠沛㉜也！"遂以衰疾固辞。徽，僧孺之孙也。

【段旨】

以上为第五段，写唐昭宗讲武于京师，误用虚谈士张濬为相，轻起战端，兴兵讨李克用。

【注释】

⑬⑥赫连铎句：李克用攻云州赫连铎失利，引军撤退，所以赫连铎、李匡威乘此有利形势表请讨伐李克用。⑬⑦河北三镇：指卢龙节度使李匡威、成德节度使王镕、魏博节度使罗弘信。⑬⑧张濬因杨复恭以进：张濬当初是由于杨复恭的推荐而拜太常博士、度支员外郎的。事见本书卷二百五十四僖宗广明元年。因，依靠。⑬⑨中废：中途被罢免。⑭⓪用事：当权。襄王煴之乱，田令孜自知不为天下所容，解西川监军事，去依靠陈敬瑄。杨复恭再度被任用。⑭①谢安：东晋名相。淝水之战，运筹帷幄，挫败苻坚南侵，奠定中国南北对峙之局。传见《晋书》卷七十九。⑭②裴度：唐宪宗时宰相。力主削除藩镇，曾督师攻破蔡州，

四品以上的官员讨论这件事，认为不可以的占十分之六七，杜让能、刘崇望也认为不可行。张濬想要依靠朝廷外部的势力来排挤杨复恭，便说："先帝第二次蒙尘巡幸山南，就是沙陀人所造成的。臣常常顾虑他们和河朔地区的各个藩镇相为表里，致使朝廷不能控制。如今两河藩镇共同要求讨伐李克用，这是千载难逢的好机会。只请求皇上给臣兵权，十天个把月可以讨平他们。失去现在这个机会不去讨伐他们，后悔就来不及了。"孔纬说："张濬的话是正确的。"杨复恭说："先帝奔走流离，虽然是因为藩镇跋扈，也是由于身处朝中的大臣措施不恰当。现在王室刚刚稳定，不应该再起战事。"昭宗说："李克用有兴复国家的重大功劳，现在乘着他的危难而去攻打他，天下的人会怎样来说我呢?"孔纬说："陛下所说的，是一时的道理。张濬所说的，是万世之利！昨天计算过派用兵作战、运送给养、犒劳赏赐的费用，一两年之内不至于缺乏，事情在于陛下下决心去行动罢了。"昭宗因为张濬、孔纬两位宰相说得相符合，勉强同意了他们的意见，说："这件事今天就交给你们两人了，不要给我留下耻辱啊！"

五月，昭宗下诏免除李克用的官职、爵位，把他从皇族的名册中销掉，任命张濬担任河东行营都招讨、制置、宣慰使，京兆尹孙揆担任他的副使，任命镇国节度使韩建担任都虞候兼供军粮料使，任命朱全忠担任南面招讨使，王镕担任东面招讨使，李匡威担任北面招讨使，赫连铎担任副使。

张濬上奏请求给事中牛徽担任行营判官。牛徽说："国家在丧乱之后，想要做出英明威武的举动，挑动强敌，使诸侯离心，我就要看到国家动荡了！"于是借口衰老多病，坚决推辞。牛徽，是牛僧孺的孙子。

擒吴元济，抑制住藩镇叛乱的局面。传见《旧唐书》卷一百七十、《新唐书》卷一百七十三。⑭③ 都统判官：官名，时王铎为都统，张濬为判官。⑭④ 薄：鄙视。⑭⑤ 作相：任相；为相。时张濬复用为宰相、判度支。⑭⑥ 诏使：下诏书至河东的使臣。⑭⑦ 倾覆之士：祸国的人。⑭⑧ 采其名：信用他的虚名。时人多说张濬有方略，能划大计。⑭⑨ 交乱：引起大乱。⑮⓪ 英睿：英明睿智。⑮① 中外制于强臣：朝内受制于宦官，朝外受制于方镇。⑮② 三省御史台四品以上：是指尚书左右丞及六部侍郎；门下、中书省左右谏议以上；御史台中丞以上。三省，尚书省、门下省、中书省。御史台，官署名，为朝廷的监察机关。⑮③ 再幸山南：指先帝僖宗第二次蒙尘巡幸山南。光启二年（公元八八六年）李克用请诛田令孜，田令孜挟帝入散关赴兴元。⑮④ 河朔：泛指黄河以北的地方。⑮⑤ 两河藩镇：指河南朱全忠、河北李匡威。⑮⑥ 千载一时：千载难逢的好时机。⑮⑦ 居中之臣：处于中央的重臣。⑮⑧ 措置：所采取的措施和做法。⑮⑨ 兴复大功：指破黄巢、复京城的功劳。⑯⓪ 天下其谓我何：天下人将怎样议论我呢。其，副词，表示动作行为发生在未来。⑯① 一时之体：短期的、眼前的道理。⑯② 断志：下

决心。⑯二相：指孔纬、张濬。⑭叶：合；和洽。⑯僶俛：努力；勉力。此处有勉强不得已的意思。⑯无贻朕羞：不要给我留下羞辱。唐昭宗此言，担心李克用太强大，事不奏效，反使国家受累。⑯属籍：皇族的名册。李克用原为沙陀人，其父朱邪赤心助唐镇压庞勋，赐姓李。同时，李克用有军功，故编入属籍。⑯牛徽：牛僧孺之孙。举进士，累擢吏部员外郎，昭宗时官至刑部尚书。耿正敢言，为崔胤所忌，致仕，归樊川。卒，赠吏部尚书。传见《旧唐书》卷一百七十二、《新唐书》卷一百七十四。⑯英武之举：英明威武的举动。⑰横挑强寇：指挑动李克用出战。⑰离诸侯心：使诸侯与朝廷离心。⑰颠沛：倾覆。牛徽料定此举将会造成社会动乱。

【原文】

李克恭骄恣不晓军事。潞人素乐李克脩之简俭，且死非其罪⑰，潞人怜之，由是将士离心。初，潞人叛孟氏⑰，牙将安居受⑰等召河东兵以取潞州。及孟迁以邢、洺、磁州归李克用，克用宠任之，以迁为军城都虞候，群从皆补右职，居受等咸怨且惧。

昭义有精兵，号“后院将”。克用既得三州⑰，将图河朔，令李克恭选后院将尤骁勇者五百人送晋阳，潞人惜之。克恭遣牙将李元审及小校冯霸部送⑰晋阳，至铜鞮⑰，霸劫[11]其众以叛，循山而南，至于沁水⑰，众已三千人。李元审击之，为霸所伤，归于潞。庚子⑱，克恭就元审所馆视之，安居受帅其党作乱，攻而焚之，克恭、元审皆死。众推居受为留后，附于朱全忠。居受使召冯霸，不至。居受惧，出走，为野人所杀。霸引兵入潞，自为留后。

时朝廷方讨克用，闻克恭死，朝臣皆贺。全忠遣河阳留后朱崇节将兵入潞州，权知留后。克用遣康君立、李存孝将兵围之。

壬子⑱，张濬帅诸军五十二都⑱及邠、宁、鄜、夏⑱杂虏⑱合五万人发京师，上御安喜楼⑱饯之。濬屏左右言于上曰：“俟臣先除外忧，然后为陛下除内患⑱。”杨复恭窃听，闻之。两军中尉⑱饯濬于长乐坂⑱，复恭属濬酒⑱，濬辞以醉，复恭戏之曰：“相公杖钺⑲专征，作态⑲邪？”濬曰：“俟平贼还，方见作态⑲耳！”复恭益忌之。

【校记】

［10］王镕为东面招讨使：原无此八字。据章钰校，十二行本、乙十一行本、孔天胤本皆有此八字，张敦仁《通鉴刊本识误》、张瑛《通鉴校勘记》同，今据补。

【语译】

李克用新委任的昭义留后李克恭骄横放纵不懂军事。潞州的人一向喜欢李克脩的俭省，而且李克脩之死，没有当死之罪，潞州的人怜悯他，因此将士离心。当初，潞州的人背叛孟方立，牙将安居受等人招来河东的军队夺取潞州；等到孟迁以邢、洺、磁三州归附李克用，李克用宠任孟迁，任用他为军城都虞候，随从孟迁的部下都担任了上等职位。安居受等人全都又怨恨又恐惧。

昭义有精锐的军队，号称“后院将”。李克用取得了邢州、洺州、磁州三州后，准备谋取河朔地区，命令李克恭挑选后院将中特别勇猛的士兵五百人送到晋阳，潞州的人对挑走这些将士感到惋惜。李克恭派遣牙将李元审和小校冯霸率领送往晋阳，到达铜鞮县，冯霸夺取他的部众反叛，沿着山往南走，到达沁水县，部众已有三千人。李元审攻打他们，被冯霸打伤，返回潞州。五月十五日庚子，李克恭到李元审住的地方看望他，安居受带领他的党羽作乱，攻打他们，并烧毁了房子，李克恭、李元审都死了。大家推举安居受为留后，归附朱全忠。安居受派人去叫唤冯霸，冯霸没有来。安居受恐惧出逃，被田野的农夫杀了。冯霸带兵进入潞州，自己担任留后。

这时朝廷正开始讨伐李克用，听说李克恭死了，朝廷大臣都表示祝贺。朱全忠派遣河阳留后朱崇节带兵进入潞州，暂任昭义留后。李克用派遣康君立、李存孝带兵包围潞州。

五月二十七日壬子，张濬率领诸军五十二都和邠州、宁州、鄜州、夏州等地少数民族的士兵共五万人从京师出发，昭宗亲自到安喜楼为他饯行。张濬躲开身边的人对昭宗说：“等到臣先除掉外部的忧患，然后替陛下清除内患。”杨复恭偷听，知道了这些话。两军中尉在长乐坂为张濬饯行，杨复恭向张濬劝酒，张濬推说醉了，杨复恭戏弄他说：“您手持斧钺专权征伐，是故作姿态呢?”张濬回答说：“等我平定了贼寇回来以后，再让你看我真正的故作姿态!”杨复恭听了更加嫉恨他。

癸丑⑲³，削夺李罕之⑲⁴官爵。六月，以孙揆为昭义节度使，充招讨副使。

丁巳⑲⁵，茂州刺史李继昌帅众救成都。己未⑲⁶，王建击斩之。辛酉⑲⁷，资简都制置应援使⑲⁸谢从本杀雅州⑲⁹刺史张承简，举城降建。

孙儒求好于朱全忠，全忠表为淮南节度使。未几，全忠杀其使者，遂复为仇敌。

光启初[12]，德州刺史卢彦威⑳⁰逐义昌节度使杨全玫，自称留后，求旌节⑳¹，朝廷未许。至是，王镕、罗弘信因张濬用兵，为之请，乃以彦威为义昌节度使。

张濬会宣武、镇国、静难、凤翔、保大、定难诸军于晋州⑳²。

【段旨】

以上为第六段，写张濬领兵五万出讨李克用，大会诸镇之兵于晋州。

【注释】

⑰³ 死非其罪：指李克脩并无当死之罪。⑰⁴ 潞人叛孟氏：孟方立嫌潞州地险人劲，将治所迁移到邢州，潞人不悦。孟氏，指原昭义节度使孟方立。⑰⁵ 安居受：当时为武乡镇使，偷偷地用蜡丸向李克用求救兵。《旧唐书》卷一百七十九、《新唐书》卷一百八十五《张濬传》略载其事。⑰⁶ 三州：指邢、洺、磁三州。⑰⁷ 部送：统率送往。⑰⁸ 铜鞮：县名，县治在今山西沁县南。⑰⁹ 沁水：县名，县治在今山西沁水县。⑱⁰ 庚子：五月十五日。据下文，是日安居受作乱杀死李克恭，而《新唐书》卷十《昭宗纪》系此事于五月壬寅。⑱¹ 壬子：五月二十七日。⑱² 五十二都：神策新军共五十四都，每都千人。⑱³ 邠、宁、鄜、夏：皆州名，邠州治所在今陕西彬州，宁州治所在今甘肃宁县，鄜州治所在今陕西富县，夏州治所在今陕西榆林市横山区西。⑱⁴ 杂虏：诸多少数民族部众之统称。此指从邠、宁、鄜、夏等州征发的各少数民族部众组成的官军。⑱⁵ 安喜楼：唐东都洛阳有安喜门，长安无。此安喜楼为朱雀街东安上门楼。⑱⁶ 内患：指杨复恭。⑱⁷ 两军中尉：左右神策军中尉。⑱⁸ 长乐坂：即长乐坡。在长安禁苑东南门，即光泰门东七里。因临浐水，又

五月二十八日癸丑，朝廷免除李罕之的官职、爵位。六月，任命孙揆为昭义节度使，充任招讨副使。

初三日丁巳，茂州刺史李继昌带领部队救援成都。初五日己未，王建击杀了李继昌。初七日辛酉，资州、简州都制置应援使谢从本杀掉雅州刺史张承简，以州城投降王建。

孙儒向朱全忠求请修好，朱全忠表请朝廷任命孙儒为淮南节度使。没多久，朱全忠杀死孙儒的使者，彼此又成了仇敌。

光启初年，德州刺史卢彦威驱逐了义昌节度使杨全玫，自称留后，索取双旌双节，朝廷没有答应。到这时，王镕、罗弘信因为张濬已经出兵，便替卢彦威请求，朝廷才任命卢彦威为义昌节度使。

张濬在晋州会合宣武、镇国、静难、凤翔、保大、定难等各路军队。

名浐坡。⑱⑨属濬酒：劝张濬喝酒。属，劝。⑲⓪杖钺：手持黄色大斧，表示威力。此处比喻掌握兵权。⑲①作态：故作姿态。杨复恭戏语中不怀善意。⑲②方见作态：再让你看我真正的故作姿态。张濬戏语中暗含杀机。胡三省释此语云："未能成事而先为大言，此张濬之疏也。"这种理解，可备参考。⑲③癸丑：五月二十八日。⑲④李罕之：原依诸葛爽，唐僖宗文德元年（公元八八八年）投奔河东，李克用表为泽州刺史，领河阳节度使。削其官爵是因为依附于李克用。传见《新唐书》卷一百八十七。⑲⑤丁巳：六月初三日。⑲⑥己未：六月初五日。⑲⑦辛酉：六月初七日。⑲⑧资简都制置应援使：官名，负责经营谋划资、简等州军务。简，州名，治所阳安，在今四川简阳西。⑲⑨雅州：州名，治所在今四川雅安。雅州与邛州接壤，王建攻邛州，兵威所及，故谢从本以雅州降。⑳⓪德州刺史卢彦威：当时卢彦威并非德州刺史，而是牙将。逐杨全玫后自称留后。保銮都将曹诚为义昌节度使，卢彦威始为德州刺史。事见本书卷二百五十六唐僖宗光启元年。德州，州名，治所在今山东德州市陵城区。⑳①旌节：唐制节度使专制军事，给双旌双节。行则建旌节。旌以专赏，节以专杀。此处说卢彦威求为义昌节度使。⑳②晋州：州名，治所在山西临汾。

【校记】

［11］劫：原作"招"。据章钰校，十二行本、乙十一行本、孔天胤本皆作"劫"，张瑛《通鉴校勘记》同，今从改。［12］初：原作"末"。严衍《通鉴补》改作"初"，今据以校正。

【原文】

更命义成军曰宣义[203]。辛未[204]，以朱全忠为宣武、宣义节度使。全忠以方有事徐[205]、杨[206]，征兵遣戍[207]，殊为辽阔，乃辞宣义，请以胡真[208]为节度使，从之。然兵赋出入[209]，皆制[210]于全忠，一如巡属[211]。及胡真入为统军[212]，竟以全忠为两镇节度使，罢淮南不领焉。

秋，七月，官军至阴地关[213]，朱全忠遣骁将葛从周将千骑潜自壶关[214]夜抵潞州，犯围[215]入城。又遣别将李谠、李重胤、邓季筠[216]将兵攻李罕之于泽州，又遣张全义、朱友裕军于泽州之北，为从周应援[217]。季筠，下邑[218]人也。全忠奏臣已遣兵守潞州，请孙揆赴镇。张濬亦恐昭义遂为汴人所据，分兵二[13]千，使揆将之趣潞州。

八月乙丑[219]，揆发晋州[220]，李存孝闻之，以三百骑伏于长子[221]西谷中。揆建牙杖节[222]，褒衣[223]大盖[224]，拥众而行。存孝突出，擒揆及赐旌节中使[225]韩归范、牙兵五百余人，追击余众于刀黄岭[226][14]，尽杀之。存孝械揆及归范，紖[227]以素练[228]，徇[229]于潞州城下曰："朝廷以孙尚书[230]为潞帅，命韩天使[231]赐旌节，葛仆射可速归大梁，令尚书视事[232]。"遂紖以献于克用。克用囚之，既而使人诱之，欲以为河东副使，揆曰："吾天子大臣，兵败而死，分[233]也，岂能复[15]事镇使[234]邪！"克用怒，命以锯锯之，锯不能入。揆骂曰："死狗奴！锯人当用板夹，汝岂知邪！"乃以板夹之，至死，骂不绝声。

【段旨】

以上为第七段，写昭义节度使孙揆兵败就义而死。

【语译】

朝廷改名义成军为宣义军。六月十七日辛未，朝廷任命朱全忠为宣武、宣义节度使。朱全忠因为在徐州、扬州正逢战事，征调兵员前往镇守，地域过于广阔，于是辞掉宣义节度使，请求任命胡真为宣义节度使，朝廷同意了朱全忠的要求。然而宣义地方的军事调动、赋税进出，都受到朱全忠的控制，胡真如同属员一样。等到胡真入朝做了统军，最终委任朱全忠为宣武、宣义两镇节度使，免除了朱全忠兼管淮南军的事务。

秋，七月，官军到达阴地关，朱全忠派遣猛将葛从周统率一千名骑兵暗中从壶关出发，夜里抵达潞州，冲破包围，进入潞州城。又派遣别将李谠、李重胤、邓季筠带兵在泽州攻打李罕之，还派遣张全义、朱友裕在泽州的北面驻扎军队，作为葛从周的接应支援部队。邓季筠，是下邑人。朱全忠向昭宗上奏说：臣已派兵守卫潞州，请孙揆前往潞州镇所。张濬也担心昭义军被朱全忠的汴军占据，于是分派士兵二千人，让孙揆率领他们赶往潞州。

八月十二日乙丑，孙揆从晋州出发，李存孝听到这一消息，派三百名骑兵埋伏在长子县西边的山谷中。孙揆竖立牙旗，手持双节，穿着衣袖衣襟宽大的衣服，坐在有清凉伞的车上，部众簇拥着前进。李存孝突然出现，活捉了孙揆和赏赐旌节的中使韩归范、牙兵五百多人，在刀黄岭追击残余的部众，把他们全杀了。李存孝把孙揆和韩归范戴上刑具，用白绢捆绑了，在潞州城下示众，说："朝廷任命孙揆为潞州的节度使，命令韩归范赏赐旌节，葛从周可以从速返回大梁，让孙揆来管理政事。"于是捆绑了他们献给李克用。李克用囚禁了两人，不久，派人引诱孙揆，打算让他担任河东副使。孙揆说："我是天子的大臣，兵败而死，是我的天数，怎么能再侍候你这个镇使呢！"李克用非常生气，下令用锯子锯孙揆，但锯子进不去。孙揆骂道："你这个该死的狗奴！锯人应该用木板把人夹住，你哪里知道呢！"于是用木板把孙揆夹起来，一直到死，骂声不绝。

【注释】

㉓宣义：方镇名，原为义成军，大顺元年，朱全忠因其父名诚，请改义成为宣义。㉔辛未：六月十七日。㉕徐：徐州。㉖杨：扬州。㉗征兵遣戍：征调兵员，遣送屯戍。㉘胡真：江陵（今湖北荆州）人，曾为滑州节度留后、郑滑节度使。传见《旧五代史》卷十六。㉙兵赋出入：兵事调动及财税收支。㉚制：受制；控制。㉛巡属：节度使治下的州县属官。㉜入为统军：指胡真后调到朝廷任右金吾卫大将军。㉝阴地关：地名，在

汾州灵石县（今山西灵石）南。㉑④壶关：县名，在潞州东南二十五里。县治在今山西壶关县。㉑⑤犯围：冲破包围。当时太原大将康君立围潞州。㉑⑥李谠、李重胤、邓季筠：三人均朱全忠部属，同为一传，见《旧五代史》卷十九。㉑⑦应援：接应援助。㉑⑧下邑：县名，县治在今河南夏邑。㉑⑨乙丑：八月十二日。㉒⓪发晋州：从晋州向东，距潞州三百八十五里。㉒①长子：县名，县治在今山西长子。㉒②建牙杖节：凡节度使出行，前建牙旗，执持所赐节。㉒③褒衣：大袖宽裾的衣服。㉒④大盖：清凉伞。㉒⑤中使：宫廷中派出的使者，由宦官担任。㉒⑥刀黄岭：在山西长子西五十里。㉒⑦䌷：用绳捆系。㉒⑧素练：白色的绢。㉒⑨徇：对众宣示。㉓⓪孙尚书：指孙揆。㉓①韩天使：指韩归范。韩持有天子之命，故称。㉓②视事：就职主持政事。此为讽刺语。㉓③分：本分；自身所应做的。㉓④镇使：指李克用。节度使任居方镇，孙揆鄙薄之，故呼之为镇使。

【原文】

丙寅[235]，孙儒攻润州。

苏州刺史杜孺休到官，钱镠密使沈粲害之。会杨行密将李友拔苏州，粲归杭州，镠欲归罪于粲而杀之，粲奔孙儒。

王建退屯汉州[236]。

陈敬瑄括[237]富民财以供军，置征督院[238]，逼以桎梏[239]棰楚[240]，使各自占[241]。凡有财者如匿赃、虚占[242]，急征，咸不聊生。

李罕之告急[243]于李克用，克用遣李存孝将五千骑救之。

九月壬寅[244]，朱全忠军于河阳。汴军之初围泽州也，呼李罕之曰："相公每恃河东[245]，轻绝[246]当道[247]。今张相公[248]围太原，葛仆射[249]入潞府，旬日[16]之间，沙陀[250]无穴自藏，相公何路求生邪！"及李存孝至，选精骑五百，绕汴寨呼曰："我，沙陀之求穴者也，欲得尔肉以饱士卒，可令肥者出斗！"汴将邓季筠，亦骁将也，引兵出战，存孝生擒之。是夕，李谠、李重胤收众遁去，存孝、罕之随而击之，至马牢山[251]，大破之，斩获万计，追至怀州[252]而还。存孝复引兵攻潞州，葛从周、朱崇节弃潞州而归。戊申[253]，全忠庭责诸将桡败[254]之罪，斩李谠、李重胤而还。

【校记】

［13］二：原作“三”。据章钰校，十二行本、乙十一行本皆作“二”，今从改。［14］刀黄岭：原作“刁黄岭”。据章钰校，十二行本、乙十一行本皆作“刀黄岭”，今从改。〖按〗《新唐书》卷一百九十三《忠义下》载：“克用伏兵刀黄岭，执揆。”［15］复：原作“伏”。据章钰校，十二行本、乙十一行本、孔天胤本皆作“复”，今从改。

【语译】

八月十三日丙寅，孙儒攻打润州。

苏州刺史杜孺休到任就职，钱镠暗中派沈粲害死了杜孺休。适逢杨行密的部将李友攻取苏州，沈粲回到杭州；钱镠想把杀害杜孺休的罪过归于沈粲而杀了他，沈粲逃往孙儒那里。

王建撤退屯驻汉州。

陈敬瑄搜刮富裕人家财物来供给军队使用，设置征督院，用脚镣手铐和木棍荆杖等刑具来逼迫富人，让他们各自登记财物。凡是有财物的人，如果隐匿财物、申报虚假，便加急征用，百姓都难以活命。

李罕之向李克用告急，李克用派遣李存孝率领五千名骑兵救援李罕之。

九月十九日壬寅，朱全忠驻军河阳。朱全忠的汴军当初包围泽州时，向李罕之呼喊说：“你每每依靠河东李克用，轻易断绝和我们汴军的关系。如今张濬包围太原，葛从周进入潞州府，十天之内，李克用的沙陀军就无穴可藏了，你有什么路可以求生呢！”等到李存孝到了，挑选精锐骑兵五百人，环绕汴军的营寨叫喊说：“我们是沙陀军寻找藏身之地的人，想要得到你们的肉来喂饱士兵，可以让肥胖的人出战！”汴州的将领邓季筠，也是猛将，带兵出战，李存孝活捉了他。当天晚上，李谠、李重胤收兵逃走了。李存孝、李罕之随后追击他们，到达马牢山，把他们打得大败，杀死和俘虏的数以万计，追赶到怀州才返回。李存孝又带兵攻打潞州，葛从周、朱崇节放弃潞州后回来了。二十五日戊申，朱全忠在大庭广众中斥责各个将领战败的罪过，杀了李谠、李重胤，撤了回去。

李克用以康君立为昭义留后，李存孝为汾州㉕刺史。存孝自谓擒孙揆功大，当镇昭义，而君立得之，愤恚不食者数日，纵意刑杀，始有叛克用之志。

李匡威攻蔚州，虏其刺史邢善益，赫连铎㉖引吐蕃、黠戛斯㉗众数万攻遮虏平㉘[17]，杀其军使刘胡子。克用遣其将李存信击之，不胜。更命李嗣源为存信之副，遂破之。克用以大军继其后，匡威、铎皆败走，获匡威之子武州㉙刺史仁宗及铎之婿，俘斩万计。

李嗣源性谨重廉俭，诸将相会，各自诧㉚勇略，嗣源独默然，徐曰："诸君喜以口击贼，嗣源但以手击贼耳。"众惭而止。

【段旨】

以上为第八段，写李克用遣将救泽州、潞州，大败汴军。

【注释】

㉟丙寅：八月十三日。㊱汉州：州名，治所在今四川广汉。㊲括：搜求。㊳征督院：临时设置的衙署，专管督察征收富人财货。㊴桎梏：刑具。此指戴上脚镣手铐。㊵棰楚：施以杖刑。棰，杖。楚，荆木。㊶自占：自己申报财产数目。占，登记财产。㊷虚占：申报虚假。意谓以多报少。胡三省注："无其财而自占为有，谓之虚占。"可备一说。㊸告急：李罕之被汴军包围，故向李克用告急。㊹壬寅：九月十九日。㊺恃河东：依仗着李克用。㊻轻绝：轻易断绝往来。㊼当道：本道，汴军自称。㊽张相公：指张濬。㊾葛仆射：指葛从周。㊿沙陀：指李克用军。㉛马牢山：山名，在山西晋城东南六十里。㉜怀

【原文】

杨行密以其将张行周为常州制置使。闰月，孙儒遣刘建锋攻拔常州，杀行周，遂围苏州。

邛州刺史毛湘，本田令孜亲吏，王建攻之急，食尽，救兵不至。壬戌㉛，湘谓都知兵马使任可知曰："吾不忍负田军容，吏民何罪㉜！

李克用任命康君立为昭义留后，李存孝为汾州刺史。李存孝自以为活捉孙揆功劳大，应该镇守昭义，却让康君立得到了，好几天气愤不食，恣意刑杀，开始有背叛李克用的想法。

李匡威攻打蔚州，俘虏了蔚州刺史邢善益，赫连铎带领吐蕃、黠戛斯的部众几万人攻打遮虏平，杀掉了遮虏军的军使刘胡子。李克用派遣他的部将李存信攻打赫连铎，没有取胜。另派李嗣源为李存信的副手，于是打败了赫连铎。李克用率领大军继踵其后，李匡威、赫连铎都战败逃跑了，抓住了李匡威的儿子武州刺史李仁宗和赫连铎的女婿，俘虏和斩杀的人数以万计。

李嗣源为人谨慎自重，清廉节俭，各将领聚会时，各自夸耀有勇有谋，只有李嗣源默不作声，慢慢地说道："诸位喜欢用嘴巴来攻击贼军，我李嗣源只是用手来打击贼军罢了。"大家很惭愧，不再自我夸耀。

州：州名，治所在今河南沁阳。㉝戊申：九月二十五日。㉞桡败：挫败。㉟汾州：州名，治所隰城，在今山西汾阳。㊱赫连铎：时为云州防御使。㊲黠戛斯：古族名，主要在今俄罗斯叶尼塞河上游流域。唐贞观二十二年（公元六四八年）内附，唐以其地为坚昆都督府，属燕然都护府。大中元年（公元八四七年）唐封其首领为英武诚明可汗。㊳遮虏平：遮虏坪，在今山西五寨西北。㊴武州：州名，治所在今河北张家口市宣化区。㊵诧：夸耀。

【校记】

［16］旬日：原作"旬月"。据章钰校，十二行本、乙十一行本皆作"旬日"，今从改。［17］遮虏平：原作"遮虏军"。据章钰校，十二行本、乙十一行本、孔天胤本皆作"遮虏平"，熊罗宿《胡刻资治通鉴校字记》同，今从改。

【语译】

杨行密派他的部将张行周担任常州制置使。闰九月，孙儒派遣刘建锋攻取常州，杀死张行周，便包围了苏州。

邛州刺史毛湘，本来是田令孜亲近的官吏。王建攻打邛州得很紧迫，城内粮食吃光了，救兵还没有到来。闰九月初九日壬戌，毛湘对都知兵马使任可知说："我不忍心辜负田令孜，但是官吏和民众有什么罪过呢！你可以拿着我的头颅投归王建。"

尔可持吾头归王建。”乃沐浴以俟刃。可知斩湘及二子降于建，士民皆泣。甲戌263，建持永平264旌节入邛州，以节度判官张琳知留后。缮完城隍265，抚安夷獠266，经营蜀、雅267。冬，十月癸未朔268，建引兵还成都，蜀州将李行周逐徐公钛，举城降建。

乙酉269，朱全忠自河阳如滑州270视事，遣使者请粮马及假道于魏以伐河东，罗弘信不许，又请于镇271，镇人亦不许，全忠乃自黎阳272济河击魏。

加邠宁节度使王行瑜侍中，佑国节度使张全义同平章事。

官军出阴地关，游兵273至于汾州。李克用遣薛志勤、李承嗣将骑三千营于洪洞274，李存孝将兵五千营于赵城275。镇国节度使韩建以壮士三百夜袭存孝营，存孝知之，设伏以待之。建兵不利，静难、凤翔之兵不战而走，禁军自溃[18]。河东兵乘胜逐北，抵晋州西门，张濬出战，又败，官军死者近三千人。静难、凤翔、保大、定难之军先渡河西归，濬独有禁军及宣武军合万人，与韩建闭城拒守，自是不敢复出。存孝引兵攻绛州276。十一月，刺史张行恭弃城走。存孝进攻晋州，三日，与其众谋曰：“张濬宰相，俘之无益。天子禁兵，不宜加害。”乃退五十里而军。濬、建自含口277遁去。存孝取晋、绛二州，大掠慈278、隰之境。

先是，克用遣韩归范归朝279，附表讼冤，言：“臣父子三代，受恩四朝280，破庞勋，翦黄巢，黜襄王281，存易定282，致陛下今日冠通天之冠283，佩白玉之玺284，未必非臣之力也！若以攻云州285为臣罪，则拓跋思恭之取鄜延286，朱全忠之侵徐、郓287，何独不讨？赏彼诛此，臣岂无辞！且朝廷当阽危288之时，则誉臣为韩、彭、伊、吕289，及既安之后，则骂臣为戎、羯、胡、夷290。今天下握兵立功之臣[19]，独不惧陛下他日之骂乎！况臣果有大罪，六师291征之，自有典刑292，何必幸293臣之弱294而后取之邪！今张濬既出师，则固难束手295，已集蕃、汉兵五十万，欲直抵蒲296、潼297，与濬格斗，若其不胜，甘从298削夺。不然，方且轻骑叫阍299[20]，顿首丹陛，诉奸回300于陛下之扆坐301，纳制敕于先帝之庙庭302，然后自拘司败303，恭俟铁质304。”表至，濬已败，朝廷震恐。濬与韩建逾王屋305至河阳，撤民屋为筏306以济河，师徒307失亡殆尽。

于是洗浴全身等待被杀。任可知杀死毛湘和他的两个儿子投降王建，士民百姓都哭了。二十一日甲戌，王建立着永平军的双旌双节进入邛州，任命节度判官张琳担任留后。王建修缮城池，安抚夷獠，营建蜀州、雅州。冬，十月初一日癸未，王建带兵返回成都，蜀州的将领李行周赶走了徐公鉥，以城投降王建。

十月初三日乙酉，朱全忠从河阳前往滑州去治理事务。派遣使者到魏州索求粮马以及借路讨伐河东，罗弘信没有答应；又向镇州请求，镇州人也没有同意，朱全忠就从黎阳渡河攻打魏州。

加封邠宁节度使王行瑜任侍中，佑国节度使张全义任同平章事。

官军从阴地关出发，游击的部队到了汾州。李克用派遣薛志勤、李承嗣带领骑兵三千人扎营在洪洞，李存孝带领士兵五千人扎营在赵城。镇国节度使韩建派壮士三百人夜间袭击李存孝的营寨，李存孝知道了韩建的计划，设下埋伏等待韩建。韩建的部队没有占到便宜，静难、凤翔的军队没有打仗就退走了，禁军自己溃散。河东的军队乘胜追击退走的敌人，抵达晋州的西门。张濬出战，又失败了，官军死的将近三千人。静难、凤翔、保大、定难的军队先渡河西去，张濬只有禁军和宣武的军队共计一万人，与韩建关闭城门坚守，从此不敢再出来。李存孝带兵攻打绛州。十一月，绛州刺史张行恭弃城逃走。李存孝进攻晋州，打了三天，和他的部下商量说："张濬是宰相，俘虏他没什么好处。皇帝的禁军，加害他们不合适。"于是撤退五十里驻军。张濬、韩建从含口逃走。李存孝夺取了晋、绛两个州，大肆抢掠慈州、隰州地域。

先前，李克用遣送韩归范返回朝廷，让韩归范附带表章申诉冤屈说："臣父子三代，受恩武宗、宣宗、懿宗、僖宗四朝，打败庞勋，翦灭黄巢，废黜襄王李煴，让易州、定州存留下来，使陛下今天能戴着通天冠，佩戴白玉玺，这未必不是臣的力量啊！如果拿攻打云州作为我的罪过，那么拓跋思恭夺取鄜州、延州，朱全忠侵犯徐州、郓州，为什么不讨伐呢？奖赏他们而诛伐臣下，臣怎么能没有话说呢！况且朝廷面临危难的时候，就赞美臣是韩信、彭越、伊尹、吕尚；等到安定以后，就骂臣是北戎、羯族、胡人、蛮夷。现在天下掌握兵权建立功勋的臣子，难道不害怕陛下有一天骂他们吗！何况如果臣有大罪，六军来征讨我，自有法律刑典，何必遇到臣力弱的时候来攻取我呢！现在既然张濬已经出兵，那么臣确实很难束手就擒。臣已经集中了蕃人、汉人的士兵五十万，想要直接抵达蒲州、潼关，和张濬交手，如果臣不能取胜，甘愿听从免去官爵。不然的话，臣将要率领轻骑兵去敲陛下的宫门，到宫殿前的台阶上向陛下叩首，在陛下屏风南面的座位前揭发奸佞小人，在先帝的庙堂里交还制书诏敕，然后自拘于刑部官员，恭候刑罚。"表章送达时，张濬已经失败，朝廷惊骇。张濬与韩建越过王屋山到达河阳，拆除民房做成木筏来渡河，士卒亡失殆尽。

是役也，朝廷倚朱全忠及河朔三镇㉜㉝。及濬至晋州，全忠方连兵徐、郓，虽遣将攻泽州而身不至㉝⑨。行营乃求兵粮于镇、魏，镇、魏倚河东为扞蔽㉝⑩，皆不出兵，惟华、邠、凤翔、鄜㉝⑪、夏之兵会之。兵未交而孙揆被擒，幽、云㉝⑫俱败，杨复恭复从中沮㉝⑬之，故濬军望风自溃㉝⑭。

十二月己丑㉝⑮[21]，孙儒拔苏州，杀李友。安仁义等闻之，焚润州庐舍，夜遁。儒使沈粲守苏州，又遣其将归传道守润州㉝⑯。

辛丑㉝⑰，汴将丁会、葛从周击魏，渡河，取黎阳、临河㉝⑱，庞师古、霍存下淇门㉝⑲、卫县㉜⑳，朱全忠自以大军继之。

是岁，置昇州㉜㉑于上元县，以张雄为刺史。

【段旨】

以上为第九段，写讨晋官军大败而归。

【注释】

㉖① 壬戌：闰九月初九日。㉖② 吏民何罪：不愿有负于田令孜而投降王建，这样必然遭到王建的进攻，给下属官吏和百姓带来灾难。然而，他们有什么罪过。㉖③ 甲戌：闰九月二十一日。㉖④ 永平：方镇名。当时在邛州建永平军，王建为节度使，故持永平旌节入邛州。㉖⑤ 城隍：城壕。㉖⑥ 夷獠：泛指少数民族。㉖⑦ 蜀、雅：蜀州和雅州。蜀州在邛州南七十里，雅州在邛州西南一百六十里。㉖⑧ 癸未朔：十月初一日。㉖⑨ 乙酉：十月初三日。㉗⓪ 滑州：州名，治所白马，在今河南滑县。㉗① 镇：州名，治所真定，在今河北正定。本名恒州，元和十五年（公元八二〇年）为避穆宗讳改名镇州。㉗② 黎阳：县名，县治在今河南浚县东北。㉗③ 游兵：无固定防地，流动出击的军队。㉗④ 洪洞：县名，县治在今山西洪洞。㉗⑤ 赵城：县名，县治在今山西霍州南。㉗⑥ 绛州：州名，治所在今山西新绛。㉗⑦ 含口：地名，在今山西闻喜东南。洮水源出于山西闻喜清襄山，东经大岭西流，其出处谓之含口。㉗⑧ 慈：州名，治所在今山西吉县。㉗⑨ 归朝：韩归范与孙揆一起被擒，李克用遣送他回朝。㉘⓪ 父子三代二句：李克用祖父朱邪执宜曾助唐平吴元济，父朱邪赤心破庞勋，李克用灭黄巢，父子三代有功于唐，历武、宣、懿、僖四朝。㉘① 黜襄王：指光启二年废黜襄王李煴事。㉘② 存易定：指光启元年李克用援救义武（易、定）节度使王处存，击败卢龙、成德兵事。㉘③ 冠通天之冠：头戴通天冠。首字“冠”用作动词，戴帽。通天冠，皇

这一次战役，朝廷依靠朱全忠和河朔三镇。等到张濬抵达晋州，朱全忠才联合徐州、郓州的军队，虽然派遣将领去攻打泽州，而自己并没有亲身到那里。出征的官军向镇州、魏州索求兵员和粮食，而镇州、魏州靠着河东做屏障，都不肯出兵，只有华州、邠州，凤翔、鄜州、夏州的军队与张濬会合。军队还没有交战而孙揆就被俘虏了，幽州的李匡威、云州的赫连铎也都失败了，杨复恭又从中阻挠这件事，所以张濬的军队远远望见对方的风尘便自我崩溃了。

十二月初八日己丑，孙儒攻取苏州，杀了李友。安仁义等人听到消息，烧毁了润州的房屋，夜里逃走了。孙儒派沈粲守卫苏州，又派遣他的部将归传道守卫润州。

十二月二十日辛丑，汴州的将领丁会、葛从周攻打魏州，渡河，夺取了黎阳、临河。庞师古、霍存攻克淇门、卫县。朱全忠亲自率领大军继踵其后。

这一年，在上元县设置昇州，任命张雄担任刺史。

帝戴的一种帽子。唐制，皇帝在重大活动中，如诸祭返回后，以及冬至朔日受朝、临轩拜王公、元会、冬会时服戴。㉘④玺：皇帝之印。㉘⑤攻云州：此次诏讨李克用，起因于二月李克用攻云州，云州防御使赫连铎、卢龙节度使李匡威和朱全忠表请讨伐李克用。㉘⑥拓跋思恭之取鄜延：指拓跋思恭于唐僖宗中和元年（公元八八一年）乘乱取鄜延，以援其弟拓跋思考。鄜延，方镇名，治所鄜州，在今陕西富县。㉘⑦朱全忠之侵徐、郓：指朱全忠于唐昭宗景福元年（公元八九二年）攻朱瑄于郓州，景福二年攻克徐州，时溥举族自焚而死。㉘⑧阽危：临危；垂危。㉘⑨誉臣为韩、彭、伊、吕：把李克用誉为西汉之韩信、彭越，商之伊尹，周之吕尚。㉙⓪戎、羯、胡、夷：北方四大部族名，即北戎、羯族、胡人、蛮夷。四字连用是对沙陀人李克用的蔑称。从文字上与上句之韩、彭、伊、吕相对。㉙①六师：即六军。唐中央禁军左右龙武、左右神武、左右神策号称六军。㉙②典刑：法律、刑法。㉙③幸：遇。㉙④臣之弱：李克用攻云州，赫连铎求救于李匡威，匡威将兵三万救之，李克用损兵折将而归。㉙⑤束手：自缚其手，表示不抵抗。㉙⑥蒲：蒲州。㉙⑦潼：潼关。㉙⑧甘从：甘愿服从。㉙⑨方且轻骑叫阍：将要兵临城下。叫阍，呼喊宫门守卫。㉚⓪讦奸回：揭发奸邪之人。㉚①扆坐：君主背靠屏风面南而坐，称扆坐。扆，屏风。㉚②纳制敕于先帝之庙庭：在先帝的庙堂交还自己受委任的诏命敕书。即辞职致仕。㉚③自拘司败：谓自我拘系，甘愿接受刑部的审讯。司败，即司寇，古代为六卿之一，掌刑狱。后人亦称刑部尚书为司寇。㉚④鈇质：腰斩之刑具。㉚⑤逾王屋：翻过王屋山。王屋，山名，唐时属王屋县，在今河南济源西北。㉚⑥筏：渡水用的竹木排。张濬率众翻越王屋山到了黄河边，但无舟楫，故折民房造木排渡河。㉚⑦师徒：兵士。㉚⑧河朔三镇：指卢龙节度使李匡威、成德节度使王镕、魏博节度使罗弘信。㉚⑨身不至：朱全忠虽遣将攻泽州但自己

没有亲赴前线指挥。311 扞蔽：屏藩。起掩护作用。311 鄄：胡三省注据《辨误》，认为当作“鄘”。312 幽云：指李匡威和赫连铎。313 沮：阻止。314 望风自溃：远远看到对方一点风尘就吓得溃不成军。315 己丑：十二月初八日。316 守润州：杨行密遣安仁义破钱镠之兵而取常、苏、润州，现又为孙儒所夺。317 辛丑：十二月二十日。318 临河：县名，县治在今河南濮阳西。319 淇门：镇名，在今河南卫辉东北。320 卫县：县名，县治在今河南淇县东。321 昇州：州名，唐肃宗至德二载（公元七五七年）以润州江宁县置昇州，上元二年（公元七六一年）废。现复置，治所上元县，在今江苏南京。

【原文】

二年（辛亥，公元八九一年）

春，正月，罗弘信军于内黄[322]。丙辰[323]，朱全忠击之，五战皆捷，至永定桥，斩首万余级。弘信惧，遣使厚币请和。全忠命止焚掠，归其俘，还军河[324]上。魏博自是服于汴。

庚申[325]，制以太保、门下侍郎、同平章事孔纬为荆南节度使，中书侍郎、同平章事张濬为鄂岳观察使[326]。以翰林学士承旨、兵部侍郎崔昭纬[327]同平章事，御史中丞[328]徐彦若[329]为户部侍郎、同平章事。昭纬，慎由从子。彦若，商之子也。

杨复恭使人劫孔纬于长乐坡，斩其旌节，资装俱尽，纬仅能自免。李克用复遣使上表曰：“张濬以陛下万代之业，邀自己一时之功，知臣与朱温深仇，私相连结。臣今身无官爵，名是罪人，不敢归陛下藩方[330]，且欲于河中[331]寄寓，进退行止，伏俟指麾[332]。”诏再贬孔纬均州[333]刺史，张濬连州[334]刺史。赐克用诏，悉复其官爵，使归晋阳[335]。

【段旨】

以上为第十段，写唐昭宗贬逐孔纬、张濬，悉复李克用官爵。

【校记】

［18］禁军自溃：原无此四字。据章钰校，十二行本、乙十一行本、孔天胤本皆有此四字，张敦仁《通鉴刊本识误》、张瑛《通鉴校勘记》同，今据补。［19］臣：原作“人”。据章钰校，十二行本、乙十一行本皆作“臣”，今从改。［20］叫阍：原作“叩阍”。据章钰校，十二行本、乙十一行本皆作“叫阍”，今从改。［21］己丑：原无此二字。据章钰校，十二行本、乙十一行本皆有此二字，张敦仁《通鉴刊本识误》同，今据补。

【语译】

二年（辛亥，公元八九一年）

春，正月，罗弘信驻军内黄。初五日丙辰，朱全忠攻打罗弘信，五次交战全部获胜，抵达永定桥，斩获首级一万多。罗弘信很害怕，派遣使者拿了很多财货请求和好。朱全忠命令停止焚烧抢掠，把俘虏归还他，退兵回到黄河边。从此魏博地区归附了朱全忠。

正月初九日庚申，昭宗下制书任命太保、门下侍郎、同平章事孔纬担任荆南节度使，中书侍郎、同平章事张濬担任鄂岳观察使。任命翰林学士承旨、兵部侍郎崔昭纬担任同平章事，御史中丞徐彦若担任户部侍郎、同平章事。崔昭纬，是崔慎由的侄子。徐彦若，是徐商的儿子。

杨复恭派人在长乐坡劫持孔纬，砍断了他的旌节，财物和行装全没有了，孔纬仅仅自免于死。李克用又派遣使者上表说：“张濬拿陛下万世的基业，求取自己一时的功劳，他知道臣与朱温仇深，私下相互勾结。臣现在身无官职爵位，名义上是个罪人，不敢回到陛下的藩镇，暂时想在河中寄住，臣的进退行止，恭候指挥。”昭宗下诏再次贬谪孔纬为均州刺史，张濬为连州刺史。赐给李克用诏命，全部恢复李克用的官职爵位，让他回到晋阳。

【注释】

㉜㉒ 内黄：县名，县治在今河南内黄西。㉜㉓ 丙辰：正月初五日。㉜㉔ 河：黄河。㉜㉕ 庚申：正月初九日。㉜㉖ 张濬为鄂岳观察使：孔纬、张濬二人同时罢相，出为节度使、观察使，皆因晋、绛丧师。鄂岳，方镇名，治所鄂州，在今湖北武汉。㉜㉗ 崔昭纬：奸佞之臣，昭宗朝官至宰相，贬梧州司马，伏诛于行次荆南。传见《旧唐书》卷一百七十九、《新唐书》

卷二百二十三。㉘御史中丞：官名，掌监察和复审刑狱。㉙徐彦若：则天朝名臣大理卿徐有功后裔，懿宗朝进士，昭宗朝官至宰相，遭崔胤排斥，出为岭南东道节度使。传见《旧唐书》卷一百七十九、《新唐书》卷一百一十三。㉚不敢归陛下藩方：李克用原为河东节度使，被削夺官爵，故云不敢归藩方。藩方，方镇。㉛河中：方镇名，治所蒲州，在今山西永济西。㉜伏俟指麾：敬候朝廷指示。指麾，即指挥、指示。㉝均州：州名，治所武当，在今湖北十堰市郧阳区东。㉞连州：州名，治所桂阳，在今广东连州。㉟晋阳：河东节度使治所，在今山西太原。

【原文】

孙儒尽举淮、蔡之兵济江。癸酉[336]，自润州转战而南，田頵、安仁义屡败退，杨行密城戍[337]皆望风奔溃。儒将李从立奄[338]至宣州东溪[339]，行密守备尚未固，众心危惧，夜，使其将合肥台濛[340]将五百人屯溪西[341]。濛使士卒传呼，往返数四，从立以为大众继至，遽[342]引去。儒前军至溧水[343]，行密使都指挥使李神福拒之。神福阳[344]退以示怯，儒军不设备，神福夜帅精兵袭之，俘斩千人。

二月，加李克用守中书令，复李罕之官爵。再贬张濬绣州[345]司户。

韦昭度将诸道兵十余万讨陈敬瑄，三年[346]不能克，馈运不继，朝议欲息兵。三月乙亥[347]，制复敬瑄官爵，令顾彦朗、王建各帅众归镇[348]。

王师范遣都指挥使卢弘击棣州[349]刺史张蟾，弘引兵还攻师范，师范使人以重赂[350]迎之，曰："师范童骙[351]，不堪重任，愿得避位[352]，使保首领，公之仁也！"弘以师范年少，信之，不设备。师范密谓小校安丘刘鄩[353]曰："汝能杀弘，吾以汝为大将。"弘入城，师范伏甲而享[354]之，鄩杀弘于座及其党数人。师范慰谕士卒，厚赏重誓[355]，自将以攻棣州，执张蟾，斩之。崔安潜[356]逃归京师。师范以鄩为马步副都指挥使。诏以师范为平卢节度使。

师范和谨[357]好学，每本县令到官[358]，师范辄备仪卫往谒之[359]。令不敢当，师范命客将[360]扶持[361][22]，令坐于听事[362]，自称"百姓王师

【语译】

孙儒调动全部淮州、蔡州的军队渡江。正月二十二日癸酉，从润州转战南进，田頵、安仁义屡屡败退，杨行密的戍守城池的士兵全都望风溃逃。孙儒的部将李从立突然到达宣州的东溪，杨行密的守卫工作还没有做好，人心自危，很害怕。夜里，杨行密派遣部将合肥人台濛率领士兵五百人驻扎在东溪西边。台濛让士兵们来回呼喊，往返多次。李从立以为大部队紧跟着来到，便急速带兵离去。孙儒的前军到达溧水，杨行密派遣都指挥使李神福抵抗孙儒。李神福假装后退，显出害怕的样子，孙儒的军队未加防备，李神福夜里率领精兵偷袭敌军，俘虏和杀死了一千人。

二月，朝廷加封李克用为守中书令，恢复李罕之的官职爵位。再次贬谪张濬为绣州司户。

韦昭度率领各道的军队十多万人讨伐陈敬瑄，三年未能战胜，军粮的供应接续不上，朝中议论打算停止战事。三月二十五日乙亥，昭宗下制书恢复陈敬瑄的官职爵位，命令顾彦朗、王建各自率领部众回到镇所。

王师范派遣都指挥使卢弘攻打棣州刺史张蟾，卢弘带兵回过头来攻打王师范。王师范派人拿了丰厚的钱财迎接卢弘，说："我王师范年幼呆傻，不能担当重任，希望能够让出职位，使我保住脑袋，这是您的仁爱啊！"卢弘因王师范年纪小，相信了他，不加防备。王师范秘密对小校安丘人刘鄩说："你能够杀掉卢弘，我任命你为大将。"卢弘进入城中，王师范埋伏甲士后宴请他，刘鄩在宴席座上杀了卢弘和他的几个党徒。王师范安慰晓谕士兵，厚加奖赏，发下重誓，亲自带兵攻打棣州，抓住了张蟾，把他杀了。崔安潜逃回京师。王师范任命刘鄩为马步副都指挥使。昭宗下诏任命王师范为平卢节度使。

王师范温和谨慎，喜好读书，每当本县的县令就任，王师范常常准备了仪仗和侍卫去拜见他。县令不敢接受，王师范命令礼宾负责人牵扶县令，让他坐在办公的厅堂上，自称为"百姓王师范"，在厅堂拜见他。有的僚属佐吏劝阻王师范，王师范

范”，拜之于庭。僚佐或谏，师范曰：“吾敬桑梓[363]，所以教子孙不忘本也！”

张濬至蓝田[364]，逃奔华州依韩建，与孔纬密求救于朱全忠。全忠上表为纬、濬讼冤，朝廷不得已，并听自便。纬至商州[365]而还，亦寓居华州。

邢洺节度使[366]安知建潜通朱全忠，李克用表以李存孝代之。知建惧，奔青州，朝廷以知建为神武统军[367]。知建帅麾下三千人将诣京师，过郓州，朱瑄与克用方睦，伏兵河上，斩之，传首晋阳。

夏，四月，有彗星见[368]于三台[369]，东行入太微[370]，长十丈余。

甲申[371]，赦天下。

【段旨】

以上为第十一段，写孙儒恃强，大发兵渡江与杨行密争江南。王师范年少智擒叛将卢弘，领平卢节度使。

【注释】

㊱癸酉：正月二十二日。㊲城戍：戍守城池的士兵。㊳奄：忽然。㊴东溪：水名，今名宛溪。源出安徽宣城东南峄山，绕城东与句溪合，故又称东溪，合青弋江出芜湖入大江。㊵台濛（？至公元九〇四年）：字顶云，田頵部属，頵败，归服杨行密，行密表为宣州观察使。传附《新唐书》卷一百八十九《田頵传》。㊶溪西：宛溪之西。㊷遽：急速。㊸溧水：县名，县治在今江苏南京市溧水区。㊹阳：通“佯”。㊺绣州：州名，治所常林，在今广西玉林北。㊻三年：唐僖宗文德元年（公元八八八年）遣韦昭度为行营招讨使讨伐陈敬瑄，至今已三年。㊼乙亥：三月二十五日。㊽归镇：使顾彦朗归梓州，王建归邛州。㊾棣州：州名，治所厌次，在今山东惠民东南。㊿重赂：丰厚的财物。(351)骏：傻；痴愚。(352)避位：让出职位。(353)刘鄩（公元八五六至九二〇年）：安丘（今山东安丘）人，先事王敬武、王师范父子，后降梁，为大将、节度使。传见《旧五代史》卷二十三、

说："我尊崇故乡，以此教育子孙不要忘本！"

张濬到达蓝田，逃往华州依附韩建，和孔纬秘密向朱全忠求救。朱全忠上表替孔纬、张濬申冤，朝廷不得已，让张濬、孔伟都听任其随意行动。孔纬到了商州后返回，也客居在华州。

邢洺节度使安知建暗中和朱全忠相联系，李克用上表请求任命李存孝代替安知建。安知建害怕了，逃往青州，朝廷任命安知建为神武统军。安知建率领部下三千人准备前往京师，经过郓州，郓州的朱瑄和李克用感情正好，埋伏士兵在黄河的岸边，杀了安知建，把他的首级传送给晋阳李克用。

夏，四月，有彗星出现在三台的位置，向东移动进入太微星座，长十丈多。

初五日甲申，昭宗诏令大赦天下。

《新五代史》卷二十二。㉞享：宴会。此用如动词，意为宴请。㉟誓：誓师，出兵时告诫将士。㊱崔安潜：王敬武死后，军中推王师范为留后，张蟾不服。崔安潜充平卢节度使，并和张蟾共讨师范。㊲和谨：谦和谨慎。㊳每本县令到官：每当新任的青州县令去上任时。本县，王师范的桑梓之县青州。到官，就任。㊴辄备仪卫往谒之：王师范常常备好仪仗和卫士去拜见新县令。㊵客将：主持唱导、傧赞仪礼的人。㊶扶持：牵扶。指将县令扶到办公厅堂上。㊷听事：厅堂；办公大堂。㊸桑梓：桑树和梓树为古代住宅旁常栽之树木，故用以喻故乡。㊹蓝田：县名，县治在今陕西蓝田。㊺商州：州名，治所在今陕西商海市商州区。㊻邢洺节度使：邢、洺二州当时属昭义节度。邢洺团练使原为安金俊，大顺元年二月安金俊中流矢死，李克用以安知建代镇邢洺。㊼神武统军：武官名，唐代禁军六军中有左右神武，神武军有大将军、统军、将军。㊽见：通"现"。彗星出现在三台星区。㊾三台：星官名，也叫"三能"，属太微垣，上、中、下三台各两星。㊿太微：星官名，即太微垣。在北斗之南，轸宿和翼宿之北，有星十颗。以五帝座为中枢，成屏藩形状。(371)甲申：四月初五日。

【校记】

［22］扶持：原作"挟持"。张敦仁《通鉴刊本识误》作"扶持"，当是，今从改。

【原文】

成都城中乏食，弃儿满路。民有潜入行营贩米入城者，逻者得之，以白韦昭度，昭度曰："满城饥甚，忍不救之！"释勿问。亦有白陈敬瑄者，敬瑄曰："吾恨无术以救饿者，彼能如是，勿禁也！"由是贩者浸多[372]，然所致不过斗升，截筒[373]，径寸半，深五分，量米而鬻之，每筒百余钱，饿殍狼籍[374]。军民强弱相陵[375]，将吏斩之不能禁。乃更为酷法，或断腰，或斜劈，死者相继而为者不止，人耳目既熟，不以为惧。吏民日窘[376]，多谋出降，敬瑄悉捕其族党杀之，惨毒备至。内外都指挥使、眉州刺史成都徐耕，性仁恕[377]，所全活[378]数千人。田令孜曰："公掌生杀而不刑一人，有异志邪？"耕惧，夜，取俘囚戮于市。

王建见罢兵制书[379]，曰："大功垂成，奈何弃之！"谋于周庠，庠劝建请韦公还朝，独攻成都，克而有之。建表称[23]："陈敬瑄、田令孜罪不可赦，愿毕命[380]以图成功。"昭度无如之何，由是未能东还。建说昭度曰："今关东藩镇迭相吞噬，此腹心之疾[381]也，相公宜早归庙堂，与天子谋之。敬瑄，疥癣[382]耳，当以日月制之[383]，责建，可办也！"昭度犹豫未决。庚子[384]，建阴令东川将唐友通等擒昭度亲吏骆保于行府[385]门，脔[386]食之，云其盗军粮。昭度大惧，遽称疾，以印节授建，牒建知三使[387]留后兼行营招讨使，即日东还。建送至新都[388]，跪觞[389]马前，泣拜而别。昭度甫出剑门[390]，即以兵守之，不复内东军[391]。昭度至京师，除东都留守[392]。

建急攻成都，环城烽堑[393]亘[394]五十里。有狗屠[395]王鹞，请诈得罪亡入城说之，使上下离心，建遣之。鹞入见陈敬瑄、田令孜，则言"建兵疲食尽，将遁矣"，出则鬻茶于市，阴为吏民称建英武，兵势强盛。由是敬瑄等懈于守备而众心危惧[396]。建又遣其将京兆郑渥诈降以觇[397]之，敬瑄以为将，使乘城[398]，既而复以诈得归。建由是悉知城中虚实，以渥为亲从都指挥使，更姓名曰王宗渥。

以武安[399]节度使周岳为岭南西道[400]节度使。

【语译】

成都城里缺少食物，被遗弃的婴儿到处都是。有的人潜入围城的军营里买米进城，被巡逻的士兵抓到了，向韦昭度报告，韦昭度说：“全城的人极为饥饿，能忍心不救他们吗！”便放了人不加追问。也有去报告陈敬瑄的，陈敬瑄说：“恨我没有办法来救济饥饿的人，让他们这样做，不要禁止！”从此贩卖粮食的人逐渐增多，然而所得到的不过是一升半斗。截断竹筒而成的量米容器，直径有一寸半，深度是五分，用这个量米来卖，每一筒米一百多钱。饿死的尸体满地纵横。军队和百姓力强的欺凌力弱的，将领和官员斩杀他们也禁止不了。于是重新订立了一套残酷的刑法，或者砍断腰部，或者斜劈下去，死的人相继不绝，而犯法的人仍然止不住。人们耳闻目睹，习惯了，不再害怕。官吏和百姓一天比一天困迫，很多人策划出城投降。陈敬瑄把他们的宗族、同党全部抓来一起杀掉，残酷狠毒，无所不至。内外都指挥使、眉州刺史成都人徐耕，人品仁慈宽恕，他保护下来的生命有好几千。田令孜说：“你掌握着生杀大权而不加刑一人，有别的企图吗？”徐耕害怕了，夜里，提取抓来的囚犯在街市上杀了。

王建看到休战的诏令，说：“大功就要告成，为什么要放弃呢！”他和周庠谋划，周庠劝王建让韦昭度返回朝廷，独自攻打成都，攻下来后占有它。王建上表说：“陈敬瑄、田令孜的罪过不能赦免，臣希望拼命来取得成功。”韦昭度拿他没办法，因此也不能东还京师。王建劝韦昭度说：“如今关东藩镇互相吞并，这是我们的心腹大患！您应该早回朝廷，与皇上商量谋划。陈敬瑄，疥疮小患，当在几天到个把月制服他，责成我王建，就可以办成！”韦昭度犹豫不决。四月二十一日庚子，王建暗中命令东川将领唐友通等人在韦昭度的行营办公处的门口把他的亲信骆保抓住，切成肉块吃了，说他偷盗军粮。韦昭度大为恐惧，立刻声称有病，把大印和旌节给予王建，送上公文让王建担任节度使、招抚使、制置使等三使的留后职务，兼任行营招讨使，自己当天东还。王建送韦昭度到新都，在马前跪下向韦昭度敬酒，落泪跪拜后才分别。韦昭度刚出了剑门关，王建马上派兵守卫，不再让东边的军队进入。韦昭度回到京师，被任命为东都留守。

王建急速攻打成都，环城设置烽火和沟堑绵延五十里。有一个杀狗的王鷂，请求假装获罪逃亡进入城中去游说，让他们上下离心，王建派他去了。王鷂入城后见到陈敬瑄、田令孜，就说王建的士兵疲乏，粮食吃光，即将逃走了，出来就在街市卖茶，暗中对官吏和百姓称赞王建英勇威武，兵强势盛。由此陈敬瑄等人守备松懈，而民众心生危惧。王建又派遣他的部将京兆人郑渥伪降，偷偷察看城中的情况。陈敬瑄任郑渥为将领，派他登城守备，不久郑渥又采用欺诈的方法跑回去了。王建因此完全知道了城中的虚实，任命郑渥为亲从都指挥使，改换姓名叫王宗渥。

任命武安节度使周岳为岭南西道节度使。

【段旨】

以上为第十二段，写唐昭宗赦陈敬瑄之罪，王建抗命，计夺韦昭度印节，仍以朝命攻围成都。

【注释】

㊲㊷浸多：渐渐增多。㊲㊸截筒：截断竹筒制成的量米容器。㊲㊹饿殍狼籍：饿死的人纵横满地。籍，通“藉”。㊲㊺强弱相陵：强者侵陵弱者。㊲㊻日窘：日子一天天更加艰难。㊲㊼仁恕：仁慈宽恕。㊲㊽全活：保全生命。㊲㊾罢兵制书：休兵诏令。制书，为皇帝诏敕之一。㊳⓪毕命：尽力效命。㊳①腹心之疾：最要害的疾患。㊳②疥癣：疥疮与癣疮，比喻小患。癣，通“癣”。㊳③以日月制之：再用一些时间就可以制服它，意即取胜指日可待。㊳④庚子：四月二十一日。㊳⑤行府：韦昭度攻成都，设置行府办公。㊳⑥脔：碎割。㊳⑦三使：谓节度使、招抚使、制置使。㊳⑧新都：县名，县治在今四川成都市新都区。㊳⑨跪觞：

【原文】

李克用大举击赫连铎，败其兵于河上[401]，进围云州。

杨行密遣其将刘威、朱延寿将兵三万击孙儒于黄池[402]，威等大败。延寿，舒城[403]人也。孙儒军于黄池，五月，大水，诸营皆没，乃还扬州，使其将康暀[404]据和州，安景思据滁州。

丙午[405]，立皇子祐[406]为德王。

杨行密遣其将李神福攻和、滁，康暀降，安景思走。

秋，七月，李克用急攻云州，赫连铎食尽，奔吐谷浑[407]部，既而归于幽州。克用表大将石善友为大同防御使。

朱全忠遣使与杨行密约共攻孙儒。儒恃其兵强，欲先灭行密，后敌全忠，移牒藩镇，数行密、全忠之罪，且曰：“俟平宣[408]、汴[409]，当引兵入朝，除君侧之恶。”于是悉焚扬州庐舍，尽驱丁壮及妇女渡江，杀老弱以充食。行密将张训、李德诚潜入扬州，灭余火，得谷数十万斛以赈饥民[410]。泗州[411]刺史张谏贷数万斛以给军，训以行密之命馈之，谏由是德行密。

跪着敬酒。觞，盛有酒的杯。㊵剑门：关名，在今四川剑阁东北。㊶不复内东军：王建以兵守剑门，不许东边的军队再入剑门。内，通“纳”。㊷除东都留守：韦昭度被王建胁迫，授兵东归，朝廷责其进退失据，故左迁东都留守。㊸烽堑：报警的烽燧和用作防御的沟堑。㊹亘：绵延。㊺狗屠：宰狗为业的人。㊻众心危惧：王鷂在陈敬瑄、田令孜面前说王建兵疲食尽，使其放松防守；在吏民中间散布王建兵势强大，使人人自危。㊼觇：偷偷地察看。㊽乘城：登上城墙。㊾武安：方镇名，唐僖宗中和三年（公元八八三年）升湖南观察使为钦化军节度使，光启二年（公元八八六年）改为武安军。治所衡州，在今湖南衡阳。㊿岭南西道：岭南道为唐代十道之一，唐懿宗咸通三年（公元八六二年）分岭南为东西道，岭南西道治邕州，在今广西南宁。

【校记】

［23］称：原作“请”。胡三省注云：“‘请’恐当作‘称’。”据章钰校，十二行本、乙十一行本皆作“称”，张敦仁《通鉴刊本识误》同，今从改。

【语译】

李克用大举进攻赫连铎，在北河上打败了他，进兵包围云州。

杨行密派他的将领刘威、朱延寿率兵三万人在黄池镇攻打孙儒，刘威等人大败。朱延寿是舒城人。孙儒屯兵黄池镇，五月，发大水，各个营寨都淹没了，便返回扬州，派他的将领康暀据守和州，安景思据守滁州。

丙午日，立皇子李祐为德王。

杨行密派遣他的将领李神福攻打和州、滁州，康暀投降，安景思逃走了。

秋，七月，李克用急速攻打云州，赫连铎的粮食吃光了，逃往吐谷浑部落，不久又回到幽州。李克用上表派大将石善友为大同防御使。

朱全忠派遣使者和杨行密约定一起攻打孙儒。孙儒靠着自己的兵力强大，打算先消灭杨行密，然后再抵挡朱全忠。他传送牒文给各个藩镇，列举杨行密、朱全忠的罪过，并且说：“等到平定宣州、汴州，自当带兵入朝，清除皇上身边的坏人。”于是全部烧毁了扬州的房屋，驱赶所有的壮年男子和妇女渡过长江，杀掉老弱来充作食物。杨行密的部将张训、李德诚潜入扬州，扑灭余火，得到粮食几十万斛，用来赈济饥民。泗州刺史张谏要借几万斛粮食供给军队，张训用杨行密的命令把粮食赠送给他，张谏因为此事很感激杨行密的恩德。

邢洺节度使李存孝劝李克用攻镇州，克用从之。八月，克用南巡泽潞，遂涉[412]怀孟[413]之境。

朱全忠遣其将丁会攻宿州[414]，克其外城。

乙未[415]，孙儒自苏州出屯广德[416]，杨行密引兵拒之。儒围其寨，行密将上蔡李简帅百余人力战，破寨，拔[417]行密出之。

【段旨】

以上为第十三段，写李克用大破赫连铎，孙儒烧积聚，扫境南渡与杨行密决战，孤注一掷，以图侥幸。

【注释】

[401] 河上：北河之上。黄河由甘肃流向河套，至阴山南麓，分为南北二河，北边的称北河。[402] 黄池：镇名，在今安徽芜湖县北。当时属宣州当涂。[403] 舒城：县名，县治在今安徽舒城。[404] 康晊：人名，叛贼秦宗权之将孙儒属下将官。《新唐书》卷一百八十八《杨

【原文】

王建攻陈敬瑄益急，敬瑄出战辄败，巡内州县率为建所取。威戎[418]节度使杨晟时馈之食，建以兵据新都，彭州道绝[419]。敬瑄出，慰勉士卒，皆不应。

辛丑[420]，田令孜登城谓建曰："老夫向[421]于公甚厚，何见困如是？"建曰："父子之恩[422]岂敢忘！但朝廷命建讨不受代者[423]，不得不然。傥太师改图，建复何求！"是夕，令孜自携西川印节诣建营授之，将士皆呼万岁。建泣谢，请复为父子如初。

先是[424]，建常诱其将士曰："成都城中繁盛如花锦，一朝得之，金帛子女恣汝曹所取，节度使与汝曹迭日为之[425]耳！"壬寅[426]，敬瑄开门迎建。建署其将张勍[427]为马步斩斫使[428]，使先入城。乃谓将士曰："吾

邢洺节度使李存孝劝李克用攻打镇州，李克用同意了这一建议。八月，李克用南巡泽州、潞州，便进入了怀州、孟州的境内。

朱全忠派遣他的将领丁会攻打宿州，攻下了外城。

十八日乙未，孙儒从苏州出发，屯兵广德，杨行密率兵抵抗孙儒。孙儒包围了杨行密的营寨，杨行密的将领上蔡人李简带领一百多人奋力作战，冲破营寨，把杨行密从包围中救了出来。

行密传》作“康旺”。㊿⁵ 丙午：五月己酉朔，无丙午。丙午，六月二十八。406 祐：据两《唐书》昭宗德王本传，“祐”应为“裕”之误。李裕传见《旧唐书》卷一百七十五、《新唐书》卷八十二。407 吐谷浑：亦作吐浑，北方古族名，唐代吐浑分散在今青海、甘肃、宁夏一带。赫连铎本为朔方吐谷浑酋长，唐文宗开成年间，其父率族人三千帐，守云州十五年。至是而亡。408 宣：指宁国军节度使杨行密。409 汴：指宣武节度使朱全忠。410 赈饥民：救济饥民。由于孙儒焚房舍、杀老弱，而杨行密以谷赈济饥民，所以，扬州百姓恨孙儒而感激杨行密。411 泗州：州名，治所在今江苏盱眙。412 涉：进入。413 怀孟：怀州和孟州，两州均在泽州之南。414 宿州：大顺元年夏四月，宿州将张筠附于时溥。415 乙未：八月十八日。416 广德：县名，县治在今安徽广德。417 拔：救出来。

【语译】

王建愈益加紧攻打陈敬瑄，陈敬瑄出来应战常常失败，他管辖内的州县大多被王建攻取。威戎节度使杨晟时常送给陈敬瑄粮食，王建用兵占领了新都，通往彭州的道路断绝了。陈敬瑄出来抚慰勉励士兵，士兵都不回应。

八月二十四日辛丑，田令孜登城对王建说：“老夫以前对您十分厚爱，现在为什么如此围困我呢？”王建说：“父子之恩，怎么敢忘记！只是朝廷命令我讨伐不接受职务调动的人，我才不得不这样做。如果太师您能改变主意，我王建还有什么要求呢！”当晚，田令孜亲自携带西川节度使的印章和旌节前往王建的军营中授给王建，将领和士兵全都高呼万岁。王建流着眼泪表示感谢，请求恢复父子关系，如同当初那样。

此前，王建常常引诱他的将领和士兵说：“成都城里繁荣昌盛，如花似锦，一旦得到了它，金银、布帛、美女任凭你们去拿，节度使的职位我与你们轮流担任！”八月二十五日壬寅，陈敬瑄打开城门迎接王建。王建委任他的将领张勍担任马步斩斫使，让他首先进入城中。于是告诉将领和士兵说：“我和你们在三年中打了上百场战

与汝曹三年百战，今始得城，汝曹不忧不富贵，慎勿焚掠坊市。吾已委张勍护之矣，彼㉙幸㉚执而白我，我犹得赦之。若先斩而后白，吾亦不能救也！”既而士卒有犯令者，勍执百余人，皆捶其胸而杀之，积尸于市，众莫敢犯。故时人谓勍为“张打胸”。

癸卯㉛，建入城，自称西川留后。小校韩武数于使厅㉜上马，牙司㉝止之，武怒曰：“司徒㉞许我迭日为节度使，上马何为㉟！”建密遣人刺杀之。

初，陈敬瑄之拒朝命㊱也，田令孜欲盗其军政，谓敬瑄曰：“三兄㊲尊重，军务烦劳，不若尽以相付㊳，日具记事咨呈㊴，兄但高居自逸㊵而已。”敬瑄素无智能，忻然㊶许之。自是军事皆不由己，以至于亡㊷。建表敬瑄子陶为雅州刺史，使随陶之官㊸。明年，罢归，寓居新津㊹，以一县租赋赡㊺之。

癸丑㊻，建分遣士卒就食诸州，更文武坚㊼姓名曰王宗阮，谢从本㊽曰王宗本。陈敬瑄将佐有器干㊾者，建皆礼㊿而用之。

【段旨】

以上为第十四段，写王建三年征战成都据有西川。

【注释】

⑱威戎：方镇名，唐僖宗文德元年（公元八八八年）升彭州防御使为威戎军节度使，领成、彭、文、龙、茂五州。治所彭州，在今四川彭州。⑲彭州道绝：新都在彭州与成都中间，为杨晟送粮给陈敬瑄必经之路。王建据新都，故彭州至成都道绝。⑳辛丑：八月二十四日。㉑向：旧时；从前。㉒父子之恩：田令孜曾养王建为义子。㉓讨不受代者：文德元年（公元八八八年）昭宗以韦昭度为西川节度使兼两川招抚制置使，征陈敬瑄为龙武统军。陈敬瑄、田令孜不受朝命，故王建云“讨不受代者”。受代，官吏去职被人替代叫受代。不受代者，指陈敬瑄。㉔先是：在此之前。㉕迭日为之：王建引诱将士为他卖命，说攻下成都之后，和将士们轮流更替做节度使。迭日，更日。㉖壬寅：八月二十五日。㉗张勍：王建手下大将。事略载《新唐书》卷二百二十四下《陈敬瑄传》和《旧

斗，现在才得到这座城市，你们不用发愁不富贵，要小心谨慎，不要焚烧抢掠街坊市场，我已委派张勍加以保护。如果他侥幸抓到了你们来告诉我，我还能赦免你们。如果他先斩首然后报告，我也不能救你们！”不久，士兵有违反命令的，张勍抓住了一百多人，都捶打他们的胸脯，杀了他们，尸体堆积在市场里，部队没有人敢触犯命令。所以当时人们称张勍是“张打胸”。

八月二十六日癸卯，王建进入城中，自称为西川留后。小校韩武多次在节度使的厅堂前上马，牙司阻止他，韩武生气地说：“司徒王建答应我轮流担任节度使，在厅堂前上马有什么大不了！”王建秘密派人刺杀了韩武。

当初，陈敬瑄抗拒朝廷的命令，田令孜想要窃取他的军政大权，对陈敬瑄说：“您是尊贵的人，军队中的事务既繁重又劳累，不如全部托付给我，我每天把事情全部记载下来，向您呈上征求意见，您只需高高在上，自享安逸就可以了。”陈敬瑄向来没有智慧和能力，欣然答应了。从此军队中的事务都不由自己做主，以至于身亡。王建上表请求任命陈敬瑄的儿子陈陶为雅州刺史，让陈敬瑄跟随陈陶到雅州上任。第二年，罢官回家，寄居在新津，利用一县的租赋赡养他。

九月初六日癸丑，王建分别派遣士兵到各州就地筹粮食用，更改文武坚的姓名为王宗阮，更改谢从本的姓名为王宗本。陈敬瑄的部将佐吏有器识才干的，王建都以礼相待，任用他们。

五代史》卷一百三十六与《新五代史》卷六十三《王建传》。㊽ 马步斩斫使：临时任命的官职，负责维持秩序，镇压动乱。㊾ 彼：指张勍。㊿ 幸：侥幸。上下文意谓你们违反军令被张勍抓住，如果侥幸地被送到我这儿来，向我禀告，那么我还可以救你们。431 癸卯：八月二十六日。432 使厅：节度使办公之厅。433 牙司：官吏名，掌使衙之事。434 司徒：指王建。王建曾为检校司徒。435 何为：有什么了不起。436 拒朝命：拒绝交出西川去任龙武统军之命。437 三兄：陈敬瑄排行第三，故称。438 尽以相付：把军政大权全部交给田令孜。439 咨呈：呈送陈敬瑄征求意见。440 自逸：自己享受安逸。441 忻然：高兴的样子。忻，通“欣”。442 以至于亡：王建迁陈敬瑄于雅州，使人杀之。详见《新五代史》卷六十三《王建传》。443 之官：到任所上去。此言使陈敬瑄随其子陈陶到任所去。444 新津：县名，县治在今四川成都市新津区，当时属蜀州。445 赡：赡养。446 癸丑：九月初六日。447 文武坚：僰道土豪。448 谢从本：原为资简都制置应援使，去年六月杀雅州刺史张承简，举城降王建。王建把他与文武坚更改姓名，收为义子。449 器干：才能；本领。450 礼：用如动词，给予礼遇。王建善于用人，这是他据有蜀地的重要条件。

【原文】

六军十二卫观军容使、左军[24]中尉杨复恭总宿卫兵，专制朝政，诸假子皆为节度使、刺史，又养宦官子六百人，皆为监军。假子龙剑㊿①节度使守贞、武定㊿②节度使守忠不输贡赋，上表讪薄㊿③朝廷。

上舅王瓌求节度使，上访㊿④于复恭，复恭以为不可，瓌怒，诟之。瓌出入禁中，颇用事㊿⑤，复恭恶之，奏以为黔南㊿⑥节度使，至吉柏津㊿⑦，令山南西道㊿⑧节度使杨守亮㊿⑨覆诸江中㊿⑩，宗族宾客皆死，以舟败[461]闻。上知复恭所为，深恨之。

李顺节[462]既宠贵，与复恭争权，尽以复恭阴事[463]告上，上乃出复恭为凤翔监军。复恭愠怼[464]，不肯行，称疾，求致仕[465]。九月乙卯[466]，以复恭为上将军[467]致仕，赐以几杖[468][25]。使者致诏命还，复恭潜遣腹心张绾刺杀之。

加护国节度使王重盈兼中书令。

东川节度使顾彦朗薨，军中推其弟彦晖[469]知留后。

冬，十月壬午[470]，宿州刺史张筠降于丁会。

癸未[471]，以永平节度使王建为西川节度使。甲申[472]，废永平军[473]。建既得西川，留心政事，容纳直言，好施乐士[474]，用人各尽其才，谦恭俭素。然多忌好杀，诸将有功名者，多因事诛之。

杨复恭居第近玉山营[475]，假子守信为玉山军使，数往省之。咸[26]告复恭与守信谋反。乙酉[476]，上御安喜门[27]，陈兵自卫，命天威都将[477]李顺节、神策军使李守节将兵攻其第。张绾帅家众[478]拒战，守信引兵助之，顺节等不能克。丙戌[479]，禁军[28]守含光门[480]，俟其开，欲出掠两市[481]，遇刘崇望[482]，立马谕之曰："天子亲在街东督战，汝曹皆宿卫之士，当于楼前杀贼立功，勿贪小利，自取恶名！"众皆曰："诺。"遂从崇望而东。守信之众望见兵来，遂溃走。守信与复恭挈[483]其族自通化门[484]出，趣兴元，永安都[485]头权安追之，擒张绾，斩之。复恭至兴元，杨守亮、杨守忠、杨守贞及绵州[486]刺史杨守厚同举兵拒朝廷，以讨李顺节为名。守厚，亦复恭假子也。

【语译】

六军十二卫观军容使、左军中尉杨复恭总领宿卫的军队，专断朝政。他的义子们都担任节度使、刺史，又养了宦官义子六百人，全都担任监军。义子龙剑节度使杨守贞、武定节度使杨守忠不再向朝廷输送贡品、赋税，上表讥毁鄙薄朝廷。

昭宗的舅舅王瓌求任节度使，昭宗问杨复恭，杨复恭认为不行，王瓌非常生气，骂了杨复恭。王瓌出入禁中，很是当权主事，杨复恭对他很憎恨，奏请昭宗任命王瓌为黔南节度使，王瓌到达吉柏津，杨复恭命令山南西道节度使杨守亮把王瓌的舟船翻没江中，王瓌的宗族、宾客都死了，以船坏了奏报昭宗。昭宗知道这是杨复恭干的，对他深为憎恨。

李顺节得宠显贵后，和杨复恭争夺权力，把杨复恭的秘密事情全部告诉昭宗，昭宗便外任杨复恭为凤翔的监军。杨复恭很愤恨，不肯前往，推说有病，要求辞职。九月初八日乙卯，昭宗任命杨复恭为上将军，离职退休，赐给他几案和手杖。使者送去昭宗的诏书让他返回，杨复恭暗中派遣他的心腹张绾刺杀了使者。

朝廷加封护国节度使王重盈兼任中书令。

东川节度使顾彦朗去世，军中推举他的弟弟顾彦晖为东川留后。

冬，十月初五日壬午，宿州刺史张筠向丁会投降。

初六日癸未，朝廷任命永平节度使王建为西川节度使。初七日甲申，废除永平军。王建取得了西川后，留心政事，容许并采纳大家的直言批评，喜欢施舍，乐于接纳贤士，用人方面尽力让每个人发挥才干，谦虚恭敬，节俭朴素。但是多猜忌，好杀人，各将领立有功名的，大多利用某件事情杀了他。

杨复恭的宅第靠近玉山营，他的义子杨守信担任玉山军使，多次前去看望杨复恭。众人皆举报说杨复恭与杨守信阴谋造反。十月初八日乙酉，昭宗亲临安喜门，部署军队自卫，命令天威都将李顺节、神策军使李守节领兵攻打杨复恭的住宅。张绾率领杨复恭家里的人进行抵抗，杨守信带兵援助杨复恭，李顺节等人攻打不下来。初九日丙戌，守卫含光门的宫中卫兵，等到门打开后，打算出去抢掠东市、西市，这时碰到了刘崇望。刘崇望停住马告诉禁军们说："天子亲自在街的东边督战，你们都是宿卫的士兵，应该在楼前杀敌立功，不要贪图小利，自取恶名！"大家都说："是的。"于是跟随刘崇望往东。杨守信的士兵远远见到军队过来了，就溃逃了。杨守信和杨复恭带领族人从通化门出来，跑向兴元府。永安都头权安追赶他们，活捉了张绾，把他杀了。杨复恭到达兴元，杨守亮、杨守忠、杨守贞以及绵州刺史杨守厚共同起兵对抗朝廷，利用讨伐李顺节为名义。杨守厚也是杨复恭的义子。

【段旨】

以上为第十五段，写唐昭宗借杨复恭义子李顺节之力逐走杨复恭。

【注释】

㊿① 龙剑：方镇名，领龙、剑、利、阆四州，治所龙州，在今四川江油北。㊿② 武定：方镇名，唐僖宗光启元年置武定军节度使，领洋、果、阶、扶四州，治所洋州，在今陕西西乡。㊿③ 讪薄：讥毁轻蔑；讪笑轻视。㊿④ 访：问。㊿⑤ 用事：当权。㊿⑥ 黔南：方镇名，大顺元年赐黔州观察使号武泰军节度，黔南即黔中以南诸州。㊿⑦ 吉柏津：渡口名，在利州益昌县北，即今四川广元西南。一作桔柏津，因益昌驿中有古柏，当地人叫作桔柏，并以此为渡口名。王瓌取道兴元至吉柏津。㊿⑧ 山南西道：方镇名，治所梁州，后改兴元府，在今陕西汉中。㊿⑨ 杨守亮（？至公元八九四年）：曹州人，本姓訾，名亮，杨复光收为养子，改名杨守亮。传见《旧唐书》卷一百八十四、《新唐书》卷一百八十六。㊻⓪ 覆诸江中：把王瓌的船翻没江中。江，指嘉陵江。㊻① 舟败：因船毁坏失事。㊻② 李顺节：原名胡弘立，为杨复恭假子，改名杨守立，后昭宗赐姓名李顺节，并提拔为天武都头，领镇海节度使，加同平章事。故云"宠贵"。其事散见《旧唐书》卷二十上《昭宗纪》和《新唐书》卷二百八《杨复恭传》等。㊻③ 阴事：秘事。㊻④ 愠怼：气愤怨恨。㊻⑤ 致仕：辞官。㊻⑥ 乙卯：九月初八日。㊻⑦ 上将军：官名，唐代各卫置上将军，位在大将军之上。㊻⑧ 几

【原文】

李克用攻王镕，大破镇兵[487]于龙尾冈[488]，斩获万计，遂拔临城[489]，攻元氏[490]、柏乡[491]，李匡威引幽州兵救之。克用大掠而还，军于邢州。

十一月，曹州[492]都将郭铢杀刺史郭词，降于朱全忠。

泰宁[493]节度使朱瑾[494]将万余人攻单州[495]。

乙丑[496]，时溥将刘知俊[497]帅众二千降于朱全忠[29]。知俊，沛人，徐之骁将也，溥军自是不振。全忠以知俊为左右开道指挥使。

辛未[498]，寿州将刘弘鄂恶孙儒残暴，举州降朱全忠。

十二月乙酉[499]，汴将丁会、张归霸与朱瑾战于[30]金乡[500]，大破之，杀获殆尽，瑾单骑走免。

天威都将李顺节恃恩骄横，出入常以兵自随。两军中尉[501]刘景宣、

杖：几案和手杖。古以赐几杖为敬老之礼。㊾彦晖（？至公元八九七年）：顾彦朗之弟。传附《新唐书》卷一百八十六《顾彦朗传》。⑩ 壬午：十月初五日。⑪ 癸未：十月初六日。⑫ 甲申：十月初七日。⑬ 废永平军：去年置永平军，治所邛州，为王建所设。现王建既授西川节度使，故废永平军。⑭ 好施乐士：喜欢施舍周济别人，乐于和有才能有本领的人交往。⑮ 居第近玉山营：据《旧唐书·杨复恭传》，杨复恭宅第在昭化里，《长安志》云“昭化”即“广化”之误。居第，住宅。玉山营，军营名。⑯ 乙酉：十月初八日。⑰ 天威都将：武官名，天威为神策五十四都之一。⑱ 家众：杨复恭私养的家丁。⑲ 丙戌：十月初九日。⑳ 含光门：皇城南面自西数第一门。㉑ 两市：唐代长安城有东、西两市。东市在春明门内，西市在金光门内。㉒ 刘崇望：时任宰相。㉓ 挈：带领。㉔ 通化门：长安城东面自北数第一门。㉕ 永安都：神策五十四都之一。㉖ 绵州：州名，治所在今四川绵阳东北。

【校记】

［24］左军：原作“左神策军”。据章钰校，十二行本、乙十一行本皆无“神策”二字，今据删。［25］几杖：原作“九杖”。据章钰校，十二行本、乙十一行本、孔天胤本皆作“几杖”，张瑛《通鉴校勘记》同，今从改。［26］咸：原作“或”。据章钰校，乙十一行本作“咸”，今从改。［27］安喜门：原作“安喜楼”。据章钰校，十二行本、乙十一行本皆作“安喜门”，今从改。［28］禁军：原作“禁兵”。据章钰校，十二行本、乙十一行本皆作“禁军”，今从改。

【语译】

李克用攻打王镕，在龙尾冈大败镇州军，杀死和俘虏的人数以万计，于是攻取了临城。李克用攻打元氏、柏乡，李匡威带领幽州的士兵救援王镕。李克用大肆抢掠后返回，驻军在邢州。

十一月，曹州都将郭铢杀掉刺史郭词，投降朱全忠。

泰宁节度使朱瑾率领一万多人攻打单州。

十一月十九日乙丑，时溥的部将刘知俊率领部众二千人投降了朱全忠。刘知俊是沛县人，徐州的勇将。时溥的军队从此一蹶不振。朱全忠任命刘知俊为左右开道指挥使。

二十五日辛未，寿州将领刘弘鄂憎恨孙儒的残暴，以寿州投降朱全忠。

十二月初九日乙酉，汴州的将领丁会、张归霸和朱瑾在金乡交战，把朱瑾的军队打得大败，几乎全部杀死和俘虏了敌人。朱瑾一人骑马逃脱，免于一死。

天威都将李顺节依仗昭宗的恩宠骄纵蛮横，出入宫廷常常随身带着士兵。两军

西门君遂恶之，白上，恐其作乱。戊子[502]，二人以诏召顺节，顺节入至银台门[503]，二人邀顺节于仗舍[504]坐语，供奉官[505]似先知自后斩其首，从者大噪[506]而出。于是天威、捧日、登封[507]三都大掠永宁坊[508]，至暮乃定。百官表贺。

孙儒焚掠苏、常，引兵逼宣州，钱镠复遣兵据苏州。儒屡破杨行密之兵，旌旗辎重亘百余里。行密求救于钱镠，镠以兵食助之。

以顾彦晖为东川节度使，遣中使宋道弼赐旌节。杨守亮使杨守厚囚道弼，夺其[31]旌节，发兵攻梓州[509]。癸卯[510]，彦晖求救于王建。甲辰[511]，建遣其将华洪、李简、王宗侃、王宗弼救东川。建密谓诸将曰："尔等破贼，彦晖必犒师[512]，汝曹于行营报宴[513]，因而执之，无烦再举[514]。"宗侃破守厚七砦[515]，守厚走归绵州。彦晖具犒礼，诸将报宴，宗弼以建谋告之，彦晖乃以疾辞。

初，李茂贞养子继臻据金州[516]，均州[517]刺史冯行袭[518]攻下之，诏以行袭为昭信[519]防御使，治金州。杨守亮欲自金、商袭京师，行袭逆击，大破之。

是岁，赐泾原军[520]号曰彰义，增领渭、武二州。

福建观察使陈岩疾病，遣使以书召泉州刺史王潮，欲授以军政，未至而岩卒。岩妻弟都将范晖讽[521]将士推己为留后，发兵拒潮[32]。

【段旨】

以上为第十六段，写河北、徐淮、江南及陇蜀各地军阀混战。

【注释】

[487]镇兵：王镕为成德军节度使，成德军治所恒州，即镇州，故云镇兵。[488]龙尾冈：地名，在今河北临城西北。[489]临城：县名，本名房子，唐玄宗天宝元年（公元七四二年）改名临城，县治在今河北临城。[490]元氏：县名，县治在今河北元氏。[491]柏乡：县名，县治在今河北柏乡。[492]曹州：州名，治所在今山东菏泽市定陶区西。时为天平节度使朱瑄巡属。[493]泰宁：方镇名，治所兖州，在今山东济宁市兖州区。[494]朱瑾：朱瑄从父弟。[495]单

中尉刘景宣、西门君遂憎恨他，告诉了昭宗，害怕李顺节作乱。十二月十二日戊子，两人拿着诏书叫李顺节来，李顺节进入银台门，两人邀请李顺节在仪卫房舍坐下说话，供奉官似先知从后面斩下他的首级，随从们大声呼喊着跑了出去。于是天威、捧日、登封三都的士兵大肆抢掠永宁坊，到了晚上才停止。百官上表庆贺。

孙儒焚烧抢掠苏州、常州，带兵逼近宣州，钱镠再次派兵占据苏州。孙儒多次打败杨行密的军队，旌旗和运载的军用物资绵延一百多里。杨行密向钱镠求救，钱镠派遣士兵并运送食物去帮助他。

任命顾彦晖为东川节度使，派遣中使宋道弼赐给他旌节。杨守亮派杨守厚囚禁宋道弼，夺走他的旌节，调兵攻打梓州。十二月二十七日癸卯，顾彦晖向王建求救。二十八日甲辰，王建派遣他的部将华洪、李简、王宗侃、王宗弼救援东川。王建暗中对各个将领说："你们打败了贼军，顾彦晖一定会犒劳军队，你们在行营的答谢宴会上，顺便把他抓起来，不必再次起兵攻打他。"王宗侃攻破了杨守厚的七个寨子，杨守厚逃回绵州。顾彦晖备办了犒劳的礼物，各个将领也设宴答谢。王宗弼把王建的阴谋告诉了顾彦晖，顾彦晖便借口有病推辞了。

当初，李茂贞的养子李继臻占据了金州，均州刺史冯行袭把它攻了下来，昭宗下诏任命冯行袭为昭信防御使，治理金州。杨守亮打算从金州、商州袭击京城，冯行袭迎击，大败杨守亮。

这一年，赐泾原军号叫彰义，增加统领渭、武两个州。

福建观察使陈岩患病，派遣使者拿书信去叫泉州刺史王潮来，打算把军政大权授予他。王潮没有到达，陈岩就去世了。陈岩的妻弟都将范晖暗示将领和士兵推举自己担任留后，出兵抵抗王潮。

州：州名，唐末，以宋州之单父、砀山，曹州之成武，兖州之鱼台置单州，治所在今山东单县。当时属朱全忠。㊾⑥ 乙丑：十一月十九日。㊾⑦ 刘知俊：字希贤，徐州沛县（今江苏沛县）人，始事徐州节帅时溥，后归服朱全忠，功高遭妒，叛投李茂贞。传见《旧五代史》卷十三、《新五代史》卷四十四。㊾⑧ 辛未：十一月二十五日。㊾⑨ 乙酉：十二月初九日。⑤⓪⓪ 金乡：县名，县治在今山东金乡。⑤⓪① 两军中尉：左右神策军中尉。⑤⓪② 戊子：十二月十二日。⑤⓪③ 银台门：唐大明宫东有左银台门，西有右银台门，此为右银台门。⑤⓪④ 仗舍：仪卫所居。⑤⓪⑤ 供奉官：官名，在皇帝左右供职，宦官充任。⑤⓪⑥ 噪：喧闹。⑤⓪⑦ 捧日、登封：皆为神策五十四都之一。⑤⓪⑧ 永宁坊：位于朱雀门东第三街，即皇城东之第一街。⑤⓪⑨ 梓州：州名，治所在今四川三台。⑤①⓪ 癸卯：十二月二十七日。⑤①① 甲辰：十二月二十八日。⑤①② 犒师：用酒食或财物慰劳军队。⑤①③ 报宴：答谢宴会。⑤①④ 无烦再举：趁答谢宴

会的机会把顾彦晖消灭，不需要以后再发起军事行动。⑮砦：同“寨”。⑯金州：州名，治所西城，在今陕西安康。⑰均州：州名，治所武当，在今湖北十堰市郧阳区东南。西至金州七百里。⑱冯行袭：均州（在今湖北丹江口西北）人，先后任均州刺史、戎昭军节度使、匡国军节度使。传见《新唐书》卷一百八十六、《旧五代史》卷十五、《新五代史》卷四十二。⑲昭信：方镇名，唐僖宗光启元年（公元八八五年）升金商都防御使为节度使。是年，罢节度，置昭信防御使，治所金州。⑳泾原军：方镇名，唐代宗大历三年（公元七六八年）置泾原节度使，治所泾州，在今甘肃泾川北。泾原节度赐号彰义的时间，据《新唐书·方镇表》应为乾宁元年（公元八九四年）。㉑讽：不正面说，而用婉言劝说。

【校记】

［29］朱全忠：据章钰校，十二行本无“朱”字。［30］于：据章钰校，十二行本、乙十一行本皆无“于”字。〖按〗有“于”字义长。［31］其：原无此字。据章钰校，十二行本、乙十一行本皆有此字，张敦仁《通鉴刊本识误》同，今据补。［32］发兵拒溯：原无此四字。据章钰校，十二行本、乙十一行本、孔天胤本皆有此四字，张敦仁《通鉴刊本识误》、张瑛《通鉴校勘记》同，今据补。

【研析】

本卷研析张濬出讨李克用，孙揆忠义，唐昭宗逐走杨复恭，王建取西川四大史事。

第一，张濬出讨李克用。唐昭宗痛恨藩镇割据和宦官擅权，志欲革除唐朝政治上的这两大积弊，只可惜志大才疏，既无匡复之才，又无任贤之识，一时兴起，感情用事，加速了唐朝的灭亡。

张濬字禹川，河间人。颇涉猎文史，爱吹牛皮，自视甚高，行为轻浮，为乡里士友所不齿，愤愤不平。张濬隐于金凤山，学鬼谷子之术，想用游说来取卿相。僖宗乾符年间因枢密使杨复恭推荐得为太常博士，转度支员外郎。杨复恭失宠，张濬转投田令孜。田令孜失势，杨复恭复出，深恨张濬反复无常，两人有隙。于是唐昭宗特别亲爱张濬，用以为相，抵制杨复恭。先前李克用讨黄巢，屯兵河中，宰相王铎兼行营都统，奏请张濬为都统判官。李克用见之，鄙薄张濬的为人。张濬自比谢安、裴度，以廓清天下为己任。李克用私下对诏使说：“张濬虚谈之士，主上用以为相，往后引发祸乱，危害国家的人，一定是这位张公。”张濬听到后，衔恨不已。朱李交恶，昭宗不问是非和稀泥，张濬更毁短李克用，煽动昭宗征讨。张濬外连宣武朱全忠、幽州李匡威、云州赫连铎同时上奏请讨李克用。昭宗下诏廷议，四品以上朝官与议，十之六七认为不可，十之三四认为可。张濬耸动昭宗，以出讨立功来抑

制杨复恭，认为这次出师是一箭双雕，既削藩镇，又除宦官。昭宗误信邪说，于是下诏兴师，削夺李克用一切官爵。昭宗大顺元年（公元八九〇年）五月，张濬率诸军五十二都及西北诸州所征发的杂虏军队五万人，再会合宣武、镇国、静难、凤翔、保大、定难诸镇官军会集晋州。张濬不武，各镇所集乌合之众，人数虽众，非沙陀军之敌，又师出无名，官军一触即溃，张濬大败而归。这次出师，唐昭宗乘黄巢覆灭、秦宗权授首的时机，一声号令，能集聚诸镇之兵，表明朝廷已有一定权威，这是中兴的凭借。但随着张濬出师的败北，唐王室威信扫地，唐昭宗非中兴之主，不过是一个轻狂急躁、无所作为的庸君。此次官军败北，轻启战端，拉开了唐末军阀大混战的序幕。唐王室中兴无望，它的覆灭，只是等待时日了。

第二，孙揆忠义。孙揆，字圣圭，博州武水人。进士及第，历官户部巡官、中书舍人、刑部侍郎、京兆尹。昭宗讨李克用，以揆为兵马招讨副使，授昭义军节度使，以本道兵出战，被李克用伏兵在半道击败，生俘孙揆。李克用以礼待孙揆，劝其为河东所用，孙揆大骂不止。李克用大怒，命人锯解分尸，行刑人手颤抖锯齿不前。孙揆大骂说："死狗奴，锯人要用木板夹，蠢东西连这都不知。"行刑人依法夹上木板，锯解了孙揆，而孙揆至死骂声不绝。孙揆从容就义，视死如归，留取丹心照汗青。唐昭宗怜之，赠左仆射，《新唐书》列入《忠义传》。

第三，唐昭宗逐走杨复恭。杨复恭，字子恪，本姓林，因被枢密使宦官杨玄翼收为义子，改姓杨。杨玄翼之弟杨玄价收养一乔姓义子取名杨复光，所以杨复恭是杨复光的义兄，兄弟两人都是唐末大宦官，号杨门二兄弟。

懿宗咸通十年（公元八六九年），杨玄翼死，杨复恭接任父职，与大宦官田令孜同为枢密使。唐僖宗即位，爆发黄巢大起义，两人在镇压黄巢起义的方针上发生分歧，田令孜主张武力镇压，杨复恭主张招降。僖宗倒向田令孜，杨复恭被排挤，家居蓝田等待时局变化。僖宗第二次蒙尘，朝野一片声反对田令孜，杨复恭东山再起，田令孜逃往西川。

杨复恭取代田令孜为神策军中尉，兼六军、十二卫观军容使，封魏国公，赐号"忠贞启圣定国功臣"，掌控了朝廷军政大权，"内外经略，皆出于复恭"。

唐昭宗即位，杨复恭以拥戴之功加开府、金吾上将军，专典禁军。杨复恭视新皇帝为玩偶，肆无忌惮扩张个人权力。他到处收养地方悍将为义子，布散州郡任职，号"外宅郎君"，分掌地方军政。杨复恭又收养宦官六百多人为义子，监军诸道，天下威权，尽归杨门。宫中遍布耳目，昭宗举动皆知。国舅王瓌求授节度使之职，杨复恭遣人杀之于半道。宰相孔纬指责杨复恭目无皇上，杨复恭雇凶刺杀孔纬，孔纬机警，幸免于难。

张濬出师征讨李克用，也是朝官借用藩镇矛盾，欲依朱全忠兵力斥逐杨复恭。官军败北，也是朝官对宦官争斗的又一次失败。唐昭宗改变策略，离间杨复恭与义子的感情，用高官厚禄收买了勇冠六军的杨守立，赐姓李，改名顺节。杨守立本名胡弘立，杨复恭收为义子，官至天威军使。昭宗向杨复恭指名要杨守立入宫警卫，掌宫禁六军，异常宠信。这一回杨复恭失算，他很高兴地把义子杨守立安插在昭宗身边，没想到杨守立更名为李顺节之后，果真顺守节义，助昭宗驱走了杨复恭。不过唐昭宗只是利用杨守立，并非真心宠信。驱走杨复恭之后，唐昭宗又杀了李顺节。君臣之间，尔虞我诈，不成体统，时势使然。君臣之间诚信底线被践踏，唐王朝的气数也就完了。

第四，王建取西川。王建字光图，许州舞阳人，状貌伟岸，是一个帅哥，少时无赖，目不识丁，以屠牛、盗驴、贩私盐为业，被乡人称为“贼八王”。王建后从军为忠武军卒，稍迁队将。黄巢入长安，忠武军将鹿晏弘率兵八千从杨复光争战，杨复光分忠武兵为八都，每都千人，王建与鹿晏弘等八人为都将。黄巢败走长安，鹿晏弘也拥众东归，王建等五都西奔入蜀，僖宗得之大喜，号“随驾五都”，以属十军观容使田令孜，田令孜把王建等收为养子。

昭宗文德元年（公元八八八年），以宰相韦昭度为西川节度使，分邛州、蜀州、黎州、雅州为永平军，拜建为节度使。陈敬瑄抗拒朝命，不接受韦昭度入蜀，昭宗即命韦昭度率将王建等征讨陈敬瑄。韦昭度庸懦无能，争战三年未能取胜。唐昭宗鉴于用兵河北之败，赦免李克用，恢复一切官爵，于是一同赦免陈敬瑄之罪，诏韦昭度罢兵。王建不从，计夺韦昭度印节，自任招讨，仍以朝命征讨陈敬瑄，急攻成都。田令孜登城呼建叙父子之旧，王建以朝命讨不受代为辞，田令孜无可奈何劝陈敬瑄交出节度使牌印授建。王建入成都领西川节度使，迁陈敬瑄于雅州，复以田令孜为西川监军。随后，王建杀陈敬瑄，并杀田令孜。

王建因时顺势割据西川，得益于昭宗讨蜀，是最大的赢家。

卷第二百五十九　唐纪七十五

起玄黓困敦（壬子，公元八九二年），尽阏逢摄提格（甲寅，公元八九四年），凡三年。

【题解】

本卷记事起公元八九二年，迄公元八九四年，载述史事凡三年，当唐昭宗景福元年至乾宁元年。此三年间各地军阀混战改变了格局，初步形成地区间的大军阀。雄踞中原的朱全忠，灭掉了徐州的时溥，转而用兵郓州、兖州，多次战败朱瑄、朱瑾，瑄、瑾孤立无助，指日可灭。朱全忠成了全国第一大军阀，占有广阔的中原，四围诸镇皆非敌手。李克用稳固占有太原、河东，用兵河北诸镇，北破幽州，是仅次于朱全忠的第二大军阀。河北诸镇依违于朱全忠与李克用之间，只求自保。王建已全据西川，诛杀了陈敬瑄、田令孜。杨行密经过数年争战，复据扬州，淮南为其所有。钱镠据杭州，王潮据福州，地位不可动摇。由于朱全忠与李克用，争逐河北，无暇西顾，唐王室名义上保有共主地位。唐昭宗不识英才，不顾大局，歇后郑五为宰相，贻笑天下，又不听杜让能之谏，轻启战端，讨伐凤翔节度使李茂贞，结果兵败，加速了李茂贞坐大，又兼山南西道节度使，杜让能蒙晁错之冤而死。李茂贞陵蔑昭宗，唐王室进一步衰弱。

【原文】

昭宗圣穆景文孝皇帝上之中

景福元年（壬子，公元八九二年）

春，正月丙寅[①]，赦天下，改元[②]。

凤翔李茂贞、静难王行瑜、镇国韩建、同州王行约、秦州[③]李茂庄五节度使上言杨守亮容匿[④]叛臣杨复恭，请出军讨之，乞加茂贞山南西道招讨使。朝议以茂贞得山南，不可复制，下诏和解之，皆不听。

王镕、李匡威合兵十余万攻尧山[⑤]，李克用遣其将李嗣勋击之，大破幽、镇兵，斩获三万。

杨行密谓诸将曰："孙儒之众十倍于我，吾战数不利，欲退保铜官[⑥]，何如？"刘威、李神福曰："儒扫地[⑦]远来，利在速战。宜屯据险要，坚壁清野以老其师[⑧]，时出轻骑抄其馈饷，夺其俘掠。彼前不得

【语译】

昭宗圣穆景文孝皇帝上之中

景福元年（壬子，公元八九二年）

春，正月二十一日丙寅，唐昭宗诏令大赦天下，改换年号。

凤翔军李茂贞、静难军王行瑜、镇国军韩建、同州的王行约、秦州的李茂庄五位节度使进言说杨守亮收容隐藏叛臣杨复恭，请出兵讨伐他，要求加封李茂贞为山南西道招讨使。朝廷中议论认为李茂贞得到山南，就不可能再控制。昭宗下诏对他们进行调停和解，他们都不听从。

王镕和李匡威合兵十几万人攻打尧山。李克用派遣他的部将李嗣勋攻击他们，大败幽、镇两州的军队，杀死和俘虏了三万人。

杨行密对各将领说："孙儒的军队是我们的十倍，我们作战多次失利。我打算退兵防守铜官，怎么样？"刘威、李神福说："孙儒倾全部军队从远处前来，利在速战。我们应该屯兵占据险要的地方，坚壁清野，使他的军队疲困；不时出动轻骑兵抄掠他们运送的粮饷，夺取他们抢夺来的物资。他们向前不能作战，退后没有物资和粮

战，退无资粮，可坐擒也！”戴友规曰：“儒与我相持数年⑨，胜负略相当。今悉众致死⑩于我，我若望风弃城，正堕⑪其计。淮南士民从公渡江及自儒军来降者甚众，公宜遣将先护送归淮南，使复生业⑫。儒军闻淮南安堵⑬，皆有思归之心，人心既摇，安得不败！”行密悦，从之。友规，庐州人也。

【段旨】

以上为第一段，写李茂贞等五节度使联兵讨杨复恭。孙儒与杨行密大战于江南，杨行密坚壁不出以老其师。

【原文】

威戎⑭节度使杨晟，与杨守亮等约攻王建。二月丁丑⑮，晟出兵掠新繁⑯、汉州之境，使其将吕荛⑰将兵二千会杨守厚攻梓州⑱。建遣行营都指挥使李简击荛，斩之。

戊寅⑲，朱全忠出兵击朱瑄，遣其子友裕将兵前行，军于斗门⑳。

李茂贞、王行瑜擅㉑举兵击兴元。茂贞表求㉒招讨使不已，遗㉓杜让能、西门君遂㉔[1]书，陵蔑㉕朝廷。上意不能容㉖，御延英㉗，召宰相、谏官议之。时宦官有阴㉘与二镇㉙相表里者，宰相相顾不敢言。上不悦。给事中牛徽曰：“先朝多难，茂贞诚有翼卫之功㉚。诸杨㉛阻兵，亟出攻讨，其志亦在疾恶㉜，但不当不俟诏命㉝耳。比㉞闻兵过山南，杀伤至多。陛下傥不以招讨使授之，使用国法约束，则山南之民尽矣！”上曰：“此言是也。”乃以茂贞为山南西道招讨使。

食，我们坐等就可以活捉他们！”戴友规说：“孙儒和我们互相对峙已有数年，双方胜负大致相当。现在他用全部兵力和我们以死相拼，我们如果看见对方的兵势就放弃守城，正好落入他的计谋。淮南的士子百姓跟随您渡江和从孙儒军队前来投降的人很多，您应该派遣将领先护送他们回到淮南，让他们恢复生产。孙儒的军队听到淮南安定了，都会有思归之心，人心已经动摇，怎么会不失败呢！”杨行密很高兴，听从了他们的意见。戴友规是庐州人。

【注释】

①丙寅：正月二十一日。②改元：改元景福。③秦州：州名，治所成纪，在今甘肃秦安西北。汉显亲故城。④容匿：收容藏匿。⑤尧山：山名，在今山西沁县西三十里。⑥铜官：镇名，在今安徽铜陵北。⑦扫地：全部扫取。喻集中全部军力。⑧老其师：使孙儒的军队疲困。⑨相持数年：从唐僖宗光启三年（公元八八七年）杨行密、孙儒争夺扬州，至今已五年。⑩悉众致死：集中全部军队来拼命。致死，以死相拼。⑪堕：落入。⑫生业：谋生之业。⑬安堵：相安；安居。

【语译】

威戎节度使杨晟和杨守亮等人约定攻打王建。二月初二日丁丑，杨晟出兵抢掠新繁、汉州境内，派遣他的部将吕荛带兵两千人会合杨守厚攻打梓州。王建派遣行营都指挥使李简攻打吕荛，把他杀了。

二月初三日戊寅，朱全忠出兵攻打朱瑄，派遣他的儿子朱友裕带兵先行，驻军在斗门城。

李茂贞和王行瑜擅自带兵攻打兴元。李茂贞不停地上表要求做招讨使，写信给杜让能和西门君遂，信中蔑视朝廷。昭宗不能容忍，亲临延英殿，召集宰相、谏官议论这件事。当时宦官中有人和这两镇镇帅内外相应，宰相们互相看着，不敢说话，昭宗很不高兴。给事中牛徽说：“前朝多灾多难，李茂贞确实有护卫的功劳。几位姓杨的将领，倚仗兵力，李茂贞紧急出兵讨伐，他的心意也是在痛恨邪恶，只是不应该没有等到诏命罢了。近来听说部队经过山南，杀伤的人极多。陛下如果不任命李茂贞为招讨使，利用国家的法律来约束他，那么山南的民众都要被杀光了！”昭宗说：“这话是对的。”于是任命李茂贞担任山南西道招讨使。

甲申[35]，朱全忠至卫南[36]，朱瑄将步骑万人袭斗门，朱友裕弃营走，瑄据其营。全忠不知，乙酉[37]，引兵趣斗门，至者皆为郓人所杀。全忠退军瓠河[38]。丁亥[39]，瑄击全忠，大破之，全忠走。张归厚于后力战，全忠仅免，副使李璠等皆死。

朱全忠奏贬河阳节度使赵克裕[40]，以佑国节度使张全义兼河阳节度使。

孙儒围宣州。初，刘建锋为孙儒守常州，将兵从儒击杨行密，甘露镇[41]使陈可言帅部兵千人据常州。行密将张训引兵奄至城下，可言仓猝出迎[42]，训手刃杀之，遂取常州。行密别将又取润州。

朱全忠连年[43]攻时溥，徐、泗[44]、濠[45]三州民不得耕获，兖、郓、河东兵救之，皆无功，复值水灾，人死者什六七。溥困甚，请和于全忠，全忠曰："必移镇[46]乃可。"溥许之。全忠乃奏请移溥他镇，仍命大臣镇徐州。诏以门下侍郎[47]、同平章事刘崇望同平章事，充感化节度使，以溥为太子太师。溥恐全忠诈而杀之，据城不奉诏，崇望及华阴[48]而还。

【段旨】

以上为第二段，写朱全忠连年进攻时溥，时溥势衰成困兽。

【注释】

⑭威戎：方镇名，唐僖宗文德元年（公元八八八年）升彭州防御使为威戎军节度使，领彭、文、成、龙、茂五州，治所彭州，在今四川彭州。⑮丁丑：二月初二日。⑯新繁：县名，县治在今四川成都市新都区。⑰吕荛：人名，杨晟部将。⑱梓州：东川节度使顾彦晖治所，在今四川三台。⑲戊寅：二月初三日。⑳斗门：斗门城，在今河南濮阳境内。㉑擅：不以天子之命擅自发兵。㉒表求：上表请求朝廷任命他为招讨使。㉓遗：送给。此指送信。㉔杜让能西门君遂：杜、西门为内外二大臣。杜让能时为宰相，西门君遂时为神策军中尉。㉕陵蔑：欺侮蔑视。㉖容：容忍。㉗延英：殿名，在大明宫内。㉘阴：暗中。㉙二镇：镇，方镇；州镇。此指镇帅，即凤翔节度使李茂贞、邠宁节度使王行瑜。㉚翼卫之功：指光启二年（公元八八六年）僖宗再幸山南时，李茂贞为扈跸都将，扈从有功。翼卫，护卫。㉛诸杨：指杨复恭、杨守亮、杨守信、杨守贞等。㉜疾

二月初九日甲申，朱全忠到达卫南，朱瑄率领步兵、骑兵一万人袭击斗门城，朱友裕放弃营寨逃走了，朱瑄占据了斗门的营寨。朱全忠不知道斗门城已失，初十日乙酉，他带兵前往斗门城，到达的人都被朱瑄的郓州兵杀死了。朱全忠撤军到瓠河镇。十二日丁亥，朱瑄攻打朱全忠，把他打得大败，朱全忠逃走。张归厚在后面拼力阻击掩护，朱全忠才脱身免死，副使李璠等人都阵亡了。

朱全忠上奏贬谪河阳节度使赵克裕，委派佑国节度使张全义兼任河阳节度使。

孙儒包围宣州。当初，刘建锋为孙儒守卫常州，率军跟随孙儒攻打杨行密，甘露镇使陈可言率领部下一千人占据了常州。杨行密的部将张训带兵突然到达城下，陈可言匆忙出城迎战，张训亲手杀了陈可言，于是攻取了常州。杨行密的别将又攻取了润州。

朱全忠连年攻打时溥，徐、泗、濠三州的百姓不能耕种收获，兖州、郓州、河东的军队救援时溥，都没有成功，又碰上水灾，百姓死亡的有十分之六七。时溥极为困窘，向朱全忠请求和好。朱全忠说："一定要迁移镇守离开徐州才可以。"时溥同意了。朱全忠便奏请迁移时溥到其他的镇所，再命令大臣来镇守徐州。昭宗下诏任命门下侍郎、同平章事刘崇望为同平章事，充任感化节度使，任命时溥为太子太师。时溥害怕朱全忠欺骗他，把他杀害，据守城池不接受诏命，刘崇望到了华阴就回去了。

恶：痛恨邪恶势力。㉝不当不俟诏命：不应当不等待朝廷的诏令就擅自出兵。俟，等待。牛徽此言替李茂贞开脱，认为他讨伐诸杨为正义之举，只不过没有事先请命。㉞比：近来。㉟甲申：二月初九日。㊱卫南：县名，县治在今河南滑县。㊲乙酉：二月初十日。㊳瓠河：即瓠河城，在今山东鄄城东南。㊴丁亥：二月十二日。㊵赵克裕：朱全忠巡属。传见《旧五代史》卷十五。㊶甘露镇：镇名，在润州城（今江苏镇江市）东角土山上有甘露寺，前对北固山，后枕大江。唐敬宗宝历年间，李德裕建寺，适有甘露降，所以命名为甘露寺。孙儒因寺而置甘露镇。㊷仓猝出迎：匆忙出战。㊸连年：朱全忠与时溥交兵始于唐僖宗光启三年（公元八八七年），至今已历时五年。㊹泗：州名，治所临淮，在今江苏泗洪东南，盱眙对岸。㊺濠：州名，治所在今安徽凤阳临淮关西。㊻移镇：转移镇所离开徐州。㊼门下侍郎：官名，秦汉时原名黄门侍郎，为君主近侍之官。唐玄宗天宝元年（公元七四二年）改称门下侍郎，为门下省长官侍中之副。唐末多以门下侍郎同平章事为宰相之职。㊽华阴：县名，县治在今陕西华阴。

【校记】

［1］西门君遂：据章钰校，十二行本、乙十一行本皆作"西门重遂"。〖按〗《旧唐书》作"西门君遂"，《新唐书》作"西门重遂"，未知孰是。

【原文】

忠义节度使赵德諲薨，子匡凝[49]代之。

范晖[50]骄侈失众心，王潮以从弟彦复为都统，弟审知[51]为都监[52]，将兵攻福州。民自请输米饷军[53]，平湖洞[54]及滨海蛮夷[55]皆以兵船助之。

辛丑[56]，王建遣族子嘉州[57]刺史宗裕、雅州刺史王宗侃、威信都指挥使华洪、茂州刺史王宗瑶将兵五万攻彭州，杨晟逆战而败，宗裕等围之。杨守亮遣其将符昭救晟[2]，径趋[58]成都，营三学山[59]。建亟召[60]华洪[61]还。洪疾驱而至，后军尚未集，以数百人夜去昭营数里，多击更鼓[62]。昭以为蜀军大至，引兵宵遁。

三月，以户部尚书郑延昌[63]为中书侍郎、同平章事。延昌，从谠[64]之从兄弟也。

左神策勇胜三都[65]都指挥使杨子实、子迁、子钊，皆守亮之假子也，自渠州[66]引兵救杨晟，知守亮必败。壬子[67]，帅其众二万降于王建。

李克用、王处存合兵攻王镕。癸丑[68]，拔天长镇[69]。戊午[70]，镕与战于新市[71]，大破之，杀获三万余人。辛酉[72]，克用退屯栾城[73]。诏和解河东及镇、定、幽四镇。

杨晟遗杨守贞、杨守忠、杨守厚书，使攻东川以解彭州之围，守贞等从之。神策督将窦行实戍梓州，守厚密诱之为内应。守厚至涪城[74]，行实事泄，顾彦晖斩之。守厚遁去，守贞、守忠军至，无所归，盘桓[75]绵[76]、剑[77]间，王建遣其将吉谏袭守厚，破之。癸亥[78]，西川将李简邀击守忠于钟阳[79]，斩获三千余人。夏，四月，简又破守厚于铜鉾[80]，斩获三千余人，降万五千人。守忠、守厚皆走。

乙酉[81]，置武胜军于杭州，以钱镠为防御使。

【语译】

忠义节度使赵德諲去世，他的儿子赵匡凝代理他的职位。

范晖骄傲奢侈，失去军心，王潮派他的堂弟王彦复担任都统，弟弟王审知担任都监，率军攻打福州。百姓自动请求运送粮食供应军队，平湖洞和滨海地区的蛮夷也都用兵力和船只支援他们。

二月二十六日辛丑，王建派遣族子嘉州刺史王宗裕、雅州刺史王宗侃、威信都指挥使华洪、茂州刺史王宗瑶率军五万人攻打彭州，杨晟迎战，失败了，王宗裕等人包围了杨晟。杨守亮派遣他的部将符昭救援杨晟，直接前往成都，在三学山扎营。王建马上叫华洪返回。华洪驱马飞奔到来，后面的军队还没集结，便派几百人夜里去符昭营地，相距几里，敲打许多更鼓。符昭以为蜀军大量到达，晚上带兵逃走了。

三月，任命户部尚书郑延昌担任中书侍郎、同平章事。郑延昌，是郑从谠的堂兄弟。

左神策勇胜三都都指挥使杨子实、杨子迁、杨子钊，都是杨守亮的义子。他们从渠州率军救援杨晟，知道杨守亮肯定要失败。初八日壬子，率领他们的部众二万人投降了王建。

李克用和王处存合并兵力攻打王镕。三月初九日癸丑，攻下了天长镇。十四日戊午，王镕在新市与他们交战，把他们打得大败，杀死和俘虏了三万多人。十七日辛酉，李克用撤兵驻扎栾城。昭宗下诏调解河东与镇州、定州、幽州四镇和好。

杨晟写信给杨守贞、杨守忠、杨守厚，让他们攻打东川来解除对彭州的包围，杨守贞等听从了他的意见。神策督将窦行实戍守梓州，杨守厚秘密引诱窦行实作为内应。杨守厚到达涪城，窦行实的事情泄漏了，顾彦晖杀了他。杨守厚逃走了。杨守贞、杨守忠的军队到达后，没有归宿，徘徊在绵州、剑州之间，王建派遣他的部将吉谏袭击杨守厚，打败了他。三月十九日癸亥，西川将领李简在钟阳城拦击杨守忠，杀死和俘虏了三千多人。夏，四月，李简又在铜鉾打败了杨守厚，杀死和俘虏了三千多人，投降的有一万五千人。杨守忠、杨守厚都逃走了。

四月十二日乙酉，在杭州设置武胜军，任命钱镠为防御使。

【段旨】

以上为第三段，写福州、西川、河北的混战。

【注释】

㊾匡凝：赵德諲之子赵匡凝，字光仪，唐昭宗天祐元年（公元九〇四年）封楚王。传见《新唐书》卷一百八十六、《旧五代史》卷十七、《新五代史》卷四十一。㊿范晖：原为护闽都将，福建观察使陈岩卒，其婿范晖拥兵自称留后。其事散见《新唐书》卷十《昭宗纪》、卷一百九十《王潮传》等。51审知：王审知（公元八六一至九二五年），字信通，闽政权的创立者。传见《旧五代史》卷一百三十四、《新五代史》卷六十八。52都监：官名，掌本道屯戍、边防、训练之事。53输米饷军：献纳粮食作为军粮。54平湖洞：地名，在泉州莆田县（今福建莆田）界外。55滨海蛮夷：指福建沿海少数民族。56辛丑：二月二十六日。57王建遣族子嘉州：王建遣重兵攻彭州，因彭州距成都只有九十多里，地壤相接，位置重要，故王建急攻之。嘉州，州名，治所在今四川乐山市。58径趋：直接赶往。59三学山：山名，在汉州金堂县（今四川金堂西）东北十里。60亟召：紧急召还。61华洪：王建军中的勇将。62更鼓：报更的鼓。官府或行军每更击之。华洪多击更鼓是为了迷惑符昭，符昭以为华洪营寨很多，故乘夜逃走。63郑延昌：字兴远，咸通

【原文】

天威军使贾德晟，以李顺节之死[82]，颇怨愤，西门君遂恶之，奏而杀之。德晟麾下千余骑奔凤翔，李茂贞由是益强。

李匡威出兵侵云[83]、代[84]，壬寅[85]，李克用始引兵还[86]。

时溥遣兵南侵，至楚州[87]，杨行密将张训、李德诚败之于寿河[88]，遂取楚州，执其刺史刘瓒[89]。

五月[3]，加邠宁节度使王行瑜兼中书令。

杨行密屡败孙儒兵，破其广德[90]营，张训屯安吉[91]，断其粮道。儒食尽，士卒大疫[92]，遣其将刘建锋、马殷分兵掠诸县。六月，行密闻儒疾疟[93]，戊寅[94]，纵兵击之。会大雨、晦冥[95]，儒军大败，安仁义破儒五十余寨，田頵擒儒于陈[96]，斩之，传首京师，儒众多降于行密。刘建锋、马殷收余众七千，南走洪州[97]，推建锋为帅，殷为先锋指挥使，以行军司马[4]张佶[98]为谋主，比至江西，众十余万。

丁酉[99]，杨行密帅众归扬州。秋，七月丙辰[100]，至广陵[101]，表田頵守

末进士，历官监察御史、翰林学士、兵部侍郎、京兆尹、判度支、户部尚书，终官中书侍郎兼刑部尚书。传见《新唐书》卷一百八十二。⑭从谠：唐僖宗乾符年间镇河东。传见《旧唐书》卷一百五十八、《新唐书》卷一百六十五。⑮勇胜三都：神策五十四都中的三都。⑯渠州：州名，治所在今四川渠县。⑰壬子：三月初八日。⑱癸丑：三月初九日。⑲天长镇：镇名，在今河北平山县东滹沱河东北。⑳戊午：三月十四日。㉑新市：镇名，在镇州治所真定。真定在今河北正定。㉒辛酉：三月十七日。㉓栾城：县名，县治在今河北石家庄市栾城区西。㉔涪城：县名，属绵州，县治在今四川绵阳东南。㉕盘桓：逗留不进的样子。㉖绵：州名，治所在今四川绵阳。㉗剑：州名，治所在今四川剑阁。剑州在绵州东北二百九十里。㉘癸亥：三月十九日。㉙钟阳：镇名，在绵州治所巴西县。巴西县在今四川绵阳东。㉚铜鉼：地名。㉛乙酉：四月十二日。

【校记】

［2］晟：原作“之”。据章钰校，十二行本、乙十一行本皆作“晟”，今从改。

【语译】

天威军使贾德晟，由于李顺节的死，深为怨恨愤怒，西门君遂憎恶他，奏请后杀了贾德晟。贾德晟的部下一千多骑兵逃往凤翔，李茂贞由此更加强大。

李匡威出兵侵犯云州、代州。四月二十九日壬寅，李克用才带兵返回晋阳。

时溥派兵南侵，到达楚州。杨行密的部将张训和李德诚在寿河打败了时溥，于是攻取了楚州，抓住了楚州刺史刘瓒。

五月，朝廷加封邠宁节度使王行瑜兼任中书令。

杨行密多次打败孙儒的军队，攻破他的广德军营，张训屯兵安吉，切断了孙儒的运粮通道。孙儒的粮食没有了，士兵大范围染上瘟疫，孙儒派遣他的部将刘建锋和马殷分兵几路抢掠各县。六月，杨行密听说孙儒患了疟疾，初六日戊寅，发兵攻打他。适逢大雨，天昏地暗，孙儒的军队大败，安仁义攻破了孙儒五十多个营寨，田頵在阵前活捉了孙儒，把他杀了，首级传送到京师，孙儒的部众大多数投降了杨行密。刘建锋和马殷收拢剩余的兵卒七千人，南逃洪州，推举刘建锋为统帅，马殷为先锋指挥使，行军司马张佶为主谋人，等到达江西，部众有十多万人。

六月二十五日丁酉，杨行密率领部众返回扬州。秋，七月十四日丙辰，到达广陵，

宣州，安仁义守润州。

先是，扬州富庶甲天下，时人称扬一、益二[102]，及经秦、毕、孙、杨[103]兵火之余，江、淮之间，东西千里扫地尽[104]矣。

【段旨】

以上为第四段，写杨行密灭孙儒，复据扬州。

【注释】

⑧②李顺节之死：大顺二年十二月，两军中尉刘景宣、西门君遂设计在银台门将李顺节斩首。事见上卷。⑧③云：州名，治所云中，在今山西大同。⑧④代：州名，治所雁门，在今山西代县。⑧⑤壬寅：四月二十九日。⑧⑥引兵还：李克用自镇州引兵还。⑧⑦楚州：州名，治所山阳，在今江苏淮安。⑧⑧寿河：地名，在今江苏淮安南。⑧⑨刺史刘瓒：唐僖宗光启三年（公元八八七年）朱全忠以刘瓒为楚州刺史。⑨⓪广德：县名，县治在今安徽广德。⑨①安吉：县名，县治在今浙江安吉。⑨②大疫：瘟疫广为流行。⑨③疾疟：生疟疾病。一种按时发冷发烧的传染病。⑨④戊寅：六月初六日。⑨⑤晦冥：昏暗。⑨⑥田颙擒儒于陈：田颙于阵前俘获孙儒。孙儒和杨行密于光启三年（公元八八七年）交兵，由于孙儒一味

【原文】

王建围彭州，久不下，民皆窜匿[105]山谷。诸寨日出俘掠[106]，谓之"淘虏"，都将先择其善者，余则士卒分之，以是为常[107]。

有军士王先成者，新津人，本书生也。世乱，为兵，度[108]诸将惟北寨王宗侃最贤，乃往说[109]之曰："彭州本西川之巡属也，陈、田[110]召杨晟，割四州[111]以授之，伪署观察使，与之共拒朝命。今陈、田已平而晟犹据之[112]，州民皆知西川乃其大府[113]，而司徒[114]乃其主也，故大军始至，民不入城而入山谷避之，以俟招安。今军至累月，未闻招安之命，军士复从而掠之，与盗贼无异，夺其赀财[115]，驱其畜产[116]，分其老

上表请求派田頵守卫宣州，安仁义守卫润州。

此前，扬州富庶居天下第一，当时人称扬州第一，益州第二。等到经过秦彦、毕师铎、孙儒、杨行密兵火之后，长江、淮河之间，东西一千里方圆一片败落景象。

烧杀抢掠，失去人心，虽有十倍于杨行密的兵力，但最终彻底失败。陈，通“阵”。⑰洪州：州名，治所在今江西南昌。⑱张佶（？至公元九一一年）：据路振《九国志》，张佶，京兆长安（今陕西西安）人，官至永顺军节度使。传见《旧五代史》卷十七。⑲丁酉：六月二十五日。⑳丙辰：七月十四日。㉑广陵：郡名，治所在今江苏扬州。㉒扬一、益二：天下富庶扬州居第一，益州（今四川成都）居第二。㉓秦、毕、孙、杨：指秦彦、毕师铎、孙儒、杨行密。四人先后争夺扬州，长达六年。㉔扫地尽：指由于连年兵火，破坏无余。

【校记】

［3］五月：原无此二字。据章钰校，十二行本、乙十一行本、孔天胤本皆有此二字，张敦仁《通鉴刊本识误》、张瑛《通鉴校勘记》同，今据补。［4］以行军司马：原无此五字。据章钰校，十二行本、乙十一行本、孔天胤本皆有此五字，张敦仁《通鉴刊本识误》、张瑛《通鉴校勘记》同，今据补。

【语译】

王建包围彭州，久攻不下，百姓都逃窜到山谷中躲藏起来。各个寨子每天出去抓人抢劫，称作“淘虏”，对搜抢来的财物都将们先挑取那些好的，剩下的士兵们瓜分，把这样做看得很平常。

有一个军士叫王先成，是新津人，本是个读书人。世道混乱，就去当兵。王先成考虑各个将领中只有北寨的王宗侃最为贤明，就前往游说他，说道：“彭州本来是西川的属地，陈敬瑄、田令孜唤来杨晟，划分出文州、龙州、成州、茂州四个州授予他，伪命为观察使，和他共同抗拒朝廷的命令。现在陈敬瑄、田令孜已经平定，而杨晟仍然占据着彭州。州中百姓都知道西川是他们的节度使治所，而司徒王建是他们的主管，所以大军刚到达时，百姓不入城，而到山谷中躲避，以等待政府的召集安抚。如今大军到这里好几个月了，没有听说召集安抚的命令，士兵又跟着来抢掠他们，和盗贼没有差别，抢劫百姓的钱财，驱赶百姓的牲畜，分取老弱妇女做奴婢，使父子兄弟流离

弱妇女以为奴婢，使父子兄弟流离愁怨。其在山中者暴露于暑雨[117]，残伤于蛇虎，孤危饥渴，无所归诉。彼始以杨晟非其主而不从，今司徒不加存恤[118]，彼更思杨氏矣。”宗侃恻然[119]，不觉屡移其床前问之[120]，先成曰：“又有甚于是者：今诸寨每旦[121]出六七百人，入山淘虏，薄暮[122]乃返，曾[123]无守备之意。赖[124]城中无人耳，万一有智者为之画策，使乘虚奔突[125]，先伏精兵千人于门内，登城望淘虏者稍远，出弓弩手[126]、炮手[5]各百人，攻寨之一面，随以役卒五百，负薪土[127]填壕为道，然后出精兵奋击，且焚其寨。又于三面城下各出耀兵[128]，诸寨咸[129]自备御，无暇相救，城中得以益兵继出[130]，如此，能无败乎！”宗侃矍然[131]曰：“此诚有之，将若之何？”

先成请条列为状[132]以白王建，宗侃即命先成草之，大指[133]言：“今所白之事，须四面通共[134]，宗侃所司[135]止于北面，或[136]所白可从，乞以牙举施行[137]。”事凡[138]七条：“其一，乞招安[139]山中百姓。其二，乞禁诸寨军士及子弟无得[140]一人辄出淘虏，仍表[141]诸寨之旁七里内听樵牧[142]，敢越表者斩。其三，乞置招安寨，中容数千人，以处所招百姓，宗侃请选所部将校谨干者[143]为招安将，使将三十人昼夜执兵巡卫[144]。其四，招安之事须委一人总领，今榜帖[145]既下，诸寨必各遣军士入山招安，百姓见之无不惊疑，如鼠见狸[146]，谁肯来者！欲招之必有其术，愿降帖[147]付宗侃专掌其事。其五，乞严勒[148]四寨指挥使，悉索前日所虏彭州男女老幼集于营场，有父子、兄弟、夫妇自相认者即使相从，牒具[149]人数，部[150]送招安寨，有敢私匿一人者斩。仍乞勒府[151]中诸营，亦令严索，有自军前先寄[152]归者，量[153]给资粮，悉部送归招安寨。其六，乞置九陇行县[154]于招安寨中，以前南郑[155]令王丕摄县令，设置曹局[156]，抚理[6]百姓，择其子弟之壮者，给帖[157]使自入山招其亲戚，彼知司徒严禁侵掠，前日为军士所虏者，皆获安堵，必欢呼踊跃，相帅[158]下山，如子归母，不日尽出。其七，彭州土地宜麻[159]，百姓未入山时多沤[160]藏者，宜令县令晓谕，各归田里，出所沤麻鬻之，以为资粮，必渐复业[161]。”建得之大喜，即行之，悉如所申[162]。

失所，愁苦哀怨。那些在山谷中的百姓，暴露在暑热和雨水中，受到蛇、虎的伤害；孤苦困危，又饥又渴，无处诉说。他们开始时因为杨晟不是他们的主管而不服从他，如今司徒王建不加以慰抚，他们就会改变态度思念杨晟了。”王宗侃很忧伤，不知不觉多次向前移动座位询问王先成。王先成说：“还有比这个更加糟糕的：现在各个寨子每天早晨出动六七百人，进入山中淘虏，黄昏时才回来，竟然没有守卫的意图。这是赖着城中没有人罢了，万一有个有智谋的人替城中人出谋划策，让他们乘我们空虚时来突袭，先在门内埋伏精兵一千人，登上城墙看见淘虏的人逐渐跑远了，就出动弓箭手、炮手各一百人，攻打寨子的一面，接着再派五百名役卒，背着柴草、土块填平壕沟形成道路，然后出动精兵奋力攻击，再焚烧寨子。又在另外三面城下派出耀武扬威的军队，各个寨子全都自己防备御敌，无暇相救，城中能够不断增加士兵继续出击。这样，怎么能不失败！”王宗侃惊恐地说：“这种情况确实是有的，该怎么办呢？”

王先成请求逐条列举写成书状报告王建，王宗侃命令王先成立刻写成草稿，大意是说：“今天所报告的事情，必须围攻彭城的王宗裕、王宗侃、华洪、王宗瑶四面共同行动，王宗侃所管辖的只有北面，如果所报告的事情可以依从，请求用节度使的名义提出施行。”书状共有七件事：“第一件，请召集安抚山中百姓。第二件，请禁止各个寨子里的士兵和子弟们，不得一人随意出去淘虏，还在各个寨子旁方圆七里的地方做上标志，标志内允许砍柴、放牧，有敢越过标志的人斩首。第三件，请设置招安寨，寨子中可容纳几千人，用来安置招回来的百姓，请王宗侃选择所辖将领中谨慎干练的人担任招安将，派他们率领三十人昼夜拿着兵器巡逻保卫。第四件，召集安抚百姓的事情应该委派一个人总管。现在布告既然已经颁布，各个寨子必定各自派遣士兵进山召集安抚，百姓看到他们没有不吃惊怀疑的，好像老鼠看到狸猫一样，有谁肯来呢！想要召集他们，一定要有办法，希望发下军帖交给王宗侃专门管理这件事。第五件，请严格命令四面寨子的指挥使，把前些日子俘虏来的彭州男女老幼，全部集中在军营的场子里，如有父子、兄弟、夫妇自己相认的，就让他们在一起。在简牒上写清人数，都送到招安寨，有敢私下藏匿一个人的就斩首。再请求命令成都府中的各个军营，也要他们严格清查，如果有从军中临时先回去的，酌量给他们资财、粮食，全部都送回招安寨。第六件，请在招安寨中设置九陇行县，任命前任南郑县令王丕代理县令职务，县内设置曹署，安抚治理百姓，选择他们子弟中健壮的人，给他们布告，让他们亲自到山中召集他们的亲戚，他们知道了司徒王建严格禁止侵扰掠夺，前些日子被士兵们俘虏去的人，都安定下来，一定会欢呼跳跃，互相领着下山，好像孩子回到母亲怀抱，不用几天全部都出山了。第七件，彭州的土地适合种麻，百姓还没有进山时，很多人把沤过的麻藏了起来。应该让县令告诉大家，各自返回农田故里，把沤麻拿出来卖掉，用来换成物品和粮食，这样一定会逐渐恢复家业。”王建得到了书状非常高兴，立即下令推行，全部如同王先成申述的那样办。

明日，榜帖至，威令赫然[163]，无敢犯者。三日，山中民竞出，赴招安寨如归市[164]，寨不能容，斥[165]而广之。浸有市井[166]，又出麻鬻之。民见村落无抄暴[167]之患，稍稍辞县令[168]，复故业。月余，招安寨皆空。

【段旨】

以上为第五段，写蜀军士王先成献策七条以取彭州，招抚百姓，王建采纳，月余立见成效。

【注释】

⑩⑤ 窜匿：逃窜藏匿。⑩⑥ 俘掠：俘获抢掠。⑩⑦ 以是为常：以这样抢掠为常事。⑩⑧ 度：揣度；忖度。⑩⑨ 说：劝说。⑪⓪ 陈、田：指陈敬瑄、田令孜兄弟。⑪① 四州：指文、龙、成、茂四州。⑪② 陈、田已平而晟犹据之：文德元年，杨晟失兴、凤二州，陈敬瑄、田令孜割文、龙、成、茂四州给予杨晟。田令孜又以杨晟过去是神策军指挥使，使守彭州。陈、田二人被平定后，杨晟仍占据彭州。⑪③ 大府：节度使巡属诸州，以节度使治所为大府，亦称会府。⑪④ 司徒：指王建。时朝命以王建为检校司徒，故称。⑪⑤ 赀财：资财。⑪⑥ 驱其畜产：驱赶抢掠百姓牛羊等牲畜。⑪⑦ 暑雨：酷暑和雨水。因逃至山中无房屋居住，忍受着酷暑和雨淋。⑪⑧ 存恤：慰问抚恤。⑪⑨ 恻然：忧伤的样子。⑫⓪ 移其床前问之：因王先成所论打动了王宗侃，所以移座向前仔细询问。⑫① 旦：早晨。⑫② 薄暮：迫近傍晚。⑫③ 曾：副词，简直、竟然。⑫④ 赖：所仗。⑫⑤ 奔突：奔驰冲突。⑫⑥ 弓弩手：习射的兵卒。⑫⑦ 薪土：柴草和土。⑫⑧ 耀兵：炫耀兵力以迷惑敌人。⑫⑨ 咸：都。⑬⓪ 益兵继出：增兵继续出击。⑬① 矍然：惊恐的样子。⑬② 状：文体的一种。向上级陈述事实的文书。⑬③ 大指：大旨；

【原文】

己巳[169]，李茂贞克凤州，感义节度使满存奔兴元[170]。茂贞又取兴、洋二州，皆表其子弟镇之。

八月，以杨行密为淮南节度使、同平章事，以田頵知宣州留后，安仁义为润州刺史。

孙儒降兵多蔡人，行密选其尤勇健者五千人，厚其禀赐[171]，以皂

第二天，布告到达军营，威令赫赫，没有敢触犯的。过了三天，山里的百姓争着出山，赶往招安寨好像去集市一样，招安寨容纳不下，外延扩大。慢慢有了集市里巷，百姓又把麻拿出来卖掉。民众看到村落没有抄掠侵暴之患，逐渐辞别县令，回去恢复旧业。一个多月，招安寨全部空了。

主旨；要点。⑬④ 四面通共：四面采取共同的行动。四面，当时西川兵围彭州，四面扎寨，王宗裕、王宗侃、华洪、王宗瑶各当一面。⑬⑤ 司：主持；掌管。⑬⑥ 或：如果。⑬⑦ 牙举施行：以节度使府的名义提出施行。牙，节度使衙署。⑬⑧ 凡：共。⑬⑨ 招安：劝说山中百姓使之归顺。⑭⓪ 无得：不得。⑭① 表：标记。此处用如动词，树立标记。⑭② 听樵牧：任凭百姓打柴放牧。⑭③ 谨干者：严谨干练之人。⑭④ 执兵巡卫：手拿兵器护卫招安寨。⑭⑤ 榜帖：布告。⑭⑥ 狸：猫属。⑭⑦ 降帖：下发军帖。帖，写有军令的柬帖。⑭⑧ 勒：勒令。⑭⑨ 牒具：在简牒上开列。⑮⓪ 部：统率；带领。⑮① 府：指成都府。⑮② 寄：临时。⑮③ 量：用如动词。给以一定数量的粮食和费用。⑮④ 九陇行县：九陇为彭州治所，在今四川彭州。当时因彭州尚未攻下，所以先在招安寨中设九陇行县。⑮⑤ 南郑：县名，县治在今陕西汉中。⑮⑥ 曹局：分职治事的衙门。⑮⑦ 帖：榜帖；布告。⑮⑧ 帅：带领。⑮⑨ 宜麻：适宜种麻。⑯⓪ 沤：浸泡。麻于收割之后，需将麻茎在水中浸泡数小时乃至数日，使其自然发酵，达到脱皮取麻的目的。⑯① 必渐复业：一定会逐渐恢复家业。⑯② 悉如所申：一切都按照王宗侃所申述的办。⑯③ 赫然：显赫盛大。⑯④ 归市：赶赴集市。⑯⑤ 斥：开拓；扩大。⑯⑥ 浸有市井：渐渐地有了集市里巷。⑯⑦ 抄暴：抄掠侵暴。⑯⑧ 辞县令：辞别县令回到自己的家园。

【校记】

［5］手：据章钰校，十二行本无此字，乙十一行本此字作空格。［6］抚理：原作“抚安”。据章钰校，十二行本、乙十一行本皆作“抚理”，张敦仁《通鉴刊本识误》同，今从改。

【语译】

七月二十七日己巳，李茂贞攻克了凤州，感义节度使满存逃往兴元。李茂贞又攻取了兴州、洋州两个州，都上表推荐他的子弟来镇守。

八月，任命杨行密担任淮南节度使、同平章事，派田頵担任宣州留后，安仁义担任润州刺史。

孙儒那边投降的士兵大多是蔡州人，杨行密挑选其中特别勇敢健壮的五千人，

衣[172]蒙甲，号“黑云都”，每战，使之先登陷陈[173]，四邻畏之。

行密以用度不足，欲以茶盐易[174]民布帛，掌书记[175]舒城[176]高勖曰：“兵火之余，十室九空，又渔利[177]以困之，将复离叛。不若悉我所有易邻道所无，足以给军。选贤守令[178]，劝课[179]农桑，数年之间，仓库自实[180]。”行密从之。田頵闻之曰：“贤者之言，其利远哉[181]！”行密驰射武伎[182]，皆非所长，而宽简[183]有智略，善抚御[184]将士，与同甘苦，推心待物[185]，无所猜忌。尝[186]早出，从者断马鞦[187]，取其金，行密知而不问，他日，复早出如故，人服其度量。

淮南被兵六年[188]，士民转徙[189]几尽。行密初至，赐与[190]将吏，帛不过数尺，钱不过数百，而能以勤俭足用，非公宴，未尝举乐[191]。招抚流散，轻徭薄敛[192]，未及数年，公私富庶，几复承平[193]之旧。

【段旨】

以上为第六段，写杨行密保境安民，轻徭薄赋，数年间扬州生息几复承平之旧。

【注释】

⑯⑨己巳：七月二十七日。⑰⓪满存奔兴元：满存于唐僖宗光启二年（公元八八六年）得凤州，现被李茂贞所败，奔兴元投杨守亮。⑰①禀赐：俸给赏赐。⑰②皂衣：黑色衣服。⑰③陷陈：冲入敌阵。⑰④易：交换。⑰⑤掌书记：节度使之属官。位在判官之下，相当

【原文】

李克用北巡至天宁军[194]，闻李匡威、赫连铎将兵八万寇云州，遣其将李君庆发兵于晋阳[195]。克用潜入新城[196]，伏兵于神堆[197]，擒吐谷浑逻骑[198]三百，匡威等大惊。丙申[199]，君庆以大军至，克用迁入云州。丁

给他们丰厚的给养和赏赐，因为用黑衣蒙着铠甲，号称“黑云都”，每次作战，派他们先冲锋陷阵，四面毗邻地区都惧怕他们。

杨行密由于费用不足，想用茶叶和食盐换取百姓的布帛，掌书记舒城人高勖说：“战争之后，十室九空，又要谋取利益，使百姓困苦，百姓又将叛离。不如拿出我们的全部所有和缺少这类东西的邻近各道进行贸易，足以满足军队的需要。挑选贤明的太守和县令，勉励考察百姓的农业耕作、植桑养蚕情况，几年时间，粮仓府库自然会充实起来。”杨行密听从了高勖的意见。田頵听到这件事后说：“这是贤人的话，它的益处久远！”杨行密对于骑射武艺，都非长处，然而他宽厚俭朴，有智慧谋略，善于安抚驾驭将士，和他们同甘共苦，待人接物能推心置腹，没有任何猜疑妒忌。他曾早晨外出，随从的人剪断了络于马后的革带，拿走了上面装饰的黄金，杨行密知道了而不去追问，他日，仍和以前一样在早晨外出，大家都佩服他的度量。

淮南遭受战争灾难已有六年，当地的士人和百姓转移迁徙殆尽。杨行密刚到这里时，赏赐给将领官吏的，布帛不过几尺，钱币不过几百，然而他能够靠着勤俭满足军队的需用，除非因公摆设宴会，他自己从不举办演奏音乐。杨行密召集安抚流散的百姓，轻徭薄赋，没有几年时间，官府和百姓富庶，几乎恢复了旧时的太平盛世。

于六朝时的记室参军，掌章表书记文檄。⑯舒城：县名，县治在今安徽舒城。⑰渔利：用不正当的手段谋取利益。⑱贤守令：贤德的州郡长官。⑲劝课：勉励考察。⑳实：充实。㉑其利远哉：这项措施所带来的好处是多么深远啊。㉒驰射武伎：骑马射箭武艺。伎，通“技”，才能。㉓宽简：为政宽和简约。㉔抚御：安抚控御。㉕推心待物：待人接物能够推心置腹。㉖尝：曾经。㉗马鞦：驾车时络于马后的革带。㉘淮南被兵六年：自唐僖宗光启三年（公元八八七年）毕师铎引兵入扬州，淮南始遭受战乱，至今已六年。被兵，遭受战争。㉙转徙：辗转迁徙。㊱赐与：赏赐给予。㊲举乐：演奏乐舞。㊳轻徭薄敛：减轻徭役少收租税。㊴承平：太平盛世，社会秩序安定。

【语译】

李克用向北巡视到了天安军，听说李匡威、赫连铎带兵八万人侵犯云州，便派遣他的部将李君庆从晋阳发兵。李克用潜入新城，在云州城南的神堆埋伏士兵，抓住了吐谷浑的巡逻骑兵三百人，李匡威等人大为震惊。八月二十五日丙申，李君庆

酉⑳，出击匡威等，大破之。己亥㉑，匡威等烧营而遁，追至天成军㉒，斩获不可胜计。

辛丑㉓，李茂贞攻拔兴元，杨复恭、杨守亮、杨守信、杨守贞、杨守忠、满存奔阆州㉔。茂贞表其子继密权知兴元府事。

九月，加荆南节度使成汭同平章事。

时溥迫监军奏称将士留己㉕，冬，十月，复以溥为侍中、感化节度。朱全忠奏请追溥新命㉖，诏谕解之。

初，邢、洺、磁州㉗留后李存孝，与李存信俱为李克用假子，不相睦。存信有宠于克用，存孝在邢州，欲立大功以胜之，乃建议取镇、冀㉘。存信从中沮㉙之，不时听许㉚。及王镕围尧山，存孝救之，不克。克用以存信为蕃汉马步都指挥使，与存孝共击之，二人互相猜忌，逗留不进，克用更遣李嗣勋等击破之。存信还，谮㉛存孝无心击贼，疑与之有私约。存孝闻之，自以有功于克用，而信任顾㉜不及存信，愤怨，且惧及祸，乃潜结㉝王镕及朱全忠，上表以三州㉞自归于朝廷，乞赐旌节及会诸道兵以[7]讨李克用。诏以存孝为邢、洺、磁节度使，不许会兵㉟。

【段旨】

以上为第七段，写李存孝愤怨李克用赏罚不公，以邢、洺、磁三州归顺朝廷。

【注释】

⑭天宁军：代州西有天安军，唐玄宗天宝十二载（公元七五三年）置。疑此天宁军即天安军之误。⑮晋阳：县名，河东节度使治所，在今山西太原。⑯新城：镇名，在今山西山阴东。为李克用祖父朱邪执宜保黄花堆时所筑。⑰神堆：即黄花堆，在云州（今山西大同）城西南九十里。新城在其侧。⑱逻骑：巡逻的骑兵。⑲丙申：八月二十五日。⑳丁酉：八月二十六日。㉑己亥：八月二十八日。㉒天成军：在云州东北，在今山

率领大军到达，李克用迁入云州。二十六日丁酉，李克用出兵攻打李匡威等，把他们打得大败。二十八日己亥，李匡威等焚烧军营逃走了，李克用追到蔚州东北的天成军，杀死和俘虏的人无法计算。

八月三十日辛丑，李茂贞攻取了兴元，杨复恭、杨守亮、杨守信、杨守贞、杨守忠、满存逃往阆州。李茂贞上表请求朝廷任命他的儿子李继密暂时主持兴元府的事务。

九月，朝廷加封荆南节度使成汭为同平章事。

时溥逼迫监军上奏朝廷说将士们挽留他。冬，十月，又任命时溥担任侍中、感化节度使。朱全忠上奏请求朝廷追回对时溥新的任命，昭宗下诏规劝朱全忠和时溥和解。

当初，邢、洺、磁三州的留后李存孝与李存信都是李克用的义子，不和睦。李克用宠爱李存信，李存孝在邢州，打算立大功来超过李存信，于是建议夺取镇州、冀州。李存信从中阻止，李克用时不时地听从李存信的意见。等到王镕包围尧山，李存孝去救援，没有获胜。李克用任命李存信为蕃汉马步都指挥使，与李存孝一起攻打王镕，两个人互相猜忌，观望逗留没有进兵，李克用另派李嗣勋等人打败了王镕。李存信回来，诬陷李存孝无心攻打敌人，怀疑他和贼军私下有盟约。李存孝听到这事，自认为对李克用有功劳，然而李克用对他的信任赶不上李存信，十分怨愤，又怕遭遇祸难，于是暗中勾结王镕和朱全忠，上表自己带领邢、洺、磁三州归附朝廷，请求赐给他节度使的旌节，并会合各道的军队以讨伐李克用。昭宗下诏任命李存孝为邢、洺、磁三州节度使，不同意集合各道军队。

西天镇。㉓辛丑：八月三十日。㉔阆州：州名，治所在今四川阆中。㉕留己：挽留自己。是年二月，召时溥为太子太师，时溥借口将士挽留他，不愿离开徐州赴京城。㉖新命：新的任命。㉗磁州：州名，治所在今河北磁县。㉘镇冀：镇州和冀州。镇州，州名，治所在今河北正定。冀州，州名，治所在今河北衡水市冀州区。㉙沮：阻止。㉚不时听许：指李克用不断听信李存信的话。㉛谮：诬陷。㉜顾：反而。㉝潜结：暗中勾结。㉞三州：即邢、洺、磁三州。㉟不许会兵：不许会诸道兵讨伐李克用。

【校记】

［7］以：原无此字。据章钰校，孔天胤本有此字，张敦仁《通鉴刊本识误》同，今据补。

【原文】

十一月，时溥濠州㉖刺史张璲、泗州刺史张谏以州附于朱全忠。

乙未㉗，朱全忠遣其子友裕将兵十万攻濮州㉘，拔之，执其刺史邵伦，遂令友裕移兵击时溥。

孙儒将王坛陷婺州㉙，刺史蒋瓌奔越州㉚。

庐州刺史蔡俦㉑发杨行密父祖[8]墓，与舒州㉒刺史倪章连兵，遣使送印于朱全忠以求救。全忠恶其反覆，纳其印，不救，且牒报㉓行密，行密谢之。行密遣行营都指挥使李神福将兵讨俦。

《宣明历》㉔浸差㉕，太子少詹事㉖边冈造新历成，十二月，上之。命曰《景福崇玄历》。

壬午㉗，王建遣其将华洪击杨守亮于阆州，破之。建遣节度押牙延陵㉘郑顼使于朱全忠，全忠问剑阁㉙，顼极言其险。全忠不信，顼曰："苟㉚不以闻，恐误公军机。"全忠大笑。

是岁，明州㉛刺史锺文季卒，其将黄晟自称刺史。

【段旨】

以上为第八段，写朱全忠声威远播。

【注释】

㉖濠州：州名，治所在今安徽凤阳东北。濠州、泗州附朱全忠，时溥的巡属皆附于汴，时溥仅保徐州。㉗乙未：十一月辛丑朔，无乙未。乙未，十二月二十五日。㉘濮州：州名，治所鄄城，在今山东鄄城北。濮州属魏博节度，是朱瑄的巡属。㉙婺州：州名，治所金华，在今浙江金华。㉚越州：州名，治所会稽，在今浙江绍兴。㉑蔡俦：唐僖宗光启三年（公元八八七年）杨行密留蔡俦守庐州。次年，俦以州附孙儒。现孙儒既败，蔡俦又举兵拒杨行密。㉒舒州：州名，治所怀宁，在今安徽潜山。㉓牒报：以书札

【语译】

十一月，时溥的濠州刺史张璲、泗州刺史张谏拿这两个州归附朱全忠。

乙未日，朱全忠派遣他的儿子朱友裕带兵十万人攻打濮州，把它攻取了，抓住了濮州刺史邵伦，于是命令朱友裕调转军队攻打时溥。

孙儒的部将王坛攻陷婺州，刺史蒋瓌逃往越州。

庐州刺史蔡俦挖开杨行密父亲和祖父的坟墓，和舒州刺史倪章军队联合，派遣使者送去印信向朱全忠求救。朱全忠憎恨蔡俦反复无常，收下他的印信，不去救援，并且用书札通报杨行密，杨行密对朱全忠表示感谢。杨行密派遣行营都指挥使李神福率军讨伐蔡俦。

《宣明历》逐渐出现误差，太子少詹事边冈完成新的历法，十二月，上呈昭宗，命名为《景福崇玄历》。

十二月十二日壬午，王建派他的部将华洪在阆州攻打杨守亮，打败了他。王建派节度押牙延陵人郑顼出使到朱全忠那里，朱全忠询问剑阁的情况，郑顼极力说明它的险要。朱全忠不相信，郑顼说："如果我不把情况让您知道，恐怕要耽误您的军机大事。"朱全忠大笑。

这一年，明州刺史锺文季去世，他的部将黄晟自称为明州刺史。

通报。㉔《宣明历》：唐穆宗即位后，认为历代循用旧法，必更新历，召掌天文历数的日官改撰历术，名为《宣明历》。㉕浸差：逐渐有了差误。宣明历自穆宗时启用，至昭宗时已七十年。㉖太子少詹事：官名，唐代置詹事府，设太子詹事一人，少詹事一人，总管东宫内外庶务。㉗壬午：十二月十二日。㉘延陵：县名，县治在今江苏镇江市丹徒区。㉙剑阁：关名，在今四川剑阁东北，控扼川、陕通道咽喉，在大、小剑山之间，用栈道相通。㉚苟：如果。㉛明州：州名，治所鄮县，在今浙江宁波南。

【校记】

［8］父祖：原作"祖父"。据章钰校，十二行本、乙十一行本、孔天胤本二字皆互乙，今从改。

【原文】

二年（癸丑，公元八九三年）

春，正月，时溥遣兵攻宿州[232]，刺史郭言战死。

东川留后顾彦晖既与王建有隙[233]，李茂贞欲抚之使从己，奏请更赐[234]彦晖节。诏以彦晖为东川节度使。茂贞又奏遣知兴元府事李继密救梓州[235]，未几，建遣兵败东川、凤翔之兵于利州。彦晖求和，请与茂贞绝。乃许之。

凤翔节度使李茂贞自请镇兴元，诏以茂贞为山南西道兼武定[236]节度使，以中书侍郎、同平章事徐彦若同平章事，充凤翔节度使，又割果[237]、阆二州隶武定军。茂贞欲兼得凤翔，不奉诏。

二月甲戌[238]，加西川节度使王建同平章事。

李克用引兵围邢州，王镕遣牙将王藏海致书解之。克用怒，斩藏海，进兵击镕，败镇兵于平山[239]。辛巳[240]，攻天长镇[241]，旬日不下。镕出兵三万救之，克用逆战于叱日岭[242]下，大破之，斩首万余级，余众溃去。河东军无食，脯[243]其尸而啖[244]之。

时溥求救于朱瑾，朱[9]全忠遣其将霍存将骑兵三千军[245]曹州[246]以备之。瑾将兵二万救徐州，存引兵赴之，与朱友裕合击徐、兖兵于石佛山[247]下，大破之，瑾遁归兖州。辛卯[248]，徐兵复出，存战死[249]。

李克用进下井陉[250]，李存孝将兵救王镕，遂入镇州，与镕计事[251]。镕又乞师[252]于朱全忠，全忠方与时溥相攻，不能救，但遗克用书，言邺下[253]有十万精兵，抑[254]而未进。克用复书，言[10]“傥实屯军邺下，颙望[255]降临。必欲真决雌雄[256]，愿角逐[257]于常山[258]之尾。”甲午[259]，李匡威引兵救镕，败河东兵于元氏[260]，克用引还邢州。镕犒匡威于藁城[261]，辇[262]金帛二十万以酬之。

【语译】

二年（癸丑，公元八九三年）

春，正月，时溥派遣军队攻打宿州，宿州刺史郭言战死。

东川留后顾彦晖先前和王建有矛盾，李茂贞想安抚顾彦晖，让他服从自己，上奏昭宗请求重新赐给顾彦晖节度使旌节。昭宗下诏任命顾彦晖为东川节度使。李茂贞又奏请派遣掌管兴元府事务的李继密救援梓州。没多久，王建派兵在利州打败了东川、凤翔的军队。顾彦晖向王建求和，请求与李茂贞断绝关系。王建便答应了。

凤翔节度使李茂贞自己要求镇守兴元府，昭宗下诏任命李茂贞为山南西道兼武定节度使，任命中书侍郎、同平章事徐彦若为同平章事，充任凤翔节度使，又割取果、阆两州隶属于武定军。李茂贞想要一并得到凤翔，不接受昭宗的诏令。

二月初五日甲戌，朝廷加封西川节度使王建为同平章事。

李克用带兵包围邢州，王镕派遣牙将王藏海送信给李克用进行解释。李克用大怒，杀了王藏海，进军攻打王镕，在平山县打败了镇州的军队。二月十二日辛巳，李克用攻打天长镇，十来天没有攻下来。王镕派出士兵三万人救援天长镇，李克用在叱日岭下迎战，大败王镕的军队，斩获首级一万多，其余的士兵溃逃了。李克用的河东军没有食物，把敌人的尸体剁成肉酱来吃。

时溥向朱瑾求救，朱全忠派他的部将霍存率领骑兵三千人驻扎曹州来防备朱瑾。朱瑾带兵二万人救援徐州，霍存带兵赶去，和朱友裕在石佛山下会合攻打徐州、兖州的军队，把他们打得大败，朱瑾逃回兖州。二月二十二日辛卯，徐州的军队再次出兵，霍存战死。

李克用进兵攻下井陉，李存孝率军救援王镕，于是进入镇州，和王镕商量大事。王镕又请求朱全忠出兵，朱全忠正在和时溥打仗，不能救援他，但写了一封信给李克用，说在邺下有十万精兵，压制着没有前进。李克用回信说："如果你真屯兵邺下，企望大军降临。如果真要决出胜负，我愿意决战于常山脚下。"二月二十五日甲午，李匡威率军救援王镕，在元氏打败了李克用的河东军队，李克用带兵返回邢州。王镕在藁城犒劳李匡威，用车子装了金银布帛二十万来酬谢他。

【段旨】

以上为第九段，写李茂贞跋扈，李克用与王镕战，兵败元氏。

【注释】

㉜ 时溥遣兵攻宿州：此时宿州被朱全忠占据。朱全忠取宿州在唐昭宗大顺二年（公元八九一年）。㉝ 有隙：有隔阂、裂痕。大顺二年，杨守亮攻东川，王建派兵救之，并企图趁此机会占据东川。从此和顾彦晖有了仇怨。㉞ 奏请更赐：大顺二年，朝廷曾派中使赐顾彦晖节，被杨守厚迎而夺之，故李茂贞奏请朝廷重新赐节。㉟ 救梓州：此时梓州并未被攻，李茂贞奏请救之，实际上是派兵助顾彦晖。㊱ 武定：方镇名，唐僖宗光启元年（公元八八五年）置武定军节度使，治所洋州，在今陕西西乡。㊲ 果：州名，治所南充，在今四川南充北。㊳ 甲戌：二月初五日。㊴ 平山：县名，县治在镇州西六十五里，今河北平山县东南。原名房山县，唐肃宗至德元载（公元七五六年）改为平山县。㊵ 辛巳：二月十二日。㊶ 天长镇：镇名，在今河北井陉西。㊷ 叱日岭：山名，在今河北井陉西北。㊸ 脯：杀戮后将尸体剁为肉泥。㊹ 啖：吃。㊺ 军：驻军。㊻ 曹州：州名，治所在今

【原文】

朱友裕围彭城[263]，时溥数出兵，友裕闭壁[264]不战。朱瑾宵遁，友裕不追，都虞候朱友恭以书谮友裕于全忠，全忠怒，驿书[265]下都指挥使庞师古，使代之将，且按[266]其事。书误达于友裕，友裕大惧，以二千骑[267]逃入山中，潜诣砀山[268]，匿[269]于伯父全昱[270]之所。全忠夫人张氏[271]闻之，使友裕单骑诣汴州见全忠，泣涕拜伏于庭。全忠命左右捽抑[272]，将斩之，夫人趋[273]就抱之，泣曰："汝舍兵众[274]，束身归罪[275]，无异志[276]明矣。"全忠悟而舍之，使权知许州[277]。友恭，寿春[278]人李彦威也，幼为全忠家僮，全忠养以为子。张夫人，砀山人，多智略，全忠敬惮[279]之，虽军府事，时与之谋议。或将兵出，至[11]中涂，夫人以为不可，遣一介[280]召之，全忠立为之返。

庞师古攻佛山寨[281]，拔之。自是徐兵不敢出。

李匡威之救王镕也，将发幽州，家人会别[282]，弟匡筹[283]之妻美，匡威醉而淫之。三月[12]，匡威自镇州还，至博野[284]，匡筹据军府自称留后，以符[285]追行营兵。匡威众溃归，但与亲近留深州[286]，进退无所

山东菏泽。㉔⑦石佛山：山名，在今江苏徐州南。㉔⑧辛卯：二月二十二日。㉔⑨存战死：霍存恃胜而不防备徐兵复出，故战败而死。㉕⑩井陉：县名，县治在今河北井陉西北。㉕①计事：商议军事。㉕②乞师：请求出兵。㉕③邺下：即邺县，县治在今河北临漳西南。㉕④抑：按捺；克制。㉕⑤颙望：仰望；企望。㉕⑥决雌雄：分个高低胜负。㉕⑦角逐：争夺；竞相取胜。㉕⑧常山：即恒山，在山西浑源东。汉代因避文帝刘恒讳，改名常山。㉕⑨甲午：二月二十五日。㉖⑩元氏：县名，县治在今河北元氏。在镇州之南，当时属赵州。㉖①藁城：县名，县治在今河北石家庄市藁城区。㉖②辇：人拉的车。此处用如动词，意为用车拉。

【校记】

［9］瑾朱：据章钰校，十二行本、乙十一行本皆无此二字。〖按〗有此二字义长。［10］言：原无此字。据章钰校，十二行本、乙十一行本、孔天胤本皆有此字，张敦仁《通鉴刊本识误》同，今据补。

【语译】

朱友裕包围彭城，时溥多次出兵，朱友裕关闭营门不迎战；朱瑾夜间逃跑，朱友裕不去追赶。都虞候朱友恭写信给朱全忠诬陷朱友裕，朱全忠很生气，通过驿站传信给都指挥使庞师古，派他代替朱友裕统率军队，并且审查朱友裕的这些事情。这封信误送给了朱友裕，朱友裕非常恐惧，带领了二千名骑兵逃入山中，暗中去往砀山，藏匿在伯父朱全昱那里。朱全忠的夫人张氏听说这件事，让朱友裕一人骑马前往汴州见朱全忠，朱友裕在厅堂上痛哭流涕，伏地跪拜。朱全忠命令身边的人揪他头发，按他脖子，准备杀了他。张夫人跑过去抱住朱友裕，哭着说："你离开部队，一个人回来认罪，没有其他的意图是很明白的。"朱全忠醒悟了，放过了朱友裕，让他暂时代理许州的职务。朱友恭就是寿春人李彦威，幼年时是朱全忠的家童，朱全忠收养为义子。张夫人，是砀山人，智谋很多，朱全忠敬畏她，即使是军府要事，也常常和她谋划商量。有时带兵出征，到了半路，张夫人认为不可以，派一个人叫回朱全忠，朱全忠便立刻返回。

庞师古攻打石佛山的营寨，把它攻了下来。从此时溥的徐州军队不敢出来打仗。

李匡威救援王镕时，准备出发前往幽州，家人都集合起来给他送行。李匡威的弟弟李匡筹的妻子很美丽，李匡威喝醉酒后奸淫了她。三月，李匡威从镇州回来，到达博野，李匡筹占据军府自称为留后，用节度使的符节追回行营的军队。李匡威的部众溃散返回，他只能和一些亲近的人留在深州，或进或退，没有地方可去，派

之㉘，遣判官李正抱[13]入奏，请归京师。京师屡更㉘大乱，闻匡威来，坊市㉙大恐，曰："金头王来图社稷。"士民或窜匿山谷。王镕德其以己故致失地，迎归镇州，为筑第㉙，父事之㉙。

【段旨】

以上为第十段，写朱全忠张夫人之智略，李匡威淫乱失节镇。

【注释】

㉖彭城：即徐州，治所在今江苏徐州。㉖闭壁：关闭军垒不出战。㉖驿书：驿站传递的文书。㉖按：追究。㉖二千骑：据胡三省注，应为"二十骑"。薛居正《旧五代史·元贞张后传》作"二十骑"，《旧五代史·朱友裕传》作"数骑"。㉖砀山：县名，县治在今安徽砀山。朱全忠兄弟本居砀山县。㉖匿：隐藏。㉗全昱（？至公元九一六年）：朱全忠之长兄，全忠即位后封广王。传见《旧五代史》卷十二、《新五代史》卷十三。㉗张氏（？至公元九〇四年）：朱全忠之妻，曾封魏国夫人，朱全忠即位，追册为贤妃。梁末帝朱瑱立，追谥元贞皇太后。传见《旧五代史》卷十一、《新五代史》卷十三。㉗捽抑：揪住头发，按其头颈。㉗趋：跑向前去。㉗舍兵众：离开部队；舍弃部队。㉗束身归罪：缚身回来请罪。束身，自我约束，比喻归顺，投案。㉗异志：叛变的意图。㉗许州：州

【原文】

以渝州㉙刺史柳玭㉙为泸州㉙刺史。柳氏自公绰㉙以来，世以孝悌礼法为士大夫所宗㉙。玭为御史大夫，上欲以为相，宦官恶之，故久谪于外。玭尝戒其子弟曰："凡门地高㉙，可畏不可恃㉙也。立身㉙行己，一事有失，则得罪重于他人，死无以见先人于地下，此其所以可畏也。门高则骄心易生，族盛则为人所嫉。懿行㉚实才㉚，人未之信㉚，小有玼颣㉚，众皆指之，此其所以不可恃也。故膏粱子弟㉚，学宜加勤，行宜加励㉚，仅得比㉚他人耳！"

王建屡请杀陈敬瑄、田令孜，朝廷不许。夏，四月乙亥㉚，建使人

遣判官李正抱入朝上奏，请求回到京城。京城屡遭战乱，听说李匡威要来，街市上的人大为恐惧，说："金头王李匡威要来谋取朝廷。"士民百姓有的逃匿山谷。王镕因为李匡威为了救援自己而丧失了幽州，很感谢他，把李匡威接回镇州，给他建造宅第，像对自己父亲一样侍奉他。

名，治所在今河南许昌。㉗⑧寿春：县名，县治在今安徽寿县。㉗⑨敬惮：敬重畏惧。㉘⓪一介：一人。㉘①佛山寨：石佛山寨。㉘②家人会别：家人聚集在使宅送行。㉘③匡筹：李匡筹（？至公元八九四年）逐李匡威自称留后，昭宗即授检校太保，为节度使，后被沧州节度使卢彦威杀死。传见《旧唐书》卷一百八十、《新唐书》卷二百一十二。㉘④博野：县名，县治在今河北蠡县。㉘⑤符：符信。以竹、木或金玉为之，上书文字，剖而为二，各执其一，使用时以两片相合为验。调兵之符为虎形，称虎符。㉘⑥深州：州名，治所在今河北深州西。㉘⑦无所之：无所往。㉘⑧屡更：多次经受。㉘⑨坊市：街市。㉙⓪筑第：修建住宅。㉙①父事之：像对待父亲一样侍奉李匡威。

【校记】

［11］至：原无此字。据章钰校，十二行本、乙十一行本、孔天胤本皆有此字，张敦仁《通鉴刊本识误》同，今据补。［12］三月：原作"二月"。据章钰校，十二行本、乙十一行本、孔天胤本皆作"三月"，今从改。［13］李正抱：原误作"李抱真"。严衍《通鉴补》改作"李正抱"，张敦仁《通鉴刊本识误》同，今据以校正。

【语译】

朝廷任命渝州刺史柳玭担任泸州刺史。柳氏从柳公绰以来，世代都因为孝顺父母、尊敬兄长、重礼守法而为士大夫们所尊崇。柳玭担任御史大夫，昭宗想要任命他为宰相，宦官讨厌他，所以长期贬谪在外。柳玭曾经告诫他的子弟："凡是门第高贵的人，令人可怕而不能有所恃。立身处世，一件事失误了，获罪就比别人严重，死后也没有脸去和地下的祖先相见，这就是可怕的原因。门第高贵就容易产生骄傲的心理，家族兴盛就会被人嫉妒；美好的品行、真实的才学，别人不一定相信，稍有瑕疵，大家全都指责他，这就是门第不可依恃的原因。所以富贵子弟，学习应该更加勤奋，行为应该更加勤勉，这样也仅能和其他人相并列罢了！"

王建多次请求杀掉陈敬瑄、田令孜，朝廷不答应。夏，四月初七日乙亥，王建

告敬瑄谋作乱，杀之新津[308]。又告令孜通凤翔[309]书，下狱死。建使节度判官冯涓草表奏之曰："开匣出虎[310]，孔宣父[311]不责他人。当路斩蛇[312]，孙叔敖盖非利己。专杀不行于阃外，先机恐失于彀中[313]。"涓，宿[314]之孙也。

汴军攻徐州，累月[315]不克。通事官[316]张涛以书白朱全忠云："进兵[14]时日非良[317]，故无功。"全忠以为然。敬翔曰："今攻城累月，所费甚多，徐人已困，旦夕且下，使将士闻此言，则懈[318]于攻取矣。"全忠乃焚其书。癸未[319]，全忠自将如[320]徐州。戊子[321]，庞师古拔彭城，时溥举族[322]登燕子楼[323]自焚死。己丑[324]，全忠入彭城，以宋州[325]刺史张廷范[326]知感化留后，奏乞朝廷除[327]文臣为节度使。

李匡威在镇州，为王镕完城堑，缮甲兵，训士卒[15]，视之如子。匡威以镕年少，且乐真定[328]土风，潜谋夺之。李正抱[16]自京师还，为之画策，阴以恩施悦[329]其将士。王氏在镇久，镇人爱之，不徇[330]匡威。匡威忌日[331]，镕就第[332]吊之，匡威素服衷甲[333]，伏兵劫之，镕趋抱匡威曰："镕为晋人[334]所困，几亡矣，赖公以有今日。公欲得四州[335]，此固镕之愿也，不若与公共归府，以位让公，则将士莫之拒矣。"匡威以为然，与镕骈马[336]，陈兵[337]入府。会大风雷雨，屋瓦皆振[17]。匡威入东偏门[338]，镇之亲军闭之[339]，有屠者墨君和自缺垣[340]跃出，拳殴匡威甲士，挟镕于马上，负之登屋。镇人既得镕，攻匡威，杀之，并其族党。镕时年十七，体疏瘦[341]，为君和所挟，颈痛头偏者累日。李匡筹奏镕杀其兄，请举兵复冤。诏不许。

幽州将刘仁恭[342]将兵戍蔚州[343]，过期未代[344]，士卒思归。会李匡筹立，戍卒奉仁恭为帅，还攻幽州，至居庸关[345]，为府兵[346]所败。仁恭奔河东，李克用厚待之。

派人告发陈敬瑄阴谋作乱，在新津把他杀了。又告发田令孜与凤翔节度使互通书信，把田令孜关进监狱而死。王建让节度判官冯涓起草表文上奏朝廷说："打开笼子放出老虎，孔子不责备别人。孙叔敖在路上杀死两头蛇，不是利于自己。率军在外的将领不行使专杀的权力，机会就要在控制范围内丧失。"冯涓，是冯宿的孙子。

汴州的军队攻打徐州，几个月没有攻下来。通事官张涛写信报告朱全忠说："进兵的时间不好，所以没有效果。"朱全忠认为他说得对。敬翔却说："如今攻打徐州好几个月，耗费很多，徐州的军队已经很困乏，早晚之间就可以攻下来。将士们听到了张涛的话，攻城的劲头就会松懈了。"朱全忠便烧掉了张涛的信。四月十五日癸未，朱全忠亲自率军到达徐州。二十日戊子，庞师古攻取了彭城，时溥全族的人登上燕子楼自焚而死。二十一日己丑，朱全忠进入彭城，派宋州刺史张廷范担任感化留后，上奏朝廷请求任命文官担任节度使。

李匡威在镇州为王镕修缮城郭沟堑，整治甲胄兵器，训练士兵，把王镕视为自己的儿子一样。李匡威因为王镕年纪小，而且喜欢镇州的水土气候，便暗中谋划夺取镇州。李正抱从京城回来，替李匡威出谋划策，背地里施恩取悦于王镕的将士。王镕一家在镇州时间很长，镇州人爱戴他们，不服从李匡威。李匡威父母的忌日，王镕到他住处去吊唁，李匡威外穿白色丧服，里面穿着铠甲，埋伏士兵劫持了王镕，王镕跑上前抱住李匡威说："我被李克用的晋军围困，几乎灭亡，靠着您才有今天。您想得到镇、冀、深、赵四个州，这本来是我的愿望。不如和您一起回到府中，把节度使的职位让给您，军中的将士就没有人反抗您了。"李匡威认为这话是对的，与王镕并排骑着马，部署好士兵，进入府中。正遇上大风雷雨，房顶上的瓦片都抖动了。李匡威进入东偏门，镇州王镕的亲兵关上了东偏门，有个屠夫叫墨君和，从牙城的缺口跳出来，用拳头殴打李匡威的穿戴甲胄的士兵，从马背上把王镕夹住，背起他登上了屋顶。镇州的士兵得到了王镕后，攻打李匡威，把他杀了，李匡威的族人和同党也被一起杀死。王镕当时十七岁，身体清瘦，被墨君和夹着走，脖子痛头歪了好几天。李匡筹上奏朝廷说王镕杀了他的哥哥，请求发兵报仇。昭宗下诏不同意。

幽州将领刘仁恭率军戍守蔚州，过了期限无人替换，士兵都想回家。正遇上李匡筹自封为留后，戍守蔚州的士兵拥戴刘仁恭为统帅，回来攻打幽州，到了居庸关，被幽州节度使的军队打败。刘仁恭逃往河东，李克用对待他很优厚。

【段旨】

以上为第十一段，写王建诛杀陈敬瑄、田令孜，朱全忠灭时溥，李匡威丧生于镇州。

【注释】

㉒ 渝州：州名，治所在今重庆市。㉓ 柳玭：京兆华原（今陕西铜川市耀州区）人，柳公绰之孙。官至御史大夫。传附《旧唐书》卷一百六十五、《新唐书》卷一百六十三《柳公绰传》。㉔ 泸州：州名，治所在今四川泸州，在渝州西七百六十里。㉕ 公绰：即柳公绰（？至公元八三〇年），唐名臣。敬宗朝为刑部、兵部尚书，邠宁庆、河东等节度使。传见《旧唐书》卷一百六十五、《新唐书》卷一百六十三。㉖ 宗：尊崇敬仰。㉗ 门地高：高门大族。门地即门第，封建时代家族的等级。柳氏为名门望族，故柳玭以此戒其子弟。㉘ 恃：仰仗；依靠。㉙ 立身：树立己身。㉚ 懿行：善行；美德。㉛ 实才：真才实学。㉜ 未之信：不相信。因门第高，虽有美德实才，别人会以为是依靠家族而享虚名，故不相信。㉝ 玭颣：喻过失。玭，通“疵”。玉上的斑点。颣，颣节，生丝上的外观疵点。㉞ 膏粱子弟：指富贵人家的子弟。㉟ 励：磨砺；修养。㊱ 比：并列。㊲ 乙亥：四月初七日。㊳ 杀之新津：陈敬瑄于大顺二年寓居新津，至此被杀。㊴ 凤翔：指凤翔节度使李茂贞。㊵ 开匣出虎：打开笼子让老虎跑出来。语出《论语·季氏》：“虎兕出于柙，龟玉毁于椟中，是谁之过与？”当时鲁国的大夫季氏要攻打鲁的属国颛臾，冉有、子路正辅相季康子，所以孔子责备他们没有尽到责任，冯涓反用此典，是为王建杀死陈、田二人的行为作辩护。㊶ 孔宣父：即孔子。唐玄宗开元二十七年（公元七三九年）封孔子为文宣王，故称孔宣父。父，古代男子的美称。㊷ 当路斩蛇：传说春秋时楚国令尹孙叔敖在幼时出去玩耍，回来忧愁不愿吃饭。母亲问他原因，他哭着回答：“今天我看见了一条两头蛇，恐怕我是快要死了。”母亲问蛇在哪里，他说：“我听人说看见两头蛇的人会死，恐怕别人看见，我已把它打死埋掉了。”母亲说：“不要害怕，我听说暗中施德给别人者，上天要赐福给他的。”冯涓用此典，以孙叔敖比王建，杀陈、田是为国为民除害。㊸ 专杀不行于阃外二句：王建如果不在未得到朝命之前把陈、田二人杀掉，那么对他们谋反的苗头就失去了掌握，将酿成大祸。专杀，不待请命而杀。阃外，指统兵在外。阃，国门。先机，先兆。事物初露的苗头。彀中，弓弩射程所及的范围。比喻尽在掌握之中。㊹ 宿：冯宿，字拱之，婺州东阳（今浙江金华）人，入朝为卿相，历官中书舍人、集贤殿学

【原文】

李神福围庐州。甲午[347]，杨行密自将诣庐州，田頵自宣州引兵会之。初，蔡人张颢以骁勇事秦宗权，后从孙儒，儒败，归行密，行密厚待之，使将兵戍庐州。蔡俦叛，颢更为之用[348]。及围急，颢逾城[349]来

士、工部、刑部二侍郎，出朝专方面，历官华州刺史、河南尹、东川节度使。廉正有风骨。传见《旧唐书》卷一百六十八、《新唐书》卷一百七十七。㉟315 累月：数月。自去年十一月攻徐州，到现在已五个月。316 通事官：官名，掌通报传达。317 时日非良：时机不好。318 懈：松懈。319 癸未：四月十五日。320 如：往。321 戊子：四月二十日。322 举族：全家。323 燕子楼：楼名，在江苏徐州。唐德宗贞元年间，尚书张建封镇徐州，筑此楼让爱妾盼盼居住。张死后，盼盼念旧爱不嫁，住楼中十多年。见白居易《燕子楼》诗序。324 己丑：四月二十一日。325 宋州：州名，治所在今河南商丘南。326 张廷范：以优人为朱全忠所爱，官至太常卿，被车裂于河南市。传见《新唐书》卷二百二十三《奸臣传》下。327 除：拜官授职。328 真定：州名，即镇州。治所真定，在今河北正定。329 悦：取悦。李匡威为夺王镕镇州，以恩施取悦将士。330 徇：顺从。331 忌日：父母逝世的日子，子女以为忌日。332 就第：到李匡威住宅。333 素服衷甲：在丧服内穿上盔甲。334 晋人：谓河东李克用之兵。335 四州：镇、冀、深、赵四州。336 骈马：并马而行。337 陈兵：列兵。338 东偏门：镇州牙城的东偏门。339 闭之：闭门。李匡威已入门，镇州兵关闭城门，断绝后继的援兵。340 缺垣：断墙。341 疏瘦：清瘦。342 刘仁恭（？至公元九一三年）：深州乐寿（今河北献县）人，始事幽州李可举，后投靠李克用，为卢龙军节度使。传见《新唐书》卷二百一十二、《旧五代史》卷一百三十五、《新五代史》卷三十九。343 蔚州：州名，治所灵丘，在今山西灵丘。344 未代：无人带兵前来换防。代，轮替。345 居庸关：关隘名，长城要口之一，在今北京市昌平区西北。346 府兵：幽州节度使府之兵。

【校记】

［14］兵：原作“军”。据章钰校，十二行本、乙十一行本皆作“兵”，今从改。［15］训士卒：原无此三字。据章钰校，十二行本、乙十一行本、孔天胤本皆有此三字，张敦仁《通鉴刊本识误》同，今据补。［16］李正抱：原误作“李抱真”。严衍《通鉴补》改作“李正抱”，张敦仁《通鉴刊本识误》同，今据以校正。［17］振：原作“震”。据章钰校，十二行本、乙十一行本、孔天胤本皆作“振”，今从改。

【语译】

李神福包围庐州。四月二十六日甲午，杨行密亲自率军前往庐州，田頵从宣州带兵和他会合。当初，蔡州人张颢以骁勇善战侍奉秦宗权，后来跟随孙儒，孙儒失败后，归附杨行密，杨行密待他很优厚，派他率军守卫庐州。蔡俦叛变后，张颢又

降，行密以隶㉟⓪银枪都㉟①使袁稹。稹以颢反覆，白行密，请杀之，行密恐稹不能容，置之亲军。稹，陈州㉟②人也。

王彦复、王审知攻福州，久不下㉟③。范晖求救于威胜㉟④节度[18]董昌，昌与陈岩婚姻㉟⑤，发温㉟⑥、台㉟⑦、婺州兵五千救之。彦复、审知以城坚，援兵且至，士卒死伤多，白王潮，欲罢兵更图后举㉟⑧，潮不许。请潮自临行营，潮报㉟⑨曰："兵尽添兵，将尽添将，兵将俱尽，吾当自来。"彦复、审知惧，亲犯㊱⓪矢石㊱①急攻之。五月，城中食尽，晖知不能守，夜，以印授监军，弃城走，援兵㊱②亦还。庚子㊱③，彦复等入城。辛丑㊱④，晖亡抵沿海都㊱⑤，为将士所杀。潮入福州，自称留后，素服葬陈岩，以女妻其子延晦，厚抚其家。汀㊱⑥、建㊱⑦二州降，岭海间群盗二十余辈皆降溃㊱⑧。

闰月，以武胜㊱⑨防御使钱镠为苏杭观察使。又以扈跸都头曹诚为黔中㊲⓪节度使，耀德㊲①都头李鋋为镇海㊲②[19]节度使，宣威㊲③都头孙惟晟㊲④为荆南节度使。六月，以捧日㊲⑤都头陈珮为岭南东道节度使，并同平章事。时李茂贞跋扈，上以武臣难制，欲用诸王代之，故诚等四人皆加恩，解兵柄，令赴镇㊲⑥。

李匡筹出兵攻王镕之乐寿、武强㊲⑦，以报杀匡威之耻。

秋，七月，王镕遣兵救邢州。李克用败之于平山。壬申㊲⑧，进击镇州。镕惧，请以兵粮二十万助攻邢州，克用许之。克用治兵于栾城㊲⑨，合镕兵三万进屯任县㊳⓪，李存信屯琉璃陂㊳①。

丁亥㊳②，杨行密克庐州，斩蔡俦。左右请发俦父母冢㊳③，行密曰："俦以此得罪，吾何为效之！"

加天雄㊳④节度使李茂庄同平章事。

钱镠发民夫二十万及十三都军士㊳⑤筑杭州罗城㊳⑥，周七十里。

昇州刺史张雄卒，冯弘铎代之为刺史。

为蔡俦所用。当庐州被包围的危急时刻，张颢翻越城墙前来投降杨行密，杨行密让他隶属于银枪都使袁稹。袁稹因为张颢反复无常，报告杨行密，请求杀死张颢。杨行密担心袁稹不能容纳张颢，把张颢安置在亲军。袁稹，是陈州人。

王潮派王彦复、王审知攻打福州，长时间没有攻克。范晖向威胜节度董昌求援，董昌和陈岩是姻亲，调动温州、台州、婺州士兵五千人救援范晖。王彦复、王审知因为福州城池坚固，援军即将到达，士兵死伤很多，向王潮报告，打算撤兵，另谋以后起兵，王潮不答应。他们请王潮亲自前来军营，王潮回答说:“士兵没了增加士兵，将领没了加派将领，士兵和将领全没有了，我会亲自前来。”王彦复、王审知害怕了，亲自冒着弓箭、石头加紧攻城。五月，城里食物没有了，范晖知道不能守住城池，夜里，把官印交给监军，丢下城池逃跑了，救援的军队也回去了。初二日庚子，王彦复等人进入福州城。初三日辛丑，范晖逃到驻守海滨的部队，被将士所杀。王潮进入福州城，自称留后，穿着丧服安葬了陈岩，把自己的女儿嫁给陈岩的儿子陈延晦，用优厚的待遇安抚他的家属。汀、建二州投降，岭南到海滨的二十多批盗贼有的投降有的溃散。

闰五月，朝廷任命武胜防御使钱镠为苏杭观察使。又任命扈跸都头曹诚为黔中节度使，耀德都头李铤为镇海节度使，宣威都头孙惟晟为荆南节度使。六月，任命捧日都头陈珮为岭南东道节度使，全都为同平章事。当时李茂贞飞扬跋扈，昭宗认为武臣难以控制，打算用诸王代替他们，所以曹诚等四人皆加恩封，解除兵权，命令他们前往镇所。

李匡筹出兵攻打王镕的乐寿县、武强县，以报王镕杀死李匡威的耻辱。

秋，七月，王镕派兵救援邢州。李克用在平山打败了他。初六日壬申，李克用进军攻打镇州。王镕很害怕，请求拿出军粮二十万助攻邢州，李克用答应了他。李克用在栾城整饬军队，加上王镕的军队一共三万人进驻任县，李存信屯兵琉璃陂。

七月二十一日丁亥，杨行密攻克庐州，杀了蔡俦。身边的人请求挖掘蔡俦父母的坟墓，杨行密说:“蔡俦因为此类事获罪，我为什么要效法他呢!”

朝廷加封天雄节度使李茂庄为同平章事。

钱镠征调民夫二十万人和十三都的军士修筑杭州的外围城，周长七十里。

昇州刺史张雄去世，冯弘铎替代他担任刺史。

【段旨】

以上为第十二段，写王潮据福州，钱镠筑城杭州。

【注释】

⑰347 甲午：四月二十六日。⑰348 更为之用：改换门庭为蔡俦所用。⑰349 逾城：越过城墙。⑰350 隶：隶属。⑰351 银枪都：杨行密的一支部队，以长枪为武器。⑰352 陈州：州名，治所在今河南周口市淮阳区。⑰353 久不下：去年二月，王潮派王彦复等攻福州范晖，到现在的四月，已历时一年多，故云“久不下”。⑰354 威胜：方镇名，唐僖宗中和三年（公元八八三年）升浙东观察使为义胜节度使，光启三年（公元八八七年）改为威胜节度使。⑰355 昌与陈岩昏姻：董昌与陈岩为儿女亲家，而范晖是陈岩的妻弟。⑰356 温：州名，治所在今浙江温州。⑰357 台：州名，治所临海，在今浙江临海。⑰358 后举：以后再兴兵。⑰359 报：答复。⑰360 犯：冒着。⑰361 矢石：箭与石头。⑰362 援兵：指董昌的部队。⑰363 庚子：五月初二日。⑰364 辛丑：五月初三日。⑰365 沿海都：驻守海滨的部队。⑰366 汀：州名，治所在今福建长汀。⑰367 建：州名，治所建安，在今福建建瓯。⑰368 降溃：群盗或降或溃。⑰369 武胜：方镇名，景福元年赐杭州防御使号武胜军防御使，治所杭州。苏杭防御使，钱镠以杭并苏，故命之。⑰370 黔中：方镇名，治所黔州，在今重庆市彭水苗族土家族自治县。⑰371 耀德：神策五十四都之一。⑰372 镇海：方镇名，治所杭州，在今浙江杭州。⑰373 宣威：神策五十四都之一。⑰374 孙惟晟：盐州五原（今内蒙古五原）人，抗击黄巢有功，拜右金吾卫大将军。传附《新五代史》卷

【原文】

李茂贞恃功骄横，上表及遗杜让能书，辞语不逊。上怒，欲讨之。茂贞又上表，略曰：“陛下贵为万乘[387]，不能庇[388]元舅[389]之一身；尊极九州[390]，不能戮复恭之一竖[391]。”又曰：“今朝廷但观强弱，不计是非。”又曰：“约衰残而行法，随盛壮以加恩[392]；体物锱铢[393]，看人衡纩[394]。”又曰：“军情易变，戎马[395]难羁[396]，唯虑甸服[397]生灵[398]，因兹受祸，未审乘舆播越[399]，自此何之！”上益怒，决讨茂贞，命杜让能专掌其事，让能谏曰：“陛下初临大宝[400]，国步[401]未夷[402]，茂贞近在国门[403]，臣愚以为未宜与之构怨，万一不克，悔之无及。”上曰：“王室日卑，号令不出国门，此乃志士愤痛之秋！药弗瞑眩，厥疾弗瘳[404]。朕不能甘心为孱懦[405]之主，愔愔[406]度日，坐视陵夷[407]。卿但为朕调兵食[408]，朕自委诸王用兵，成败不以责卿！”让能曰：“陛下必欲行之，则中外大

四十三《孙德昭传》，为孙德昭之父。《新五代史》作“惟最”。孙德昭以父任为神策军指挥使，诛刘季述之乱，复辟唐昭宗，拜静海军节度使，赐姓李，号“扶倾济难忠烈功臣”。㉟⑤捧日：神策五十四都之一。㊱令赴镇：朝廷解曹诚、李铤等四人神策军权，命令他们赴节度任所。但四镇各有割据者，他们未能赴任。㊲武强：县名，县治在今河北武强西南。㊳壬申：七月初六日。㊴栾城：县名，县治在今河北石家庄栾城区西。㊵任县：县名，县治苑乡城，在今河北邢台市任泽区东北。㊶琉璃陂：镇名，在邢州龙冈县界，今河北邢台西南。㊷丁亥：七月二十一日。㊸发俦父母冢：因蔡俦曾挖杨行密祖父坟，故有此议，以为报复。发冢，挖掘坟墓。㊹天雄：方镇名，唐懿宗咸通四年（公元八六三年）置天雄军于秦州，领成、河、渭等州。秦州治所在今甘肃秦安西北。㊺十三都军士：钱镠以八都兵起，至今已有十三都兵力，势力日强。㊻罗城：为加强防守，在城墙外加建的凸出形的小城圈。

【校记】

［18］节度：原作“节度使”。据章钰校，十二行本、乙十一行本皆无“使”字，今据删。［19］镇海：原作“镇海军”。据章钰校，十二行本、乙十一行本皆无“军”字，今据删。

【语译】

李茂贞靠着有功劳骄恣蛮横，向昭宗上表和给杜让能写信，言辞不恭敬。昭宗十分生气，想要讨伐他。李茂贞又一次上表，大略说：“陛下贵为万乘之主，不能庇护皇舅一人之身；陛下为天下至尊，却不能斩杀杨复恭这个家伙。”又说：“当今朝廷只观察各节度使的强弱，不计较是非曲直。”又说：“对势力衰败的加以约束，施以刑法，顺从势力强大的，对他们施加恩赏；对财物锱铢必较，对人权衡利害。”又说：“军情千变万化，战争胜负难以约束，我是担心京城附近的百姓，会因此而遭受灾祸，不知道皇上迁徙流离，今后还能到哪里去！”昭宗更加愤怒，决心讨伐李茂贞，命令杜让能专门负责这件事。杜让能劝昭宗说：“陛下初即帝位，国家的命运还不平稳，李茂贞近在国门，臣认为不应该和他结仇，万一不能战胜他，后悔也就来不及了。”昭宗说：“皇室日益卑微，命令出不了都城，这是有志之士痛心疾首、悲愤难平的时候！用药不到头昏眼花的程度，病就不会痊愈。朕不能心甘情愿地做一个软弱无能的国君，安闲度日，坐在那里看着别人来欺侮。卿只管给朕调集军队和粮食，朕自己委派各王带兵打仗，成功失败都不会责怪你！”杜让能说：“陛下一定要兴兵讨

臣共宜协力以成圣志，不当独以任臣。”上曰：“卿位居元辅⑭，与朕同休戚⑩，无宜避事！”让能泣曰：“臣岂敢避事！况陛下所欲行者，宪宗之志⑪也。顾时有所未可，势有所不能耳⑫。但恐他日臣徒受晁错⑬之诛，不能弭⑭七国之祸也。敢不奉诏，以死继⑮之！”上乃命让能留中书，计画调度，月余不归⑯。崔昭纬阴结邠、岐⑰，为之耳目⑱，让能朝发一言，二镇夕必知之。李茂贞使其党纠合市人数百千人，拥⑲观军容使西门君遂马诉曰：“岐帅⑳无罪，不宜致讨，使百姓涂炭。”君遂曰：“此宰相事，非吾所及。”市人又邀㉑崔昭纬、郑延昌肩舆㉒诉之，二相曰：“兹事主上专委杜太尉㉓，吾曹不预知。”市人因乱投瓦石，二相下舆走匿民家，仅自免㉔，丧堂印㉕及朝服㉖[20]。上命捕其唱帅㉗者诛之，用兵之意益坚。京师民或亡匿山谷，严刑所不能禁。八月，以嗣覃王㉘嗣周为京西招讨使，神策大将军李鐬副之㉙。

丙辰㉚，杨行密遣田頵将宣州兵二万攻歙州㉛。歙州刺史裴枢㉜城守㉝，久不下。时诸将为刺史者多贪暴，独池州㉞团练使陶雅宽厚得民，歙人曰：“得陶雅为刺史，请听命。”行密即以雅为歙州刺史，歙人纳之。雅尽礼见枢，送之还朝。枢，遵庆㉟之曾孙也。

朱全忠命庞师古移兵攻兖州，与朱瑾战，屡破之。

九月丁卯㊱，以钱镠为镇海㊲节度使。

李存孝夜犯李存信营，虏奉诚军使孙考老。李克用自引兵攻邢州，掘堑㊳筑垒环之㊴。存孝时出兵突击，堑垒不能成。河东牙将袁奉韬密使人谓存孝曰：“大王㊵惟俟堑成即归晋阳，尚书㊶所惮者独大王耳，诸将非尚书敌也。大王若归，咫尺㊷之堑，安能沮尚书之锋锐邪！”存孝以为然，按兵不出。旬日，堑垒成，飞走不能越，存孝由是遂穷。汴将邓季筠㊸从克用攻邢州，轻骑逃归。朱全忠大喜，使将亲军。

乙亥㊹，覃王嗣周帅禁军三万送凤翔节度使徐彦若赴镇，军于兴平㊺。李茂贞、王行瑜合兵近六万，军于盩厔㊻以拒之。禁军皆新募市井少年，茂贞、行瑜所将皆边兵百战之余。壬午㊼，茂贞等进逼兴平，禁军皆望风逃溃，茂贞等乘胜进攻三桥㊽，京师[21]大震，士民奔

伐，就应该让朝廷内外大臣一起协力来完成陛下的心愿，不应当把这一重任只交给臣一个人。”昭宗说：“卿位居宰辅，要和朕休戚与共，不应该回避这件事！”杜让能哭着说：“臣怎么敢回避这件事呢！况且陛下打算做的这件事，是当年宪宗的心愿。只是时机不允许，形势让人不能那样做罢了。臣只怕他日白白像晁错一样遭受杀害，不能平息吴、楚七国叛乱的灾难。臣怎么敢不奉行诏令，以死相继！”昭宗于是命令杜让能留在中书省，出谋划策，调度兵马，杜让能一个多月没有回家。崔昭纬暗中勾结邠州、岐州，做他们的耳目，杜让能早上说一句话，邠州、岐州二镇晚上一定知道。李茂贞派他的党羽纠集市民成百上千，堵住观军容使西门君遂的马诉说：“岐州军帅李茂贞没有罪过，不应该前去讨伐，让生灵涂炭。”西门君遂说：“这是宰相的事情，不是我的力量所能做到的。”市民又拦住崔昭纬、郑延昌的轿子诉说，两位宰相说：“这件事皇上专门委任杜让能，我们事先不知道。”市民乘机乱扔砖瓦石块，两位宰相下了轿子跑到老百姓家里躲藏，只是脱身没有受到伤害，丢失了官印和朝服。昭宗下令逮捕闹事发起人，把他们杀了，出兵讨伐的意愿更加坚决。京城的民众有的逃匿山谷，动用酷刑也不能禁止。八月，任命嗣覃王李嗣周担任京西招讨使，神策大将军李鐬担任李嗣周的副佐。

八月二十一日丙辰，杨行密派遣田頵率领宣州的军队二万人攻打歙州。歙州刺史裴枢据城固守，长期不能攻克。当时各将领担任刺史的大多贪婪暴虐，唯独池州团练使陶雅待人宽厚深得民心。歙州人说：“如果得到陶雅来当歙州刺史，我们就听从您的命令。”杨行密立刻任命陶雅为歙州刺史，歙州人就接纳了他。陶雅去看望裴枢礼仪周到，送他返回朝廷。裴枢，是裴遵庆的曾孙。

朱全忠命令庞师古调动军队攻打兖州，与朱瑾交战，多次打败了朱瑾。

九月初二日丁卯，任命钱镠担任镇海节度使。

李存孝在夜里侵入李存信的军营，俘虏了奉诚军使孙考老。李克用亲自带兵攻打邢州，环绕邢州城挖沟筑垒。李存孝不时出兵袭击，壕沟营垒不能完成。河东牙将袁奉韬秘密派人对李存孝说：“李克用只等到壕沟挖成立即返回晋阳，尚书您所惧怕的只是李克用而已，其他将领都不是尚书您的对手。李克用如果返回晋阳，几尺宽的壕沟，怎么能阻挡尚书您的锐利锋芒呢！”李存孝认为说得对，便按兵不出。过了十天，壕沟营垒修成了，飞跑着都不能越过，李存孝因此被围困得毫无办法。汴州原来的将领邓季筠这时也随从李克用攻打邢州，他骑马轻装逃回汴州。朱全忠十分高兴，派邓季筠统率亲军。

九月初十日乙亥，覃王李嗣周率领禁军三万人护送凤翔节度使徐彦若前往镇所，驻军在兴平。李茂贞、王行瑜把部队集中起来将近六万人，屯兵盩厔进行对抗。朝廷禁军都是刚从街市上招募的年轻人，李茂贞、王行瑜所率领都是身经百战的边防士兵。十七日壬午，李茂贞等人进逼兴平，禁军全都望风溃逃，李茂贞等人乘胜攻打三桥，

散，市人复守阙[449]请诛首议用兵者。崔昭纬心害太尉、门下侍郎、同平章事杜让能，密遗茂贞书曰："用兵非主上意，皆出于杜太尉耳。"甲申[450]，茂贞陈于临皋驿[451]，表让能罪，请诛之。让能言于上曰："臣固先言之矣，请以臣为解[452]。"上涕下不自禁，曰："与卿诀[453]矣！"是日，贬让能梧州[454]刺史，制辞[455]略曰[456]："弃卿士[457]之臧谋[458]，构藩垣之深衅[459]，咨询之际，证执[460]弥坚。"又流观军容使西门君遂于儋州[461]，内枢密使李周潼于崖州[462]，段诩于驩州[463]。乙酉[464]，上御安福门[465]，斩君遂、周潼、诩，再贬让能雷州[466]司户。遣使谓茂贞曰："惑朕举兵者，三人[467]也，非让能之罪。"以内侍骆全瓘、刘景宣为左右军中尉。

【段旨】

以上为第十三段，写唐昭宗不听杜让能之谏，讨伐李茂贞，兵败再损君威，唐室益衰。

【注释】

(387)万乘：周制，天子地方千里，出兵车万乘，故以万乘称天子。(388)庇：保护。(389)元舅：指王瓌。王瓌为昭宗舅父，求节度使，杨复恭不同意，故意让他出任黔南节度使，并指使杨守亮在中途将其害死。其事散见《旧唐书》卷一百八十四《杨复恭传》和《新唐书》卷七十七《恭宪王太后传》等。(390)尊极九州：与"贵为万乘"为互文，意即为天下之至尊。九州，代指全国。(391)一竖：一个匹夫。竖，对人的鄙称。犹言"小子"。(392)约衰残而行法二句：此二句谓约束衰败的藩镇，执行国家法律；顺从势力强大的藩镇，封官晋爵，增加恩宠。李茂贞之表虽然言辞傲慢，但对当时政治形势的分析却是一针见血。(393)体物锱铢：处事斤斤计较。锱铢，喻轻微，引申为斤斤计较。锱、铢，古代重量单位，六铢为锱，二十四铢为一两。(394)看人衡纩：对人权衡利害。衡，测定重量的器具。意谓揣摩衡量势力的轻重。纩，丝棉絮，持纩测量气的粗细。后用衡纩比喻势利眼。(395)戎马：战马，指战争。(396)羁：束缚；控制。(397)甸服：古代在王畿外围，每五百里为一区划，按距离远近分为侯服、甸服等。此指都城郊外。(398)生灵：百姓。(399)未审乘舆播越：李茂贞是说只考虑京郊周围百姓受到战争的祸害，至于皇帝流迁何方，没有仔细考虑。轻蔑昭宗，溢于言表。(400)大宝：帝位。(401)国步：国家的命运。步，时运。(402)夷：平坦。(403)茂贞近在国门：当时李茂贞以功任凤翔陇右节度使，镇守凤翔，凤翔西距长安仅二百八十京师大为震动，士民百姓四处逃离，街市民众又守在皇宫门前请求诛杀首先提议出兵征讨的人。崔昭纬存心要陷害太尉、门下侍郎、同平章事杜让能，秘密送信给李茂贞说："这次用兵打仗不是皇上的意图，都是杜让能出的主意。"十九日甲申，李茂贞布阵临皋驿，上表列举杜让能的罪过，请求杀死他。杜让能对昭宗说："臣本来早就说过了，现在请拿臣问罪来解除兵乱。"昭宗流泪不能自止，对杜让能说："和你永别了！"这一天，把杜让能贬为梧州刺史，昭宗的诏书大略说："朕没有听取谋臣的深谋远虑，与藩镇们结下了深深的矛盾，在咨询商量的时候，所坚持意见愈加牢固。"又把观军容使西门君遂流放到儋州，把内枢密使李周潼流放到崖州，把段诩流放到驩州。二十日乙酉，昭宗亲临安福门，杀了西门君遂、李周潼、段诩，把杜让能再贬为雷州司户。昭宗派遣使者对李茂贞说："鼓动朕出兵的，是西门君遂、李周潼、段诩这三个人，不是杜让能的罪过。"任命内侍骆全瓘、刘景宣为左、右军中尉。

里，故云"近在国门"。国门，都城之门。㊵④药弗瞑眩二句：吃药没有吃到头晕目眩的程度，不省人事、手足僵冷这样的病就不能痊愈。此二句以吃药比喻治理国家。昭宗认为面对唐朝目前的形势应该下大剂量的药，动大手术。厥，其。瘳，痊愈。㊵⑤孱懦：懦弱。㊵⑥愔愔：平静安闲的样子。㊵⑦陵夷：衰落。㊵⑧调兵食：调集军用粮草。㊵⑨元辅：宰相。以其辅佐皇帝而位居大臣之首，故称。㊶⓪休戚：喜乐与忧愁。㊶①宪宗之志：宪宗即位后，志在振举纲纪，裁制藩镇，大治天下。㊶②顾时有所未可二句：看看时与势，讨伐李茂贞的条件，尚不具备。顾，观看。㊶③晁错：西汉政论家，景帝时任御史大夫，主张削藩以强化中央集权。吴、楚等七国借口清君侧起兵叛乱，晁错被杀。传见《史记》卷一百一、《汉书》卷四十九。㊶④弭：消除。㊶⑤继：承受。㊶⑥不归：不回家。㊶⑦邠岐：指邠宁节度使王行瑜、凤翔节度使李茂贞。凤翔本岐州，故称。㊶⑧耳目：侦察消息的人。㊶⑨拥：包围；阻塞。㊷⓪岐帅：指李茂贞。㊷①邀：拦截；遮阻。㊷②肩舆：用人力抬扛的代步工具，中设软椅以坐人。唐制，朝臣上朝皆乘马，老病者可乘肩舆。㊷③杜太尉：指杜让能。太尉，三公之一。昭宗初立，即进杜让能尚书左仆射、晋国公，赐铁券，累进太尉。见《新唐书》卷九十六《杜让能传》。㊷④自免：身免。指二相自身逃脱，只是免受伤害。㊷⑤堂印：宰相居政事堂所用的官印。㊷⑥朝服：朝会时所着之礼服。㊷⑦唱帅：带头首倡之人。㊷⑧覃王：顺宗子李经封郯王，嗣周是其后。唐武宗名炎，会昌后为避武宗讳，改"郯"为"覃"。㊷⑨李鐬副之：当时李鐬为招讨使之副，率禁军三万讨伐李茂贞。事载《旧唐书》卷一百七十七《杜让能传》和《新唐书》卷二百八《刘季述传》。㊸⓪丙辰：八月二十一日。㊸①歙州：州名，治所在今安徽歙县。㊸②裴枢（公元八四〇至九〇五年）：绛州闻喜（今山西闻喜）人，肃宗朝宰相裴遵庆之曾孙。传附《旧唐书》卷一百一十三、

《新唐书》卷一百四十《裴遵庆传》。433 城守：据城坚守。434 池州：州名，治所在今安徽池州市贵池区。435 遵庆：裴遵庆（？至公元七七五年），即裴枢之曾祖，肃宗朝宰相，两《唐书》均有传。事又见本书卷二百二十二肃宗上元二年。436 丁卯：九月初二日。437 镇海：军镇名，治所润州，在今江苏镇江。时为安仁义所据，今以命钱镠。至光化元年（公元八九八年），钱镠徙军镇于杭州。438 堑：壕沟。439 环之：包围邢州。440 大王：指李克用，时李克用封陇西郡王。441 尚书：指李存孝，时李存孝加官检校尚书。442 咫尺：八寸为咫。咫尺比喻距离很近。443 邓季筠：原为汴将，大顺元年九月将兵攻李罕之于泽州，李罕之向李克用告急，克用派李存孝救之。存孝于阵前生擒邓季筠。此次邓又随李克用攻存孝。传见《旧五代史》卷十九。444 乙亥：九月初十日。445 兴平：县名，县治在今陕西兴平。446 盩厔：县名，县治在今陕西周至。447 壬午：九月十七日。448 三桥：镇名，在今陕西西安西。449 守阙：守在宫门之外。450 甲申：九月十九日。451 临皋驿：驿站名，在长安城西。452 以臣为解：拿我杜让能问罪以解除兵乱。453 诀：永别。454 梧州：州名，治

【原文】

壬辰[468]，以东都留守韦昭度为司徒[469]、门下侍郎、同平章事[470]，御史中丞崔胤[471]为户部侍郎、同平章事。胤，慎由之子也，外宽弘而内巧险[472]，与崔昭纬深相结，故得为相。季父[473]安潜谓所亲曰：“吾父兄刻苦以立门户[474]，终为缁郎[475]所坏！”缁郎，胤小字也。

李茂贞勒兵[476]不解，请诛杜让能，然后还镇，崔昭纬复从而挤[477]之。冬，十月，赐让能及其弟户部侍郎弘徽自尽。复下诏布告中外，称让能举枉错直[478]，爱憎系于一时[479]。鬻狱[480]卖官，聚敛[481]逾[482]于巨万。自是朝廷动息[483]皆禀[484]于邠、岐，南、北司[485]往往依附二镇以邀恩泽。有崔铤、王超者，为二镇判官，凡天子有所可否，其不逞[486]者，辄诉于铤、超，二人则教茂贞、行瑜上章论之，朝廷少有依违[487]，其辞语已不逊[488]。

制复以茂贞为凤翔节度使兼山南西道节度使、守中书令，于是茂贞尽有凤翔、兴元、洋、陇秦[489]等十五州之地。以徐彦若为御史大夫。

戊戌[490]，以泉州刺史王潮为福建观察使。

所在今广西梧州。离京都五千五百里。㊺5 制辞：诏书。㊺6 略曰：概括地说。昭宗贬杜让能情不由己，故制书诉其衷曲。㊺7 卿士：执政者。㊺8 臧谋：好的意见。臧，善。㊺9 构藩垣之深衅：与藩镇结下了很深的仇恨。构，结成。藩垣，藩卫；护卫国家的疆吏。此指李茂贞。衅，缝隙；裂痕。㊻0 证执：即执证，指固执地坚持自己的意见。㊻1 儋州：州名，治所在今海南儋州西北。㊻2 崖州：州名，治所在今海南海口东南。㊻3 驩州：州名，治所在今越南荣市。㊻4 乙酉：九月二十日。㊻5 安福门：长安宫城南门外有东西大街，街的西门叫安福门。㊻6 雷州：州名，治所在今广东雷州半岛海康。㊻7 三人：指西门君遂、李周潼、段诩。

【校记】

［20］朝服：据章钰校，十二行本、乙十一行本皆作“朝报”。〖按〗“朝服”义长。［21］京师：原作“京城”。据章钰校，十二行本、乙十一行本、孔天胤本皆作“京师”，今从改。

【语译】

九月二十七日壬辰，任命东都留守韦昭度为司徒、门下侍郎、同平章事，御史中丞崔胤为户部侍郎、同平章事。崔胤是崔慎由的儿子，他外表宽宏大量，而内心奸诈阴险，和崔昭纬互相深加勾结，所以能够做宰相。他的叔父崔安潜对亲近的人说：“我的父亲、哥哥辛勤劳苦为崔家创家立业，最终要被缁郎所败坏！”缁郎是崔胤的小名。

李茂贞率领军队，没有撤退，请求杀死杜让能，然后返回镇所，崔昭纬又从中挤压杜让能。冬，十月，昭宗赐命杜让能和他的弟弟户部侍郎杜弘徽自杀。又下诏宣告朝廷内外，说杜让能举用违法邪恶的人，放置在正直的人之上，对人的喜好和憎恶都凭一时决定。他卖狱索贿，卖官鬻爵，搜刮的钱财超过亿万。从此，朝廷的一举一动都要向邠州、岐州报告，南衙北司往往依附李茂贞和王行瑜获取恩赏。有崔铤、王超这两个人，是邠州、岐州二镇的判官，凡是昭宗所批示的同意与不同意的意见，只要有人对此不满意，就告诉崔铤、王超，这两个人就唆使李茂贞、王行瑜送上表章进行论辩，朝廷稍有不同意见，他们的言辞就不恭敬了。

唐昭宗又下制书重新任命李茂贞为凤翔节度使兼山南西道节度使，代理中书令，于是李茂贞占有了凤翔、兴元、洋州、陇州、秦州等十五州的全部地方。朝廷任命徐彦若为御史大夫。

十月初四日戊戌，朝廷任命泉州刺史王潮担任福建观察使。

舒州刺史倪章弃城走[491]，杨行密以李神福为舒州刺史。

邠宁节度使、守侍中兼中书令王行瑜求为尚书令[492]。韦昭度密奏，称[22]“太宗以尚书令执政，遂登大位，自是不以授人臣。惟郭子仪[493]以大功拜尚书令，终身避让。行瑜安可轻议！”十一月，以行瑜为太师，赐号尚父[494]，仍赐铁券[495]。

十二月，朱全忠请徙盐铁[496]于汴州以便供军。崔昭纬以为全忠新破徐、郓，兵力倍增，若更判盐铁，不可复制，乃赐诏开谕[497]之。

汴将葛从周攻齐州[498]刺史朱威，朱瑄、朱瑾引兵救之。

初，武安[499]节度使周岳杀闵勖，据潭州，邵州[500]刺史邓处讷闻而哭之，诸将入吊。处讷曰：“吾与公等咸[501]受仆射大恩[502]，今周岳无状[503]杀之，吾欲与公等竭一州之力，为仆射报仇，可乎？”皆曰：“善！”于是训卒厉兵[504]。八年，乃结朗州刺史雷满，共攻潭州，克之，斩岳，自称留后。

【段旨】

以上为第十四段，写杜让能蒙晁错之冤而死，李茂贞得势，身兼凤翔、山南西道两节度使，奸险小人崔胤拜相。

【注释】

[468]壬辰：九月二十七日。[469]司徒：官名，三公之一。唐代司徒授给有资望的大臣，并非实职。[470]门下侍郎同平章事：门下侍郎兼带同平章事即为宰相之职。下文言崔胤以户部侍郎兼带同平章事，亦是宰相之职。[471]崔胤（公元八五三至九〇四年）：宣宗朝宰相崔慎由之子，昭宗朝结援朱全忠诛杀宦官。传见《旧唐书》卷一百七十七、《新唐书》卷二百二十三下。[472]巧险：奸巧阴险。[473]季父：叔父。崔慎由与崔安潜皆为崔从之子。[474]父兄刻苦以立门户：父崔从为人严谨，忠厚，立朝负有声望。兄崔慎由端厚，有其父风采。[475]缁郎：崔胤乳名。[476]勒兵：统率军队。[477]挤：摧逼；陷害。[478]举枉错直：选拔邪恶的人，放置在正直的人之上。枉，不正直、邪恶。错，同“措”，放置。语出《论语·为政》：“举直错诸枉，则民服；举枉错诸直，则民不服。”[479]系于一时：凭一时的感情。[480]鬻狱：卖狱索贿。[481]聚敛：搜刮财货。[482]逾：超过。[483]动息：行动举止。[484]禀：报告。[485]南北司：南司，唐代宰相官署。唐代以中书、门下、尚书三省共议

舒州刺史倪章弃城逃跑，杨行密任命李神福担任舒州刺史。

邠宁节度使、代理侍中兼中书令王行瑜要求担任尚书令。韦昭度秘密上奏，说“太宗担任尚书令，执掌政务，由此登上帝位，从此以后不把这个官职授给大臣。只有郭子仪由于有大功拜为尚书令，但他终身避让。王行瑜怎么可以轻易要求这个官职呢！”十一月，任命王行瑜为太师，赐号尚父，还颁赐铁券。

十二月，朱全忠请求把盐铁转运使的官署转移到汴州，以便向军队提供需求。崔昭纬认为朱全忠刚刚打败了徐州、郓州的军队，兵力倍增，如果再让他掌管盐铁，不能再加控制，于是颁赐诏书劝导朱全忠。

汴州的将领葛从周攻打齐州刺史朱威，朱瑄、朱瑾率军援救朱威。

当初，武安节度使周岳杀死闵勖，占据潭州。邵州刺史邓处讷听到这个消息后哭了起来，各将领都去吊唁。邓处讷对他们说：“我和你们都受到了闵勖的大恩，现在周岳无缘无故杀死了他，我想和你们一起竭尽邵州的全部军力，替闵勖报仇，可以吗？”大家都回答说：“好！”于是训练士卒，磨砺兵器。过了八年，联合朗州刺史雷满共同攻打潭州，把它攻克了，杀了周岳，邓处讷自称为留后。

国政，行宰相职权，三省都在皇宫南面，所以叫南衙，也叫南司。北司，唐内侍省。掌管宫内事务的机构，由宦官组成，在皇宫之北，故称北司。㊽⑥不逞：不能得逞。㊽⑦依违：依从和违背。此谓不同意见。㊽⑧其辞语已不逊：朝廷稍有不同意见，李茂贞、王行瑜的上章便出言不逊。不逊，不恭敬。㊽⑨陇秦：方镇名，即天雄军节度。李茂贞原据凤翔为一镇，山南西道（治所兴元）又一镇，洋州（武定军）又一镇，加上秦陇天雄军共兼有四镇之地。㊾⓪戊戌：十月初四日。㊾①倪章弃城走：倪章原与蔡俦连兵，现蔡俦已败，故弃城逃走。㊾②尚书令：官名，尚书省长官，唐为宰相，因唐太宗曾为尚书令，后不再设此官，尚书省长官仅置左右仆射。㊾③郭子仪：平定安史之乱的唐代中兴功臣。传见《旧唐书》卷一百二十、《新唐书》卷一百三十七。㊾④尚父：周武王尊吕尚为尚父，后世尚父成为皇帝尊礼大臣所加的尊号。㊾⑤铁券：帝王颁赐功臣授以世代享受某种特权的铁契。分左右二半，左颁功臣，右存内府。如功臣或其后代犯罪，取券合之，推念其功，可予以赦减。㊾⑥盐铁：盐铁转运使。㊾⑦开谕：开导劝解。㊾⑧齐州：州名，治所历城，在今山东济南。㊾⑨武安：方镇名，唐僖宗中和三年（公元八八三年）以湖南观察使为钦化军节度，光启元年（公元八八五年）改钦化军节度为武安军节度使。治所潭州，在今湖南长沙。⑤⓪⓪邵州：州名，治所邵阳，在今湖南邵阳。⑤⓪①咸：都；全。⑤⓪②受仆射大恩：邵州在闵勖巡属之内，所以邵州刺史邓处讷说“受仆射大恩”。仆射，指闵勖，曾加官检校尚书仆射。⑤⓪③无状：无礼。⑤⓪④训卒厉兵：训练士卒，磨砺武器。厉，通“砺”。

【校记】

［22］称：原无此字。据章钰校，十二行本、乙十一行本、孔天胤本皆有此字，张敦仁《通鉴刊本识误》同，今据补。

【原文】

乾宁元年（甲寅，公元八九四年）

春，正月乙丑朔[505]，赦天下，改元[506]。

李茂贞入朝，大陈兵[507]自卫，数日归镇。

以李匡筹为卢龙节度使。

二月，朱全忠自将击朱瑄，军于鱼山[508]。瑄与朱瑾合兵攻之，兖、郓兵大败，死者万余人。

以右散骑常侍[509]郑綮[510]为礼部侍郎、同平章事。綮好诙谐，多为歇后诗[511]，讥嘲时事。上以为有所蕴[512]，手注班簿[513]，命以为相，闻者大惊。堂吏[514]往告之，綮笑曰："诸君大误，使天下更无人，未至郑綮！"吏曰："特出圣意[515]。"綮曰："果如是，奈人笑何！"既而贺客至，綮搔首言曰："歇后郑五[516]作宰相，时事可知矣！"累让不获[517]，乃视事。

以邵州刺史邓处讷为武安节度使。

彰义[518]节度使张钧薨，表其兄镭为留后。

三月，黄州[519]刺史吴讨[520]举州降杨行密。

邢州城中食尽。甲申[521]，李存孝登城谓李克用曰："儿蒙王恩得富贵，苟非[522]困于谗慝[523]，安肯舍父子而从仇雠[524]乎！愿一见王，死不恨！"克用使刘夫人视之。夫人引存孝出见克用，存孝泥首[525]谢罪曰："儿粗立微劳，存信逼儿，失图[526]至此！"克用叱之曰："汝遗朱全忠、王镕书，毁我万端[527]，亦存信教汝乎！"囚之，归于晋阳，车裂[528]于牙门[529]。存孝骁勇，克用军中皆莫及，常将骑兵为先锋，所向无敌，身被重铠[530]，腰弓[531]髀槊[532]，独舞铁檛[533]陷陈，万人辟易[534]。每以二马自随，

【语译】

乾宁元年（甲寅，公元八九四年）

春，正月初一日乙丑，唐昭宗诏令大赦天下，改换年号。

李茂贞来京朝见，部署大量军队自卫，几天后返回镇所。

朝廷任命李匡筹为卢龙节度使。

二月，朱全忠亲自率军攻打朱瑄，屯兵鱼山。朱瑄与朱瑾兵力联合攻打朱全忠，朱瑄的郓州军和朱瑾的兖州军大败，死的有一万多人。

朝廷任命右散骑常侍郑綮为礼部侍郎、同平章事。郑綮喜好诙谐，写了很多歇后诗，讽刺时事。昭宗认为郑綮内藏才干，亲手把他添加在朝官班次名录中，任命郑綮为宰相，听到的人大为吃惊。中书省吏员前去告诉郑綮这一任命，郑綮笑着说："你们大错，假如天下都没有人了，也轮不到我郑綮做宰相！"吏员说："这是特例，出自皇上的旨意。"郑綮说："果然如此，让别人怎么笑话我啊！"没多久，祝贺的客人来了，郑綮用手抓着头说："我歇后郑五当了宰相，当前国家大事怎么样，可想而知了！"郑綮一再推辞，没有获准，只能上任视事。

朝廷任命邵州刺史邓处讷为武安节度使。

彰义节度使张钧去世，上表请求任命他的哥哥张鐇担任留后。

三月，黄州刺史吴讨献出州城投降了杨行密。

邢州城里食物吃光了。三月二十一日甲申，李存孝登上城楼对李克用说："儿蒙受父王的大恩才得到富贵，假如不是受到奸邪小人的逼迫，怎么能舍弃父子之情而去跟随您的仇敌呢！希望见父王一面，我死也没有什么遗憾啦！"李克用派刘夫人去看望他。刘夫人带着李存孝出来看望李克用，李存孝以泥涂头，谢罪说："儿稍微立了一点功劳，李存信就逼迫儿，儿打错了主意，落到如此地步！"李克用大声斥责他说："你送给朱全忠、王镕的信，百般毁谤我，也是李存信教你的吗！"李克用囚禁了李存孝，送回晋阳，在牙门前车裂处死。李存孝勇猛强悍，李克用军中的将领没有人比得上他，常常率领骑兵担任先锋，所向无敌，李存孝身上穿着厚重的铠甲，腰间挂着弓箭，大腿外侧挎着长矛，独自挥舞铁鞭冲锋陷阵，惊退万人。李存孝每次

马稍乏，就陈中易之，出入如飞。克用惜其才，意临刑诸将必为之请，因而释之。既而诸将疾其能，竟无一人言者。既死，克用为之不视事者旬日，私恨诸将，而于李存信竟无所谴。又有薛阿檀者，其勇与存孝相侔㉟，诸将疾之，常不得志，密与存孝通，存孝诛，恐事泄，遂自杀。自是克用兵势浸弱㊱，而朱全忠独盛矣。克用表马师素为邢洺节度使。

【段旨】

以上为第十五段，写歇后郑五拜相。李克用诛李存孝，自毁长城。

【注释】

⑤05 乙丑朔：正月初一日。⑤06 改元：改换年号为乾宁。⑤07 大陈兵：大量部署军队。⑤08 鱼山：山名，又名鱼条山，在今山东东阿西。⑤09 散骑常侍：官名，在皇帝左右规谏过失，备顾问。在门下省者为左散骑常侍，在中书省者为右散骑常侍。⑤10 郑綮：字蕴武，昭宗朝官至宰相，三月而罢。传见《旧唐书》卷一百七十九、《新唐书》卷一百八十三。⑤11 歇后诗：诗体的一种。多用诙谐形象的语句，隐去后语，以前面的诗句示义。⑤12 蕴：含有深奥的事理。⑤13 手注班簿：昭宗亲手把郑綮之名添加在朝官班次簿录中。注，记载。⑤14 堂吏：唐代中书省办事的官吏。⑤15 特出圣意：皇帝专门点的名。⑤16 郑五：郑綮排行老五，

【原文】

朱全忠遣军将张从晦慰抚寿州。从晦陵侮㊲刺史江彦温而与诸将夜饮，彦温疑其谋己。明日，尽杀在席诸将，以书谢全忠而自杀。军中推其子从项知军州事，全忠为之腰斩从晦。

五月，加镇海节度使钱镠同平章事。

刘建锋、马殷引兵至澧陵㊳，邓处讷遣邵州指挥使蒋勋、邓继崇将步骑三千守龙回关㊴。殷先至关下，遣使诣勋，勋等以牛酒犒师。殷使说勋曰："刘龙骧㊵[23]智勇兼人㊶，术家言当兴翼、轸间㊷。今将十万

都带着两匹马跟随自己，骑着的马稍有疲乏，就在阵地上换骑另一匹马，出入战阵如同飞翔。李克用爱惜李存孝的才干，心想临刑前各位将领一定替李存孝求情，他就可以乘机释放李存孝。不料各位将领嫉妒李存孝的能力，竟然没有一个说话的人。李存孝死后，李克用为此十多天不办理政事，私下里怨恨各位将领，但对李存信竟然没有谴责。另外有一个叫薛阿檀的，他的勇敢和李存孝相当，各位将领嫉妒他，他常常感到不得志，暗中与李存孝交往，李存孝被杀后，他担心事情泄露，就自杀了。从此，李克用的军力逐渐衰弱，只有朱全忠最为强盛。李克用上表请求任命马师素为邢洺节度使。

爱作歇后诗，时人称为歇后郑五体。517 不获：未获批准辞官。518 彰义：方镇名，治所泾州，在今甘肃泾川县北。519 黄州：州名，治所黄冈，在今湖北武汉市新洲区。当时黄州属鄂岳节度，即武昌军。520 吴讨：鄂州永兴县民，以当地民团起家，据黄州。其事散见《新唐书》卷一百九十《杜洪传》等篇。521 甲申：三月二十一日。522 苟非：如果不是。523 谗慝：恶言恶意，此指邪恶之人。524 仇雠：仇人。此指朱全忠。525 泥首：以泥涂脑袋，表示自辱服罪。526 失图：打错了主意。527 毁我万端：百般诽谤我。万端，千万个方面。犹今言百般。528 车裂：古代酷刑之一。以车撕裂人体。529 牙门：军帐前立大旗表示营门。530 重铠：厚重的铠甲。531 腰弓：腰间挂着弓。532 髀槊：大腿外侧挎着长矛。533 铁挝：粗铁鞭。534 辟易：惊退。535 相侔：相等。536 浸弱：逐渐衰弱。李克用自翦羽翼，所以力量渐弱。

【语译】

朱全忠派遣军中将领张从晦慰问安抚寿州。张从晦凌辱寿州刺史江彦温，而在夜里和各位将领饮酒，江彦温怀疑张从晦要算计自己。第二天，把在座饮酒的各位将领都杀了，写信给朱全忠谢罪后自杀了。军中将士推举江彦温的儿子江从顼来主持军队和寿州的事务。朱全忠为这件事把张从晦腰斩处死。

五月，朝廷加封镇海节度使钱镠为同平章事。

刘建锋、马殷带领军队到达澧陵，邓处讷派遣邵州指挥使蒋勋、邓继崇率领步兵、骑兵三千人防守龙回关。马殷先到达龙回关下，派遣使者前往蒋勋那里，蒋勋等人拿出牛肉和酒水犒劳马殷的军队。马殷的使者劝蒋勋说："刘建锋智勇过人，卜卦算命的人说他应在荆州、长沙一带兴起。现在刘建锋率领十万部众，精锐无敌；

众，精锐无敌，而君以乡兵㊺数千拒之，难矣。不如先下之，取富贵，还乡里，不亦善乎！”勋等然之，谓众曰：“东军㊹许吾属还。”士卒皆欢呼，弃旗帜铠仗遁去。建锋令前锋衣其甲㊺，张其旗㊻，趋潭州。潭人以为邵州兵还，不为备。建锋径㊼入府，处讷方宴㊽，擒斩之。戊辰㊾，建锋入潭州，自称留后。

王建攻彭州，城中人相食，彭州内外都指挥使赵章出降。王先成请筑龙尾道㊿，属[551]于女墙[552]。丙子[553]，西川兵登城，杨晟犹帅众力战，刀子都虞候王茂权斩之。获彭州马步使安师建，建欲使为将，师建泣谢曰：“师建誓与杨司徒[554]同生死，不忍复戴日月[555]，惟速死为惠[556]。”再三谕之，不从，乃杀之，礼葬而祭之。更赵章姓名曰[24]王宗勉，王茂权名[25]曰宗训，又更王钊名曰宗谨，李绾姓名曰王宗绾。

辛卯[557]，中书侍郎、同平章事郑延昌罢为右仆射。

朱瑄、朱瑾求救于河东，李克用遣骑将安福顺及弟福庆、福迁督精骑五百假道于魏，渡河应之。

武昌节度使杜洪攻黄州[558]，杨行密遣行营都指挥使朱延寿等救之。

六月甲午[559]，以宋州刺史张廷范为武宁[560]节度使，从朱全忠之请也。

蕲州[561]刺史冯敬章邀击淮南军，朱延寿攻蕲州，不克。

【段旨】

以上为第十六段，写刘建锋破潭州，王建下彭州。

【注释】

[537]陵侮：欺陵侮辱。[538]澧陵：县名，县治在今湖南醴陵。当时属潭州，在州东南一百六十里。[539]龙回关：关名，在今湖南隆回西北。[540]刘龙骧：即刘建锋。唐僖宗乾符年间，刘建锋曾为龙骧指挥使。[541]兼人：胜过别人。[542]术家言当兴翼轸间：星占家说刘龙骧当在楚地荆州兴起。翼、轸，星宿名，翼、轸二宿为楚荆分野。[543]乡兵：蒋勋、邓

而你用几千名乡兵抵抗他，实在太难。你不如先投降他，求得富贵，返回故乡，不是很好吗！”蒋勋等人认为很有道理，对部下说：“从东边来的刘建锋和马殷的军队允许我们返回故乡。”士兵们都欢呼起来，丢下旗帜、铠甲和仪仗逃走了。刘建锋命令前锋部队穿上蒋勋士兵的铠甲，打着他们的旗帜，赶往潭州。潭州的人以为是邵州的军队回来了，未设防备。刘建锋的军队直接进入府署，邓处讷正在宴请宾客，刘建锋把他抓住后杀死了。五月初七日戊辰，刘建锋进入潭州，自称为留后。

王建攻打彭州，城里人们相食，彭州内外都指挥使赵章出城投降。王先成要求修建一条龙尾道，连接到城上的短墙。五月十五日丙子，王建的西川军登上彭州城，杨晟仍率领部众奋战，刀子都虞候王茂权杀了杨晟。王建抓获了彭州马步使安师建，王建想让他做将领，安师建哭着辞谢说：“我安师建发誓与杨晟同生共死，我不忍心改换主人，只求恩惠我快点死。”王建再三晓谕，安师建不肯依从，王建便把安师建杀死了，按礼节埋葬并祭奠他。王建更改赵章的姓名为王宗勉，更改王茂权的名字为宗训，又更改王钊的名字为宗谨，更改李绾的姓名为王宗绾。

五月三十日辛卯，中书侍郎、同平章事郑延昌罢免宰相职位，担任右仆射。

朱瑄、朱瑾向河东李克用求救，李克用派遣骑兵将领安福顺和他的弟弟安福庆、安福迁督领精锐的骑兵五百人借道魏州，渡过黄河前去救应。

武昌节度使杜洪攻打黄州，杨行密派遣行营都指挥使朱延寿等人前往救援黄州。

六月初三日甲午，朝廷任命宋州刺史张廷范为武宁节度使，这是听从朱全忠的请求。

蕲州刺史冯敬章截击朱延寿的淮南军队，朱延寿攻打蕲州，没有攻下来。

继崇都是邵州土豪，所领之兵都是当地土人，故谓之乡兵。㊹ 东军：刘建锋军队从东边来，故蒋勋称为东军。⑮ 衣其甲：穿上蒋勋军队的铠甲。⑯ 张其旗：打着蒋勋军队的旗帜。张，张扬、大张声势。张旗，谓堂堂正正的举旗。⑰ 径：一直。⑱ 方宴：正在举行宴会。⑲ 戊辰：五月初七日。⑳ 龙尾道：从城外筑有台阶的蹬道，倾斜着向上，直接到城上短垣。这种道前高后低，最后接于地，好像龙垂尾的样子，故谓龙尾道。㉑ 属：连接。㉒ 女墙：城上矮墙。㉓ 丙子：五月十五日。㉔ 杨司徒：指杨晟。㉕ 复戴日月：重新换日月于头顶。意谓更换主人，投靠王建。㉖ 惠：恩惠。㉗ 辛卯：五月三十日。㉘ 杜洪攻黄州：黄州刺史吴讨举州降杨行密，故杜洪攻之。㉙ 甲午：六月初三日。㉚ 武宁：方镇名，治所徐州，在今江苏徐州。徐州先赐号感化军，属朱全忠后，复为武宁军。㉛ 蕲州：州名，治所在今湖北蕲春。属武昌节度。

【校记】

［23］刘龙骧：原无“龙”字。胡三省注云：“此必遗‘龙’字。”据章钰校，孔天胤本有“龙”字，今据补。［24］曰：原无此字。据章钰校，十二行本、乙十一行本、孔天胤本皆有此字，张瑛《通鉴校勘记》同，今据补。［25］名：原无此字。据章钰校，十二行本、乙十一行本、孔天胤本皆有此字，张瑛《通鉴校勘记》同，今据补。

【原文】

戊午[562]，以翰林学士承旨、礼部尚书李谿[563]同平章事，方宣制[564]，水部郎中[565]知制诰[566]刘崇鲁[567]出班掠麻恸哭[568]。上召崇鲁，问其故，对言：“谿奸邪，依附杨复恭、西门君遂，得在翰林，无相业[569]，恐危社稷。”谿竟罢为太子少傅。谿，鄘[570]之孙也。上师谿为文[571]，崔昭纬恐谿为相，分己权，故使崇鲁沮[572]之。谿十表自讼[573]，丑诋[574]“崇鲁父符[575]受赃枉法[576]，事觉自杀。弟崇望与杨复恭深交，崇鲁庭拜[577]田令孜，为朱玫作劝进表[578]，乃云臣交结内臣[579]，何异抱赃唱贼[580]！且故事，绝巾[581]惨带[582]，不入禁庭。臣果不才，崇鲁自应上章论列[583]，岂宜［26］于正殿恸哭！为国不祥，无人臣礼，乞正其罪。”诏停崇鲁见任[584]。谿犹上表不已，乞行诛窜[585]，表数千言，诟詈[586]无所不至。

李克用大破吐谷浑，杀赫连铎，擒白义诚。

秋，七月，李茂贞遣兵攻阆州，拔之，杨复恭、杨守亮、杨守信帅其族党犯围[587]走。

礼部侍郎、同平章事郑綮自以不合众望[588]，累表避位，诏以太子少保致仕。以御史大夫徐彦若为中书侍郎兼吏部尚书、同平章事。

绵州刺史杨守厚卒，其将常再荣举城降王建。

杨复恭、守亮、守信将自商山[589]奔河东，至乾元[590]，遇华州兵[591]，获之。八月，韩建献于阙下[592]，斩于独柳。李茂贞献复恭遗守亮书，诉

【语译】

六月二十七日戊午，朝廷任命翰林学士承旨、礼部尚书李谿为同平章事，正在宣读昭宗制书的时候，水部郎中知制诰刘崇鲁从大臣班次中出来夺过制书大声痛哭。昭宗召见刘崇鲁，问他是什么原因。刘崇鲁回答说："李谿为人奸邪，依附杨复恭、西门君遂，得以列位翰林，没有做宰相的能力，臣担心他危害国家。"李谿最终被罢免旧职，担任太子少傅。李谿，是李鄘的孙子。昭宗以李谿为师，学习写文章，崔昭纬担心李谿担任宰相，分割自己的权力，所以指使刘崇鲁加以阻止。李谿十次上表为自己争辩，表中诋毁刘崇鲁说"刘崇鲁的父亲刘符贪赃枉法，事情被发觉后自杀。弟弟刘崇望与杨复恭交情深厚，刘崇鲁在朝堂上叩拜田令孜，替朱玫写劝他即帝位的表文，反而说我结交宦官，这与怀抱赃物贼喊捉贼有什么区别！况且朝廷惯例，戴着粗绢巾，系着浅色衣带，不能进入朝堂。臣果真没有才干，刘崇鲁自然应该呈上表章陈述，怎么能在宫中的正殿失声痛哭！对国家来说，是不吉利的，没有做臣子的礼节，请治他的罪"。昭宗下诏停止刘崇鲁现任官职。李谿还是上表不止，请求把刘崇鲁诛杀或者流放，表文有几千字，侮辱谩骂无所不至。

李克用把吐谷浑打得大败，杀了赫连铎，擒获了白义诚。

秋，七月，李茂贞派兵攻打阆州，把阆州攻取了，杨复恭、杨守亮、杨守信率领他们的家族、同党突围逃走。

礼部侍郎、同平章事郑綮自己认为不符合大家的期待，多次上表请求退位，昭宗授予他太子少保官衔，离职退休。任命御史大夫徐彦若为中书侍郎兼吏部尚书、同平章事。

绵州刺史杨守厚去世，他的部将常再荣献出绵州城投降了王建。

杨复恭、杨守亮、杨守信将要从商山逃往河东，到达乾元县，遇到华州军队，被他们抓获。八月，韩建把杨复恭父子三人献给朝廷，在独柳杀了他们。李茂贞献上杨复恭写给杨守亮的信，信上诉说了他辞官退位的原因："唐室江山本来是隋朝的

致仕[593]之由云："承天门乃隋家旧业[594]，大侄[595]但积粟训兵[596]，勿贡献。吾于荆榛[597]中立寿王[598]，才得尊位，废定策国老[599]，有如此负心门生天子[600]！"

【段旨】

以上为第十七段，写唐王室朝纲不振，臣属朝堂攻讦，全无体统。杨复恭伏诛。

【注释】

562 戊午：六月二十七日。563 李谿（？至公元八九四年）：字景望，宪宗朝宰相李鄘之孙。昭宗朝官至宰相，死于李茂贞、王行瑜、韩建三节度之乱。传见《旧唐书》卷一百五十七、《新唐书》卷一百四十六。谿，两《唐书》作"磎"，二字同。564 方宣制：刚刚宣布任命诏命。565 水部郎中：官名，唐代工部第四司长官。566 知制诰：官名，掌起草文书诏诰。567 刘崇鲁：刘政会七世孙，官至水部员外郎知制诰。传见《旧唐书》卷一百七十九，并附《新唐书》卷九十《刘政会传》。568 掠麻恸哭：指水部郎中知制诰刘崇鲁自朝班中出来夺下诏书痛哭。掠麻，强行夺取诏书。唐代翰林学士所撰各种诏书皆用白麻纸。恸哭，指哀痛之至而大哭。569 相业：做宰相的业行与能力。570 鄘：李鄘（？至公元八二〇年），宪宗朝宰相。传见《旧唐书》卷一百五十七、《新唐书》卷一百四十六。571 上师谿为文：昭宗以李谿为师，学习作文章。572 沮：阻止。573 自讼：为自己争辩是非。574 丑诋：毁谤。575 符：刘崇鲁之父。唐懿宗咸通年间为蔡州刺史。576 受赃枉法：受贿违法。577 庭拜：指刘崇鲁曾在朝堂上叩拜田令孜，言其趋炎附势。578 劝进表：指刘

【原文】

昭义节度使康君立诣晋阳谒李克用。己未[601]，克用会诸将饮博[602]，酒酣，克用语及李存孝，流涕不已。君立素与李存信善，一言忤旨[603]，克用拔剑斫之[604]，囚于马步司[605]。九月庚申朔[606]，出之，君立已死。克用表云州刺史薛志诚为昭义留后。

冬，十月丁酉[607][27]，封皇子祤为棣王，禊为虔王，禋为沂王，祎

旧基业，侄儿你只管聚积粮食，训练军队，不要向朝廷献纳。我当初在荆榛丛生的环境中拥立寿王，才使他得到了皇位，他却废掉了我这个制定国家大计的元老，竟有这样忘恩负义的门生天子!”

崇鲁受朱玫指使上呈劝襄王熅即帝位的表章。⑰ 内臣：指杨复恭、西门君遂等。⑱ 抱赃唱贼：自己抱着赃物却喊捉贼。⑲ 绝巾：粗绢巾。⑳ 惨带：浅色带。古代浅色衣带为丧服。㉑ 论列：议论陈述。㉒ 见任：现任职务。㉓ 乞行诛窜：请求进行诛杀或流放。㉔ 诟詈：辱骂。㉕ 犯围：冲破包围。㉖ 不合众望：不符合大家的期望；不受众人的拥护。㉗ 商山：山名，在今陕西商洛市商州区东。㉘ 乾元：县名，即安业县，唐肃宗乾元元年（公元七五八年）改名乾元县。县治在今陕西柞水县。㉙ 华州兵：即镇国军节度使韩建的军队。镇国军治所华州，在今陕西渭南市华州区。㉚ 阙下：宫阙之下，指宫门外。㉛ 致仕：大顺二年，昭宗派杨复恭为凤翔监军，杨复恭不肯赴任，以上将军致仕。㉜ 承天门乃隋家旧业：长安太极宫南门。隋文帝派宇文恺营建。本名昭阳门，唐改名承天门。这里借承天门在隋、唐两朝的因袭变化，来指代隋、唐政权的关系。意谓唐室江山是隋朝的旧基业，他人为什么不能取代唐朝，把唐室江山变成自己的旧基业。隐言改朝换代之意。㉝ 大侄：杨守亮为杨复光之养子，故杨复恭称为大侄。㉞ 积粟训兵：积聚粮食，训练部队。㉟ 荆榛：荆棘榛丛。喻艰难纷乱。㊱ 寿王：昭宗本封寿王。㊲ 定策国老：决定国策的元老。杨复恭自指。㊳ 门生天子：杨复恭自恃有援立之功，称天子为门生。

【校记】

［26］宜：原无此字。胡三省注云：“‘岂’下有‘宜’字。”据章钰校，孔天胤本有“宜”字，今据补。

【语译】

昭义节度使康君立前往晋阳拜见李克用。八月三十日己未，李克用聚集各位将领饮酒下棋，喝到畅快时，李克用说到李存孝，流泪不止。康君立向来和李存信友善，一句话不合李克用的心意，李克用拔出剑砍他，把康君立囚禁在马步司的监狱中。九月初一日庚申，李克用命令释放康君立，但他已经死了。李克用上表朝廷请求任命云州刺史薛志诚担任昭义留后。

冬，十月初八日丁酉，唐昭宗封皇子李祤为棣王，李禊为虔王，李禋为沂王，

为遂王。

刘仁恭数因盖寓[608]献策于李克用，愿得兵万人取幽州。克用方攻邢州，分兵数千，欲纳仁恭于幽州，不克。李匡筹益骄，数侵河东之境。克用怒，十一月，大举兵攻匡筹，拔武州[609]，进围新州[610]。

以泾原留后张鐇为彰义节度使。

朱全忠遣使至泗州，使者[28]陵慢[611]刺史张谏，谏举州降杨行密。行密遣押牙唐令回持茶万余斤如汴宋贸易，全忠执令回，尽取其茶。扬、汴始有隙。

十二月，李匡筹遣大将将步骑数万救新州，李克用选精兵逆战于段庄[612]，大破之，斩首万余级，生擒将校三百人，以练縆之[613]，徇[614]于城下。是夕，新州降。辛亥[615]，进攻妫州[616]。壬子[617]，匡筹复发兵出居庸关，克用使精骑当其前以疲之，遣步将李存审[618]自他道出其背夹击之，幽州兵大败，杀获万计。甲寅[619]，李匡筹挈其族奔沧州[620]，义昌节度使卢彦威利其辎重、妓妾，遣兵攻之于景城[621]，杀之，尽俘其众。存审本姓符，宛丘人，克用养以为子。丙辰[622]，克用进军幽州，其大将请降。匡筹素暗懦[623]，初据军府，兄匡威闻之，谓诸将曰："兄失弟得，不出吾家，亦复何恨！但惜匡筹才短，不能保守，得及二年[624]，幸矣。"

加匡国[625]节度使王行约检校侍中[626]。

吴讨畏杜洪之逼[627]，纳印[628]请代于杨行密，行密以先锋指挥使瞿章权知黄州。

是岁，黄连洞[629]蛮二万围汀州，福建观察使王潮遣其将李承勋将万人击之。蛮解去，承勋追击之，至浆水口[630]，破之。闽地略定。潮遣僚佐巡州县，劝农桑，定租税，交好邻道，保境息民，闽人安之。

封州[631]刺史刘谦卒，子隐[632]居丧于贺江[633]，土民百余人谋乱，隐一夕尽诛之。岭南节度使刘崇龟[634]召补右都押牙兼贺江镇[29]使。未几，表为封州刺史。

威胜[635][30]节度使董昌为政[31]苛虐，于常赋之外，加敛[636]数倍，以充贡献及中外馈遗[637]，每旬发一纲[638]，金万两，银五千铤，越绫[639]万五千匹，他物称是[640]，用卒五百人，或遇雨雪风水违程[641]，则皆

李祎为遂王。

刘仁恭多次通过盖寓向李克用献计，希望能得到一万名士兵夺取幽州。李克用正在攻打邢州，分给他士兵几千人，想让刘仁恭攻入幽州，但没有攻克。幽州的李匡筹越加骄横起来，一再侵犯河东界内。李克用非常生气，十一月，大规模出动军队攻打李匡筹，攻取武州，进军包围新州。

朝廷任命泾原留后张鐇为彰义节度使。

朱全忠派遣使者到泗州，使者侮辱轻慢泗州刺史张谏，张谏献出泗州城投降了杨行密。杨行密派遣押牙唐令回带着茶叶一万多斤前往汴州、宋州做买卖，朱全忠抓住了唐令回，把茶叶全部拿走了。扬州的杨行密和汴州的朱全忠之间开始有了矛盾。

十二月，李匡筹派遣大将率领步兵、骑兵几万人救援新州，李克用挑选精兵在段庄迎战，把李匡筹打得大败，斩获首级一万多，活捉将校三百人，用白绸捆住他们，在新州城下示众。当夜，新州投降了。二十三日辛亥，李克用进攻妫州。二十四日壬子，李匡筹又调兵出居庸关，李克用派精锐的骑兵挡在他的前面，使他的士兵疲乏，派遣步兵将领李存审另路从李匡筹部队背后出来夹击，李匡筹的幽州军队大败，被杀被活抓的人数以万计。二十六日甲寅，李匡筹带着他的家族逃往沧州，义昌节度使卢彦威看中了他的车载货物和歌妓美妾，派兵在景城攻打李匡筹，把他杀死了，俘获了他的全部人员。李存审本来姓符，宛丘人，李克用收养为义子。二十八日丙辰，李克用进军幽州，幽州的大将请求投降。李匡筹一向昏庸懦弱，刚占据军府时，他的哥哥李匡威听到了这件事，对各位将领说："我做哥哥失去的，弟弟得到了，没有出我们家门，我还有什么怨恨！只是可惜李匡筹缺乏才干，不能守住这个地方，能占据两年，就很幸运了。"

朝廷加封匡国节度使王行约为检校侍中。

黄州刺史吴讨害怕杜洪的挤压，交出官印请求杨行密派人替代他，杨行密任命先锋指挥使瞿章暂时代理黄州刺史的职务。

这一年，黄连洞的蛮人两万人包围了汀州，福建观察使王潮派遣他的将领李承勋率领一万人攻打蛮人。蛮人解围撤走，李承勋追击他们，到达浆水口，打败了蛮人。闽地大致上安定了。王潮派遣僚属佐吏巡视州县，劝勉百姓耕种纺织，确定租税数额，交友相邻各道，保护境内疆土，让百姓休养生息，闽地民众很安宁。

封州刺史刘谦去世，他的儿子刘隐住在贺江守丧，当地土著居民一百多人阴谋作乱，刘隐一个晚上把他们全杀了。岭南节度使刘崇龟征召他补授右都押牙兼贺江镇使。没多久，刘崇龟上表请求朝廷任命刘隐担任了封州刺史。

威胜节度使董昌为政苛刻暴虐，在正常的赋税之外，多加收好几倍，用来进贡朝廷以及朝廷内外的馈送，每十天向京城发送一批贡品，有黄金一万两，白银五千铤，浙江的绸绢一万五千匹，其他物品也大致相当，使用役夫五百人，有时遇到雨雪风水耽误了

死。贡奉为天下最，由是朝廷以为忠，宠命⑥⑫相继，官至司徒、同平章事，爵陇西郡王。

昌建生祠⑥⑬于越州，制度悉如禹庙⑥⑭，命民间祷赛⑥⑮者，无得之禹庙，皆之⑥⑯生祠。昌求为越王，朝廷未之许，昌不悦，曰："朝廷欲负我矣，我累年贡献无算⑥⑰而惜一[32]越王邪！"有谄⑥⑱之者曰："王为越王，曷若⑥⑲为越帝！"于是民间讹言⑥⑳时世将变，竞相帅填门㉑喧噪，请昌为帝。昌大喜，遣人谢之曰："天时未至，时至我自为之。"其僚佐吴瑶、都虞候李畅之等皆劝成之，吏民献谣谶㉒、符瑞㉓者不可胜纪，其始赏之以钱数百缗，既而献者日多，稍减至五百、三百而已。昌曰："谶云'兔子上金床'，此谓我也。我生太岁㉔在卯，明年复在卯，二月卯日卯时，吾称帝之秋也。"

【段旨】

以上为第十八段，写幽州李匡筹覆灭。

【注释】

⑥⓪① 己未：八月三十日。⑥⓪② 饮博：饮酒下棋。⑥⓪③ 忤旨：违反李克用的心意。⑥⓪④ 斫之：砍向康君立。⑥⓪⑤ 马步司：唐末藩镇皆在马步司设置监狱。⑥⓪⑥ 庚申朔：九月初一日。⑥⓪⑦ 丁酉：十月初八日。⑥⓪⑧ 盖寓（？至公元九〇五年）：蔚州（今山西灵丘）人，李克用的心腹。传见《旧五代史》卷五十五。⑥⓪⑨ 武州：州名，治所在今河北张家口市宣化区。⑥①⓪ 新州：州名，治所在今河北涿鹿。⑥①① 陵慢：凌辱轻慢。⑥①② 段庄：村镇名，在新州东南。⑥①③ 以练絣之：用白绸拴缚。练，白绸。⑥①④ 徇：示众。⑥①⑤ 辛亥：十二月二十三日。⑥①⑥ 妫州：州名，治所在今河北怀来东南。⑥①⑦ 壬子：十二月二十四日。⑥①⑧ 李存审（？至公元九二四年）：本姓符，字德祥，陈州宛丘（今河南周口市淮阳区）人，先事李罕之，随罕之归李克用，为义儿军使，赐姓李氏。传见《旧五代史》卷五十六、《新五代史》卷二十五。⑥①⑨ 甲寅：十二月二十六日。⑥②⓪ 沧州：州名，治所在今河北沧州东南。⑥②① 景城：县名，县治在今河北沧州西。⑥②② 丙辰：十二月二十八日。⑥②③ 暗懦：昏庸懦弱。⑥②④ 得及二年：保有二年。李匡筹于景福二年据幽州军府自称留后，至今仅及二年。⑥②⑤ 匡国：即匡国军，方镇名，治所同州，在今陕西大荔。⑥②⑥ 检校侍中：官名，侍中本是门下省长官。检校侍中是

行程，就把役夫全部处死。董昌向朝廷进贡的物品为天下第一，因此朝廷认为董昌忠于国家，加恩特赐的诏命前后相继，官职升到司徒、同平章事，爵位是陇西郡王。

董昌在越州为自己修造祠堂，规模体制完全如同大禹庙，董昌命令民间求神祈福和得福还愿的人，不得去大禹庙，都要前往他的祠堂。董昌要求做越王，朝廷没有答应他，他不高兴，说："朝廷想要辜负我了，我多年来向朝廷进贡物品不计其数，而朝廷却吝惜一个越王爵位！"有谄媚奉承董昌的人说："大王您与其做越王，何不做越帝！"于是民间谣传世道要变了，大家争先恐后挤满了董昌的节度使府门喧哗叫闹，请求董昌做皇帝。董昌大为高兴，派人出去表示谢意，说："天时还没有到来，天时到来了我自然会称帝的。"他的属僚吴瑶、都虞候李畅之等人都劝董昌即皇帝位，官吏百姓献上歌谣、谶语和吉祥征兆的人，无法计算，开始时赏赐给他们几百缗钱，后来进献的人日渐增多，赏赐的钱渐渐减少到五百、三百文而已。董昌说："有谶语说'兔子上金床'，这就是说的我。我出生时是卯年，明年又是卯年，二月的卯日卯时，就是我称帝的时候了。"

加官。627 吴讨畏杜洪之逼：因吴讨叛附杨行密，五月，武昌节度使杜洪攻黄州。628 纳印：交纳印信。629 黄连洞：地名，在汀州宁化县（今福建宁化）东南。630 浆水口：地名，在今福建宁化南。631 封州：州名，治所在今广东封开东南封川镇。632 隐：刘隐（公元八七三至九一一年），上蔡（今河南上蔡）人，南汉割据政权创建者。传见《旧五代史》卷一百三十五、《新五代史》卷六十五。633 贺江：水名，源出于贺州富川县石龙，流经贺州治所临贺，合桂岭水，谓之贺江。在今广西贺州境。634 刘崇龟：刘崇望之兄。传附《旧唐书》卷一百七十九《刘崇望传》，并附《新唐书》卷九十《刘政会传》。635 威胜：方镇名。唐僖宗中和三年（公元八八三年）升浙江东道观察使为义胜军节度使，光启三年（公元八八七年）改名为威胜军节度。636 加敛：加收赋税。637 中外馈遗：赠送内廷宦官及朝中大臣礼物。638 纲：成批运送的一组货物。639 越绫：浙江生产的很薄并有彩纹的丝织品。640 称是：相等。641 违程：董昌要求这些物品计日限程送至长安，不许因雨雪风水天气误期。没有按期送达，即为违程。642 宠命：加恩特赐的任命。643 生祠：为活着的人立祠庙。此为董昌替自己建祠庙。644 禹庙：为禹所立的庙宇，在越州会稽县（今浙江绍兴）东南。645 祷赛：祈神求福谓之祷，其后到祠还愿谓之赛。646 之：往；到。647 无算：无数。648 谄：谄媚。649 曷若：何不。650 讹言：谣言。651 填门：满门；拥在门前。652 谣谶：民间流传的歌谣，预言吉凶得失的文字、图记。653 符瑞：祥瑞的征兆。654 太岁：古代天文学假设的星名。与岁星（即木星）相应。归历纪年值岁干支别名叫太岁。但习惯上只重视十二地支，所以"太岁"每十二年一循环。太岁在卯为兔年。

【校记】

［27］丁酉：原无此二字。据章钰校，十二行本、乙十一行本、孔天胤本皆有此二字，今据补。［28］使者：原无此二字。据章钰校，十二行本、乙十一行本、孔天胤本皆有此二字，张瑛《通鉴校勘记》同，今据补。［29］贺江镇：原作“贺水镇”。严衍《通鉴补》改作“贺江镇”，今据以校正。［30］威胜：原作“义胜”。严衍《通鉴补》改作“威胜”，今据以校正。［31］为政：原无此二字。据章钰校，十二行本、乙十一行本、孔天胤本皆有此二字，张敦仁《通鉴刊本识误》同，今据补。［32］一：原无此字。据章钰校，十二行本、乙十一行本、孔天胤本皆有此字，今据补。

【研析】

本卷研析李匡威丧身镇州，杜让能蒙晁错之冤，王先成建策王建取彭州，王潮入据福州四件史事。

第一，李匡威丧身镇州。李匡威，范阳人，其父李全忠事李可举为牙将。李可举为卢龙节度使，镇幽州。可举死，众推李全忠为留后。僖宗光启元年（公元八八五年），朝廷授李全忠为节度使，没多久李全忠死了，李匡威继任为卢龙节度使，有称雄天下之意，于是助云州赫连铎攻太原，与李克用为敌。镇州节度使王镕年少，十余岁继父为节镇。李克用攻王镕，王镕求救于李匡威。李匡威亲自领兵救镕，临行，置酒大会，匡威之弟兵马留后李匡筹之妻张氏，容貌绝美，匡威逼淫之而后行。李匡筹大怒，于是据城自为留后，上奏朝廷，昭宗即授李匡筹检校太保、卢龙节度使。李匡威失节镇，部属散去无所归，王镕感念李匡威救援自己，迎请李匡威馆于镇州，以父事之。李匡威心怀不测，阴谋图镇州。李匡威父亲忌日，王镕来慰问，李匡威绑架王镕，要挟让出镇州。王镕十分镇定，反诓李匡威入牙城议事。李匡威轻视王镕，认为王镕年少无所作为，遂与王镕入牙城，王镕暗示，镇州将救走王镕，击杀李匡威。

起初，李匡威被李匡筹逐出幽州，李匡威叹息说：“哥哥丢了节镇，弟弟占有，还是一家。可惜匡筹无才守不住。”李匡威死后不久，李克用就攻克了幽州，完全应验了李匡威的判断。李匡威有知人之明，却无自知之明，一世豪杰，为弟所逐，丧身镇州，死于少年王镕之手，可为贪淫贪利者戒。俗话说：“一叶障目，不见泰山。”李匡威的一双慧眼，为其人心不足所障，死于非命，既可恨，亦可悲。

第二，杜让能蒙晁错之冤。西汉景帝时御史大夫晁错建削藩之策，为国家树长画，激起吴楚七国连兵反叛，以“诛晁错，清君侧”为名，景帝冤杀晁错，吴楚并不罢兵。唐昭宗欲行唐宪宗之志，不顾时移势转，唐王室衰弱的现实，贸然兴兵，张濬征讨李克用，朝廷威权大损，已失之于前，今又因李茂贞上奏语言狂悖，再次兴兵，宰相杜让能谏其不可，昭宗不听。杜让能说：“陛下必欲兴兵，当与中外大臣共议，团结一心，不当以臣独任。”唐昭宗说：“卿位居宰辅，应当与朕休戚与共，不要推辞。”杜让能说：“不是臣贪生怕死，只因不是时宜，只怕臣蒙受晁错之冤，无济于事。臣只能奉诏，以死报陛下了。”事后，杜让能不幸而言中，昭宗讨李茂贞，输光了老本，冤杀了杜让能，自己也深陷贼臣之手。唐昭宗无识无才，既害人又害己，着实可悯。但唐昭宗不甘屈辱，奋曹髦之志，精神可嘉。

第三，王先成建策王建取彭州。四川王建攻围彭州，久久不能下。彭州乡野士民藏匿山林，王建攻城军士，各营每天出动兵士进山掳掠，称为“淘虏”。淘虏所得，都将挑选自肥，其余分给士兵，老弱妇女沦为奴婢。彭州之民，不闻招安，只见抢掠，更加坚定意志，抗击王建军队。王建军中有一个军士叫王先成，新津人，原本是书生，世乱从军。他观察王建诸将，只有王宗侃不鼓励淘虏，在诸将中最贤。王先成于是献策王宗侃转呈王建，称招安七条。其一，发布招安令；其二，严禁各营士兵淘虏，违令者斩；其三，设置招安寨，专人管理，收容接受招安的民众；其四，报告王建由王宗侃专职总领招安事宜；其五，严令各营退出目前淘虏所得财物，所掠民众集于广场使父子、兄弟、夫妇相认，各归其家，统统收容于招安寨听候安置，敢隐匿一人者斩；其六，选取地方土著的官吏和被淘虏释放的壮士，带着公文入山招安，宣传政策；其七，彭州土著士民，各归田里治理生业。王建得策大喜，立即施行，第二天就张榜申令，没有一个人敢犯禁令。三天后，藏匿山中之民悉数出山，一个月之后，招安寨全部空无一人，悉数归农，彭州不战而下。孔子有言，一言以丧邦，一言以安邦。王先成建言，助成王建称霸西川，可谓一言以兴邦。王建得策采纳，也是乱世中的一个贤明之主，他之所以能定霸西川，存有一分救民之心，这是秦宗权、孙儒等食人之兽类无法比拟的。

第四，王潮入据福州。王潮，光州固始人，其弟王审知，字信通。家世为农，王潮为县吏。唐末，黄巢大起义，寿州人王绪也拉起了队伍。王绪攻陷固始，召置王潮兄弟为军校。王绪受招安为光州刺史。公元八八五年，王绪被秦宗权攻击，率众南逃，入江西，转福建，沿路抢掠，裹胁游民，聚众数万。王绪性多猜疑，军中贤能者遭荼毒，部属人人自危。王潮因众怒囚禁王绪，自领其众为军主。王潮整肃军队，纪律严明，受到泉州民众的欢迎。泉州刺史贪暴，公元八八六年王潮取而代之，福建观察使陈岩正式授命王潮为泉州刺史。公元八九一年陈岩死，都将范晖自为留后。范晖不得人心，王潮使其弟王审知攻福州，经过三年征战攻下了福州。唐昭宗随后任命王潮为福建观察使，境内占山为王的二十多支群盗被王潮悉数征服。王氏兄弟占有福建全境。公元八九七年王潮死，王审知接任，保境安民，劝课农桑，一方社会平安。公元九〇七年，朱全忠代唐建立梁朝，封王审知为闽王。

卷第二百六十　唐纪七十六

起旃蒙单阏（乙卯，公元八九五年），尽柔兆执徐（丙辰，公元八九六年），凡二年。

【题解】

本卷记事起公元八九五年，迄公元八九六年，载述史事凡两年，当唐昭宗乾宁二年至三年。此时期全国割据军阀角力争胜，远交近攻，异常激烈。北方李克用与朱全忠势不两立为主要战场。河北幽州刘仁恭助李克用，魏州罗弘信助朱全忠。南方淮南杨行密与苏杭钱镠争雄。钱镠北连朱全忠夹击杨行密，杨行密南连越州董昌夹击钱镠。董昌因称帝而速亡，助钱镠坐大与淮南争衡。马殷不意得长沙。关陇三镇，邠宁王行瑜、凤翔李茂贞、华州韩建连兵犯阙，欲废唐昭宗，昭宗出京趣南山以避其锋，李克用大发兵勤王，三帅各还本镇。李克用灭了王行瑜，驻兵渭桥，迎昭宗车驾还京师。李克用欲进兵西讨李茂贞，昭宗误听贵近之言，并存李克用与李茂贞以平衡势力，朝廷在夹缝求生存。昭宗诏李克用与李茂贞和解，李克用罢兵，断言李茂贞即将卷土重来。未几，李茂贞果然以昭宗令诸王典兵为名，再次兴兵犯阙，昭宗被迫出幸华州，唐王室直接为藩镇所掌控，究其实，已亡矣。

【原文】

昭宗圣穆景文孝皇帝上之下

乾宁二年（乙卯，公元八九五年）

春，正月辛酉①，幽州军民数万以麾盖②歌鼓迎李克用入府舍。克用命符存审③[1]、刘仁恭将兵略定巡属④。

癸未⑤，朱全忠遣其将朱友恭围兖州，朱瑄自郓以兵粮救之，友恭设伏，败之于高梧⑥，尽夺其饷，擒河东将⑦安福顺、安福庆。

己巳⑧，以给事中陆希声⑨为户部侍郎、同平章事。希声，元方⑩五世孙也。

壬申⑪，护国节度使王重盈薨，军中请以重荣子行军司马珂⑫知留后事。珂，重盈兄重简之子也，重荣养以为子。

杨行密表朱全忠罪恶，请会易、定、兖、郓、河东兵讨之。

【语译】

昭宗圣穆景文孝皇帝上之下

乾宁二年（乙卯，公元八九五年）

春，正月初三日辛酉，幽州的几万军民手持旌旗与伞盖，敲锣打鼓、欢声笑语地迎接李克用进入官署。李克用命令苻存审、刘仁恭率领军队平定所属的各个州县。

正月二十五日癸未，朱全忠派遣他的部将朱友恭围攻兖州。朱瑄从郓州率军携带粮食救援朱瑾。朱友恭设下埋伏，在高梧打败朱瑄的援军，把他携带的物资全部夺走，活捉河东将领安福顺、安福庆。

十一日己巳，任命给事中陆希声为户部侍郎、同平章事。陆希声，是陆元方的第五代孙子。

十四日壬申，护国节度使王重盈去世。军中将士请求朝廷任命王重荣的儿子行军司马王珂主持留后事务。王珂是王重盈哥哥王重简的儿子，王重荣收养为子。

杨行密上表列举朱全忠的罪恶，请求会合易州、定州、兖州、郓州、河东的军队一同讨伐他。

董昌将称帝，集将佐议之。节度副使黄碣⑬曰："今唐室虽微，天人未厌⑭。齐桓、晋文⑮皆翼戴⑯周室以成霸业。大王兴于畎亩⑰，受朝廷厚恩，位至将相，富贵极矣，奈何一旦忽为族灭之计乎！碣宁死为忠臣，不生为叛逆！"昌怒，以为惑众，斩之，投其首于厕中，骂之曰："奴贼负我！好圣明时⑱三公⑲不能待，而先求死也！"并杀其家八十口，同坎⑳瘗㉑之。又问会稽㉒令吴镣，对曰："大王不为真诸侯以传子孙，乃欲假天子以取灭亡邪！"昌亦族诛之。又谓山阴㉓令张逊曰："汝有能政，吾深知之，俟吾为帝，命汝知御史台㉔。"逊曰："大王起石镜镇㉕，建节浙东，荣贵近二十年，何苦效李锜㉖、刘辟㉗之所为乎！浙东僻处海隅㉘，巡属虽有六州㉙，大王若称帝，彼㉚必不从，徒守孤城[2]，为天下笑耳！"昌又杀之，谓人曰："无此三人者，则人莫我违矣！"

二月辛卯㉛，昌被㉜衮冕㉝登子城㉞门楼，即皇帝位。悉陈瑞物㉟于庭以示众。先是，咸通㊱末，吴、越间讹言山中有大鸟，四目三足，声云㊲"罗平天册"，见者有殃㊳，民间多画像以祀之，及昌将[3]僭号㊴，曰："此吾鸑鷟㊵也。"乃自称大越罗平国，改元顺天，署城楼曰天册之楼，令群下谓己曰"圣人"。以前杭州刺史李邈、前婺州刺史蒋瓌、两浙盐铁副使杜郢、前屯田郎中㊶李瑜为相。又以吴瑶等皆为翰林学士、李畅之等皆为大将军。

昌移书钱镠，告以权即罗平国位，以镠为两浙都指挥使。镠遗昌书曰："与其闭门作天子，与九族㊷、百姓俱陷涂炭，岂若开门作节度使，终身富贵邪！及今悛悔㊸，尚可及也！"昌不听，镠乃将兵三万诣越州城下，至迎恩门㊹见昌，再拜言曰："大王位兼将相，奈何舍安就危！镠将兵此来，以俟大王改过耳。若天子命将出师[4]，纵大王不自惜，乡里士民何罪，随大王族灭乎！"昌惧，致犒军钱二百万，执首谋者吴瑶及巫觋㊺数人送于镠，且请待罪天子。镠引兵还，以状闻㊻。

董昌将要称帝，召集手下将领、僚佐进行商议。节度副使黄碣说：“现在唐室虽然衰败，但上天和人民还没有厌弃它。春秋时齐桓公、晋文公都是靠拥戴周天子才成就霸业。大王您从田间乡里兴起，受到朝廷优厚的恩惠，官位升到节度使和宰相，富贵已达到极点，怎么突然要做出这种灭绝全族的计划呢！我黄碣宁愿做大唐忠臣而死，也不愿为活命而成为背叛国家的逆贼！”董昌大怒，认为黄碣是在惑乱人心，立即将黄碣斩首，并把他的头颅扔到厕所里，痛骂说：“你这个奴才贼子辜负了我！好端端圣明时代的三公高位不能等待，却先要找死！”一起诛杀了他的全家八十口人，把他们埋葬在一个大坑里。董昌又问会稽令吴镣，吴镣回答说：“大王您不做真正的诸侯来传给子孙后代，却要做假皇帝以自取灭亡吗！”董昌也把他的宗族全都杀死。董昌又对山阴令张逊说：“我深知这一点，你有很好的政事才能，等我做了皇帝，任命你主管御史台的事务。”张逊说：“大王您从石镜镇兴起，升任为浙东节度使，荣华富贵将近二十年，何苦效法李锜、刘辟那样的叛逆行为呢！浙东地方偏僻，处于海边，虽然管辖台、明、温、处、婺、衢六州，但您如果称帝，他们一定不会听从。您只能守着越州这一座孤城，受天下人耻笑罢了！”董昌又将张逊杀掉，对大家说：“没有这三个人，就没人敢再违背我了！”

二月初三日辛卯，董昌穿着皇帝的礼服登上越州内城的门楼，即位称帝。董昌把进献的祥瑞物品都陈列在庭院中让大家来观看。先前，在懿宗咸通末年，吴、越之间流传谣言，说山中有一只大鸟，四只眼睛三条腿，叫声为“罗平天册”，看到这鸟的人就会遭受灾祸，于是老百姓多画像祭祀它。到董昌背叛朝廷将要自称皇帝，就说：“这鸟就是我的凤凰。”于是自称为大越罗平国，改年号为顺天，给城楼题字为天册之楼，命令部下称自己为“圣人”。董昌任命前杭州刺史李邈、前婺州刺史蒋瓌、两浙盐铁副使杜郢、前屯田郎中李瑜为宰相。又任命吴瑶等人都为翰林学士，李畅之等人都为大将军。

董昌发文给钱镠，告诉钱镠自己已经暂且即位做罗平国的皇帝，任命钱镠为两浙都指挥使。钱镠写信给董昌说：“您与其关起门来偷偷摸摸做皇帝，使得家族和老百姓一同陷入危难，不如打开大门堂堂正正做节度使，取得终身富贵啊！现在后悔改过，还来得及！”董昌不听，钱镠就率领军队三万人赶赴越州城下，到越州城西门迎恩门与董昌见面，两次下拜，对董昌说：“您位居节度使和宰相，为什么要舍弃安乐而选取危险呢！我率领军队到这里来，就是等待您改过。如果皇上命令将军出兵，即使您不顾惜自己，但乡里的士人和百姓有什么罪过，要随着您一起被灭族呢！”董昌害怕了，送上二百万钱犒劳军队，将首先为他谋划称帝阴谋的吴瑶以及几个男女巫师逮捕送交钱镠，并且向昭宗请罪，等待处治。钱镠带领军队返回，把这件事奏报朝廷。

【段旨】

以上为第一段，写董昌称帝闹剧。

【注释】

①辛酉：正月初三日。②麾盖：旌旗和伞盖。③苻存审：即李存审。④巡属：即卢龙节度使统属的州县。⑤癸未：正月二十五日。⑥高梧：即高鱼，在今河南范县东南，与郓城接界。⑦河东将：即安福顺、安福庆，去年为李克用所遣救兖、郓。⑧己巳：正月十一日。⑨陆希声：陆元方五世孙，昭宗朝官至户部侍郎，同中书门下平章事。传附《新唐书》卷一百十六《陆元方传》。⑩元方：即陆元方，武则天时宰相。⑪壬申：正月十四日。⑫珂：王珂（？至公元九〇一年），河中节度使王重荣兄重简之子，出继重荣。传见《旧唐书》卷一百八十一、《新唐书》卷一百八十七、《旧五代史》卷十四、《新五代史》卷四十二。⑬黄碣（？至公元八九五年）：闽人，初为闽小将，积功历官漳水、婺州刺史，后为董昌所杀。传见《新唐书》卷一百九十三。⑭天人未厌：上天与人心尚未厌弃唐朝。⑮齐桓、晋文：即春秋时齐桓公、晋文公。⑯翼戴：辅佐、拥戴。⑰畎亩：指乡间。⑱好圣明时：董昌自谓即位之时。⑲三公：唐代以太尉、司徒、司空为三公。⑳坎：墓穴。㉑瘞：埋葬。㉒会稽：县名，县治在今浙江绍兴。㉓山阴：县名，武德七年分会稽县置，后屡有省置，县治与会稽县治在同城，在今浙江绍兴。㉔御史台：官署名，监察机构。长官为御史大夫。㉕石镜镇：镇名，在今浙江杭州市临安区东。董

【原文】

王重盈之子保义㊼节度使珙㊽、绛州㊾[5]刺史瑶㊿举兵击王珂，表言珂非王氏子。与朱全忠书，言“珂本吾家苍头㉛，不应为嗣。”珂上表自陈，且求援于李克用。上遣中使谕解之。

上重李谿文学，乙未㉜，复㉝以谿为户部侍郎、同平章事。

己酉㉞[6]，朱全忠军于单父㉟，为朱友恭声援。

李克用表刘仁恭为卢龙留后，留兵戍之。壬子㊱，还晋阳。

妫州人高思继㊲兄弟，有武干，为燕人所服，克用皆以为都将，分掌幽州兵。部下士卒，皆山北㊳之豪也，仁恭惮之。久之，河东兵

昌补石镜镇将事见卷二百五十三。㉖李锜（公元七四〇至八〇七年）：宪宗时为镇海节度使，谋反被腰斩。传见《旧唐书》卷一百一十二、《新唐书》卷二百二十四上。㉗刘辟（？至公元八〇六年）：宪宗时为西川节度使，谋反被斩。传见《旧唐书》卷一百四十、《新唐书》卷一百五十八。㉘海隅：海角。㉙六州：即台、明、温、处、婺、衢。㉚彼：指六州刺史。㉛辛卯：二月初三日。㉜被：穿着。㉝衮冕：衮衣和冕冠，古代皇帝的礼服。㉞子城：即内城。㉟瑞物：祥瑞物品。㊱咸通：唐懿宗的年号。㊲声云：鸟的叫声。㊳殃：灾祸。㊴僭号：超越礼制的称号。此处指董昌称帝。㊵鸑鷟：凤属鸟。㊶屯田郎中：官名，工部屯田司长官，掌天下屯田及文武官之职田及公廨田。㊷九族：指本身及以上的父、祖、曾祖、高祖与以下的子、孙、曾孙、玄孙。也有一说除父族外，还包括母族和妻族。㊸悛悔：悔改。㊹迎恩门：越州城西门。㊺巫觋：女巫为巫，男巫为觋，合称巫觋，以装神弄鬼为人祈祷为职业的人。㊻闻：上奏于朝廷。

【校记】

［1］苻存审：原作“李存审”。据章钰校，十二行本、乙十一行本皆作“苻存审”，今从改。［2］孤城：原作“空城”。据章钰校，十二行本、乙十一行本皆作“孤城”，张敦仁《通鉴刊本识误》同，今从改。［3］将：原无此字。据章钰校，十二行本、乙十一行本皆有此字，张敦仁《通鉴刊本识误》同，今据补。［4］若天子命将出师：原无此七字。据章钰校，十二行本、乙十一行本皆有此七字，张敦仁《通鉴刊本识误》、张瑛《通鉴校勘记》同，今据补。

【语译】

王重盈的儿子保义节度使王珙、绛州刺史王瑶出兵攻打王珂，向朝廷上表说王珂并不是王氏子孙。他们写信给朱全忠说：“王珂本来是我家的奴仆，不应该做继承人。”王珂则向朝廷上表陈述自己的情况，并且向李克用求援。昭宗派遣宦官传谕，让双方和解。

昭宗器重李谿的文才学识，二月初七日乙未，又任命李谿为户部侍郎、同平章事。

二十一日己酉，朱全忠率军进驻单父县，声援正在围攻兖州的朱友恭。

李克用上奏朝廷，请求任命刘仁恭为卢龙留后，留下军队驻守幽州。二十四日壬子，李克用返回晋阳。

妫州人高思继兄弟，有武艺才干，被燕地的人所佩服，李克用任命他们都担任都将，分别掌管幽州的军队。他们部下的兵士，都是幽州山北的豪杰，刘仁恭畏惧

戍幽州者暴横，思继兄弟以法裁之，所诛杀甚多。克用怒，以让仁恭，仁恭诉称高氏兄弟所为，克用俱杀之。仁恭欲收燕人心，复引其诸子[59]置帐下，厚抚之。

崔昭纬与李茂贞、王行瑜深相结，得天子过失，朝廷机事[60]，悉以告之。邠宁节度副使崔铤，昭纬之族也，李谿再入相，昭纬使铤告行瑜曰："向者尚书令之命已行矣，而韦昭度沮之，今又引李谿为同列，相与荧惑[61]圣听，恐复有杜太尉[62]之事。"行瑜乃与茂贞表称谿奸邪，昭度无相业，宜罢居散秩[63]。上报曰："军旅之事，朕则与藩镇图之，至于命相，当出朕怀。"行瑜等论列不已，三月，谿复罢为太子少师。

王珙、王瑶请朝廷命河中帅[64]，诏以中书侍郎、同平章事崔胤同平章事，充护国节度使。以户部侍郎、判户部[65]王抟[66]为中书侍郎、同平章事。

【段旨】

以上为第二段，写王重盈子侄内讧，李克用诛杀高思继兄弟，崔昭纬结交藩镇，并排挤韦昭度。

【注释】

㊼保义：方镇名，唐文宗大和元年（公元八二七年），升晋慈观察使为保义军节度，同年罢。唐昭宗龙纪元年（公元八八九年）赐陕虢节度使号保义军。㊽珙（？至公元八九九年）：王重盈之子。传附《旧唐书》卷一百八十二、《新唐书》卷一百八十七《王重荣传》，并见《旧五代史》卷十四。㊾绛州：州名，治所在今山西新绛。㊿瑶：王珙之弟。(51)苍头：奴仆。(52)乙未：二月初七日。(53)复：再次任命。去年命李谿为相，因刘崇鲁阻挠而止，现再次任命。(54)己酉：二月二十一日。(55)单父：县名，县治在今山东单县。(56)壬子：二月二十四日。(57)高思继（？至公元八九五年）：高行周之父，为幽

他们。后来，驻守幽州的河东士兵残暴蛮横，高思继兄弟用军法来审判他们，处死了很多人。李克用大怒，为此责备刘仁恭，刘仁恭声称这是高思继兄弟所干的，李克用就把他们都杀了。刘仁恭想要收买燕地的民心，就把高思继的几个儿子安置在自己的身边，优厚地安抚他们。

崔昭纬和李茂贞、王行瑜交谊很深，把自己得知的昭宗过失与朝廷的机要大事，都告诉李茂贞和王行瑜。邠宁节度副使崔铤，是崔昭纬同族。李谿再次入朝为相，崔昭纬派崔铤告诉王行瑜说："以前皇上任命你担任尚书令的诏命已经颁发了，却被韦昭度从中阻拦。如今他又推荐李谿同为宰相，相互勾结，迷惑皇上，恐怕又要有杜让能那样的事发生。"王行瑜于是和李茂贞共同上表说李谿奸诈邪恶，韦昭度没有做宰相的才干，应该罢免他们的职务，给予闲散的职位。昭宗回答说："军队征战的事务，朕就与藩镇们共同商议，至于任命宰相，应该出自朕的心意。"王行瑜等还争论不休。三月，李谿又被罢免，改任太子少师。

王珙、王瑶请求朝廷任命河中的统帅，昭宗下诏以中书侍郎、同平章事崔胤为同平章事，出任护国节度使。任命户部侍郎、判户部王抟为中书侍郎、同平章事。

州戍将，被李克用诛杀。传见《旧五代史》卷一百二十三，并附《新五代史》卷四十八《高行周传》。㊽山北：指在幽州西山之北的妫、檀诸州。㊾诸子：即高行周等高氏诸子。㊿机事：机要事务。(61)荧惑：迷惑；诱惑。(62)杜太尉：指杜让能。(63)散秩：闲散而无实权的官职。(64)请朝廷命河中帅：请求朝廷任命河中的统帅。(65)判户部：官名，主持户部事务，亦称判户部事。(66)王抟（？至公元九〇〇年）：字昭远，进士及第，历官户部侍郎、中书侍郎、同平章事，后遭崔胤排挤陷害，贬崖州司户参军，赐死于途中。传见《新唐书》卷一百十六。

【校记】

［5］绛州：原作"晋州"。严衍《通鉴补》改作"绛州"，今据以校正。［6］己酉：原无此二字。据章钰校，十二行本、乙十一行本、孔天胤本皆有此二字，张敦仁《通鉴刊本识误》、张瑛《通鉴校勘记》同，今据补。

【原文】

王珂，李克用之婿也。克用表重荣有功于国[67]，请赐其子珂节钺。王珙厚结王行瑜、李茂贞、韩建三帅，更上表称珂非王氏子，请以珂为陕州、珙为河中。上谕以先已允克用之奏，不许。

加王镕兼侍中。

杨行密浮[68]淮至泗州，防御使台濛[69]盛饰供帐[70]，行密不悦。既行，濛于卧内得补绽衣[71]，驰使归之。行密笑曰："吾少贫贱，不敢忘本。"濛甚惭。

行密攻濠州，拔之，执刺史张璲。

行密军士掠得徐州人李氏之子[72]，生八年矣，行密养以为子，行密长子渥[73]憎之。行密谓其将徐温[74]曰："此儿质状性识，颇异于人，吾度渥必不能容，今赐汝为子。"温名之曰知诰。知诰事温，勤孝过于诸子。尝得罪于温，温笞[75]而逐之，及归，知诰迎拜于门。温问："何故犹在此？"知诰泣对曰："人子舍父母将何之！父怒而归母，人情之常也。"温以是益爱之，使掌家事，家人无违言[76]。及长，喜书善射，识度[77]英伟。行密常谓温曰："知诰俊杰，诸将子皆不及也。"

丁亥[78]，行密围寿州。

上以郊畿[79]多盗，至有逾垣[80]入宫或侵犯陵寝[81]者，欲令宗室诸王将兵巡警，又欲使之四方抚慰藩镇。南北司用事之臣恐其不利于己，交章[82]论谏。上不得已，夏，四月，下诏悉罢之。

朝廷以董昌有贡输之勤，今日所为，类得心疾[83]，诏释其罪，纵归田里。

户部侍郎、同平章事陆希声罢为太子少师。

杨行密围寿州，不克，将还。庚寅[84]，其将朱延寿[85]请试往更攻[86]，一鼓[87]拔之，执刺史江从勖。行密以延寿权知寿州团练使。

未几，汴兵数万攻寿州，州[7]兵少，吏民恟惧[88]。延寿制，军中

【语译】

王珂，是李克用的女婿。李克用上表说王重荣有功于国家，请求赐给他的儿子王珂符节、斧钺等节度使仪仗。王珙送上重礼去结交王行瑜、李茂贞、韩建三位节度使，他们一再上表说王珂不是王家的儿子，请求任命王珂为陕州刺史、王珙为河中节度使。昭宗传谕说已经先允诺李克用的奏请，不同意他们的请求。

昭宗加封王镕兼任侍中。

杨行密渡过淮河到达泗州，防御使台濛大肆装饰接待用的帷帐，杨行密很不高兴。杨行密离开泗州后，台濛在杨行密卧室内发现一件补过的衣服，派人骑快马把那件衣服送还杨行密。杨行密笑着说："我小时候贫穷，出身低微，不敢忘本。"台濛听后感到很惭愧。

杨行密攻打濠州，把它攻取了，抓住了刺史张璲。

杨行密部下士兵抢到徐州姓李人家的一个小孩，已经八岁，杨行密收养他为义子，杨行密的长子杨渥很厌恶他。杨行密对他的部将徐温说："这个小孩的资质、体貌、性情、见识，和一般人都不一样，我料想杨渥一定不能容纳他，现在赏给你做养子。"徐温给他起名叫知诰。徐知诰侍奉徐温，勤劳孝顺胜过徐温的几个孩子。有一次徐知诰得罪徐温，徐温把他鞭打后赶出家门，等到徐温回家时，徐知诰在门口跪拜迎接。徐温问他："你为什么还在这里?"徐知诰哭泣着回答说："做儿子的离开父母将到哪里去啊！父亲生气，就躲到母亲那里，这是人之常情。"徐温因此更加疼爱徐知诰，派他管理家中事务，家中的人没有不听他话的。等到徐知诰长大了，喜欢读书，擅长射箭，有见识，有器度，英俊高大。杨行密常常对徐温说："徐知诰是个杰出人才，各位将领的儿子都比不上他。"

三月三十日丁亥，杨行密包围寿州。

昭宗因为长安郊外有很多盗贼，有的甚至翻墙进入宫中或者侵犯皇家陵墓，想命令宗室诸王带领军队巡逻警戒，又想派他们到各地去安抚慰问藩镇。朝中大臣和有权的宦官担心这些举动对自己不利，不断进呈奏章进行劝阻。昭宗不得已，夏，四月，下诏全部停止。

朝廷因为董昌过去勤于进贡钱财货物，这次称帝背叛朝廷，好像是患上疯病，昭宗下诏赦免他的罪过，放他回到故里。

户部侍郎、同平章事陆希声被罢免，改任太子少师。

杨行密包围寿州，没有攻下，将要退兵。四月初三日庚寅，他的部将朱延寿请求前去再试攻一次，一鼓作气把城攻取了，活捉了刺史江从勖。杨行密任命朱延寿暂时代理寿州团练使。

没多久，朱全忠的汴州军队几万人攻打寿州，州里兵少，官吏和百姓惶恐不安。

每旗二十五骑⑧⑨。命黑云队长李厚将十旗击汴兵，不胜。延寿将斩之，厚称众寡不敌，愿益兵更往，不胜则死。都押牙汝阳⑨⓪柴再用⑨①亦为之请，乃益以五旗。厚殊死战，再用助之，延寿悉众乘⑨②之，汴兵败走。厚，蔡州人也。

行密又遣兵袭涟水⑨③，拔之。

钱镠表董昌僭逆⑨④，不可赦，请以本道兵讨之。

太傅、门下侍郎、同平章事韦昭度以太保⑨⑤致仕。

戊戌⑨⑥，以刘建锋为武安⑨⑦节度使。建锋以马殷为内外马步军都指挥使。

杨行密遣使诣钱镠，言董昌已改过，宜释之⑨⑧，亦遣诣昌，使趣朝贡。

河东遣其将史俨⑨⑨、李承嗣⑩⓪以万骑驰入于郓，朱友恭退归于汴。

五月，诏削董昌官爵，委钱镠讨之。

【段旨】

以上为第三段，写杨行密攻取濠州、寿州及李昪的出身渊源。钱镠讨董昌。

【注释】

⑥⑦有功于国：指破黄巢、黜襄王李煴等事。⑥⑧浮：在水上泛行。⑥⑨台濛（？至公元九〇四年）：字顶云，合肥人，杨行密部将，擒杀田頵，官至宣州观察使。传附《新唐书》卷一百八十九《田頵传》。⑦⓪供帐：供宴会用的帷帐等器物。⑦①补绽衣：打补丁的衣服。⑦②李氏之子：即李昪（公元八八八至九四三年），五代时南唐国的建立者。公元九三七至九四三年在位。字正伦，徐州人，少孤贫，杨行密收为养子，后转为徐温养子，改名徐知诰。建南唐后复名李昪。传见《旧五代史》卷一百三十四、《新五代史》卷六十二。⑦③渥：杨渥（公元八八五至九〇八年），字承天，杨行密长子。传附《旧五代史》卷一百三十四、《新五代史》卷六十一《杨行密传》。⑦④徐温（公元八六二至九二七年）：字敦美，海州朐山（今江苏连云港）人，五代时吴国大丞相。传见《新五代史》卷六十一。⑦⑤笞：用鞭、杖击打。⑦⑥违言：以言语不合而失和。⑦⑦识度：见识器度。⑦⑧丁亥：三月三十日。⑦⑨郊畿：京城郊外。⑧⓪逾垣：翻墙。⑧①陵寝：皇帝陵墓。⑧②交章：奏章前后

朱延寿规定，军队每一面旗帜下有二十五名骑兵。他命令黑云队长李厚率领十旗骑兵攻击汴州军队，未能取胜。朱延寿要杀死李厚，李厚说因为敌众我寡才抵挡不住，希望能增加士兵再次前往，如果不能获胜甘愿一死。都押牙汝阳人柴再用也替李厚求情，于是朱延寿给他增加五旗的骑兵。李厚拼死作战，柴再用协助他，朱延寿乘势率领全军一起攻击，汴州军队战败逃走。李厚，是蔡州人。

杨行密又派遣军队袭击涟水县，把它攻取了。

钱镠上表说董昌称帝有叛逆大罪，不可赦免，请求率领本道军队讨伐他。

太傅、门下侍郎、同平章事韦昭度以太保的官衔退休。

四月十一日戊戌，朝廷任命刘建锋为武安节度使。刘建锋任命马殷为内外马步军都指挥使。

杨行密派遣使者前往钱镠那里，说董昌已经改正过错，应该赦免他，也派遣使者前往董昌那里，让他赶快向朝廷进贡财物。

河东节度使李克用派遣他的部将史俨、李承嗣率领骑兵一万人飞驰进入郓州，朱友恭撤退返回汴州。

五月，昭宗下诏削除董昌的官职爵位，派钱镠讨伐他。

相交，一封接一封。⑧③ 类得心疾：好像患有精神病。⑧④ 庚寅：四月初三日。⑧⑤ 朱延寿（？至公元九〇三年）：庐州舒城（今安徽舒城）人，杨行密妻弟，任秦州团练使。传见《新唐书》卷一百八十九、《旧五代史》卷十七。⑧⑥ 请试往更攻：请求再次进军攻击。⑧⑦ 一鼓：一次冲锋。古代作战，以击鼓为进攻信号。擂第一通鼓为一鼓。⑧⑧ 恟惧：惶恐不安。⑧⑨ 骑：指骑兵及其乘马。⑨⓪ 汝阳：县名，县治在今河南汝南县。⑨① 柴再用：与李厚均为孙儒旧将，故替李厚求情，并助其再战。⑨② 乘：乘胜出击。⑨③ 涟水：县名，县治在今江苏涟水县。当时属泗州。⑨④ 僭逆：逾越礼制，犯上作乱。⑨⑤ 太保：官名，与太师、太傅合称三师，正一品，多为荣誉职位，并无实权。⑨⑥ 戊戌：四月十一日。⑨⑦ 武安：方镇名，唐僖宗光启元年（公元八八五年）改钦化军节度使为武安军节度使，治所潭州，在今湖南长沙。⑨⑧ 释之：杨行密的意图在于保存董昌以制约钱镠，使钱镠不得与自己抗衡。⑨⑨ 史俨（？至公元九一六年）：代州雁门（今山西代县）人，李克用部将，奉命与李承嗣入援杨行密，被朱全忠隔绝，遂转投杨行密，成为淮南骁将。传见《旧五代史》卷五十五。⑩⓪ 李承嗣（公元八六五至九二〇年）：代州雁门人，转投淮南后，官至楚州刺史。传见《旧五代史》卷五十五。

【校记】

［7］州：原作“州中”。据章钰校，十二行本、乙十一行本皆无“中”字，今据删。

【原文】

初，王行瑜求尚书令不获，由是怨朝廷。畿内有八镇兵，隶左右军[101]。郃阳[102]镇近华州，韩建求之。良原[103]镇近邠州[104]，王行瑜求之。宦官曰："此天子禁军，何可得也！"王珂、王珙争河中，行瑜、建及李茂贞皆为珙请，不能得，耻之。珙使人语三帅曰："珂不受代而与河东婚姻，必为诸公不利，请讨之。"行瑜使其弟匡国[105]节度使行约攻河中，珂求救于李克用。行瑜乃与茂贞、建各将精兵数千入朝。甲子[106]，至京师，坊市民皆窜匿。上御安福门以待之，三帅盛陈甲兵，拜伏舞蹈[107]于门下。上临轩[108]，亲诘之曰："卿等不奏请俟报，辄称兵[109]入京城，其志欲何为乎？若不能事朕，今日请避贤[110]路！"行瑜、茂贞流汗不能言，独韩建粗述入朝之由。上与三帅宴，三帅奏称："南、北司互有朋党[111]，堕紊[112]朝政。韦昭度讨西川失策，李谿作相，不合众心，请诛之。"上未之许。是日，行瑜等杀昭度、谿于都亭驿[113]，又杀枢密使康尚弼及宦官数人。又言："王珂、王珙嫡庶之[8]分，请除王珙河中，徙王行约于陕，王珂于同州。"上皆许之。始，三帅谋废上，立吉王保[114]。至是，闻李克用已起兵于河东，行瑜、茂贞各留兵二千人宿卫京师，与建皆辞还镇。贬户部尚书杨堪为雅州刺史。堪，虞卿[115]之子，昭度之舅也。

初，崔胤除河中节度使，河东进奏官薛志勤扬言曰："崔公虽重德，以之代王珂，不若光德刘公[116]于我公厚也。"光德刘公者，太常卿[117]刘崇望也。及三帅入朝，闻志勤之言，贬崇望昭州[118]司马。李克用闻三镇兵犯阙[119]，即日遣使十三辈[120]发北部兵[121]，期以来月渡河入关。

六月庚寅[122]，以钱镠为浙东招讨使。镠复发兵击董昌。

辛卯[123]，以前均州刺史孔纬、绣州司户张濬并为太子宾客[124]。壬辰[125]，以纬为吏部尚书，复其阶爵。癸巳[126]，拜司空[127]，兼门下侍郎、同平章事。以张濬为兵部尚书、诸道租庸使[128]。时纬居华州，濬居长水[129]，上以崔昭纬等外交藩镇，朋党相倾，思得骨鲠[130]之士，故骤

【语译】

起初，王行瑜要求担任尚书令，没有成功，因此怨恨朝廷。京城长安周围有八镇军队，隶属左、右神策军。郃阳镇靠近华州，韩建请求由他管理。良原镇在邠州附近，王行瑜也想要得到它。宦官们说："这是皇帝的禁军，怎么能让他们得到呢！"王珂、王珙争夺河中，王行瑜、韩建以及李茂贞都替王珙请求，结果王珙没有得到，他们对此觉得很耻辱。王珙派人告诉他们三位统帅说："王珂不接受我的替代，而成为河东李克用的女婿，这必然对你们不利，请发兵讨伐他。"王行瑜派他的弟弟匡国节度使王行约攻打河中，王珂向李克用求救，王行瑜就和李茂贞、韩建各自率领精兵数千人入朝。五月初八日甲子，到达京城长安，长安街坊市场的居民都逃跑藏匿起来。昭宗来到安福门等待他们，三位统帅把全副武装的士兵大规模排列开，在安福门下行跪拜舞蹈礼。昭宗走到门楼前，亲自责问他们说："你们不上表奏请并等待朝廷回答，就举兵进入京城，你们到底想干什么？如果不能侍奉我，今天我就退位让给贤明的人！"王行瑜、李茂贞汗流浃背讲不出一句话，只有韩建大致述说了进入朝廷的理由。昭宗宴请三位统帅，他们三人上奏说："朝中大臣和宫内宦官相互勾结，结成朋党，扰毁朝政。韦昭度讨伐西川时决策失误，李谿担任宰相不符合大家的心意，请求杀掉他们。"昭宗没有同意。当天，王行瑜等人在朱雀门外的都亭驿杀死韦昭度、李谿，又杀死枢密使康尚弼和几个宦官。他们又说："在任用王珂、王珙的问题上，嫡庶有别，请任命王珙为河中节度使，调王行约到陕州，调王珂到同州。"昭宗都答应了。开始，三位统帅阴谋废掉昭宗，拥立吉王李保为帝。到这时，听说李克用已经从河东起兵，王行瑜、李茂贞各留下二千名士兵守卫京城，与韩建一同辞别昭宗返回镇所。户部尚书杨堪被贬为雅州刺史，杨堪，是杨虞卿的儿子，韦昭度的舅舅。

当初，崔胤出任河中节度使，河东进奏官薛志勤扬言说："崔胤虽然注重德行，但使用他来代替王珂，不如长安城里光德坊的刘公与我主人李克用交谊深厚。"光德坊刘公，就是太常卿刘崇望。到王行瑜等三位统帅入朝，听到薛志勤的话，就把刘崇望贬为昭州司马。李克用听到王行瑜等三镇军队侵犯朝廷，当天就派遣十三批使者调发北方蕃落的军队，约定在下个月渡过黄河进入关中。

六月初四日庚寅，朝廷任命钱镠担任浙东招讨使。钱镠再次发兵攻打董昌。

六月初五日辛卯，朝廷任命前均州刺史孔纬、绣州司户张濬同时担任太子宾客。初六日壬辰，任命孔纬为吏部尚书，恢复他的官阶、爵位。初七日癸巳，任命孔纬为司空，兼任门下侍郎、同平章事。任命张濬为兵部尚书、诸道租庸使。当时孔纬住在华州，张濬住在长水，昭宗因为崔昭纬等人对外结交藩镇，形成朋党，互相倾轧，很想得到刚直忠正的士人，所以突然任用孔纬、张濬。孔纬因为患病，乘车来

用[131]纬、濬。纬以有疾，扶舆[132]至京师，见上，涕泣固辞。上不许。

李克用大举蕃、汉兵南下，上表称王行瑜、李茂贞、韩建称兵犯阙，贼害[133]大臣，请讨之，又移檄三镇，行瑜等大惧。克用军至绛州，刺史王瑶闭城拒之。克用进攻，旬日，拔之，斩瑶于军门，杀城中违拒者千余人。秋，七月丙辰朔[134]，克用至河中，王珂迎谒于路。

匡国节度使王行约败于朝邑[135]。戊午[136]，行约弃同州走。己未[137]，至京师。行约弟行实时为左军[138]指挥使，帅众与行约大掠西市[139]。行实奏称同华已没，沙陀将至，请车驾幸邠州。庚申[140]，枢密使骆全瓘奏请车驾幸凤翔。上曰："朕得克用表，尚驻军河中。就使沙陀至此，朕自有以枝梧[141]，卿等但各抚本军，勿令摇动。"

右军指挥使李继鹏，茂贞假子也，本姓名阎珪，与骆全瓘谋劫上幸凤翔。中尉刘景宣与王行实知之，欲劫上幸邠州。孔纬面折[142]景宣，以为不可轻离宫阙。向晚[143]，继鹏连奏请车驾出幸，于是王行约引左军攻右军，鼓噪震地。上闻乱，登承天楼[144]，欲谕止之，捧日都头李筠将本军，于楼前侍卫。李继鹏以凤翔兵攻筠，矢[145]拂[146]御衣，著[147]于楼桷[148]，左右扶上下楼。继鹏复纵火焚宫门，烟炎蔽天。时有盐州[149]六都兵屯京师，素为两军所惮[150]，上急召令入卫。既至，两军退走，各归邠州及凤翔。城中大乱，互相剽掠，上与诸王及亲近幸李筠营，护跸都[151]头李居实帅众继至。

或传王行瑜、李茂贞欲自来迎车驾，上惧为所迫。辛酉[152]，以筠、居实两都兵自卫，出启夏门[153]，趣南山[154]，宿莎城镇[155]。士民追从车驾者数十万人，比至谷口[156]，暍[157]死者三之一，夜，复为盗所掠，哭声震山谷。时百官多扈从[158]不及，户部尚书、判度支及盐铁转运使薛王知柔[159]独先至，上命权知中书事及置顿使。

到京师，见到昭宗，流着眼泪坚决推辞。昭宗不答应。

李克用大规模调动蕃族和汉人的军队南下，向昭宗上表声称王行瑜、李茂贞、韩建派兵进犯朝廷，残害大臣，请求讨伐他们。又发檄文给王行瑜、李茂贞、韩建三人，王行瑜等非常害怕。李克用的军队到达绛州，绛州刺史王瑶关闭城门抵抗李克用。李克用进军攻城，十天，攻取了城池，在军营门前杀死了王瑶，杀死了城里抵抗的人一千多。秋，七月初一日丙辰，李克用到达河中，王珂亲自迎接，在路上拜见他。

匡国节度使王行约在朝邑被击败。七月初三日戊午，王行约放弃同州逃走。初四日己未，到达京师。王行约的弟弟王行实当时为左军指挥使，率领部众和王行约大肆抢掠长安西市。王行实上奏说同州、华州已经陷落，李克用的沙陀军即将到来，请昭宗亲临邠州。初五日庚申，枢密使骆全瓘上奏请昭宗亲临凤翔。昭宗说:“我收到李克用的表章，他还驻军在河中。即使沙陀军到达这里，我自有办法应付，你们只要各自安抚好本人的部队，不要让他们骚动不安。”

右军指挥使李继鹏，是李茂贞的义子，本来姓名叫阎珪，与骆全瓘阴谋劫持昭宗到凤翔。中尉刘景宣和王行实知道此事，打算劫持昭宗到邠州。孔纬当面斥责刘景宣，认为昭宗不可轻易离开宫廷。傍晚，李继鹏接连上奏请昭宗外出避难，于是王行约带领左军攻打李继鹏的右军，鼓声与呐喊声震天动地。昭宗听到发生变乱，登上承天楼，想下令制止他们。捧日都头李筠率领自己的部队，在承天楼前护卫昭宗。李继鹏指挥凤翔的军队攻打李筠，飞箭擦过昭宗的衣服，插在承天楼的椽子上，身边侍卫搀扶着昭宗下楼躲避。李继鹏又纵火焚烧宫门，浓烟遮蔽了天空。当时有盐州六都军队驻扎在京城，左、右两军一向很惧怕他们，昭宗急忙下令召他们入宫护卫。他们到达后，左、右两军撤走了，各自回到邠州和凤翔。长安城里大乱，相互抢夺，昭宗与各王以及亲信到李筠的军营躲避，护跸都头李居实率领部众相继到达。

有人传说王行瑜、李茂贞要亲自来迎接昭宗，昭宗害怕受到他们的逼迫。七月初六日辛酉，用李筠、李居实的两都军队自行护卫，从启夏门出来，前往南山，在莎城镇过夜。追随昭宗的士民有几十万人，快要到达南山的谷口时，中暑而死的人有三分之一。夜里，又遭到强盗抢劫，哭喊声震动山谷。当时朝中官员大多数来不及跟从昭宗，只有户部尚书、判度支及盐铁转运使薛王李知柔一个人首先赶到，昭宗命令他暂时掌管中书省的事务，以及担任置顿使。

【段旨】

以上为第四段，写凤翔李茂贞、邠宁王行瑜、华州韩建三镇连兵犯阙，唐昭宗蒙尘南山。

【注释】

⑩左右军：指左右神策军。⑩郃阳：县名，属同州，县治在今陕西合阳。⑩良原：县名，属泾州，县治在今甘肃崇信东南。⑩邠州：州名，治所在今陕西彬州。⑩匡国：方镇名，乾宁二年升同州为匡国军节度。同州在今陕西大荔。⑩甲子：五月初八日。⑩舞蹈：朝拜帝王的礼节。⑩轩：殿堂前檐下的平台。⑩称兵：举兵。⑩避贤：让贤。⑪朋党：由政见相同的人构成的利益集团。⑪堕紊：败坏扰乱。⑪都亭驿：驿站名，在朱雀门外西街，含光门自北数第二坊。⑪吉王保：懿宗子，咸通十三年（公元八七二年）封王。传见《旧唐书》卷一百七十六、《新唐书》卷八十二。⑪虞卿：杨虞卿，字师皋，虢州弘农（在今河南灵宝北）人，历仕唐顺宗、宪宗、穆宗、敬宗、文宗五朝，官至弘文馆学士。传见《旧唐书》卷一百七十六、《新唐书》卷一百七十五。⑪光德刘公：指刘崇望。光德，里名，在长安城朱雀街西第三街自北数第六坊。唐末，大臣有名望者，时人常以所住之里坊名称之。⑪太常卿：官名，九卿之一，掌宗庙祭祀之事。⑪昭州：州名，治所在今广西平乐。⑪犯阙：调动军队侵犯宫廷。⑫辈：批次。⑫北部兵：代北诸蕃落之兵。⑫庚寅：六月初四日。⑫辛卯：六月初五日。⑫太子宾客：太子官属，掌侍

【原文】

壬戌[160]，李克用入同州。崔昭纬、徐彦若、王抟至莎城。甲子[161]，上徙幸石门镇[162]，命薛王知柔与知枢密院刘光裕还京城，制置[163]守卫宫禁。丙寅[164]，李克用遣节度判官王瓌奉表问起居。丁卯[165]，上遣内侍[166]郄廷昱赍诏诣李克用军，令与王珂各发万骑同赴新平[167]。又诏彰义节度使张鐇以泾原[168]兵控扼[169]凤翔。

李克用遣兵攻华州。韩建登城呼曰："仆于李公未尝失礼，何为见攻？"克用使谓之曰："公为人臣，逼逐天子，公为有礼，孰为无礼者乎！"会郄廷昱至，言李茂贞将兵三万至盩厔，王行瑜将兵至兴平[170]，皆欲迎车驾，克用乃释华州之围，移兵营渭桥[171]。

从规谏，赞相礼仪。⑫⑤壬辰：六月初六日。⑫⑥癸巳：六月初七日。⑫⑦司空：官名，三公之一，参议国事，为荣誉职务。⑫⑧租庸使：官名，唐玄宗开元十一年（公元七二三年）置，掌租庸地税。后省置无常，多以战争而设。⑫⑨长水：县名，县治在今河南洛宁西长水镇。⑬⓪骨鲠：刚正忠直。⑬①骤用：突然起用。孔纬、张濬被贬事见本书卷二百五十八。⑬②扶舆：抱病勉强乘车。⑬③贼害：杀害。⑬④丙辰朔：七月初一日。⑬⑤朝邑：县名，县治在今陕西大荔朝邑镇。⑬⑥戊午：七月初三日。⑬⑦己未：七月初四日。⑬⑧左军：此时宿卫禁中的左、右军已经不是原来的禁卫六军。左军为邠宁节度使王行瑜所留之军；右军为凤翔节度使李茂贞所留之军。⑬⑨西市：长安城朱雀街西的市场叫作西市。⑭⓪庚申：七月初五日。⑭①枝梧：支撑；应付。⑭②面折：当面指斥。⑭③向晚：傍晚。⑭④承天楼：太极宫正门承天门楼。⑭⑤矢：箭。⑭⑥拂：掠过。⑭⑦著：落。⑭⑧桷：方形的椽子。⑭⑨盐州：州名，治所在今陕西定边。盐州六都兵为孙德昭所领之兵。⑮⓪惮：畏惧。⑮①护跸都：神策军五十四都之一。⑮②辛酉：七月初六日。⑮③启夏门：长安城南面东起第一门。⑮④南山：即终南山。⑮⑤莎城镇：镇名，在长安城南郊。⑮⑥谷口：南山山谷口。⑮⑦暍：中暑；受暴热。⑮⑧扈从：随从帝王出巡。⑮⑨知柔：薛王李业的曾孙。传见《新唐书》卷八十一。

【校记】

［8］之：原作“不”。张敦仁《通鉴刊本识误》作“之”，今从改。〖按〗嫡庶有别，欲辨不难；王珙为嫡，故以此享有继承权。作“之”义长。

【语译】

七月初七日壬戌，李克用进入同州。崔昭纬、徐彦若、王抟到达莎城。初九日甲子，昭宗迁移到石门镇，命令薛王李知柔和知枢密院刘光裕返回京城长安，部署军队守卫皇宫。十一日丙寅，李克用派遣节度判官王瓌奉上表章问候昭宗的生活起居情况。十二日丁卯，昭宗派遣内侍郗廷昱携带诏书前往李克用的军营，命令他和王珂各派出一万名骑兵共同赶赴新平讨伐王行瑜。昭宗又下诏命令彰义节度使张鐇带领泾原的军队控制凤翔的李茂贞。

李克用派兵攻打华州。韩建登上城楼呼喊说：“我对您从来没有失礼，为何要受到攻击？”李克用派人对他说：“你是唐朝的臣子，逼迫驱逐皇上，你这样还算有礼，还有谁是无礼的呢！”适逢郗廷昱来到，说李茂贞带兵三万人抵达盩厔，王行瑜带兵抵达兴平，都想迎接昭宗去他们那里。李克用便解除对华州的包围，把军队转移到渭桥扎营。

以薛王知柔为清海[172]节度使、同平章事，仍权知京兆尹、判度支，充盐铁转运使，俟反正日[173]赴镇。

上在南山旬余，士民从车驾避乱者日相惊曰："邠、岐兵至矣！"上遣延王戒丕[174]诣河中，趣[175]李克用令进兵。壬午[176]，克用发河中。上遣供奉官张承业[177]诣克用军。承业，同州人，屡奉使于克用，因留监其军。己丑[178]，克用进军渭桥，遣其将李存贞为前锋。辛卯[179]，拔永寿[180]，又遣史俨将三千骑诣石门侍卫。癸巳[181]，遣李存信、李存审会保大节度使李思孝攻王行瑜梨园寨[182]，擒其将王令陶等，献于行在。思孝本姓拓跋[183]，思恭之弟也。李茂贞惧，斩李继鹏[184]，传首行在，上表请罪，且遣使求和于克用。上复遣延王戒丕、丹王允[185]谕克用，令且赦茂贞，并力讨行瑜，俟其殄[186]平，当更与卿议之。且命二王拜克用为兄。

以前河中节度使崔胤为中书侍郎、同平章事。

戊戌[187]，削夺王行瑜官爵。癸卯[188]，以李克用为邠宁四面行营都招讨使，保大节度使李思孝为北面招讨使，定难[189]节度使李思谏为东面招讨使，彰义节度使张镭为西面招讨使。克用遣其子存勖[190]诣行在，年十一，上奇其状貌，抚之曰："儿方为国之栋梁，他日宜尽忠于吾家。"克用表请上还京，上许之。令克用遣骑三千驻三桥[191]为备御。辛亥[192]，车驾还京师。

壬子[193]，司空兼门下侍郎、同平章事崔昭纬罢为右仆射。

以护国留后王珂、卢龙留后刘仁恭各为本镇节度使。

时宫室焚毁，未暇完葺，上寓居尚书省[194]，百官往往无袍笏[195]仆马。

以李克用为行营都统[196]。

朝廷任命薛王李知柔为清海节度使、同平章事，仍然暂时代理京兆尹、判度支、充任盐铁转运使，等到平定动乱后前往镇所。

昭宗在南山十多天，跟随昭宗避乱的士人百姓天天相互惊恐地说："邠州、岐州的军队到来了！"昭宗派遣延王李戒丕前往河中，催促李克用进兵。七月二十七日壬午，李克用从河中出发。昭宗派遣供奉官张承业前往李克用军中。张承业是同州人，多次奉命出使李克用处，因此留在李克用军中为监军。八月初五日己丑，李克用进军渭桥，派遣他的部将李存贞为前锋。初七日辛卯，攻克永寿县，又派遣史俨带领三千名骑兵前往石门镇护卫昭宗。初九日癸巳，李克用派遣李存信、李存审会合保大节度使李思孝攻打王行瑜的梨园寨，活捉了王行瑜的部将王令陶等人，把他们送到昭宗住处。李思孝本来姓氏是拓跋，是拓跋思恭的弟弟。李茂贞害怕了，杀死了李继鹏，把他的头颅传送到昭宗住处，上表请罪；并且派遣使者向李克用求和。昭宗又派遣延王李戒丕、丹王李允晓谕李克用，让他暂时赦免李茂贞，齐心合力讨伐王行瑜，等到消灭了王行瑜，朝廷再和你商议如何处置李茂贞。昭宗又命令延王李戒丕、丹王李允拜李克用为兄长。

任命前河中节度使崔胤担任中书侍郎、同平章事。

八月十四日戊戌，革除王行瑜的官职、爵位。十九日癸卯，任命李克用为邠宁四面行营都招讨使，保大节度使李思孝为北面招讨使，定难节度使李思谏为东面招讨使，彰义节度使张镭为西面招讨使。李克用派遣他的儿子李存勖前往昭宗住处，李存勖十一岁，昭宗对他的体貌很惊奇，抚摸着他说："你将成为国家的栋梁之材，以后应该为我李家尽忠。"李克用上表请昭宗返回京城，昭宗同意了。命令李克用派遣骑兵三千人驻扎在三桥执行警卫防御。二十七日辛亥，昭宗返回京城。

八月二十八日壬子，司空兼门下侍郎、同平章事崔昭纬免职后担任右仆射。

任命护国军留后王珂、卢龙军留后刘仁恭分别担任本镇节度使。

当时宫殿焚毁，无暇整修，昭宗寄住在尚书省，朝廷百官往往没有长袍、笏板、仆人和马匹。

任命李克用担任行营都统。

【段旨】

以上为第五段，写李克用发兵勤王，迎昭宗还京。

【注释】

⑯⓪ 壬戌：七月初七日。⑯① 甲子：七月初九日。⑯② 石门镇：镇名，在石门山下。⑯③ 制置：部署规划。⑯④ 丙寅：七月十一日。⑯⑤ 丁卯：七月十二日。⑯⑥ 内侍：官名，属内侍省。在内侍监之下，内常侍之上，员四人，从四品上。⑯⑦ 新平：郡名，属邠州，治所在今陕西彬州。⑯⑧ 泾原：方镇名，唐代宗大历三年（公元七六八年）置，乾宁后号彰义军。治所泾州，在今甘肃泾川县北。⑯⑨ 控扼：控制。⑰⓪ 兴平：县名，属京兆府，唐中宗景龙二年（公元七〇八年）送金城公主下嫁吐蕃经过此处，故改名金城。唐肃宗至德二载（公元七五七年）又改为兴平。县治在今陕西兴平。⑰① 渭桥：长安附近渭水上的桥梁，在今陕西西安北。⑰② 清海：方镇名，即岭南节度，这一年赐名清海军。⑰③ 反正日：由祸乱复归于正道的时候。反，通"返"。⑰④ 戒丕：唐玄宗子李玢封延王，李戒丕为其后裔。⑰⑤ 趣：催促。⑰⑥ 壬午：七月二十七日。⑰⑦ 张承业（公元八四四至九二一年）：字继元，宦官。为李克用监军，唐末转佐李克用父子建立后唐。本姓康，为内常侍张泰之养子。传见《旧

【原文】

九月癸亥[197]，司空兼门下侍郎、同平章事孔纬薨[198]。

辛未[199]，朱全忠自将击朱瑄，战于梁山[200]，瑄败走还郓。

李克用急攻梨园，王行瑜求救于李茂贞，茂贞遣兵万人屯龙泉镇[201]，自将兵三万屯咸阳之旁。克用请诏茂贞归镇，仍削夺其官爵，欲分兵讨之。上以茂贞自诛继鹏，前已赦宥[202]，不可复削夺诛讨，但诏归镇，仍令克用与之和解。以昭义节度使李罕之检校侍中，充邠、宁四面行营副都统。史俨败邠、宁兵于云阳[203]，擒云阳镇使王令海等，献之。

王建遣简州[204]刺史王宗瑶等将兵赴难。甲戌[205]，军于绵州[206]。

董昌求救于杨行密，行密遣泗州防御使台濛攻苏州[207]以救之，且表昌引咎[208]，愿修[209]职贡，请复官爵。又遗钱镠书，称："昌狂疾自立，已畏兵谏[210]。执送同恶[211]，不当复伐之。"

冬，十月丙戌[212]，河东将李存贞败邠宁军于梨园北，杀千余人。自是梨园闭壁不敢出。

五代史》卷七十二、《新五代史》卷三十八。⑰⑧ 己丑：八月初五日。⑰⑨ 辛卯：八月初七日。⑱⓪ 永寿：县名，县治在今陕西永寿北。⑱① 癸巳：八月初九日。⑱② 梨园寨：镇名，当时属云阳县，在今陕西淳化。⑱③ 拓跋：姓，原为鲜卑族的一支，以部为氏。⑱④ 李继鹏：李茂贞养子。李茂贞杀李继鹏，是将祸乱京城的罪责推诿给他。⑱⑤ 允：丹王李逾之后，逾为代宗子。⑱⑥ 殄：消灭。⑱⑦ 戊戌：八月十四日。⑱⑧ 癸卯：八月十九日。⑱⑨ 定难：方镇名，唐僖宗中和二年（公元八八二年）赐夏州节度号定难节度。治所朔方，在今陕西靖边白城子。⑲⓪ 存勖：即后唐庄宗李存勖（公元八八五至九二六年），五代唐王朝的建立者。公元九二三至九二六年在位。传见《旧五代史》卷二十七、《新五代史》卷四。⑲① 三桥：镇名，在长安城西。⑲② 辛亥：八月二十七日。⑲③ 壬子：八月二十八日。⑲④ 尚书省：在长安城朱雀门正街之东，自占一坊，六部附丽其旁。⑲⑤ 笏：朝笏。大臣上朝时手中所执狭长形板子，用玉、象牙或竹片制成，可用于记事，以备遗忘。⑲⑥ 行营都统：官名，征讨方面军的最高官职，统辖诸军。

【语译】

九月初十日癸亥，司空兼门下侍郎、同平章事孔纬去世。

十八日辛未，朱全忠亲自率军攻打朱瑄，在梁山交战，朱瑄战败逃走，返回郓州。

李克用率军急速攻打梨园，王行瑜向李茂贞求救。李茂贞派兵一万人屯驻龙泉镇，自己率军三万人屯驻咸阳附近。李克用请求朝廷下诏命令李茂贞返回凤翔镇所，仍然免除他的官职、爵位，打算分兵讨伐他。昭宗认为李茂贞自己杀死李继鹏，先前已经赦免，不能再削除他的官爵进行讨伐，只是下诏命令李茂贞回到凤翔镇所，仍然命令李克用与李茂贞和解。任命昭义节度使李罕之为检校侍中，充任邠、宁四面行营副都统。史俨在云阳打败王行瑜的邠、宁军队，活捉了云阳镇使王令诲等人，进献给朝廷。

王建派遣简州刺史王宗瑶等人率领军队解救朝廷危难。九月二十一日甲戌，屯兵绵州。

董昌向杨行密求救，杨行密派遣泗州防御使台濛攻打苏州来救援他，并且向朝廷上表说董昌引咎自责，愿意尽职纳贡，请求恢复他的官职与爵位。杨行密又写信给钱镠说："董昌疯病发作，自立为帝，你率军前去劝阻，他已经害怕了，他抓住了一起作恶的人送到你处，不应当再去讨伐他。"

冬，十月初三日丙戌，河东将领李存贞在梨园的北面击败王行瑜的邠宁军队，杀了一千多人，从此梨园军营关闭寨门，不敢出战。

贬右仆射崔昭纬为梧州司马。

魏国夫人陈氏[213]，才色冠后宫。戊子[214]，上以赐李克用。

克用令李罕之、李存信等急攻梨园。城中食尽，弃城走。罕之等邀击[215]之，所杀万余人，克梨园等三寨，获王行瑜子知进及大将李元福等，克用进屯梨园。庚寅[216]，王行约、王行实烧宁州[217]遁去。克用奏请以匡国[218]节度使苏文建为静难节度使，趣令赴镇，且理宁州[219]，招抚降人。

上迁居大内[220]。

朱全忠遣都将葛从周击兖州，自以大军继之。癸卯[221]，围兖州[222]。

杨行密遣宁国[223]节度使田頵、润州团练使安仁义攻杭州镇戍以救董昌，昌使湖州[224]将徐淑会淮南将魏约共围嘉兴[225]。钱镠遣武勇都指挥使顾全武救嘉兴，破乌墩[226]、光福[227]二寨。淮南将柯厚破苏州水栅[228]。全武，余姚[229]人也。

义武[230]节度使王处存薨，军中推其子节度副使郜[231]为留后。

以京兆尹武邑孙偓[232]为兵部侍郎、同平章事。

王行瑜以精甲五千守龙泉寨，李克用攻之。李茂贞以兵五千救之，营于镇西[233]。李罕之击凤翔兵，走之。十一月丁巳[234]，拔龙泉寨。行瑜走入邠州，遣使请降于李克用[9]。

齐州[235]刺史朱琼举州降于朱全忠。琼，瑾之从父兄也。

衢州刺史陈儒卒，弟岌代之。

李克用引兵逼邠州，王行瑜登城，号哭谓克用曰："行瑜无罪，迫胁乘舆[236]，皆李茂贞及李继鹏所为，请移兵问凤翔，行瑜愿束身[237]归朝。"克用曰："王尚父[238]何恭之甚！仆受诏讨三贼臣[239]，公预[240]其一，束身归朝，非仆所得专也。"丁卯[241]，行瑜挈族弃城走。克用入邠州，封府库。抚居人[242]，命指挥使高爽权巡抚军城，奏趣[243]苏文建赴镇。行瑜走至庆州[244]境，部下斩行瑜，传首。

朝廷贬右仆射崔昭纬为梧州司马。

魏国夫人陈氏，才能姿色冠绝后宫。初五日戊子，昭宗把她赐给李克用。

李克用命令李罕之、李存信等人加紧攻打梨园。城里粮食吃光了，王行瑜弃城逃走。李罕之等人截击他们，杀死一万多人，攻克梨园等三个寨子，抓获王行瑜的儿子王知进和大将李元福等人，李克用进兵屯驻梨园。十月初七日庚寅，王行约、王行实焚烧宁州后逃走。李克用上奏朝廷请求任命匡国节度使苏文建为静难节度使，催促他前往镇所，暂时把镇所设在宁州，召集安抚投降的人。

昭宗迁回皇宫居住。

朱全忠派遣都将葛从周攻打兖州，自己率领大军随后进发。二十日癸卯，包围兖州。

杨行密派遣宁国节度使田頵、润州团练使安仁义进攻钱镠驻守杭州的军队，以救援董昌。董昌派湖州将领徐淑会合淮南将领魏约一起包围嘉兴。钱镠派武勇都指挥使顾全武救援嘉兴，攻破乌墩、光福两个寨子。淮南将领柯厚攻破苏州的水上栅栏。顾全武，是余姚人。

义武节度使王处存去世，军中将士推举他的儿子节度副使王郜为留后。

朝廷任命京兆尹武邑人孙偓担任兵部侍郎、同平章事。

王行瑜派遣穿戴甲胄的精兵五千人守卫龙泉寨，李克用攻打寨子。李茂贞派兵五千人救援，在龙泉镇西面扎营。李罕之攻打李茂贞的凤翔军队，打跑了凤翔军队。十一月初五日丁巳，攻取了龙泉寨。王行瑜逃入邠州，派遣使者向李克用求降。

齐州刺史朱琼献出齐州向朱全忠投降。朱琼，是朱瑾的堂兄。

衢州刺史陈儒去世，弟弟陈岌接替他的职位。

李克用带兵进逼邠州，王行瑜登上城楼，号啕大哭，对李克用说："我王行瑜没有罪过，胁迫皇上，都是李茂贞和李继鹏干的，请您移兵凤翔问罪李茂贞，我王行瑜愿意捆绑起来回到朝廷。"李克用说："你王行瑜为什么如此谦恭！我接受诏令讨伐三个贼臣，你就是厕身其中的一个，你想捆绑起来回到朝廷，这不是我能擅自做主的。"十一月十五日丁卯，王行瑜带着家族弃城逃跑。李克用进入邠州，封存官府库房。安抚居民，命令指挥使高爽暂时代理巡抚军城职务，上奏催促苏文建前往邠州镇所。王行瑜逃到庆州地界，他的部下杀死了他，头颅被送到朝廷。

【段旨】

以上为第六段，写李克用破灭邠州和宁州，王行瑜授首。杨行密阻拦钱镠进攻董昌。

【注释】

⑲7 癸亥：九月初十日。⑲8 薨：诸侯王或朝中高官逝世称“薨”。⑲9 辛未：九月十八日。⑳0 梁山：山名，在今山东东平湖西、梁山县南，周约十公里。⑳1 龙泉镇：镇名，在邠州三水县，今陕西旬邑东北。⑳2 赦宥：赦免。⑳3 云阳：县名，县治在今陕西泾阳北。⑳4 简州：州名，治所在今四川简阳。⑳5 甲戌：九月二十一日。⑳6 军于绵州：王建遣兵赴难只军于绵州，是观望不进，并无救难解急的真心，且伺机进攻东川以广地。绵州，州名，治所在今四川绵阳。⑳7 攻苏州：当时苏州属钱镠，杨行密攻苏州就牵制了钱镠的兵力，使其不能专攻董昌。⑳8 引咎：自己承担罪责。⑳9 修：整治恢复。㉑0 兵谏：以武力迫使帝王或上级听从意见。㉑1 同恶：共同作恶的同伙，指策划董昌称帝的首谋者吴瑶及巫觋等人。㉑2 丙戌：十月初三日。㉑3 魏国夫人陈氏（？至公元九四一年）：襄州（今湖北襄阳）人，本为昭宗之宫嫔，赐予李克用后，深受宠重。李克用死后，落发为尼，法名智愿。传见《旧五代史》卷四十九。㉑4 戊子：十月初五日。㉑5 邀击：截击。㉑6 庚寅：十月初七日。㉑7 宁州：州名，治所在今甘肃宁县。在邠州北一百二十五里。㉑8 匡国：方镇名，是年，升同州为匡国军节度。㉑9 理宁州：即治宁州。苏文建代王行瑜，因邠州未攻下，所以暂时先以宁州为静难军节度治所。㉒0 大内：皇宫。㉒1 癸卯：十月二十日。㉒2 国

【原文】

朱瑄遣其将贺瓌㉔5、柳存及河东将何怀宝[10]将兵万余人袭曹州，以解兖州之围。瓌，濮阳㉔6人也。丁卯㉔7，全忠自中都㉔8引兵夜追之，比明，至巨野㉔9南，及之，屠杀殆尽，生擒瓌、存、怀宝，俘士卒三千余人。是日晡后㉕0，大风沙尘晦冥，全忠曰：“此杀人未足耳！”下令所得之俘尽杀之。庚午㉕1，缚瓌等徇于兖州城下，谓朱瑾曰：“卿兄已败，何不早降！”

丁丑㉕2，雅州㉕3刺史王宗侃㉕4攻拔利州，执刺史李继颙㉕5，斩之。

朱瑾伪遣使㉕6请降于朱全忠，全忠自就延寿门㉕7下与瑾语。瑾曰：“欲送符印，愿使兄琼来领之。”

辛巳㉕8，全忠使琼往，瑾立马桥上，伏㉕9骁果㉖0董怀进于桥下，琼至，怀进突出，擒之以入，须臾，掷首城外。全忠乃引兵还㉖1，以琼弟玭为齐州防御使，杀柳存、何怀宝[11]，闻贺瓌名，释而用之。

兖州：是年春，朱全忠曾围兖州，因李克用救兵至而退，现又一次包围。㉓宁国：方镇名，景福元年（公元八九二年）升宣歙团练使为宁国节度使。㉔湖州：州名，治所在今浙江湖州。㉕嘉兴：县名，治所在今浙江嘉兴南。㉖乌墩：镇名，在湖州乌程县。㉗光福：镇名，在苏州吴县。㉘水栅：用竹、木等做成的阻拦物，置水中起到阻碍行船的作用。㉙余姚：县名，县治在今浙江余姚。㉚义武：方镇名，唐德宗建中三年（公元七八二年）分易、定二州所置义武军节度使。㉛郜：王郜，义武军节度使王处存之子，继父任义武军节度使。后遭汴军攻击，兵败奔太原投李克用，死于晋阳。传见《旧唐书》卷一百一十二、《新唐书》卷一百十六。㉜孙偓：武邑（今河北武邑）人，唐昭宗朝宰相。传见《新唐书》卷一百八十三。㉝镇西：龙泉寨之西。㉞丁巳：十一月初五日。㉟齐州：州名，治所历城，在今山东济南。㊱乘舆：皇帝乘坐的车辆，此用以代指皇帝。㊲束身：自己捆住自己，比喻归顺。㊳尚父：王行瑜曾被赐号尚父，此时已削夺，李克用出于讽刺，故称。㊴三贼臣：指王行瑜、李茂贞、韩建。㊵预：参与。㊶丁卯：十一月十五日。㊷居人：居民百姓。㊸趣：催促。㊹庆州：州名，治所在今甘肃庆阳。

【校记】

［9］李克用：据章钰校，乙十一行本无“李”字。

【语译】

朱瑄派遣他的部将贺瓌、柳存和河东将领何怀宝带兵一万多人袭击曹州，以求解除对兖州的包围。贺瓌，是濮阳人。十一月十五日丁卯，朱全忠从中都县率军在夜间追赶他们，等到天亮，到达巨野县的南边，追上了他们，把他们几乎杀光，活捉贺瓌、柳存、何怀宝，俘获士兵三千多人。这一天傍晚，刮起大风，沙尘弥漫，天昏地暗，朱全忠说：“这是杀人不够造成的！”下命令把抓获的俘虏全部杀掉。十八日庚午，捆绑贺瓌等人在兖州城下示众，对朱瑾说：“你哥哥已经战败，你为什么还不早点投降！”

十一月二十五日丁丑，雅州刺史王宗侃攻克利州，抓住刺史李继颙，杀死了他。

朱瑾假意派遣使者向朱全忠请求投降，朱全忠亲自到兖州城延寿门下与朱瑾说话。朱瑾说：“我打算交出符节和官印，希望让我的堂兄朱琼前来领取。”

十一月二十九日辛巳，朱全忠派朱琼前来。朱瑾骑马站立在城门前的桥上，把骁勇果敢的董怀进埋伏在桥下，朱琼到了，董怀进突然从桥下冲出，捉住朱琼带入城中。一会儿，把朱琼的头颅扔出城外。朱全忠于是率军返回汴州，任命朱琼的弟弟朱玭为齐州防御使，杀死柳存、何怀宝，因听说贺瓌的名声，将他释放并加以任用。

李克用旋军[262]渭北。

加静难节度使苏文建同平章事。

蒋勋[263]求为邵州刺史，刘建锋不许，勋乃与邓继崇起兵，连飞山[264]、梅山[265]蛮寇湘潭[266]，据邵州，使其将申德昌屯定胜镇[267]，以扼潭人。

十二月甲申[268]，阆州防御使李继雍、蓬州[269]刺史费存、渠州[270]刺史陈璠[271]各帅所部兵奔王建。

乙酉[272]，李克用军于云阳[273]。

王建奏："东川节度使顾彦晖不发兵赴难[274]，而掠夺辎重，遣泸州[275]刺史马敬儒断峡路[276]，请兴兵讨之[277]。"戊子[278]，华洪[279]大破东川兵于楸林[280]，俘斩数万，拔楸林寨。

乙未[281]，进李克用爵晋王[282]，加李罕之兼侍中，以河东大将盖寓领容管[283]观察使。自余克用将佐、子孙并进官爵。克用性严急，左右小有过辄死，无敢违忤[284]，惟盖寓敏慧，能揣[285]其意，婉辞裨益[286]，无不从者。克用或以非罪[287]怒将吏，寓必阳[288]助之怒，克用常释之，有所谏诤，必征[289]近事为喻。由是克用爱信之，境内无不依附，权与克用侔[290]。朝廷及邻道遣使至河东，其赏赐赂遗[291]，先入克用，次及寓家。朱全忠数遣人间[292]之，及扬言云盖寓已代克用，而克用待之益厚。

丙申[293]，王建攻东川，别将王宗弼为东川兵所擒，顾彦晖畜[294]以为子。戊戌[295]，通州[296]刺史李彦昭[297]将所部兵二千降于建。

【段旨】

以上为第七段，写李克用因勤王之功进爵晋王。西川王建假借勤王之名进兵东川，朱全忠借机大力攻讨郓州、兖州的朱瑄与朱瑾。

李克用从邠宁回师屯兵渭水北边。

朝廷加封静难节度使苏文建为同平章事。

蒋勋要求担任邵州刺史，武安军节度使刘建锋不同意。蒋勋就和邓继崇起兵，联合飞山、梅山的蛮人入侵湘潭，占据邵州，派遣他的部将申德昌驻守定胜镇，来扼制潭州人。

十二月初二日甲申，阆州防御使李继雍、蓬州刺史费存、渠州刺史陈璠各自率领所辖部队投奔王建。

初三日乙酉，李克用驻兵云阳。

王建上奏说："东川节度使顾彦晖不出兵为朝廷除危救难，反而抢劫我的军用物资，派遣泸州刺史马敬儒切断三峡水路，请求出兵讨伐顾彦晖。"十二月初六日戊子，华洪在楸林大败东川军队，俘虏和杀死了几万人，攻取了楸林寨。

十二月十三日乙未，朝廷晋升李克用为晋王，加封李罕之兼任侍中，任命河东大将盖寓兼任容管观察使。其余李克用的部将、佐吏以及儿子、孙子都加官晋爵。李克用性情严厉急躁，身边的人稍有过失就处死，没有人敢于违抗，只有盖寓聪敏灵慧，能够揣摩他的心意，婉言相助，李克用没有不听从的。李克用有时很生气地误罪手下将吏，盖寓必定会表面上促使他更生气，李克用反而常常息怒放过他们，盖寓有所劝谏，一定征引近期发生的事情来做比喻。因此李克用喜爱并信任他，所辖境内人士无不依附，权力和李克用相等同。朝廷和邻近各道派遣使者到河东，他们赏赐赠送的钱财物品，先送给李克用，其次就送到盖寓的家里。朱全忠多次派人挑拨离间两人的关系，甚至扬言说盖寓已取代李克用，而李克用更加厚待盖寓。

十二月十四日丙申，王建进攻东川军队，他的一个支队将领王宗弼被东川的士兵擒获，顾彦晖把王宗弼收养为义子。十六日戊戌，通州刺史李彦昭率领所辖部队二千人投降王建。

【注释】

㉔⑤贺瓌（公元八五三至九一五年）：字光远，濮州（治所在今山东鄄城北）人，贺瓌投降朱全忠，屡立战功，官至相州刺史，转左龙虎统军。传见《旧五代史》卷二十三、《新五代史》卷二十三。㉔⑥濮阳：县名，县治在今河南濮阳南。㉔⑦丁卯：十一月十五日。㉔⑧中都：县名，县治在今山东汶上。㉔⑨巨野：县名，县治在今山东巨野。㉕⓪晡后：指傍晚。申时为下午三点至五点。㉕①庚午：十一月十八日。㉕②丁丑：十一月二十五日。㉕③雅州：州名，治所在今四川雅安。㉕④王宗侃：西川将。㉕⑤李继颙：凤翔将。㉕⑥伪遣使：因朱全忠诱降，故朱瑾派遣使者进行诈降。㉕⑦延寿门：兖州城门。㉕⑧辛巳：十

一月二十九日。㉙伏：埋伏。㉚骁果：勇猛敢死之士。㉛引兵还：率军返回。朱全忠见朱瑾杀其兄，知无降意，强攻又难以奏效，故还。㉜旋军：回师；李克用自邠宁回屯渭北。㉝蒋勋：原为邵州指挥使。乾宁元年放弃龙回关，使刘建锋顺利地攻下长沙，故求为邵州刺史。㉞飞山：在邵州（治所在今湖南邵阳）西北，其山比周围山峰高峻，四面悬崖峭壁。㉟梅山：在潭州（治所在今湖南长沙）西南，与邵州交界处。㊱湘潭：县名，县治洛口，在今湖南衡山县东北。㊲定胜镇：镇名，在邵州东北。㊳甲申：十二月初二日。㊴蓬州：治所在今四川仪陇南。㊵渠州：治所在今四川渠县。㊶陈璠：和李继雍、费存三人都是凤翔军将领。阆州，治所在今四川阆中。㊷乙酉：十二月初三日。㊸云阳：县名，县治在今陕西泾阳北。㊹不发兵赴难：指去年李茂贞、王行瑜、韩建三镇连兵犯阙，顾彦晖不发兵勤王。赴难，救难，指勤王救天子之难。㊺泸州：州名，治所在今四川泸州。㊻峡路：长江自重庆市奉节瞿塘峡以下称为峡江，水流最险，为长江出蜀的险隘。㊼兴兵讨之：指王建以顾彦晖不勤王为借口而发兵征讨。㊽戊子：十月初六日。㊾华洪：王建所遣讨伐东川的大将。㊿楸林：镇名。281 乙未：十二月十三日。282 晋王：李

【原文】

李克用遣掌书记[298]李袭吉[299]入谢恩，密言于上曰："比年以来，关辅[300]不宁，乘此胜势，遂取凤翔，一劳永逸，时不可失。臣屯军渭北，专俟进止。"上谋于贵近[301]，或曰："茂贞复灭[302]，则沙陀大盛，朝廷危矣！"上乃赐克用诏，褒[303]其忠款[304]，而言："不臣之状，行瑜为甚。自朕出幸以来，茂贞、韩建自知其罪，不忘国恩，职贡相继，且当休兵息民。"克用奉诏而止。既而私于诏使曰："观朝廷之意，似疑克用有异心也。然不去茂贞，关中无安宁之日。"又诏免克用入朝，将佐或言："今密迩阙廷[305][12]，岂可不入见天子！"克用犹豫未决，盖寓言于克用曰："向者[306]王行瑜辈纵兵狂悖[307]，致銮舆播越，百姓奔散。今天子还未安席，人心尚危，大王若引兵渡渭，窃恐复惊骇都邑。人臣尽忠，在于勤王[308]，不在入觐[309]，愿熟图[310]之！"克用笑曰："盖寓尚不欲吾入朝，况天下之人乎！"乃表称："臣总帅大军，不敢径入朝觐，且惧部落士卒侵扰渭北居人。"辛亥[311]，引兵东归。表至京师，上下始安。诏

克用由陇西郡王进爵晋王。㉓容管：方镇名，唐玄宗天宝十四载（公元七五五年）置容州管内经略使，治所容州，在今广西北流。唐肃宗上元元年（公元七六〇年）升为容管观察使。㉔违忤：违背、不服从。㉕揣：揣摩。㉖婉辞裨益：婉言相助。㉗非罪：没有过失，强加罪责。㉘阳：表面上。㉙征：征引。㉚侔：齐等。㉛赏赐赂遗：朝廷给财物为赏赐，邻道赠送财物为赂遗。㉜间：挑拨离间。㉝丙申：十二月十四日。㉞畜：收养。㉟戊戌：十二月十六日。㊱通州：州名，治所在今四川达州市达川区。㊲李彦昭：凤翔军将领。

【校记】

［10］何怀宝：原作“薛怀宝”。据章钰校，十二行本、乙十一行本、孔天胤本皆作“何怀宝”，今从改。［11］何怀宝：原无“何”字。据章钰校，十二行本、乙十一行本皆有此字，今据补。

【语译】

李克用派遣掌书记李袭吉入朝谢恩，秘密对昭宗进言，说：“近些年来，关中三辅地区不安宁，乘着现在胜利的形势，进取凤翔，可以一劳永逸，这个机会不能失去。臣的军队驻扎在渭水北边，专门等待陛下的指挥。”昭宗和朝中近臣显贵商量，有人说：“假如李茂贞又被消灭，那么李克用的沙陀军队就会强大起来，朝廷就危险了！”昭宗于是颁赐诏书给李克用，褒奖他对朝廷的忠诚，说：“不像臣子样，以王行瑜最为突出。自从我离开京城外出以来，李茂贞、韩建都知道自己的罪责，没有忘记朝廷的恩德，物品贡纳相继。而且也应该停止军事行动，让百姓休养生息。”李克用接到诏令后停止了行动。不久他私下对朝廷传达诏令的使臣说：“我看朝廷的意思，好像怀疑我李克用别有用心。然而不除掉李茂贞，关中地区就没有安宁的日子。”昭宗又下诏免除李克用入朝拜见，李克用部下将佐中有人说：“现在我们已经靠近朝廷，怎么能不入朝拜见天子呢！”李克用犹豫不决，盖寓对李克用说：“先前王行瑜之辈放纵士兵狂乱悖逆，使得天子流离失所，百姓奔散逃亡。如今天子还不能安心休息，人心还惶恐不安，大王如果带兵渡过渭水，我担心又让京城惊恐不安。身为臣子尽忠朝廷，在于为皇室扶危解难，而不在于入朝拜见天子，愿您深思熟虑！”李克用笑着说：“盖寓尚且不想让我入朝，何况天下之人呢！”于是向朝廷上表说：“臣总领大军，不敢径自入朝拜谒，并且担心部落士兵侵扰渭水北边的居民。”十二月二十九日辛亥，李克用率军东返晋阳。他的表章送到京城，君臣百姓才安定下来。昭宗下诏

赐河东士卒钱三十万缗⑫。克用既去，李茂贞骄横如故，河西⑬州县多为茂贞所据，以其将胡敬璋为河西节度使。

朱全忠之去兖州⑭也，留葛从周将兵守之，朱瑾闭城不复出。从周将还，乃扬言“天平⑮、河东救兵至，引兵西北邀之”，夜半，潜归故寨。瑾以从周精兵悉出，果出兵攻寨。从周突出奋击，杀千余人，擒其都将孙汉筠而还。

加镇海节度使钱镠兼侍中。

彰义节度使张镭薨，以其子琏权知留后。

朱瑄、朱瑾屡为朱全忠所攻，民失耕稼，财力俱弊。告急于河东，李克用遣大将史俨、李承嗣将数千骑假道于魏以救之。

安州⑯防御使家晟，与朱全忠亲吏蒋玄晖⑰有隙，恐及祸，与指挥使刘士政、兵马监押陈可璠将兵三千袭桂州，杀经略使周元静而代之⑱。晟醉侮可璠，可璠手刃之，推士政知军府事，可璠自为副使。诏即以士政为桂管[13]经略使。玄晖，吴人也。

【段旨】

以上为第八段，写唐昭宗听信贵近之言，赦李茂贞之罪，诏李克用罢兵东归，痛失割除肘腋之患的机会。

【注释】

㉘掌书记：官名，节度使府属官，位在判官之下，掌朝觐、聘问、慰藉、献祭祀、祈祝之文，与号令、升绌等事。㉙李袭吉（？至公元九〇六年）：洛阳人，自称中唐名相李林甫之后，善文辞，为李克用幕僚。传见《旧五代史》卷六十、《新五代史》卷二十八。⑩关辅：指京畿关中地区。⑪贵近：身边的显贵大臣。⑫复灭：又灭亡。指李茂贞继王行瑜而灭亡。⑬褒：夸奖。⑭忠款：忠诚。⑮密迩阙廷：靠近皇宫。⑯向者：先前。⑰狂悖：狂乱违逆。⑱勤王：君王有难，臣下起兵援救君王。⑲入觐：入宫朝见皇帝。⑩熟图：深思熟虑。⑪辛亥：十二月二十九日。⑫缗：钱的计量单位，用绳穿成串的一千文钱，亦称作贯。⑬河西：方镇名，唐睿宗景云元年（公元七一〇年）置河西诸州军节度，领凉、甘、肃、伊、瓜、沙、西诸州。治所凉州，在今甘肃武威。⑭去兖

赏赐河东军队钱三十万缗。李克用离开后，李茂贞骄纵蛮横依然如故，河西一带州县大多被李茂贞占领，李茂贞任命他的将领胡敬璋为河西节度使。

朱全忠离开兖州时，留下葛从周率军围守兖州，朱瑾关闭城门，不再出城交战。葛从周即将返回，就扬言说“天平、河东的救兵到了，我领兵往西北方向去拦击他们”，半夜，暗中回到原来的营寨。朱瑾以为葛从周的精兵都离开营寨，果然派出兵攻打寨子。葛从周突然杀出，奋勇攻击，杀死一千多人，活捉了朱瑾的都将孙汉筠后返回。

朝廷加封镇海节度使钱镠兼任侍中。

彰义节度使张镭去世，任命他的儿子张琏暂时代理留后。

朱瑄、朱瑾多次遭受朱全忠攻击，百姓放弃了农耕，军中物资人力都很匮乏。他们向河东李克用告急，李克用派遣大将史俨、李承嗣率领几千名骑兵借路魏州去救援他们。

安州防御使家晟与朱全忠亲近的官吏蒋玄晖有矛盾，担心陷入灾祸，就和指挥使刘士政、兵马监押陈可璠带兵三千人袭击桂州，杀死经略使周元静，取代他的职位。家晟醉酒后侮辱陈可璠，陈可璠亲手杀死家晟，推举刘士政主持军府中的事务，陈可璠自己担任副使。朝廷即下诏任命刘士政为桂管经略使。蒋玄晖，是吴人。

州：指朱全忠撤离兖州。⑮天平：方镇名，唐宪宗元和十五年（公元八二〇年）赐郓曹濮节度使号天平军节度使，治所郓州，在今山东郓城东。⑯安州：州名，治所在今湖北安陆。⑰蒋玄晖（？至公元九〇五年）：朱全忠心腹幕僚，助朱全忠篡唐，但被朱全忠认为未尽力而诛死。传见《新唐书》卷二百二十三下《奸臣传》。⑱杀经略使周元静而代之：家晟等人从安州（今湖北安陆）远袭桂州（今广西桂林）而且能够取胜，主要由于江、湘一带守兵单弱，城邑荒残，一路上没有阻截之患。而桂州不意其至，并无防范，故能杀其帅而代之。经略使，官名，唐太宗贞观二年（公元六二八年）始于沿边重要地区设置，是边防军事长官。

【校记】

［12］阙廷：原作“阙庭”。据章钰校，十二行本、乙十一行本皆作“阙廷”，今从改。［13］桂管：原无此二字。据章钰校，十二行本、乙十一行本、孔天胤本皆有此二字，张瑛《通鉴校勘记》同，今据补。

【原文】

三年（丙辰，公元八九六年）

春，正月，西川将王宗夔攻拔龙州[319]，杀刺史田昉。

丁巳[320]，刘建锋遣都指挥使马殷将兵讨蒋勋，攻定胜寨，破之。

辛未[321]，安仁义以舟师至湖州，欲渡江[322]应董昌，钱镠遣武勇都指挥使顾全武、都知兵马使许再思守西陵[323]，仁义不能渡。昌遣其将汤臼守石城[324]，袁邠守余姚[325]。

闰月，李克用[14]遣蕃汉都指挥使李存信[326]将万骑假道于魏以救兖、郓，军于莘县[327]。朱全忠使人谓罗弘信曰："克用志吞河朔[328]，师还之日，贵道[329]可忧！"存信戢众[330]不严，侵暴魏人，弘信怒，发兵三万夜袭之。存信军溃，退保洺州，丧士卒什二三，委弃[331]资粮兵械万数；史俨、李承嗣之军隔绝不得还。弘信自是与河东绝，专志于汴。全忠方图兖、郓，畏弘信议[332]其后，弘信每有赠遗，全忠必对使者北向拜授[333]之，曰："六兄[334]于予，倍年[335]以长，固非诸邻之比。"弘信信之，全忠以是得专意东方[336]。

丁亥[337]，果州[338]刺史张雄降于王建。

二月戊辰[339]，顾全武、许再思败汤臼于石城。上用杨行密之请，赦董昌，复其官爵。钱镠不从。

以通王滋[340]判侍卫诸将事[341]。

朱全忠荐兵部尚书张濬，上欲复相之。李克用表请发兵击全忠，且言"濬朝为相，臣则夕至阙庭"！京师震惧，上下诏和解之。

三月，以天雄[342]留后李继徽为节度使。

保大节度使李思孝表请致仕，荐弟思敬自代，诏以思孝为太师，致仕，思敬为保大留后。

朱全忠遣庞师古将兵伐郓州，败郓兵于马颊[343]，遂抵其城下。

己酉[344]，顾全武等攻余姚，明州刺史黄晟遣兵助之。董昌遣其将徐章救余姚，全武击擒之。

【语译】

三年（丙辰，公元八九六年）

春，正月，西川将领王宗夔攻取龙州，杀了龙州刺史田昉。

初五日丁巳，刘建锋派遣都指挥使马殷率军讨伐蒋勋，进攻定胜寨，攻破了营寨。

正月十九日辛未，安仁义率领水军到达湖州，想要渡过浙江去接应董昌。钱镠派遣武勇都指挥使顾全武、都知兵马使许再思守卫西陵，安仁义不能渡江。董昌派遣他的将领汤臼守卫石城，袁邠守卫余姚。

闰正月，李克用派遣蕃汉都指挥使李存信率领一万名骑兵借道魏州救援兖州、郓州，驻军在莘县。朱全忠派人对罗弘信说："李克用志在吞并河朔，军队返回时，你的地盘可是令人担忧！"李存信治军不严，部下侵害魏州百姓。罗弘信很生气，调动军队三万人乘夜袭击李存信。李存信的军队溃逃，退守洺州，损失的士兵有十分之二三，丢弃的资财、粮食、兵器数以万计；史俨、李承嗣的军队被阻隔，不能返回。罗弘信从此与河东李克用断绝了关系，一心一意依附汴州的朱全忠。朱全忠正在图谋攻打兖州、郓州，害怕罗弘信暗算他的后方，罗弘信每次向他赠送礼物，朱全忠一定当着罗弘信的使者面向北方行拜手礼后接受礼物，说："罗兄对我来说，年龄比我大一倍，本来就不是其他邻近各道所能比的。"罗弘信相信了朱全忠，朱全忠因此能够专心攻打东边的兖州、郓州。

闰正月初五日丁亥，果州刺史张雄向王建投降。

二月十七日戊辰，顾全武、许再思在石城打败了汤臼。昭宗采纳了杨行密的要求，赦免董昌，恢复他的官职、爵位。钱镠不同意。

任命通王李滋兼管侍卫诸将事务。

朱全忠推荐兵部尚书张濬，昭宗打算重新任命张濬为宰相。李克用上表请求发兵攻打朱全忠，并且说"张濬如果早晨做了宰相，我傍晚就到达朝廷"！京城震恐，昭宗下诏劝他们和解。

三月，任命天雄军留后李继徽为节度使。

保大节度使李思孝向朝廷上表请求退休，推荐弟弟李思敬代替自己。昭宗下诏以李思孝为太师，退职，任命李思敬为保大留后。

朱全忠派遣庞师古率军讨伐郓州，在马颊打败郓州的军队，于是到达郓州城下。

二十八日己酉，顾全武等人攻打余姚，明州刺史黄晟派兵帮助他。董昌派遣他的部将徐章救援余姚，顾全武攻击徐章，活捉了他。

【段旨】

以上为第九段，写李克用发兵救郓州、兖州，魏博罗弘信助朱全忠，截击晋师。唐昭宗遣使和解朱李。

【注释】

⑲龙州：州名，治所在今四川江油北。此时龙州当属李茂贞。⑳丁巳：正月初五日。㉑辛未：正月十九日。㉒渡江：此处“江”系指浙江，即润州团练使安仁义试图自湖州入西陵渡浙江以接应董昌。㉓西陵：渡口名，在浙江杭州市萧山区西。㉔石城：镇名，在山阴县（今浙江绍兴）北三十里。㉕余姚：县名，县治在今浙江余姚。㉖李存信（公元八六一至九〇二年）：本姓张，回纥李思忠的部人。武勇善战，李克用赐姓李。传见《旧五代史》卷五十三、《新五代史》卷三十六。㉗莘县：县名，县治在今山

【原文】

夏，四月辛酉[345]，河涨，将毁滑州城[346]，朱全忠命决为二河，夹滑城而东，为害滋甚。

李克用击罗弘信，攻洹水[347]，杀魏兵万余[15]，进攻魏州。

武安节度使刘建锋既得志，嗜酒，不亲政事。长直兵[348]陈赡妻美，建锋私[349]之，赡袖铁挝[350]击杀建锋。诸将杀赡，迎行军司马张佶[351]为留后。佶将入府，马忽踶啮[352]，伤左髀[353]。时马殷攻邵州未下，佶谢诸将曰：“马公勇而有谋，宽厚乐善，吾所不及，真乃主[354]也。”乃以牒召之。殷犹豫未行，听直军将[355]汝南[16]姚彦章说殷曰：“公与刘龙骧[356]、张司马[357]，一体之人[358]也，今龙骧遇祸，司马伤髀，天命人望[359]，舍公尚谁属哉！”殷乃使亲从都副指挥使李琼留攻邵州，径诣长沙。

淮南兵与镇海兵战于皇天荡[360]，镇海兵不利，杨行密遂围苏州。

钱镠、锺传、杜洪畏杨行密之强，皆求援于朱全忠。全忠遣许州刺史朱友恭[361]将兵万人渡淮，听以便宜[362]从事。

董昌使人觇[363]钱镠兵，有言其强盛者辄怒，斩之，言兵疲食尽，则赏之。戊寅[364]，袁邠以余姚降于镠，顾全武、许再思进兵至越州城

东莘县。㉘河朔：地区名，当今黄河以北河南及河北的地方。㉙贵道：指罗弘信统治的魏博镇。㉚戢众：意谓管束众人。戢，收敛。㉛委弃：丢弃。㉜议：图谋。㉝授：借作"受"。㉞六兄：罗弘信行六，故称。㉟倍年：年龄比朱全忠大一倍。㊱专意东方：谓专心攻兖、郓。㊲丁亥：闰正月初五日。㊳果州：州名，治所在今四川南充北。㊴戊辰：二月十七日。㊵通王滋：李滋（？至公元八九七年），宣宗子，会昌六年始封夔王，后徙通王。传见《新唐书》卷八十二。㊶判侍卫诸将事：领侍卫诸军。㊷天雄：方镇名，唐宣宗大中三年（公元八四九年）升秦州防御守捉使为秦、成两州经略、天雄军使。治所秦州，在今甘肃秦安西北。㊸马颊：水名，禹疏九河之一。此指马颊口，为马颊水入济之口，在今山东东阿南。㊹己酉：三月二十八日。

【校记】

［14］李克用：原作"克用"。张敦仁《通鉴刊本识误》有"李"字，今据补。

【语译】

夏，四月初十日辛酉，黄河涨水，将要淹毁滑州城。朱全忠下令把黄河挖成两道河水，夹着滑州城东流，黄河为害更加严重。

李克用攻打罗弘信，进攻洹水，杀死魏州士兵一万多人，进军攻打魏州。

武安节度使刘建锋占据长沙后满足了心愿，嗜好饮酒，不再亲自料理政事。长值兵陈赡的妻子很漂亮，刘建锋和她私通，陈赡在袖子里暗藏铁挝打死了刘建锋。各将领杀了陈赡，迎接行军司马张佶担任留后。张佶将要进入节度使府时，所骑的马忽然对他又踢又咬，伤了左大腿。当时马殷率军攻打邵州，没有攻下，张佶向各将领辞谢说："马殷勇敢而且有谋略，待人宽厚乐善好施，我比不上他，这才是你们真正的主帅。"于是用公文召马殷回长沙。马殷犹豫不决没有动身，厅值军将汝南人姚彦章对他说："您与刘建锋、张佶是位望相当的人，现在刘建锋遇害，张佶大腿受伤，上天之意，人们所望，除了您以外还有谁呢！"马殷于是派遣亲从都副指挥使李琼留下攻打邵州，自己直接前往长沙。

杨行密的淮南军队与钱镠的镇海军队在皇天荡交战，镇海军队失利，杨行密于是包围苏州。

钱镠、锺传、杜洪对杨行密的强大很害怕，都向朱全忠求援。朱全忠派遣许州刺史朱友恭带兵一万人渡过淮水，授权朱友恭根据具体情况自主处理军务。

董昌派人侦察钱镠军队的情况，有说钱镠军队强大的，董昌就发怒，把他处死，说钱镠军队疲惫不堪粮食吃光的，就奖赏他。四月二十七日戊寅，袁郊献出余姚投

下。五月，昌出战而败，婴城自守[365]，全武等围之。昌始惧，去帝号，复称节度使。

马殷至长沙，张佶肩舆入府，坐受殷拜谒。已，乃命殷升听事，以留后让之，即趋下[366]，帅将吏拜贺，复为行军司马，代殷将兵攻邵州。

癸未[367]，苏州、常熟[368]镇使陆郢以州城应杨行密，虏刺史成及。行密阅及家所蓄，惟图书、药物，贤之，归，署行军司马。及拜且泣曰："及百口在钱公所，失苏州不能死，敢求富贵！愿以一身易百口之死[369]！"引佩刀欲自刺。行密遽执其手，止之，馆[370]于府舍。其室中亦有兵仗，行密每单衣诣之，与之共饮膳，无所疑。

钱镠闻苏州陷，急召顾全武，使趋西陵备行密[371]，全武曰："越州，贼之根本，奈何垂克[372]而[17]弃之？请先取越州，后复苏州。"镠从之。

淮南将朱延寿[373]奄[374]至蕲州，围其城。大将贾公铎方猎，不得还，伏兵林中，命勇士二人衣羊皮[375]夜入延寿所掠羊群，潜入城，约夜半开门举火为应，复衣皮反命[376]。公铎如期引兵至城南，门中火举，力战，突围而入。延寿惊曰："吾常恐其溃围而出，反溃围而入，如此，城安可猝[377]拔！"乃白行密，求军中与公铎有旧者持誓书[378]、金帛往说之，许以婚。寿州团练副使柴再用请行，临城与语，为陈利害。数日，公铎及刺史冯敬章请降。以敬章为左都押牙[379]，公铎为右监门卫将军[380]。延寿进拔光州[381]，杀刺史刘存。

【段旨】

以上为第十段，写马殷坐收渔人之利得潭州。钱镠围困董昌于越州，杨行密救董昌，攻拔苏州。淮南将反击朱全忠，助钱镠下蕲州、光州。

降钱镠，顾全武、许再思进兵到达越州城下。五月，董昌出战失败，环城自守，顾全武等人包围了他。董昌开始害怕了，去除帝号，恢复称节度使。

马殷到达长沙，张佶坐着轿子进入节度使府，坐着接受马殷的拜见。完毕后，就让马殷登上厅堂，把留后的职位让给他，自己当即快步走下来，率领部将、属吏拜贺马殷。张佶重新担任行军司马，代替马殷率军攻打邵州。

五月初三日癸未，苏州常熟镇使陆郢献出州城响应杨行密，抓住了刺史成及。杨行密查看成及家里的收藏，只有图书、药物，认为成及很有德行，把他放回去，任命为行军司马。成及流泪拜谢杨行密说："我成及全家一百口在钱镠那里，我失去苏州不能以身殉职，怎么敢再求富贵呢！希望用我一个人来换取全家一百口的生命！"拿起佩刀就要自杀。杨行密急忙抓住成及的手，阻止他自尽，让他住在节度使的府舍中。这个屋内也有兵器，杨行密经常穿着单衣到他那里，和他一起喝酒吃饭，一点也不怀疑。

钱镠听说苏州失陷，急忙召见顾全武，派他赶赴西陵防备杨行密。顾全武说："越州，是董昌这伙贼寇的根据地，马上就要攻克它了，为什么要放弃呢？请求先攻取越州，然后收复苏州。"钱镠听从了他的意见。

淮南将领朱延寿突然到达蕲州，包围蕲州城。蕲州大将贾公铎正在打猎，不能返回，把军队埋伏在树林中，命令两个勇士身披羊皮在夜里混入朱延寿所抢掠的羊群中，潜入城内，约定半夜打开城门，举起火把互相呼应。他们又披着羊皮回来复命。贾公铎按照约定时间带兵到达城南，城门内举起火把，贾公铎奋力作战，突破包围进入城内。朱延寿吃惊地说："我常担心他们突破包围冲出来，他们反而冲破包围进入城内，像这样，蕲州城怎么能很快攻取！"朱延寿就向杨行密报告，寻找军中与贾公铎有旧交的人拿着盟誓书信和金银布帛前去说服贾公铎，许诺和他结成姻亲。寿州团练副使柴再用请求前往，在城墙边与贾公铎对话，讲清利害得失。几天后，贾公铎和刺史冯敬章请求投降。杨行密任命冯敬章为左都押牙，贾公铎为右监门卫将军。朱延寿进军攻克光州，杀了光州刺史刘存。

【注释】

㉟辛酉：四月初十日。㊱滑州城：在今河南滑县东。㊲洹水：县名，县治在今河北魏县西。㊳长直兵：将帅身边随时使唤的士兵。㊴私：私通。㊵铁挝：铁鞭。挝，又作"鐹""檛"，或释为镰刀，铁挝即铁镰。㊶张佶（？至公元九一一年）：京兆长安（今陕西西安）人，官至朗州永顺军节度使，累加检校太傅、同平章事。传见《旧五代史》卷十七。㊷踶啮：踢咬。㊸髀：大腿。㊹乃主：你们的主人。㊺听直军将：即值勤厅事之

军将。听，通“厅”。㊱刘龙骧：刘建锋。㊲张司马：张佶。㊳一体之人：刘建锋、张佶、马殷同在孙儒军中，儒败，三人协力成军以取湖南，故姚彦章说他们是“一体之人”。㊴人望：大家的期望。㊵皇天荡：在苏州长洲县内，其水上承太湖，下通海。㊶朱友恭（？至公元九〇四年）：原名李彦威，寿州（今安徽寿春）人，朱全忠养以为子，改名朱友恭。传见《新唐书》卷二百二十三下、《旧五代史》卷十九、《新五代史》卷四十三。㊷便宜：因利乘便，见机行事。㊸觇：窥视。㊹戊寅：四月二十七日。㊺婴城自守：环城自守。㊻趋下：急速走下。张佶坐受拜谒，是作为留后受将校牙参之礼；以留后让马殷后，帅将吏拜贺，是作为行军司马贺新留后之礼。㊼癸未：五月初三日。㊽常熟：县名，县治在今江苏常熟。㊾愿以一身易百口之死：成及全家百口在钱镠处，如果他投降杨行密，则全家百口难保。故愿自杀以保全家。易，换。㊿馆：止宿。(371)使趋西陵备行密：时钱镠派顾全武、许再思进兵越州城下，急召使之趋西陵，既恐杨行密得苏州后乘胜攻杭州，

【原文】

丙戌(382)，上遣中使诣梓州(383)和解两川(384)，王建虽奉诏还成都，然犹连兵未解。

崔昭纬复求救于朱全忠。戊子(385)，遣中使赐昭纬死，行至荆南，追及，斩之，中外咸以为快。

荆南节度使成汭与其将许存溯江(386)略地(387)，尽取滨江州县(388)。武泰(389)节度使王建肇弃黔州，收余众保丰都(390)。存又引兵西取渝(391)、涪(392)二州，汭以其将赵武为黔中留后，存为万州(393)刺史。

汭知存不得志，使人诇(394)之，曰：“存不治州事，日出蹴鞠(395)。”汭曰：“存将逃[18]，先匀足力(396)也。”遣兵袭之，存弃城走，其众稍稍归之，屯于茅坝(397)。赵武数攻丰都，王建肇不能守，与存皆降于王建。建忌存勇略，欲杀之，掌书记高烛曰：“公方总揽(398)英雄以图霸业，彼穷来归我，奈何杀之！”建使戍蜀州(399)，阴使知蜀州王宗绾察之。宗绾密言存忠勇谦厚[19]，有良将才，建乃舍之(400)，更其姓名曰王宗播，而宗绾竟不使宗播知其免己(401)也。宗播元从(402)孔目官(403)柳修业，每劝宗播慎静(404)以免祸。其后宗播为建将，遇强敌诸将所惮者，以身先之，及有功，辄称病，不自伐(405)，由是得以功名终。

甲午(406)，夜，顾全武急攻越州。乙未(407)旦，克其外郭，董昌犹据牙

又恐其自海道取西陵。备，防备。㊲垂克：即将攻下。㊳朱延寿（？至公元九〇三年）：庐州舒城（今安徽舒城）人，杨行密之妻弟。后为杨行密所杀。传见《新唐书》卷一百八十九、《旧五代史》卷十七。㊴奄：突然。㊵衣羊皮：穿着羊皮。㊶反命：回来复命。㊷猝：突然。㊸誓书：写有盟约和诺言的书信。㊹押牙：官名，管领仪仗侍卫。㊺右监门卫将军：官名，掌领卫兵及门禁。㊻光州：州名，治所在今河南潢川县。

【校记】

［15］万余：原作“万余人”。据章钰校，十二行本、乙十一行本皆无“人”字，今据删。［16］汝南：原无此二字。据章钰校，十二行本、乙十一行本、孔天胤本皆有此二字，张敦仁《通鉴刊本识误》同，今据补。［17］而：原无此字。据章钰校，十二行本、乙十一行本、孔天胤本皆有此字，今据补。

【语译】

五月初六日丙戌，昭宗派遣宦官使者前往梓州劝说东川节度使顾彦晖与西川节度使王建和解。王建虽然奉诏回到成都，但是双方仍然交兵，没有和解。

崔昭纬又向朱全忠求救。初八日戊子，朝廷派遣宦官使者赐崔昭纬自杀，走到荆南，追上崔昭纬，把他杀了。朝廷内外都很高兴。

荆南节度使成汭和他的部将许存逆江而上攻城略地，把沿江州县全部夺取了。武泰节度使王建肇放弃黔州，收拢剩余的部众退保丰都县。许存又率军向西攻取渝州、涪州两个州，成汭任命他的部将赵武担任黔中留后，许存担任万州刺史。

成汭知道许存不得志，派人去刺探他的情况，刺探的人回来说：“许存不治理州中事务，每天出去踢球。”成汭说：“许存即将逃走，先锻炼脚力。”便派兵袭击许存，许存弃城逃走，他的部众渐渐地归队，驻扎在茅坝。赵武多次进攻丰都，王建肇守不住，和许存都投降了王建。王建忌惮许存的勇气和谋略，打算杀掉许存，掌书记高烛说：“您正在招揽英雄来谋求霸业，别人处境困难来归附我们，怎么能杀死别人呢！”王建派许存去镇守蜀州，暗中让知蜀州事王宗绾观察他。王宗绾秘密向王建报告说许存忠诚勇敢，谦虚厚道，具有良将的才干，王建才放过许存，把他的姓名改为王宗播，然而王宗绾最终也不让王宗播知道是自己使他免除灾祸的。原先跟随王宗播的孔目官柳修业，经常劝告王宗播要谨慎镇静以免除灾祸。后来王宗播成为王建的部将，遇到其他将领畏惧的强敌时，他身先士卒，等到有了功劳，经常自称有疾，不自我夸耀，因此他能够终身保全功名。

五月十四日甲午，夜晚，顾全武加紧攻打越州。十五日乙未早晨，攻克外城，

城㊵拒之。戊戌㊶，镠遣昌故将骆团绐㊷昌云："奉诏，令大王致仕归临安㊸。"昌乃送牌印，出居清道坊㊹。己亥㊺，全武遣武勇都监使吴璋以舟载昌如杭州，至小江㊻南，斩之，并其家三[20]百余人，宰相李邈、蒋瓌以下百余人。昌在围城中，贪吝益[21]甚，口率㊼民间钱帛，减战士粮。及城破，库有金帛[22]杂货五百间，仓有粮三百万斛。钱镠传昌首于京师，散金帛以赏将士，开仓以振㊽贫乏。

李克用攻魏博，侵掠遍六州㊾。朱全忠召葛从周于郓州㊿，使将兵营洹水以救魏博，留庞师古攻郓州。六月，克用引兵击从周，汴人多凿坎⑲于陈前，战方酣，克用之子铁林指挥使⑳落落马遇坎而踬㉑，汴人生擒之；克用自往救之，马亦踬，几为汴人所获。克用顾㉒射汴将一人，毙之，乃得免。克用请修好以赎落落，全忠不许，以与罗弘信，使杀之㉓。克用引军还。

葛从周自洹水引兵济河，屯于杨刘㉔，复击郓，及兖、郓、河东之兵战于故乐亭㉕，破之。兖、郓属城皆为汴人所据，屡求救于李克用，克用发兵赴之，为罗弘信所拒，不得前，兖、郓由是不振。

【段旨】

以上为第十一段，写荆南节度使成汭得江滨之地而失勇将，钱镠得志破灭董昌。李克用救郓、兖受阻于魏博，为汴兵所败。

【注释】

㊳丙戌：五月初六日。㊴梓州：州名，治所在今四川三台。㊵两川：指西川、东川。时西川节度使为王建，东川节度使为顾彦晖。㊶戊子：五月初八日。㊷溯江：逆江水而上。㊸略地：攻占、夺取土地。㊹尽取滨江州县：此指成汭之军攻占长江三峡至渝、涪沿江两岸的州县。滨江，靠近江边。㊺武泰：方镇名，唐昭宗大顺元年（公元八九〇年）赐黔州观察使号武泰军节度使，治所黔州，在今重庆市彭水苗族土家族自治县。㊻丰都：县名，县治在今重庆丰都。唐时属忠州。㊼渝：州名，治所在今重庆。㊽涪：州名，治所在今重庆市涪陵区。㊾万州：州名，治所在今重庆市万州区。㊿诇：刺探。⑤蹴鞠：古代军中习武之戏，类似今之踢足球。蹴，踢。鞠，用皮革制成的皮球，内装兽毛。⑥先匀足力：

董昌仍然占据牙城抵抗敌军。十八日戊戌，钱镠派遣董昌旧时部将骆团欺骗董昌说："接到朝廷的诏令，命令您退职回到临安。"董昌于是送上令牌印章，出牙城住到清道坊。十九日己亥，顾全武派遣武勇都监使吴璋用船送董昌从越州往杭州，到了小江南面，杀死董昌，同时杀死他的家族三百多人以及董昌任用的宰相李邈、蒋瓌以下官员一百多人。董昌身处围城之中时，贪婪吝啬越来越厉害，按照人口数目来征收老百姓的钱帛，减少士兵的粮食。等到越州被攻破时，府库中储存的金帛财物有五百间，仓内有粮食三百万斛。钱镠把董昌的头颅送到京城，分发金银布帛以奖赏将士，打开粮仓来救济贫困百姓。

李克用攻打魏博节度使罗弘信，侵掠遍及魏、博、贝、卫、澶、相六州。朱全忠从郓州召回葛从周，派他率军在洹水扎营来救援魏博，留下庞师古攻打郓州。六月，李克用率军进击葛从周，汴州军队在阵前挖了很多陷阱，双方交战正激烈时，李克用的儿子铁林指挥使李落落的战马被陷阱绊倒，汴州军队活捉了李落落。李克用亲自前往救援，战马也被绊倒，险些被汴州军队擒获。李克用回身射中一个汴州将领，把他射死了，才得以脱身。李克用请求与朱全忠和好以赎回李落落，朱全忠不答应，把李落落交给了罗弘信，让罗弘信杀死李落落。李克用率军返回晋阳。

葛从周从洹水率军渡过黄河，驻扎在杨刘镇，再次进攻郓州，与兖州、郓州、河东的军队在故乐亭交战，打败了他们。兖州、郓州所属城镇都被汴州军队占据，一再向李克用求救，李克用发兵前往救援，被罗弘信阻挡，不能前进。兖州、郓州从此一蹶不振。

先调治脚下的力量。成汭心胸狭隘，嫉贤妒能，先不见容于张瓌，现在自己却不能容让许存。匀，调理、调治。㊴⑦茅坝：镇名，在渝州江津县。㊴⑧总揽：广揽人才。㊴⑨蜀州：州名，治所在今四川崇州。㊵⓪舍之：放过他；不再迫害。㊵①免己：使自己得以免祸。㊵②元从：从开始就相从的人员。㊵③孔目官：官名，掌文书档案，收贮图书。㊵④慎静：谨慎宁静。㊵⑤自伐：自己夸功。㊵⑥甲午：五月十四日。㊵⑦乙未：五月十五日。㊵⑧牙城：城邑外城亦称大城，内城亦称小城，围绕衙署所筑之城谓之牙城。㊵⑨戊戌：五月十八日。㊶⓪绐：哄骗。㊶①临安：县名，县治在今浙江杭州。㊶②清道坊：街道名，在越州牙城外东街。㊶③己亥：五月十九日。㊶④小江：即西江。源出诸暨县界，东流过钱清镇入于海，故又名钱清江。㊶⑤口率：按人口收税的定则。㊶⑥振：通"赈"，救济。㊶⑦六州：魏、博、贝、卫、澶、相。㊶⑧召葛从周于郓州：葛从周是汴镇的骑将，故调来对付李克用的便于鞍马的沙陀兵。㊶⑨坎：坑穴。㊷⓪铁林指挥使：官名，李克用铁林军的指挥官。㊷①踬：被绊倒。㊷②顾：回头。㊷③使杀之：朱全忠借刀杀人，罗弘信既杀克用之子落落，则与之结下深仇；而与朱全忠的关系则进一步巩固。㊷④杨刘：镇名，在山东东阿北六十里。㊷⑤故乐亭：地名。

【校记】

［18］逃：原作“逃走”。据章钰校，十二行本、乙十一行本皆无“走”字，今据删。［19］谦厚：原作“谦谨”。据章钰校，十二行本、乙十一行本皆作“谦厚”，今从

【原文】

初，李克用屯渭北[426]，李茂贞、韩建惮之，事朝廷礼甚恭。克用去[427]，二镇贡献渐疏，表章骄慢。上自石门还，于神策两军之外，更置安圣[428]、捧宸、保宁、宣化等军，选补数万人，使诸王将之。嗣延王[429]戒丕、嗣覃王嗣周又自募麾下数千人。茂贞以为欲讨己，语多怨望[430]，嫌隙日构[431]。茂贞亦勒兵扬言欲诣阙讼冤[432]，京师士民争亡匿山谷。上命通王滋及嗣周、戒丕分将诸军以卫近畿[433]，戒丕屯三桥[434]。茂贞遂表言“延王无故称兵讨臣，臣今勒兵入朝请罪[435]”。上遽遣使告急于河东。丙寅[436]，茂贞引兵逼京畿，覃王与战于娄馆[437]，官军败绩。

秋，七月，茂贞进逼京师。延王戒丕曰：“今关中藩镇无可依者，不若自鄜州[438]济河，幸太原，臣请先往告之。”辛卯[439]，诏幸鄜州。壬辰[440]，上出至渭北。韩建遣其子从允奉表请幸华州，上不许。以建为京畿都指挥[441]、安抚制置及开通四面道路、催促诸道纲运等使。而建奉表相继，上及从官亦惮远去。癸巳[442]，至富平[443]，遣宣徽使[444]元公讯召建，面议去留。甲午[445]，建诣富平见上，顿首涕泣言：“方今藩臣跋扈者，非止茂贞。陛下若去[446]宗庙园陵，远巡边鄙[447]，臣恐车驾济河，无复还期。今华州兵力虽微，控带[448]关辅，亦足自固。臣积聚训厉，十五年矣[449]，西距长安[450]不远，愿陛下临之，以图兴复。”上乃从之。乙未[451]，宿下邽[452]。丙申[453]，至华州，以府署为行宫。建视事于龙兴寺[454]。茂贞遂入长安，自中和以来所葺宫室、市肆，燔烧俱尽[455]。

乙巳[456]，以中书侍郎、同平章事崔胤同平章事，充武安[457]节度使。上以胤，崔昭纬之党也，故出之。

改。[20] 三：原作“二”。据章钰校，十二行本、乙十一行本、孔天胤本皆作“三”，今从改。[21] 益：原作“日”。据章钰校，乙十一行本作“益”，今从改。[22] 金帛：原无此二字。据章钰校，十二行本、乙十一行本、孔天胤本皆有此二字，张瑛《通鉴校勘记》同，今据补。

【语译】

起初，李克用驻军在渭水北面，李茂贞、韩建惧怕李克用，侍奉朝廷的礼节非常恭敬。李克用离开后，李茂贞、韩建向朝廷献纳的贡品逐渐减少，上奏的表章态度傲慢。昭宗从石门返回京城后，在左、右神策军以外，又设置了安圣、捧宸、保宁、宣化等禁军，挑选增补了几万人，派诸王来统率他们。嗣延王李戒丕和嗣覃王李嗣周又自己招募部下几千人。李茂贞以为朝廷是想讨伐他，话语中多有抱怨，与朝廷的裂痕日渐加深。李茂贞也整顿军队扬言说想到朝廷申诉冤情，京城中的士人百姓争相逃匿到山谷里。昭宗命令通王李滋及李嗣周、李戒丕分别率领诸军保卫京城附近地区，李戒丕驻守三桥。李茂贞于是上表说：“延王李戒丕无故兴兵讨伐臣，臣如今统率军队入朝请罪。”昭宗马上派遣使者向河东节度使李克用告急。六月十七日丙寅，李茂贞率军逼近京城，覃王李嗣周和李茂贞在娄馆交战，官军打败了。

秋，七月，李茂贞进逼京城。延王李戒丕说：“现在关中地区的藩镇没有一个可以依靠，不如从鄜州渡过黄河，移驾太原，臣请求先去告诉李克用。”十二日辛卯，昭宗下诏前往鄜州。十三日壬辰，昭宗出城到达渭水北岸。韩建派遣他的儿子韩从允奉表请昭宗亲临华州，昭宗不同意。任命韩建为京畿都指挥、安抚制置及开通四面道路、催促诸道纲运等使。然而韩建不断上表，昭宗和随从官员也怕走得太远。十四日癸巳，到达富平，派遣宣徽使元公讯招来韩建，当面商量去留。十五日甲午，韩建到达富平谒见昭宗，磕头哭着说：“如今藩镇骄横跋扈的，不仅李茂贞一个人。陛下如果离开先皇的宗庙、园陵，到边远的地方去巡视，臣担心陛下渡过黄河，再也回不来了。如今华州的兵力虽然弱小，但掌控关中三辅一带，也足以自保。臣积聚粮草，训练军队，已有十五年了，华州西距长安不远，希望陛下能驾临华州，来规划复兴大业。”昭宗于是听从了韩建的意见。十六日乙未，昭宗在下邽县住宿。十七日丙申，到达华州，把节度使府作为行宫。韩建在龙兴寺处理政务。李茂贞便进入长安，自从中和年间以后所修建的宫殿、市场、店铺，被李茂贞部下放火焚烧殆尽。

七月二十六日乙巳，朝廷任命中书侍郎、同平章事崔胤为同平章事，出任武安节度使。昭宗因为崔胤是崔昭纬的同党，所以把他调出朝廷。

丙午[458]，以翰林学士承旨、尚书左丞[459]陆扆[460]为户部侍郎、同平章事。扆，陕人也。

水部郎中[461]何迎表荐[462]国子毛诗博士[463]襄阳[464]朱朴[465]才如谢安[466]，道士许岩士亦荐朴有经济才[467]。上连日召对，朴有口辩[468]，上悦之，曰："朕虽非太宗[469]，得卿如魏徵[470]矣！"赐以金帛，并赐何迎。

以徐彦若为大明宫留守，兼京畿安抚制置等使。

杨行密表请上迁都江淮，王建请上幸成都[471]。

宰相畏韩建，不敢专决政事。八月丙辰[472]，诏建关议[473]朝政。建上表固辞[474]，乃止。

韩建移檄诸道，令共输资粮诣行在。李克用闻之，叹曰："去岁从余言，岂有今日之患！"又曰："韩建天下痴物[475]，为贼臣弱[476]帝室，是不为李茂贞所擒，则为朱全忠所虏耳！"因奏将与邻道发兵入援。

加钱镠兼中书令。

癸丑[477]，以王建为凤翔西面行营招讨使[478]。

甲寅[479]，以门下侍郎、同平章事王抟[480]同平章事，充威胜[481]节度使。

【段旨】

以上为第十二段，写唐昭宗使诸王典兵遭李茂贞之忌，再次称兵犯阙，昭宗出逃华州。

【注释】

[426]屯渭北：李克用自邠宁返回时屯兵渭北。[427]去：归河东。[428]安圣：与捧宸、保宁、宣化皆为禁卫军。[429]嗣延王：嗣王为亲王之子承袭爵位所封位号，品班与郡王同。[430]怨望：心怀不满。[431]嫌隙日构：由猜疑而形成的仇怨一天天加深。[432]讼冤：申诉冤屈。[433]近畿：京城近郊。[434]三桥：镇名，在长安城西郊。[435]勒兵入朝请罪：系威胁之辞。勒兵，治兵、统帅军队。[436]丙寅：六月十七日。[437]娄馆：镇名，在长安西兴平县西。[438]鄜州：州名，治所在今陕西富县。由鄜州渡河去太原，道路回远。因为韩建在华州，李茂贞之养子李继瑭在同州，不敢由同州出河中。[439]辛卯：七月十二日。[440]壬辰：七月十三日。[441]京畿都指挥：官名，唐昭宗欲幸太原，临时任命韩建担任此职。[442]癸

二十七日丙午，朝廷任命翰林学士承旨、尚书左丞陆扆担任户部侍郎、同平章事。陆扆，是陕州人。

水部郎中何迎上表推荐说国子监毛诗博士襄阳人朱朴的才能和谢安一样；道士许岩士也推荐说朱朴有经国济世的才干。昭宗一连几天召见朱朴进行咨询，朱朴口齿善辩，昭宗很喜欢他，说："朕虽然不是太宗皇帝，但得到您就好像得到魏征一样呀！"赏赐给朱朴金银布帛，一并赏赐了何迎。

朝廷任命徐彦若为大明宫留守，兼任京畿安抚制置等使。

杨行密上表请求昭宗迁都到江淮，王建请昭宗亲临成都。

宰相惧怕韩建，不敢自主决断政事。八月初八日丙辰，昭宗下诏命令韩建参与商议朝廷政事。韩建上表坚决辞让，这才作罢。

韩建向各道发出檄文，要求他们共同输送物资粮食到昭宗所在的地方。李克用听到这个消息，感慨地说："去年皇上听从我的话，怎么会有今天的灾祸！"又说："韩建是天下最蠢的人，替乱臣贼子削弱大唐帝室，他不被李茂贞捉去的话，就会被朱全忠俘虏！"于是李克用上奏说将要与邻近各道发兵前来救援。

朝廷加封钱镠兼任中书令。

八月初五日癸丑，朝廷任命王建担任凤翔西面行营招讨使。

初六日甲寅，任命门下侍郎、同平章事王抟担任同平章事，出任威胜节度使。

巳：七月十四日。㊸富平：县名，县治在今陕西富平北。㊹宣徽使：官名，唐置宣徽南北院使，由宦官担任，总领营内诸司及三班内侍的名籍及郊祀、朝会、宴飨、供帐等事宜。㊺甲午：七月十五日。㊻去：离开。㊼边鄙：指太原。意谓距离京城较远。㊽控带：控制连带。㊾臣积聚训厉二句：韩建任华州刺史，当在光启元年（公元八八五年）僖宗还长安之时，距今应是十二年。训厉，教练士兵，磨砺兵器。厉，通"砺"。㊿西距长安：华州西至长安一百五十里。451乙未：七月十六日。452下邽：县名，县治在华州西北六十五里。453丙申：七月十七日。454龙兴寺：寺庙名。455自中和以来二句：黄巢事起，宫室燔毁。僖宗中和年间以后，留守王徽补葺粗完。襄王之乱，又为乱兵所焚。及僖宗回京，复加整修。至此又被李茂贞燔毁。燔，焚烧。456乙巳：七月二十六日。457武安：方镇名，唐僖宗中和三年（公元八八三年）升湖南观察使为钦化军节度使，光启元年（公元八八五年）改为武安军节度使，治所潭州，在今湖南长沙。458丙午：七月二十七日。459尚书左丞：官名，唐制尚书省仆射之下设左右丞，分别总领尚书省六部的事务。左丞领吏、户、礼三部。左、右丞的地位与六部的侍郎相等。460陆扆（公元八四六至九〇五年）：字祥文，本名允迪，陆贽族孙，文思敏捷。本吴郡人，徙家于陕，遂为陕州

人。传见《旧唐书》卷一百七十九、《新唐书》卷一百八十三。[461]水部郎中：官名，唐制工部第四司置水部郎中员外郎，掌有关水道的政令。[462]表荐：上表推荐。[463]国子毛诗博士：官名，唐制，国子监置五经博士各一人，掌以其经之学教学子。五经即为《周易》《尚书》《毛诗》《左氏春秋》《礼记》。[464]襄阳：郡名，即襄州，治所在今湖北襄阳。[465]朱朴：负有虚名，昭宗用为相，举朝惊愕。传见《旧唐书》卷一百七十九、《新唐书》卷一百八十三。[466]谢安（公元三二〇至三八五年）：晋朝人，淝水之战的指挥者。传见《晋书》卷七十九。[467]经济才：经国济民之才。[468]口辩：有口才；能言善辩。[469]太宗：指唐太宗。[470]魏徵（公元五八〇至六四三年）：太宗朝谏议大夫、秘书监。遇事敢谏，为太宗所敬畏。传见《旧唐书》卷七十一、《新唐书》卷九十七。[471]成都：府名，时为剑南西

【原文】

上愤天下之乱，思得奇杰之士不次[482]用之，国子博士朱朴自言："得为宰相，月余可致太平。"上以为然。乙丑[483]，以朴为左谏议大夫[484]、同平章事。朴为人庸鄙[485]迂僻[486]，无他长。制出，中外大惊。

丙寅[487]，加韩建兼中书令。

九月庚辰[488]，升福建为威武军，以观察使王潮为节度使。

以湖南留后马殷判湖南军府事。殷以高郁为谋主，郁，扬州人也。殷畏杨行密、成汭之强，议以金帛结之，高郁曰："成汭不足畏也。行密公之仇[489]，虽以万金赂之，安肯为吾援乎！不若上奉天子，下抚[23]士民，训卒厉兵，以修霸业，则谁与为敌矣！"殷从之。

崔胤出镇湖南[490]，韩建之志也。胤密求援于朱全忠，且教之营东都宫阙，表迎车驾。全忠与河南[491]尹张全义[492]表请上迁都洛阳，全忠仍请以兵二万迎车驾，且言崔胤忠臣，不宜出外。韩建惧，复奏召胤为相，遣使谕全忠以且宜安静，全忠乃止。乙未[493]，复以胤为中书侍郎、同平章事[494]。以翰林学士承旨、兵部侍郎崔远[495]同平章事。远，珙弟玙之孙[496]也。

丁酉[497]，贬中书侍郎、同平章事陆扆为硖州[498]刺史。崔胤恨扆代己，诬扆，云党于李茂贞而贬之。

川节度使治所。杨行密、王建都要迎天子，实际上企图挟天子以令诸侯。㊼㊁ 丙辰：八月初八日。㊼㊂ 关议：参与议论。㊼㊃ 固辞：坚决推辞。韩建不愿入朝，并非畏避权势，而是由于自己目不知书，故辞。㊼㊄ 痴物：傻瓜。㊼㊅ 弱：使动用法，使帝室衰弱。㊼㊆ 癸丑：八月初五日。㊼㊇ 以王建句：欲使王建讨伐李茂贞。㊼㊈ 甲寅：八月初六日。㊽〇 王抟（？至公元九〇〇年）：字昭逸。与崔胤并为宰相，遭胤排挤，光化三年（公元九〇〇年）罢为工部侍郎，贬崖州司户参军，出京后被赐死于蓝田驿。传见《新唐书》卷一百十六。㊽㊀ 威胜：方镇名，唐僖宗中和三年（公元八八三年）升浙江东道观察使为义胜军节度使，光启三年（公元八八七年）改义胜军为威胜军节度使，治所越州，在今浙江绍兴。

【语译】

昭宗愤慨天下混乱不安，想得到奇异杰出的人才破格任用。国子博士朱朴自己说："臣能担任宰相，一个多月可以使天下太平。"昭宗以为真是如此。八月十七日乙丑，任命朱朴为左谏议大夫、同平章事。朱朴为人平庸粗鄙、迂腐僻陋，没有其他的长处。诏令颁布以后，朝廷内外大为惊讶。

十八日丙寅，昭宗加封韩建兼任中书令。

九月初二日庚辰，朝廷提升福建观察使司为威武军，任命观察使王潮为威武军节度使。

朝廷任命湖南留后马殷兼管湖南军府事务。马殷任用高郁为自己的谋主。高郁，是扬州人。马殷害怕杨行密、成汭的强大，商议用金银布帛来结交他们，高郁说："成汭没有什么可怕。杨行密是您的仇人，即使送给他一万两黄金，他怎么肯援助我们呢！不如对上尊奉皇上，对下安抚士民，训练士卒，整修兵器，以此来谋求霸业，这样还有谁能和我们为敌呢！"马殷听从了他的意见。

崔胤被调出京城镇守湖南，是韩建的想法。崔胤暗中向朱全忠求援，并且教他整修东都洛阳的宫殿，向朝廷上表迎接昭宗到洛阳。朱全忠和河南尹张全义上表请昭宗迁都洛阳，朱全忠还请求派出两万名士兵迎接昭宗，并且说崔胤是忠臣，不宜出任外职。韩建害怕了，又上奏叫崔胤担任宰相，派遣使者告诉朱全忠暂时以安定为宜，朱全忠才停止了行动。九月十七日乙未，又任命崔胤为中书侍郎、同平章事。任命翰林学士承旨、兵部侍郎崔远为同平章事。崔远，是崔珙弟弟崔玙的孙子。

九月十九日丁酉，昭宗把中书侍郎、同平章事陆扆贬为硖州刺史。崔胤怨恨陆扆取代自己的职位，诬陷陆扆，说他是李茂贞的同党，所以被贬职。

己亥[499]，以朱朴兼判户部，凡军旅财赋之事，上一以委之。以孙偓[500]为凤翔四面行营都统，又以前定难[501]节度使李思谏为静难节度使[502]，兼副都统。

以保大留后李思敬为节度使。

河东将李存信攻临清[503]，败汴将葛从周于宗城[504]北，乘胜至魏州北门。

冬，十月壬子[505]，加孙偓行营节度、招讨、处置等使。丁巳[506]，以韩建权知京兆尹，兼把截使。戊午[507]，李茂贞上表请罪，愿得自新，仍献助修宫室钱。韩建复佐佑[508]之，竟不出师。

【段旨】

以上为第十三段，写唐昭宗受制于藩镇，诏命朝令夕改，一个崔胤小人的去留都做不了主。

【注释】

⑫不次：不按寻常的次序，意即破格。⑬乙丑：八月十七日。⑭谏议大夫：官名，唐时属门下省，掌侍从规谏。⑮庸鄙：平庸粗鄙。⑯迂僻：迂腐僻陋。⑰丙寅：八月十八日。⑱庚辰：九月初二日。⑲公之仇：马殷曾从孙儒攻杨行密，连年交战，已成仇敌。⑳出镇湖南：指出任武安节度使。㉑河南：府名，治所洛阳，在今河南洛阳。㉒张全义（公元八五一至九二六年）：字国维，濮州人，原名言，唐昭宗赐名全义，唐亡，事梁，朱全忠改名宗奭。传见《旧五代史》卷六十三、《新五代史》卷四十五。㉓乙未：九月十七日。㉔以胤为中书侍郎同平章事：崔胤自此与朱全忠相表里。㉕崔远（？至公元九〇五年）：博陵（今河北定州）人，昭宗朝官至中书侍郎，为奸佞柳璨排挤，贬为百

【原文】

钱镠令两浙吏民上表，请以镠兼领浙东。朝廷不得已，复以王抟为吏部尚书、同平章事，以镠为镇海[509]、威胜[510]两军节度使。丙子[511]，更名威胜曰镇东军。

九月二十一日己亥，朝廷任命朱朴兼管户部，凡是军队财政赋税方面的事务，昭宗全部交给他掌管。任命孙偓担任凤翔四面行营都统，又任命前定难节度使李思谏担任静难节度使，兼任凤翔四面行营副都统。

朝廷任命保大留后李思敬担任节度使。

河东将领李存信进攻临清，在宗城以北击败汴州将领葛从周，乘胜到达魏州北门。

冬，十月初五日壬子，朝廷加封孙偓为行营节度、招讨、处置等使。初十日丁巳，任命韩建暂时代理京兆尹，兼任把截使。十一日戊午，李茂贞上表请罪，希望得到改过自新的机会，还献上协助整修宫殿的钱财。韩建又袒护他，朝廷竟然没有出兵讨伐李茂贞。

州长史，被杀于赴贬所途中白马驿。传附《旧唐书》卷一百七十七、《新唐书》卷一百八十二《崔珙传》。㊽远二句：崔远是文宗朝宰相崔珙弟弟崔玙的孙子。崔玙，懿宗朝礼部员外郎，传亦附《崔珙传》。㊾丁酉：九月十九日。㊿硖州：州名，即峡州，治所夷陵，在今湖北宜昌。⑾己亥：九月二十一日。⑿孙偓：字龙光。与朱朴同为昭宗宰相，并与朱朴同时被贬，卒于衡州司马任上。传见《新唐书》卷一百八十三。⒀定难：方镇名，唐僖宗中和二年（公元八八二年）夏州节度赐号定难节度。⒁李思谏为静难节度使：对孙偓、李思谏的任命是为讨伐李茂贞。静难，方镇名，唐僖宗光启元年（公元八八五年）邠宁节度赐号静难军节度。⒂临清：县名，县治在今河北临西县。⒃宗城：县名，县治在今河北威县东。⒄壬子：十月初五日。⒅丁巳：十月初十日。⒆戊午：十月十一日。⒇佐佑：帮助；辅翼。

【校记】

［23］抚：原作“奉”。据章钰校，乙十一行本、孔天胤本皆作“抚”，张敦仁《通鉴刊本识误》同，今从改。

【语译】

钱镠命令两浙的官吏百姓上表朝廷，请求任命钱镠兼管浙东。朝廷没有办法，再次任命王抟为吏部尚书、同平章事，任命钱镠为镇海、威胜两军节度使。十月二十九日丙子，把威胜军改名为镇东军。

李克用自将攻魏州，败魏兵于白龙潭[512]，追至观音门[513]。朱全忠复遣葛从周救之，屯于洹水，全忠以大军继之，克用乃还。

加河中节度使王珂同平章事。

十一月，朱全忠还大梁，复遣葛从周东会庞师古，攻郓州。

湖州刺史李师悦求旌节，诏置忠国军于湖州，以师悦为节度使。赐告身旌节者未入境，戊子[514]，师悦卒。杨行密表师悦子前绵州[515]刺史彦徽知州事。

淮南将安仁义攻婺州[516]。

十二月，东川兵焚掠汉、眉、资、简[517]之境。

清海[518]节度使薛王知柔[519]行至湖南，广州牙将卢琚、谭弘玘据境拒之，使弘玘守端州[520]。弘玘结封州[521]刺史刘隐[522]，许妻以女。隐伪许之，托言亲迎，伏甲舟中，夜入端州，斩弘玘，遂袭广州，斩琚，具军容[523]迎知柔入视事。知柔表隐为行军司马。

【段旨】

以上为第十四段，写钱镠领镇海、威胜两军节度使，与杨行密分庭抗礼于东南。汴、晋两军大战于魏州。薛王李知柔靖难广州。

【注释】

⑤⓪⑨镇海：方镇名，唐宪宗元和二年（公元八〇七年）升浙江西道团练观察使为镇海军节度使，以后数置数废。治所苏州。⑤①⓪威胜：方镇名，唐僖宗中和三年（公元八八三年）升浙江东道观察使为义胜军节度使，光启三年改为威胜军节度使，治所越州。至此，钱镠跨有浙东、浙西两镇。⑤①①丙子：十月二十九日。⑤①②白龙潭：地名，在魏县西。⑤①③观音门：魏州罗城西门。⑤①④戊子：十一月十二日。⑤①⑤绵州：州名，治所在今四川绵阳东北。⑤①⑥婺州：州名，治所在今浙江金华。⑤①⑦汉、眉、资、简：皆州名，西川巡属。汉州治所在今四川广汉，眉州治所在今四川眉山，资州治所在今四川资中，简州治所在今四川简阳西。⑤①⑧清海：方镇名，乾宁二年赐岭南东道节度号清海军节度。⑤①⑨知柔：即李知柔，睿宗玄孙，嗣薛王。传见《新唐书》卷八十一。⑤②⓪端州：州名，治所在今广东肇

李克用亲自率军进攻魏州，在白龙潭打败了魏州军队，追击到魏州外城的观音门。朱全忠又派葛从周救援魏州，驻扎在洹水，他自己带领大军继踵其后，李克用便返回晋阳。

加封河中节度使王珂为同平章事。

十一月，朱全忠返回大梁，又派遣葛从周向东会合庞师古，进攻郓州。

湖州刺史李师悦索求节度使的仪仗双旌双节，昭宗下诏在湖州设置忠国军，任命李师悦为节度使。朝廷派出授予他官职凭证和旌节的使者还没有进入湖州境内，十一月十二日戊子，李师悦去世。杨行密向朝廷上表，请求任命李师悦的儿子前绵州刺史李彦徽掌管湖州事务。

淮南将领安仁义攻打婺州。

十二月，东川军的士兵在西川节度使王建管辖的汉、眉、资、简四州境内烧杀抢掠。

清海节度使薛王李知柔走到湖南，广州牙将卢琚、谭弘玘守住地盘拒绝李知柔入境，派谭弘玘防守端州。谭弘玘联合封州刺史刘隐，许诺把自己女儿嫁给刘隐为妻。刘隐假装答应这门亲事，以亲自迎妻为借口，把全副武装的士兵埋伏在船中，夜晚进入端州，杀死了谭弘玘，进而袭击广州，又杀死了卢琚，刘隐整顿好军容迎接李知柔进入广州治事。李知柔向朝廷上表请求任命刘隐为行军司马。

庆。㉑ 封州：州名，治所在今广东封开。㉒ 刘隐（公元八七三至九一一年）：其祖上蔡（今河南上蔡）人，后徙闽中。父谦为封州刺史，卒，刘隐代为封州刺史。传见《旧五代史》卷一百三十五、《新五代史》卷六十五。㉓ 具军容：整顿好军士兵队列；使部队具备军容仪貌。

【研析】

本卷研析董昌称帝、朱李争河北、昭宗出幸华州三件史事。

第一，董昌称帝。董昌称帝是一场闹剧。董昌，杭州临安人。起初入籍地方军户，以行伍积功为石镜镇镇将。僖宗光启三年（公元八八七年），董昌官至义胜军节度使，贡输朝廷赋税，额外加两倍，刻期送达，因此之故，累迁加官至检校太尉、同中书门下平章事，爵陇西郡王。董昌对郡王爵位大为不满，他要自称为越王，有人戏之曰："与其称越王，何不称越帝。"董昌兴奋至极，于是有投其好者，献祥瑞者有之，进民谣者有之，劝进请愿者有之，董昌飘飘然，五花八门的哄闹嚣嚣一片。节度副使黄碣、会稽令吴镣、山阴令张逊，三人劝谏，董昌将其满门抄斩，残暴至

极。董昌沾沾自喜对人说："我董昌杀了这三个人，再没有人敢违背我的意志了。"公元八九五年，董昌违众称越帝，给了钱镠一个攻城掠地的好机会。钱镠以诛逆为名，光明正大地进兵越州，董昌众叛亲离，去了帝号，钱镠仍不退兵，抓住时机，一举攻下越州。董昌被诛，钱镠据有浙江全境，董昌称帝，成就了钱镠的事业。董昌兵不满万，割据弹丸之地，十足的一个跳梁小丑，也敢于称帝，标志着唐王室气数已尽，割据称雄的地方强梁，一个个都是野心家。五代十国的纷争局面，从董昌称帝的这一滑稽闹剧中似乎已露端倪。

第二，朱李争河北。朱全忠与李克用是唐末北方两个最大的军阀，至昭宗即位之时，朱全忠在河南，四围已无敌手，李克用雄踞太原、河东，居高临下，也只有朱全忠能与之相抗。唐王室在关中，虽衰弱仍拥有天下共主之号，周边诸镇虽有觊觎之心而无有操控之力。李克用、朱全忠、唐王室，三者在地理上鼎足而居。朱李交恶，朝廷不辨是非，诏命和解，两存之以平衡力量。张濬连引朱全忠进讨李克用，打破平衡，实乃自取灭亡之道，张濬，祸国之臣也。是役也，朱温最为主动而窃喜之。张濬胜，李克用败亡，是朝廷替朱全忠灭一巨敌，为其篡唐野心驱除也。张濬败，李克用胜，则李克用背负抗拒王师之恶名，亦为朱全忠野心之实现驱除也，而朱全忠则收维护唐王室之美名以欺天下。至于官军，无论胜与败，都是加力推堕唐王室于深渊，而于朱全忠，无论胜与败，皆获大利，形势使然。

朱李争雄，决胜于河北，亦形势使然。王夫之曰："河北归汴，则扼晋之吭；河北归晋，则压汴之脊。"（《读通鉴论》卷二十七）假若朱全忠空其巢穴入长安，李克用渡河袭汴，则朱氏坐毙。若李克用入长安，朱全忠率领洛阳、淮西、山南之众以扣关，河北诸镇之兵捣太原，则李克用立亡。河北不安定，朱李后院不稳，故两人都不敢入关中，或入而不敢久留，长时间用全力争河北，原因在此。刘仁恭、王镕、罗弘信、李罕之、朱瑄、朱瑾，横亘在朱李之间，他们的消长，决定了朱李的兴亡。朱全忠必欲吃掉昔日盟友朱瑄、朱瑾，为的是安定后方。刘仁恭、李罕之背叛李克用，使朱全忠在河北的争夺中占了上风。但李克用未灭，朱全忠仍不敢西进，他处心积虑要唐王室迁都洛阳，便于就近篡逆。朱李争河北，没有了期，那么唐王室东迁之时，即为灭亡之日。这一形势的发展，导致李茂贞、韩建凌铄唐王室，起了推波助澜的作用。

第三，昭宗出幸华州。唐昭宗乾宁三年（公元八九六年）六月，昭宗增置禁军，选补数万人，使诸王率领，李茂贞认为是昭宗想要讨伐他，再次引军犯阙。七月，昭宗出奔渭北，遣使告太原，初欲北巡。华州镇国军节度使韩建近水楼台，遣其子韩从允奉表请昭宗幸华州。七月十五日，昭宗在富平召见韩建，面议去留。韩建顿首涕泣，恭敬有加，声称车驾渡河远去，恐无归期，华州教练士兵，磨砺兵器，积聚十有五年，离长安不远，愿昭宗临幸华州，再图复兴。其时杨行密表请昭宗迁都江淮，王建请昭宗幸蜀。昭宗及百官随从都不想远走，见韩建如此谦恭，于是七月十七日，车驾幸华州。皇帝到手，韩建显露狰狞，乾宁四年正月，引兵围行宫，胁迫昭宗下诏，解除诸王领兵，诸王回归十六宅，诸王所领禁军及殿后四军尽行解散，纵归田里。八月，韩建诬诸王谋反，杀尽十一王。昭宗讲武，本来想用以自卫，结果既陷群宗子弟于死地，又使自己更招藩臣之忌，宗子尽而身随以弑，国随以亡，真是可悲。

昭宗志欲兴唐，然志大才疏，非中兴之主，他的所有举措，看似义正，其实乖张，不合时宜。昭宗初即位之时，天下虽然割裂，黄巢之灭，天下引颈而望治，尚有可为。山南、剑南、河西、岭南，人犹知有天子，如桀骜之董昌，仍按时贡奉，企求天子之号。如果此时昭宗择诸王之贤者分领节镇，收士民，练甲兵，以屏藩王室，京师平衡南司与北司，遣使和解雄猜者之间的争斗，天子垂拱以稳定为大局，选贤才以牧民，中兴之业未必不可为。昭宗急躁使性，听张濬之邪说，轻启干戈讨沙陀，一败而损威矣；继而不听杜让能之诤言，再次兴兵讨茂贞，再败而威权扫地以尽，身陷孤城之中；而后讲武，使诸王典军，招藩镇之疑，无异于玩火自焚。韩建、李茂贞，酣睡于天子卧榻之侧，岂容天子自强。昭宗虑不及此，所以举措乖张，加速了唐王室的灭亡。

卷第二百六十一　唐纪七十七

起强圉大荒落（丁巳，公元八九七年），尽屠维协洽（己未，公元八九九年），凡三年。

【题解】

本卷记事起公元八九七年，迄公元八九九年，载述史事凡三年，当唐昭宗乾宁四年至光化二年。此时期，唐王室为李茂贞、韩建所掌控，昭宗被困华州达两年之久。韩建跋扈不臣，逼迫唐昭宗解除诸王领兵，又遣散殿后四军，而后大杀诸王。此三年间，全国混战，李克用与朱全忠争夺河北仍是主战场。魏博依附朱全忠，幽州刘仁恭、潞州李罕之反叛李克用，一时间朱全忠势力大增，在争夺邢、洺、磁三州的战斗中，李克用为汴军所败。随后刘仁恭与朱全忠交恶，李克用摆脱了困境。西川王建并东川，威服南诏，为唐末西部最大军阀。马殷据湖南。朱全忠助钱镠夺回苏州，而在大举进攻淮南之时汴军全军覆没，杨行密站稳淮南，于是与钱镠和解换俘。王审知继王潮领福州节镇。东南杨行密、钱镠、王审知已形成不可动摇的鼎立之势。朱全忠灭郓州、兖州的朱瑄、朱瑾，全据中原，又在河北与李克用争逐中占了上风，天下无敌手。韩建、李茂贞唯恐朱全忠夺走唐昭宗，于是转而与李克用联手对抗朱氏，唐昭宗才得以返回京都苟延残喘。

【原文】

昭宗圣穆景文孝皇帝中之上

乾宁四年（丁巳，公元八九七年）

春，正月甲申[①]，韩建奏："防城将张行思[②]等告睦、济、韶、通、彭、韩、仪、陈八王[③]谋杀臣，劫车驾幸河中。"建恶[④]诸王典兵[⑤]，故使行思等告之。上大惊，召建谕之，建称疾不入。令诸王诣建自陈[⑥]，建表称："诸王忽诣臣理所[⑦]，不测事端[⑧]。臣详酌[⑨]事体，不应与诸王相见。"又称："诸王当自避嫌疑，不可轻为举措[⑩]。陛下若以友爱含容[⑪]，请依旧制，令归十六宅[⑫]，妙选师傅，教以诗书，不令典兵预政[⑬]。"且曰："乞散彼乌合之兵[⑭]，用[⑮]光[⑯]麟趾之化[⑰]。"建虑上不从，引麾下精兵围行宫，表疏连上。上不得已，是夕，诏诸王所领军士并纵归[⑱]田里，诸王勒[⑲]归十六宅，其甲兵并委韩建收掌。建又奏：

【语译】

昭宗圣穆景文孝皇帝中之上

乾宁四年（丁巳，公元八九七年）

春，正月初八日甲申，韩建上奏说："华州防城将张行思等控告睦、济、韶、通、彭、韩、仪、陈八王图谋杀害我，要劫持皇上到河中去。"韩建厌恶诸王掌管军队，所以指使张行思等控告他们。昭宗大惊，召见韩建想向他说明，韩建声称有病不入朝。昭宗命令诸王到韩建那里自己去解释，韩建上表说："诸王忽然到臣办事的地方，臣猜测不出会发生什么事。臣详细斟酌了这件事情，不应该与诸王见面。"又说："诸王应当自己避开嫌疑，不可轻举妄动。陛下如果以友爱之情想要宽容他们，请依照过去的制度，命令他们回到十六宅，精选师傅，教他们诗、书，不要让他们掌管军队干预朝政。"并且说："请求解散诸王手下临时拼凑的兵士，用来光大《诗·麟之趾》所称述的教化。"韩建担心昭宗不同意，带领手下精兵包围了昭宗的行宫，表章奏疏接连送上。昭宗没有办法，当天晚上，下诏命令诸王所统领的军士全部解散，放他们回到田间乡里，勒令诸王回到十六宅，他们的甲胄、兵器都交给

"陛下选贤任能，足清祸乱，何必别置殿后四军⑳！显[1]有厚薄[2]之恩，乖无偏无党之道㉑。且所聚皆坊市无赖奸猾之徒，平居㉒犹思祸变㉓，临难㉔必不为用，而使之张弓挟刃㉕，密迩皇舆㉖，臣窃寒心㉗，乞皆罢。"遣[3]诏亦从之。于是殿后四军二万余人悉散，天子之亲军尽矣。捧日都头李筠，石门扈从功㉘第一，建复奏斩于大云桥㉙。建又奏："玄宗之末，永王璘㉚暂出江南，遽谋不轨。代宗时吐蕃入寇㉛，光启中朱玫乱常㉜，皆援立宗支㉝以系人望。今诸王衔命四方者㉞，乞皆召还。"又奏："诸方士㉟出入禁庭，眩惑㊱圣听，宜皆禁止，无得入宫。"诏悉从之。建既幽诸王于别第，知上意不悦，乃奏请立德王㊲为太子，欲以解之。丁亥㊳，诏立德王祐为皇太子，仍更名裕。

庞师古、葛从周并兵攻郓州，朱瑄兵少食尽，不复出战，但引水为深壕以自固。辛卯㊴，师古等营于水西南，命为浮梁㊵。癸巳㊶，潜决濠水㊷。丙申㊸，浮梁成，师古夜以中军先济。瑄闻之，弃城奔中都㊹，葛从周逐之，野人㊺执瑄及妻子以献。

己亥㊻，罢孙偓凤翔四面行营节度等使，以副都统李思谏为宁塞㊼节度使。

钱镠使行军司马杜稜救婺州。安仁义移兵攻睦州㊽，不克而还。

朱全忠入郓州，以庞师古为天平留后。

朱瑾留大将康怀贞守兖州，与河东将史俨、李承嗣掠徐州之境以给军食。全忠闻之，遣葛从周将兵袭兖州。怀贞闻郓州已失守，汴兵奄至，遂降。二月戊申㊾，从周入兖州，获瑾妻子。朱瑾还，无所归，帅其众趋沂州㊿，刺史尹处宾不纳，走保海州[51]，为汴兵所逼，与史俨、李承嗣拥州民渡淮，奔杨行密。行密逆[52]之于高邮，表瑾领武宁节度使。

全忠纳瑾之妻，引兵还，张夫人逆于封丘[53]，全忠以得瑾妻告之。夫人请见之，瑾妻拜，夫人答拜，且泣曰："兖、郓与司空[54]同姓，约为兄弟，以小故恨望[55]，起兵相攻，使吾姒[56]辱于此。他日汴州失守，

韩建收存掌管。韩建又上奏说：“陛下挑选贤良任用能臣，足以清除祸乱，何必另外设置殿后的安圣、捧宸、保宁、宣化四军呢！显得皇恩有厚薄之分，背离了没有偏向不结私党的原则。况且所聚集的都是街市中的无赖奸猾小人，在太平盛世时还想着作乱惹祸，当朝廷遭遇危难时一定不会为您效力。而让他们张开弓箭、手持刀剑，紧跟陛下的车驾，臣实在担心，请求把他们全部解散。”昭宗颁下诏听从了韩建的意见。于是殿后的安圣、捧宸、保宁、宣化四军二万多人都被解散，昭宗的亲军全部没有了。捧日都头李筠，当初在石门镇随从护卫昭宗，功劳数第一，韩建再上奏朝廷把李筠杀死在大云桥。韩建又上奏说：“玄宗末年，永王李璘暂时出外到江南任职，马上图谋不轨。代宗时吐蕃入侵，僖宗光启年间朱玫作乱，都是靠拥立宗室支属来笼络民心。现在诸王奉陛下命令到四处去的，请求把他们都召回来。”还上奏说：“那些方士出入宫廷，迷惑陛下的听闻，应该都予以禁止，不得进入皇宫。”昭宗下诏全部听从韩建的奏请。韩建已经把诸王幽禁在别宅，知道昭宗心里不高兴，于是上奏请立德王为太子，想以此来缓解昭宗的不愉快。十一日丁亥，昭宗下诏立德王李祐为皇太子，并改名为裕。

庞师古、葛从周合并军队攻打郓州，朱瑄士兵很少，粮食也吃完了，不再出城作战，只是引水做成深深的壕沟来巩固自己的城防。正月十五日辛卯，庞师古等在水流的西南方扎营，命令建造浮桥。十七日癸巳，暗中挖开壕沟放水。二十日丙申，浮桥建成，庞师古在夜晚派遣中军首先渡过壕沟。朱瑄得知后，放弃郓州逃往中都县，葛从周追赶朱瑄，田野里的农夫抓住了朱瑄及其妻儿献给葛从周。

正月二十三日己亥，罢免孙偓凤翔四面行营节度等使的官职，任命副都统李思谏担任宁塞节度使。

钱镠派遣行军司马杜稜救援婺州。安仁义调动军队进攻睦州，没有攻克便回来了。

朱全忠进入郓州，任命庞师古担任天平军留后。

朱瑾留下大将康怀贞防守兖州，自己与河东将领史俨、李承嗣到徐州境内抢掠以供给军队的粮食需要。朱全忠得知这一情况，派葛从周率军袭击兖州。康怀贞得知郓州已经失守，汴州军队突然来到，就投降了。二月初三日戊申，葛从周进入兖州，抓住了朱瑾的妻儿。朱瑾回到兖州，无处归依，带领他的部下前往沂州。沂州刺史尹处宾不肯接纳，朱瑾奔赴海州防守，受到汴州军队的逼迫，与史俨、李承嗣率领海州百姓渡过淮水，投奔杨行密。杨行密在高邮迎接他们，上表请求朝廷委任朱瑾领武宁节度使。

朱全忠收纳了朱瑾的妻子，率军返回汴州，张夫人到封丘县迎接，朱全忠把得到朱瑾妻子事告诉张夫人。张夫人请求会见朱瑾妻子，朱瑾妻子行拜见礼，张夫人还礼，并且哭着说：“兖州的朱瑾、郓州的朱瑄和司空朱全忠是同姓，相约结为兄弟，由于细小的缘故而造成怨恨，起兵互相攻打，使得嫂子受到这样的侮辱。将来有一

吾亦如吾姒之今日乎！”全忠乃送瑾妻于佛寺为尼，斩朱瑄于汴桥。于是郓、齐、曹、棣、兖、沂、密、徐、宿、陈、许、郑、滑、濮皆入于全忠㊼。惟王师范保淄青一道，亦服于全忠。李存信在魏州，闻兖、郓皆陷，引兵还。

淮南旧善水战，不知骑射，及得河东、兖、郓兵，军声大振。史俨、李承嗣皆河东骁将，李克用深惜之，遣使间道㊽诣杨行密请之。行密许之，亦遣使诣克用修好。

【段旨】

以上为第一段，写韩建解除唐宗室诸王所领之兵。朱全忠灭朱瑄、朱瑾，兼有天平、泰宁、感化、宣义、宣武诸镇全部领属之地，独霸中原。

【注释】

①甲申：正月初八日。②张行思：华州防城将。③睦、济、韶、通、彭、韩、仪、陈八王：睦、韶、韩三王为代宗之后。彭王，肃宗之后。陈王，文宗之后。史皆逸其名及世系。济、通、仪三王，不知所出。④恶：忌恨。⑤典兵：掌管军事。⑥自陈：自己陈述解释。⑦理所：办公地点。⑧不测事端：不可测度将要挑起什么事端。⑨详酌：仔细斟酌。⑩举措：动作。⑪含容：包含宽容。⑫十六宅：唐代中期以后诸王集中居住的住宅区的称谓，在安国寺东。⑬预政：参与政治。⑭乌合之兵：临时拼凑缺乏组织的兵众，如乌鸦之忽聚忽散。⑮用：以。⑯光：光大。⑰麟趾之化：《诗经·周南》有《麟之趾》篇，言文王子孙宗族皆化于善，无犯非礼，后因以“麟趾”为颂扬宗室子弟之词。⑱纵归：放归。⑲勒：强制。⑳殿后四军：安圣、捧宸、保宁、宣化四军。㉑显有厚薄之恩二句：此是指责昭宗不应该别置殿后四军，表现出对禁军恩厚，对其他军队恩薄，背离了无偏无党之道。显，显示、表现出。乖，背离。无偏无党，语出《尚书·洪范》：“无偏无党，王道荡荡。”㉒平居：太平安定时。㉓犹思祸变：尚且要惹是生非。㉔临难：遭遇危难。㉕挟刃：持刀；带刀。㉖密迩皇舆：在皇帝身边。㉗寒心：因失望而痛心。㉘石门扈从功：指乾宁二年王行瑜等犯京师时，李筠护驾之功。㉙大云桥：在华州大云寺前。㉚永王璘：李璘（？至公元七五七年），唐玄宗子，唐肃宗弟。安史之乱时，璘领山南、江西、岭南、黔中四道节度使，欲割据江陵，擅自引舟师东巡，分兵袭吴郡、广陵，兵败被杀。传见《旧唐书》卷一百七、《新唐书》卷八十二。㉛吐蕃

天汴州失守了，我也会像嫂子您今天这样啊！”朱全忠于是把朱瑾的妻子送到佛寺去做尼姑，在汴桥斩杀了朱瑄。于是郓、齐、曹、棣、兖、沂、密、徐、宿、陈、许、郑、滑、濮等州，全部落入朱全忠手中。只有王师范保有淄青一个道，也服从于朱全忠。李存信在魏州，得知兖州、郓州都被朱全忠攻占，带军返回晋阳。

淮南的军队以往擅长水战，不熟悉骑马射箭，等到杨行密得到了河东、兖州、郓州的士兵，军队声威大震。史俨、李承嗣都是河东节度使李克用手下骁勇的将领，李克用对失去他们深感惋惜，派遣使者从小路到杨行密处请求放回他们。杨行密同意他的请求，也派遣使者前往李克用处建立友好关系。

入寇：自安禄山反，精锐边兵皆征发内地，边境留兵单弱，代宗时，吐蕃连年入扰。㉜朱玫乱常：唐僖宗光启二年（公元八八六年），邠宁节度使朱玫逼凤翔百官奉襄王李煴监国，因立襄王，自为宰相专权。㉝援立宗支：吐蕃入寇时立广武王李承宏为帝，朱玫奉襄王李煴为帝。㉞诸王衔命四方者：指延王李戒丕、覃王李嗣周、通王李滋等分别领兵在近畿各处守卫。衔命，受命；奉命。㉟方士：研习方术之士，此处指许岩士等人。㊱眩惑：迷乱。㊲德王：即李裕（？至公元九〇五年），唐昭宗长子，大顺二年（公元八九一年）始王。传见《新唐书》卷八十二。㊳丁亥：正月十一日。㊴辛卯：正月十五日。㊵浮梁：联舟而为桥，即浮桥。㊶癸巳：正月十七日。㊷濠水：护城河水。㊸丙申：正月二十日。㊹中都：县名，在郓州东南六十里，县治今山东汶上。㊺野人：农民。㊻己亥：正月二十三日。㊼宁塞：方镇名，按《新唐书·方镇表》，昭宗光化元年（公元八九八年）更保塞军节度为宁塞军节度。治所延州，在今陕西延安北。㊽睦州：州名，治所在今浙江建德东。㊾戊申：二月初三日。㊿沂州：州名，治所在今山东临沂。(51)海州：州名，治所在今江苏连云港市西。(52)逆：迎接。(53)封丘：县名，县治在今河南封丘。(54)司空：指朱全忠。(55)恨望：怨望。(56)吾姒：兄妻为姒，吾姒即吾嫂。互相尊称之辞。(57)入于全忠：谓郓、齐等十四州皆为朱全忠所并。其中郓、齐、曹、棣四州属天平军，兖、沂、密三州属泰宁军，徐、宿二州属感化军，陈、许二州属忠武军，郑、滑、濮三州属宣义军，以上十四州共五镇之地，皆入于朱全忠。(58)间道：走小路。

【校记】

［1］显：据章钰校，乙十一行本作“纵”。“显”字义长。［2］有厚薄：张敦仁《通鉴刊本识误》作“有厚有薄”。［3］遣：原无此字。据章钰校，十二行本、乙十一行本皆有此字，张敦仁《通鉴刊本识误》同，今据补。

【原文】

戊午[59]，王建遣邛州刺史华洪、彭州刺史王宗祐将兵五万攻东川，以戎州[60]刺史王宗谨为凤翔西面行营先锋使，败凤翔将李继徽等于玄武[61]。继徽本姓杨，名崇本，茂贞之假子也。

己未[62]，赦天下。

上飨[63]行庙[64]。

庚申[65]，王建以决云都[66]知兵马使王宗侃为应援开峡都指挥使，将兵八千趋渝州。决胜都知兵马使王宗阮为开江防送进奉使，将兵七千趋泸州。辛未[67][4]，宗侃取渝州，降刺史牟崇厚。癸酉[68]，宗阮拔泸州，斩刺史马敬儒，峡路始通[69]。

凤翔将李继昭救梓州，留偏将[70]守剑门，西川将王宗播击擒之。

乙亥[71]，门下侍郎、同平章事孙偓罢守本官[72]。中书侍郎、同平章事朱朴罢为秘书监[73]。朴既秉政[74]，所言皆不效[75]，外议沸腾[76]。太子詹事[77]马道殷以天文，将作监[78]许岩士以医得幸于上，韩建诬二人以罪而杀之，且言偓、朴与二人交通，故罢相。

诏以杨行密为江南诸道行营都统，以讨武昌节度使杜洪[79]。

张佶克邵州，擒蒋勋。

三月丙子[80]，朱全忠表曹州刺史葛从周为泰宁留后，朱友裕为天平留后，庞师古为武宁[81]留后。

保义节度使王珙攻护国节度使王珂[82]，珂求援于李克用，珙求援于朱全忠。宣武将张存敬[83]、杨师厚[84]败河中兵于猗氏[85]南。河东将李嗣昭[86]败陕兵于猗氏，又败之于张店[87]，遂解河东[5]之围。师厚，斤沟人，嗣昭，克用弟克柔之假子也。

更名感义军曰昭武，治利州，以前静难节度使苏文建为节度使。

夏，四月，以同州防御使李继瑭[88]为匡国[89]节度使。继瑭，茂贞之养子也。

以右谏议大夫李洵为两川宣谕使[90]，和解王建及顾彦晖。

辛亥[91]，钱镠遣顾全武等将兵三千自海道救嘉兴。己未[92]，至城下，击淮南兵，大破之。

【语译】

二月十三日戊午，王建派邛州刺史华洪、彭州刺史王宗祐率领军队五万人进攻东川，任命戎州刺史王宗谨担任凤翔西面行营先锋使，在玄武县击败凤翔节度使李茂贞的部将李继徽等。李继徽本来姓杨，名崇本，是李茂贞的养子。

二月十四日己未，朝廷诏令大赦天下。

唐昭宗到行庙祭献。

二月十五日庚申，王建任命决云都知兵马使王宗侃担任应援开峡都指挥使，率领军队八千人前往渝州。任命决胜都知兵马使王宗阮担任开江防送进奉使，率领军队七千人前往泸州。二十六日辛未，王宗侃攻取渝州，渝州刺史牟崇厚投降。二十八日癸酉，王宗阮攻克泸州，斩杀泸州刺史马敬儒。三峡水路开始通行。

凤翔将领李继昭救援梓州，留下偏将防守剑门，西川将领王宗播击败并活捉李继昭。

二月三十日乙亥，门下侍郎、同平章事孙偓被免职，保留原来的官位。中书侍郎、同平章事朱朴被免职，出任秘书监。朱朴掌理朝政后，所说过的话都没有兑现，朝外议论纷纷。太子詹事马道殷由于通晓天文，将作监许岩士由于医术受到昭宗宠爱，韩建诬陷他们两人有罪而杀死了他们，并且说孙偓、朱朴与他们两人互相勾结，所以孙偓、朱朴被罢免宰相的官职。

昭宗下诏任命杨行密担任江南诸道行营都统，以讨伐武昌节度使杜洪。

张佶攻克邵州，活捉邵州刺史蒋勋。

三月初一日丙子，朱全忠上表朝廷，请求任命曹州刺史葛从周担任泰宁军留后，朱友裕担任天平军留后，庞师古担任武宁军留后。

保义节度使王珙进攻护国节度使王珂，王珂向李克用请求援救，王珙向朱全忠请求援助。宣武军将领张存敬、杨师厚在猗氏县以南击败河中的军队。河东军将领李嗣昭在猗氏县击败陕州的军队，又在张店再次打败他们，于是解除了对河东的围困。杨师厚，是斤沟人，李嗣昭，是李克用弟弟李克柔的养子。

朝廷改感义军为昭武军，治所设在利州，任命前静难军节度使苏文建担任昭武军节度使。

夏，四月，任命同州防御使李继瑭担任匡国节度使。李继瑭是李茂贞的养子。

任命右谏议大夫李洵担任两川宣谕使，劝说西川节度使王建与东川节度使顾彦晖和解。

初六日辛亥，钱镠派顾全武等率领军队三千人从海路救援嘉兴。十四日己未，到达嘉兴城下，攻打淮南的军队，把淮南的军队打得大败。

杜洪为杨行密所攻，求救于朱全忠，全忠遣其将聂金掠泗州，朱友恭攻黄州[93]。行密遣右黑云都[94]指挥使马珣等救黄州。黄州刺史瞿章闻友恭至，弃城，拥众南保武昌寨[95]。

癸亥[96]，两浙将顾全武等破淮南十八营，虏淮南将士魏约等三千人。淮南将田頵屯驿亭埭[97]，两浙兵乘胜逐之。甲戌[98]，頵自湖州奔还[99]，两浙兵追败之，頵众死者千余人。

韩建恶刑部尚书张祎[100]等数人，皆诬奏，贬之。

五月，加奉国[101]节度使崔洪同平章事。

辛巳[102]，朱友恭为浮梁于樊港[103]，进攻武昌寨。壬午[104]，拔之，执瞿章，遂取黄州，马珣等皆败走。

丙戌[105]，王建以节度副使张琳[106]守成都，自将兵五万攻东川。更华洪姓名曰王宗涤[107]。

六月己酉[108]，钱镠如越州，受镇东节钺[109]。

李茂贞表："王建攻东川[110]，连兵累岁，不听诏命。"甲寅[111]，贬建南州[112]刺史。乙卯[113]，以茂贞为西川节度使。以覃王嗣周为凤翔节度使。

癸亥[114]，王建克梓州南寨[115]，执其将李继宁。丙寅[116]，宣谕使李洵至梓州。己巳[117]，见建于张杷砦[118]，建指执旗者曰："战士之情，不可夺也。"

覃王赴镇，李茂贞不受代[119]，围覃王于奉天[120]。

置宁远军于容州[121]，以李克用大将盖寓领节度使。

秋，七月，加荆南节度使成汭兼侍中。

韩建移书李茂贞；茂贞解奉天之围，覃王归华州。

以天雄节度使李继徽为静难[122]节度使。

庚戌[123]，钱镠还杭州，遣顾全武取苏州。乙未[124]，拔松江[125]。戊戌[126]，拔无锡[127]。辛丑[128]，拔常熟[129]、华亭[130]。

杜洪被杨行密攻击，向朱全忠求救。朱全忠派他的部将聂金抢掠泗州，朱友恭攻打黄州。杨行密派右黑云都指挥使马珣等救援黄州。黄州刺史瞿章听到朱友恭到了，放弃了黄州城，率领部众南去守卫武昌寨。

四月十八日癸亥，两浙军将领顾全武等攻破淮南军队十八个营寨，俘虏淮南将领、士兵魏约等三千人。淮南军将领田頵驻守驿亭埭，两浙军队乘胜赶走田頵。二十九日甲戌，田頵从湖州逃回，两浙军队追击，打败了田頵，田頵部下死亡的人有一千多。

韩建厌恶刑部尚书张祎等几个人，上奏诬陷他们。张祎等人被贬职。

五月，朝廷加奉国节度使崔洪为同平章事。

初七日辛巳，朱友恭在樊港建造浮桥，进攻武昌寨。初八日壬午，攻取寨子，捉住瞿章，于是进取黄州，马珣等人都战败逃走。

十二日丙戌，王建以节度副使张琳留守成都，亲自率军五万人攻打东川。王建改华洪的姓名为王宗涤。

六月初五日己酉，钱镠到达越州，接受镇东节度使的符节和斧钺。

李茂贞向朝廷上表说:“王建攻打东川，交战数年，不听从朝廷的诏令。”初十日甲寅，贬王建为南州刺史。十一日乙卯，任命李茂贞担任西川节度使。任命覃王李嗣周担任凤翔节度使。

六月十九日癸亥，王建攻取梓州的南寨，抓住南寨守将李继宁。二十二日丙寅，宣谕使李洵到达梓州。二十五日己巳，李洵在张杷砦会见王建，王建指着手执战旗的人说:“这次战事是军中战士的意愿，不能强行改变。”

覃王李嗣周到凤翔上任，李茂贞不接受他取代自己的职务，在奉天把李嗣周包围起来。

朝廷在容州设置宁远军，以李克用手下大将盖寓兼任宁远军节度使。

秋，七月，朝廷加任荆南节度使成汭兼任侍中。

韩建写信给李茂贞。李茂贞解除对奉天的围困，覃王李嗣周返回华州。

朝廷任命天雄节度使李继徽为静难节度使。

庚戌日，钱镠回到杭州，派顾全武攻打苏州。七月二十二日乙未，攻克松江。二十五日戊戌，攻克无锡。二十八日辛丑，攻克常熟、华亭。

【段旨】

以上为第二段，写东川与西川地区，东南杨行密与钱镠地区，两大地区激战。韩建掌控下的昭宗诏命，不行于诸镇。

【注释】

⑲戊午：二月十三日。⑳戎州：州名，治所在今四川宜宾。㉑玄武：县名，县治在今四川中江县，时属梓州。㉒己未：二月十四日。㉓袷：合祭。㉔行庙：天子巡幸或统军出征临时设立的庙。当时昭宗驻跸华州，太常礼院请权立行庙以备告袷。㉕庚申：二月十五日。㉖决云都：与下文决胜都皆王建军队名。㉗辛未：二月二十六日。㉘癸酉：二月二十八日。㉙峡路始通：渝州、泸州皆为东川巡属，王建借通峡路进奉为名取二州，实为扩大自己的地盘。㉚偏将：别于主力的偏师之将。㉛乙亥：二月三十日。㉜罢守本官：孙偓原为礼部尚书。这里指孙偓被罢相，回到原任职位办事。㉝秘书监：官名，唐时为秘书省长官。㉞秉政：执政。㉟不效：没有兑现。朱朴拜相时曾夸口"月余可致太平"。㊱沸腾：众议激烈；群情激愤。㊲太子詹事：官名，唐代为詹事府长官，总管东宫事务。㊳将作监：官名，唐代为将作大监的省称。掌土木工程营缮及工匠管理。㊴杜洪：杜洪于光启二年（公元八八六年）拜武昌节度使，依附朱全忠绝东南贡路，故诏讨之。㊵丙子：三月初一日。㊶武宁：方镇名，唐宪宗元和二年（公元八〇七年）置武宁军节度使，治徐州。唐懿宗咸通三年（公元八六二年）罢武宁军节度，十一年赐号感化军节度，此时复改感化军为武宁军。㊷保义节度使王珙攻护国节度使王珂：保义、护国，皆方镇名，文宗太和元年（公元八二七年）升晋慈观察使为保义军节度使。是年罢，以二州隶河中。僖宗光启元年（公元八八五年）赐河中为护国军节度使，以褒奖王重荣勤王之功。是时王珙据晋慈与王珂争河中节度使。㊸张存敬（？至公元九〇一年）：谯郡（今安徽亳州）人，宣武节度使朱全忠部将。传见《旧五代史》卷二十、《新五代史》卷二十一。㊹杨师厚（？至公元九一三年）：颍州斤沟（今安徽阜阳）人，原为河阳节度使李罕之部将，兵败降朱全忠，多立战功，历数镇节度使，梁末帝加封为鄴王。传见《旧五代史》卷二十二、《新五代史》卷二十三。㊺猗氏：县名，县治在今山西临猗。㊻李嗣昭（？至公元九二二年）：汾州太谷县（今山西晋中市太谷区）人，本姓韩，为李克用弟李克柔之养子。初名进通，后更名嗣昭。官至司徒、侍中、中书令等职。传见《旧五代史》卷五十二、《新五代史》卷三十六。㊼张店：镇名，在今山西平陆北六十里。㊽李继瑭：李茂贞之养子。㊾匡国：方镇名，乾宁二年赐同州号匡国军。㊿宣谕使：官名，专掌奉使宣谕朝廷旨意，完成任务即去职。(91)辛亥：四月初六日。(92)己未：四月十四日。(93)黄州：州名，治所在今湖北武汉市新

【原文】

初，李克用取幽州，表刘仁恭为节度使，留戍兵及腹心将十人典[131]其机要。租赋供军之外，悉输晋阳。及上幸华州，克用征兵于仁

洲区。㊿94右黑云都：杨行密的军队名。95武昌寨：置于武昌县的军营。武昌县治在今湖北鄂城。唐属鄂州。96癸亥：四月十八日。97驿亭埭：镇名，在浙江上虞县，今浙江余姚西南。98甲戌：四月二十九日。99奔还：田頵自嘉兴退军，取道湖州，还宣州。100刑部尚书张祎：刑部尚书，官名，刑部长官。刑部为六部之一，掌管国家的法律、刑狱事务。张祎，字冠章，仕僖宗、昭宗两朝，从昭宗入蜀。历官吏部、刑部、兵部尚书。传见《旧唐书》卷一百六十二。101奉国：方镇名，唐僖宗中和二年（公元八八二年）升蔡州防御使为奉国军节度。102辛巳：五月初七日。103樊港：地名，即樊口。武昌西三里有樊山，山下有樊溪，注入长江。入江处谓之樊口。朱友恭跨江为浮桥，抵樊口，以攻武昌。104壬午：五月初八日。105丙戌：五月十二日。106张琳：王建心腹。王建出征，让他守护核心地区。107王宗涤：华洪累战有功，王建收其为养子，并更改姓名。108己酉：六月初五日。109节钺：符节和斧钺，显示朝廷所授予的镇守与征伐的权力，亦泛指节度使仪仗。110王建攻东川：王建不只攻东川，李茂贞山南巡属诸州，也被王建攻取许多。李茂贞力不能制，故上表欲借天子之命以攻之。111甲寅：六月初十日。112南州：州名，唐高宗武德三年（公元六二〇年）割渝州之东界，置南州，治所在今重庆市綦江区。113乙卯：六月十一日。114癸亥：六月十九日。115南寨：镇名，在梓州南。116丙寅：六月二十二日。117己巳：六月二十五日。118张杷砦：镇名。砦，同“寨”。119不受代：不接受替代。李茂贞不肯以凤翔节度使授覃王。120奉天：县名，县治在今陕西乾县。121容州：州名，治所在今广西北流。李克用平王行瑜，盖寓以功领容管观察使，现升为节度使。122静难：方镇名，光启元年（公元八八五年）赐邠宁节度使号静难军节度。李继徽自秦州徙邠州，邠宁亦为李茂贞所有。123庚戌：七月甲戌朔，无庚戌。庚戌，应为六月初六日。124乙未：七月二十二日。125松江：寨名，松江在苏州南四十里，杨行密立寨守之。126戊戌：七月二十五日。127无锡：县名，县治在今江苏无锡。唐时属常州。128辛丑：七月二十八日。129常熟：县名，县治在今江苏常熟。唐时属苏州。130华亭：县名，县治在今上海市松江区。唐时属苏州。

【校记】

［4］辛未：原作“辛酉”。据章钰校，十二行本、乙十一行本皆作“辛未”，今从改。［5］河东：原作“河中”。严衍《通鉴补》改作“河东”，张敦仁《通鉴刊本识误》同，今据以校正。

【语译】

当初，李克用攻取幽州，向朝廷上表请求任命刘仁恭为节度使，留下防守的军队和心腹将领十人掌管机要。幽州的租税贡赋除了供应军需以外，都要运送到晋阳。

恭，又遣成德节度使王镕、义武节度使王郜书，欲与之共定关中，奉天子还长安。仁恭辞以契丹⑬²入寇，须兵扞御⑬³，请俟虏退，然后承命⑬⁴。克用屡趣之，使者相继，数月，兵不出。克用移书责之，仁恭抵⑬⁵书于地，慢骂⑬⁶，囚其使者，欲杀河东戍将⑬⁷，戍将遁逃获免。克用大怒，八月，自将击仁恭。

上欲幸奉天亲讨李茂贞，令宰相议之。宰相切谏⑬⁸，乃止。

延王戒丕还自晋阳，韩建奏："自陛下即位以来，与近辅⑬⁹交恶⑭⁰，皆因诸王典兵，凶徒乐祸，致銮舆不安。比者臣奏罢兵权，实虑不测之变。今闻延王、覃王尚苞⑭¹阴计⑭²，愿陛下圣断不疑，制于未乱⑭³，则社稷之福。"上曰："何至于是！"数日不报。建乃与知枢密刘季述⑭⁴矫制⑭⁵发兵围十六宅，诸王被发⑭⁶，或⑭⁷缘垣⑭⁸，或登屋，或升木[6]，呼曰："宅家⑭⁹救儿！"建拥通⑮⁰、沂⑮¹[7]、睦、济、韶、彭⑮²、韩、陈、覃、延、丹十一王至石堤谷⑮³，尽杀之，以谋反闻⑮⁴。

贬礼部尚书孙偓为南州司马。秘书监朱朴先贬夔州⑮⁵司马，再贬郴州⑮⁶司户。朴之为相，何迎骤迁⑮⁷至右谏议大夫，至是亦贬湖州司马。

【段旨】

以上为第三段，写韩建诛杀诸王，逼迫昭宗贬逐大臣。李克用下勤王之令，幽州刘仁恭拒不从命，李克用往讨。

【注释】

⑬¹典：主管；执掌。⑬²契丹：古族名，北魏以来，在今辽河上游一带游牧。唐以其地置松漠都督府，并任契丹首领为都督。⑬³扞御：捍卫抵御。扞，同"捍"。⑬⁴承命：接受命令。⑬⁵抵：掷。⑬⁶慢骂：随口辱骂。慢，通"谩"。⑬⁷河东戍将：即本段所言李克用所留戍兵将领与典机要的腹心将领。⑬⁸切谏：直言极谏。⑬⁹近辅：指邠、岐、同、华等州。⑭⁰交恶：结恶。⑭¹苞：通"包"。⑭²阴计：阴谋诡计。⑭³制于未乱：在祸乱发生前采取措施。⑭⁴刘季述（？至公元九〇一年）：昭宗时为左军中尉。传见《新唐书》卷

等到昭宗到了华州，李克用向刘仁恭征调军队，又写信给成德节度使王镕、义武节度使王郜，想要与他们共同平定关中地区的叛乱，侍奉昭宗返回长安。刘仁恭推辞说契丹入境抢劫，需要军队防守，请等契丹退走，然后接受命令。李克用多次催促，使者连续不断地派出，几个月过去了，幽州军队仍没有出发。李克用写信去责备他，刘仁恭把信丢在地上，大肆谩骂，把使者囚禁起来，还想杀死留在幽州守卫的河东将领，这些河东将领逃走了才幸免于难。李克用大怒，八月，亲自率领军队进攻刘仁恭。

昭宗想到奉天去亲自讨伐李茂贞，命令宰相讨论这件事。宰相极力劝说，昭宗才作罢。

延王李戒丕从晋阳回到华州，韩建上奏说："自从陛下即位以来，与京城附近的藩镇交恶，都是由于诸王掌管军队，一些凶恶的匪徒好乱乐祸，致使陛下不能安稳。近来臣上奏请求罢免诸王的兵权，实在是顾虑会发生难以预测的变乱。如今听说延王李戒丕、覃王李嗣周正在策划阴谋诡计，愿陛下圣明果断毫不犹豫，在变乱还没有发生前就采取措施，则是国家的福气了。"昭宗说："哪至于如此呢！"好几天没有回答韩建。韩建于是与知枢密刘季述伪造昭宗的命令发兵包围了诸王居住的十六宅。诸王披头散发，有的爬上墙头，有的登上屋顶，有的爬到树上，呼叫道："皇上救救我！"韩建把通王、沂王、睦王、济王、韶王、彭王、韩王、陈王、覃王、延王、丹王等十一个王抓到华州西边的石堤谷，全部斩杀，以他们造反为理由向昭宗上告。

朝廷贬谪礼部尚书孙偓为南州司马。秘书监朱朴先被贬为夔州司马，再贬为郴州司户。朱朴任宰相时，何迎骤然升到右谏议大夫，到这时也被贬为湖州司马。

二百八。⑭⑤ 矫制：假托皇帝的诏命。⑭⑥ 被发：披散头发。⑭⑦ 或：有的。⑭⑧ 缘垣：爬上短墙。⑭⑨ 宅家：唐末宫中称天子为宅家。⑮⓪ 通：通王李滋，宣宗子。⑮① 沂：沂王李禋，昭宗子。⑮② 彭：彭王李惕，宪宗子。其余睦、济、韶、韩、陈等王史逸其系胄。⑮③ 石堤谷：地名，在当时华州以西。⑮④ 闻：传布于世。⑮⑤ 夔州：州名，治所在今重庆市奉节。⑮⑥ 郴州：州名，治所在今湖南郴州。⑮⑦ 何迎骤迁：因为是何迎荐朱朴为相，故朱朴为相后，何迎马上升迁。骤迁，急速升迁。

【校记】

［6］或登屋或升木：原作"或升屋"。据章钰校，十二行本、乙十一行本皆作"或登屋或升木"，张敦仁《通鉴刊本识误》同，今从改。［7］沂：原作"仪"。据章钰校，十二行本、乙十一行本皆作"沂"，张敦仁《通鉴刊本识误》同，今从改。

【原文】

锺传欲讨吉州[158]刺史襄阳周琲，琲帅其众奔广陵[159]。

王建与顾彦晖五十余战，九月癸酉朔[160]，围梓州。蜀州刺史周德权言于建曰："公与彦晖争东川三年，士卒疲于矢石[161]，百姓困于输挽[162]。东川群盗多据州县，彦晖懦而无谋，欲为偷安[163]之计，皆啖[164]以厚利，恃其救援，故坚守不下。今若遣人谕贼帅以祸福，来者赏之以官，不服者威之以兵，则彼之所恃，反为我用矣。"建从之，彦晖势益孤。德权，许州人也。

丁丑[165]，李克用至安塞军[166]，辛巳[167]，攻之。幽州将单可及引骑兵至，克用方饮酒，前锋白："贼至矣！"克用醉，曰："仁恭何在？"对曰："但见可及辈。"克用瞋目[168]曰："可及辈何足为敌！"亟[169]命击之。是日大雾，不辨人物，幽州将杨师侃伏兵于木瓜涧[170]，河东兵大败，失亡太半[171]。会大风雨震电[172]，幽州兵解去。克用醒而后知败，责大将李存信等曰："吾以醉废事，汝曹何不力争！"

湖州刺史李彦徽欲以州附于杨行密，其众不从。彦徽奔广陵，都指挥使沈攸以州归钱镠。

以彰义节度使张琏为凤翔西北行营招讨使，以讨李茂贞。

复以王建为西川节度使、同平章事。加义武节度使王郜同平章事。削夺新西川节度使李茂贞官爵，复姓名宋文通[173]。

朱全忠既得兖、郓，甲兵益盛，乃大举击杨行密，遣庞师古以徐、宿、宋、滑之兵七万壁[174]清口[175]，将趣[8]扬州。葛从周以兖、郓、曹、濮之兵壁安丰[176]，将趋寿州，全忠自将屯宿州，淮南震恐。

匡国节度使李继瑭闻朝廷讨李茂贞而惧，韩建复从而摇[177]之，继瑭奔凤翔。冬，十月，以建为镇国、匡国两军节度使。

壬子[178]，知遂州[179]侯绍帅众二万。乙卯[180]，知合州[181]王仁威帅众千人。戊午[182]，凤翔将[9]李继瑭[10]以援兵二千，皆降于王建。建攻梓州益急。庚申[183]，顾彦晖聚其宗族及假子共饮，遣王宗弼[184]自归于建，酒酣，命其假子瑶杀己及同饮者，然后自杀。建入梓州，城中兵

【语译】

锺传想要讨伐吉州刺史襄阳人周琲，周琲率领他的部属逃往广陵。

王建和顾彦晖五十多次交战，九月初一日癸酉，王建包围梓州。蜀州刺史周德权对王建说："您和顾彦晖争夺东川三年，士兵疲于战事，老百姓因运送军事物资而贫困不堪。东川的盗贼大多占据州县，顾彦晖性格懦弱，又没有计谋，想要做苟且偷安的打算，全用丰厚的利益来引诱这些盗贼，依仗他们的救援，所以能够坚守而不被我们攻下。如今假如派人去向盗贼的头目说明祸福利害，前来投奔的赏给官职，不肯服从的就派出军队去威逼，这样顾彦晖所依仗的力量，反而被我们利用了。"王建听从了周德权的意见，顾彦晖的势力就日益孤立。周德权，是许州人。

九月初五日丁丑，李克用到达安塞军。初九日辛巳，发动进攻。幽州将领单可及带领骑兵赶到，李克用正在喝酒，前锋将士报告说："贼寇到了！"李克用喝醉了，说："刘仁恭在什么地方？"回答说："只看到单可及那些人。"李克用瞪大眼睛说："单可及那些人哪里是我的对手呢！"迅速下令攻击他们。这天大雾弥漫，看不清楚对面的人物，幽州将领杨师侃在木瓜涧埋伏军队，河东军队大败，散失、战死的有一大半。正遇上狂风暴雨雷电交加，幽州军队解围离去。李克用酒醒了后才知道自己的军队战败，责备大将李存信等人说："我因醉酒耽误了大事，你们为什么不竭力争辩呢！"

湖州刺史李彦徽想要献出湖州归附杨行密，他的部众不听从。李彦徽逃往广陵，都指挥使沈攸献出湖州归附钱镠。

任命彰义节度使张琏担任凤翔西北行营招讨使，以讨伐李茂贞。

又任命王建为西川节度使、同平章事。加任义武军节度使王郜为同平章事。削免新任西川节度使李茂贞的官职爵位，恢复他原来的姓名宋文通。

朱全忠取得兖州、郓州后，兵力更加强盛，于是大举进攻杨行密，派庞师古率领徐州、宿州、宋州、滑州的军队七万人在清口设置壁垒，将要进攻扬州。葛从周率领兖州、郓州、曹州、濮州的军队在安丰县设置壁垒，将要奔赴寿州，朱全忠亲自率领军队驻扎宿州。淮南境内惊恐。

匡国节度使李继瑭得知朝廷要讨伐李茂贞，非常害怕，韩建又从旁游说动摇他，李继瑭逃往凤翔。冬，十月，任命韩建担任镇国、匡国两军节度使。

十月初十日壬子，知遂州事侯绍率领部下二万人。十三日乙卯，知合州事王仁威率领部下一千人。十六日戊午，凤翔将领李继瑭带领救援东川的军队二千人，都向王建投降。王建进攻梓州更加急迫。十八日庚申，顾彦晖集合他的宗族和养子们一起喝酒，把以前擒获的西川将领王宗弼遣返王建那里；喝到酣畅时，顾彦晖命令他的义子顾瑶杀死自己以及一同喝酒的人，然后自杀。王建进入梓州，城中的军队

尚七万人，建命王宗绾分兵徇昌、普[185]等州，以王宗涤为东川留后。

刘仁恭奏称："李克用无故称兵[186]见讨，本道大破其党于木瓜涧，请自为统帅以讨克用。"诏不许。又遗朱全忠书。全忠奏加仁恭同平章事，朝廷从之。仁恭又遣使谢克用，陈去就[187]不自安之意。克用复书略曰："今公仗钺控兵[188]，理民立法[189]，擢士[190]则欲其报德，选将则望彼酬恩[191]，己尚不然，人何足信[192]！仆料[193]猜防[11]出于骨肉[194]，嫌忌[195]生于屏帷[196]，持干将[197]而不敢授人，捧盟盘[198]而何词著誓[199]！"

【段旨】

以上为第四段，写王建并东川。李克用兵败幽州。朱全忠扬声大举攻淮南。

【注释】

⑱吉州：州名，治所在今江西吉安。⑲广陵：郡名，治所在今江苏扬州东北。⑳癸酉朔：九月初一日。⑪疲于矢石：疲于战争。矢石，箭与石。古时作战，射箭抛石以打击敌人。⑫输挽：运送物资。⑬偷安：苟且求得眼前安全。⑭啖：吞食。引申为诱惑。⑮丁丑：九月初五日。⑯安塞军：设兵戍守之地名，在唐妫州之西，蔚州之东。⑰辛巳：九月初九日。⑱瞋目：睁大眼睛瞪人。⑲亟：急切。⑰木瓜涧：地名，在今河北涞源东南。⑪太半：大半。⑫震电：雷鸣电闪。⑬宋文通：李茂贞原名宋文通，唐僖宗光启二年赐姓名。⑭壁：屯兵。⑮清口：镇名，在今山东东平西，一名清河口。⑯安丰：县名，在今安徽寿县南，唐时属寿州。⑰摇：动摇。⑱壬子：十月初十日。⑲遂州：州名，治所在今四川遂宁。⑱乙卯：十月十三日。⑱合州：州名，治所在今重庆市合川区。⑱戊午：十月十六日。⑱庚申：十月十八日。⑱王宗弼：原为王建别将，乾宁二年王建攻东川时被东川兵擒获，顾彦晖养为假子。⑱徇昌、普：攻取昌、普二州。昌州治所在今重庆市大足区，

【原文】

甲子[200]，立皇子秘[201]为景王，祚[202]为辉王，祺为祁王。

加彰义节度使张琏同平章事。

杨行密与朱瑾将兵三万拒汴军于楚州，别将张训自涟水[203]引兵

还有七万人，王建命令王宗绾分兵巡视安抚昌州、普州等地，任命王宗涤为东川留后。

刘仁恭上奏说："李克用无故举兵讨伐我，我已在木瓜涧大败他的党羽，请让臣自己担任统帅去讨伐李克用。"昭宗下诏不答应。刘仁恭又写信给朱全忠。朱全忠向朝廷上奏请求加任刘仁恭为同平章事，朝廷听从了他的意见。刘仁恭又派遣使者去向李克用道歉，述说离开李克用后自己不能心安的意思。李克用回信，大略说："如今你手执节钺掌握军队，治理人民，制定法规，提拔人才则想要他们报答你的恩德，选用将领则希望他们酬谢你的恩惠，你自己尚且做不到，别人又怎么能够相信呢！我料定你会对自己的骨肉兄弟猜疑防范，会对同一营帐中的文武官员疑心妒忌，手执干将宝剑而不敢授给别人，捧着盟盘又有什么话可以用来发誓呢！"

普州治所在今四川安岳。⑱⑥称兵：举兵。⑱⑦去就：去留；进退。这里只作偏义离去讲。指刘仁恭向李克用陈述自己背离河东后内心一直不安。⑱⑧仗钺控兵：身为节度，手握兵权。仗钺，手执斧钺，指代节度。⑱⑨理民立法：治理百姓，颁布法令。指割据一方。⑲⑩擢士：提拔官吏。⑲①酬恩：报答恩情。⑲②己尚不然二句：你自己尚且做不到报德酬恩，别人又如何能不背叛你呢。此为李克用指责刘仁恭背信弃义之语。⑲③料：测度。⑲④猜防出于骨肉：骨肉之间猜疑防范。⑲⑤嫌忌：疑忌仇怨。⑲⑥屏帷：屏风和帷幕。此指刘仁恭的心腹与亲信。⑲⑦干将：古剑名，相传锋利无比，后来就以干将为利剑的代称。⑲⑧盟盘：古时结盟割牲牛耳，盛以珠盘。此处以盟盘指誓约结盟。⑲⑨著誓：撰述誓词。

【校记】

[8] 趣：原作"趋"。据章钰校，十二行本、乙十一行本皆作"趣"，今从改。[9] 将：原无此字。据章钰校，十二行本、乙十一行本、孔天胤本皆有此字，张敦仁《通鉴刊本识误》同，今据补。[10] 李继瑭：原作"李继溥"。据章钰校，乙十一行本作"李继瑭"，今从改。〖按〗前文作"继瑭"，尚不误。[11] 猜防：原作"猜忌"。据章钰校，十二行本、乙十一行本皆作"猜防"，张敦仁《通鉴刊本识误》同，今从改。

【语译】

十月二十二日甲子，立皇子李秘为景王，李祚为辉王，李祺为祁王。

加任彰义节度使张琏为同平章事。

杨行密和朱瑾率领军队三万人在楚州抵御朱全忠的汴州军队，别将张训从涟水

会之，行密以为前锋。庞师古营于清口，或曰："营地污下[204]，不可久处。"不听。师古恃众轻敌，居常弈棋[205]，朱瑾壅[206]淮上流，欲灌之。或以告师古，师古以为惑众，斩之。十一月癸酉[207]，瑾与淮南将侯瓒将五千骑潜渡淮，用汴人旗帜，自北来[208]趣其中军，张训逾栅[209]而入，士卒苍黄[210]拒战，淮水大至，汴军骇乱。行密引大军济淮，与瑾等夹攻之，汴军大败，斩师古及将士首万余级，余众皆溃。葛从周屯[12]于寿州西北，寿州团练使朱延寿[211]击破之，退屯濠州[212]，闻师古败，奔还。行密、瑾、延寿乘胜追之，及于淠水[213]。从周半济，淮南兵击之，杀溺[214]殆[215]尽，从周走免[216]。遏后都[217]指挥使牛存节[218]弃马步斗，诸军稍得济淮，凡四日不食，会大雪，汴卒缘道[219]冻馁[220]死，还者不满千人。全忠闻败，亦奔还。行密遗全忠书曰："庞师古、葛从周，非敌也，公宜自来淮上决战。"

行密大会诸将，谓行军副使[221]李承嗣[222]曰："始吾欲先趣寿州，副使云不如先向清口，师古败，从周自走，今果如所料。"赏之钱万缗，表承嗣领镇海节度使。行密待承嗣及史俨甚厚，第舍、姬妾，咸选其尤者[223]赐之，故二人为行密尽力，屡立功，竟卒于淮南。行密由是遂保据江、淮之间，全忠不能与之争。

戊寅[224]，立淑妃何氏[225]为皇后，后，东川人，生德王、辉王。

威武[226]节度使王潮弟审知，为观察副使，有过，潮犹加捶挞[227]，审知无怨色。潮寝疾[228]，舍其子延兴、延虹、延丰、延休，命审知知军府事。十二月丁未[229]，潮薨。审知以让其兄泉州刺史审邽，审邽以审知有功，辞不受。审知自称福建留后，表于朝廷。

壬戌[230]，王建自梓州还。戊辰[231]，至成都。

是岁，南诏骠信[232]舜化[233]有上皇帝书函[234]及督爽牒中书[235]木夹[236]，年号中兴。朝廷欲以诏书报之，王建上言："南诏小夷，不足辱诏书。臣在西南，彼必不敢犯塞。"从之。

黎、雅[237]间有浅蛮[238]曰刘王、郝王、杨王，各有部落，西川岁赐

带领军队来会合，杨行密任命张训为前锋。庞师古在清口建立营寨，有人说：“营寨地势低陷，不能长久停留。”庞师古不听。庞师古倚仗兵多轻视敌人，在住处常常下棋作乐。朱瑾堵塞淮水的上游，想要水淹庞师古的营地。有人以此告诉庞师古，庞师古认为他造谣惑众，把他杀了。十一月初二日癸酉，朱瑾与淮南将领侯瓒率领五千名骑兵暗中渡过淮水，打着汴州军队的旗帜，从北面直入庞师古的中军，张训越过栅栏冲进营中。庞师古的士兵仓促抵抗，淮水奔泻而下，汴州军队惊恐大乱。杨行密率大军渡过淮水，与朱瑾等人夹攻庞师古。汴州军队大败，庞师古及将领、士兵一万多人被杀，其余部众都溃散逃跑了。葛从周在寿州西北驻军，寿州团练使朱延寿击败了他的军队，葛从周退驻濠州，他听说庞师古战败，就逃了回去。杨行密、朱瑾、朱延寿乘胜追击葛从周，在淠水追上。葛从周的军队刚一半人渡河，淮南军队就攻打他们，汴军几乎都被杀与溺死，葛从周逃走幸免于难。遏后都指挥使牛存节下马徒步战斗，各路军队才得以部分渡过淮水。汴州军队一连四天没有吃饭，又赶上天降大雪，汴军士卒沿途被冻饿致死，返回的还不到一千人。朱全忠得知战败的消息，也逃回去了。杨行密写信给朱全忠说：“庞师古、葛从周都不是我的对手，你应该亲自到淮河边来和我决战。”

杨行密召集诸将举行盛会，他对行军副使李承嗣说：“开始我想先赶往寿州，你说不如先去清口，庞师古战败后，葛从周自会逃走，如今果然像你预料的那样。”赏给他钱一万缗，向朝廷上表请求任命李承嗣兼任镇海节度使。杨行密对待李承嗣和史俨很优厚，府第房舍、爱姬美妾，都挑选最好的赏赐给他们，所以他们两人对杨行密也尽心竭力，多次建立功勋，最后死在淮南。杨行密因此能够据有长江、淮水之间，朱全忠不能够与他争夺。

十一月初七日戊寅，昭宗立淑妃何氏为皇后。何皇后是东川人，生有德王李裕和辉王李祚。

威武节度使王潮的弟弟王审知，任观察副使，犯有过错，王潮对他还加以鞭打棒击，王审知一点也没有怨恨的神色。王潮卧病在床，弃用他的儿子王延兴、王延虹、王延丰、王延休，命令王审知掌管节度使事务。十二月初六日丁未，王潮去世，王审知把职位让给他的哥哥泉州刺史王审邽。王审邽认为王审知有功劳，坚决推辞不受。王审知自称为福建留后，上表报告朝廷。

十二月二十一日壬戌，王建从梓州返回。二十七日戊辰，到达成都。

这一年，南诏的国王舜化有上奏给皇帝的书函以及督爽官送给中书省用木板夹着的公文，上面写的年号是中兴。朝廷想要用诏书来回复他们，王建上奏说：“南诏不过是小小的蛮夷，用不着赐给他们诏书。臣镇守在西南，他们一定不敢来侵犯边塞。”朝廷听从了王建的意见。

在黎州、雅州之间居住着与汉族比较接近的蛮人，有刘王、郝王、杨王三个王，

缯帛三千匹，使觇[239]南诏，亦受南诏赂诇[240]成都虚实。每节度使到官，三王帅酋长[241]诣府，节度使自谓威德所致[242]，表于朝廷。而三王阴[243]与大将相表里，节度使或[244]失大将心，则教诸蛮纷扰。先是节度使多文臣，不欲生事，故大将常藉[245]此以邀[246]姑息[247]，而南诏亦凭之屡为边患。及王建镇西川，绝其旧赐[248]，斩都押牙山行章[249]以惩之。邛崃[250]之南，不置鄣候[251]，不戍[252]一卒，蛮亦不敢侵盗。其后遣王宗播击南诏，三王漏泄军事，召而斩之。

右拾遗[253]张道古上疏，称："国家有五危、二乱[254]。昔汉文帝即位未几[255]，明习国家事。今陛下登极[256]已十年，而曾不知为君驭臣[257]之道。太宗[258]内安中原，外开四夷，海表[259]之国，莫不入臣。今先朝封域[260]日蹙[261]几尽。臣虽微贱，窃伤[262]陛下朝廷社稷始为奸臣所弄，终为贼臣所有也！"上怒，贬道古施州[263]司户。仍下诏罪状道古，宣示谏官。道古，青州人也。

【段旨】

以上为第五段，写朱全忠大战杨行密，全军覆没，从此不敢南向争锋。王审知继位福州节镇，王建威服南诏。

【注释】

[200]甲子：十月二十二日。[201]秘：李秘，昭宗第八子，下文李祺，昭宗第十子，传均见《新唐书》卷八十二。[202]祚：李祚，昭宗第九子，后改名柷。昭宗崩后即位，史称哀皇帝，见《新唐书》卷十。[203]涟水：县名，县治在今江苏涟水县。乾宁二年，杨行密始取涟水，令张训守之。[204]污下：低陷。[205]弈棋：下棋。[206]壅：堵塞。[207]癸酉：十一月初二日。[208]北来：朱瑾偷偷渡过淮河，打着汴军旗帜，从北方而来。[209]逾栅：越过军营栅栏。[210]苍黄：即仓皇。匆忙而慌张。[211]朱延寿（？至公元九〇三年）：庐州舒城（今安徽舒城）人，杨行密妻弟。传见《新唐书》卷一百八十九、《旧五代史》卷十七。[212]濠州：州名，治所在今安徽凤阳北。[213]淠水：水名，源出安徽霍山南，北流经六安县，至正阳关流入淮河。[214]溺：淹死。[215]殆：将近；差不多。[216]走免：逃跑得以免死。[217]遏后都：

他们各有自己的部落。西川节度使每年送给他们丝绸布帛三千匹，让他们监视南诏的活动，他们也接受南诏的贿赂来刺探成都的虚实。每次节度使到任，这三个王就率领酋长们到节度使府中来，节度使自认为这是朝廷的威德使他们顺从敬服，上表向朝廷报告。而这三个王暗中却与节度使属下的大将相互勾结，节度使有时失去大将的心意，大将就教唆各部蛮人扰乱生事。此前朝廷派往西川的节度使多是文臣，不想惹事，所以这些大将常常以此来求得节度使的姑息，而南诏也借此多次在边地制造祸患。等到王建担任西川节度使，断绝以往对这三个王的赏赐，杀死与这三个王勾结的都押牙山行章来进行惩戒。邛崃关以南，不再设置要塞和派遣侦察敌情的人，不用一兵一卒戍守，蛮人也不敢入侵抢掠。后来王建派遣王宗播进攻南诏，这三个王泄漏了军事机密，王建就把他们招来斩杀了。

右拾遗张道古上疏说："现在国家有五个危难、两个祸乱。过去汉文帝即位不久，就明白熟悉国家事务。如今陛下登临帝位已有十年，然而仍不知晓国君驾驭臣下的方法。太宗皇帝对内安定中原，对外开拓四夷，海外诸国，没有不入朝称臣归附的。如今先代留下来的疆土，日益缩小，几乎丢尽。我虽然轻微卑贱，私下里却担心皇帝、朝廷、国家开始时受到奸臣的玩弄，最终就要被乱臣贼子所篡夺！"昭宗大怒，把张道古贬为施州司户。又下诏历数张道古的罪状，向谏官们宣示。张道古，是青州人。

断后部队。㉘牛存节（？至公元九一五年）：青州博昌（今山东博兴）人，字赞贞，本名礼，朱全忠改名存节。原为河阳节度使诸葛爽部属，爽卒，投朱全忠，多立战功，官至宣武军都指挥使、宿州刺史、绛州刺史、郓州节度使，封开国公，食邑一千户。传见《旧五代史》卷二十二、《新五代史》卷二十二。㉙缘道：沿途。㉚馁：饥饿。㉛行军副使：官名，唐制节度使下有行军副使，位仅次于行军司马。㉜李承嗣（公元八六五至九二〇年）：代州雁门（今山西代县）人，原为李克用部属，入援淮南而为杨行密所用。传见《旧五代史》卷五十五。㉝尤者：格外好的；最好的。尤，最、顶尖的。㉞戊寅：十一月初七日。㉟何氏：梓州（今四川三台）人，系族不显。昭帝为寿王时得幸，即位后号淑妃。传见《新唐书》卷七十七。㊱威武：方镇名，乾宁四年升福建团练观察处置使为威武军节度使，治所福州，在今福建福州。㊲捶挞：用棍子、鞭子捶打。㊳寝疾：卧病。㊴丁未：十二月初六日。㊵壬戌：十二月二十一日。㊶戊辰：十二月二十七日。㊷骠信：南诏君主自称，意为"君主"。㊸舜化：南诏骠信的名字。㊹上皇帝书函：南诏骠信写给唐昭宗的书信。㊺督爽牒中书：南诏大臣督爽写给唐中书省的公文。督爽，南诏大臣，相当于宰相。㊻木夹：传送文书用的木制夹板。㊼黎、雅：皆州名，黎州治所在

今四川汉源北，雅州治所在今四川雅安。㊳浅蛮：生活在离汉族居住区较近的蛮族。与生活在深山幽谷中的蛮族相对而言。㊴觇：侦视。㊵诇：刺探。㊶酋长：部落首领。㊷自谓威德所致：节度使把三王帅酋长到府拜访，说成是由于自己的威德所致，向朝廷表功。威德，声威与德望。㊸阴：暗中。㊹或：有时。㊺藉：借。㊻邀：求。㊼姑息：无原则的宽容。㊽绝其旧赐：断绝过去每年缯帛三千匹的赏赐。㊾山行章：为陈敬瑄、田令孜旧将，王建因其与浅蛮相表里而斩之，既示威于诸蛮，又除掉陈、田旧将。㊿邛崃：此指邛崃关，在今四川邛崃。[251]鄣候：要塞和土堡。候，边境伺望侦察的设置。[252]戍：守边。[253]右拾遗：官名，武则天垂拱初置，负责侍从、进谏、荐举。属中书省，从八品

【原文】

光化元年（戊午，公元八九八年）

春，正月，两浙、江西、武昌、淄青各遣使诣阙，请以朱全忠为都统，讨杨行密[264]。诏不许。

加平卢节度使王师范同平章事。

以兵部尚书刘崇望同平章事，充东川节度使。以昭信防御使冯行袭为昭信[265]节度使。

上下诏罪己息兵，复李茂贞姓名官爵，应[266]诸道讨凤翔兵皆罢之。

壬辰[267]，河中节度使王珂亲迎于晋阳，李克用遣其将李嗣昭守河中。

李茂贞、韩建皆致书于李克用，言大驾出幸累年[268]，乞修和好[269]，同奖[270]王室，兼乞丁匠[271]助修宫室。克用许之。

初，王建攻东川，顾彦晖求救于李茂贞，茂贞命将出兵救之，不暇[272]东逼乘舆，诈称改过，与韩建共翼戴[273]天子，及闻朱全忠营洛阳宫，累表迎车驾，茂贞、韩建惧，请修复宫阙，奉上归长安。诏以韩建为修宫阙使。诸道皆助钱及工材。建使都将蔡敬思督其役[274]。既成，二月，建自往视之。

钱镠请徙镇海军于杭州[275]，从之。

复以李茂贞为凤翔节度使。

上。㉕④五危、二乱：言国家有五大危机，二大祸乱，灾难深重。㉕⑤未几：没多久。㉕⑥登极：登帝位。唐昭宗于文德元年（公元八八八年）继位，至此时已十年。㉕⑦驭臣：统帅控制臣下。驭，驾驭。㉕⑧太宗：指唐太宗李世民。㉕⑨海表：海外。这里泛指周边之处。㉖⓪封域：疆域。㉖①日蹙：国土被蚕食，一天天地缩小。㉖②窃伤：暗自伤心。㉖③施州：州名，治所在今湖北恩施。

【校记】

［12］屯：原作“营”。据章钰校，十二行本、乙十一行本皆作“屯”，今从改。

【语译】

光化元年（戊午，公元八九八年）

春，正月，两浙的钱镠、江西的锺传、武昌的杜洪、淄青的王师范各自派遣使者到朝廷，请求以朱全忠为都统，讨伐杨行密。昭宗下诏不同意。

朝廷加任平卢节度使王师范为同平章事。

朝廷任命兵部尚书刘崇望为同平章事，充任东川节度使。以昭信防御使冯行袭为昭信节度使。

昭宗下诏检讨自己的过失，命令各藩镇停止征战，恢复李茂贞的姓名、官职、爵位，所有各道讨伐凤翔李茂贞的军队全部撤回。

二十二日壬辰，河中节度使王珂亲自到晋阳迎娶李克用的女儿，李克用派遣他的部将李嗣昭守卫河中。

李茂贞、韩建都写书信给李克用，说昭宗离开京城外出巡幸已经好几年，请求相互和睦相处不再对抗，共同辅佐皇室，并且请李克用派出民夫工匠帮助修筑宫室。李克用答应了他们。

当初，王建进攻东川，顾彦晖向李茂贞求救，李茂贞命令部将率领军队前去救援，没有空闲东进迫近昭宗，因此假称已改过自新，与韩建一起辅佐拥戴昭宗。等到得知朱全忠营建洛阳宫室，多次上表朝廷要迎接昭宗去洛阳，李茂贞、韩建很害怕，请求修复京城长安的宫殿，侍奉昭宗返回长安。昭宗下诏任命韩建为修宫阙使。各道都援助银钱及工匠、材料。韩建派都将蔡敬思监督修复宫殿的事务。修复完成后，二月，韩建亲自前往长安察看修复情况。

钱镠请求把镇海军治所从润州迁往杭州，朝廷同意他的请求。

再次任命李茂贞为凤翔节度使。

三月己丑[276]，以王审知充威武留后。

朱全忠遣副使万年[277]韦震[278]入奏事，求兼镇天平[279]，朝廷未之许，震力争之。朝廷不得已，以全忠为宣武、宣义、天平三镇节度使。全忠以震为天平留后，以前台州刺史李振[280]为天平节度副使。振，正抱[281]之曾孙也。

【段旨】

以上为第六段，写朱全忠势大，李茂贞、韩建恐失昭宗，转而尊奉朝廷，与李克用联合对抗朱氏。

【注释】

㉖④两浙、江西三句：两浙指钱镠，江西指锺传，武昌指杜洪，淄青指王师范。四镇皆害怕杨行密的强大，故党附朱全忠，要求讨伐杨行密。诣阙，前往宫廷。㉖⑤昭信：方镇名，唐僖宗光启元年（公元八八五年）升金商都防御使为节度使，是年罢。置昭信军防御使，治所金州，在今陕西安康。㉖⑥应：所有。㉖⑦壬辰：正月二十二日。㉖⑧累年：多

【原文】

淮南将周本救苏州，两浙将顾全武击破之。淮南将秦裴以兵三千人拔昆山[282]而戍之。

以潭州刺史、判湖南军府事马殷知武安[283]留后。时湖南管内七州，贼帅杨师远据衡州[284]，唐世旻据永州[285]，蔡结据道州[286]，陈彦谦[287]据郴州[288]，鲁景仁[289]据连州[290]，殷所得惟潭、邵[291]二州[13]而已。

义昌节度使卢彦威，性残虐，又不礼于邻道，与卢龙节度使刘仁恭争盐利，仁恭遣其子守文将兵袭沧州，彦威弃城，挈[292]家奔魏州。罗弘信不纳，乃奔汴州。仁恭遂取沧、景、德三州[293]，以守文为义昌留后。仁恭兵势益盛[294]，自谓得天助，有并吞河朔[295]之志，为守文请旌节，朝廷未许。会中使[296]至范阳[297]，仁恭语之曰："旌节吾自有之，但

三月二十日己丑，以王审知充任威武军留后。

朱全忠派遣副使万年人韦震入朝奏事，请求兼任天平节度使，朝廷不同意这一请求，韦震竭力争取。朝廷迫不得已，任命朱全忠为宣武、宣义、天平三镇节度使。朱全忠以韦震为天平留后，以前台州刺史李振为天平节度副使。李振是李正抱的曾孙。

年。㉖⑨乞修和好：要求重归和好。㉗⓪奖：辅佐。㉗①丁匠：工匠。㉗②不暇：无暇；顾不上。㉗③翼戴：辅佐拥戴。㉗④督其役：监督修复宫室的工程。㉗⑤徙镇海军于杭州：镇海军原治润州，今徙治所到杭州。杭州，在今浙江杭州。㉗⑥己丑：三月二十日。㉗⑦万年：县名，县治在今陕西西安。㉗⑧韦震：字东卿，万年人，事朱全忠为都统判官。原名韦肇，因奏事京师，昭宗赐名震。昭宗迁洛，韦震为河南尹。入梁为太子太师，梁末帝加号太师。传见《新五代史》卷四十三。㉗⑨天平：方镇名，唐宪宗元和十四年（公元八一九年）置郓曹濮节度使，治所郓州，在今山东东平西北。次年，赐号天平军节度。㉘⓪李振（？至公元九二三年）：字兴绪，为金吾卫将军，拜台州刺史。后为全忠所用，成为朱全忠的主要谋主，在唐末及后梁掌控大权，历任要职。传见《旧五代史》卷十八、《新五代史》卷四十三。㉘①正抱：李正抱，代、德宗时为昭义军节度使，镇潞州，有大功。封义阳王。传见《旧唐书》卷一百三十二、《新唐书》卷一百三十八。

【语译】

淮南将领周本救援苏州，两浙将领顾全武击败周本。淮南将领秦裴带领三千名士兵攻取昆山并就地驻守。

朝廷任命潭州刺史、判湖南军府事马殷主持武安军留后事务。当时湖南管辖的范围内有七个州，贼帅杨师远占据衡州，唐世旻占据永州，蔡结占据道州，陈彦谦占据郴州，鲁景仁占据连州，马殷所掌握的只有潭、邵二州而已。

义昌节度使卢彦威，性情残忍暴虐，对邻近各道又不以礼相待，他和卢龙节度使刘仁恭争夺盐利，刘仁恭派遣自己的儿子刘守文率领军队袭击沧州。卢彦威放弃沧州城，带领全家投奔魏州。魏博节度使罗弘信不予接纳，于是他又投奔汴州的朱全忠。刘仁恭便夺取了沧、景、德三州，以刘守文为义昌军留后。刘仁恭的军队势力更加强盛，自认为得到上天的帮助，就有了并吞河朔地区的想法，他向朝廷为儿子刘守文请求节度使的仪仗符节，朝廷没有同意。正遇上昭宗派出的中使到了范阳，刘仁恭对他说：“节度使的仪仗符节我自己就有，只是想得到朝廷从长安颁赐的真品

欲得长安本色[298]耳，何为累章见拒[299]！为吾言之!”其悖慢[300]如此。

朱全忠与刘仁恭修好，会魏博兵击李克用。夏，四月丁未[301]，全忠至巨鹿[302]城下，败河东兵万余人，逐北[303]至青山口[304]。

以护国节度使王珂兼侍中。

丁卯[305]，朱全忠遣葛从周分兵攻洺州。戊辰[306]，拔之，斩刺史邢善益。

五月己巳朔[307]，赦天下。

葛从周攻邢州，刺史马师素弃城走。辛未[308]，磁州刺史袁奉滔自刭。全忠以从周为昭义留后，守邢、洺、磁三州而还。

以武定[309]节度使李继密为山南西道节度使。

朝廷闻王建已用王宗涤为东川留后，乃召刘崇望还，为兵部尚书，仍以宗涤为留后。

湖南将姚彦章言于马殷，请取衡、永、道、连、郴五州，仍荐李琼[310]为将。殷以琼及秦彦晖为岭北七州[311]游弈使[312]，张图英、李唐副之，将兵攻衡州，斩杨师远，引兵趣永州，围之月余，唐世旻走死。殷以李唐为永州刺史。

六月，以濠州刺史赵珝[313]为忠武[314]节度使。珝，犨之弟也。

秋，七月，加武贞[315]节度使雷满同平章事，加镇南节度使锺传兼侍中。

忠义[316]节度使赵匡凝闻朱全忠有清口之败，阴附于杨行密。全忠遣宿州刺史尉氏[317]氏叔琮[318]将兵伐之，丙申[319]，拔唐州[320]，擒随州[321]刺史赵匡璘，败襄州兵于邓城[322]。

八月庚戌[323]，改华州为兴德府[324]。

戊午[325]，汴将康怀贞袭邓州[326]，克之，擒刺史国湘。赵匡凝惧，遣使请服于朱全忠，全忠许之。

己未[327]，车驾发华州，壬戌[328]，至长安。甲子[329]，赦天下，改元[330]。

上欲藩镇相与辑睦[331]，以太子宾客[332]张有孚为河东、汴州宣慰使，赐李克用、朱全忠诏，又令宰相与之书，使之和解。克用欲奉诏，而耻于先自屈[333]，乃致书王镕，使通于全忠，全忠不从[334]。

罢了，为什么我多次上表朝廷请求却屡遭拒绝呢！替我向朝廷去说一说！”刘仁恭违逆傲慢到了如此程度。

朱全忠和刘仁恭友好亲善，正逢魏博军队去攻打李克用。夏，四月初八日丁未，朱全忠到达巨鹿城下，打败河东李克用的军队一万多人，追赶溃败的军队一直到达青山口。

任命护国节度使王珂兼任侍中。

二十八日丁卯，朱全忠派遣葛从周分兵进攻洺州。二十九日戊辰，攻取洺州，杀了刺史邢善益。

五月初一日己巳，大赦天下。

葛从周攻打邢州，刺史马师素放弃邢州城逃走。初三日辛未，磁州刺史袁奉滔自杀。朱全忠以葛从周为昭义军留后，驻守邢、洺、磁等三州，自己返回汴州。

任命武定节度使李继密为山南西道节度使。

朝廷得知王建已任用王宗涤为东川留后，于是召回刘崇望，任命他为兵部尚书，仍以王宗涤为东川留后。

湖南将领姚彦章向马殷进言，请求攻取衡、永、道、连、郴五州，便推荐李琼为统军将领。马殷以李琼和秦彦晖为岭北七州游弈使，张图英、李唐为副使，率领军队攻打衡州，斩杀杨师远，又带领军队奔赴永州，围城一个多月，唐世旻逃跑后死去。马殷以李唐为永州刺史。

六月，朝廷任命濠州刺史赵珝为忠武军节度使。赵珝，是赵犨的弟弟。

秋，七月，朝廷加任武贞节度使雷满为同平章事，加任镇南节度使锺传兼任侍中。

忠义节度使赵匡凝得知朱全忠的军队在清口打了败仗，暗中归附于杨行密。朱全忠派遣宿州刺史尉氏人氏叔琮率领军队去讨伐他，七月二十八日丙申，氏叔琮攻取唐州，捉住随州刺史赵匡璘，在邓城击败襄州的军队。

八月十三日庚戌，朝廷把华州改名为兴德府。

二十一日戊午，汴州将领康怀贞袭击邓州，攻克城池，捉住刺史国湘。赵匡凝很害怕，派遣使者请求臣服于朱全忠，朱全忠同意了。

二十二日己未，昭宗从华州出发，二十五日壬戌，到达长安。二十七日甲子，大赦天下，改年号为光化。

昭宗想要各地藩镇之间和睦相处，以太子宾客张有孚为河东、汴州宣慰使，赐给李克用、朱全忠诏书，又命令宰相写信给他们，让他们和解。李克用想要遵奉诏书与朱全忠和解，但耻于自己先屈服，于是写信给王镕，让他先和朱全忠沟通，朱全忠不肯听从。

九月乙亥㉟，加韩建守㊱太傅、兴德尹㊲。加王镕兼中书令，罗弘信守侍中。

己丑㊳，东川留后王宗涤言于王建，以东川封疆㊴五千里，文移㊵往还，动逾㊶数月，请分遂、合㊷、泸、渝、昌㊸五州别为一镇。建表言之。

【段旨】

以上为第七段，写昭宗还京，遣使和解诸镇。马殷拓展势力达于岭北。刘仁恭侮慢朝廷。

【注释】

㉘昆山：县名，县治在今江苏昆山市，唐朝时属苏州。㉘武安：方镇名，唐僖宗中和三年（公元八八三年）湖南观察使为钦化军节度，光启元年（公元八八五年）改为武安军节度使。治所潭州，在今湖南长沙。㉘衡州：州名，治所在今湖南衡阳。㉘永州：州名，治所在今湖南永州市零陵区。㉘道州：州名，治所在今湖南道县西。㉘陈彦谦：桂阳人，杀岳州刺史黄岳，据郴州。㉘郴州：州名，治所在今湖南郴州。㉘鲁景仁：本来跟随黄巢，因病留连州，遂据之。㉙连州：州名，治所在今广东连州。㉙邵：州名，治所在今湖南邵阳。㉙挈：带；领。㉙沧景德三州：沧州治所清池，在今河北沧州东南；景州治所东光，在今河北东光；德州治所安德，在今山东德州市陵城区。㉙益盛：刘仁恭并幽、沧二镇之兵，故势力越来越大。㉙河朔：地区名，相当于今河北及河南黄河以北地区。此处指魏博、成德两镇。㉙中使：由宫内派出的使者，皆以宦官充任。㉙范阳：方镇名，即幽州。唐玄宗天宝元年（公元七四二年）更幽州节度使为范阳节度使。安史之乱平定后，改回。因领卢龙军，又称卢龙节度使。但时人仍多以范阳作为这一区域的称谓。㉙本色：喻正宗、真品。㉙累章见拒：多次上奏章而被拒绝。㉚悖慢：违逆傲慢。㉚丁未：四月初八日。㉚巨鹿：县名，县治在今河北巨鹿。㉚逐北：追逐败走的敌军。㉚青山口：镇名，在今河北邢台西北。㉚丁卯：四月二十八日。㉚戊辰：四月二十九日。㉚己巳朔：五月初一日。㉚辛未：五月初三日。㉚武定：方镇名，唐僖宗光启元年（公元八八五年）置武定军节度使，治所洋州，在今陕西西乡。李继密为山南西道节度使，自洋州徙兴元。㉛李琼：与秦彦晖为马殷主要将领，攻取连、邵、郴、衡、道、永六州后，马殷表琼为桂管观察使，逾年为武安军节度使。事略见《新五代史》卷六十六《马殷传》等。〖按〗《通鉴》把李琼取衡、永诸州系于乾宁四年（公元八九七年），《新

九月初八日乙亥，朝廷加任韩建暂时代理太傅、兴德尹。加任王镕兼任中书令，罗弘信暂时代理侍中。

二十二日己丑，东川留后王宗涤对王建说，东川疆域有五千里，公文往来传送，动辄超过数月，请求分出遂、合、泸、渝、昌五州另外设置一个镇。王建上表向昭宗报告这件事。

五代史》则记于乾宁三年（公元八九六年）。又《通鉴》云琮取五州，《新五代史》言六州。㉛岭北七州：指五岭之北的衡、永、道、连、郴、潭、邵七州。312游弈使：官名，游弈意为巡逻。313赵珝：原忠武军节度使赵犨之弟。时任濠州刺史，官至同州留后，入后唐为右金吾卫上将军。传附《新唐书》卷一百八十九、《旧五代史》卷十四、《新五代史》卷四十二《赵犨传》。314忠武：方镇名，唐德宗贞元十年（公元七九四年）赐陈许节度使号忠武军节度使，治许州。315武贞：方镇名，光化元年置武贞节度使，领澧、郎、溆三州。治所澧州，在今湖南澧县东南。316忠义：方镇名，即山南东道，唐僖宗文德元年（公元八八八年）赐山南东道号忠义军节度。治所襄州，在今湖北襄阳。317尉氏：县名，县治在河南尉氏。318氏叔琮（？至公元九〇四年）：为朱全忠骑将，历官曹州刺史、保大军节度使。昭宗迁洛，拜右龙武统军。他奉朱全忠之命弑昭宗，随后为朱全忠所诛以塞责。传见《新唐书》卷二百二十三下、《旧五代史》卷十九、《新五代史》卷四十三。319丙申：七月二十八日。320唐州：州名，治所在今河南泌阳。321随州：州名，治所在今湖北随县。322邓城：县名，县治在襄阳北，唐朝时属襄州。323庚戌：八月十三日。324兴德府：因昭宗车驾驻在华州，故改华州为兴德府。325戊午：八月二十一日。326邓州：州名，治所在今河南邓州。327己未：八月二十二日。328壬戌：八月二十五日。329甲子：八月二十七日。330改元：改年号。改称光化。331相与辑睦：互相和睦相处。332太子宾客：官名，太子官属，掌调护、侍从、规谏。333自屈：自己主动屈服。334不从：朱全忠时兵力正强盛，故不从。335乙亥：九月初八日。336守：署理。以低官阶任高官称“守”。337兴德尹：官名，兴德府最高行政长官。338己丑：九月二十二日。339封疆：疆界。340文移：官府文书。341逾：超过。342合：州名，治所在今重庆市合川区。343昌：州名，治所在今重庆市大足区。

【校记】

［13］二州：原无此二字。据章钰校，十二行本、乙十一行本皆有此二字，张敦仁《通鉴刊本识误》同，今据补。

【原文】

顾全武攻苏州，城中及援兵食皆尽。甲申㉞，淮南所署苏州刺史台濛弃城走，援兵亦遁。全武克苏州，追败周本等于望亭㉟。独秦裴守昆山不下，全武帅万余人攻之。裴屡出战，使弱[14]者被甲执矛，壮者彀㊱弓弩㊲，全武每为之却㊳。全武檄裴令降㊴。全武尝为僧，裴封函纳款㊵，全武喜，召诸将发函㊶，乃佛经一卷，全武大惭㊷，曰："裴不忧死，何暇戏㊸予㊹！"益兵攻城，引水灌之，城坏，食尽，裴乃降。钱镠设千人馔㊺以待之，及[15]出，羸㊻兵不满百人。镠怒曰："单弱如此，何敢久为旅拒㊼！"对曰："裴义㊽不负杨公，今力屈而降耳，非心降也。"镠善其言。顾全武亦劝镠宥㊾之，镠从之。时人称全武长者㊿。

魏博节度使罗弘信薨，军中推其子节度副使绍威(361)知留后。

汴将朱友恭将兵还自江、淮，过安州(362)，或告刺史武瑜潜与淮南通，谋取汴军。冬，十月己亥(363)，友恭攻而杀之。

李克用遣其将李嗣昭、周德威(364)将步骑二[16]万出青山(365)，将复(366)山东三州(367)。壬寅(368)，进攻邢州，葛从周出战，大破之。嗣昭等引兵退入青山，从周追之，将扼(369)其归路，步兵自溃，嗣昭不能制。会横冲都(370)将李嗣源以所部兵至，谓嗣昭曰："吾辈亦去，则势不可支矣，我试为公击之。"嗣昭曰："善！我请从公后。"嗣源乃解鞍厉镞(371)，临[17]高布陈(372)，左右指画，邢人莫之测(373)。嗣源直前奋击，嗣昭继之，从周乃退。德威，马邑(374)人也。

癸卯(375)，以威武留后王审知为节度使。

以罗绍威知魏博留后。

丁巳(376)，以东川留后王宗涤为节度使。

加佑国节度使张全义兼侍中。

王珙引汴兵寇河中，王珂告急于李克用。克用遣李嗣昭救之，败汴兵于胡壁(377)，汴人走。

【语译】

顾全武攻打苏州，苏州城里以及援军的粮食都吃光了。九月十七日甲申，淮南杨行密所任命的苏州刺史台濛放弃城池逃走，援军也逃走了。顾全武攻取苏州，又追击周本等人，在望亭击败他们。只有秦裴守住昆山未被攻下，顾全武率领一万多人进攻他们。秦裴多次出战，让孱弱的士兵穿上铠甲手执长矛，强壮的士兵张开弓弩，顾全武的军队经常因此而退却。顾全武送檄文给秦裴命令他投降。顾全武曾出家当过和尚，秦裴封好信函表示要投降，顾全武大喜，召集诸将打开信函，里面却是一卷佛经。顾全武大为羞恼，说："秦裴不担忧死亡，还有空闲来戏弄我！"增派军队攻打昆山城，引河水灌城，城墙毁坏，粮食吃尽，秦裴才投降。钱镠准备好一千个人吃的食物等待他们，等到秦裴出城时，瘦弱疲惫的士兵还不满一百人。钱镠气愤地说："你的军队单薄衰弱到如此地步，为什么还敢长久地抵抗！"秦裴回答说："我秦裴出于义气不辜负杨行密，现在是因为力量穷尽而投降的，并不是真心想要投降你们。"钱镠很赞赏秦裴所说的话，顾全武也劝钱镠宽赦秦裴，钱镠听从了顾全武的意见。当时人们都称赞顾全武是忠厚长者。

魏博节度使罗弘信去世，军中将士推举他的儿子节度副使罗绍威担任留后。

汴州将领朱友恭率领军队从长江、淮水一带返回，路过安州，有人告发安州刺史武瑜暗中和淮南杨行密联络，阴谋攻打汴州军队。冬，十月初三日己亥，朱友恭率领军队攻打安州，并杀死武瑜。

李克用派遣他的部将李嗣昭、周德威率领步兵、骑兵二万人从青山出发，将要收复山东的邢、洺、磁三个州。十月初六日壬寅，进攻邢州，葛从周出城应战，把他们打得大败。李嗣昭等人带领军队退入青山，葛从周追赶他们，想要截断他们返回的道路，李嗣昭的步兵自行溃散，他不能控制，适逢横冲都将李嗣源率领他的部下到来，对李嗣昭说："如果我们也退走，那么形势就支撑不住了，我试着为你去攻打他们。"李嗣昭说："好！我请求跟随在你后面。"李嗣源于是解下马鞍，磨砺箭头，来到高处布置战阵，向左右指指画画，邢州军队猜测不出他的意图。李嗣源率领军队一直向前奋勇攻击，李嗣昭紧随其后，于是葛从周的军队撤退。周德威，是马邑人。

十月初七日癸卯，朝廷任命威武军留后王审知为节度使。

朝廷任命罗绍威为魏博军留后。

二十一日丁巳，朝廷任命东川留后王宗涤为节度使。

朝廷加任佑国节度使张全义兼侍中。

王珙率领汴州军队进犯河中。王珂向李克用告急。李克用派遣李嗣昭去救援王珂，在胡壁镇击败汴军，汴军逃走。

前常州刺史王柷，性刚介[378]，有时望[379]，诏征之，时人以为且入相。过陕[380]，王珙延奉[381]甚至，请叙子侄之礼[382]拜之，柷固辞不受。珙怒[383]，使送者杀之，并其家人悉[384]投诸[385]河，掠其资装，以覆舟闻。朝廷不敢诘[386]。

闰月，钱镠以其将曹圭为苏州制置使，遣王球攻婺州。

十一月甲寅[387]，立皇子祯[388]为雅王，祥为琼王。

以魏博留后罗绍威为节度使。

衢州刺史陈岌请降于杨行密，钱镠使顾全武讨之。

朱全忠以奉国[389]节度使崔洪与杨行密交通，遣其将张存敬[390]攻之。洪惧，请以弟都指挥使贤为质[391]，且言："将士顽悍，不受节制，请遣二千人诣麾下[392]从征伐。"全忠许之，召存敬还。存敬，曹州人也。

【段旨】

以上为第八段，写李克用与朱全忠均全力争河北，大战役不断。钱镠从杨行密手中夺回了苏州。

【注释】

㉞甲申：九月十七日。㉟望亭：镇名，在苏州北四十五里。唐朝时属常州无锡县。㊱彀：使劲张弓。㊲弓弩：都是射箭的武器。不过弩使用机械发射，力强可以及远。㊳却：退却。㊴檄裴令降：发檄文给秦裴，令其投降。檄，古代用作征召、晓谕、申讨的文书。㊵纳款：归顺；降服。㊶发函：打开信函。㊷惭：羞愧。㊸戏：戏弄。㊹予：我。㊺馔：食物。㊻羸：瘦弱。㊼旅拒：聚众抗拒。㊽义：义气；信义。㊾宥：宽容；饶恕。㊿长者：道德高尚的人。[361]绍威：罗绍威（公元八八一至九一五年），字端己，继其父为魏博节度使，昭宗时加拜守侍中，进封邺王。后仕梁，累拜太师兼中书令。传见《旧唐书》卷一百八十一、《新唐书》卷二百十、《旧五代史》卷十四、《新五代史》卷三十九。[362]安州：州名，治所在今湖北安陆。[363]己亥：十月初三日。[364]周德威（？至公元九一八年）：字镇远，朔州马邑（今山西朔州东）人，为人勇而多智，是李克用手下重要的军事将领，梁、晋之际，勇闻天下。传见《旧五代史》卷五十六、《新五代史》卷二十五。[365]青山：县名，县治在今河北内丘西南。[366]复：收复。[367]山东三州：指淆山以东

前任常州刺史王柷，性格刚直耿介，当时很有声望。昭宗下诏书征召王柷，当时人认为他要担任宰相了。经过陕州时，王珙侍奉招待王柷非常周到，请求用子侄的礼节来拜见他，王柷坚决推辞不肯接受。王珙大怒，指使送行的人杀死王柷，连同他的家人全部投进黄河，夺取他的资财行装，然后上报说王柷因为翻船而死亡。朝廷竟不敢追查这件事。

闰十月，钱镠以他的部将曹圭为苏州制置使，派遣王球进攻婺州。

十一月十九日甲寅，唐昭宗立皇子李祯为雅王，李祥为琼王。

朝廷任命魏博军留后罗绍威为节度使。

衢州刺史陈岌向杨行密请求投降，钱镠派遣顾全武去讨伐陈岌。

朱全忠因为奉国节度使崔洪和杨行密互相勾结，派遣他的部将张存敬去攻打崔洪。崔洪恐惧，请求让他的弟弟都指挥使崔贤到朱全忠处作为人质，并且说："我手下的将士顽固凶悍，不服从我的指挥，请求派遣二千人到您部下随从征伐。"朱全忠同意了，召张存敬返回。张存敬，是曹州人。

邢、洺、磁三州。是年五月，葛从周取之。㊱⑧ 壬寅：十月初六日。㊱⑨ 扼：控制。㊲⓪ 横冲都：乾宁三年，李克用遣李存信将兵三万救朱瑄、朱瑾，罗弘信在莘县夜袭李存信，而李嗣源奋力殿军而还，李克用为表彰其功劳，即以他所率五百骑号"横冲都"。㊲① 厉镞：磨砺箭头。㊲② 布陈：布置阵势。陈，通"阵"。㊲③ 莫之测：摸不清李嗣源的兵力。㊲④ 马邑：县名，县治在今山西朔州东，唐朝时属朔州。㊲⑤ 癸卯：十月初七日。㊲⑥ 丁巳：十月二十一日。㊲⑦ 胡壁：镇名，唐时属宝新县，在今山西万荣西南。㊲⑧ 刚介：刚强耿直。㊲⑨ 时望：当时有威信、有声望。㊳⓪ 过陕：王柷应朝廷征召，路过陕州。㊳① 延奉：接待侍奉。㊳② 子侄之礼：王珙与王柷同姓，柷年辈在前行，又将入相，所以王珙要以子侄之礼拜见。此举既有攀附之意，又欲提高自己的家族地位。㊳③ 珙怒：王柷固辞不受，王珙认为他是嫌自己出身寒微而拒绝，故发怒。㊳④ 悉：都；全部。㊳⑤ 诸：之于。㊳⑥ 朝廷不敢诘：唐末朝廷威令不行，藩镇暴横，王柷遭王珙虐杀而朝廷不敢问。诘，追问。㊳⑦ 甲寅：十一月十九日。㊳⑧ 祯：李祯，与下句李祥均为昭宗之子。传见《新唐书》卷八十二。㊳⑨ 奉国：方镇名，唐僖宗中和二年（公元八八二年）于蔡州置奉国军节度。蔡州与淮南邻道。㊴⓪ 张存敬：谯郡（今安徽亳州）人，官至护国军留后，加检校司空。传见《旧五代史》卷二十、《新五代史》卷二十一。㊴① 质：人质。㊴② 诣麾下：到朱全忠处，接受朱的指挥。

【校记】

［14］弱：原作“病”。张敦仁《通鉴刊本识误》作“弱”，其义长，今从改。［15］及：原作“乃”。胡三省注云：“‘乃’当作‘及’。”据章钰校，乙十一行本作“及”，今从改。［16］二：据章钰校，十二行本作“三”。［17］临：原作“乘”。据章钰校，十二行本、乙十一行本皆作“临”，今从改。

【原文】

十二月，昭义节度使薛志勤薨。

李克用之平王行瑜也，李罕之[393]求邠宁于克用。克用曰：“行瑜恃功邀[394]君，故吾与公讨而诛之。昨破贼之日，吾首奏[395]趣苏文建赴镇[396]。今才达天听[397]，遽复二三[398]，朝野之论，必喧然谓吾辈复如行瑜所为也。吾与公情如同体[399]，固无所爱[400]，俟还镇，当更为公论功赏耳。”罕之不悦而退，私于盖寓曰：“罕之自河阳失守，依托大庇[401]，岁时[18]已深。比来衰老，倦于军旅，若蒙吾王[402]与太傅[403]哀愍，赐一小镇，使数年之间休兵养疾，然后归老闾阎[404]，幸矣。”寓为之言，克用不应。每藩镇缺，议不及罕之，罕之甚郁郁[405]。寓恐其有他志，亟[406]为之言，克用曰：“吾于罕之岂爱一镇！但罕之，鹰也，饥则为用，饱则背飞[407]！”

及志勤薨，旬日无帅，罕之擅引泽州兵夜入潞州，据之，以状[408]白克用，曰：“薛铁山[409]死，州民无主，虑不逞者[410]为变，故罕之专命[411]镇抚，取王裁旨[412]。”克用怒，遣人让[413]之。罕之遂遣其子颢[19]请降于朱全忠，执河东将马溉等及沁州[414]刺史傅瑶送汴州。克用遣李嗣昭将兵讨之，嗣昭先取泽州，收罕之家属送晋阳。

杨行密遣成及等[20]归两浙以易[415]魏约等，钱镠许之。

韶州[416]刺史曾衮举兵攻广州，州将王瓌帅战舰应之，清海[417]行军司马刘隐[418]一战破之。韶州将刘潼复据浈[419]、浛[420]，隐讨斩之。

【语译】

十二月，昭义节度使薛志勤去世。

李克用平定王行瑜时，李罕之向李克用请求出任邠宁节度使。李克用说：“王行瑜依仗自己的功劳胁迫皇上，所以我和你出兵讨伐并将他杀死。昨天打败王行瑜的时候，我首先上奏催促苏文建赶赴邠宁就职。现在奏疏刚刚送达皇上，马上又要改变，朝廷内外的舆论，必然会喧哗吵闹，说我们所作所为还是和王行瑜一样。我和你情同手足，本来就没有什么吝惜的，等到返回镇所，应再给你论功行赏。”李罕之不高兴地退出去，私下里和盖寓说：“我自从河阳失守以后，依靠大王的庇护，已经有很多年时。近来我日渐衰老，对出征作战已感到厌倦，假如能得到大王和太傅您的怜悯，赐给我一个小镇，让我能在几年之间停止出征作战，安心养病，然后再返回乡里养老，那就是我的幸运了。”盖寓为李罕之说情，李克用不答应。每当藩镇官出现空缺，商量人选时都没提到李罕之，李罕之心里十分郁郁不平。盖寓担心李罕之会有异心，多次为他说话，李克用说：“我对于李罕之，怎么会吝惜一个方镇呢！只是李罕之这个人，像鹰一样，饥饿的时候能为你效劳，吃饱了以后就背离你飞走了！”

等到薛志勤去世，潞州十天左右没有主帅，李罕之擅自带领泽州军队在夜里进入潞州，占据了潞州城，然后送文书上报给李克用说：“薛志勤死了，潞州老百姓没有主帅，我担忧不得志的人发动变乱，所以就擅自进入潞州镇守安抚，等待大王的裁定。”李克用很生气，派人责备他。李罕之于是就派遣他的儿子李颢向朱全忠请求投降，抓住河东将领马溉等以及沁州刺史傅瑶送到汴州。李克用派遣李嗣昭率领军队讨伐李罕之。李嗣昭先攻取泽州，拘押李罕之的家属送到晋阳。

杨行密送以前擒获的将领成及等人返回两浙，以换回被两浙军队俘获的淮南将领魏约等人，钱镠同意了。

韶州刺史曾衮发兵攻打广州，广州将领王瓌率领战舰接应他们，清海行军司马刘隐一战就击败曾衮的军队。韶州将领刘潼又占据了浈阳、浛洭这两个县，刘隐前去讨伐，斩杀了刘潼。

【段旨】

以上为第九段，写李罕之叛离李克用。杨行密与钱镠和解换俘。

【注释】

㉓李罕之：陈州项城人，曾为僧、乞丐，后从黄巢，降于高骈。在唐末军阀混战中，李罕之先后依附李克用、朱全忠，反复无常。官至节度使、河南尹、东都留守。卒于河阳三城节度使赴任路上。传见《新唐书》卷一百八十七、《旧五代史》卷十五、《新五代史》卷四十二。㉔邀：胁迫。㉕首奏：第一个奏议。㉖赴镇：赴邠州为邠宁节度使。㉗天听：皇帝的视听。㉘遽复二三：在短时间内出尔反尔。二三，指反复无定。㉙同体：一个人。㊵固无所爱：本没有什么吝惜的。㊶大庇：保护。㊷吾王：指李克用。㊸太傅：指盖寓。寓时为检校太傅。㊹闾阎：泛指民间。㊺郁郁：郁闷不快。㊻亟：多次；极力。㊼背飞：背离而飞。㊽状：文体的一种。向上级陈述事实的文书。㊾薛铁山：即薛志勤，他从李克用起代北，初名铁山，后改名为志勤。薛志勤为李克用牙将，守云州，转为潞州节度使，死于任所。㊿不逞者：不得志的人。(411)专命：不待请命而行事。(412)裁

【原文】

二年（己未，公元八九九年）

春，正月丁未(421)，中书侍郎兼吏部尚书、同平章事[21]崔胤(422)罢守本官(423)。以兵部尚书陆扆(424)同平章事。

朱全忠表李罕之为昭义节度使，又表权知河阳(425)留后丁会(426)、武宁(427)留后王敬荛(428)、彰义(429)留后张珂(430)并为节度使。

杨行密与朱瑾将兵数万攻徐州，军于吕梁(431)，朱全忠遣骑将张归厚救之。

刘仁恭发幽、沧等十二州兵(432)十万，欲兼河朔。攻贝州(433)，拔之，城中万余户，尽屠之，投尸清水(434)。由是诸城各坚守不下。仁恭进攻魏州(435)，营于城北，魏博节度使罗绍威求救于朱全忠。

朱全忠遣崔贤还蔡州(436)，发其兵二千诣大梁。二月，蔡将崔景思等杀贤，劫崔洪，悉驱兵民渡淮奔杨行密。兵民稍稍(437)遁归(438)，至广陵者不满二千人。全忠命许州刺史朱友裕守蔡州。

旨：判断其可否的意旨。⑬ 让：责备。⑭ 沁州：州名，治所在今山西沁源。⑮ 易：即交换。钱镠将成及于乾宁三年被杨行密俘获，淮南将魏约在去年四月被钱镠俘获。杨行密与钱镠交换战俘，意在求得和解。⑯ 韶州：州名，治所在今广东韶关市。⑰ 清海：方镇名，昭宗乾宁二年（公元八九五年）赐岭南东道节度号清海军节度使，治所广州。⑱ 刘隐（公元八七三至九一一年）：上蔡（今河南上蔡）人，五代十国南汉国的奠基者。刘隐后为清海军节度使割据岭南，其弟刘䶮继位称帝，都广州。传见《旧五代史》卷一百三十五、《新五代史》卷六十五。⑲ 浈：浈阳，县名，县治在今广东英德。⑳ 浛：浛洭，县名，县治在今广东英德西北。

【校记】

［18］岁时：原作“岁月”。据章钰校，十二行本、乙十一行本皆作“岁时”，今从改。［19］颢：原无此字。据章钰校，十二行本、乙十一行本、孔天胤本皆有此字，张敦仁《通鉴刊本识误》同，今据补。［20］等：原无此字。据章钰校，十二行本、乙十一行本皆有此字，今据补。

【语译】

二年（己未，公元八九九年）

春，正月十三日丁未，中书侍郎兼吏部尚书、同平章事崔胤被罢免相职，仍任原来官职。以兵部尚书陆扆为同平章事。

朱全忠上表请求朝廷任命李罕之为昭义节度使，又上表请求朝廷将暂时代理河阳军留后的丁会、武宁军留后的王敬荛、彰义军留后的张珂都任命为节度使。

杨行密和朱瑾率领军队几万人进攻徐州，驻军在吕梁。朱全忠派遣骑兵将领张归厚救援徐州。

刘仁恭征发幽、沧、涿、瀛、莫、平、营、蓟、妫、檀、景、德等十二个州的军队十万人，想要兼并河朔地区。先进攻贝州，攻了下来，城中一万多户居民，全部被屠杀，尸体扔进清河水中。因此诸城各自坚守不降。刘仁恭进攻魏州，在城北扎营，魏博节度使罗绍威向朱全忠求援。

朱全忠把崔洪的弟弟崔贤送回蔡州，征发蔡州军队二千人到大梁。二月，蔡州将领崔景思等人杀死崔贤，劫持崔洪，驱赶蔡州的全部士兵和百姓渡过淮水投奔杨行密。士兵和百姓逐渐逃回蔡州，到达广陵的士兵和百姓还不足二千人。朱全忠命令许州刺史朱友裕守卫蔡州。

朱全忠自将救徐州，杨行密闻之，引兵去。汴人追及之于下邳[439]，杀千余人。全忠行至辉州[440]，闻淮南兵已退，乃还。

三月，朱全忠遣其将李思安[441]、张存敬将兵救魏博，屯于内黄[442]。癸卯[443]，全忠以中军[444]军于滑州[445]。刘仁恭谓其子守文曰："汝勇十倍于思安，当先虏鼠辈，后擒绍威耳!"乃遣守文及其妹婿单可及将精兵五万击思安于内黄。丁未[446]，思安使其将袁象先[447]伏兵于清水之右，思安逆战于繁阳[448]，阳[449]不胜而却[450]。守文逐之，及内黄之北，思安勒兵[451]还战，伏兵发，夹击之。幽州兵大败，斩可及，杀获三万人，守文仅以身免。可及，幽州骁将[452]，号"单无敌"，燕军失之丧气[453]。思安，陈留人也。

时葛从周自邢州将精骑八百已入魏州。戊申[454]，仁恭攻上水关[455]、馆陶门[456]，从周与宣义牙将贺德伦[457]出战，顾门者[458]曰:"前有大敌，不可返顾。"命阖其扉[459]。从周等殊死[460]战，仁恭复大败，擒其将薛突厥、王郐郎。明日，汴、魏乘胜合兵击仁恭，破其八寨，仁恭父子烧营而遁。汴、魏之人长驱追之，至临清，拥其众入永济渠[461]，杀溺不可胜纪[462]。镇人[463]亦出兵邀击于东境，自魏至沧五百里间，僵尸相枕[464]。仁恭自是不振，而全忠益横矣。德伦，河西胡人也。

【段旨】

以上为第十段，写幽州刘仁恭扫境南下侵魏博，朱全忠遣将救援，连败刘仁恭、刘守文父子，幽州之众全军覆没，至此，刘仁恭一蹶不振。

【注释】

㉑丁未：正月十三日。㉒崔胤：清河武城人，唐宣宗朝宰相崔慎由之子。乾宁二年（公元八九五年）进士，外结朱全忠，官至宰相，封魏国公。后因重建禁军事，被朱温诛杀。传见《旧唐书》卷一百七十七、《新唐书》卷一百八十三。㉓罢守本官：罢相仍任中书侍郎。㉔陆扆：字祥文，本名允迪，吴郡人，官至宰相。传见《旧唐书》卷一百七十九、《新唐书》卷一百八十三。㉕河阳：军镇名，治所孟县，在今河南孟州。㉖丁

朱全忠亲自率领军队救援徐州，杨行密得知这一消息，率军离去。汴军在下邳县追上淮南兵，杀死一千多人。朱全忠行进到辉州时，得知淮南军队已经退走，于是返回汴州。

三月，朱全忠派遣他的部将李思安、张存敬率领军队去救援魏博，驻军在内黄县。初十日癸卯，朱全忠率中军驻扎在滑州。刘仁恭对他儿子刘守文说："你的勇敢十倍于李思安，应当先俘虏这些鼠辈，然后再擒获罗绍威！"于是派遣刘守文和他的妹夫单可及率领精兵五万人到内黄去攻打李思安。十四日丁未，李思安让他的部将袁象先在清河水右侧埋伏士兵，李思安自己在繁阳迎战，假装打不赢而后退。刘守文随后追赶，到达内黄的北边，李思安率军反攻，伏兵同时发动，夹击刘守文。幽州军大败，杀了单可及，杀死和俘获将士三万人，刘守文仅仅自身逃脱，幸免于难。单可及，是幽州骁勇过人的将领，号称"单无敌"，刘仁恭的军队失去了他，士气大为低落。李思安，是陈留人。

这时，葛从周从邢州率领精锐的骑兵八百人已进入魏州。三月十五日戊申，刘仁恭攻打上水关、馆陶门，葛从周和宣义牙将贺德伦出城迎敌，看着守城门的士兵说："前面有强大的敌人，不能让出战将士有回城的打算。"命令关闭城门。葛从周等拼死作战，刘仁恭的军队再次大败，擒获刘仁恭的部将薛突厥、王郐郎。第二天，汴州、魏州的军队乘胜联合起来进击刘仁恭，攻破他八个营寨，刘仁恭父子烧毁营寨逃走。汴州、魏州的军队长驱直入，随后追赶他们，到了临清，把刘仁恭的军队逼到永济渠里，被斩杀和溺死的人无法计算。镇州的王镕也派出军队在东边的深州、冀州一带截击刘仁恭，从魏州到沧州五百里的范围内，死尸纵横重叠。刘仁恭从此以后一蹶不振，而朱全忠更加横行。贺德伦，是河西的胡人。

会（？至公元九一〇年）：字道隐，寿州寿春（今安徽寿县）人，初从黄巢起事，当时即为朱温部将，唐末官至昭义军节度使。朱全忠弑唐昭宗，丁会与三军缟素发丧，归附李克用，位在诸将之上，后曾为都招讨使。传见《旧五代史》卷五十九、《新五代史》卷四十四。㉗武宁：军镇名，治所徐州。㉘王敬荛：颍州汝阴（今安徽阜阳）人，唐末为颍州牙将，升刺史，保境安民，入梁为武宁军节度使。传见《旧五代史》卷二十、《新五代史》卷四十三。㉙彰义：军镇名，唐昭宗乾宁元年（公元八九四年），赐号泾原节度为彰义军。治所泾州，在今甘肃泾川县。㉚张珂：彰义军留后。河阳、武宁二镇皆附属于朱全忠，彰义军留后张珂远在泾州，朱全忠为之请节钺，意在拉拢。㉛吕梁：镇名，在今江苏徐州东南。㉜发幽沧等十二州兵：指征发幽、涿、瀛、莫、平、营、蓟、妫、檀、

沧、景、德等十二州兵。幽州巡属还有蔚、新、武三州，刘仁恭留以备河东，故不发其兵。㊸ 贝州：州名，治所清河，在今河北清河县西。㊹ 清水：水名，即清河。㊺ 魏州：治所在今河北大名东北。㊻ 遣崔贤还蔡州：崔贤是奉国节度使崔洪之弟，留汴作为人质，故朱全忠遣其还蔡州。㊼ 稍稍：逐渐。㊽ 遁归：逃回。蔡州兵民不愿迁离故土，故逐渐逃回。㊾ 下邳：县名，县治在今江苏邳州南古邳镇。㊿ 辉州：州名，治所单父，在今山东单县。是年，朱全忠表以宋州之砀山、虞城、单父，曹州之成武置辉州。[441] 李思安（？至公元九一二年）：陈留张亭里（今河南开封南）人，朱全忠部属，官至相州刺史。后以失误被朱全忠赐死。传见《旧五代史》卷十九。[442] 内黄：县名，县治在今河南内黄西，在唐朝魏州西南二百一十四里。[443] 癸卯：三月初十日。[444] 中军：古时行军作战多分左中右三军，主将一般处于中军发号施令。[445] 滑州：州名，治所白马，在今河南滑县东。[446] 丁未：三月十四日。[447] 袁象先（公元八六三至九二三年）：宋州下邑（今河南夏邑）人，朱全忠之甥。后唐庄宗灭梁，降唐，赐姓名李绍安。传见《旧五代史》卷五十九、《新五代史》卷四十五。[448] 繁阳：汉县名，唐时并入内黄，故城在内黄西北。[449] 阳：佯装。[450] 却：退却。[451] 勒兵：治军；统帅部队。[452] 骁将：勇猛战将。[453] 丧气：丧失士气。[454] 戊申：三

【原文】

刘仁恭之攻魏州也，罗绍威遣使修好于河东，且求救。壬午[465]，李克用遣李嗣昭将兵救之。会仁恭已为汴兵所败，绍威复与河东绝[466]，嗣昭引还。

葛从周乘破幽州之势，自土门[467]攻河东，拔承天军[468]。别将氏叔琮自马岭[469]入，拔辽州[470]乐平[471]，进军榆次[472]。李克用遣内牙军[473]副周德威击之。

叔琮有骁将陈章，号“陈夜叉[474]”，为前锋，请于叔琮曰：“河东所恃者周杨五[475]，请擒之，求一州为赏。”克用闻之，以戒德威，德威曰：“彼大言[476]耳。”战于洞涡[477]，德威微服[478]往挑战，谓其属曰：“汝见陈夜叉即走。”章果逐之，德威奋铁挝[479]击之坠马，生擒以献。因[480]击叔琮，大破之，斩首三千级。叔琮弃营走，德威追之，出石会关[481]，又斩千余级。从周亦引还。

丁巳[482]，朱全忠遣河阳节度使丁会攻泽州，下之。

月十五日。㊺上水关：在今河北大名北。㊻馆陶门：魏州城北门，由此门出，北去馆陶县，故名。㊼贺德伦（？至公元九一五年）：河西（今甘肃武威）人，少为滑州牙将，朱全忠领四镇，以贺德伦为平卢军节度使，转魏博节度使。魏军作乱，贺德伦被胁迫投晋王，授云州节度使，行次河东，为晋王监军张承业所杀。传见《旧五代史》卷二十一、《新五代史》卷四十四。㊽门者：门卫；守门的人。㊾命阖其扉：命守门人关闭城门，意在背城一战。阖，关闭。扉，门扇。㊿殊死：拼死；决死。461永济渠：隋大业四年（公元六〇八年）开凿的运河，一名御河或南运河，即今卫河。源出河南辉县西北苏门山，流经临清，合运河至天津，会海河入渤海。462不可胜纪：不计其数。463镇人：指镇州王镕之兵。时王镕为成德节度使，领镇、冀、深等州，冀、深二州正是邢州之东境。464僵尸相枕：死尸互相枕藉，形容死人数量之多。

【校记】

［21］同平章事：原无此四字。据章钰校，十二行本、乙十一行本、孔天胤本皆有此四字，张敦仁《通鉴刊本识误》同，今据补。

【语译】

刘仁恭进攻魏州时，罗绍威派遣使者到河东去和李克用重新建立友好关系，并且向李克用求救。壬午日，李克用派遣李嗣昭率领军队去救援罗绍威。这时刘仁恭已被汴军打败，罗绍威又与河东李克用断绝关系，李嗣昭带领军队返回。

葛从周乘着打败幽州军的声势，从土门进攻河东，攻取承天军。别将氏叔琮从马岭攻入，攻取辽州乐平县，进军到榆次县。李克用派遣内牙军副周德威去迎击他们。

氏叔琮部下有勇将陈章，外号“陈夜叉”，是军中前锋。他向氏叔琮请求说：“河东军队所依仗的是周德威，请让我去捉住他，请求给我一个州作为赏赐。”李克用听说后，以此告诫周德威。周德威说：“他不过是说大话罢了。”两军在洞涡交战，周德威改换服装前往挑战，对他部下说：“你们看到陈夜叉就跑。”陈章果然前往追赶，周德威用铁楇奋力猛击，陈章被击下马来，被周德威活捉献给李克用。周德威就乘势攻打氏叔琮，大败他的军队，斩下的头颅有三千个。氏叔琮放弃营寨逃走，周德威随后追赶，出了石会关，又斩下一千多个头颅。葛从周也带领军队撤了回去。

三月二十四日丁巳，朱全忠派遣河阳节度使丁会攻打泽州，攻了下来。

婺州刺史王坛为两浙所围，求救于宣歙观察使⑬田頵，夏，四月，頵遣行营都指挥使康儒等救之。

五月甲午⑭，置武信军⑮于遂州，以遂、合等五州隶之。

李克用遣蕃汉马步都指挥使李君庆将兵攻李罕之。己亥⑯，围潞州。朱全忠出屯河阳。辛丑⑰。遣其将张存敬救之。壬寅⑱，又遣丁会将兵继之，大破河东兵，君庆解围去。克用诛君庆及其裨将伊审、李弘袭，以李嗣昭为蕃汉马步都指挥使，代之攻潞州。

庚戌⑲，康儒等败两浙兵于龙丘⑳，擒其将王球等[22]，遂取婺州。

六月乙丑㉑，李罕之疾亟㉒。丁卯㉓，全忠表罕之为河阳节度使，以丁会为昭义节度使。未几，又以其将张归霸守邢州，遣葛从周代会守潞州。

以西川大将王宗佶为武信节度使。宗佶，本姓甘，洪州人也。

丁丑㉔，李罕之薨于怀州㉕。

【段旨】

以上为第十一段，写河北诸镇依附朱全忠、李克用之间，叛离无常，引发朱李大战，互有胜败。

【注释】

⑮壬午：三月甲午朔，无壬午。壬午，二月十九日。⑯复与河东绝：自李存信莘县之败，魏与河东绝，现因求救而通好，而河东兵尚未到，刘仁恭已为汴兵打败，故罗绍威复与河东绝。⑰土门：镇名，即井陉口，在今河北石家庄市鹿泉区西南。⑱承天军：军镇名，在今山西平定东北。⑲马岭：山名，在今山西晋中市太谷区东南。⑳辽州：州名，治所在今山西左权。㉑乐平：县名，县治在今山西昔阳。㉒榆次：县名，县治在今山西晋中市榆次区。㉓内牙军：主帅随身的亲军。㉔陈夜叉：俗言阴间有鬼使名叫夜叉。因陈章勇悍可畏如夜叉，故时人以夜叉称之。㉕周杨五：周德威，因其小字杨五，

婺州刺史王坛被两浙军队围困，向宣歙观察使田颙求救。夏，四月，田颙派遣行营都指挥使康儒等去救援王坛。

五月初二日甲午，在遂州设置武信军，以遂、合等五州隶属它。

李克用派遣蕃汉马步都指挥使李君庆率领军队进攻李罕之。五月初七日己亥，包围潞州。朱全忠出兵屯驻河阳。初九日辛丑，朱全忠派遣他的部将张存敬前去救援。初十日壬寅，又派丁会率军前往增援，大败河东军，李君庆解除对潞州的包围退走。李克用诛杀李君庆及其裨将伊审、李弘袭，任命李嗣昭为蕃汉马步都指挥使，代替李君庆进攻潞州。

五月十八日庚戌，康儒等在龙丘县打败两浙钱镠的军队，擒获两浙将领王球等人，于是攻取婺州。

六月初三日乙丑，李罕之病重。初五日丁卯，朱全忠向朝廷上表请求以李罕之为河阳节度使，以丁会为昭义节度使。没多久，又派遣他的部将张归霸守卫邢州，派遣葛从周代替丁会守卫潞州。

任命西川大将王宗佶为武信军节度使。王宗佶，本姓甘，是洪州人。

十五日丁丑，李罕之在怀州去世。

故称。⑯ 大言：说大话；吹牛。⑰ 洞涡：水名，源出山西平定东南陡泉山，西流经寿阳、榆次、徐沟至太原界内入汾。⑱ 微服：一般指高官为隐蔽身份更换平民服装，使人不识。⑲ 柎：或作"挝""抓"。古代兵器。有人认为十八般兵器之一。⑳ 因：趁势。㉑ 石会关：关名，在今山西榆社西。㉒ 丁巳：三月二十四日。㉓ 宣歙观察使：景福元年（公元八九二年）已升宣歙观察为宁国军节度，以田颙为节度使。㉔ 甲午：五月初二日。㉕ 武信军：方镇名，为王建所请。领遂、合、昌、渝、泸五州，治所遂州，在今四川遂宁。按《新唐书》卷六十八《方镇表》，置武信军在乾宁四年（公元八九七年）。㉖ 己亥：五月初七日。㉗ 辛丑：五月初九日。㉘ 壬寅：五月初十日。㉙ 庚戌：五月十八日。㊿ 龙丘：县名，县治在今浙江衢州东，唐时属衢州。 乙丑：六月初三日。 疾亟：病危。 丁卯：六月初五日。 丁丑：六月十五日。 怀州：州名，治所在今河南沁阳。

【校记】

［22］等：原无此字。据章钰校，十二行本、乙十一行本皆有此字，今据补。

【原文】

保义节度使王珙，性猜忍，虽妻子亲近，常不自保。至是军乱，为麾下所杀，推都将李璠为留后。

秋，七月，朱全忠海州[496]戍将陈汉宾请降于杨行密。淮海游弈使张训以汉宾心未可知，与涟水防遏使庐江[497]王绾将兵二千直趣海州，遂据其城。

加荆南节度使成汭兼中书令。

马殷遣其将李唐攻道州[498]，蔡结聚群蛮，伏兵于隘[499]以击之，大破唐兵，唐曰："蛮所恃者山林耳，若战平地，安能败我！"乃命因风[500]燔[501]林，火光[23]天地，群蛮惊遁[502]，遂拔道州，擒结，斩之。

朱全忠召葛从周于潞州，使贺德伦守之。八月丙寅[503]，李嗣昭引兵至潞州城下，分兵攻泽州。己巳[504]，汴将刘玘[505]弃泽州走，河东兵进拔天井关[506]，以李孝璋[507]为泽州刺史。贺德伦闭城不出，李嗣昭日以铁骑[508]环其城，捕刍牧者[509]，附城[510]三十里禾黍皆刈[511]之。乙酉[512]，德伦等弃城宵遁[513]，趣壶关[514]，河东将李存审[515]伏兵邀击之，杀获甚众。葛从周以援兵至，闻德伦等已败，乃还。

九月癸卯[516]，以凤翔节度使李茂贞为凤翔、彰义节度使。

李克用表汾州[517]刺史孟迁[518]为昭义留后。

淄青节度使王师范以沂、密[519]内叛[520]，乞师于杨行密。冬，十月，行密遣海州刺史台濛、副使王绾将兵助之，拔密州，归于师范。将攻沂州，先使觇之，曰："城中皆偃旗息鼓[521]。"绾曰："此必有备，而救兵近，不可击也。"诸将曰："密已下矣，沂何能为！"绾不能止，乃伏兵林中以待之。诸将攻沂州不克，救兵至，引退。州兵乘之，绾发伏击败之。

十一月，陕州都将朱简杀李璠，自称留后，附朱全忠，仍请更名友谦[522]，预[523]于子侄。

加忠义节度使赵匡凝兼中书令。

马殷遣其将李琼攻郴州，执陈彦谦，斩之。进攻连州，鲁景仁自杀，湖南皆平。

十二月，加魏博节度使罗绍威同平章事。

【语译】

保义军节度使王珙，生性猜忌残忍，即使是妻子、儿女和亲近的人，也常常不能自保性命。这时，军中发生变乱，王珙被部下杀死，大家推举都将李璠为留后。

秋，七月，朱全忠的海州戍守将领陈汉宾请求投降杨行密。杨行密的淮海游弈使张训认为陈汉宾的意图不得而知，与涟水防遏使庐江人王绾率军二千人直接前往海州，于是占据了海州城。

朝廷加封荆南节度使成汭兼中书令。

长沙的武安节度使马殷派遣他的部将李唐进攻道州。道州刺史蔡结聚集众多蛮人，埋伏军队在险要地带以攻击李唐，大败李唐的军队。李唐说："蛮人所倚仗的只是山林而已，假如在平地交战，怎么能打败我呢!"于是下命令借助风势放火焚烧山林，火光照亮天地，蛮人惊慌失措地逃走，因此攻取了道州，擒获蔡结，把他杀了。

朱全忠从潞州召回葛从周，派遣贺德伦去守潞州。八月初五日丙寅，李嗣昭带领军队到达潞州城下，分兵进攻泽州。初八日己巳，汴州将领刘玘放弃泽州逃走，河东军队进兵攻取天井关，以李孝璋为泽州刺史。贺德伦关闭城门不出战，李嗣昭每天派出精锐骑兵环绕潞州城巡行，捕捉割草放牧的人，把潞州城附近三十里的稻谷和黍子全部割光。二十四日乙酉，贺德伦等人弃城夜遁，直奔壶关县。河东将领李存审埋伏军队截击他们，杀死、俘获的很多。葛从周带领援军到来，得知贺德伦等人已经战败，便率军返回。

九月十二日癸卯，朝廷任命凤翔节度使李茂贞为凤翔、彰义节度使。

李克用向朝廷上表请求以汾州刺史孟迁为昭义军留后。

淄青节度使王师范因为沂州、密州发生内乱，向杨行密请求派军队救援。冬，十月，杨行密派遣海州刺史台濛、副使王绾带兵前去援助，攻取密州，归还王师范。准备进攻沂州，先派人前去侦察，回来报告说："城里偃旗息鼓，毫无动静。"王绾说："这一定是有了准备，而且援军又很近，不能去进攻。"各位将领说："密州已经攻下，沂州还能有什么作为呢!"王绾不能阻止，于是在树林中埋伏军队等待他们。各位将领进攻沂州未能攻克，援军也已赶到，只得带领士兵后退。沂州的军队乘势攻击，王绾发动伏兵打败了他们。

十一月，陕州都将朱简杀死李璠，自称为留后，依附朱全忠，还请求改名为友谦，列入朱全忠子侄的行列。

朝廷加封忠义节度使赵匡凝兼中书令。

马殷派遣他的部将李琼进攻郴州，抓住陈彦谦，把他杀了。进军攻打连州，鲁景仁自杀。湖南全部平定。

十二月，朝廷加封魏博节度使罗绍威为同平章事。

【段旨】

以上为第十二段，写马殷全据湖南，杨行密救援王师范。晋军呼应在泽、潞攻击汴军，获得胜利。

【注释】

⑷⑼⑹海州：州名，治所在今江苏连云港市西。⑷⑼⑺庐江：县名，县治在今安徽庐江县。⑷⑼⑻道州：州名，治所在今湖南道县西。⑷⑼⑼隘：险要之地。⑸⓪⓪因风：顺风。⑸⓪⑴燔：焚烧。⑸⓪⑵惊遁：惊慌逃跑。⑸⓪⑶丙寅：八月初五日。⑸⓪⑷己巳：八月初八日。⑸⓪⑸刘玘（？至公元九二六年）：汴州雍丘（今河南杞县）人，世为宣武牙将，朱全忠镇宣武，玘积功官至复州刺史，梁末帝迁为晋州观察留后。梁亡降唐，历数镇节度使。传见《旧五代史》卷六十四、《新五代史》卷四十五。⑸⓪⑹天井关：关名，在今山西晋城南。⑸⓪⑺李孝璋：应为李存璋（？至公元九二二年），字德璜，李克用义儿军军使。后以功加检校太傅、大同军节度使等职。传见《旧五代史》卷五十三、《新五代史》卷三十六。⑸⓪⑻铁骑：披挂铁甲的战马，亦可指精锐骑兵。⑸⓪⑼刍牧者：割草放牧的人。⑸⑴⓪附城：城池附近。⑸⑴⑴刈：割除。⑸⑴⑵乙酉：八月二十四日。⑸⑴⑶宵遁：夜间逃跑。贺德伦之兵不得出城割草放牧，城外又无禾黍，粮草俱绝，空城难守，故夜遁。⑸⑴⑷壶关：县名，县治在今山西长治东南。⑸⑴⑸李存审（公元八六一至九二四年）：字德详，陈州宛丘（今河南周口市淮阳区）人，本姓符，初名存，从李罕之归晋，李克用以为义儿军使，赐姓李，名存审。为将有机略，官至卢龙军节度使。传见《旧五代史》卷五十六、《新五代史》卷二十五。⑸⑴⑹癸卯：九月十二日。⑸⑴⑺汾州：州名，治所在今山西汾阳。⑸⑴⑻孟迁：昭义节度使孟方立之从弟。孟迁任洺州刺史，继方立为留后，投晋为汾州刺史，后为泽潞节度使。传附《新唐书》卷一百八十七《孟方立传》、《旧五代史》卷六十二、《新五代史》卷四十二。⑸⑴⑼沂、密：皆州名，淄青巡属。沂州治所在今山东临沂，密州治所在今山东诸城。⑸⑵⓪内叛：内部叛乱。⑸⑵⑴偃旗息鼓：收卷军旗，停止击鼓，军中肃静无声。⑸⑵⑵友谦：朱友谦（？至公元九二四年），字德光，许州（今河南许昌）人，初名简，朱全忠更其名友谦，录以为子。朱全忠即位，封为冀王。传见《旧五代史》卷六十三、《新五代史》卷四十五。⑸⑵⑶预：参与；加入里边去。

【校记】

［23］火光：原作“火烛”。据章钰校，十二行本、乙十一行本、孔天胤本皆作“火光”，今从改。

【研析】

本卷研析朱全忠兵败淮南，杨行密与钱镠和解换俘两件史事。

第一，朱全忠兵败淮南。朱全忠与李克用长年争河北。李克用南联杨行密夹攻朱全忠，杨行密要立脚淮南，亦不能容忍北边有强邻，北联李克用是必然之势。钱镠据苏、浙，杨行密是最大的竞争对手，朱、钱联合夹击杨行密也是必然之势。杨行密要站稳脚跟，实现割据淮南，北抗朱全忠，南击钱镠，都要立于不败之地。杨行密面对南北两个敌手，北强南弱，所以杨行密的对敌方针是南守北争。所谓南守，即对钱镠的斗争以进为守，和解、和睦为首位，争城争地伺机而动。所谓北争，即对朱全忠的斗争以守为进，争城争地寸土不让，乃至于主动向北进攻。一是救援朱瑄、朱瑾、王师范，二是配合太原李克用进兵河北，遥为之声援。公元九〇三年，杨行密派遣大将王茂章救援王师范，大败汴军，杀了朱全忠之子朱友宁。朱全忠南犯，杨行密坚决抗击。公元八九五年、八九七年、九〇三年朱全忠三次进攻淮南三次败北。公元八九七年，朱全忠大发兵分两路进攻淮南。大将庞师古率七万大军突进至清口，葛从周率主力突进至寿州西北为庞师古后继。杨行密集中兵力打击庞师古，又引淮水为助，大破庞师古军，汴军七万之众被水淹没，全军溃散，被杀溺殆尽，生还者不满一千人，庞师古丧身。葛从周闻风丧胆，不战而退，朱全忠也闻讯逃走。此役，淮南大胜，朱全忠大败，从此汴军不再大举南犯。杨行密由此站稳淮南，成为保卫江南的一道长城，使江南士民在五代走马灯换代的乱世得以休养生息，具有重大的历史意义。

杨行密大胜朱全忠是以弱抗强，以少胜众。杨行密与朱瑾率领淮南三万余人，加上别将张训所领涟水之众，合计四万多人，数量只及庞师古七万大军之半。杨行密取胜原因有三。其一，杨行密所领淮南，北起海州，南至虔州，东起常州，西至沔口，淮水南部、长江东部诸州均为淮南所有，是一个大镇。杨行密轻徭薄赋，抚爱士众，在当时众多军阀中是一个比较得民心的首领。所以淮南之众，万众一心，为保卫乡土而战，作战英勇，这是取胜的第一个原因。其二，杨行密取得对孙儒的胜利，士气正盛。孙儒所领蔡州兵凶悍好战，多经战阵，是一支精兵。杨行密从中挑选了五千人组建了一支突击队，号称“黑云都”，善于攻坚。此外，朱瑾失败，带来了他的精锐卫队。李克用所遣悍将李承嗣、史俨、史建章，带来一支沙陀精锐骑兵。从此，杨行密步骑配合作战，江南无敌手。李承嗣长期与汴军作战，知彼知己，清口之战的方略指画就出自李承嗣。兵精，策略周详，是杨行密取胜的第二个原因。其三，杨行密采用水攻，又由朱瑾与淮南将侯瓒率领五千名淮南兵化装为汴兵，直插敌人心脏。即巧用计谋，这是取胜的第三个原因。反观汴兵，将骄卒惰，主将不知彼不知己，还滥杀情报兵，不打败仗才是怪事。杨行密遗书朱全忠说：“庞师古、葛从周，不是我的对手，朱公不服，那就亲自来淮南决一胜负。”

第二，杨行密与钱镠和解换俘。钱镠字具美，杭州临安人，无赖，不喜事生业，以贩盐为盗治生。公元八七五年，浙西狼山守将王郢叛乱，攻掠浙东、浙西诸州，临安人董昌募土团抵抗王郢，钱镠从军为董昌土团偏将。公元八八一年，镇海节度使周宝任董昌为杭州刺史，董昌任钱镠为都指挥使。公元八八七年，唐僖宗任董昌为浙东观察使，钱镠为杭州刺史。公元八九三年，钱镠升任为镇海节度使，驻杭州，有兵十三都，成为浙西强镇。公元八九五年，董昌在越州称帝，钱镠得到机会攻杀董昌，全据浙江，仍然地小兵弱，北联朱全忠以求生存。公元九〇七年，朱全忠代唐后封钱镠为吴越王。

钱镠为董昌一手培植，最后抓住时机一举灭董昌，也是一个雄略人物。杨行密面对强大的朱全忠，也无力吞掉钱镠，更何况钱镠也曾解危杨行密，帮助自己击败孙儒。于是杨行密对钱镠采取睦邻政策，使吴、越并存。公元八九六年，杨行密俘获钱镠将成及；公元八九七年，钱镠俘获了淮南将魏约。公元八九八年，杨行密主动放回成及，用成及交换魏约，示好于钱镠。其后淮南将田頵攻钱镠，杨行密制止，甚至逼反了田頵也在所不辞。人贵自知，在事业成功或顺境之时，善于自处，保持清醒，才是一个智勇双全的人。杨行密争天下的大局观和气量胜人一筹，说明他就是这样一个智勇双全的人。

卷第二百六十二　唐纪七十八

起上章涒滩（庚申，公元九〇〇年），尽重光作噩（辛酉，公元九〇一年），凡二[1]年。

【题解】

本卷记事起公元九〇〇年，迄公元九〇一年，载述史事凡二年，当唐昭宗光化三年至天复元年。两年间京师再发政治地震，唐昭宗先是被宦官废为太上皇，复辟后又被宦官劫持至凤翔，皇帝成为权臣、诸侯手中的玩物，纲纪荡然矣。祸皆起于崔胤尽诛宦官，神策军中尉、宦官刘季述发动宫廷政变废唐昭宗为太上皇，立太子即皇帝位。崔胤策动左神策军指挥使发动反政变诛杀刘季述，昭宗复辟，崔胤大权独揽。昭宗用枢密使宦官韩全诲掌控禁军以分崔胤之权，崔胤留凤翔兵两千以抗宦官。此时朱全忠兵服河北诸镇，身兼宣武、宣义、天平、护国四镇节度使，自谓天下无敌。韩全诲外结李茂贞自保，崔胤所留凤翔兵反为韩全诲所用。朱全忠与李茂贞都想挟天子以令诸侯，朝中南司崔胤、北衙韩全诲分别为其朝中代言人，水火不容。昭宗既无识人之智，又无乾纲独断之才，优柔寡断，不纳宰相韩偓之正言，苟且度日，等到朱全忠发兵西向，韩全诲劫持昭宗幸凤翔，回天无术矣。朱全忠入长安，劫持百官送华州。两个诸侯，一个劫天子，一个劫百官，朝廷分裂不全，标志唐王朝实际已亡，禅代之举，只待一个仪式罢了。

【原文】

昭宗圣穆景文孝皇帝中之中

光化三年（庚申，公元九〇〇年）

春，正月，宣州将①康儒攻睦州②，钱镠使其从弟銶拒之。

二月庚申③，以西川节度使王建兼中书令。

壬申④，加威武节度使王审知同平章事。

壬午⑤，以吏部尚书崔胤同平章事，充⑥清海⑦节度使。

李克用大发军民治晋阳城堑⑧，押牙刘延业谏曰：“大王声振华、夷，宜扬兵⑨以严四境，不当[2]近治城堑，损威望而启寇心⑩。”克用谢之，赏以金帛。

夏，四月，加定难⑪军节度使李承庆同平章事。

朱全忠遣葛从周帅兖、郓、滑、魏四镇兵十万击刘仁恭，五月庚

【语译】

昭宗圣穆景文孝皇帝中之中

光化三年（庚申，公元九〇〇年）

春，正月，宣州将领康儒进攻睦州，钱镠派遣他的堂弟钱銶去抵御康儒。

二月初二日庚申，朝廷任命西川节度使王建兼任中书令。

十四日壬申，朝廷加封威武节度使王审知为同平章事。

二十四日壬午，朝廷任命吏部尚书崔胤为同平章事，充任清海节度使。

李克用大举征发军中士兵和百姓修建晋阳城的城墙壕沟，押牙刘延业劝谏说："大王的声威震动华夏和四夷，应该出动军事力量严守四方边境，不该整修近处的城墙壕沟，您这样做既有损自己的威望，又开启敌人的觊觎之心。"李克用对刘延业表示感谢，赏赐给他黄金与绢帛。

夏，四月，朝廷加封定难军节度使李承庆为同平章事。

朱全忠派遣葛从周率领兖州、郓州、滑州、魏州四镇的军队十万人进攻卢龙节

寅⑫，拔德州，斩刺史傅公和。己亥⑬，围刘守文⑭于沧州。仁恭复遣使卑辞厚礼⑮求救[3]于河东，李克用遣周德威将五千骑出黄泽⑯，攻邢、洺以救之。

邕州⑰军乱，逐节度使李鐬⑱，鐬借兵邻道讨平之。

六月癸亥⑲，加东川节度使王宗涤同平章事。

司空、门下侍郎、同平章事王抟，明达⑳有度量，时称良相。上素疾宦官枢密使宋道弼、景务脩专横，崔胤日与上谋去宦官，宦官知之。由是南、北司㉑益相憎嫉，各结藩镇为援以相倾夺。抟恐其致乱，从容言于上曰："人君当务㉒明大体，无所偏私。宦官擅权㉓之弊，谁不知之！顾其势未可猝除㉔，宜俟多难㉕渐平，以道消息㉖。愿陛下言勿轻泄以速奸变。"胤闻之，谮㉗抟于上曰："王抟奸邪，已为道弼辈外应。"上疑之。及胤罢相，意抟排己，愈恨之。及出镇广州，遗朱全忠书，具道抟语㉘，令全忠表论之。全忠上言："胤不可离辅弼㉙之地。抟与敕使相表里，同危社稷。"表连上不已。上虽察其情，迫于全忠，不得已，胤至湖南复召还。丁卯㉚，以胤为司空、门下侍郎、同平章事，抟罢为工部侍郎㉛。以道弼监荆南军，务脩监青州军。戊辰㉜，贬抟溪州㉝刺史。己巳㉞，又贬崖州司户。道弼长流驩州㉟，务脩长流爱州㊱。是日，皆赐自尽。抟死于蓝田驿㊲，道弼、务脩死于霸桥驿㊳。于是胤专制朝政，势震中外，宦官皆侧目㊴，不胜其愤。

【段旨】

以上为第一段，写崔胤外结朱全忠专朝政，排抑异己之大臣，昭宗既无识人之智，又无刚毅独断之才，日益沦落为权臣掌上傀儡。

度使刘仁恭。五月初四日庚寅，攻取德州，斩杀德州刺史傅公和。十三日己亥，在沧州包围刘守文。刘仁恭便派遣使者用谦卑的言辞和丰厚的礼物到河东向李克用求援，李克用派周德威率领骑兵五千人从黄泽关出发，进攻邢州、洺州来救援刘仁恭。

邕州的军队叛乱，驱逐了节度使李鐬，李鐬向邻道借兵讨伐平定了叛乱。

六月初七日癸亥，加东川节度使王宗涤为同平章事。

司空、门下侍郎、同平章事王抟，明智通达，宽宏大量，当时称为良相。昭宗一向痛恨宦官枢密使宋道弼、景务脩专横，崔胤每天与昭宗商议铲除宦官，宦官知道他们的计划。因此南司和北司更加相互憎恶嫉恨，各自勾结藩镇作为援助，用来相互倾轧，争权夺利。王抟担心这样会招致变乱，闲暇时向昭宗进言说："君王应该致力于认清大局，无所偏袒。宦官专权的弊端，谁不知道呢！但是看他们的势头不能马上消除干净，应当等待灾乱渐渐平定，通过正常途径逐步消除。希望陛下说话不要轻易泄漏这些想法，以加速奸人的变乱。"崔胤得知这些，就向昭宗进谗言诬陷王抟，说："王抟奸诈邪恶，已成为宋道弼之辈的外应。"昭宗怀疑这话是否真实。崔胤被罢免宰相的职位，认为是王抟排斥自己，更加痛恨王抟。崔胤离开京城去广州赴任，他就写信给朱全忠，详细告知王抟所说的话，要朱全忠上表章来辩论是非。朱全忠就向昭宗上表说："崔胤不可以离开辅佐陛下的位置。王抟和宦官这些人相互勾结，共同危害社稷。"表章接连送上，没有停止。昭宗虽然察觉其中实情，迫于朱全忠的势力，无可奈何，只好把到达湖南的崔胤再次召回京城。六月十一日丁卯，昭宗以崔胤为司空、门下侍郎、同平章事，罢免王抟为工部侍郎，以宋道弼为荆南监军，景务脩为青州监军。十二日戊辰，又贬王抟为溪州刺史。十三日己巳，再贬他为崖州司户。宋道弼长途流放到驩州，景务脩长途流放到爱州。这一天，全部赐他们自杀。王抟死在蓝田驿，宋道弼、景务脩死在霸桥驿。于是崔胤掌控了朝政大权，势力威震朝野，宦官们都侧目而视，对崔胤非常愤恨。

【注释】

① 宣州将：宣歙节度使田頵所遣之将。② 睦州：州名，治所在今浙江建德东。③ 庚申：二月初二日。④ 壬申：二月十四日。⑤ 壬午：二月二十四日。⑥ 充：担任。⑦ 清海：方镇名，治所广州。⑧ 城堑：城墙与护城的壕沟。⑨ 扬兵：显示武力。⑩ 启寇心：开启敌寇进攻之心。⑪ 定难：方镇名，唐僖宗中和二年（公元八八二年）夏州节度赐号定难节度，治所朔方，在今陕西靖边白城子。⑫ 庚寅：五月初四日。⑬ 己亥：五月十三日。⑭ 刘守文：刘仁恭长子。曾任义昌节度使，后被其弟刘守光杀死。⑮ 卑辞厚礼：谦卑的言辞，丰厚的礼物。⑯ 黄泽：关名，在辽州辽山县黄泽岭，今山西左权东。⑰ 邕

州：州名，治所在今广西南宁。唐玄宗天宝十四载（公元七五五年）置邕州管内经略使，唐懿宗咸通三年（公元八六二年）升邕管经略使为岭南西道节度使。⑱李鐬：原为神策大将军，景福二年八月，嗣覃王为京西招讨使，李鐬副之。光化二年，授岭南西道节度使。⑲癸亥：六月初七日。⑳明达：明智达观。㉑南北司：唐时称宰相为南司，宦官为北司，因所居在宫禁的南边与北边，故有此称。㉒务：专注；致力于。㉓擅权：专权。㉔猝除：突然消除。㉕多难：指国家众多的灾难。㉖以道消息：通过正常途径逐渐消除平息宦官之祸。消，消减。息，生息增长。消息连用，指此消彼长，有一个逐渐的过程。谓宦官之恶，以渐杀其势，则久而自消，为政之善，以渐培其根，则久而自长。㉗谮：说坏话诬陷别人。㉘具道抟语：崔胤把王抟向昭宗说的话，原原本本告诉朱全忠。㉙辅弼：佐助，此指宰相。㉚丁卯：六月十一日。㉛工部侍郎：官名，工部次官，

【原文】

刘仁恭将幽州兵五万救沧州，营于乾宁军㊵，葛从周留张存敬、氏叔琮守沧州寨，自将精兵逆战于老鸦堤㊶，大破仁恭，斩首三万级，仁恭走保瓦桥㊷。秋，七月，李克用复遣都指挥使李嗣昭将兵五万攻邢、洺以救仁恭，败汴军于内丘㊸。王镕遣使和解幽、汴，会久雨，朱全忠召从周还㊹。

庚戌㊺，以昭义留后孟迁为节度使。

甲寅㊻，以西川节度使王建兼东川、武信军[4]两道都指挥制置等使。

八月，李嗣昭又败汴军于沙门河㊼，攻[5]洺州。乙丑㊽，朱全忠引兵救之，未至，嗣昭拔洺州，擒刺史朱绍宗。全忠命葛从周将兵击嗣昭。

宣州将康儒食尽，自清溪㊾遁归。

九月，葛从周自邺县㊿渡漳水(51)，营于黄龙镇(52)。朱全忠自将中军三万涉洺水(53)置营。李嗣昭弃城(54)走，从周设伏于青山口(55)，邀击，大破之。

崔胤以太保(56)、门下侍郎、同平章事徐彦若位在己上，恶(57)之。彦若亦自求引去。时藩镇皆为强臣所据，惟嗣薛王知柔在广州，乃求代之。乙巳(58)，以彦若同平章事，充清海(59)节度使。

员一人，正四品下。工部为六部之一，掌管营造工程事项。㉜戊辰：六月十二日。㉝溪州：州名，治所在今湖南永顺东。㉞己巳：六月十三日。㉟驩州：州名，治所在今越南荣市。㊱爱州：州名，治所在今越南清化。㊲蓝田驿：驿站名，在今陕西蓝田。㊳霸桥驿：驿站名，在今陕西西安东，近霸桥。㊴侧目：横目而视，形容愤恨。

【校记】

［1］二：原作“三”。据章钰校，乙十一行本、孔天胤本皆作“三”，熊罗宿《胡刻资治通鉴校字记》同，今从改。［2］不当：原作“不宜”。据章钰校，十二行本、乙十一行本皆作“不当”，今从改。［3］救：原作“援”。据章钰校，十二行本、乙十一行本皆作“救”，今从改。

【语译】

刘仁恭率领幽州军队五万人救援沧州，驻扎在乾宁军。葛从周留下张存敬、氏叔琮防守沧州营寨，自己率领精兵在老鸦堤迎战，大败刘仁恭，斩下敌军的头颅三万个，刘仁恭逃走退守瓦桥。秋，七月，李克用又派遣都指挥使李嗣昭率军五万人进攻邢州、洺州以救援刘仁恭，在内丘击败汴州军。王镕派遣使者劝幽州刘仁恭、汴州朱全忠和解，正赶上长时间下雨，朱全忠召葛从周率军返回。

七月二十五日庚戌，朝廷任命昭义军留后孟迁为节度使。

二十九日甲寅，朝廷任命西川节度使王建兼任东川、武信军两道都指挥制置等使。

八月，李嗣昭又在沙门河击败汴州军，攻打洺州。初十日乙丑，朱全忠率军救援洺州，还没有到达，李嗣昭已经攻取洺州，捉住刺史朱绍宗。朱全忠命令葛从周率军进攻李嗣昭。

宣州将领康儒由于军中粮食吃完了，从清溪逃回宣州。

九月，葛从周从邺县渡过漳水，扎营在黄龙镇。朱全忠亲自率领中军三万人渡过洺水安营扎寨。李嗣昭放弃洺州城退走，葛从周在青山口设下埋伏，进行拦击，大败李嗣昭的军队。

崔胤因为太保、门下侍郎、同平章事徐彦若的职位在自己之上，所以憎恶他。徐彦若也自己请求引退去职。当时藩镇都被那些强臣所占据，只有嗣薛王李知柔在广州任节度使，于是徐彦若请求去替代李知柔。九月二十日乙巳，以徐彦若为同平章事，充任清海节度使。

初，荆南节度成汭以澧[60]、朗[61]本其巡属，为雷满所据，屡求割隶荆南，朝廷不许，汭颇怨望。及彦若过荆南，汭置酒，从容以为言。彦若曰："令公[62]位尊方面[63]，自比桓、文[64]，雷满小盗不能取，乃怨朝廷乎！"汭甚惭。

丙午[65]，中书侍郎兼吏部尚书、同平章事崔远罢守本官，以刑部尚书裴贽[66]为中书侍郎、同平章事。贽，坦之弟子也。

升桂管为静江军[67]，以经略使刘士政为节度使。

朱全忠以王镕与李克用交通，移兵[68]伐之，下临城[69]，逾滹沱[70]，攻镇州南门，焚其关城。全忠自至元氏[71]，镕惧，遣判官[72]周式诣全忠请和。全忠盛怒，谓式曰："仆屡以书谕王公，竟不之听[73]！今兵已至此，期[74]于无舍[75]！"式曰："镇州密迩[76]太原，困于侵暴[77]，四邻各自保，莫相救恤[78]，王公与之连和，乃为百姓故也。今明公果能为人除害，则天下谁不听命？岂惟镇州！明公为唐桓、文，当崇礼义以成霸业。若但穷威武[79]，则镇州虽小，城坚食足，明公虽有十万之众，未易攻也！况王氏秉旄[80]五代[81]，时推忠孝，人人[6]欲为之死，庸[82]可冀[83]乎！"全忠笑揽式袂[84]，延[85]之帐中，曰："与公戏[86]耳！"乃遣客将[87]开封刘捍入见镕，镕以其子节度副使昭祚[88]及大将子弟[89]为质，以文缯[90]二十万犒军。全忠引还，以女妻昭祚。

【段旨】

以上为第二段，写崔胤排斥右相徐彦若。朱全忠兵服成德节度使王镕。

【注释】

㊵乾宁军：在沧州西一百里，因乾宁年间置此军，故名。㊶老鸦堤：地名，在乾宁军东南。㊷瓦桥：桥名，在涿州归义县南，至莫州三十里。今河北雄县东南。㊸内丘：县名，县治在今河北内丘，时属邢州。㊹召从周还：沧州地势低洼，久雨，难以驻军，且欲救邢、洺，故召还。㊺庚戌：七月二十五日。㊻甲寅：七月二十九日。㊼沙门河：胡三省注疑当作"沙河"，即邢州沙河县，县治在今河北邢台南。㊽乙丑：八月

起初，荆南节度使成汭由于澧州、朗州本来是他的属地，被雷满所占据，多次要求把它们划归荆南，朝廷没有同意，成汭心里很怨恨。等到徐彦若路过荆南，成汭设置酒宴招待，渐渐说起此事。徐彦若说："您是一方长官，地位高贵，自认为可以比作齐桓公、晋文公，但连雷满这样的小强盗都不能拿下，还要怨恨朝廷吗！"成汭很惭愧。

九月二十一日丙午，中书侍郎兼吏部尚书、同平章事崔远被罢免相位，保留本来官职，以刑部尚书裴贽为中书侍郎、同平章事。裴贽，是裴坦弟弟的儿子。

朝廷升级桂管经略使为静江军，以经略使刘士政为节度使。

朱全忠因为王镕和李克用相互勾结，调动军队去讨伐王镕，攻下临城县，渡过滹沱河，进攻镇州城南门，焚烧它的关城。朱全忠亲自到达元氏县，王镕害怕了，派遣判官周式到朱全忠营中请求讲和。朱全忠非常生气，对周式说："我多次写信告诉王公，他竟全然不听我的劝告！如今我的军队已到达这里，我希望不放过镇州的一切！"周式说："镇州紧邻太原，陷入被侵犯掠夺的困境，四方邻镇各求自保，没有人互相救援抚恤。王公和李克用和好往来，就是让老百姓免受战祸的缘故。如今您果真能为大家除去祸害，那么天下还有谁不听从您的命令呢？岂止是镇州啊！您是唐朝的齐桓公、晋文公，应当崇尚礼义来完成霸业。如果只是一味穷尽武力，那么镇州虽小，但城墙坚固，粮食充足，您即使拥有十万雄兵，也不容易攻下镇州啊！况且王氏已经五代在这里执掌兵权，时人推崇他们为人忠孝，大家都愿为他们而死，难道可以图谋取得镇州吗！"朱全忠笑着揽住周式的衣袖，请他进入帐中，说："我是和你在开玩笑呢！"于是派遣客将开封人刘捍进镇州城见王镕，王镕以他的儿子节度副使王昭祚及大将子弟作为人质，拿出有花纹图案的丝织品二十万匹犒劳朱全忠的军队。朱全忠率军返回，并把女儿嫁给王昭祚为妻。

初十日。㊾清溪：县名，原名新安、雉山、还淳。永贞元年（公元八〇五年）避唐宪宗讳，改名清溪。县治在今浙江淳安西北。时属睦州。㊿邺县：县名，县治在今河北磁县南。(51)漳水：水名，源出山西东部，有清、浊二漳河，东南流至今河北、河南两省边境，合为漳河，又东流至大名入卫河。(52)黄龙镇：镇名，在今河北磁县。(53)洺水：水名，源出太行山东麓，经河北邯郸市永年区流入滏阳河。一名南易水。(54)弃城：弃洺州城。(55)青山口：镇名，在邢州青山县西，今河北内丘西南。(56)太保：官名，三公之一，位次于太傅。汉代以后多为勋戚文武大臣加衔赠官，无实职。(57)恶：厌恶。(58)乙巳：九月二十日。(59)清海：方镇名，即岭南东道节度使，治广州。(60)澧：州名，治所在今湖南澧县东南。(61)朗：州名，治所在今湖南常德。唐肃宗至德二载（公元七五七年）置荆南

节度，领荆、澧、朗、郢等十州。自雷满据澧、朗，又分置武贞军节度。㊷ 令公：时成汭进中书令，故称之为令公。㊸ 方面：专制一方，代指节度。㊹ 桓文：指春秋五霸之齐桓公和晋文公。㊺ 丙午：九月二十一日。㊻ 裴贽（？至公元九〇五年）：字敬臣，懿宗朝尚书右丞裴坦之从子。后曾任尚书左仆射，致仕后被朱全忠所杀。传附《新唐书》卷一百八十二《裴坦传》。㊼ 升桂管为静江军：升级桂管经略使为静江军，置节度使。治所桂州，在今广西桂林。㊽ 移兵：自洺州移兵伐镇州王镕。㊾ 临城：县名，县治在今河北临城。㊿ 滹沱：水名，出山西繁峙东之泰戏山，穿割太行山，东流入河北平原，在献县与滏阳河汇为子牙河，至天津市，会北运河入海。(71) 元氏：县名，县治在今河北元氏。(72) 判官：官名，唐代节度、观察、防御诸使都有判官，是地方长官的主要僚属，佐理政事。(73) 竟不之听：竟不听之。“之”为宾语前置。(74) 期：期望。(75) 无舍：不会放弃。意为将要荡平镇州的一切。(76) 密迩：贴得很近。镇州与太原仅隔一太行山，相距四百三十里。(77) 侵暴：李克用自得河东以来，多次攻镇州。(78) 救恤：救助。(79) 但穷威武：只是一味穷尽武力。(80) 秉旄：握持旌旗，引申为掌握兵权。(81) 五代：王家自王庭凑于唐

【原文】

成德判官张泽言于王镕曰：“河东，勍敌[91]也，今虽有朱氏之援，譬如火发于家，安能俟远水乎！彼幽、沧、易定[92]，犹附河东，不若说朱公乘胜兼服[93]之。使河北诸镇合而为一，则可以制河东矣。”镕复遣周式往说全忠。全忠喜，遣张存敬会魏博兵击刘仁恭。甲寅[94]，拔瀛州[95]。冬，十月丙辰[96]，拔景州[97]，执刺史刘仁霸。辛酉[98]，拔莫州[99]。

静江节度使刘士政闻马殷悉平岭北[100]，大惧，遣副使陈可璠屯全义岭[101]以备之。殷遣使修好于士政，可璠拒之。殷遣其将秦彦晖、李琼等将兵七千击士政。湖南军至全义，士政又遣指挥使王建武屯秦城[102]。可璠掠县民耕牛以犒军，县民怨之，请为湖南乡导[103]，曰：“此西南有小径，距秦城才五十里，仅通单骑。”彦晖遣李琼将骑六十、步兵三百袭秦城，中宵[104]，逾垣而入，擒王建武，比明，复还，縻[105]之以练[106]，造[107]可璠壁[108]下示之，可璠犹未之信。斩其首，投壁中，桂人震恐。琼因勒兵击之，擒可璠，降其将士二千，皆杀之。引兵趣桂州，自秦城以南二十余壁皆望风奔溃，遂围桂州。数日，士政出降，桂、宜、

穆宗长庆二年（公元八二二年）为成德军节度使，中经王元逵、王绍鼎、王绍懿、王景崇及王镕共五代。绍鼎、绍懿是兄弟，为一代。㉜庸：难道。㉝可冀：可图。㉞袂：衣袖。㉟延：引进；接待。㊱戏：开玩笑。周式一番话，正确地分析了汴、镇攻守的形势，所以朱全忠转怒为笑。㊲客将：主持招待宾客，掌通名赞谒。㊳昭祚（？至公元九一一年）：王镕之子。传附《旧五代史》卷五十四《王镕传》。㊴大将子弟：大将梁公儒、李弘规之子各一人。㊵文缯：织有花纹图案的丝织品，亦称花绢。

【校记】

［4］武信军：原作"信武军"。严衍《通鉴补》改作"武信军"，今据以校正。〖按〗《旧唐书》卷二十上《昭宗纪上》载："王建可兼剑南东川、武信军两道都指挥制置等使。"［5］攻：原作"进攻"。据章钰校，十二行本、乙十一行本皆无"进"字，今据删。［6］人人：二字原不重。据章钰校，十二行本、乙十一行本皆重此二字，今据补。

【语译】

成德军判官张泽对王镕说："河东李克用是强劲的对手。现在虽然有朱全忠的援助，但譬如家里发生火灾，怎么能够等待远方的水呢！那幽州的刘仁恭，沧州的刘守文，易定的王郜，他们仍然依附于李克用，不如劝说朱全忠乘胜去降服他们，使河北各镇合而为一，就可以对抗河东李克用了。"王镕又派遣周式前去劝说朱全忠，朱全忠大为高兴，派张存敬会合魏博的军队进攻刘仁恭。九月二十九日甲寅，攻取瀛州。冬，十月初二日丙辰，攻取景州，抓住刺史刘仁霸。初七日辛酉，攻取莫州。

静江节度使刘士政得知马殷全部平定了岭北，大为恐惧，派遣副使陈可璠驻守全义岭，以防备马殷。马殷派使者和刘士政改善关系，陈可璠拒绝了。马殷派遣他的部将秦彦晖、李琼等率军七千人进攻刘士政。马殷的湖南军队到达全义县，刘士政又派遣指挥使王建武驻守秦城。陈可璠抢掠县民的耕牛来犒劳军中将士，县里民众怨恨他，请求做湖南军队的向导，说："这里西南方向有小路，相距秦城只有五十里，路径狭窄仅能容单骑通过。"秦彦晖派遣李琼率领骑兵六十人、步兵三百人袭击秦城，半夜时，翻越城墙而入，抓住了王建武，等到天亮时，又返回来，用绢带把王建武捆住，送到陈可璠营垒下给他看，陈可璠还不相信。砍下王建武的头，扔进营垒中，桂州军队惊慌恐惧。李琼趁势率军攻打桂州军队，擒获陈可璠，他的部将、士兵二千人投降，都被杀了。李琼率军前往桂州，从秦城以南的二十多个营垒全都望风逃散，于是包围桂州。几天后，刘士政出城投降，桂、宜、岩、柳、象等五州

岩、柳、象⑩⑨五州皆降于湖南。马殷以李琼为桂州刺史。未几，表为静江节度使。

张存敬攻刘仁恭，下二十城，将自瓦桥趣幽州，道泞⑪⓪不能进，乃引兵西攻易、定。辛巳⑪①，拔祁州⑪②，杀刺史杨约。

癸未⑪③，以保义留后朱友谦为节度使。

张存敬攻定州，义武节度使王郜遣后院都知兵马使⑪④王处直⑪⑤将兵数万拒之。处直请依城为栅，俟其师老⑪⑥而击之。孔目官梁汶曰："昔幽、镇兵合[7]三十万攻我，于时我军不满五千，一战败之。今存敬兵不过三万，我军十倍于昔⑪⑦，奈何示怯⑪⑧，欲依城自固乎！"郜乃遣处直逆战于沙河⑪⑨，易定兵大败，死者过半，余众拥处直奔还。甲申⑫⓪，王郜弃城奔晋阳，军中推处直为留后。存敬进围定州。丙申，朱全忠至城下，处直登城呼曰："本道事朝廷尽[8]忠，于公未尝相犯，何为见攻？"全忠曰："何故附河东？"对曰："吾兄与晋王同时立勋⑫①，封疆密迩⑫②，且婚姻⑫③也，修好往来，乃常理耳，请从兹[9]改图。"全忠许之⑫④。乃归罪于梁汶而族⑫⑤之，以谢全忠，以缯帛十万犒师，全忠乃还，仍为处直表求节钺。处直，处存之母弟也。

刘仁恭遣其子守光⑫⑥将兵救定州，军于易水⑫⑦之上。全忠遣张存敬袭之，杀六万余人。由是河北诸镇皆服于全忠。

先是王郜告急于河东，李克用遣李嗣昭将步骑三万下太行，攻怀州，拔之，进攻河阳。河阳留后侯言不意其至，狼狈失据⑫⑧，嗣昭坏其羊马城⑫⑨。会佑国军⑬⓪将阎宝⑬①引兵救之，力战于壕外，河东兵乃退。宝，郓州人也。

【段旨】

以上为第三段，写马殷扩地取桂州。朱全忠连战大破刘仁恭，河北诸镇皆服。

都归附于湖南的马殷。马殷以李琼为桂州刺史。没几天，上表请朝廷任命他为静江节度使。

张存敬进攻刘仁恭，攻克二十座城，将要从瓦桥前往幽州，由于道路泥泞不能前进，于是率军向西攻打易州、定州。十月二十七日辛巳，攻取祁州，杀死刺史杨约。

二十九日癸未，以保义军留后朱友谦为节度使。

张存敬攻打定州，义武节度使王郜派遣后院都知兵马使王处直率军几万人进行抵抗。王处直请求背依城墙修建木栅栏，等待张存敬的军队疲倦懈怠再发起攻击。孔目官梁汶说："过去幽州、镇州军队总共三十万人来进攻我们，当时我们的人马不到五千,一仗击败他们。如今张存敬的军队不过三万人，我们的人马是当时的十倍，为什么要表示怯懦，想要依仗城墙来固守呢!"王郜便派遣王处直到沙河迎战，易定军大败，战死的人超过半数，剩下的士兵簇拥着王处直跑回定州。十月三十日甲申，王郜放弃定州逃往晋阳，军中将士推举王处直为留后。张存敬进军包围定州，十一月十二日丙申，朱全忠到达城下，王处直登上城墙呼喊说："我们侍奉朝廷极为忠诚，对您从未冒犯，为什么要来攻打我们?"朱全忠说："你们为什么要依附于河东李克用?"王处直回答说："我的哥哥王处存和晋王李克用一起讨平黄巢立下功勋，受封的地盘互相靠近，还是儿女亲家，友好往来，乃是人之常情，请从今以后改变这种关系。"朱全忠同意与王处直和好。王处直把罪责推给梁汶并杀了他的全族，用来向朱全忠表示歉意，还拿出绢帛十万匹来犒劳朱全忠的军队，朱全忠便率军返回，仍然上表朝廷为王处直请求节度使的符节和斧钺。王处直，是王处存的同母弟弟。

刘仁恭派遣他的儿子刘守光率军救援定州，驻军在易水之上。朱全忠派遣张存敬袭击他们，杀死六万多人。从此以后，河北各镇全都服从于朱全忠。

此前，王郜向河东李克用告急，李克用派遣李嗣昭率领步兵、骑兵三万人直下太行，进攻怀州，攻取怀州后，进军攻打河阳。河阳留后侯言没想到河东军队突然到达，十分狼狈，进退失据。李嗣昭毁坏了河阳城外的羊马城。正赶上佑国军将领阎宝率军前来救援，在堑壕外奋力作战，河东军队才撤退。阎宝，是郓州人。

【注释】

⑼勍敌：劲敌。勍，强；有力。⑼幽、沧、易定：指刘仁恭、刘守文、王郜。易定即易定节度使，亦称义武军节度使。治所在定州，辖区主要有易州与定州。时王郜任节度使。⑼兼服：兼并、降服。⑼甲寅：九月二十九日。⑼瀛州：州名，治所在今河北河间。⑼丙辰：十月初二日。⑼景州：州名，治所东光，在今河北东光。⑼辛酉：十月初七日。⑼莫州：州名，治所在今河北雄县南。⑽岭北：湖南之地在五岭之北。⑽全义岭：

山名，在全义县境。全义县治在今广西兴安，唐时属桂州，在桂州东北一百五十里。⑩秦城：镇名，在桂林北八十里，相传为秦始皇发戍五岭之地，城在湘水之南，融、漓二水之间，地势险要。⑩乡导：引路的人。今作“向导”。⑩中宵：半夜。⑩絏：以绳索拴缚。⑩练：白色的绢。⑩造：到。⑩壁：军垒。⑩桂、宜、岩、柳、象：皆州名，宜州治所在今广西河池市宜州区，岩州治所在今广西来宾东南，柳州治所在今广西柳州，象州治所在今广西象州。⑩道泞：道路泥泞。⑪辛巳：十月二十七日。⑫祁州：州名，景福二年，王处存表以定州无极、深泽二县置祁州。治所无极，在今河北无极。⑬癸未：十月二十九日。⑭后院都知兵马使：官名，后院兵指挥官。唐中世以来，方镇多置后院兵。⑮王处直：王处存之弟。朱全忠即位，封为北平王。传见《旧唐书》卷一百八十二、《新唐书》卷一百八十六、《旧五代史》卷五十四、《新五代史》卷三十九。⑯师老：因征战时间长而士气衰落。⑰昔：指唐僖宗光启元年（公元八八五年）幽州李可举、镇州王镕攻王处存。事见本书卷二百五十六。⑱示怯：表现出怯懦。⑲沙河：镇名，在望都县南。⑳甲申：十月三十日。㉑同时立勋：王处直之兄王处存与李克用镇压黄巢军同时立功。㉒封疆密迩：所管辖的疆域离得很近。㉓婚姻：王处存与李克用世代姻好，处存子王邺娶克用女为

【原文】

初，崔胤与上[10]密谋尽诛宦官，及宋道弼、景务脩死，宦官益惧。上自华州还㉜，忽忽㉝不乐，多纵酒，喜怒不常，左右尤自危。于是左军㉞中尉刘季述、右军中尉王仲先、枢密使王彦范、薛齐偓等阴相与谋㉟曰：“主上轻佻㊱多变诈，难奉事㊲，专听任南司㊳，吾辈终罹㊴其祸。不若奉太子立之，尊主上为太上皇，引岐、华兵㊵为援，控制诸藩，谁能害我哉！”

十一月，上猎苑中㊶，因置酒，夜，醉归，手杀黄门㊷、侍女数人。明旦，日加辰巳㊸，宫门不开。季述诣中书白崔胤曰：“宫中必有变，我内臣㊹也，得以便宜从事，请入视之。”乃帅禁兵千人破门而入，访问，具得其状。出，谓胤曰：“主上所为如是，岂可理天下！废昏立明㊺，自古有之，为社稷大计，非不顺也。”胤畏死，不敢违。庚寅㊻，季述召百官，陈兵㊼殿庭，作胤等连名状㊽，请太子监国㊾，以

妻。⑫④ 许之：定州城高池深，朱全忠明知不可急攻，故许其和。⑫⑤ 族：刑及父母妻子。⑫⑥ 守光：即刘守光（？至公元九一三年），深州乐寿（今河北献县）人，刘仁恭之子。朱全忠封为燕王，公元九一一年称帝，九一三年为李存勖所灭。传见《旧五代史》卷一百三十五、《新五代史》卷三十九。⑫⑦ 易水：水名，在易州（今河北易县）南。⑫⑧ 狼狈失据：仓皇失措，没了招数。⑫⑨ 羊马城：城外加筑的矮墙工事，称羊马墙、羊马垣。⑬⓪ 佑国军：方镇名，唐僖宗光启三年（公元八八七年）升东畿观察兼防遏使为佑国军节度，治所洛阳。⑬① 阎宝（？至公元九二二年）：字琼美，郓州（今山东东平）人，少为朱瑾牙将。朱瑾走淮南，阎宝降梁，官至保义军节度使。传见《旧五代史》卷五十九、《新五代史》卷四十四。

【校记】

［7］合：原无此字。据章钰校，十二行本、乙十一行本皆有此字，今据补。［8］尽：原作“甚”。据章钰校，十二行本、乙十一行本、孔天胤本皆作“尽”，张敦仁《通鉴刊本识误》同，今从改。［9］兹：原作“此”。据章钰校，十二行本、乙十一行本皆作“兹”，今从改。

【语译】

当初，崔胤和昭宗秘密谋划把宦官全部杀死，到宋道弼、景务脩死后，宦官们更加恐惧。昭宗从华州回到京城长安，恍惚不乐，常常纵情饮酒，喜怒无常，特别是侍奉左右的人，人人自危。于是左军中尉刘季述、右军中尉王仲先、枢密使王彦范、薛齐偓等人暗中相互策划说：“皇上轻浮浅薄、诡诈多变，很难侍奉，专门听任朝廷官员处理政事，我们这些人最终要遭到他的祸害。不如奉立太子为皇帝，尊主上为太上皇，招引岐州李茂贞、华州韩建的军队作为外援，控制各个藩镇，还有谁能加害我们呢！”

十一月，昭宗到禁苑中打猎，便摆设酒宴，夜里，他喝醉酒回到宫里，亲手杀死好几个宦官、侍女。第二天早晨，时间已是由辰时到巳时，宫门仍然没有打开。刘季述到中书省报告崔胤说：“宫里肯定有变乱，我身为内臣，可以根据情况灵活进行处理，请让我进宫去看看情况。”于是率领禁兵一千人破门而入，经过查访询问，得知详细的情况。出来后，他对崔胤说：“皇上竟然做出这样的事情，怎么能治理天下呢！废除昏君，拥立明主，自古以来就有这样的事例，为国家的大业着想，并不是不忠顺啊。”崔胤怕死，不敢违背刘季述。初六日庚寅，刘季述召集百官，在宫殿庭院中布置军队，写好由崔胤等联名签署请求太子监国的公文，出示给大家看，让

示之，使署名。胤及百官不得已皆署之。上在乞巧楼⑮，季述、仲先伏将士[11]千人于门外⑯，与宣武进奏官⑰程岩等十余人入请对⑱。季述、仲先甫⑲登殿，将士大呼，突入宣化门，至思政殿⑳前，逢宫人，辄杀之。上见兵入，惊堕床下，起，将走，季述、仲先掖㉑之令坐。宫人走白皇后，后趋至，拜请曰："军容㉒勿惊宅家㉓，有事取㉔军容商量。"季述等乃出百官状白上，曰："陛下厌倦大宝㉕，中外群情㉖，愿太子监国，请陛下保颐㉗东宫㉘。"上曰："昨与卿曹㉙乐饮，不觉太过，何至于是！"对曰："此非臣等所为，皆南司众情，不可遏㉚也。愿陛下且之㉛东宫，待事小定，复迎归大内㉜耳。"后曰："宅家趣㉝依军容语！"即取传国宝㉞以授季述，宦官扶上与后同辇，嫔御㉟侍从者才十余人，适㊱少阳院。季述以银挝㊲画地数㊳上曰："某时某事，汝不从我言，其罪一也。"如此数十㊴不止。乃手锁其门，镕铁锢之㊵，遣左军副使李师虔将兵围之，上动静辄㊶白季述，穴墙㊷以通饮食。凡兵器针刀皆不得入，上求钱帛俱不得，求纸笔亦不与。时大寒，嫔御公主无衣衾，号哭闻于外。季述等矫诏令太子监国，迎太子入宫。辛卯㊸，矫诏令太子嗣位，更名缜㊹。以上为太上皇，皇后为太上皇后。甲午㊺，太子即皇帝位，更名少阳院曰问安宫。

季述加百官爵秩，与将士皆受优赏，欲以求媚于众。杀睦王倚，凡宫人、左右、方士、僧、道为上所宠信者，皆榜㊻杀之。每夜杀人，昼以十车载尸出，一车或止一两尸，欲以立威。将杀司天监㊼胡秀林，秀林曰："军容幽囚君父，更欲多杀无辜乎！"季述惮其言正而止。季述等[12]欲杀崔胤，而惮朱全忠，但解其度支盐铁转运使㊽而已。崔胤密致书全忠，使兴兵图返正[13]。

大家签名。崔胤和百官不得已都签上名字。昭宗在思政殿旁的乞巧楼，刘季述、王仲先埋伏全副武装的将士一千人在宣化门外，和宣武军进奏官程岩等十多个人进入宫殿请求奏对。刘季述、王仲先刚登上宫殿，将士们大声呼喊，突然冲入宣化门，到达思政殿前，遇到宫中侍女，都杀死了。昭宗见士兵闯入，惊慌得掉到床下，爬起来，将要逃走，刘季述、王仲先架住他让他坐好。宫女跑去报告皇后，皇后跑着到来，对刘季述等人拜请说："军容使不要惊吓到皇上，有事听与你们商量就是了。"刘季述等于是拿出百官签署的联名状报告昭宗，说："陛下厌倦了皇位，朝廷内外众人的想法，是希望太子来监理国事，请陛下住到东宫去颐养天年。"昭宗说："昨日与诸卿玩乐饮酒，不知不觉就喝得太多了，怎么会到这个地步呢！"刘季述等回答说："这联名状不是我们所写，都是三省百官的意见，无法阻止他们。希望陛下暂且去东宫，等待事情稍稍平定一点，再迎接您回到皇宫中来。"皇后说："皇上您赶快听从军容使的话吧！"立刻取出传国宝玺交给刘季述，宦官扶着昭宗和皇后同乘一部车，跟随的嫔御侍从才十多个人，前往少阳院。刘季述用银树在地上指划，数落昭宗说："某天某件事，你没有听从我的话，这是一条罪。"这样数落了几十条还不停止。于是刘季述亲手锁上少阳院的大门，熔化铁水把锁封死，派遣左军副使李师虔率军包围少阳院，昭宗一有动静就报告刘季述。在墙上凿开一个洞用来传递饭菜，凡是兵器针刀都不许送入，昭宗想要银钱绢帛全拿不到，想要纸张笔墨也不给。当时天气非常寒冷，嫔御公主没有衣被，号哭声一直传到院外。刘季述等假传昭宗的诏书，命令太子监理国事，迎接太子进宫。初七日辛卯，假传昭宗的诏书，命令太子继承皇位，改名李缜。以昭宗为太上皇，皇后为太上皇后。初十日甲午，太子即位为皇帝，把少阳院改名为问安宫。

刘季述增加百官的爵位和俸禄，参与此事的将领、士兵都受到优厚的赏赐，想要以此来讨众人的欢心。杀死睦王李倚，凡是受到昭宗宠信的官人、左右侍从、方士、僧人、道士，全都被鞭笞而死。每夜杀了人，白天就用十辆车装载尸体出来，一辆车上有时只有一两具尸体，想要以此来树立威势。刘季述将要杀司天监胡秀林，胡秀林说："军容使拘禁了皇上，还想要多杀无辜的人吗！"刘季述忌惮他的话刚正不阿，没有杀他。刘季述等人想要杀死崔胤，因为畏惧朱全忠，只是解除了他度支盐铁转运使的职位而已。崔胤秘密写信给朱全忠，要他起兵谋求昭宗复位。

【段旨】

以上为第四段，写宦官刘季述发动宫廷政变，废昭宗为太上皇，奉太子即位。

【注释】

⑬自华州还：光化元年，昭宗自华州还。事见上卷光化元年。⑬忽忽：恍惚；失意的样子。⑬左军：与下文之右军，即左右神策军。⑬阴相与谋：私下里互相商量。⑬轻佻：言行轻薄，不庄重。⑬奉事：侍奉。⑬南司：指以宰相为首的三省官员，因其官署位于宫禁以南，故称为南司。⑬罹：遭受；遭遇。⑭岐、华兵：岐指李茂贞，华指韩建。⑭苑中：禁苑。⑭黄门：汉朝宫中有中黄门、小黄门等职，皆以宦者充任，后遂作为宦官的代称。⑭日加辰巳：指时光由辰而巳。辰，十二时辰之一，七时至九时。巳，九时至十一时。⑭内臣：宦官的泛称。⑭废昏立明：废掉昏君，拥立明主。⑭庚寅：十一月初六日。⑭陈兵：列兵以威胁百官。⑭连名状：众人联名写的状文。状，向上陈述事实的文书。⑭太子监国：太子代行处理国政。⑮乞巧楼：在思玄门内，近思政殿。⑮门外：宣化门外。⑮宣武进奏官：宣武节度使朱全忠派遣入朝进奏的官员。⑮请对：请求在皇帝面前进对。⑮甫：刚。⑮思政殿：大明宫内紫宸殿西为延英殿，延英殿南即为思政殿。天子于此见群臣。⑮掖：挟持；扶着。⑮军容：观军容使的省称。指刘季述，时刘任观军容使。⑮宅家：唐末宫中对皇帝的敬称。皇帝至尊，以天下为宅，四海为家，故曰宅家，与陛下同义。⑮取：和；与。⑯大宝：帝位。⑯中外群情：朝野上下大家

【原文】

左仆射致仕张濬在长水[184]，见张全义于洛阳，劝之匡复[185]。又与诸藩镇书劝之。

进士[186]无棣李愚[187]客游[14]华州，上韩建书，略曰："仆每读书，见父子君臣之际，有伤教害义[188]者，恨不得肆之市朝[189]。明公居近关重镇[190]，君父幽辱月余，坐视凶逆[191]而忘勤王[192]之举，仆所未谕[193]也。仆窃计中朝辅弼[194]，虽有志而无权；外镇诸侯，虽有权而无志。惟明公忠义，社稷是依[195]。往年车辂[196]播迁，号泣奉迎，累岁供馈[197]，再复庙、朝[198]，义感人心，至今歌咏。此时事势，尤异前日。明公地处要冲，位兼将相[199]。自宫闱变故[200]，已涉[201]旬时，若不号令率先以图反正[202]，迟疑未决，一朝山东侯伯唱义连衡，鼓行而西，明公求欲自安，其可得乎[203]！此必然之势也。不如驰檄四方，谕以逆顺[204]，军声一振，则元

的愿望。⑯保颐：保养。⑯东宫：即少阳院。在宣政殿之东。⑯卿曹：臣子们。⑯遏：止。⑯之：往。⑯大内：皇宫。⑯趣：赶快。⑯传国宝：玉玺。⑰嫔御：帝王的侍妾、宫女。⑰适：往。⑰银挝：银鞭。⑰数：责备；诉说。⑰数十：数十条罪状。⑰镕铁锢之：熔化铁水铸塞门锁。⑰辄：每每；就要。⑰穴墙：在墙上挖一洞穴。⑰辛卯：十一月初七日。⑰更名缜：太子原名李裕，大顺二年封德王。⑱甲午：十一月初十日。⑱榜：通"搒"。鞭打。⑱司天监：官名，司天台长官，正三品，掌察天文，考计历数。⑱度支盐铁转运使：唐代使职名，唐末为朝廷最高财政长官，多由宰相兼任。亦可分为度支、盐铁、转运三个使职。度支使掌管全国财赋的统计和支调，盐铁使掌收运盐铁之税，转运使掌水陆运输和粮谷调拨。

【校记】

［10］上：原作"帝"。据章钰校，十二行本、乙十一行本皆作"上"，今从改。［11］将士：原作"甲士"。据章钰校，十二行本、乙十一行本皆作"将士"，今从改。［12］等：原无此字。据章钰校，十二行本、乙十一行本皆有此字，今据补。［13］崔胤密致书全忠二句：原无此二句。据章钰校，十二行本、乙十一行本、孔天胤本皆有此二句，张敦仁《通鉴刊本识误》、张瑛《通鉴校勘记》同，今据补。〖按〗孔天胤本"返"作"反"。

【语译】

左仆射张濬退休后住在长水县，到洛阳去见张全义，劝他匡复昭宗皇位。又给各藩镇写信进行劝说。

进士无棣人李愚客居在华州游历，上书给韩建，大略说："我每次读书，看到父子、君臣中有伤教化害礼义的人，恨不得把他杀了陈尸街头集市。您所在的华州是靠近潼关的重镇，皇上被拘禁受辱有一个多月，您坐视凶恶的逆徒胡作非为而忘掉出兵救援皇室的大事，我实在是不能理解！我私下考虑朝中的辅弼之臣，他们虽然有恢复皇上君位的志向但没有兵权；外地的藩镇诸侯，虽然拥有兵权而没有这个志向。只有您忠贞仁义，是国家的依靠。以前皇上被迫离京流亡，您痛哭流涕地迎接皇上来到华州，供给衣服饮食好多年，又重新恢复宗庙、朝廷，您的大义感动人心，直到今天人们仍在歌颂这件事。现在的形势更是和以前不同。您处在要冲重镇，位兼节度使、宰相。自从宫中发生变故以来，已经过了十天，如果您不号令部众首先谋划让皇上复位，迟疑不决，一旦山东的藩镇诸侯倡议联合起来，大张旗鼓地出动军队西进，您想要保住自己的平安，那怎么可能呢！这是必然的趋势。不如传檄四方，晓谕叛逆忠顺的道理，军队的声威一振作，那么罪魁祸首就会吓破了胆，十来

凶[205]破胆，旬浃[206]之间，二竖[207]之首传于天下，计无便于此者。”建虽不能用，厚待之。愚坚辞而去。

朱全忠在定州行营，闻乱。丁未[208]，南还。十二月戊辰[209]，至大梁。季述遣其[15]养子希度诣全忠，许以唐社稷输[210]之，又遣供奉官李奉本以太上皇诰[211]示全忠。全忠犹豫未决，会[212]僚佐议之，或曰：“朝廷大事，非藩镇所宜预[213]知。”天平[214]节度副使李振独曰：“王室有难，此霸者之资[215]也。今公为唐桓、文，安危所属[216]。季述一宦竖耳，乃敢囚废天子，公不能讨，何以复令诸侯！且幼主位定，则天下之权尽归宦官矣，是以太阿[217]之柄授人也。”全忠大悟，即囚希度、奉本，遣振如京师诇事[218]。既还，又遣亲吏蒋玄晖如京师，与崔胤谋之，又召程岩赴大梁。

清海节度使薛王知柔薨。

是岁，加杨行密兼侍中。

睦州[219]刺史陈晟卒，弟询自称刺史。

太子即位累旬[220]，藩镇笺表[221]多不至。王仲先性苛察[222]，素知左、右军多积弊，及为中尉，钩校[223]军中钱谷，得隐没为奸者，痛捶[224]之，急征所负[225]，将士颇不安。有盐州[226]雄毅军使孙德昭[227]为左神策指挥使，自刘季述等[16]废立，常愤惋不平。崔胤闻之，遣判官[228]石戬与之游[229]。德昭每酒酣必泣，戬知其诚，乃密以胤意说之曰：“自上皇幽闭，中外大臣至于行间[230]士卒，孰[231]不切齿！今反者独季述、仲先耳，公诚能诛此二人，迎上皇复位，则富贵穷[232]一时，忠义流千古。苟狐疑不决，则功落他人之手矣！”德昭谢曰：“德昭小校[233]，国家大事，安敢专之！苟[234]相公[235]有命，不敢爱[236]死。”戬以白胤。胤割衣带，手书以授之。德昭复结右军清远都[237]将董彦弼、周承诲，谋以除夜[238]伏兵安福门[239]外以俟之。

天的功夫，两个坏小子的脑袋将传示于天下，没有比这更便利的策略了。”韩建虽然不能采纳，仍很优厚地招待他。李愚坚决推辞离去。

朱全忠在定州巡视军营，得知京城发生变乱。十一月二十三日丁未，南下返回。十二月十四日戊辰，到达大梁。刘季述派遣他的养子刘希度前往朱全忠那里，答应把大唐江山献给他，又派遣供奉官李奉本拿着太上皇的诰文给朱全忠看。朱全忠犹豫不决，召集幕僚、佐吏商议这件事。有人说:“朝廷大事，不是藩镇所应干涉和知晓的。”独有天平节度副使李振说:“王室有灾难，这是成就霸业的资本。如今您就是唐代的齐桓公、晋文公，国家安危和您紧密相关。刘季述只不过是一个宦官罢了，竟敢囚禁废黜天子，您若不讨伐他，还怎么能够号令诸侯！况且幼主皇位确定后，则国家大权将全部归于宦官了，这是把太阿宝剑的剑柄交到他们手中啊!”朱全忠猛然醒悟过来，立即囚禁刘希度、李奉本，派遣李振到京城去探听情况。李振回来后，又派遣亲近的官吏蒋玄晖到京城，和崔胤谋划，又召程岩赶赴大梁。

清海节度使薛王李知柔去世。

这年，加封杨行密兼任侍中。

睦州刺史陈晟去世，他的弟弟陈询自称为刺史。

太子即位已有几十天了，藩镇应该报送的笺表等公文大多没有送到。王仲先性情苛刻，严察过失，一向知道左、右军中积累下来的弊病很多，在担任中尉后，就详细审核军中的钱财与谷物，查到隐匿吞没作奸的人，痛加棒击，紧急追缴他们所贪占的钱谷，将领士兵们深感不安。有盐州雄毅军使孙德昭担任左神策指挥使，自从刘季述等废黜昭宗立太子为帝后，经常愤恨不平。崔胤得知此事，派遣判官石戬和孙德昭交往。孙德昭每次饮酒到酣畅时必会感伤哭泣，石戬知道他的忠诚，于是秘密把崔胤的意见告诉他说:“自从太上皇被囚禁以来，朝廷内外大臣一直到军队士兵，谁不咬牙切齿呢！如今造反的只不过是刘季述、王仲先两个人罢了，您如果真能杀死这两个人，迎接太上皇复位，那么富贵可以极尽一时，忠义可以流芳千古。如果犹豫不决，那么功劳就要落到别人手中了!”孙德昭感激地说:“我孙德昭只是个小校，国家大事，怎么敢擅自做主呢！假如崔相公有命令，我万死不辞。”石戬把情况汇报给崔胤，崔胤割下衣带，亲笔书写命令交给孙德昭。孙德昭又结交右军清远都将董彦弼、周承诲，谋划在除夕夜里埋伏军队在安福门外以等待机会起事。

【段旨】

以上为第五段，写崔胤策动左神策军指挥使孙德昭发动反政变，拥立昭宗复辟。朱全忠磨刀霍霍，借复辟之名觊觎长安。

【注释】

⑱长水：县名，原名长渊，唐以犯高祖李渊讳，改名长水。县治在今河南洛宁西长水镇。⑱匡复：匡正、恢复。这里指恢复昭宗之皇位。⑱进士：贡举的人才。唐代科举，试于礼部，及第者为进士。⑱李愚（？至公元九三五年）：字子晦，渤海无棣（今山东无棣）人，入后梁拜左拾遗、崇政院直学士。入后唐，官至中书侍郎、同平章事。传见《旧五代史》卷六十七、《新五代史》卷五十四。⑱伤教害义：伤害教化仁义。⑱肆之市朝：将罪大恶极的人斩杀于市集示众。肆，陈列；示众。⑲近关重镇：韩建据华州扼潼关，故云近关重镇。⑲凶逆：指刘季述等。⑲勤王：为王事尽力。引申为君王有难，臣下起兵救驾。⑲未谕：不明白。⑲中朝辅弼：朝中宰相等辅佐大臣。⑲社稷是依：国家的依靠。⑲车辂：大车。此专指天子之车。⑲供馈：供给进献。⑲庙、朝：宗庙和朝廷。乾宁三年韩建迎昭宗驻跸华州，于光化元年归长安。⑲位兼将相：韩建时为兴德府尹兼同州节度使，加中书令，拜太傅，进封许国公。⑳宫闱变故：指昭宗被囚。闱，宫中旁门。⑳涉：过。⑳反正：由乱而治，由邪而正，使昭宗还复本位。⑳一朝山东四句：意谓一旦山东诸侯举义联合，向西进兵，那时明公想求自安恐怕来不及了。山东，泛指华山以东中原地区。侯伯，指藩镇。唱义，首倡忠义。连衡，联合。鼓行，名正言顺地进军讨伐。古代进军，有钟鼓曰伐。⑳谕以逆顺：晓之以逆顺之理。⑳元凶：首恶；罪魁祸首。⑳旬浃：十天；一旬。⑳二竖：两个小子。指刘季述、王仲先。竖，古代骂人之语。⑳丁未：十一月二十三日。⑳戊辰：十二月十四日。㉑输：献纳。㉑诰：皇帝手谕。

【原文】

天复元年（辛酉，公元九〇一年）

春，正月乙酉朔[240]，王仲先入朝，至安福门，孙德昭擒斩之，驰诣[241]少阳院，叩门呼曰："逆贼已诛，请陛下出劳[242]将士。"何后不信，曰："果尔[243]，以其首来！"德昭献其首，上乃与后毁扉[244]而出。崔胤迎上御长乐门[245]楼，帅百官称贺。周承诲擒刘季述、王彦范继至，方诘责[246]，已为乱梃[247]所毙。薛齐偓赴井死，出而斩之。灭四人之族，并诛其党二十余人。宦官奉太子匿于左军，献传国宝。上曰："裕幼弱，为凶竖所立，非其罪也。"命还东宫，黜为德王，复名裕[248]。丙戌[249]，以孙德昭同平章事，充静海[250]节度使，赐姓名李继昭。

此为刘季述伪作之诰。㉑² 会：召集。㉑³ 预：参与；干涉。㉑⁴ 天平：方镇名，唐宪宗元和十五年（公元八二〇年）赐郓曹濮节度使号天平军节度使，治所郓州。㉑⁵ 资：凭借；依托。㉑⁶ 属：托付。李振以齐桓公、晋文公比喻朱全忠，谓国家安危系于朱全忠一身。㉑⁷ 太阿：古代名剑。比喻国家政权。㉑⁸ 诇事：刺探情况。㉑⁹ 睦州：州名，治所在今浙江建德东。㉒⁰ 累旬：几十天。㉒¹ 笺表：呈送皇帝的表奏。㉒² 苛察：苛刻烦琐，严察过失，显示精明。㉒³ 钩校：查对。㉒⁴ 捶：棒打。㉒⁵ 急征所负：紧急追缴所贪占的钱粮。㉒⁶ 盐州：州名，治所在今陕西定边。㉒⁷ 孙德昭（？至公元九一三年）：盐州五原人，其父官拜右金吾卫大将军。德昭借父荫，累职为左神策指挥使。传见《旧五代史》卷十五、《新五代史》卷四十三。㉒⁸ 判官：此为度支盐铁判官。㉒⁹ 游：交往。㉓⁰ 行间：行伍之间。㉓¹ 孰：谁。㉓² 穷：穷尽。言富贵之极。㉓³ 小校：自谦之词。㉓⁴ 苟：如果。㉓⁵ 相公：指崔胤。㉓⁶ 爱：吝惜。㉓⁷ 清远都：神策五十四都之一。㉓⁸ 除夜：除夕。㉓⁹ 安福门：皇城西面有二门，南边的叫顺义门，北边的叫安福门。

【校记】

［14］游：原无此字。据章钰校，十二行本、乙十一行本、孔天胤本皆有此字，今据补。［15］其：原无此字。据章钰校，十二行本、乙十一行本、孔天胤本皆有此字，今据补。［16］等：原无此字。据章钰校，十二行本、乙十一行本、孔天胤本皆有此字，张敦仁《通鉴刊本识误》同，今据补。

【语译】

天复元年（辛酉，公元九〇一年）

春，正月乙酉朔（初一），王仲先入宫朝见，到了安福门，孙德昭把他捉住杀死，随即骑马快速前往少阳院，敲门高喊说："逆贼已被杀死，请陛下出来慰劳将士。"何皇后不相信，说："果真如此，把他的首级拿来！"孙德昭献上王仲先的首级，昭宗与皇后才破门出来。崔胤迎接昭宗到长乐门楼，率领百官前来祝贺。周承诲捉住刘季述、王彦范随后到来，刚要责问他们的叛逆行为，他们已经被乱棍打死。薛齐偓跳井自杀，捞出来斩了首级。诛灭刘季述、王仲先、王彦范、薛齐偓四个人的宗族，并且杀死他们的党羽二十多人。宦官侍奉太子藏在左军中，献出传国宝玺。昭宗说："李裕年幼弱小，被凶恶的叛逆立为皇帝，不是他的罪过。"命令他回到东宫，贬黜为德王，恢复原名裕。初二日丙戌，以孙德昭为同平章事，充任静海节度使，赐姓名为李继昭。

丁亥㉑，崔胤进位司徒，胤固辞。上宠待胤益厚。

己丑㉒，朱全忠闻刘季述等诛，折程岩足㉓，械送京师，并刘希度、李奉本等皆斩于都市，由是益重李振。

庚寅㉔，以周承诲为岭南西道节度使，赐姓名李继诲，董彦弼为宁远㉕节度使[17]，赐姓李，并同平章事，与李继昭俱留宿卫㉖，十日乃出㉗还家，赏赐倾府库㉘，时人谓之“三使相㉙”。

癸巳㉚，进朱全忠爵东平王。

丙午㉛，敕：“近年宰臣延英㉜奏事，枢密使侍侧，争论纷然。既出，又称上旨未允，复有改易，桡权㉝乱政。自今并依大中旧制㉞，俟宰臣奏事毕，方得升殿承受公事。”赐两军副使李师度、徐彦孙自尽，皆刘季述之党也。

凤翔、彰义节度使李茂贞来朝。加茂贞守尚书令㉟，兼侍中，进爵岐王。

刘季述、王仲先既死，崔胤、陆扆㊱上言：“祸乱之兴，皆由中官典兵㊲。乞令胤主左军，扆主右军，则诸侯不敢侵陵，王室尊矣。”上犹豫两日未决。李茂贞闻之，怒曰：“崔胤夺军权未得，已欲翦灭诸侯!”上召李继昭、李继诲、李彦弼谋之，皆曰：“臣等累世在军中，未闻书生为军主。若属南司，必多所变更，不若归之北司为便。”上乃谓胤、扆曰：“将士意不欲属文臣，卿曹勿坚求。”于是以枢密使韩全诲㊳、凤翔监军使张彦弘㊴为左、右中尉。全诲，亦前凤翔监军也。又征㊵前枢密使致仕严遵美㊶为两军中尉、观军容处置使。遵美曰：“一军㊷犹不可为，况两军乎!”固辞不起㊸。以袁易简、周敬容为枢密使。

李茂贞辞还镇。崔胤以宦官典兵，终为肘腋㊹之患，欲以外兵制之，讽㊺茂贞留兵三千于京师，充宿卫，以茂贞假子继筠将之。左谏议大夫㊻万年韩偓㊼以为不可，胤曰：“兵自不肯去，非留之也。”偓曰：“始者何为召之邪?”胤无以应。偓曰：“留此兵则家国两危，不留则家国两安。”胤不从。

正月初三日丁亥，朝廷进位崔胤为司徒，崔胤坚决推辞。昭宗对他更加宠信。

初五日己丑，朱全忠得知刘季述等人已经被杀，便折断程岩的双脚，戴上刑具押送到京城，和刘希度、李奉本等都在京城市场被处死，从此朱全忠更加看重李振。

正月初六日庚寅，以周承诲为岭南西道节度使，赐姓名为李继诲，以董彦弼为宁远节度使，赐姓李，都出任同平章事，周、董两人和李继昭都留在宫中守卫，十天才出宫回家一次。尽国库所有赏赐给他们，当时人称他们为“三使相”。

正月初九日癸巳，朱全忠进爵为东平王。

正月二十二日丙午，昭宗颁布敕令，说：“近年来宰相在延英殿奏事，枢密使在旁侍立，争论纷纷。等到奏事完毕出来，又说皇上的旨意还未允当，再进行改动，弄权乱政。从今以后依照宣宗大中时的旧制，等宰相奏事完毕，枢密使方能进殿接受公事。”朝廷赐令左、右两军副使李师度、徐彦孙自尽，他们都是刘季述的同党。

凤翔、彰义节度使李茂贞前来朝见昭宗。加李茂贞守尚书令，兼任侍中，进爵为岐王。

刘季述、王仲先已死，崔胤、陆扆向昭宗进言说：“灾祸变乱的发生，都是由于宦官掌管军权。请求陛下下令由崔胤掌管左军，陆扆掌管右军，这样藩镇诸侯就不敢侵犯欺辱，王室能受到尊崇。”昭宗犹豫了两天未能决定。李茂贞得知这一消息，生气地说：“崔胤还没有夺得军权，已经想要消灭藩镇啦！”昭宗召集李继昭、李继诲、李彦弼商议此事，他们都说：“我们好几代在军中任职，没有听说过书生可以担任军队主帅。如果把军队归属于政府衙门，一定会有很多改变，不如把它归于内侍省更为合适。”昭宗于是对崔胤、陆扆说：“将士们的意思不愿隶属于文臣，你们不要再坚持要求。”于是任命枢密使韩全诲、凤翔监军使张彦弘为左、右神策军的中尉。韩全诲以前也是凤翔监军。又征调已退休的前枢密使严遵美为两军中尉、观军容处置使。严遵美说：“一军尚且不能掌管，更何况是两军呢！”坚决推辞，不肯出任。以袁易简、周敬容为枢密使。

李茂贞离开京城返回镇所。崔胤认为宦官掌管军权，终究是心腹祸患，想用藩镇的军队来牵制他们，劝说李茂贞留下三千名士兵在京城，充当皇宫的守卫，由李茂贞的养子李继筠统率这支队伍。左谏议大夫万年人韩偓认为这样不行，崔胤说：“士兵们自己不肯回去，不是我要留下他们。”韩偓说：“开始时为什么要召他们前来呢？”崔胤无法回答。韩偓说：“留下这些士兵，则家庭和国家两方都有危险，不留他们，则家庭和国家两方都会平安。”崔胤不肯听从。

【段旨】

以上为第六段，写唐昭宗复辟，刘季述伏诛，崔胤权势达于顶峰。胤欲掌控神策军未果，讽李茂贞留兵宿卫京师，蹈东汉何进覆败之辙，胤罪不容诛。

【注释】

㉔⓪乙酉朔：正月初一日。此处系“朔”字，误。《新唐书》卷十《昭宗纪》云“天复元年正月乙酉”，即无“朔”字。㉔①驰诣：飞快地跑到。㉔②劳：慰劳。㉔③果尔：果真如此。㉔④毁扉：破门。㉔⑤长乐门：太极宫的端门叫承天门，承天门分为东西廊下门，自东廊下入长乐门。㉔⑥诘责：责问；审讯。㉔⑦梃：木棒。㉔⑧复名裕：《旧唐书》作“改名祐”。据胡三省注，宦官刘季述等立李裕为帝，改名缜，至是复名裕，当以胡注为是。㉔⑨丙戌：正月初二日。㉕⓪静海：方镇名，唐懿宗咸通七年（公元八六六年）升安南都护为静海军节度使。治所交州，在今越南河内。孙德昭遥领此职。㉕①丁亥：正月初三日。㉕②己丑：正月初五日。㉕③折程岩足：斩断程岩之足。刘季述废昭宗，程岩曾参与。㉕④庚寅：正月初七日。㉕⑤宁远：方镇名，乾宁四年（公元八九七年）升容管观察使为宁远军节度使。㉕⑥宿卫：在宫中值宿，担任警卫。㉕⑦十日乃出：即十天休息一次。㉕⑧倾府库：尽府库所有。㉕⑨使相：唐中叶以后，凡节度使加上同平章事官衔的称使相。㉖⓪癸巳：正月初九日。㉖①丙午：正月二十二日。㉖②延英：殿名，唐大明宫紫宸殿西有延英殿。唐制，中书有敷奏入榜子，请开延英。㉖③桡权：弄权。桡，曲。㉖④大中旧制：唐宣宗李忱大中年

【原文】

朱全忠既服河北，欲先取河中以制河东。己亥㉗⑧，召诸将谓曰：“王珂驽材㉗⑨，恃太原，自骄汰㉘⓪。吾今断长蛇之腰㉘①，诸君为我以一绳缚之！”庚子㉘②，遣张存敬将兵三万自汜水㉘③渡河出含山路㉘④以袭之，全忠以中军继其后。戊申㉘⑤，存敬至绛州㉘⑥。晋、绛不意㉘⑦其至，皆无守备。庚戌㉘⑧，绛州刺史陶建钊降之。壬子㉘⑨，晋州㉙⓪刺史张汉瑜降之。全忠遣其将侯言守晋州，何絪守绛州，屯兵二万以扼河东援兵之路。朝廷恐全忠西入关，急赐诏和解之。全忠不从。

珂遣间使㉙①告急于李克用，道路相继㉙②，克用以汴人[18]先据晋、绛，兵不得进㉙③。珂妻㉙④遗李克用书曰：“儿旦暮为俘虏，大人何忍不

间，凡宰相在延英殿奏对，两中尉先出殿，枢密使候旨殿西，宰相奏事完毕，枢密使案前受事。㉖⑤尚书令：官名，尚书省长官。唐代因太宗李世民以尚书令即帝位，所以后世不轻易以此职授人。郭子仪有大功，虽授之而不敢接受；王行瑜强求而未获。现以此职授李茂贞，说明唐朝法纪荡然无存。㉖⑥陆扆：字祥文，唐德宗朝名相陆贽族孙。光启二年（公元八八六年）从僖宗幸山南。昭宗朝拜相，历官户部、吏部尚书。朱全忠谋篡逆，贬扆濮州司户参军，杀之白马驿。传见《旧唐书》卷一百七十九、《新唐书》卷一百八十三。㉖⑦中官典兵：宦官执掌兵权。中官，宦官，掌控禁军的两中尉，以及掌军事的枢密，均由宦官充任。㉖⑧韩全诲（？至公元九〇三年）：原为凤翔监军，后入为枢密使。传见《新唐书》卷二百八。㉖⑨张彦弘（？至公元九〇三年）：原与韩全诲并为凤翔监军，至是昭宗以韩全诲、张彦弘分掌左、右中尉。传见《新唐书》卷二百八。㉗⑩征：召；调。㉗①严遵美：宦官，时为致仕枢密使。传见《新唐书》卷二百七。㉗②一军：指左神策军。严遵美曾任左神策观军容使，典掌一军。㉗③不起：不出来任职。㉗④肘腋：胳膊肘与胳肢窝，喻密切、接近。㉗⑤讽：婉言劝说。㉗⑥左谏议大夫：官名，掌论议。属门下省。㉗⑦韩偓（公元八四四至九二三年）：字致尧，号玉山樵人，京兆万年（今陕西西安）人，龙纪元年（公元八八九年）进士。昭宗时为兵部侍郎、翰林承旨，为帝倚重。朱全忠恶之，贬为濮州司马。善律绝，为晚唐著名诗人。传见《新唐书》卷一百八十三。

【校记】

［17］节度使：原无“使”字。据章钰校，十二行本、乙十一行本皆有“使”字，今据补。

【语译】

朱全忠已经降服河北，想要先攻取河中来牵制河东。正月十五日己亥，召集诸将领，对他们说：“王珂是个庸才，倚仗太原李克用，骄傲奢侈。我现在要攻取河中，斩断长蛇的腰部，各位为我用一根绳子来捆住它！”十六日庚子，派遣张存敬率军三万人从汜水渡过黄河，出含山路去袭击河中，朱全忠率领中军紧随其后。二十四日戊申，张存敬到达绛州。晋州、绛州没有料到他们会突然到来，都没有防守戒备。二十六日庚戌，绛州刺史陶建钊投降。二十八日壬子，晋州刺史张汉瑜投降。朱全忠派遣他的部将侯言守晋州，何绹守绛州，驻军二万人来控制河东李克用援军的通道。朝廷害怕朱全忠西入潼关，急忙颁赐诏书要他们和解。朱全忠不听。

王珂派遣密使到李克用那里告急，先后派出的使者在路上接连不断。李克用由于朱全忠的军队占据了晋州、绛州，援军无法前进。王珂的妻子李氏送信给李克用说：“女儿早晚就要成为俘虏，父亲大人怎么忍心不来救我呢！”李克用回信说：“如

救！”克用报曰：“今贼兵塞晋、绛，众寡不敌，进则与汝两亡，不若与王郎[295]举族归朝。”珂又遗李茂贞书，言：“天子新返正，诏藩镇无得相攻，同奖[296]王室。今诸公[19]不顾诏命，首兴兵相加，其心可见。河中若亡，则同华、邠、岐[297]俱不自保。天子神器[298]拱手授人，其势必然矣。公宜亟[299]帅关中诸镇兵，固守潼关[300]，赴救河中。仆自知不武[301]，愿于公西偏授一小镇，此地请公有之。关中安危，国祚[302]修短[303]，系公此举，愿审思之！”茂贞素无远图[304]，不报。

二月甲寅朔[305]，河东将李嗣昭攻泽州，拔之。

乙卯[306]，张存敬引兵发晋州。己未[307]，至河中，遂围之。王珂势穷，将奔京师，而人心离贰[308]，会浮梁[309]坏，流澌[310]塞河，舟行甚难，珂挈其族数百人[20]欲夜登舟，亲谕守城者，皆不应。牙将刘训曰：“今人情扰扰[311]，若夜出涉河[312]，必争舟纷乱，一夫[313]作难，事不可知。不若且送款[314]存敬，徐图向背[315]。”珂从之。壬戌[316]，珂植白幡[317]于城隅，遣使以牌印请降于存敬。存敬请开城，珂曰：“吾于朱公有家世事分[318]，请公退舍[319]，俟朱公至，吾自以城授之。”存敬从之，且使走白全忠。

乙丑[320]，全忠至洛阳，闻之喜[321]，驰往赴之。戊辰[322]，至虞乡[323]，先哭于重荣之墓，尽哀[324]，河中人皆悦。珂欲面缚[325]牵羊[326]出迎，全忠遽使止之曰：“太师舅[327]之恩何可忘！若郎君如此，使仆异日何以见舅于九泉！”乃以常礼出迎，握手歔欷[328]，联辔[329]入城。全忠表张存敬为护国军留后，王珂举族迁于大梁，其后全忠遣珂入朝，遣人杀之于华州。全忠闻张夫人[330]疾亟，遽自河中东归。

李克用遣使以重币[331]请修好于全忠。全忠虽遣使报之[21]，而忿[332]其书辞蹇傲[333]，决欲攻之。

今贼兵已经堵塞晋州、绛州，我的军队寡不敌众，如果进兵就你我双亡，不如你和王珂带领全族回归朝廷。”王珂又写信给李茂贞说：“皇上刚刚复位，下诏命令藩镇之间不得互相攻伐，要共同来辅佐王室。如今诸位不顾皇上的诏命，首先发兵进攻我，他的心思是可以想见的。河中假如灭亡，那么同州、华州、邠州、岐州都不能自保。天子的皇位拱手送给朱全忠，成为必然的趋势。您应当赶快统率关中各个藩镇的军队，坚决守住潼关，前来救援河中。我自知不够勇武，希望在您的西边授给我一个小镇，这个地方就归您所有。关中的安危，国运的长短，都靠您这一举动了，希望您仔细地想一想！”李茂贞一向没有深远的谋划，没有答复王珂。

二月初一日甲寅，河东将领李嗣昭进攻泽州，攻取了泽州城。

二月初二日乙卯，张存敬率军从晋州出发。初六日己未，到达河中，于是包围了它。王珂形势危急，将要逃往京城长安，但是人心离散，正赶上浮桥坏了，流冰阻塞河道，行船非常困难，王珂带了他的家族几百人想要在夜里乘船渡河，他亲自告诉守城的将士，都没有反应。牙将刘训对王珂说：“如今人心乱糟糟，假若夜里出城渡河，一定会争相上船，出现混乱，有一个人发难作乱，事情就难以预料了。不如暂且向张存敬表示归服，然后慢慢考虑是投降还是反抗。”王珂听从了刘训的意见。初九日壬戌，王珂在城角竖起白旗，派遣使者拿着令牌印信向张存敬请求投降。张存敬要求打开城门，王珂说：“我和朱全忠两家有亲谊情分，请您后退驻扎，等朱全忠到来，我亲自把这座城交给他。”张存敬同意了，并派使者跑去禀告朱全忠。

二月十二日乙丑，朱全忠到达洛阳，得知王珂投降非常高兴，奔赴河中。十五日戊辰，到达虞乡县，先到王珂父亲王重荣的墓前哭祭，哀痛至极，河中的人们都很高兴。王珂打算捆绑双手牵羊出城迎接，朱全忠急忙派人阻止他，说：“太师舅父的恩情怎么可以忘记呢！假如你要这样做，让我以后如何在九泉之下见舅父呢！”于是王珂用通常的礼节出城迎接，两人握手哀叹悲泣，然后并排骑马入城。朱全忠上表朝廷请求任命张存敬为护国军留后，王珂全族人被迁往大梁。后来朱全忠派遣王珂进京入朝，派人在华州杀死了他。朱全忠得知妻子张夫人病得很重，急忙从河中东归汴州。

李克用派遣使者携带厚礼到朱全忠那里请求重新和好。朱全忠虽然派出使者回复，但是对他书信中词语傲慢感到愤恨，决定要出兵攻打李克用。

【段旨】

以上为第七段，写朱全忠收降王珂，得河中。

【注释】

㉗⑧己亥：正月十五日。㉗⑨驽材：喻才能低下。驽，能力低下的马。㉘⑩骄汰：骄傲奢侈。㉘①长蛇之腰：朱全忠把河东、河中两镇连横以通长安喻为长蛇，现取河中，是断长蛇之腰。㉘②庚子：正月十六日。㉘③汜水：县名，县治在今河南荥阳西。㉘④含山路：镇名，一名含口，在今山西绛县南。㉘⑤戊申：正月二十四日。㉘⑥绛州：州名，治所在今山西新绛。㉘⑦不意：没想到。㉘⑧庚戌：正月二十六日。㉘⑨壬子：正月二十八日。㉙⑩晋州：州名，治所在今山西临汾。㉙①间使：秘密使者。㉙②道路相继：告急使者一个接一个派出。㉙③兵不得进：太原西南六百多里至晋州，晋州南一百二十多里至绛州，绛州西南六十五里才至河中府，汴兵已屯晋、绛，可以遮前险，守后腰，故李克用兵不能进。㉙④珂妻：李克用之女。㉙⑤王郎：自晋以来，岳父呼婿为郎。㉙⑥奖：辅佐。㉙⑦同华、邠、岐：同华为韩建所镇，邠州，李茂贞养子继徽所镇，岐州，李茂贞所镇。㉙⑧神器：帝位。㉙⑨亟：急切。㉚⑩潼关：关名，西薄华山，南临商岭，北距黄河，东接桃林，为陕西、山西、河南三省要冲，长安东边门户，历代皆为军事要地。㉚①不武：不勇武。㉚②国祚：帝王之位，国家的命运。㉚③修短：长短。㉚④远图：长远打算。㉚⑤甲寅朔：二月初一日。㉚⑥乙卯：二月初二日。㉚⑦己未：二月初六日。㉚⑧离贰：离散、有异心。㉚⑨浮梁：蒲津的浮桥。河中府治河东县，架浮桥以通河西，自此路西入长安。㉛⑩流澌：江河解冻时流动的冰块。㉛①扰

【原文】

以翰林学士、户部侍郎王溥[334]为中书侍郎、同平章事。以吏部侍郎裴枢[335]为户部侍郎、同平章事。溥，正雅之从孙也，常在崔胤幕府，故胤引之。

赠谥故睦王倚[336]曰恭哀太子。

加幽州节度使刘仁恭、魏博节度使罗绍威并兼侍中。

三月癸未朔[337]，朱全忠至大梁。癸卯[338]，遣氏叔琮等将兵五万攻李克用，入自太行，魏博都将张文恭入自磁州[339]新口[340]，葛从周以兖、郓兵会成德兵[341]入自土门[342]，洺州刺史张归厚入自马岭[343]，义武节度使王处直入自飞狐[344]，权知晋州侯言以慈、隰[345]、晋、绛兵入自阴地[346]。叔琮入天井关[347]，进军昂车[348]。辛亥[349]，沁州[350]刺史蔡训以城降。河东都将盖璋诣侯言降，即令权知沁州。壬子[351]，叔琮拔泽州，刺史[22]李存璋弃

扰：纷乱。⑫ 涉河：渡过黄河。⑬ 一夫：一人。⑭ 款：归顺；投降。⑮ 徐图向背：慢慢再考虑投降还是背叛。⑯ 壬戌：二月初九日。⑰ 白幡：白旗，以示投降。⑱ 家世事分：世家相亲情分。王珂父亲王重荣，朱全忠以舅事之。⑲ 退舍：后退驻扎。⑳ 乙丑：二月十二日。㉑ 闻之喜：听说王珂投降而喜。㉒ 戊辰：二月十五日。㉓ 虞乡：县名，县治在今山西永济东。西距河中府六十里。㉔ 尽哀：哀痛之极。㉕ 面缚：两手反绑于身背而面向前。㉖ 牵羊：古时战败者肉袒牵羊至对方军门，表示降服。㉗ 太师舅：指王重荣。朱温于唐僖宗中和二年（公元八八二年）举同州降王重荣，唐以之为同华节度使，并赐名全忠。㉘ 歔欷：哀叹悲泣。㉙ 联辔：骑马并肩而行。㉚ 张夫人：朱全忠之妻。㉛ 重币：丰厚的礼物。㉜ 忿：怨恨。㉝ 蹇傲：傲慢。

【校记】

［18］人：原作“兵”。据章钰校，十二行本、乙十一行本皆作“人”，今从改。［19］诸公：原作“朱公”。据章钰校，十二行本、乙十一行本、孔天胤本皆作“诸公”，今从改。［20］人：原无此字。据章钰校，十二行本、乙十一行本、孔天胤本皆有此字，今据补。［21］之：原无此字。据章钰校，十二行本、乙十一行本皆有此字，张敦仁《通鉴刊本识误》同，今据补。

【语译】

朝廷任命翰林学士、户部侍郎王溥为中书侍郎、同平章事，任命吏部侍郎裴枢为户部侍郎、同平章事。王溥是王正雅的从孙，经常出入崔胤的幕府，所以崔胤推荐他。

朝廷追赠已故睦王李倚谥号为恭哀太子。

加封幽州节度使刘仁恭、魏博节度使罗绍威都兼任侍中。

三月初一日癸未，朱全忠到达大梁。二十一日癸卯，朱全忠派遣氏叔琮等人率军五万人进攻李克用，经太行山进军；魏博都将张文恭从磁州的新口进军；葛从周率领兖州、郓州军队会合成德的军队从土门进军；洺州刺史张归厚从马岭进军；义武节度使王处直由飞狐道进军；暂时代理晋州刺史的侯言率领慈州、隰州、晋州、绛州的军队从阴地关进军。氏叔琮进入天井关后，进军昂车关。二十九日辛亥，沁州刺史蔡训献城投降。河东都将盖璋去向侯言投降，侯言立刻命令他暂时代理沁州刺史。三十日壬子，氏叔琮攻取泽州，刺史李存璋放弃城池逃走。氏叔琮进攻潞州，昭义节度使

城走。叔琮进攻潞州，昭义节度使孟迁降之。河东屯将李审建、王周将步军一万、骑二千诣叔琮降。叔琮进趣晋阳。夏，四月乙卯㉜，叔琮出石会关㉝，营于洞涡驿㉞。张归厚引兵至辽州。丁巳㉟，辽州刺史张鄂降。别将白奉国会成德兵自井陉㊱入。己未㊲，拔承天军㊳，与叔琮烽火相应。

甲戌㊴，上谒太庙㊵。丁丑㊶，赦天下，改元㊷。雪㊸王涯㊹等十七家。

初，杨复恭为中尉，借度支㊺卖曲㊻之利一年[23]以赡两军，自是不复肯㊼归。至是，崔胤草赦㊽，欲抑㊾宦官，听酤者㊿自造曲，但月输(371)榷酤钱(372)。两军先所造曲，趣令减价卖之，过七月无得复卖。

东川节度使王宗涤以疾求代，王建表马步使王宗裕为留后。

氏叔琮等引兵抵晋阳城下，数挑战，城中大恐。李克用登城备御，不遑(373)饮食。时大雨积旬，城多颓坏，随加完补。河东将李嗣昭、李嗣源凿暗门，夜出攻汴垒，屡有杀获，李存进败汴军于洞涡。时汴军既众，刍粮(374)不给，久雨，士卒疟利(375)，全忠乃召兵还。五月，叔琮等自石会关归，诸道军亦退。河东将周德威、李嗣昭以精骑五千蹑(376)之，杀获甚众。先是，汾州刺史李瑭举州附于汴军，克用遣其将李存审攻之，三日而拔，执瑭，斩之。氏叔琮过上党(377)，孟迁挈族随之南徙。朱全忠遣丁会代守潞州。

朱全忠奏乞除河中节度使，而讽吏民请己为帅。癸卯(378)，以全忠为宣武、宣义、天平、护国四镇节度使(379)。

【段旨】

以上为第八段，写朱全忠进兵太原，大败李克用，遇雨退军。朱全忠兼领宣武、宣义、天平、护国四镇节度使。

孟迁向他投降。河东驻军将领李审建、王周率领步兵一万人、骑兵二千人去向氏叔琮投降。氏叔琮进兵赶往晋阳。夏，四月初三日乙卯，氏叔琮出石会关，到洞涡驿扎营。张归厚率军到达辽州。初五日丁巳，辽州刺史张鄂投降。别将白奉国会合成德的军队从井陉进入。初七日己未，攻取承天军，与氏叔琮军队点燃烽火互相呼应。

四月二十二日甲戌，昭宗到太庙拜谒。二十五日丁丑，大赦天下，改年号为天复。为文宗时被杀的王涯等十七家平反昭雪。

当初，杨复恭担任中尉，借用度支使专卖酒曲一年的所得利润来供养左、右神策军，从此以后就不肯再归还。到这时候，崔胤起草赦文，想要抑制宦官，听任卖酒的人自己制造酒曲，只要每月交纳酒税金。左、右神策军先前所控制的酒曲，催促他们减价出售，过了七月，就不得再卖。

东川节度使王宗涤因为患病请求派人代替他，王建上表请求任命马步使王宗裕为东川留后。

氏叔琮等人率军抵达晋阳城下，多次挑战，城中军民十分恐慌。李克用登上城墙布置守卫，连吃饭、喝水都顾不上。当时大雨一连下了十多天，城墙有多处地方坍塌毁坏，守军随即加以修补完备。河东将领李嗣昭、李嗣源开凿暗门，在夜间出来进攻汴州军的营垒，多次有杀伤俘获。李存进在洞涡驿击败汴州军。这时汴州军出动的人马众多，粮草供应不上，加上长时间下雨，士兵患疟疾和痢疾，朱全忠便召回了军队。五月，氏叔琮等自石会关返回，其他各道军队也陆续退走。河东将领周德威、李嗣昭率领精锐骑兵五千人跟踪追击，斩杀俘获很多。先前，汾州刺史李瑭献上汾州归附于汴州军，此时，李克用派遣他的部将李存审去攻打他，三天就攻取了汾州，抓住李瑭，把他杀了。氏叔琮经过上党，孟迁带领全族随他向南迁徙。朱全忠派遣丁会代孟迁守潞州。

朱全忠向朝廷上奏请求委派河中节度使，而暗中示意官吏、百姓上书奏请让自己出任河中主帅。五月二十二日癸卯，任命朱全忠为宣武、宣义、天平、护国四镇节度使。

【注释】

㉞王溥（？至公元九〇五年）：字德润，唐文宗朝大理卿王正雅的侄孙。官至翰林学士、户部侍郎，入相判户部。后被朱全忠杀害。传见《新唐书》卷一百八十二。㉟裴枢（公元八四〇至九〇五年）：字纪圣，咸通十二年（公元八七一年）登进士第。结纳朱全忠，官至宰相。后忤全忠意，遭杀戮被投尸于河。传附《旧唐书》卷一百一十三、《新唐书》卷一百四十《裴遵庆传》。㊱睦王倚：昭宗弟李倚，为宦官刘季述等人所杀。事

见上年。337癸未朔：三月初一日。338癸卯：三月二十一日。339磁州：州名，治所在今河北磁县。340新口：镇名，在磁州武安县境。唐武宗会昌三年（公元八四三年）讨伐刘稹，自辽州开新路，达于武安县，故名新口。341成德兵：即王镕的镇州兵。342土门：镇名，即井陉口，在今河北井陉东。343马岭：镇名，在今山西昔阳东南一百里，为守险之地。344飞狐：古道路名，亦称飞狐陉，是著名的太行八陉之一。自今河北涞源至蔚县，全程约七十公里。345慈、隰：皆州名，慈州治所在今山西吉县，隰州治所在今山西隰县。346阴地：镇名，在今河南卢氏东北。347天井关：关名，在今山西晋城南。348昂车：关名，在泽州昂车岭。349辛亥：三月二十九日。350沁州：州名，治所在今山西沁源。351壬子：三月三十日。352乙卯：四月初三日。353石会关：关名，在今山西晋中市太谷区南。354洞涡驿：镇名，临洞涡水，在今太原南。355丁巳：四月初五日。356井陉：县名，县治在今河北井陉西。357己未：四月初七日。358承天军：在山西平定东八十五里，一名承天寨。359甲戌：四月二十三日。360太庙：天子的祖庙。361丁丑：四月二十五日。362改元：改元天复。363雪：昭雪。364王涯（？至公元八三五年）：唐文宗朝宰相。

【原文】

己酉380，加镇海、镇东381节度使钱镠守侍中。

崔胤之罢两军卖曲也，并近镇382亦禁之。李茂贞惜其利，表乞入朝论奏383，韩全诲请许之。茂贞至京师，全诲深与相结。崔胤始惧，阴厚朱全忠益甚，与茂贞为仇敌矣。

以佑国节度使张全义兼中书令。

六月癸亥384，朱全忠如河中。

上之返正也，中书舍人385令狐涣386、给事中韩偓皆预其谋，故擢为翰林学士，数召对，访以机密。涣，绹之子也。时上悉以军国事委崔胤，每奏事，上与之从容，或至然387烛。宦官畏之侧目，事无大小[24]，皆咨388胤而后行。胤志欲尽除之，韩偓屡谏曰："事禁389太甚。此辈亦不可全无，恐其党迫切，更生他变。"胤不从。丁卯390，上独召偓，问曰："敕使391中为恶者如林，何以处之？"对曰："东内之难392[25]，敕使谁非同恶！处之当在正旦393，今已失其时矣。"上曰："当是时，卿何不为崔胤言之？"对曰："臣见陛下诏书云，'自刘季述等四家之外，

文宗太和九年甘露之变事败后被杀，同时被杀的有宰相李训、节度使郑注等十余家。崔胤欲诛宦官，故先给王涯等昭雪。传见《旧唐书》卷一百六十九、《新唐书》卷一百七十九。㉟⑤度支：官名，掌管全国财赋的统计和支调。㊱⑥曲：酿酒时用以发酵的酒曲。㊱⑦肯：愿意。㊱⑧草赦：起草赦文。㊱⑨抑：抑制；限制。㊲⓪酤者：卖酒的人。㊲①输：交纳。㊲②榷酤钱：对酒类销售征收的专项税费。㊲③遑：闲暇。㊲④刍粮：粮草。㊲⑤疟利：疟疾和痢疾。利，通“痢”。㊲⑥蹑：跟踪；随后追赶。㊲⑦上党：郡名，潞州上党郡，治所在今山西长治。㊲⑧癸卯：五月二十二日。㊲⑨四镇节度使：宣武、宣义、天平、护国四镇所辖范围，自蒲州、陕州以东，至于海，南到淮河，北至黄河，诸镇皆为朱全忠所有。

【校记】

[22]刺史：原无此二字。据章钰校，十二行本、乙十一行本、孔天胤本皆有此二字，张敦仁《通鉴刊本识误》、张瑛《通鉴校勘记》同，今据补。[23]之利一年：原作“一年之利”。据章钰校，十二行本、乙十一行本、孔天胤本皆作“之利一年”，今从改。

【语译】

五月二十八日己酉，朝廷加任镇海、镇东节度使钱镠代理侍中。

崔胤停止左、右神策军专卖酒曲，连同附近各藩镇专卖酒曲的权利也一并禁止。李茂贞舍不得这个专卖权利，上表要求到朝廷上奏论述道理，韩全诲请求昭宗答应他的要求。李茂贞到了京城，韩全诲与他深为交结。崔胤开始害怕起来，暗中更加厚待朱全忠，与李茂贞成为仇敌。

朝廷任命佑国节度使张全义兼任中书令。

六月十三日癸亥，朱全忠前往河中。

昭宗恢复皇位，中书舍人令狐涣、给事中韩偓都曾参与谋划，因此被提拔为翰林学士，多次被召进宫中回答问题，询问国家机密大事。令狐涣，是令狐绹的儿子。当时昭宗把军国事务委托给崔胤，每次奏事，昭宗和他从容商议，有时谈到天黑点起蜡烛。宦官们对他怕得不敢正眼相看，无论大小事，都要先问过崔胤后再去执行。崔胤打算除掉全部宦官，韩偓多次规劝崔胤，说：“事情不要做得太过分。这些人也不能完全没有，恐怕他们的同党因为逼迫太紧，再生出其他变乱。”崔胤不听。六月十七日丁卯，昭宗单独召见韩偓，问道：“宦官中做坏事的很多，怎么来处理他们呢？”韩偓回答说：“东内发生的变乱，这些宦官哪一个不是共同作恶的呢！处理他们应当在正月初一诛杀刘季述等人的时候，现在已经失去时机了。”昭宗说：“在那个时候，你为什么不对崔胤说呢？”韩偓回答道：“我看到皇上的诏书说，‘自刘季述等

其余一无所问。’夫人主所重，莫大于信，既下此诏，则守之宜坚。若复戮[394]一人，则人人惧死矣。然后来所去者已为不少，此其所以恟恟[395]不安也。陛下不若择其尤无良者[396]数人，明示其罪，置之于法，然后抚谕其余曰：‘吾恐尔曹谓吾心有所贮[397]，自今可无疑矣。’乃择其忠厚者使为之长。其徒有善则奖之，有罪则惩之，咸自安矣。今此曹在公私[398]者以万数，岂可尽诛邪！夫帝王之道，当以重厚[399]镇之，公正御[400]之，至于琐细机巧，此机生则彼机应矣，终不能成大功，所谓理丝而棼[401]之者也。况今朝廷之权，散在四方，苟能先收此权，则事无不可为者矣。”上深以为然，曰：“此事终以属[402]卿。”

李克用遣其将李嗣昭、周德威将兵出阴地关，攻隰州[403]，刺史唐礼降之。进攻慈州[404]，刺史张瓌降之。

闰月[405]，以河阳节度使丁会为昭义节度使，孟迁为河阳节度使，从朱全忠之请也。

道士杜从法以妖妄诱昌、普、合[406]三州民作乱，王建遣行营兵马使王宗黯将兵三万会东川、武信[407]兵讨之。宗黯，即吉谏也。

崔胤请上尽诛宦官，但以宫人掌内诸司[408]事。宦官属耳[409]，颇闻之，韩全诲等涕泣求哀于上，上乃令胤，“有事封疏以闻，勿口奏。”宦官求美女知书者数人，内[410]之宫中，阴令诇察其事，尽得胤密谋，上不之觉也。全诲等大惧，每宴聚，流涕相诀别[411]，日夜谋所以去胤之术。胤时领三司[412]使，全诲等教禁军对上喧噪，诉胤减损冬衣。上不得已，解胤盐铁使。

时朱全忠、李茂贞各有挟天子令诸侯之意，全忠欲上幸东都，茂贞欲上幸凤翔。胤知谋泄，事急，遗朱全忠书，称被密诏，令全忠以兵迎车驾，且言：“昨者返正，皆令公[413]良图，而凤翔先入朝抄取[414]其功。今不速来，必成罪人，岂惟功为他人所有，且见[415]征讨矣！”全忠得书，秋，七月甲寅[416]，遽归大梁发兵。

西川龙台镇[417]使王宗侃等讨杜从法，平之。

八月甲申[418]，上问韩偓曰：“闻陆扆不乐吾返正，正旦易服[419]，乘小马出启夏门[420]，有诸？”对曰：“返正之谋，独臣与崔胤辈数人知之，

四家以外，其余一个也不问罪。’对皇上来说，最重要的莫大于信誉，既然已经颁下了这样的诏书，就要坚决来遵守。假如再多杀一个人，那么人人都害怕被处死。可是后来所杀的人已经不少，这就是他们所以纷扰不安的原因。皇上您不如选择他们中间特别坏的几个人，明白宣布他们的罪状，依法惩治他们，然后安抚晓谕其余的人说：‘我担心你们说我怀恨在心，从今以后可以没有疑虑了。’于是选择他们中忠厚老实的人担任长官，其他人表现好的就给予奖励，有罪过的就加以惩处，这样都可以安定下来了。现在宦官在官府和私家的数以万计，怎么可以全部杀死他们呢！按照帝王之道，应该是用优厚的待遇安定他们，公正的态度驾驭他们。至于那些琐碎细小的权术，此生彼应，终究不能成就大的功业，这就是所谓想整理蚕丝结果越理越乱的道理。况且如今朝廷的权力分散在四方，如果能先把这些权力收回来，那么事情就没有不可以办的了。”昭宗认为他的话很对，说：“这件事终究要托付给你。”

李克用派遣他的部将李嗣昭、周德威率军从阴地关出发，进攻隰州，刺史唐礼投降；进攻慈州，刺史张瓌投降。

闰六月，朝廷任命河阳节度使丁会为昭义节度使，孟迁为河阳节度使，这是遵从朱全忠的请求。

道士杜从法用妖法妄言引诱昌州、普州、合州的百姓作乱。王建派遣行营兵马使王宗黯率军三万人会合东川、武信的军队前去讨伐他们。王宗黯就是吉谏。

崔胤请昭宗把宦官全部杀死，只用宫人掌管宫内各司的事务。宦官窃听，得知了很多消息，韩全诲等人哭泣着哀求昭宗，昭宗于是命令崔胤说：“有事情写成奏疏密封后送上来，不要再口头上奏了。”宦官寻访知书识字的美女数人，送进宫中，暗中叫她们刺探这件事，全部得知了崔胤的密谋，昭宗没有察觉。韩全诲等人十分恐惧，每次宴饮聚会，都流着眼泪互相诀别，日夜谋划能除去崔胤的策略。崔胤当时领户部、度支、盐铁三司使，韩全诲等人教唆禁军向昭宗喧哗鼓噪，控诉崔胤扣减他们冬衣。昭宗不得已，解除崔胤所领盐铁使的职务。

这时朱全忠、李茂贞各有挟天子以令诸侯的想法，朱全忠想让昭宗到东都洛阳去，李茂贞想让昭宗到凤翔去。崔胤知道密谋已经泄漏，事情急迫，便写信给朱全忠，假称受有密诏，命令朱全忠派遣军队来迎接昭宗，并且说：“前些时候皇上能复位，都是您的良策，可是凤翔李茂贞却抢先入朝来夺取功劳。现在您不尽快赶来，必定会成为罪人，不只是功劳被别人占去，而且要被讨伐！”朱全忠收到书信，秋，七月初五日甲寅，赶紧返回大梁发兵。

西川龙台镇使王宗侃等讨伐杜从法，平定他的叛乱。

八月初五日甲申，昭宗问韩偓说：“听说陆扆不乐意我复位，在元旦那天改换服装，骑着小马出了启夏门，可有这回事吗？”韩偓回答说：“陛下复位的谋划，只有我

扆不知也。一旦忽闻宫中有变，人情能不惊骇！易服逃避，何妨有之！陛下责其为宰相无死难之志则可也，至于不乐返正，恐出于[26]谗人[421]之口，愿陛下察之！”上乃止。

【段旨】

以上为第九段，写崔胤力主尽诛宦官，韩偓主张惩其首恶，唐昭宗依违其间，取祸之道。

【注释】

㊳己酉：五月二十八日。㊳镇东：方镇名，唐僖宗中和三年（公元八八三年）升浙江东道为义胜军节度使，光启三年（公元八八七年）改为威胜军节度使，乾宁三年（公元八九六年）改为镇东节度使。㊳近镇：京畿附近的方镇。㊳论奏：上奏论述自己意见。李茂贞在凤翔，属近镇，故争卖曲之利。㊳癸亥：六月十三日。㊳中书舍人：官名，员六人，正五品上。中书省属官，掌管草拟诏令、侍从、参议政务、接纳上奏文表等事。㊳令狐涣：唐宣宗朝宰相令狐绹之子。官至中书舍人。传附《旧唐书》卷一百七十二、《新唐书》卷一百六十六《令狐楚传》。㊳然：通“燃”。㊳咨：咨询。㊳禁：制止。㊳丁卯：六月十七日。㊳敕使：宦官。㊳东内之难：指刘季述废昭宗之事。东内，即大明宫，因位太极宫之东，故称。唐高宗后多以此为政治活动场所。㊳正旦：正月初一，指诛刘季述等人之时。㊳复戮：再杀。㊳恟恟：纷扰不安的样子。㊳尤无良者：尤其不好的人；最坏的人。㊳贮：储存；积存。㊳公私：“公”指在职宦官，“私”指宦官私养的义子，或不在职的宦者。㊳重厚：优厚的待遇。㊵御：控制。㊵理丝而棼：整理

【原文】

韩全诲等惧诛，谋以兵制上[422]，乃与李继昭、李继诲、李彦弼、李继筠深相结，继昭独不肯从，他日，上问韩偓：“外间何所闻？”对曰：“惟闻敕使忧惧，与功臣[423]及继筠交结，将致[424]不安，亦未知其果然不[425]耳。”上曰：“是不虚矣。比日[426]继诲、彦弼辈语渐倔强[427]，令人难耐。令狐涣欲令朕召崔胤及全诲等于内殿，置酒和解之，何如？”对

和崔胤等几个人知道，陆扆是不知道的。突然间得知宫中发生变乱，按照常情怎么可能不惊慌害怕呢！改换服装逃避，又有何妨呢！陛下责备他身为宰相没有以死赴难的志向是可以的，至于说他不乐意陛下复位，恐怕是出于谗佞小人之口，愿陛下明察这件事！”昭宗于是停止追查。

蚕丝不找出头绪，会越弄越乱。棼，纷乱。语出《左传·隐公四年》鲁大夫众仲答鲁隐公语：“臣闻以德和民，不闻以乱；以乱，犹治丝而棼之也。”比喻解决问题的方法不对头，反而会将问题搞得更加复杂。⑫ 属：托付。⑬ 隰州：州治在今山西隰县。⑭ 慈州：州治在今山西吉县。⑮ 闰月：闰六月。⑯ 昌普合：皆州名，昌州治所在今重庆市大足区，普州治所在今四川安岳，合州治所在今重庆市合川区。⑰ 武信：方镇名，昭宗乾宁四年（公元八九七年）置武信军节度使，领遂、合、昌、渝、泸五州。治所遂州，在今四川遂宁。⑱ 内诸司：宫内诸司。时宦官分领内诸司使。⑲ 属耳：窃听。⑳ 内：纳。㉑ 诀别：指不再相见的告别，可见宦官们的悲观情绪。㉒ 三司：户部、度支、盐铁。㉓ 令公：朱全忠时进检校太师兼中书令，故称。㉔ 抄取：夺取。㉕ 见：被。㉖ 甲寅：七月初五日。㉗ 龙台镇：镇名，在普州安岳县，今四川安岳东。㉘ 甲申：八月初五日。㉙ 易服：更换服装。㉚ 启夏门：京城南面东数第一门。㉛ 谗人：进谗言之人。

【校记】

［24］事无大小：原无此四字。据章钰校，十二行本、乙十一行本、孔天胤本皆有此四字，张敦仁《通鉴刊本识误》、张瑛《通鉴校勘记》同，今据补。［25］难：原作“变”。据章钰校，十二行本、乙十一行本皆作“难”，今从改。［26］于：原无此字。据章钰校，十二行本、乙十一行本皆有此字，今据补。

【语译】

韩全诲等人害怕被杀，密谋用武力来胁迫昭宗，于是与李继昭、李继诲、李彦弼、李继筠等互相紧密勾结，只有李继昭不肯顺从。有一天，昭宗问韩偓：“外边听到些什么消息？”韩偓回答说：“只听说宦官们忧愁害怕，和功臣李继昭、李继诲、李彦弼以及李继筠勾结，将要导致局势不安，也不知道这是不是真的。”昭宗说：“这事不会是假的了。近日李继诲、李彦弼等人说话逐渐强硬固执，令人难以忍受。令狐涣想要我召集崔胤及韩全诲等人到内殿来，设置酒宴让他们和解，怎么样？”韩偓回

曰："如此则彼凶悖[428]益甚。"上曰："为之奈何？"对曰："独有显罪[429]数人，速加窜逐[430]，余者许其自新，庶几[431]可息。若一无所问，彼必知陛下心有所贮，益不自安，事终未了耳。"上曰："善！"既而[432]宦官自恃党援[433]已成，稍[434]不遵敕旨。上或出之使监军，或黜守诸陵[435]，皆不行，上无如之何。

或告杨行密云，钱镠为盗所杀。行密遣步军都指挥使李神福等将兵取杭州，两浙将顾全武等列八寨以拒之。

九月癸丑[436]，上急召韩偓，谓曰："闻全忠欲来除君侧之恶[437]，大是尽忠，然须令与茂贞共其功。若两帅交争，则事危矣。卿为我语[438]崔胤，速飞书[439]两镇，使相与合谋，则善矣。"壬戌[440]，上又谓偓曰："继诲、彦弼辈骄横益甚，累日[441]前与继筠同入，辄[442]于殿东令小儿歌以侑酒[443]，令人惊骇。"对曰："臣必知其然；兹事失之于初。当正旦立功之时[444]，但应以官爵、田宅、金帛酬之，不应听[445]其恣[27]出入禁中。此辈素无知识，数求入对，或妄论朝政[28]，或[29]僭易[446]荐人，稍有不从，则生怨望；况惟知嗜利[447]，为敕使以厚利雇之[448]，令其如此耳。崔胤本留卫兵[449]，欲以制敕使也，今敕使、卫兵相与为一，将若之何！汴兵若来，必与岐兵斗于阙下，臣窃寒心。"上但愀然[450]忧沮[451]而已。

冬，十月戊戌[452]，朱全忠大举兵发大梁。

李神福与顾全武相拒久之，神福获杭俘，使出入卧内。神福谓诸将曰："杭兵尚强，我师且当夜还。"杭俘走告[453]全武，神福命勿追，暮遣羸兵[454]先行，神福为殿[455]，使行营都尉吕师造伏兵青山[456]下。全武素轻神福，出兵追之；神福、师造夹击，大破之，斩首五千级，生擒全武。钱镠闻之，惊泣曰："丧我良将！"神福进攻临安[457]，两浙将秦昶帅众三千降之。

韩全诲闻朱全忠将至，丁酉[458]，令李继筠、李彦弼等勒兵劫上，请幸凤翔，宫禁诸门皆增兵防守，人及文书出入搜阅甚严。上遣人密赐崔胤御札，言皆凄怆[459]，末云："我为宗社[460]大计，势须西行[461]，卿等但东行[462]也。惆怅[463]，惆怅！"

戊戌[464]，上遣赵国夫人出语韩偓[465]："朝来彦弼辈无礼极甚，欲召

答说："这样的话，他们就会更加凶暴悖逆。"昭宗说："那该怎么办呢？"韩偓说："唯独几个明显有罪的人，迅速把他们放逐出去，其余的人允许他们改过自新，或许可以平息。如果一个也不问罪，他们必定知道陛下怀恨在心，更加不会自己安下心来，事情终究不能了结。"昭宗说："好！"不久，宦官们倚仗党援已经结成，渐渐不遵守诏令旨意。昭宗把他们有的派出去做监军，有的贬斥去守护皇家陵寝，但他们都不去，昭宗拿他们也没有办法。

有人告诉杨行密说，钱镠被盗贼杀死了。杨行密派遣步军都指挥使李神福等率军去攻打杭州。两浙将领顾全武等排列八个营寨进行抵抗。

九月初五日癸丑，昭宗紧急召见韩偓，对他说："听说朱全忠想要来京城清除我身旁的恶人，确实是尽忠心，然而必须命令他和李茂贞共同建立这个功劳。如果两帅互相争斗，那么事态就危险了。你替我告诉崔胤，要他火速用紧急文书告知朱全忠和李茂贞，使他们能相互合作谋划，那就好了。"十四日壬戌，昭宗又对韩偓说："李继诲、李彦弼等人骄傲专横日益严重，几天前与李继筠一同入宫，就在宫殿东边命令宫中杂役唱歌劝酒，令人惊骇。"韩偓回答说："臣早知道他们会这样做，这件事当初的处置就不对。在元旦陛下复位，他们立功的时候，只应该用官职爵位、田地住宅、金银布帛来酬劳他们，不应听任他们随意出入宫中。这一些人向来缺乏知识，多次要求入朝奏对，有时妄论朝廷政事，有时冒昧荐举人选，稍微不顺从他们的意思，就产生怨恨；况且只知道贪财求利，被宦官们用厚利收买，使得他们成为今天这样。崔胤本来留下卫兵，想要以此牵制宦官，如今宦官和卫兵相互勾结起来，那该怎么办呢！汴州军如果来到京城，一定会和岐州军在宫前争斗，臣私下里深感失望痛心。"昭宗只是沉下脸来，显出一副忧愁沮丧的样子罢了。

冬，十月二十日戊戌，朱全忠大规模出动军队从大梁前往京城长安。

李神福和顾全武两军相持很久，李神福抓住杭州军队俘虏，让他出入自己的卧室。李神福对诸将领说："杭州军队还很强大，我军该当在今夜退回。"杭州军队俘虏逃回去报告顾全武，李神福下令不要追赶潜逃的俘虏。傍晚派遣老弱士兵先撤，李神福自己殿后，派行营都尉吕师造在青山镇埋伏军队。顾全武向来轻视李神福，率军追赶。李神福、吕师造两面夹击，大败顾全武的军队，斩下五千首级，活捉顾全武。钱镠得知这个消息，大惊，流着泪说："丧失了我的一员良将！"李神福进攻临安，两浙将领秦昶率领部众三千人向他投降。

韩全诲得知朱全忠即将到达，十月十九日丁酉，命令李继筠、李彦弼等率军劫持昭宗，请昭宗到凤翔去。皇宫各门都增派军队防守，人和文书进出搜查得非常严格。昭宗派人秘密赐给崔胤亲笔书信，讲的话都很凄惨悲伤，最后说："我为宗庙、社稷大计，势必西去凤翔，你们只管向东走好了。真是惆怅！惆怅！"

十月二十日戊戌，昭宗派赵国夫人出宫告诉韩偓："早晨以来，李彦弼等人无礼

卿对，其势未可。”且言：“上与皇后但涕泣相向。”自是，学士[466]不复得对矣。

癸卯[467]，全诲[30]等令上入阁[468]召百官，追寝[469]正月丙午敕书[470]，悉如咸通[471]以来近例。是日，开延英，全诲等即侍侧，同议政事。

丁未[472]，神策都指挥使李继筠遣部兵掠内库[473]宝货、帷帐、法物[474]，韩全诲遣人密送诸王、宫人先之凤翔。

戊申[475]，朱全忠至河中，表请车驾幸东都，京城大骇，士民亡窜山谷。是日，百官皆不入朝，阙前寂无人。

十一月己酉朔[476]，李继筠等勒兵阙下，禁人出入，诸军大掠。士民衣纸及布襦者，满街极目[477]。韩建以幕僚司马邺[478]知匡国留后。朱全忠引[479]四镇兵[480]七万趣同州，邺迎降。

韩全诲等以李继昭不与之同，遏绝[481]不令见上。时崔胤居第在开化坊[482]，继昭帅所部六千[31]余人，及关东诸道兵在京师者共守卫之。百官及士民避乱者，皆往依之[483]。庚戌[484]，上遣供奉官张绍孙召百官，崔胤等皆表辞不至。

壬子[485]，韩全诲等陈兵殿前，言于上曰：“全忠以大兵逼京师，欲劫天子幸洛阳，求传禅[486]。臣等请奉陛下幸凤翔，收兵拒之。”上不许，杖剑[487]登乞巧楼。全诲等逼上下楼，上行才及寿春殿[488]，李彦弼已于御院[489]纵火。是日冬至，上独坐思政殿，翘一足，一足蹋[490]阑干[491]，庭无群臣，旁无侍者。顷之，不得已，与皇后、妃嫔、诸王百余人皆上马，恸哭声不绝，出门，回顾禁中，火已赫然[492]。是夕，宿鄠县[493]。

朱全忠遣司马邺入华州，谓韩建曰：“公不早知过自归，又烦此军少留城下矣。”是日，全忠自故市[494]引兵南渡渭，韩建遣节度副使李巨川[495]请降，献银三万两助军。全忠乃西南趣赤水[496]。

癸丑[497]，李茂贞迎车驾于田家硙[498]，上下马慰接之。甲寅[499]，车驾至盩厔[500]。乙卯[501]，留一日。

到了极点。皇上本来想要召你入宫答对，但形势不允许。”并且说：“皇上与皇后只是相对哭泣。”从此以后，翰林学士不能再进宫答对了。

十月二十五日癸卯，韩全诲等命令昭宗入阁召见百官，收回废止正月二十三日丙午颁布的宰相奏事枢密使不准在旁侍立的敕书，完全恢复懿宗咸通以来的惯例。这一天，在延英殿召开会议，韩全诲等就在旁侍立，共同商议朝廷政务。

二十九日丁未，神策都指挥使李继筠派遣部下士兵抢掠内库中的珍宝财物、帷帐、仪仗所用器物等。韩全诲派人秘密把诸王、宫人先送往凤翔。

三十日戊申，朱全忠到达河中，上表请求昭宗到东都洛阳去。京城长安大为恐惧，士民百姓逃亡到山谷中。这一天，文武百官都没有入朝，宫殿前寂静无人。

十一月初一日己酉，李继筠等率兵到宫门前，禁止人员出入，各路军队大肆抢掠。平民百姓穿着纸和短布衣的，布满街道，一眼望不到头。韩建以他的幕僚司马邺任匡国留后。朱全忠率领宣武、宣义、天平、护国四镇的军队七万人奔赴同州，司马邺向朱全忠投降。

韩全诲等因李继昭与他们意见不同，就阻止李继昭不让他见到昭宗。当时崔胤居住的府第在长安东街的开化坊，李继昭率领部下六千多人以及关东各道在京城的士兵共同守卫这里。文武百官和士民躲避祸乱的，都前去依附他。十一月初二日庚戌，昭宗派遣供奉官张绍孙召集百官，崔胤等都上表推辞，不肯入朝。

十一月初四日壬子，韩全诲等在宫殿前部署军队，对昭宗说：“朱全忠率领大军进逼京城，想要劫持皇上到洛阳去，要求把帝位禅让给他。臣等请求侍奉陛下到凤翔，调集军队来抵抗他。”昭宗不同意，手持宝剑登上乞巧楼。韩全诲等逼迫昭宗下楼，昭宗才走到寿春殿，李彦弼已经在宫内放火。这一天是冬至，昭宗独自坐在思政殿，翘起一只脚，另一只脚踏在栏杆上，殿庭上没有文武官员，旁边也没有服侍的人。过了一会儿，不得已，昭宗与皇后、妃嫔、诸王等一百多人都上了马，痛哭之声不绝，出了宫门，回头来看皇宫，火势已经很大了。这一天晚上，住在鄠县。

朱全忠派遣司马邺进入华州，对韩建说：“你不能早点知道自己的过错前来归顺，又要烦劳我这支军队稍许停留在华州城下了。”这一天，朱全忠从故市率军向南渡过渭水，韩建派遣节度副使李巨川请求投降，献上白银三万两资助军队。朱全忠于是率军向西南奔赴赤水。

十一月初五日癸丑，李茂贞在田家硙迎接昭宗，昭宗亲自下马对他表示慰问。初六日甲寅，昭宗到达盩厔县。初七日乙卯，停留一天。

【段旨】

以上为第十段，写朱全忠与李茂贞争天子以令诸侯，朱全忠发兵西指，韩全诲与岐兵劫持昭宗西幸凤翔，宫城再度被付之一炬。

【注释】

㊷制上：控制昭宗。㊸功臣：指李继昭、李继诲、李彦弼。㊹致：招来。㊺不：通“否”。㊻比日：近日。㊼倔强：刚强固执。㊽凶悖：凶恶狂傲。㊾显罪：明显有罪。㊿窜逐：放逐；流放。[431]庶几：也许可以；差不多。[432]既而：不久之后。[433]党援：结党互相援助。[434]稍：渐渐。[435]黜守诸陵：贬斥去守诸皇陵。[436]癸丑：九月初五日。[437]君侧之恶：君主左右的恶人。[438]语：告诉。[439]飞书：飞递书信。[440]壬戌：九月十四日。[441]累日：多日。[442]辄：就。[443]侑酒：佐酒。[444]正旦立功之时：谓诛刘季述、王仲先，迎昭宗返正之时。[445]听：听任。[446]僭易：冒昧。[447]嗜利：贪利。[448]以厚利雇之：指韩全诲以厚利引诱李继诲、李彦弼，使二人为其所用，如同受雇用一样。[449]卫兵：指岐州兵。当时崔胤留岐州兵，目的是牵制宦官。[450]愀然：忧愁的样子。[451]忧沮：忧愁沮丧。[452]戊戌：十月二十日。[453]走告：放纵杭俘逃走，让其告诉顾全武、李神福当夜撤兵的消息。[454]羸兵：老弱之兵。[455]殿：走在最后。[456]青山：镇名，在临安东。[457]临安：县名，县治在今浙江杭州市临安区北。为钱镠所起之地。[458]丁酉：十月十九日。[459]凄怆：凄惨悲伤。[460]宗社：宗庙和社稷。[461]西行：谓将幸凤翔。[462]东行：使崔胤等东行，意在催促朱全忠进兵。[463]惆怅：因失意而伤感、懊恼。[464]戊戌：十月二十日。[465]上遣赵国夫人出语韩偓：昭宗命宫人出至学士院把宫廷变故通告韩偓。赵国夫人，名宠颜。[466]学士：翰林学士。[467]癸卯：十月二十五日。[468]入阁：唐代皇帝大朝会在含光殿，朔望大册拜在宣政殿，称为正衙。单日视朝在紫宸殿，称为上阁，又叫内衙。正衙有仗，开紫宸则呼仗自东西阁门入，在衙候朝的百官，因跟随入见叫入阁。[469]追寝：追回废止。[470]正月丙午敕书：指依大中旧制，宰相奏事毕，枢密使方得升殿承受公事的敕书。[471]咸通：唐懿

【原文】

朱全忠至零口[502]西，闻车驾西幸，与僚佐议，复引兵还赤水。左仆射致仕张濬说全忠曰：“韩建，茂贞之党，不先取之，必为后患。”全忠闻建有表劝天子幸凤翔，乃引兵逼其城。建单骑迎谒，全忠责之，对曰：“建目不知书[503]，凡表章书檄，皆李巨川所为。”全忠以巨川常为

宗年号（公元八六〇至八七四年）。㊼丁未：十月二十九日。㊽内库：皇宫的府库。㊾法物：帝王仪仗队所用的器物。㊿戊申：十月三十日。476己酉朔：十一月初一。477士民衣纸及布襦者二句：士民穿纸做的衣服及短布衣的，满街都是，望不到边。襦，短衣。478司马邺：字表仁。原为韩建部属，为同州节度留后。入梁，官至右武卫上将军。传见《旧五代史》卷二十。479引：率领。480四镇兵：即宣武、宣义、天平、护国等四镇兵。481遏绝：阻止断绝。482开化坊：长安街市名，在朱雀门南。483依之：依附李继昭之兵以避禁兵及岐兵暴掠。484庚戌：十一月初二日。485壬子：十一月初四日。486传禅：传让帝王之位。487杖剑：持剑。杖，通“仗”。488寿春殿：唐大明宫殿堂之一。489御院：天子及后妃所居之地。490蹋：同“踏”。491阑干：即殿槛。492赫然：这里形容火势很大的样子。493鄠县：县名，县治在今陕西西安市鄠邑区。在唐长安西南六十里。494故市：镇名，在陕西渭南北。路通大荔、蒲城、富平三县，为渭北交通要地。495李巨川（？至公元九〇一年）：字下己，陇右（今青海海东市乐都区）人，乾符中进士。王重荣镇河中时，为掌书记，文思敏速，闻名天下。后从韩建，昭宗深重之，授谏议大夫。传见《旧唐书》卷一百九十下、《新唐书》卷二百二十四下。496赤水：镇名，在陕西渭南东二十五里。分东西二镇，滨赤水，西镇属渭南，东镇属华县，为往来要道。497癸丑：十一月初五日。498田家硙：村镇名。499甲寅：十一月初六日。500盩厔：县名，县治在今陕西周至。501乙卯：十一月初七日。

【校记】

［27］迯：原无此字。据章钰校，十二行本、乙十一行本皆有此字，张敦仁《通鉴刊本识误》同，今据补。［28］或妄论朝政：原无此五字。据章钰校，十二行本、乙十一行本皆有此五字，张敦仁《通鉴刊本识误》、张瑛《通鉴校勘记》同，今据补。［29］或：据章钰校，孔天胤本作“辄”。［30］全诲：原作“韩全诲”。据章钰校，十二行本、乙十一行本皆无“韩”字，今据删。［31］六千：原作“六十”。胡三省注云：“‘六十’当作‘六千’。”据章钰校，十二行本作“六千”，当是，今从改。

【语译】

朱全忠到达零口镇西边，得知昭宗已经离开长安西行，和幕僚将佐商量，再率军返回赤水。退休的原左仆射张濬对朱全忠说：“韩建是李茂贞的同党，不先攻取韩建，必定会成为后患。”朱全忠得知韩建曾经上表劝昭宗到凤翔去，于是率军进逼华州城。韩建单骑来迎接谒见，朱全忠责备他，韩建回答说：“我韩建不认得字，所有表章书信檄文，都是李巨川所写。”朱全忠因为李巨川经常为韩建出谋划策，在军门

建画策，斩之军门。谓建曰："公许人[504]，可即往衣锦[505]。"丁巳[506]，以建为忠武[507]节度使，理陈州，以兵援送[508]之。以前商州[509]刺史李存权知华州，徙忠武节度使赵珝为匡国[510]节度使。车驾之在华州[511]也，商贾辐凑[512]，韩建重征之，二年，得钱九百万缗。至是，全忠尽取之。

是时京师无天子，行在无宰相，崔胤使太子太师卢渥等二百余人列状[513]请朱全忠西迎车驾，又使王溥至赤水见全忠计事。全忠复书曰："进则惧胁君之谤，退则怀负国之惭[514]，然不敢不勉[515]。"戊午[516]，全忠发赤水。

辛酉[517]，以兵部侍郎卢光启[518]权句当[519]中书事。车驾留岐山[520]三日。壬戌[521]，至凤翔。

朱全忠至长安，宰相帅百官班迎[522]于长乐坡[523]。明日行，复班辞[524]于临皋驿[525]。全忠赏李继昭之功[526]，初令权知匡国留后，复留为两街制置使[527]，赐与甚厚。继昭尽献其兵八千人。

全忠使判官李择、裴铸入奏事，称："奉密诏及得崔胤书，令臣将兵入朝。"韩全诲等矫诏[528]答以："朕避灾至此，非宦官所劫，密诏皆崔胤诈为之，卿宜敛兵[529]归保土宇[530]。"茂贞遣其将符道昭[531]屯武功[532]以拒全忠。癸亥[533]，全忠将康怀贞击破之。

丁卯[534]，以卢光启为右谏议大夫，参知机务[535]。

戊辰[536]，朱全忠至凤翔，军于城东。李茂贞登城谓曰："天子避灾，非臣下无礼，谗人误公至此。"全忠报曰："韩全诲劫迁天子，今来问罪，迎扈[537]还宫。岐王[538]苟不预谋[539]，何烦陈谕[540]！"上屡诏全忠还镇[541]，全忠乃拜表奉辞。辛未[542]，移兵北趣邠州[543]。

甲戌[544]，制[545]：守司空兼门下侍郎、同平章事崔胤责授[546]工部尚书，户部侍郎、同平章事裴枢罢守本官。

乙亥[547]，朱全忠攻邠州。丁丑[548]，静难节度使李继徽请降，复姓名杨崇本。全忠质其妻[549]于河中，令崇本仍镇邠州。

全忠之西入关也，韩全诲、李茂贞以诏命征兵河东，茂贞仍以书求援于李克用。克用遣李嗣昭将五千骑自沁州趣晋州，与汴兵战于平阳[550]北，破之。

前把李巨川斩杀。朱全忠对韩建说："你是许州人，可以立刻衣锦还乡了。"十一月初九日丁巳，以韩建为忠武军节度使，治理陈州事务，派兵护送韩建赴任。以前商州刺史李存权掌管华州事务，调忠武节度使赵珝为匡国节度使。昭宗在华州的时候，各地商人都聚集到这里，韩建征收很重的赋税，两年时间得钱九百万缗。到这时，朱全忠全部收为己有。

当时京城长安没有皇帝，昭宗所在的地方没有宰相，崔胤让太子太师卢渥等二百多人联名撰写公文，请求朱全忠西去迎接昭宗，又派王溥到赤水去见朱全忠商议计划。朱全忠回信说："前进则怕有胁迫君主的毁谤，后退又怀着辜负国家恩德的惭愧心情，但是我不敢不努力去做。"十一月初十日戊午，朱全忠率军从赤水出发。

十一月十三日辛酉，以兵部侍郎卢光启暂时处理中书省事务。昭宗在岐山停留三天。十四日壬戌，到达凤翔。

朱全忠到达长安，宰相带领文武百官按上朝次序列队在长乐坡迎接他。第二天朱全忠西去，又按上朝次序列队在临皋驿送行。朱全忠奖赏李继昭保护崔胤和文武百官的功劳，起初命令他暂时代理匡国留后职务，后来又留他担任两街制置使，赏赐给他的财物很丰厚。李继昭把他部下的士兵八千人全部献出。

朱全忠派遣判官李择、裴铸到凤翔向昭宗奏事，说："奉到秘密诏书和接得崔胤书信，命令臣带军入朝。"韩全诲等假传昭宗诏令回答说："朕躲避灾祸来到这里，不是被宦官劫持，秘密诏书都是崔胤伪造的。你应该收兵回去保卫疆土。"李茂贞派遣他的部将符道昭驻扎在武功县，以抵御朱全忠。十一月十五日癸亥，朱全忠部将康怀贞击败符道昭的军队。

十一月十九日丁卯，任命卢光启为右谏议大夫，参与掌管机要事务。

十一月二十日戊辰，朱全忠到达凤翔，驻军在城东。李茂贞登上城墙对朱全忠说："天子躲避灾祸来到这里，不是臣下无礼劫持，奸谗小人误导您到了这里。"朱全忠回答说："韩全诲劫持迁徙天子，我今天来问罪，迎接护送天子返回京城皇宫。您如果没有参与谋划，何烦陈说表白！"昭宗多次下诏命令朱全忠返回镇所，朱全忠于是上表告辞。二十三日辛未，朱全忠率军转移，向北奔赴邠州。

十一月二十六日甲戌，颁发制书：守司空兼门下侍郎、同平章事崔胤受责改任工部尚书，户部侍郎、同平章事裴枢免去相位，保留原任官衔。

十一月二十七日乙亥，朱全忠进攻邠州。二十九日丁丑，静难节度使李继徽请求投降，恢复原来的姓名杨崇本。朱全忠把他的妻子作为人质迁往河中，命令杨崇本仍然镇守邠州。

朱全忠西入潼关时，韩全诲、李茂贞以昭宗的诏命向河东李克用征调军队，李茂贞还写信给李克用请求救援。李克用派遣李嗣昭率领骑兵五千人从沁州直奔晋州，在平阳的北边与汴州军交战，打败汴州军。

乙亥[551]，全忠发邠州。戊寅[552]，次三原[553]。十二月癸未[554]，崔胤至三原见全忠，趣之迎驾。己丑[555]，全忠遣朱友宁[556]攻盩厔，不下。戊戌[557]，全忠自往督战，盩厔降，屠之。全忠令崔胤帅百官及京城居民悉迁于华州。

诏以裴贽充大明宫留守。

清海节度使徐彦若薨，遗表荐行军司马刘隐权留后。

【段旨】

以上为第十一段，写朱全忠入长安，劫持百官，迁置华州。复进兵围凤翔。

【注释】

⑤⓪②零口：镇名，在今陕西西安市临潼区西。⑤⓪③目不知书：不识字。⑤⓪④公许人：韩建是许州长社人，在今河南许昌。⑤⓪⑤衣锦：《史记·项羽本纪》："富贵不归故乡，如衣锦夜行，谁知之者?"此处用这个典故，意谓让韩建回河南老家。⑤⓪⑥丁巳：十一月初九日。⑤⓪⑦忠武：方镇名，唐德宗贞元三年（公元七八七年）置陈许节度使，治许州。十年赐号忠武军节度使。由于赵珝是陈州人，守陈州有功，朝廷以忠武节度使授之，徙忠武军治陈州。⑤⓪⑧援送：护送。朱全忠怕韩建中途逃归岐州，又怕他手下将士有人中途劫夺，故以兵护送。⑤⓪⑨商州：州名，治所在今陕西商洛市商州区。⑤①⓪匡国：方镇名，治所同州。对韩建、李存权、赵珝的调动和任命，皆非朝廷诏命，而是朱全忠所为。⑤①①车驾之在华州：时值昭宗乾宁三、四年。⑤①②辐凑：车辐集中于轴心。喻人物聚集一处。当时华州为皇帝行在，故商贾集中以牟利。⑤①③列状：联名写公文。⑤①④进则惧胁君之谤二句：向前进军害怕人说威胁皇帝，向后退兵又觉有负国家而内心惭愧。胁君，威胁皇帝。⑤①⑤勉：尽力。⑤①⑥戊午：十一月初十日。⑤①⑦辛酉：十一月十三日。⑤①⑧卢光启（？至公元九〇三年）：字子忠，官至兵部侍郎、同中书门下平章事。传见《新唐书》卷一百八十二。⑤①⑨权句当：时无宰相，临时使之办理中书事务。句当，办理。⑤②⓪岐山：县名，县治在今陕西岐山县。⑤②①壬戌：十一月十四日。⑤②②班迎：列班迎接。⑤②③长乐坡：长安城北禁

十一月二十七日乙亥，朱全忠从邠州出发。三十日戊寅，停留在三原。十二月初五日癸未，崔胤到三原会见朱全忠，催促他去迎接昭宗。十一日己丑，朱全忠派遣朱友宁进攻盩厔县，未能攻克。二十日戊戌，朱全忠亲自前往督战，盩厔守军投降，被全部屠杀。朱全忠命令崔胤率领文武百官以及京城居民全部迁徙到华州。

昭宗下诏裴贽充任大明宫留守。

清海节度使徐彦若去世，临终前所作表章推举行军司马刘隐代理留后的职位。

苑中有长乐坡，在光泰门东七里。㉔ 班辞：百官列班送行。班迎、班辞，皆非朱全忠这样的藩臣所当得，此为崔胤谄媚朱全忠之举。㉕ 临皋驿：驿站名。㉖ 李继昭之功：保护崔胤及百官之功。㉗ 两街制置使：官名，掌长安城东、西两市军务。㉘ 矫诏：假托昭宗之命下诏。㉙ 敛兵：收兵。㉚ 土宇：封疆；领土。㉛ 符道昭（？至公元九〇八年）：淮西人，性强敏，有武略。初事秦宗权，后依李茂贞，降朱全忠后，昭宗时任秦州节度使。传见《旧五代史》卷二十一、《新五代史》卷二十一。㉜ 武功：县名，县治在今陕西武功西。㉝ 癸亥：十一月十五日。㉞ 丁卯：十一月十九日。㉟ 参知机务：卢光启以右谏议大夫居宰相职位，名参知机务。机务，机要的事务，此指军政大事。㊱ 戊辰：十一月二十日。㊲ 迎扈：迎接皇帝的车驾。㊳ 岐王：指李茂贞。㊴ 苟不预谋：如果没有参与韩全诲的阴谋。㊵ 陈谕：陈述表白。㊶ 上屡诏全忠还镇：昭宗多次下诏书命令朱全忠返还镇所，是韩全诲、李茂贞挟天子所为。㊷ 辛未：十一月二十三日。㊸ 趣邠州：向邠州进军。时李茂贞养子李继徽镇邠州，若先得邠州，岐州则孤立了。㊹ 甲戌：十一月二十六日。㊺ 制：皇帝诏命。㊻ 责授：受斥责而改授官职。崔胤、裴枢贬官，皆宦官之意。㊼ 乙亥：十一月二十七日。㊽ 丁丑：十一月二十九日。㊾ 质其妻：以李继徽之妻作为人质。㊿ 平阳：县名，为晋州治所，县治在今山西临汾。551 乙亥：十一月二十七日。552 戊寅：十一月三十日。553 三原：县名，县治在今陕西三原北。自邠州东南至三原，一百五十余里。554 癸未：十二月初五日。555 己丑：十二月十一日。556 朱友宁（？至公元九〇三年）：字安仁，朱全忠兄朱存之子，官至建武军节度使，后战死。全忠即位，追封安王。传见《旧五代史》卷十二，并附《新五代史》卷十三《朗王存传》。557 戊戌：十二月二十日。

【原文】

李神福知钱镠定不死⑤⑤⑧，而临安城坚，久攻不拔，欲归，恐为镠所邀⑤⑤⑨，乃遣人守卫镠祖考丘垄⑤⑥⓪，禁樵采⑤⑥①，又使顾全武通家信。镠遣使谢之。神福于要路多张旗帜为虚寨，镠以为淮南兵大至，遂请和。神福受其犒赂⑤⑥②而还。

朱全忠之入关也，戎昭⑤⑥③[32]节度使冯行袭遣副使鲁崇矩听命于全忠。韩全诲遣中使二十余人分道征江、淮兵屯金州⑤⑥④，以胁全忠，行袭尽杀中使⑤⑥⑤，收其诏敕送全忠。又遣中使[33]征兵于王建，朱全忠亦遣使乞师于建。建外⑤⑥⑥修好于全忠，罪状⑤⑥⑦李茂贞，而阴⑤⑥⑧劝茂贞坚守，许之救援。以武信节度使王宗佶、前东川节度使王宗涤等为扈驾⑤⑥⑨指挥使，将兵五万，声言迎车驾，其实袭茂贞山南诸州⑤⑦⓪。

江西节度使锺传将兵围抚州刺史危全讽，天火⑤⑦①烧其城，士民讙惊⑤⑦②。诸将请急攻之，传曰："乘人之危，非仁也。"乃祝⑤⑦③曰："全讽之罪，无为害民。"火寻⑤⑦④止。全讽闻之，谢罪听命，以女妻传子匡时。

传少时尝猎，醉遇虎，与斗，虎搏其肩，而传亦持虎腰不置⑤⑦⑤，旁人共杀虎，乃得免。既贵，悔之，常戒诸子曰："士处世贵智谋，勿效吾暴虎⑤⑦⑥也。"

武贞节度使雷满薨，子彦威自称留后。

【段旨】

以上为第十二段，写西川王建大兴兵声言迎车驾以助李茂贞，实际袭夺李茂贞山南诸州。

【注释】

⑤⑤⑧李神福知钱镠定不死：有人传说钱镠为盗所杀，李神福不信。⑤⑤⑨恐为镠所邀：李神福从临安退还宣州，路上有千秋岭之险，怕被钱镠在此截击。邀，截击。⑤⑥⓪祖考丘垄：祖坟。钱镠是临安人，其祖、父坟茔在临安。考，亡父曰考。⑤⑥①樵采：砍柴刈草。⑤⑥②犒

【语译】

李神福知道钱镠肯定没有死，而临安城池坚固，久攻不克，想要返回，又担心受到钱镠截击，于是派人去守护钱镠祖先的坟墓，禁止在它周围砍伐柴草，又让顾全武与家中通信。钱镠派遣使者向李神福表示感谢。李神福在主要道路上悬挂许多旗帜，伪装作营寨。钱镠以为淮南军大量到来，就请求和好相处。李神福接受了钱镠犒军赠送的财物后返回。

朱全忠进入潼关时，戎昭节度使冯行袭派遣副使鲁崇矩听从朱全忠的命令。韩全诲派出中使二十多人分路到江、淮地区征调军队驻扎金州，以此来威胁朱全忠。冯行袭把这些中使全部杀死，收缴他们携带的诏令敕书送交朱全忠。韩全诲又派出使者向王建征调军队，朱全忠也派出使者向王建要求派遣援军。王建表面上与朱全忠修好，列举李茂贞的罪行，而暗中劝说李茂贞坚守，许诺派遣军队救援。王建任命武信节度使王宗佶、前东川节度使王宗涤等为扈驾指挥使，率军五万人，声称迎接昭宗，其实是去偷袭李茂贞的山南各州。

江西节度使锺传率军围困抚州刺史危全讽。天火烧了抚州城，城中士民百姓喧哗惊恐。各将领请求赶快攻城，锺传说："乘人之危，并非仁德。"于是祈祷说："这是危全讽的罪过，不要加害百姓。"火不久就熄灭。危全讽得知此事，向锺传谢罪，表示听从他的指挥，并把女儿嫁给锺传的儿子锺匡时为妻。

锺传年轻时曾经打猎，喝醉后遇见老虎，和它搏斗，老虎抓住了他的肩膀，而锺传也抱住老虎的腰不放，旁边的人一起杀死了老虎，锺传才免于一死。锺传显贵以后，对这件事很后悔，常常告诫各个儿子说："士人处世贵在运用智谋，不要效法我徒手与老虎搏斗。"

武贞节度使雷满去世，他的儿子雷彦威自称留后。

赂：犒劳财物。563 戎昭：方镇名，昭宗天祐二年（公元九〇五年）始改昭信军节度使为戎昭军节度使。564 金州：州名，治所在今陕西安康。565 行袭尽杀中使：冯行袭以昭信节度使治金州，故得尽杀中使。566 外：表面。567 罪状：条列罪行。568 阴：暗中。569 扈驾：随侍帝王车驾。570 山南诸州：即山南西道诸州。571 天火：由雷电或物体自燃引起的大火。一般民间认为这是上天降下的处罚。572 讙惊：喧哗、惊慌。573 祝：以言告神祈福。574 寻：一会儿；一霎时。575 不置：不放。576 暴虎：空手与虎搏斗。

【校记】

[32] 戎昭：严衍《通鉴补》改作“昭信”。据章钰校，孔天胤本作“武昭”。未知孰是。[33] 中使：原无“中”字。据章钰校，十二行本、乙十一行本、孔天胤本皆有“中”字，今据补。

【研析】

本卷研析马殷扩地取桂州，刘季述废唐昭宗，崔胤留岐兵宿卫三件史事。

第一，马殷扩地取桂州。马殷，字霸图，许州鄢陵人。原蔡州秦宗权部属，隶孙儒为裨将。孙儒与杨行密争淮南兵败，马殷与刘建锋率残兵七千人逃往洪州，在江西聚众数万，攻入湖南，取长沙。唐僖宗任刘建锋为湖南节度使，马殷为马步军都指挥使。公元八九六年，军士杀刘建锋，众推马殷为节度使。马殷争战，数年间全据湖南。至是公元九〇〇年，马殷攻取桂管五州。马殷界临的强敌是东边的淮南杨行密。杨行密西进，为马殷所阻，马殷为了自存，对朱全忠十分恭顺，借朱氏之力遏制淮南。公元九〇七年，朱全忠代唐，封马殷为楚王。当年马殷击败淮南军，夺得岳州。公元九〇八年，马殷出兵岭南，打败岭南割据者刘隐，兼并了岭南六个州。马殷闭境自保，带给了湖南、岭南士民一分安定，这是马殷在唐末乱世中对历史的贡献。

第二，刘季述废唐昭宗。刘季述，原本是宫中低级宦官，积资累迁做到枢密使。宰相崔胤与昭宗谋，欲杀尽宦官，外结朱全忠为援。宦官则外结李茂贞以自保。光化三年（公元九〇〇年）六月，崔胤奏请昭宗流放宦官左右中尉景务脩、宋道弼，并赐死于道。刘季述、王仲先继任左右中尉，十分怀恨崔胤，伺机反扑。

其时，唐昭宗从华州还京师，惊悸未定，整日闷闷不乐，性情乖张，醉酒杀人。刘季述、王仲先借机以皇后令幽囚唐昭宗于少阳院，废为太上皇，奉太子即位，大肆杀戮唐昭宗平时亲近的人。刘季述通款于朱全忠，告以将弑帝，奉献唐社稷，而实欲借朱全忠之手杀尽百官，挟天子以令诸侯。崔胤致信朱全忠举兵入朝尽杀宦官。朱全忠狐疑，首鼠两端，把崔胤的信转给刘季述，火上浇油，激化京师内斗。崔胤巧辩，称朱全忠所转之信乃奸人所为，刘季述吃不准朱全忠心意，反与崔胤和解。崔胤则把和解之事告知朱全忠，用以表示忠心。朱全忠恼羞自己为刘季述所卖，转身与崔胤谋诛刘季述。天平节度副使李振建言朱全忠诛宦官以建桓文之功，坚定了朱全忠的立场，于是朱全忠派李振到京师与崔胤合谋复辟昭宗，诛杀刘季述。适逢都将孙德昭、董从实因盗没官钱受责于王仲先，为崔胤所利用。孙德昭又引别将周承诲相助。三人在崔胤策划下于十二月晦除夕发动兵变诛杀了刘季述、王仲先等一干宦官，并夷三族，昭宗复辟。论功行赏，孙德昭、董从实、周承诲三人赐姓李，孙德昭更名李继昭，任命为检校太保、静海军节度使，董从实更名为李彦弼，任命为检校司徒、容管节度使，两人并同中书门下平章事。周承诲更名为李继诲，亦任命为检校司徒、邕管节度使。三人同加“扶倾济难忠烈功臣”，图形凌烟阁，号称“三使相”，荣耀无比。崔胤建大功，专国政。昭宗经过这一番废立的折腾，威权扫地。

第三，崔胤留岐兵宿卫。昭宗复辟后，崔胤上奏说：“祸难的兴起，根源就是宦官掌握了军权，请把禁军交给宰相典领。”昭宗厌恶崔胤外结朱全忠，认为军权还是交给家奴掌管放心，于是以枢密使韩全诲、凤翔监军使张彦弘为左、右中尉。韩全诲亦前任凤翔监军，任中尉后与李茂贞亲善。

崔胤未能掌控禁军，心有不甘，又害怕宦官掌控军权继续为害朝廷，就想借藩镇之兵来平衡宦官权力，暗示李茂贞留兵三千人在京师，由李茂贞的儿子李继筠统领宿卫宫禁。左谏议大夫韩偓认为这样做十分危险。韩偓说：“京师驻留藩镇之兵，家国两危，不留，家国两安。”崔胤不听，重蹈东汉何进召董卓之兵入京危害家国的覆辙。崔胤才德两失，非靖难之臣，只顾眼前，毫无远识，不听忠言，一意孤行，貌似忠臣，委实一个祸国之臣。

卷第二百六十三　唐纪七十九

起玄黓阉茂（壬戌，公元九〇二年），尽昭阳大渊献（癸亥，公元九〇三年）正月，凡一年有奇。

【题解】

本卷记事起公元九〇二年，迄公元九〇三年正月，载述史事凡一年又一个月，当唐朝昭宗天复二年至天复三年正月。此一年大事为汴、岐两镇争夺天子控制权，以及唐王室宦官被全歼始末。先是汴、晋两军晋阳大战，李克用丧师夺气。朱全忠势盛，欲西劫天子，唐昭宗进爵杨行密为吴王，钱镠为越王，诏诸道讨逆朱全忠。岐王李茂贞与吴王杨行密夹击朱全忠不胜，王师范举义旗失败，困守孤城于凤翔的李茂贞请降朱全忠，诛杀了韩全诲等七十二个宦官，朱全忠解围，昭宗还京师，崔胤大诛宦官，诏诸镇尽杀监军。司马光论宦官祸国之因。东南藩镇，杨行密助钱镠摆脱困境，乘势扩张，兵进鄂岳。

【原文】

昭宗圣穆景文孝皇帝中之下

天复二年（壬戌，公元九〇二年）

春，正月癸丑①，朱全忠复屯三原②，又移军武功③。河东将李嗣昭、周德威攻慈、隰，以分全忠兵势。

丁卯④，以给事中韦贻范为工部侍郎、同平章事。

丙子⑤，以给事中严龟充岐、汴和协使⑥，赐朱全忠姓李，与李茂贞为兄弟。全忠不从。

时茂贞不出战。全忠闻有河东兵。二月戊寅朔⑦，还军河中。

李嗣昭等[1]攻慈、隰，下之，进逼晋、绛。己丑⑧，全忠遣兄子友宁将兵会晋州刺史氏叔琮击之。李嗣昭袭取绛州。汴将康怀贞⑨[2]复取之。嗣昭等屯蒲县⑩。乙未⑪，汴军十万营于蒲南⑫，叔琮夜帅众断其归路而攻其垒，破之，杀获万余人。己亥⑬，全忠自河中赴

【语译】

昭宗圣穆景文孝皇帝中之下

天复二年（壬戌，公元九〇二年）

春，正月初六日癸丑，朱全忠率军再次进驻三原，又移军驻扎到武功县。河东将领李嗣昭、周德威进攻慈州、隰州，以分散朱全忠的兵势。

二十日丁卯，朝廷任命给事中韦贻范为工部侍郎、同平章事。

二十九日丙子，朝廷任命给事中严龟充当岐、汴和协使，赐朱全忠姓李，与李茂贞结为兄弟。朱全忠没有听从。

当时李茂贞不出城迎战。朱全忠得知有河东军队入侵，二月初一日戊寅，率军返回河中。

李嗣昭等人进攻慈州、隰州，攻了下来，进军逼近晋州、绛州。二月十二日己丑，朱全忠派遣他哥哥的儿子朱友宁率军会合晋州刺史氏叔琮攻打河东军。李嗣昭偷袭攻取了绛州，汴州将领康怀贞又夺回了绛州。李嗣昭等驻军蒲县。十八日乙未，汴州军十万人在蒲南扎营，氏叔琮趁夜率军截断河东军队的退路，并进攻他们的营垒，大破河东军，杀死、俘获了一万多人。二十二日己亥，朱全忠从河中赶赴这里。

之。乙巳⑭，至晋州。

盗发简陵⑮。

西川兵至利州⑯，昭武节度使李继忠弃镇奔凤翔。王建以剑州⑰刺史王宗伟为利州制置使。

三月庚戌⑱，上与李茂贞及宰相、学士、中尉、枢密宴，酒酣，茂贞及韩全诲亡去。上问韦贻范："朕何以巡幸至此？"对曰："臣在外不知。"固问⑲之[3]，不对。上曰："卿何得于朕前妄语⑳云不知？"又曰："卿既以非道㉑取宰相，当于公事如法㉒。若有不可，必准㉓故事㉔。"怒目视之，微言㉕曰："此贼兼须杖之二十。"顾谓韩偓曰："此辈亦称宰相！"贻范屡以大杯献上，上不即持，贻范举杯直及上颐㉖。

戊午㉗，氏叔琮、朱友宁进攻李嗣昭、周德威营。时汴军横陈十里，而河东军不过数万，深入敌境，众心恟惧㉘。德威出战而败，密令嗣昭以后军先[4]去㉙，德威寻㉚引骑兵亦退。叔琮、友宁长驱乘之，河东军惊溃，禽克用子廷鸾，兵仗辎重委弃殆尽[5]。朱全忠令叔琮、友宁乘胜遂攻河东。

李克用闻嗣昭等败，遣李存信以亲兵逆之，至清源㉛，遇汴军，存信走还晋阳㉜，汴军取慈、隰、汾三州。辛酉㉝，汴军围晋阳，营于晋祠㉞，攻其西门。周德威、李嗣昭收余众依西山得还㉟。城中兵未集，叔琮攻城甚急，每行围㊱，褒衣博带㊲，以示闲暇。

克用昼夜乘城㊳，不得寝食。召诸将议保走[6]云州㊴，李嗣昭、李嗣源、周德威曰："儿辈在此，必能固守。王勿为此谋，动[7]摇人心！"李存信曰："关东、河北皆受制于朱温，我兵寡地蹙㊵，守此孤城，彼筑垒穿堑环之㊶，以积久㊷制我，我飞走无路，坐待困毙耳。今事势已急，不若且入北虏，徐图进取。"嗣昭力争之，克用不能决。刘夫人言于克用曰："存信，北川㊸牧羊儿耳，安知远虑！王常笑王行瑜轻去其城㊹，死于人手，今日反效之邪！且王昔居达靼㊺，几不自免，赖朝廷多事，乃得复归。今一足出城，则祸变不测，塞外可得至邪！"克用乃止。居数日，溃兵复集，军府浸安㊻。克用弟克宁为忻州㊼刺史，闻汴

二十八日乙巳，到达晋州。

盗贼掘开唐懿宗的简陵。

西川军队到达利州，昭武节度使李继忠弃城逃往凤翔。王建以剑州刺史王宗伟为利州制置使。

三月初四日庚戌，昭宗和李茂贞以及宰相、学士、中尉、枢密使宴饮，酒喝得酣畅淋漓时，李茂贞和韩全诲离开宴席。昭宗询问韦贻范："朕为什么到这个地方来？"韦贻范回答说："臣在外地，不知道。"昭宗一再追问他，韦贻范不回答。昭宗说："卿怎么能在朕面前撒谎说不知道呢？"又说："卿既然通过不正当途径取得宰相职位，就应当在办理公事上遵循国法。如果有不对的地方，一定准照旧例来处理。"昭宗怒目看着韦贻范，小声说："这贼子应该打他二十大板。"回头对韩偓说："这等人也称得上宰相！"韦贻范多次用大杯子向昭宗献酒，昭宗没有立即接过酒杯，韦贻范举着酒杯直送到昭宗的腮边。

三月十二日戊午，氏叔琮、朱友宁进攻李嗣昭、周德威的营寨。当时汴州军横排阵列有十里长，而河东军不过几万人，深入敌人境内，士兵心中恐惧。周德威出战失败，秘密命令李嗣昭率后军先行撤退，周德威自己随即率领骑兵也后退。氏叔琮、朱友宁率军长驱直入，乘势追击，河东军惊慌溃散，李克用的儿子李廷鸾被活捉，河东军队的兵器、辎重几乎全部丢光。朱全忠命令氏叔琮、朱友宁乘胜顺势进攻河东。

李克用得知李嗣昭等战败，派遣李存信率领亲兵前去迎战，到达清源县，遇到汴州军，李存信又逃回晋阳，汴州军队攻取了慈、隰、汾三州。三月十五日辛酉，汴州军包围晋阳，在晋祠扎营，攻打晋阳的西门。周德威、李嗣昭收集余下的部众沿着西山才得以返回晋阳。晋阳城中的军队还没有集中，氏叔琮攻城非常急迫，每次巡视围城军队，总是宽袍阔带，借以表示非常悠闲从容。

李克用白天黑夜都登城守卫，不能睡觉吃饭。他召集诸将商议退保奔赴云州，李嗣昭、李嗣源、周德威说："孩儿们在这里，一定能够坚守。大王不要有这种打算，以免动摇人心！"李存信说："关东、河北地区都受制于朱温。我们兵少地狭，防守这座孤城，敌人环城修筑营垒挖掘堑壕，采用旷日持久的策略来制服我们。我们上天无路，入地无门，只有坐以待毙。如今形势已经危急，不如暂且进入北方少数部族中，慢慢再想办法进取。"李嗣昭极力争辩，李克用不能决断。刘夫人对李克用说："李存信是北川牧羊人的小孩罢了，哪里知道长远的考虑！大王您经常讥笑王行瑜轻率地弃城逃走，死在别人手中，今天反而要效法他吗！况且大王从前居住在达靼，自己几乎不能幸免，靠着朝廷多事，才得以再度返回。如今只要一只脚踏出城，就会有无法预测的灾祸发生，哪里能够到达塞外呢！"李克用于是打消退保云州的想法。过了几天，溃散的士兵又集合起来，军府才逐渐安定下来。李克用的弟弟李克

寇至，中涂复还晋阳，曰："此城吾死所也，去将何之[48]！"众心乃定。

壬戌[49]，朱全忠还河中，遣朱友宁将兵西击李茂贞，军于兴平[50]、武功之间。李嗣昭、李嗣源数将敢死士[51]夜入氏叔琮营，斩首捕虏，汴军惊扰，备御不暇。会大疫[52]，丁卯[53]，叔琮引兵还。嗣昭与周德威将兵追之，及石会关[54]，叔琮留数马及旌旗于高冈之巅[55]。嗣昭等以为有伏兵，乃引去，复取慈、隰、汾三州。自是克用不敢与全忠争者累年[56]。

【段旨】

以上为第一段，写李克用援救李茂贞，招致汴兵大举进攻，晋兵巢穴晋阳差点不保。会疾疫大起，汴兵退走。

【注释】

①癸丑：正月初六日。②三原：县名，县治在今陕西三原。③移军武功：意在进逼凤翔。武功在今陕西武功西北武功镇。④丁卯：正月二十日。⑤丙子：正月二十九日。⑥和协使：临时设置的使职名，负责调解岐、汴之间的矛盾。⑦戊寅朔：二月初一日。⑧己丑：二月十二日。⑨康怀贞（？至公元九一八年）：兖州人，避梁末帝讳改名怀英。原朱瑾牙将，降梁后官至保义军节度使。传见《旧五代史》卷二十三、《新五代史》卷二十二。⑩蒲县：县名，县治在今山西蒲县。⑪乙未：二月十八日。⑫蒲南：蒲县之南。⑬己亥：二月二十二日。⑭乙巳：二月二十八日。⑮简陵：唐懿宗陵墓。⑯利州：州名，治所在今四川广元。时为昭武军节度使治所。⑰剑州：州名，治所在今四川剑阁。⑱庚戌：三月初四日。⑲固问：坚持追问。⑳妄语：说谎话。㉑非道：不正常的途径。此指韦贻范因李茂贞推荐为相。㉒公事如法：处理公务应遵循国法。㉓准：按照。㉔故事：过去的做法。㉕微言：秘密地说，此谓小声地说。㉖上颐：昭宗的面颊。㉗戊午：三月十二日。㉘恟惧：惶恐不安。㉙后军先去：后军首先撤退。㉚寻：接着。㉛清源：县名，县治在晋阳西南五十里，在今山西清徐。㉜走还晋阳：因寡不敌众，故逃回晋阳。㉝辛酉：三月十五日。㉞晋祠：晋阳有晋王祠，在今山西太原西南悬瓮山麓。正殿之右有泉，为晋水发源处。唐贞观二十二年（公元六四八年）李世民御制晋祠之铭，立碑于祠。㉟依西山得还：沿着西山才退到晋阳。西山，指晋阳西南介休境

宁担任忻州刺史，得知汴州军到来，中途又返回晋阳，说："这城就是我战死的地方，离开它还能到哪里去呢！"大家心里才安定下来。

三月十六日壬戌，朱全忠返回河中，派遣朱友宁率军向西进攻李茂贞，驻军在兴平、武功之间。李嗣昭、李嗣源多次率领敢死队在夜里攻入氏叔琮的营寨，杀死士兵，捕获俘虏，汴州军队惊慌混乱，防备抵御应接不暇。又遇上瘟疫大流行，二十一日丁卯，氏叔琮率军退走。李嗣昭与周德威带兵追赶汴军，追到石会关，氏叔琮留下几匹马以及旌旗插在高坡顶上。李嗣昭等以为有伏兵，于是率兵离去，再次攻取慈、隰、汾三州。从此以后，李克用好几年不敢与朱全忠相争。

的介山、绵山。㊱行围：指氏叔琮巡视围城的汴军。行，巡行。㊲褒衣博带：宽衣大带。古代儒生的服饰。㊳乘城：登城守卫。㊴云州：州名，治所在今山西大同。㊵蹙：减缩。㊶彼筑垒穿堑环之：指汴军砌营垒，挖掘壕沟，四面包围晋阳。穿堑，挖掘战壕。㊷积久：旷日持久。㊸北川：代北之地。以陉岭之北皆平川，故名。㊹轻去其城：乾宁二年（公元八九五年），李克用攻邠州，王行瑜弃城逃走，至庆州被杀。事见本书卷二百六十乾宁二年。㊺达靼：部落名，后为蒙古族别称。李克用于僖宗广明元年（公元八八〇年）被李可举击败奔达靼。㊻浸安：逐渐安定。㊼忻州：州名，治所在今山西忻州。在当时晋阳北一百七十余里。㊽去将何之：离开晋阳到哪里去呢。李克宁言此，表示死守晋阳的决心。去，离开。之，往。㊾壬戌：三月十六日。㊿兴平：县名，县治在今陕西兴平。兴平在长安西，武功在兴平西。51敢死士：谓作战奋勇、敢于赴死之士。52大疫：瘟疫大流行。53丁卯：三月二十一日。54石会关：在今山西太谷南。55巅：山顶。56累年：数年。李克用兵少力疲，故闭境休养以等待时机。

【校记】

［1］等：原无此字。据章钰校，乙十一行本、孔天胤本皆有此字，张敦仁《通鉴刊本识误》同，今据补。［2］康怀贞：原作"康怀英"。胡三省注云："康怀英即康怀贞，后避梁均王友贞名，始改名怀英，斯时未改也；史杂书之。"严衍《通鉴补》改作"康怀贞"，今据以校正。［3］之：原无此字。据章钰校，十二行本、乙十一行本、孔天胤本皆有此字，张敦仁《通鉴刊本识误》同，今据补。［4］先：原作"前"。据章钰校，乙十一行本、孔天胤本皆作"先"，今从改。［5］殆尽：原作"略尽"。据章钰校，乙十一行本、孔天胤本皆作"殆尽"，今从改。［6］走：原无此字。据章钰校，十二行本、乙十一行本皆有此字，今据补。［7］动：据章钰校，乙十一行本无"动"字。

【原文】

克用以使引咨幕府[57]曰:“不贮[58]军食，何以聚众？不置兵甲[59]，何以克敌？不修城池，何以扞御[60]？利害之间，请垂议度[61]！”掌书记李袭吉[62]献议，略曰:“国富不在仓储，兵强不由众寡，人归有德[63]，神固害盈[64]。聚敛宁有盗臣[65]，苛政[66]如有[8]猛虎，所以鹿台[67]将散，周武以兴。齐库既焚，晏婴入贺[68]。”又曰:“伏[69]以变法[70]不若养人，改作[71]甯如[9]旧贯[72]！韩建蓄财无数，首事朱温[73]；王珂变法如麻，一朝降贼[74]；中山城非不峻[75]，蔡上兵非不多[76]；前事甚明，可以为戒。且霸国无贫主，强将无弱兵。伏愿大王崇德爱人，去奢省役[77]，设险固境，训兵务农。定乱者选武臣，制理[78]者选文吏，钱谷有句[79]，刑法有律[80]。诛赏由我，则下无威福之弊[81]，近密多正，则人无谮谤之忧[82]。顺天时[83]而绝欺诬[84]，敬鬼神而禁淫祀[85]，则不求富而国富，不求安而自安。外破元凶[86]，内康疲俗[87]，名高五霸[88]，道冠八元[89]。至于率闾阎[90]，定间架[91]，增曲蘖[92]，检田畴[93]，开国建邦[94]，恐未为切[95]。”

克用亲军皆沙陀杂虏，喜侵暴良民，河东甚苦之。其子存勖[96]以为言，克用曰:“此辈从吾攻战数十年，比者帑藏[97]空虚，诸军卖马以自给。今四方诸侯皆重赏以募士[98]，我若急之，则彼皆散去矣，吾安与同保此乎[99]！俟天下稍平，当更清治[100]之耳。”存勖幼警敏[101]，有勇略，克用为朱全忠所困，封疆日蹙[102]，忧形于色。存勖进言曰:“物不极则不返，恶不极则不亡[103]。朱氏恃其诈力[104]，穷凶极暴，吞灭四邻，人怨神怒。今又攻逼乘舆，窥觎神器[105]，此其极也，殆将毙矣[106]！吾家代[10]袭忠贞，势穷力屈，无所愧心。大人当遵养时晦[107]，以待其衰，奈何轻为沮丧[108]，使群下失望乎！”克用悦，即命酒[109]奏乐而罢。

刘夫人无子。克用宠姬曹氏[110]生存勖，刘夫人待曹氏加厚，克用以是益贤之，诸姬有子，辄命夫人母之。夫人教养，悉如所生。

【语译】

李克用以节度使文书向幕府僚佐咨询，说：“不储存军粮，用什么来聚集部众？不添置兵器，用什么来战胜敌人？不修筑城池，用什么来防御抵抗？在利益和危害之间，请你们提出建议！”掌书记李袭吉发表意见，大略是说：“国家富裕不在于仓库里储存的物资，军队强大不在于士兵人数的多少；百姓归附有德行的君主，神鬼总是要降灾给骄傲自满的人。与其有搜刮百姓财物的臣子，不如有盗窃国家钱财的官吏。苛政有如猛虎，所以散发了鹿台的财物，周武王因此而兴盛。齐国的仓库被火焚毁，晏婴入朝庆贺。”又说：“我以为改变法律不如教养百姓，改革新政哪能比得上旧法呢！韩建积蓄钱财无数，首先供给了朱温；王珂改变法律像麻一样多，一下子就投降了贼人；中山城不是不险峻，蔡上军队不是不多，先前的事例非常明显，可以作为鉴戒。况且称霸诸侯的国家不会有贫穷的君主，强悍将领的手下不会有懦弱的士兵。我希望大王崇尚德政，爱护百姓，去除奢侈，减省赋役，设防险要，固守边境，训练兵士，勤务农事。平定动乱要选用武臣，政事治理得好就要选用文官，钱谷进出有账簿考核清楚，判刑执法有律令依据。诛杀奖赏的权力由自己掌握，下边官吏就没有作威作福的弊端，身边亲近的人大多品行端正，大家就不会有被诬陷诽谤的忧虑。顺应天时而杜绝欺骗诬罔，敬奉鬼神而禁止不合礼制的祭祀，那么不求富裕而国家也会富裕起来，不求安定而国家也自然会安定下来。对外可以打败元凶朱温，对内可以振兴颓废习俗，名声高过春秋五霸，道德在上古八元之上。至于计算百姓的赋税，制定房屋的结构，增加酒曲的专利，检查田亩的数量与收成，这对于开创国家，恐怕还不算迫切。”

李克用的亲军都是沙陀各部族的胡人，喜好侵掠暴虐平民百姓，河东的百姓受苦很深。李克用的儿子李存勖把这些情况讲出后，李克用说：“这些人跟随我作战几十年了，近来库房的财物不足，各路军队靠出卖马匹来维持供给。如今四方藩镇都用重赏来招募士兵，我如果逼急他们，那么他们都要散去了，我怎么和他们一起来保卫这个基业啊！等待天下稍为安定后，再来清理管制他们好了。”李存勖小时候机警聪敏，有勇气谋略。李克用被朱全忠围困，疆域日益缩小，脸上显露忧虑。李存勖进言说：“事物不发展到极点就不会走向反面，恶人不走到极端也不会灭亡。朱全忠倚仗他的奸诈与武力，穷凶极恶，残暴无比，并吞消灭四邻的藩镇，使得百姓怨恨，天神愤怒。如今又攻击逼迫皇上，窥伺皇位，这是他发展到极点，大概将要灭亡了！我家世代忠贞相继，虽然形势、力量都已穷尽，但于心无愧。父王应该收敛锋芒，从容静观，等待朱全忠衰弱下去；怎么能够轻易地沮丧灰心，使大家失望呢！”李克用很高兴，立即命令摆设酒席演奏音乐，然后才休息。

刘夫人没有生下儿子。李克用的宠姬曹氏生了李存勖，刘夫人待曹氏更加优厚。李克用因此越发敬重刘夫人，各个姬妾有了孩子，就命令刘夫人做他们的母亲。刘夫人教养这些孩子，都像自己亲生的一样。

【段旨】

以上为第二段，写李克用征询僚属强国之术。夫人刘氏及其子存勖意气洋洋激励李克用奋发图强。

【注释】

⑤⑦克用以使引咨幕府：李克用以正式公文向部属咨询意见。使引，节度府所行文书。咨，询问。幕府，衙署。将帅在外，军旅无固定住所，以帐幕为府署，故称幕府。此指部属。⑤⑧贮：储存；收藏。⑤⑨兵甲：武器。⑥⓪扞御：抵御。⑥①请垂议度：请垂示好的建议、谋略。垂，谦辞，垂示。议度，谋虑、意见。⑥②李袭吉（？至公元九〇六年）：自言李林甫之后，父李图，为洛阳令。袭吉进士不第，在李克用幕府为掌书记。后为节度副使，拜右谏议大夫。传见《旧五代史》卷六十、《新五代史》卷二十八。⑥③人归有德：百姓归附于有德之人。《书·咸有一德》："惟民归于一德。"⑥④神固害盈：鬼神就是要压抑损害过于盈满的事物。《易·谦卦·彖辞》："鬼神害盈而福谦。"⑥⑤聚敛宁有盗臣：典出《大学》载孟献子之言，曰："百乘之家，不畜聚敛之臣。与其有聚敛之臣，宁有盗臣。"意谓国不以财货为利，而应以义为利。聚敛，搜刮财货。宁，宁愿、宁可。⑥⑥苛政：烦苛的政令，繁重的赋税。《礼记·檀弓下》载孔子之言云："小子识之，苛政猛于虎也。"⑥⑦鹿台：古台名，故址在今河南汤阴朝歌镇南。相传为殷纣王所建的府库。周武王伐纣，尽散鹿台之财，以赈济贫民。⑥⑧齐库既焚二句：齐国的府库遭火灾，晏婴入朝庆贺。据《韩诗外传》，晋平公的藏台遭火灾，公子晏入朝庆贺，认为百姓困乏，而赋敛无已，所以皇天降灾于藏台，是国君之福。此言齐库焚而晏婴入贺，当另有所据。晏婴，春秋时齐景公的贤相。⑥⑨伏：俯伏，下对上的敬辞。⑦⓪变法：变更法制。⑦①改作：改革；变换。⑦②旧贯：旧制；旧例。《论语·先进》："仍旧贯，如之何？何必改作。"⑦③韩建蓄财无数二句：韩建利用唐昭宗在华州的机会，聚敛财富。然而终于投降了朱全忠，财富全为朱全忠所得。事见本书上卷昭宗天复元年（公元九〇一年）十一月。首事，首先侍奉。⑦④王珂变法如麻二句：胡三省注云："事见上卷上年正月。"上年正月未载此事。王珂，河中人，王重简之子，后为王重荣后嗣，唐昭宗时任河中节度使，被梁太祖杀害。传见《旧唐书》卷一百八十一、《新唐书》卷一百八十七、《旧五代史》卷十四、《新五代史》卷四十二，皆未言"变法""降贼"事。待考。⑦⑤中山城非不峻：谓定州城并非不险峻，然王部终不能守住。中山即定州地，定州在汉代为中山国，北朝魏时为中山郡。⑦⑥蔡上兵非不多：谓当年秦宗权兵多将广，也为朱全忠所擒。蔡上，即蔡州。以上列举韩建、

王珂、王部、秦宗权之败亡，皆为李克用耳闻目睹之事，用以打动他。⑰去奢省役：去除奢侈，减省徭役。⑱制理：即制治，政事和制度治理得很好。因避唐高宗李治讳，以“理”代“治”字。⑲钱谷有句：钱谷出纳簿籍考核清楚，则贪污奸弊之事自然消失。句，句稽、句校。⑳刑法有律：言依律定刑，则官吏们不得任意轻重。㉑诛赏由我二句：诛杀与奖赏大权都由自己掌握，那么下边就没有作威作福的弊端。诛赏，惩罚与赏赐。威福，指作威作福。㉒近密多正二句：身边亲信皆为正直之士，那么其他下属官吏就不必担心遭到诬告陷害。近密，身边亲近的人。谮谤，诬陷诽谤。㉓顺天时：顺应时势、时机。㉔绝欺诬：杜绝欺骗诬罔。㉕淫祀：指不合礼制的祭祀。㉖元凶：指朱全忠。㉗内康疲俗：对内振兴衰颓的社会风气。㉘名高五霸：名声高过春秋时的五霸。五霸，指春秋时齐桓公、晋文公、宋襄公、秦穆公、楚庄王。㉙道冠八元：道德在上古八元之上。八元，上古五帝之一黄帝曾孙帝喾号高辛氏，有才子八人：伯奋、仲堪、叔献、季仲、伯虎、仲熊、叔豹、季貍，忠肃恭懿，宣慈惠和，天下之民谓之八元。㉚率闾阎：率领百姓。实指计算征收人民赋税。㉛定间架：制定房屋的结构形式。实指征收房产税。㉜增曲蘖：增加酒的生产与销售，独占专利。曲蘖，酒母。㉝检田畴：丈量田亩，清查漏税。㉞开国建邦：指开创国家，立国称帝。㉟切：迫切。㊱存勖：李存勖（公元八八五至九二六年），李克用长子，后唐建立者，庙号庄宗。传见《旧五代史》卷二十七、《新五代史》卷四。㊲帑藏：库藏的金帛。㊳募士：招募人才、士兵。㊴吾安与同保此乎：我怎能和他们来同保这个基业呢。㊵清治：严肃治理。清，清澈透明、严肃。㊶警敏：机警敏锐。㊷蹙：缩小。㊸物不极则不返二句：此二句是“物极必反，恶极必亡”的反说，加强语气。极，顶点、终极。返，转化。㊹诈力：诡计和武力。㊺窥觎神器：窥伺帝位。觎，觊觎、非分的野心。㊻殆将毙矣：将要灭亡了。此即上言“物不极则不返”之意。谓朱全忠已发展到了极限，即将走向反面。殆，差不多。㊼遵养时晦：意谓身处乱世要将自己的才能隐蔽起来不外露，以待时机。《诗经·酌》：“于铄王师，遵养时晦。”㊽沮丧：灰心失望。㊾命酒：命令摆酒。㊿曹氏（？至公元九二五年）：李克用宠姬，封晋国夫人，生后唐庄宗李存勖。传见《新五代史》卷十四。

【校记】

［8］如有：原作“有如”。据章钰校，十二行本、乙十一行本二字皆互乙，今从改。［9］甯如：原作“何如”。据章钰校，十二行本、乙十一行本皆作“甯如”，今从改。［10］代：原作“世”。据章钰校，十二行本、乙十一行本皆作“代”，今从改。

【原文】

上以左[11]金吾将军李俨⑪为江、淮宣谕使，书御衣[12]赐杨行密，拜行密东面行营都统、中书令、吴王，以讨朱全忠。以朱瑾为平卢⑫节度使，冯弘铎为武宁⑬节度使，朱延寿为奉国⑭节度使。加武安节度使马殷同平章事。淮南、宣歙、湖南等道立功将士，听用都统牒承制迁补，然后表闻⑮。俨，张濬之子也，赐姓李。

夏，四月丁酉⑯，崔胤自华州诣河中，泣诉于朱全忠，恐李茂贞劫天子幸蜀，宜以时迎奉，势不可缓。全忠与之宴，胤亲执板⑰，为全忠歌以侑酒。

辛丑⑱，回鹘遣使入贡，请发兵赴难⑲。上命翰林学士承旨韩偓答书许之。乙巳⑳，偓上言："戎狄兽心，不可倚信㉑。彼见国家人物华靡㉒，而城邑荒残，甲兵凋弊㉓，必有轻中国之心，启其贪婪。且自会昌以来，回鹘为国家[13]所破㉔，恐其乘危复怨㉕。所赐可汗㉖书，宜谕以小小寇窃㉗，不须赴难，虚愧其意㉘，实沮㉙其谋。"从之。

兵部侍郎、参知机务卢光启罢为太子太保。

杨行密遣顾全武归杭州以易秦裴㉚，钱镠大喜，遣裴还。

汴将康怀贞击凤翔将李继昭于莫谷㉛，大破之。继昭，蔡州人也，本姓符，名道昭。

五月庚戌㉜，温州㉝刺史朱褒卒，兄敖自称刺史。

凤翔人闻朱全忠且来，皆惧。癸丑㉞，城外居民皆迁入城。己未㉟，全忠将精兵五万发河中，至东渭桥㊱[14]，遇霖雨㊲，留旬日。

庚午㊳，工部侍郎、平章事韦贻范遭母丧，宦官荐翰林学士姚洎㊴为相。洎谋于韩偓，偓曰："若图永久之利，则莫若未就㊵为善。傥出上意，固无不可。且汴军旦夕合围㊶，孤城难保，家族在东，可不虑乎！"洎乃移疾㊷，上亦自不许。

镇海、镇东节度使彭城王钱镠进爵㊸越王。

六月丙子㊹，以中书舍人苏检㊺为工部侍郎、同平章事。时韦贻范在草土㊻，荐检及姚洎于李茂贞。上既不用洎，茂贞及宦官恐上自用

【语译】

昭宗以左金吾将军李俨为江、淮宣谕使，亲笔写字在衣服上赐给杨行密，拜受杨行密为东面行营都统、中书令、吴王，以讨伐朱全忠。任命朱瑾为平卢节度使，冯弘铎为武宁节度使，朱延寿为奉国节度使。加任武安节度使马殷为同平章事。淮南、宣歙、湖南等道立功的将士，听任杨行密用行营都统牒文，以秉承皇帝旨意的名义来迁升递补，然后再上表向昭宗报告。李俨是张濬的儿子，被昭宗赐姓李。

夏，四月二十一日丁酉，崔胤从华州来河中，边流眼泪边向朱全忠诉说，担心李茂贞劫持昭宗到蜀地去，应该乘此时机迎接昭宗东归，形势不能再拖延。朱全忠与崔胤宴饮，崔胤亲自拿着拍板，为朱全忠唱歌劝酒。

四月二十五日辛丑，回鹘派遣使者入朝进贡，请求派遣军队前来救援国难。昭宗命令翰林学士承旨韩偓回信同意他们的请求。二十九日乙巳，韩偓进言说："回鹘这些戎狄是人面兽心，不可以依靠信任。他们看到我们国家人民生活繁华奢侈，但是城邑荒废残颓，武器破旧士兵疲乏，一定会有轻视中国的想法，将开启他们贪婪的念头。并且从武宗会昌年间以来，回鹘被朝廷打败，恐怕他们乘着我们危难之际报怨复仇。赐给可汗的书信中应当告诉他们，只是小小的贼寇闹事，不需要他们前来救援；表面上感谢他们的好意，实际上阻止他们的图谋。"昭宗听从了韩偓的意见。

兵部侍郎、参知机务卢光启被罢免为太子太保。

杨行密遣送顾全武回杭州，以便换回秦裴，钱镠非常高兴，遣送秦裴返回扬州。

汴州将领康怀贞在莫谷进攻凤翔将领李继昭，大败凤翔军。李继昭是蔡州人，本来姓符，名字叫道昭。

五月初五日庚戌，温州刺史朱褒去世，他的哥哥朱敖自称为刺史。

凤翔人得知朱全忠要来进攻，都很害怕。五月初八日癸丑，城外的居民都迁入城中。十四日己未，朱全忠率领精兵五万人从河中出发，到达东渭横桥，遇到连绵大雨，停留十天。

五月二十五日庚午，工部侍郎、同平章事韦贻范的母亲去世，宦官推荐翰林学士姚洎担任宰相。姚洎找韩偓商议，韩偓说："如果你考虑长远的利益，那么不如推辞不就职为好。假如这出于皇上的意思，本来没有什么不可以的。况且汴州军早晚就要包围起来，凤翔这座孤城很难守住。你的家族在东边，怎么可以不考虑呢！"姚洎于是上表推说自己有病，昭宗也没有表示同意他当宰相。

镇海、镇东节度使彭城王钱镠进封为越王。

六月初二日丙子，任命中书舍人苏检为工部侍郎、同平章事。当时韦贻范在家守丧，向李茂贞推荐苏检和姚洎。昭宗既然不用姚洎，李茂贞和宦官们担心昭宗自

人，协力荐检，遂用之。

丁丑⑭，朱全忠军于虢县⑭。

武宁节度使冯弘铎介居宣、扬之间⑭，常不自安。然自恃楼船⑮之强，不事两道⑮。宁国节度使田頵欲图之，募弘铎工人造战舰，工人曰："冯公远求坚木，故其船堪久用，今此无之。"頵曰："第⑮为之，吾止须一用耳。"弘铎将冯晖、颜建说弘铎先击頵，弘铎从之，帅众南上，声言攻洪州⑮，实袭宣州也。杨行密使人止之⑮，不从。辛巳⑮，頵帅舟师逆击于葛山⑮[15]，大破之。

甲申⑮，李茂贞大出兵，自将之，与朱全忠战于虢县之北，大败而还，死者万余人。丙戌⑮，全忠遣其将孔勍⑮出散关⑯，攻凤州，拔之。丁亥⑯，全忠进军凤翔城下。全忠朝服⑯向城而泣，曰："臣但欲迎车驾还宫耳，不与岐王角胜⑯也。"遂为五寨环之。

【段旨】

以上为第三段，写朱全忠再次大发兵围攻凤翔与李茂贞争天子。唐昭宗册封杨行密为吴王，钱镠为越王，诏诸道讨逆朱全忠。

【注释】

⑪李俨：宰相张濬之子，赐姓李。⑫平卢：军镇名，治所青州。⑬武宁：军镇名，治所徐州。⑭奉国：军镇名，治所蔡州。朱瑾等皆遥领。⑮听用都统牒承制迁补二句：特许杨行密用都统公文以秉承皇帝旨意的名义升迁补官，然后上表奏闻。承制，秉承皇帝旨意便宜行事。⑯丁酉：四月二十一日。⑰板：拍板，打击乐器的一种，自西北传入中原，唐代以后较为流行。歌舞以击板为节奏。拍板用木八片，以皮条穿之，两手各执其外一片而拍之。⑱辛丑：四月二十五日。⑲赴难：赴救国难。⑳乙巳：四月二十九日。㉑倚信：依靠信赖。㉒华靡：华丽而奢侈。㉓凋弊：衰败。㉔且自会昌以来二句：唐武宗会昌三年（公元八四三年），河东节度使刘沔遣将石雄大破回鹘于杀胡山，斩首万级。㉕复怨：复仇。㉖可汗：初为北方游牧民族部落中一般部众对首领的尊称。后转变为鲜卑、柔然、突厥、回纥等族最高统治者的称号。㉗寇窃：贼寇。㉘虚愧其意：谓

己用人，协力推荐苏检，于是任用了他。

初三日丁丑，朱全忠驻军在虢县。

武宁节度使冯弘铎处在宣州的田颙和扬州的杨行密之间，经常感到自己不安全。但倚仗自己拥有强大的楼船战舰，不服事宣州、扬州两道。宁国节度使田颙想要图谋他，招募冯弘铎的工人建造战舰。工人说："冯弘铎到远处找来坚硬的木材，所以他的战船能够长久使用，现在这里没有那种木材。"田颙说："你们只管去建造，我只要使用一次就行了。"冯弘铎的部将冯晖、颜建劝说他先进攻田颙，冯弘铎听从了他们，率军南进，扬言攻打洪州，实际上是袭击宣州。杨行密派人去劝阻冯弘铎的行动，他不同意。六月初七日辛巳，田颙率领水军在曷山迎击冯弘铎，把冯弘铎打得大败。

六月初十日甲申，李茂贞大举出动军队，亲自率军，与朱全忠的军队在虢县北边进行激战，大败而回，死的有一万多人。十二日丙戌，朱全忠派遣他的部将孔勍从散关出发进攻凤州，攻取凤州。十三日丁亥，朱全忠进军到凤翔城下。朱全忠穿着朝服面向凤翔城哭泣，说："臣只是想迎接皇上车驾返回皇宫，不是与岐王来争斗输赢的。"于是建立五个营寨将凤翔城包围起来。

表面上对回鹘的好意表示感谢。愧，内心惭愧。⑫⑨ 沮：阻止。⑬⓪ 易秦裴：顾全武去年被杨行密俘获，秦裴在光化元年（公元八九八年）降钱镠，双方交换释降，顾、秦二人各归本主。易，交换。⑬① 莫谷：即漠谷，在奉天（今陕西乾县）城北。⑬② 庚戌：五月初五日。⑬③ 温州：州名，治所在今浙江温州。⑬④ 癸丑：五月初八日。⑬⑤ 己未：五月十四日。⑬⑥ 东渭桥：唐代长安附近渭水上有三桥，东渭桥，又称渭桥渡，在今西安东北。⑬⑦ 霖雨：连绵大雨。⑬⑧ 庚午：五月二十五日。⑬⑨ 姚洎：唐末曾任翰林学士、户部侍郎、朱全忠元帅府判官。入后梁，历任兵部尚书、御史大夫、中书侍郎、同中书门下平章事。⑭⓪ 未就：不就职。⑭① 合围：四面包围。⑭② 移疾：移文称有病。⑭③ 进爵：晋升爵位等级。钱镠原为彭城郡王，进爵为越王。⑭④ 丙子：六月初二日。⑭⑤ 苏检：为洋州刺史，昭宗幸山南，奔行在，因李茂贞荐引而入相，昭宗还京，苏检流放于环州。传附《新唐书》卷一百八十二。⑭⑥ 草土：居丧。居丧者睡在草垫上枕着土块，故曰草土。⑭⑦ 丁丑：六月初三日。⑭⑧ 虢县：县名，县治在凤翔府南三十五里，即今陕西宝鸡。⑭⑨ 宣、扬之间：宣，指宣歙田颙。扬，指扬州杨行密。冯弘铎以昇州居二镇之间。⑮⓪ 楼船：有叠层的大战船。⑮① 两道：指宣歙和扬州。⑮② 第：只；但。⑮③ 洪州：时锺传据洪州。⑮④ 使人止之：时杨行密为南面诸道都统，故制其行师进止。⑮⑤ 辛巳：六月初七日。⑮⑥ 曷山：在安徽宣城

西南三十五里。⑰甲申：六月初十日。⑱丙戌：六月十二日。⑲孔勍（公元八四七至九二六年）：字鼎文，兖州人，善骑射，事朱全忠，由军中小校官升至唐邓节度使、山南东道节度使，入后唐为河阳节度使。传见《旧五代史》卷六十四。⑽散关：关名，在凤翔府宝鸡县（今陕西宝鸡）西南。⑾丁亥：六月十三日。⑿朝服：朝会时所穿之礼服。⒀角胜：争夺胜利。

【原文】

冯弘铎收余众沿江将入海，杨行密恐其为后患，遣使犒军，且说之曰："公徒众犹盛，胡为自弃于[16]沧海之外！吾府虽小，足以容公之众，使将吏各得其所，如何？"弘铎左右皆恸哭听命。弘铎至东塘⒁，行密自乘轻舟迎之，从者十余人，常服⒂，不持兵⒃，升弘铎舟，慰谕之，举军⒄感悦。署弘铎淮南节度副使，馆给⒅甚厚。

初，弘铎遣牙将丹徒⒆尚公迺诣行密求润州，行密不许。公迺大言曰："公不见听⒇，但恐不敌楼船耳。"至是，行密谓公迺曰："颇记求润州时否？"公迺谢曰："将吏各为其主，但恨无成耳。"行密笑曰："尔事杨叟⒄如事冯公，无忧矣！"

行密以李神福为昇州⒄刺史。

杨行密发兵讨朱全忠，以副使李承嗣权知淮南军府事。军吏欲以巨舰运粮，都知兵马使徐温⒄曰："运路久不行，葭苇堙塞⒄，请用小艇，庶几易通。"军至宿州，会久雨，重载不能进，士有饥色，而小艇先至，行密由是奇温，始与议军事。行密攻宿州，久[17]不克，竟以粮运不继引还。

秋，七月，孔勍取成、陇二州⒄，士卒无斗者。至秦州⒄，州人城守⒄，乃自故关⒄归。

韦贻范之为相也，多受人赂⒄，许以官。既而以母丧罢去，日为债家⒅所噪⒅。亲吏刘延美，所负⒅尤多，故汲汲于起复⒅，日遣人

【校记】

［11］左：原无此字。据章钰校，乙十一行本有此字，张敦仁《通鉴刊本识误》同，今据补。［12］御衣：原作“御札”。据章钰校，十二行本、乙十一行本皆作“御衣”，今从改。［13］国家：原作“中国”。据章钰校，十二行本、乙十一行本皆作“国家”，今从改。［14］东渭桥：原作“东渭横桥”。据章钰校，乙十一行本、孔天胤本皆无“横”字，今据删。［15］嶌山：原作“葛山”。严衍《通鉴补》改作“嶌山”，今据以校正。

【语译】

冯弘铎收拢余下的部众沿长江顺流而下，准备入海。杨行密担心他会成为后患，派遣使者去犒劳他的军队，并且告诉他说：“你的部下还很强盛，为什么要把自己弃置于海外呢！我的地方虽然很小，但足以容纳你的部众。让将士官吏们都各得其所，怎么样?”冯弘铎左右的将士官吏全都大声痛哭，听从命令。冯弘铎到达东塘，杨行密亲自乘轻快的小船来迎接他，跟随的只有十多个人，身穿便服，不带兵器，登上冯弘铎的船，安慰晓谕大家，全军都非常感激、喜悦。杨行密委任冯弘铎为淮南节度副使，供给他的食宿等条件都非常优厚。

当初，冯弘铎派遣牙将丹徒人尚公迺到杨行密那里请求把润州划拨给自己，杨行密不同意。尚公迺大声嚷道：“你如不肯采纳，只怕抵挡不住我们的楼船战舰。”到这时，杨行密对尚公迺说：“还记得当初来求润州时的情况吗?”尚公迺谢罪说：“将士官吏各为其主，只恨没有成功罢了。”杨行密笑着说：“你侍奉我杨行密如能同侍奉冯公一样，就不必忧虑了！”

杨行密以李神福为昇州刺史。

杨行密出动军队去讨伐朱全忠，以副使李承嗣暂时代理淮南节度使府中事务。军中的官吏打算用大船运送粮食，都知兵马使徐温说：“水运路线已经很久不通行。芦苇堵塞航道，请使用小艇运送，或许比较容易通行。”军队到达宿州，正遇上下雨不停，装载很多物资的大船不能前进，士兵们没有足够的粮食吃，而小艇先到。杨行密因此很欣赏徐温，开始与他商议军中大事。杨行密进攻宿州，很久未能攻克，因为粮食运送跟不上而退兵。

秋，七月，孔勍攻取成、陇二州，士兵没有经过战斗就占领了。到达秦州，秦州人据城防守，于是孔勍从故关返回。

韦贻范在担任宰相时，经常接受别人的贿赂，许诺让他们出任官职。不久因为母亲去世免官居丧，每天被讨债的人喧哗打扰。韦贻范的亲吏刘延美，所亏欠人家

诣两中尉、枢密及李茂贞求之。甲戌⑱，命韩偓草贻范起复制⑱，偓曰："吾腕可断，此制不可草！"即上疏论贻范遭忧⑱未数月，遽令起复，实骇物听⑱，伤国体⑱。学士院二中使⑱怒曰："学士勿以死为戏！"偓以疏⑲授之，解衣而寝。二使不得已奏之。上即命罢草，仍赐敕褒赏⑲之。八月乙亥朔⑲，班定⑲，无白麻可宣⑲。宦官喧言⑲韩侍郎不肯草麻，闻者大骇。茂贞入见上曰："陛下命相而学士不肯草麻，与反何异！"上曰："卿辈荐贻范，朕不之违。学士不草麻，朕亦不之违。况彼所陈，事理明白，若之何⑲不从！"茂贞不悦而出，至中书，见苏检曰："奸邪朋党⑲，宛然⑲如旧。"扼腕⑲者久之。贻范犹经营⑳不已，茂贞语人曰："我实不知书生礼数⑳，为贻范所误，会当于邠州安置。"贻范乃止。刘延美赴井死[18]。

【段旨】

以上为第四段，写杨行密大家气度与御人之术，冯弘铎归服。韦贻范无耻求官；韩偓鲠正，不屈于宦官与镇帅。

【注释】

⑯东塘：镇名，在江苏常熟东南。⑯常服：日常所穿服装，不着铠甲。⑯不持兵：不带武器。⑯举军：全军。⑯馆给：寓舍和供给。⑯丹徒：县名，县治在今江苏镇江市。⑰见听：听；采纳。⑰杨叟：杨行密自称。⑰昇州：州名，治所在今江苏南京。杨行密以李神福为昇州刺史，目的是控制宣、润二州。⑰徐温（公元八六一至九二七年）：字敦美，海州（今江苏连云港市）人，佐杨行密父子割据淮南，专吴政为权臣。其养子徐知诰后来建立南唐。传见《新五代史》卷六十一。⑰葭苇堙塞：自黄巢、高骈至今，江淮漕运不复至京师，故水运堙塞。芦苇初生者为葭，长大为芦，秋成名苇。⑰成陇二州：成州治所在今甘肃西和西，陇州治所在今陕西陇县。⑰秦州：州名，治所在今甘肃秦安西。⑰城守：据城守备。⑰故关：关名，在秦州清水县（今甘肃清水县）东五十里。原名大震关，唐宣宗大中六年（公元八五二年），陇州防御使薛逵徙筑安戎关于陇山，自此谓大震关为故关。⑰赂：贿赂。⑱债家：送贿赂的人。⑱噪：喧闹。指债家上门追讨争吵，成群结队而喧闹。⑱负：负债。⑱汲汲于起复：指韦贻范急切地要求起用

的尤其多，所以对韦贻范重新复职更为迫切，每天派人去两中尉、枢密以及李茂贞处请求。八月初一日甲戌，昭宗命令韩偓起草恢复韦贻范官职的诏书，韩偓说："我的手腕可以断，这个诏书不能起草!"随即上疏辩论说，韦贻范遭受母亲丧事还不过几个月，急忙让他复职，实在是骇人听闻，有伤国体。监视学士院的两个宦官发怒说："韩学士不要以死来开玩笑!"韩偓把奏疏交给他们，脱去衣服睡觉了。两个宦官不得已把奏疏进呈昭宗。昭宗立即下令停止草拟诏书，并赐敕令褒扬奖赏韩偓。初二日乙亥，百官已按次序站好等候上朝，但没有诏书可以宣读。宦官们大声吵嚷说是韩侍郎不肯起草诏书，听到的人大吃一惊。李茂贞进宫见昭宗说："陛下任命宰相而学士不肯起草诏书，这与谋反有什么不同!"昭宗说："你们这些人推荐韦贻范，朕没有反对。韩学士不起草诏书，朕也不反对。何况他所陈述的情况，道理明白，怎么能不依从呢!"李茂贞很不高兴地从宫中出去了，到了中书省，看到苏检说："奸恶邪佞的小人结成朋党，仿佛就像过去。"情绪激动地握住自己的手腕，很久不能平息。韦贻范还是到处钻营不止，李茂贞对人说："我实在不知道书生们的礼仪制度，被韦贻范所误，应当在邠州安置他。"韦贻范这才停止了活动。刘延美投井自杀。

复官。⑱④甲戌：八月初一日，甲戌下脱"朔"字。⑱⑤草贻范起复制：起草让韦贻范重新为相的诏命。⑱⑥遭忧：居母丧。⑱⑦实骇物听：真是骇人听闻。物，人物、人众。⑱⑧国体：国家的典章制度。⑱⑨二中使：韩全诲等派二中使监学士院，以防昭宗与学士密议国事，兼掌传宣回奏。⑲⑩疏：即论韦贻范不应起复的奏章。⑲①褒赏：表扬奖赏。⑲②乙亥朔：八月初二日。"朔"字衍。⑲③班定：上朝时百官立班已定。⑲④无白麻可宣：没有诏书颁示。白麻，诏书皆用白纸，唐高宗时改用麻纸。翰林学士草制，凡立皇后太子、施赦、讨伐、策免三公将相等国家大政，皆用白麻书。这里指学士院拒绝起草韦贻范起复制书，故无白麻可宣。⑲⑤喧言：群起哄闹。⑲⑥若之何：怎么能；奈何。⑲⑦朋党：为私利目的而勾结同类。⑲⑧宛然：仿佛；好像。⑲⑨扼腕：手握其腕，表示愤怒。⑳⓪经营：钻营求相。⑳①礼数：礼仪制度。这里特指对居丧期间起复的相关制度。

【校记】

［16］于：原无此字。据章钰校，乙十一行本有此字，今据补。［17］久：原无此字。据章钰校，十二行本、乙十一行本、孔天胤本皆有此字，今据补。［18］刘延美赴井死：原无此六字。据章钰校，十二行本、乙十一行本、孔天胤本皆有此六字，张敦仁《通鉴刊本识误》、张瑛《通鉴校勘记》同，今据补。

【原文】

保大[202]节度使李茂勋[203]将兵屯三原，救李茂贞。朱全忠遣其将康怀贞[19]、孔勍击之，茂勋遁去。茂勋，茂贞之从弟也。

初，孙儒死，其士卒多奔浙西，钱镠爱其骁悍[204]，以为中军，号武勇都。行军司马杜棱谏曰："狼子野心，他日必为深患，请以土人[205]代之。"不从。

镠如[206]衣锦军[207]，命武勇右[20]都指挥使徐绾帅众治沟洫[208]。镇海节度副使成及闻士卒怨言，白镠请罢役，不从。丙戌[209][21]，镠临飨[210]诸将，绾谋杀镠于座，不果，称疾先出。镠怪之。丁亥[211]，命绾将所部[22]先还杭州。及外城，纵兵焚掠。武勇左都指挥使许再思以迎候兵与之合[212]，进逼牙城[213]。镠子传瑛与三城[214]都指挥使马绰等闭门拒之，牙将潘长击绾，绾退屯龙兴寺[215]。镠还，及龙泉[216]，闻变，疾驱至城北，使成及建镠旗鼓与绾战，镠微服乘小舟夜抵牙城东北隅，逾城而入。直更卒[217]凭鼓而寐[218]，镠亲斩之，城中始知镠至。武安都指挥使杜建徽自新城[219]入援，徐绾聚木将焚北门，建徽悉焚之。建徽，棱之子也。湖州[220]刺史高彦闻难，遣其子渭将兵入援，至灵隐山[221]，绾伏兵击杀之。

初，镠筑杭州罗城[222]，谓僚佐曰："十步一楼，可以为固矣。"掌书记余杭[223][23]罗隐[224]曰："楼不若皆[24]内向[225]。"至是人以隐言为验。

【段旨】

以上为第五段，写钱镠不纳忠言，招降纳叛突发兵变，患生肘腋，受困杭州。

【语译】

保大节度使李茂勋率军驻扎三原，救援李茂贞。朱全忠派遣他的部将康怀贞、孔勍进攻李茂勋，李茂勋逃走。李茂勋，是李茂贞的堂弟。

当初，孙儒死的时候，他部下的士兵大多跑到浙西，钱镠喜爱他们骁勇强悍，编为中军，号称武勇都。行军司马杜稜劝谏钱镠说："这些人狼子野心，将来必定成为心腹大患，请用本地人代替他们。"钱镠不同意。

钱镠去往衣锦军，命令武勇右都指挥使徐绾率领部下整修沟渠。镇海节度副使成及听到士兵们的怨言，报告钱镠，请求停止劳役，钱镠没有听从。八月十三日丙戌，钱镠亲自宴请诸位将领，徐绾阴谋在宴席上杀死钱镠，未能成功，推说有病先离开宴席。钱镠感觉奇怪。十四日丁亥，命令徐绾率领他的部下先返回杭州。到达杭州外城，徐绾放纵士兵焚烧抢掠。武勇左都指挥使许再思带领迎候的军队与徐绾会合，进逼节度使居住的牙城。钱镠的儿子钱传瑛和三城都指挥使马绰等关闭城门进行抵抗，牙将潘长进击徐绾，徐绾率军后退驻守在龙兴寺。钱镠返回杭州，到达龙泉，得知变乱，急忙赶到杭州城北，派成及竖起钱镠的旗帜、鼓角与徐绾交战，自己穿着便服乘坐小船，在夜里抵达牙城的东北角，翻越城墙进入城内。打更的士兵靠着鼓在睡觉，钱镠亲手斩杀了他，城中的人才知道钱镠到达。武安都指挥使杜建徽从新城前来救援，徐绾聚集木柴将要焚烧北门，杜建徽把这些木柴全部焚烧一空。杜建徽，是杜稜的儿子。湖州刺史高彦得知徐绾等叛乱，派遣他的儿子高渭率军前来救援，到了灵隐山，徐绾埋伏的军队击杀了高渭。

当初，钱镠修筑杭州的罗城，对幕僚佐吏说："十步就有一个敌楼，可以称得上坚固了。"掌书记余杭人罗隐说："罗城的敌楼不全都向内修筑。"到这时，人们认为罗隐的话应验了。

【注释】

⑳保大：渭北节度使于中和二年赐号保大军节度使，治鄜州。⑳李茂勋（？至公元九二六年）：李茂贞之从弟。初为凤翔都将，茂贞表为鄜州节度使。后归梁，改名周彝。传见《旧五代史》卷一百三十二、《新唐书》卷二百一十二。⑳骁悍：骁勇强悍。⑳土人：谓浙西当地人。⑳如：到；往。⑳衣锦军：钱镠是临安人，既贵，改所居营为衣锦营，又升曰衣锦城。每游衣锦城，宴故老，连山林皆以锦覆之。⑳治沟洫：整修衣锦军的水渠。沟洫，水道、沟渠。⑳丙戌：八月十三日。⑳飨：用酒食款待。⑳丁亥：八月十四日。⑳以迎候兵与之合：许再思领兵迎候钱镠，与乱兵会合。⑳牙城：即衙城。卫

护节度使的内城。㉑④ 三城：指杭州有三重城。大城谓之罗城，小城谓之子城，第三重城谓之牙城。㉑⑤ 龙兴寺：寺庙名。㉑⑥ 龙泉：即龙井，在杭州西湖西面凤凰岭上。本名龙泓，又名龙湫，离城十五里。㉑⑦ 直更卒：值夜的士兵。㉑⑧ 凭鼓而寐：依着鼓睡觉。㉑⑨ 新城：县名，县治在今浙江杭州市富阳区西，距杭州一百三十里。㉒⓪ 湖州：州名，治所在今浙江湖州。离杭州一百五十五里。㉒① 灵隐山：山名，在杭州城西十二里，上有灵隐寺，为我国佛教禅宗十刹之一。㉒② 筑杭州罗城：事见本书卷二百五十九昭宗景福二年。㉒③ 余杭：县名，县治在杭州西。㉒④ 罗隐（？至公元九〇九年）：原名横，恃才傲物，累举不第，改名隐，字昭谏，自号江东生，有诗名。后为钱镠幕僚，曾任钱塘令、节度判官。传见《旧五代史》卷二十四。㉒⑤ 内向：城上敌楼外向所以御敌。今徐绾据罗城而反，钱镠自外攻之，所以人以罗隐“不若皆内向”之言为验。

【原文】

庚戌㉒⑥，李茂贞出兵夜袭奉天㉒⑦，虏汴将倪章、邵棠以归。乙未㉒⑧，茂贞大出兵，与朱全忠战，不胜。暮归，汴兵追[25]之，几入西门㉒⑨。

己亥㉓⓪，再起复前户部侍郎、同平章事韦贻范，使姚洎草制。贻范不让㉓①，即表谢，明日，视事。

西川军[26]请假道㉓②于兴元，山南西道节度使李继密遣兵戍三泉㉓③以拒之。辛丑㉓④，西川前锋将王宗播攻之，不克，退保山寨。亲吏柳脩业㉓⑤谓宗播曰：“公举族归人㉓⑥，不为之死战，何以自保？”宗播令其众曰：“吾与汝曹决战，取功名，不尔，死于此！”遂破金牛、黑水、西县、褒城四寨㉓⑦。军校秦承厚攻西县，矢贯㉓⑧左目，达于右耳[27]，镞㉓⑨不出。王建自舐㉔⓪其创，脓溃镞出。王宗播攻马盘㉔①寨，继密战败，奔还汉中。西川军乘胜至城下，王宗涤帅众先登，遂克之，继密请降，迁于成都。得兵三万，骑五千，宗涤入屯汉中。王建曰：“继密残贼㉔②三辅㉔③，以其降，不忍杀。”复其姓名曰王万弘，不时召见。诸将陵易㉔④之，万弘终日纵酒，俳优㉔⑤辈亦加戏诮㉔⑥。万弘不胜忧愤，醉投池水而卒。

诏以王宗涤为山南西道节度使。宗涤有勇略，得众心，王建忌之。

【校记】

[19] 康怀贞：据章钰校，十二行本、乙十一行本皆作“康怀英”。[20] 武勇右：原作“右武勇”。据章钰校，十二行本、乙十一行本皆作“武勇右”，今从改。[21] 丙戌：原作“甲戌”。据章钰校，乙十一行本作“丙戌”，张敦仁《通鉴刊本识误》同，今从改。[22] 所部：原作“所部兵”。据章钰校，十二行本、乙十一行本皆无“兵”字，今据删。[23] 余杭：原作“余姚”。据章钰校，十二行本、乙十一行本、孔天胤本皆作“余杭”，张敦仁《通鉴刊本识误》同，今从改。[24] 皆：原无此字。据章钰校，十二行本、乙十一行本、孔天胤本皆有此字，今据补。

【语译】

八月庚戌日，李茂贞出动军队乘夜袭击奉天，俘虏了汴州将领倪章、邵棠后返回。二十二日乙未，李茂贞大举出动军队，与朱全忠交战，未能取胜。傍晚时退回，汴州军队追击，几乎进入凤翔城西门。

八月二十六日己亥，朝廷再次起用前户部侍郎、同平章事韦贻范，命令姚洎起草制书。韦贻范没有按惯例谦让，立即上表谢恩，第二天，到职处理公务。

西川军队请求借道兴元勤王，山南西道节度使李继密派遣士兵戍守三泉县进行抵御。八月二十八日辛丑，西川前锋将领王宗播攻打三泉县，未能攻克，退守山上的营寨。亲吏柳脩业对王宗播说：“您全族都归附王建，不为他拼死作战，还能用什么保全自己呢？”王宗播命令他的部众说：“我和你们一起决战，获取功名，不然的话，就死在这里！”于是攻破了金牛、黑水、西县、褒城四个寨子。军校秦承厚攻打西县时，箭贯穿左眼，直到右耳，箭头留在里边拿不出来。王建亲自用舌头去舔他的伤口，脓血溃流，箭头也出来了。王宗播攻打马盘寨，李继密战败，逃回汉中。西川军乘胜到达汉中城下，王宗涤率领部下首先登上城墙，于是攻克了汉中。李继密请求投降，被押往成都。西川军获得士兵三万人，骑兵五千人，王宗涤入驻汉中城。王建说：“李继密过去残害三辅地区，因为他已经投降，不忍心杀他。”于是恢复他的姓名叫王万弘，还经常召见他。西川各将领都欺侮、轻视他，王万弘终日放纵饮酒，连唱歌、演戏的人也嘲笑、戏弄他。王万弘不胜忧愁烦闷，醉后跳到水池中被淹死了。

昭宗下诏任命王宗涤为山南西道节度使。王宗涤作战勇猛，有谋略，深受部众拥护，王建嫉妒他。王建修造节度使府第的大门，绘成朱红色，蜀人把它称为“画

建作府门，绘以朱丹[247]，蜀人谓之“画红楼”，建以宗涤姓名应之[248]，王宗佶等疾其功，复构[249]以飞语[250]，建召宗涤至成都，诘责之，宗涤曰：“三蜀[251]略平，大王听谗，杀功臣可矣。”建命亲随马军都指挥使唐道袭夜饮之酒，缢杀之，成都为之罢市，连营[252]涕泣，如丧亲戚。建以〔28〕指挥使王宗贺权兴元留后。道袭，阆州人也，始以舞童[253]事建，后浸预[254]谋画。

【段旨】

以上为第六段，写西川王建掠地山南，忌杀功臣。

【注释】

[226]庚戌：八月甲戌朔，无庚戌，疑为庚寅，八月十七日。[227]奉天：县名，县治在今陕西乾县。[228]乙未：八月二十二日。[229]西门：凤翔城之西门。[230]己亥：八月二十六日。[231]让：朝廷高级官员在得到任命后，一般会上表辞让，以表示谦逊。遇到类似这种居丧中起复的情况，更是会多次辞让。[232]假道：借路。西川兵假道以勤王。[233]三泉：县名，县治在今四川广元北，时属利州。[234]辛丑：八月二十八日。[235]柳脩业：王宗播原从之孔目官。[236]举族归人：王宗播，原名许存，乾宁二年（公元八九五年）归王建。事见本书卷二百六十。[237]金牛、黑水、西县、褒城四寨：金牛县治在今陕西宁强北，黑水县治在今甘肃文县西，西县县治在今陕西勉县西，褒城县治在今勉县东。四寨皆在三泉北。王宗播攻三泉不克，而北出攻占四寨。寨，置军戍守的营寨。[238]矢贯：箭穿。[239]镞：箭

【原文】

九月乙巳[255]，朱全忠以久雨，士卒病，召诸将议引兵归河中。亲从指挥使高季昌、左开道指挥使刘知俊[256]曰：“天下英雄，窥此举一岁[257]矣。今茂贞已困，奈何舍之去！”全忠患李茂贞坚壁[258]不出，季昌请以谲[259]计诱致之。募有能入城为谍[260]者，骑士马景请行，曰：“此行必死，愿大王录[261]其妻子。”全忠恻然[262]止之，景不可。时全忠遣朱友伦[263]发兵于大梁，明日将至，当出兵迓[264]之。景请因此时给骏马杂众

红楼”，王建认为“画红”和王宗涤本来的姓名华洪相对应；王宗佶等人也嫉妒王宗涤的功劳，又编造流言蜚语诽谤他。王建召王宗涤到成都，责问他。王宗涤说：“三蜀已经大致平定，大王听信谗言，可以杀功臣了。”王建命令亲随马军都指挥使唐道袭夜里与王宗涤喝酒，用绳子勒死了他。成都市民为此罢市，全军士兵伤心流泪，像死了亲戚一样。王建任命指挥使王宗贺暂时代理兴元留后。唐道袭是阆州人，最初以舞童的身份侍奉王建，后来逐渐参与军事谋划。

头。㉔⓪ 舐：用舌头舔。㉔① 马盘：县名，县治在今四川平武东。㉔② 残贼：残害。㉔③ 三辅：最初是西汉治理京畿地区三个主要官员的合称，后引申为这三个官员（京兆尹、左冯翊、右扶风）管辖的区域，相当于今陕西中部地区。唐朝沿用了这一名称。㉔④ 陵易：欺侮轻视。㉔⑤ 俳优：从事乐舞谐戏的艺人。㉔⑥ 戏诮：嘲弄责备。㉔⑦ 朱丹：朱红颜色。㉔⑧ 应之：王宗涤原名华洪，与“画红”谐音，故云“应之”。㉔⑨ 构：陷害。㉕⓪ 飞语：无根据的恶意诽谤。㉕① 三蜀：东川、西川及汉川被称为三蜀。㉕② 连营：军营相连，谓所有的军营。㉕③ 舞童：歌舞童子。㉕④ 浸预：渐渐参与。

【校记】

［25］追：据章钰校，乙十一行本作“退”。〖按〗当时朱全忠大败李茂贞，汴兵追击之。“追”字义长。［26］军：原作“兵”。据章钰校，十二行本、乙十一行本皆作“军”，今从改。［27］耳：原作“目”。据章钰校，孔天胤本作“耳”，张敦仁《通鉴刊本识误》同，今从改。［28］以：据章钰校，十二行本、乙十一行本、孔天胤本皆作“以为”。

【语译】

九月初二日乙巳，朱全忠因为长时间下雨，士兵患病，召集各将领商议率军返回河中。亲从指挥使高季昌、左开道指挥使刘知俊说：“天下的英雄，看着我们讨伐李茂贞一年了。李茂贞已经困顿，为什么要放弃这里离去呢！”朱全忠担心李茂贞坚守营垒不肯出战，高季昌请求用欺骗的方法引诱他出来。便招募能够进入城中充当间谍的人，骑士马景请求前往，说：“这次前去一定会死，希望大王能收养抚恤我的妻子儿女。”朱全忠感到悲伤怜悯，阻止他去，马景不肯听从。当时朱全忠派遣朱友伦从大梁调发军队，第二天将要到达，应当出兵迎接他们。马景请求借此时机给他

骑而出，全忠从之，命诸军皆秣马㉖⑤饱士。丁未旦㉖⑥，偃旗帜㉖⑦潜伏，无得妄出[29]，营中寂如无人。景与众骑偕[30]出，忽跃马西去，诈为逃亡，入城告茂贞曰："全忠举军遁矣，独留伤病者近万人守营，今夕亦去矣，请速击之！"于是茂贞开门，悉众攻全忠营。全忠鼓于中军，百营俱出，纵兵击之，又遣数百骑据其城门㉖⑧，凤翔军进退失据㉖⑨，自蹈藉㉗⓪，杀伤殆尽。茂贞自是丧气㉗①，始议与全忠连和，奉车驾还京，不复以诏书勒㉗②全忠还镇矣。全忠表季昌为宋州团练使。季昌，硖石㉗③人，本朱友恭之仆夫也。

戊申㉗④，武定节度使李思敬以洋州㉗⑤降王建。

辛亥㉗⑥，李茂贞尽出骑兵于邠州就刍粮㉗⑦。壬子㉗⑧，朱全忠穿蚰蜒壕㉗⑨围凤翔，设犬铺㉘⓪、铃架㉘①以绝内外。

癸亥㉘②，以茂贞为凤翔、静难、武定、昭武㉘③四镇节度使。

【段旨】

以上为第七段，写朱全忠用诈计大破李茂贞于凤翔。

【注释】

㉕⑤乙巳：九月初二日。㉕⑥刘知俊（？至公元九二六年）：字希贤，徐州沛县人，始事时溥，继而投朱全忠。屡立战功，封大彭郡王。后据同州叛，奔蜀，授武信军节度使。传见《旧五代史》卷十三、《新五代史》卷四十四。㉕⑦一岁：朱全忠自去年举兵，至此时近一年。㉕⑧坚壁：坚守营垒，不出兵交战。㉕⑨谲：欺诈。㉖⓪谍：间谍。㉖①录：收养抚恤。㉖②恻然：悲伤怜悯的样子。㉖③朱友伦（？至公元九〇四年）：朱全忠之兄朱存次子，曾任宁远军节度使、检校司徒。击鞠坠马死。朱全忠即位后追封密王。传见《旧五代史》卷十二、《新五代史》卷十三。㉖④迓：迎接。㉖⑤秣马：喂饱马匹。秣，饲料。㉖⑥丁未旦：九月初四日清晨。㉖⑦偃旗帜：收卷旗帜。㉖⑧据其城门：这里指朱全忠遣骑抄了凤翔军后路，控制城门，断其归路。据，控制、占据。㉖⑨失据：失去凭依。㉗⓪蹈藉：践踏。㉗①丧

骏马混杂在众多骑兵中出去，朱全忠依从了他的要求，命令各路军队都让马匹、将士吃饱喝足。初四日丁未早晨，把旗帜放倒，士兵们埋伏起来，不得随意出入，军营中寂静得如同空无一人。马景和众骑兵一起出营，忽然跃马向西，假装逃跑，进入凤翔城报告李茂贞说："朱全忠全军逃走了，只留下受伤、患病的士兵将近一万人守卫营寨，今天晚上也要走了，请火速进攻他们！"于是李茂贞打开城门，出动全部人马进攻朱全忠的营寨。朱全忠亲自在中军击鼓，所有的军营一齐出动，纵兵攻打李茂贞的军队，又派遣数百名骑兵占据凤翔城门。凤翔军进退不得，自相践踏，几乎全都被杀伤。李茂贞从此灰心丧气，开始商议与朱全忠讲和，送昭宗返回京城，不再用诏书勒令朱全忠返回镇所了。朱全忠上表奏请以高季昌为宋州团练使。高季昌是硖石人，本来是朱友恭的仆人。

九月初五日戊申，武定节度使李思敬献出洋州城投降王建。

初八日辛亥，李茂贞出动全部骑兵到相邻各州就地解决粮食和草料。初九日壬子，朱全忠挖掘像蚰蜒行走形状的壕沟来包围凤翔，设置由狗报警的犬铺和挂着铃铛的铃架，以隔绝城内外的联系。

二十日癸亥，任命李茂贞为凤翔、静难、武定、昭武四镇节度使。

气：意气颓丧。㉗② 勒：强制命令。㉗③ 硖石：县名，县治在今河南三门峡市东七十里。㉗④ 戊申：九月初五日。㉗⑤ 洋州：州名，治所在今陕西西乡。㉗⑥ 辛亥：九月初八日。㉗⑦ 刍粮：粮草。㉗⑧ 壬子：九月初九日。㉗⑨ 蚰蜒壕：曲折战壕。穿壕堑如蚰蜒（与蜈蚣同类多足爬行虫）行地之状，故名。㉘⓪ 犬铺：行军安营扎寨时，四面设犬铺，以犬守卫警戒。敌人来则犬群吠，使营中有所警备。㉘① 铃架：环绕军营设架，上面挂铃，敌人来犯触之则响。㉘② 癸亥：九月二十日。㉘③ 武定、昭武：此二方镇时已为王建所取。昭武即感义军节度，治所利州。乾宁四年更感义军为昭武军。

【校记】

[29] 无得妄出：原无此四字。据章钰校，十二行本、乙十一行本、孔天胤本皆有此四字，张敦仁《通鉴刊本识误》、张瑛《通鉴校勘记》同，今据补。[30] 偕：原作"皆"。据章钰校，十二行本、乙十一行本、孔天胤本皆作"偕"，张敦仁《通鉴刊本识误》同，今从改。

【原文】

或劝钱镠度江东保越州，以避徐、许㉘④之难。杜建徽按剑叱之曰："事或不济㉘⑤，同死于此，岂可复东渡乎！"

镠恐徐绾等据越州，遣大将顾全武将兵戍之。全武曰："越州不足往，不若之广陵㉘⑥。"镠曰："何故？"对曰："闻绾等谋召田颓，田颓至，淮南助之，不可敌也。"建徽曰："孙儒之难㉘⑦，王尝有德于杨公，今往告之，宜有以相报。"镠命全武告急于杨行密，全武曰："徒往㉘⑧无益，请得王子为质。"镠命其子传璙微服[31]为全武仆，与偕之广陵，且求婚于行密。过润州，团练使安仁义爱传璙清丽，将以十仆易之，全武夜半赂阍者㉘⑨逃去。

绾等果召田颓，颓引兵赴之，先遣亲吏何饶谓镠曰："请大王东如越州，空府廨㉙⓪以相待，无为杀士卒！"镠报曰："军中叛乱，何方无之！公为节帅㉙①，乃助贼为逆。战则亟战，又何大言！"颓筑垒绝往来之道，镠患之，募能夺其地者赏以州。衢州制置使㉙②陈璋将卒三百出城奋击，遂夺其地，镠即以为衢州刺史㉙③。

【段旨】

以上为第八段，写杭州叛兵引田颓为援，钱镠求救于杨行密。

【注释】

㉘④徐、许：徐绾、许再思。㉘⑤不济：不成功。㉘⑥之广陵：广陵时为杨行密所据。之，往。㉘⑦孙儒之难：大顺二年（公元八九一年），孙儒大举进攻杨行密，时钱镠据苏州，以兵食助杨行密。事见本书卷二百五十八。㉘⑧徒往：空着手去。㉘⑨阍者：守门人。㉙⓪府廨：

【语译】

有人劝说钱镠渡过钱塘江东去守护越州，以躲避徐绾、许再思叛乱的威胁。杜建徽手按宝剑大声呵斥那人说："事情如果不能成功，就一同死在这里，怎么能够再东渡呢！"

钱镠担心徐绾等占据越州，派遣大将顾全武率军去那里防守。顾全武说："越州不值得前往，不如到广陵去。"钱镠问道："是什么原因？"顾全武回答说："听说徐绾等密谋召唤田頵，田頵一到，淮南军队再来帮助他，就不可抵挡了。"杜建徽说："孙儒发难的时候，大王曾经对杨行密有恩德，现在前去告知他，他应该会有所回报。"钱镠命令顾全武去向杨行密告急，顾全武说："空着手去没有用，请求以大王的儿子作为人质。"钱镠命令他的儿子钱传璙穿便服装扮成顾全武的仆人，和他一起到广陵去，并且向杨行密请求结为姻亲。经过润州时，团练使安仁义喜爱钱传璙清秀亮丽，准备用十个仆人交换他，顾全武在半夜贿赂看门人逃离了。

徐绾等果然召请田頵，田頵率军前往，先派遣亲近的官吏何饶对钱镠说："请大王东去越州，空出节度使官署来等待我们，不要因此而使得士兵们被杀死！"钱镠回答说："军中发生叛乱，哪里没有这种事呢！你身为节度使，却帮助贼寇叛乱。要作战就赶快来战，又何必说大话！"田頵修筑营垒断绝往来的道路，钱镠对此很忧虑，招募能够夺取田頵营垒的人，奖赏给他一个州。衢州制置史陈璋率领士兵三百人出城奋勇攻击，便夺取了田頵修筑的营垒，钱镠立即以陈璋为衢州刺史。

官舍；官署。㉑节帅：节度使。时田頵为宁国（宣歙）节度使。㉒制置使：唐后期置，为临时军事长官，镇抚地方，其地位依所掌事务而高下不等。㉓衢州刺史：陈璋由衢州制置使升为衢州刺史，可知此制置使位在刺史之下。

【校记】

［31］微服：原无此二字。据章钰校，十二行本、乙十一行本、孔天胤本皆有此二字，张敦仁《通鉴刊本识误》、张瑛《通鉴校勘记》同，今据补。

【原文】

顾全武至广陵，说杨行密曰："使田頵得志，必为王患。王召頵还，钱王请以其[32]子传璙为质，且求婚。"行密许之，以女妻传璙。

冬，十月，李俨至扬州㉔，杨行密始建制敕院㉕，每有封拜，辄以告俨，于紫极宫㉖玄宗像前陈制书，再拜然后下。

王建攻拔兴州㉗，以军使王宗浩为兴州刺史。

戊寅㉘夜，李茂贞假子彦询帅三团㉙步兵奔于汴军；己卯㉚，李彦韬继之。

庚辰㉛，朱全忠遣幕僚司马邺奉表入城。甲申㉜，又遣使献熊白㉝。自是献食物、缯帛相继。上皆先以示李茂贞，使启视㉞之，茂贞亦不敢启。丙戌㉟，复遣使请与茂贞议连和，民出城樵采者皆不抄掠。丁亥㊱，全忠表请修宫阙及迎车驾。己丑㊲，遣国子司业㊳薛昌祚、内使㊴王延缋[33]赍诏赐全忠。

癸巳㊵，茂贞复出兵击汴军城西寨，败还。全忠以绛袍㊶衣㊷降者，使招呼城中人，凤翔军夜缒㊸去及因樵采去不返者甚众。是后茂贞或遣兵出击汴军，多不为用，散还。茂贞疑上与全忠有密约。壬寅㊹，更于御院㊺北垣㊻外增兵防卫。

十一月癸卯朔㊼，保大节度使李茂勋帅其众万余人救凤翔，屯于城北阪㊽上，与城中举烽相应。

甲辰㊾，上使赵国夫人诇㊿学士院二使[321]皆不在，亟召韩偓、姚洎，窃见[322]之于土门外，执手相泣。洎请上速还，恐为他人所见。上遽去[323]。

朱全忠遣其将孔勍、李晖将兵乘虚袭鄜、坊[324]。壬子[325]，拔坊州。甲寅[326]，大雪，汴军冒[327]之夕进[328]，五鼓，抵鄜州城下[329]。鄜人不为备，汴军入城，城中兵尚八千人，格斗[330]至午，鄜人始败，擒留后[34]李继璙。勍抚存[331]李茂勋及将士之家，按堵[332]无扰，命李晖权知军府事。茂勋闻之，引兵遁去[333]。

汴军每夜鸣鼓角，城中地如动。攻城者诟[334]城上人云"劫天子贼"，乘城者[335]诟城下人云"夺天子贼"。是冬，大雪，城中食尽，冻

【语译】

顾全武到达广陵，劝告杨行密说：“假如让田頵得志，必定会成为大王的祸患。大王叫田頵回来，钱王请求用他的儿子钱传璙作为人质，并且向您请求结为姻亲。”杨行密同意了他的请求，把女儿嫁给钱传璙为妻。

冬，十月，李俨到达扬州。杨行密开始建立制敕院，每次有封赏授官，就告知李俨，在紫极宫玄宗皇帝像前陈列制书，再行拜礼，然后才下达正式封授文告。

王建攻取兴州，朝廷任军使王宗浩为兴州刺史。

十月初六日戊寅夜里，李茂贞的义子李彦询率三团步兵投奔汴州军。初七日己卯，李彦韬也相继投奔。

十月初八日庚辰，朱全忠派遣幕僚司马邺捧着表章进入凤翔城。十二日甲申，又派遣使者献上熊白。从这以后，进献食物、丝绸绢帛等连续不断。昭宗都先交给李茂贞，让他打开看，李茂贞也不敢打开。十四日丙戌，又派遣使者请求与李茂贞商议讲和，老百姓出城砍柴刈草的都不抄抢掠夺。十五日丁亥，朱全忠上表请求整修宫殿和迎接昭宗回京。十七日己丑，昭宗派遣国子司业薛昌祚、内使王延绩携带诏书赐给朱全忠。

十月二十一日癸巳，李茂贞又出动军队攻击汴州军在凤翔城西的营寨，战败返回。朱全忠给投降的人穿上大红色的长袍，让他们招呼城中的人，凤翔的士兵在夜里用绳子坠下城逃走和借着出城砍柴不返回的很多。此后李茂贞有时派军队出城攻击汴州军，大多不听从命令，反而四散逃回。李茂贞怀疑昭宗与朱全忠之间有密约。三十日壬寅，又在昭宗住处的北墙外增兵防卫。

十一月初一日癸卯，保大节度使李茂勋率领他的部众一万多人救援凤翔，屯驻在城北山坡上，和城中举火把互相呼应。

十一月初二日甲辰，昭宗派赵国夫人探明学士院中两位中使都不在，赶快叫来韩偓、姚洎，在土门外偷偷见面，执手相泣。姚洎请昭宗赶快回去，恐怕被别人看见。昭宗迅速离去。

朱全忠派遣他的部将孔勍、李晖率军乘虚袭击鄜州、坊州。十一月初十日壬子，攻取坊州。十二日甲寅，下大雪，汴州军队冒雪夜间行进，五更时，到达鄜州城下。鄜州人没有防备，汴州军队进入城中，城中士兵还有八千人，格斗到中午，鄜州人才败下来，抓获了留后李继璙。孔勍抚慰救恤李茂勋和将士的家属，安定无扰，命令李晖暂时代理军府中的事务。李茂勋得知这消息，率军逃走。

汴州军队每天晚上鼓角齐鸣，城里地面好像在颤动。攻城的人骂城上的人是“劫天子贼”，城上防守的人骂攻城的人是“夺天子贼”。这个冬天，下大雪，城里食

馁死者不可胜计，或卧未死，肉[35]已为人所刐㊱。市中卖人肉，斤直㊲钱百，犬肉直五百。茂贞储偫㊳亦竭，以犬彘㊴供御膳㊵。上鬻㊶御衣及小皇子衣于市以充用，削渍㊷松柹㊸以饲御马。

丙子㊹，户部侍郎、同平章事韦贻范薨。

癸亥㊺，朱全忠遣人薙㊻城外草以困城中。甲子㊼，李茂贞增兵守宫门㊽，诸宦官[36]自度不免，互相尤怨㊾。

苏检数为韩偓经营入相，言于茂贞及中尉、枢密，且遣亲吏告偓，偓怒曰："公与韦公自贬所召归，旬月致位宰相，讫㊿不能有所为。今朝夕不济，乃欲以此相污(351)邪！"

田頵急攻杭州，仍具舟将自西陵(352)渡江。钱镠遣其将盛造、朱郁拒破之。

十二月，李茂勋遣使请降于朱全忠，更名周彝。于是茂贞山南州镇皆入王建，关中州镇皆入全忠，坐守孤城。乃密谋诛宦官以自赎(353)，遗全忠书曰："祸乱之兴，皆由全诲。仆迎驾至此，以备他盗。公既志匡(354)社稷，请公迎扆(355)还宫，仆以弊甲凋兵(356)，从公陈力(357)。"全忠复书曰："仆举兵至此，正以乘舆播迁(358)，公能协力，固所愿也。"

【段旨】

以上为第九段，写李茂贞山南之地为王建所夺，关中之地为朱全忠所有，困守凤翔孤城，众叛亲离，粮尽食人，议与朱全忠和解。

【注释】

(294)李俨至扬州：李俨本宰相张濬之子，名播，昭宗赐其姓名，任命为江淮宣谕使。来扬州是下旨征兵讨伐朱全忠。后被徐知诰所杀。(295)制敕院：专门接受皇帝诏书之机构。(296)紫极宫：唐代重道教，唐玄宗时于长安、洛阳两京置老君庙，号玄元宫，于诸州建庙，号紫极宫，以奉玄元皇帝老子。(297)兴州：州名，治所在今陕西略阳。(298)戊寅：十月初六日。(299)团：军队编制单位。《新唐书》卷四十九上《百官志四》上："以三百人为团，

物吃完了，冻饿而死的人不计其数，有的躺倒还没有死，肉已经被人割去。市场中出卖人肉，每斤值一百钱，狗肉每斤值五百钱。李茂贞储备的物资也全部用尽，拿狗肉、猪肉供给昭宗食用。昭宗在市场上卖掉自己和小皇子的衣服以供需要，削松木片用水浸泡后来喂御马。

十一月丙子日，户部侍郎、同平章事韦贻范去世。

二十一日癸亥，朱全忠派人割除城外的草以困城中。二十二日甲子，李茂贞增派士兵守护行宫的宫门，各宦官自己估计不能免除灾祸，互相指责埋怨。

苏检多次替韩偓谋划担任宰相，对李茂贞及中尉、枢密讲这件事，并且派遣亲近的官吏去告诉韩偓。韩偓发怒说：“你与韦贻范从被贬的地方召回后，一个月就当上宰相，直到今天都不能有所作为。现在的形势已经是朝不保夕，还想拿这个宰相来玷污我吗！”

田頵急攻杭州，还准备舟船将要从西陵渡过钱塘江。钱镠派遣他的部将盛造、朱郁进行抵抗，打败了田頵。

十二月，李茂勋派遣使者向朱全忠请求投降，改名李周彝。于是李茂贞辖下的山南州镇都落入王建手中，关中州镇都落入朱全忠手中，他坐守凤翔孤城。李茂贞便秘密谋划杀死宦官来自我赎罪，写信给朱全忠说：“祸乱的发生，都是由韩全诲引起的。我迎接皇上到这里，是为了防备其他盗贼。您既然有志匡复社稷，请您迎接护送皇上返回长安宫中，我带领身穿破损盔甲的士兵和残存部众，跟随您尽力而为。”朱全忠回信说：“我率领军队到达这里，正因为皇上流离失所，您能够和我同心协力，这本来就是我的愿望。”

一校尉领之。”㉚己卯：十月初七日。㉛庚辰：十月初八日。㉜甲申：十月十二日。㉝熊白：即熊背部的白脂。《本草纲目·兽部》李时珍集注引陶弘景曰：“（熊）脂即熊白，乃背上肪，色白如玉，味甚美。寒月则有，夏月则无。”㉞启视：打开看。㉟丙戌：十月十四日。㊱丁亥：十月十五日。㊲己丑：十月十七日。㊳国子司业：官名，国子监设祭酒一人，司业二人，掌儒学训导事务。㊴内使：即中使。皇帝从宫廷中派出的使者，往往由宦官担任。梁臣为避朱全忠讳，改“中”为“内”。㊵癸巳：十月二十一日。㊶绛袍：深红色的袍。㊷衣：穿衣。用如动词。㊸缒：从城上利用绳索下垂至平地。㊹壬寅：十月三十日。㊺御院：唐昭宗所居。㊻垣：墙。㊼癸卯朔：十一月初一日。㊽阪：山坡。㊾甲辰：十一月初二日。⑳诇：侦察。㉑二使：韩全诲所派监视学士院的两名宦官。㉒窃见：偷偷见面。㉓遽去：立即离开。㉔坊：州名，治所在今陕西黄陵。㉕壬子：十一月初十日。㉖甲寅：十一月十二日。㉗冒：冒雪。㉘夕进：连夜行动。㉙抵鄜州城下：到达鄜州

城下。从坊州北至鄜州一百一十里，汴军一夜到达。㉚格斗：短兵相接，以力角斗。㉛抚存：抚慰救济。㉜按堵：同“安堵”，安居、安定。㉝遁去：逃走。㉞诟：辱骂。㉟乘城者：登城守卫的人。㊱冎：即“剐”字。㊲直：通“值”。㊳储偫：储备。㊴犬彘：狗和猪。㊵御膳：唐昭宗的饮食。㊶鬻：卖。㊷渍：淹泡。㊸柹：削下的木片。㊹丙子：十一月癸卯朔，无丙子，疑为丙辰，十一月十四日。㊺癸亥：十一月二十一日。㊻薙：除草。㊼甲子：十一月二十二日。㊽宫门：此指行宫之门。㊾尤怨：责怪和埋怨。㊿讫：竟然；始终。(351)相污：韩偓认为苏检为他经营入相是对他的玷污。(352)西陵：镇名，在杭州东南。(353)自赎：为自己赎罪。(354)匡：匡复，挽救将亡之国，使转危为安。(355)扈：扈跸。指帝王的车驾。(356)弊甲凋兵：身穿残破盔甲的士卒和残存的士兵。弊，通“敝”。(357)陈力：施展才力。(358)乘舆播迁：皇帝流徙在外。乘舆，皇帝车驾，此处代指皇帝。

【原文】

杨行密使人召田頵曰：“不还，吾且使人代镇宣州。”庚辰(359)，頵将还，征犒军钱二十万缗于钱镠，且求镠子为质，将妻以女。镠谓诸子：“孰能为田氏婿者？”莫对。镠欲遣幼子传球，传球不可。镠怒，将杀之。次子传瓘(360)请行，吴夫人泣曰：“奈何置儿虎口！”传瓘曰：“纾国家之难(361)，安敢爱身！”再拜而出，镠泣送之。传瓘从数人缒北门而下。頵与徐绾、许再思同归宣州。镠夺传球内牙(362)兵印。

越州客军(363)指挥使张洪以徐绾之党自疑，帅步兵三百奔衢州，刺史陈璋纳之。温州将丁章逐刺史朱敖，敖奔福州(364)。章据温州，田頵遣使招之，道出衢州(365)。陈璋听其往还，钱镠由是恨璋。

丁酉(366)，上召李茂贞、苏检、李继诲、李彦弼、李继岌、李继远、李继忠入[37]，议与朱全忠和，上曰：“十六宅(367)诸王以下，冻馁死者日有数人。在内诸王(368)及公主、妃嫔，一日食粥，一日食汤饼(369)，今亦竭矣。卿等意如何？”皆不对。上曰：“速当和解耳！”

凤翔兵十余人遮(370)韩全诲于左银台门(371)，喧(372)骂曰：“阖境(373)涂炭(374)，阖城馁死，正为军容辈数人耳！”全诲叩头诉于茂贞，茂贞曰：

【校记】

［32］其：原无此字。据章钰校，十二行本、乙十一行本、孔天胤本皆有此字，今据补。［33］王延绩：据章钰校，孔天胤本作"王延绩"。［34］留后：原作"留守"。据章钰校，十二行本、乙十一行本、孔天胤本皆作"留后"，张敦仁《通鉴刊本识误》同，今从改。［35］肉：原无此字。据章钰校，十二行本、乙十一行本皆有此字，张敦仁《通鉴刊本识误》同，今据补。［36］宦官：原作"宦者"。据章钰校，十二行本、乙十一行本、孔天胤本皆作"宦官"，今从改。

【语译】

杨行密派人召回田頵，说："你不回来，我将派人代理镇守宣州。"十二月初八日庚辰，田頵将要返回，向钱镠索取犒劳军队的钱二十万缗，并且要求钱镠的儿子作为人质，将要把自己的女儿嫁给他。钱镠对几个儿子说："谁肯做田頵的女婿？"没有人回答。钱镠想派遣最小的儿子钱传球，钱传球不愿意。钱镠很生气，将要杀死他。次子钱传瓘请求前往，吴夫人哭着说："为什么要把儿子放在虎口！"钱传瓘说："解除国家的危难，怎么敢爱惜自己的身躯！"再拜以后走出门去，钱镠哭着送他。钱传瓘与几个随从从城北门缒绳而下。田頵与徐绾、许再思一起返回宣州。钱镠收回钱传球掌管的内牙兵印。

越州客军指挥使张洪因是徐绾同党而心怀疑虑，率领步兵三百人逃奔衢州，衢州刺史陈璋接纳了他。温州将领丁章驱逐刺史朱敖，朱敖逃往福州。丁章占据温州，田頵派遣使者去拉拢丁章，取道衢州。陈璋听任他们来往，钱镠因此怨恨陈璋。

十二月二十五日丁酉，昭宗召集李茂贞、苏检、李继诲、李彦弼、李继岌、李继远、李继忠入朝，商议与朱全忠和解。昭宗说："从十六宅诸王以下，每天冻饿而死的有好几个人。在宫内的诸王以及公主、妃嫔，一天喝粥，一天吃汤饼，如今也没有了。你们的想法是怎样的？"大家都不回答。昭宗说："应当赶快和解了！"

凤翔士兵十多人在左银台门拦住韩全诲，大声吵嚷责骂说："全境生灵涂炭，满城饥饿而死，只是因为你们这几个军容使！"韩全诲向李茂贞磕头诉说这件事，李茂贞说："士卒们知道什么！"命令侍者倒了两杯酒，相对而饮，事情就此作罢。韩全

“卒辈㉟何知！”命酌酒两杯，对饮而罢。又诉于上，上亦谕解之。李继昭谓全诲曰：“昔杨军容㊱破杨守亮㊲一族，今军容亦破继昭一族邪！”慢骂之，遂出降于全忠，复姓符，名道昭。

是岁，虔州㊳刺史卢光稠㊴攻岭南，陷韶州㊵，使其子延昌守之，进围潮州㊶。清海留后[38]刘隐发兵击走之，乘胜进攻韶州。隐弟陟以为延昌有虔州之援，未可遽取。隐不从，遂围韶州。会江涨，馈运不继㊷，光稠自虔州引兵救之。其将谭全播㊸伏精兵万人于山谷，以羸弱挑战，大破隐于城南，隐奔还。全播悉以功让诸将，光稠益贤之。

岳州刺史邓进思卒，弟进忠自称刺史。

【段旨】

以上为第十段，写钱镠得杨行密之助，与田頵和解，转危为安。唐昭宗敦促李茂贞与朱全忠和解，韩全诲末日来临。

【注释】

㊾庚辰：十二月初八日。㊿传瓘（公元八八六至九四一年）：字明宝，钱镠第五子。新旧《五代史》均作元瓘。钱镠卒，袭封吴越国王。天福六年（公元九四一年），杭州大火，烧其宫室，惊悸发狂而卒。传见《旧五代史》卷一百三十三、《新五代史》卷六十七。㉛纾国家之难：解除国家的祸患。纾，解除、消除。㉜内牙：即内衙。㉝客军：即原孙儒散卒。㉞福州：时王审知据福州。㉟道出衢州：时田頵镇宣州，经衢州、婺州、处州而至温州。㊱丁酉：十二月二十五日。㊲十六宅：本为宗室诸王在长安住宅的合称。此处指昭宗的兄弟及群从。㊳在内诸王：指昭宗之皇子。㊴汤饼：汤煮的面食。类似于今天的面片汤。㊵遮：阻拦；拦截。㊶左银台门：长安大明宫城门有左、右银台门。此为凤翔行宫所设之左银台门，表示像在长安宫中一样。㊷喧：吵嚷。㊸阖境：全境。㊹涂炭：艰难困苦。㊺卒辈：士卒们。㊻杨军容：指杨复恭。军容为观军容使省称，官名，

诲又向昭宗诉说，昭宗也进行劝解。李继昭对韩全诲说："从前杨军容毁掉杨守亮一族，如今军容使也要毁掉我李继昭一族吗！"恣意谩骂韩全诲，随后就出城投降了朱全忠，恢复原姓符，名字为道昭。

这一年，虔州刺史卢光稠进攻岭南，攻克韶州，派他的儿子卢延昌守城，进兵包围潮州。清海留后刘隐出动军队击退卢光稠，乘胜进攻韶州。刘隐的弟弟刘陟认为卢延昌有虔州军队支援，不可匆忙攻取。刘隐不听，于是包围了韶州。适逢江水上涨，粮草运输跟不上，卢光稠从虔州率军救援韶州。他的部将谭全播在山谷中埋伏精锐部队一万人，用瘦弱的士兵挑战，在韶州城南大败刘隐，刘隐逃了回去。谭全播把功劳全部让给各位将领，卢光稠更加认为谭全播贤能。

岳州刺史邓进思去世，他的弟弟邓进忠自称为岳州刺史。

以宦官充任，为诸军及节镇或出征军队的监军。㊲杨守亮：时为山南西道节度使。景福元年（公元八九二年），李茂贞等五节度以杨守亮匿杨复恭，出兵讨之。乾宁元年（公元八九四年），杨复恭、杨守亮将奔河东，被韩建擒获，送长安斩于独柳。传见《新唐书》卷一百八十六，事又见本书卷二百五十九。㊳虔州：州名，治所在今江西赣州。㊴卢光稠（？至公元九一一年）：南康（今江西赣州市南康区）人，唐末为谭全播拥戴，起兵据虔、潮二州，入梁为镇南军留后。传见《新唐书》卷一百九十、《新五代史》卷四十一。㊵韶州：州名，治所在今广东韶关市。韶、虔二州相距六百余里，中有大庾岭为阻。㊶潮州：州名，治所在今广东潮州市潮安区。㊷馈运不继：自广州运粮以供应韶州行营，必须溯江而上，江水涨则水流湍急，不可溯流而上，故军需运送不能相继。㊸谭全播（公元八三四至九一八年）：南康（今江西赣州市南康区）人，入梁为虔州防御使，后为杨氏吴所并。传见《新五代史》卷四十。

【校记】

［37］入：原作"食"。张敦仁《通鉴刊本识误》作"入"，义长，今从改。［38］留后：原无此二字。据章钰校，十二行本、乙十一行本、孔天胤本皆有此二字，张敦仁《通鉴刊本识误》、张瑛《通鉴校勘记》同，今据补。

【原文】

三年（癸亥，公元九〇三年）

春，正月甲辰[384]，遣殿中侍御史[385]崔构、供奉官[386]郭遵诲诣朱全忠营。丙午[387]，李茂贞亦遣牙将郭启期往议和解。

平卢节度使王师范，颇好学，以忠义自许，为治有声迹[388]。朱全忠围凤翔，韩全诲以诏书征藩镇兵入援乘舆，师范见之，泣下沾衿[389]，曰："吾属为帝室藩屏[390]，岂得坐视天子困辱如此？各拥强兵，但自卫乎！"会张濬自长水亦遗之书，劝举义兵。师范曰："张公言正会吾意，夫复何疑！虽力不足，当死生以之[391]。"

时关东兵多从全忠在凤翔，师范分遣诸将诈为贡献及商贩，包束兵仗，载以小车，入汴、徐、兖、郓、齐、沂、河南、孟、滑、河中、陕、虢、华等州，期[392]以同日俱发，讨全忠。适[393]诸州者多事泄被擒，独行军司马刘鄩[394]取兖州。时泰宁节度使葛从周悉将其兵屯邢州[395]，鄩先遣人为贩油者入城，诇其虚实及兵所从入。丙午[396]，鄩将精兵五百夜自水窦[397]入，比明，军城[398]悉定，市人皆不知。鄩据府舍，拜从周母，每旦省谒[399]，待其妻子，甚有恩礼，子弟职掌、供亿[400]如故。

是日，青州牙将张居厚帅壮士二百将小车至华州东城，知州事娄敬思疑其有异，剖[401]视之。其徒大呼，杀敬思，攻西城。崔胤在华州[402]，帅众拒之，不克，走至商州[403]，追获之。

全忠留节度判官[404]裴迪[405]守大梁，师范遣走卒[406]赍书至大梁，迪问以东方事，走卒色动[407]。迪察其有变，屏人[408]问之，走卒具以实告。迪不暇[409]白全忠，亟请马步都指挥使朱友宁将兵万余人东巡兖、郓。友宁召葛从周于邢州，共攻师范。全忠闻变，亦分兵先归，使友宁并将之。

【语译】

三年（癸亥，公元九〇三年）

春，正月初二日甲辰，朝廷派遣殿中侍御史崔构、供奉官郭遵诲前往朱全忠的军营。初四日丙午，李茂贞也派遣牙将郭启期前往商议和解。

平卢节度使王师范，很喜好学习，以忠义自勉，治理政务既有声誉又有实绩。朱全忠包围凤翔，韩全诲以昭宗的诏书征召各藩镇军队前来救援皇上。王师范看到诏书，泪水流下沾湿衣襟，说："我们身为皇室的屏障，怎么能坐视天子如此困窘耻辱？各自拥有强大的军队，就只为保护自己吗！"正好赶上张濬从长水也写信给他，劝他出动正义之师。王师范说："张公的话正合我的心意，还有什么好犹豫的！虽然力量不足，也应当不顾生死地去做。"

当时关东的军队大多跟随朱全忠在凤翔，王师范分别派遣诸将领伪装成进献物品的使者及商贩，把兵器包裹起来，用小车装载，进入汴、徐、兖、郓、齐、沂、河南、孟、滑、河中、陕、虢、华等州，约定在同一天一起发动，讨伐朱全忠。前往各州的人大多因事情泄漏被擒获，只有行军司马刘鄩取得兖州。当时泰宁节度使葛从周率领他的部下全部驻扎在邢州，刘鄩先派人伪装成卖油的混进城内，侦察到城中的虚实以及军队进城的路线。正月初四日丙午，刘鄩率精兵五百人在夜晚从水洞进入城中，到天亮时，泰宁军驻防的牙城全部平定，市民还都不知道。刘鄩占据了葛从周的府第官署，拜见葛从周的母亲，每天早晨前去探望，对待葛从周的妻子儿女，也很有恩惠、礼貌，葛从周子弟掌理的职务和供应的物资也都和原来一样。

这一天，青州牙将张居厚率领壮士二百人推着小车到达华州的东城。知州事娄敬思怀疑他们有些异常，打开小车查看。这些壮士大声呼喊，杀死娄敬思，攻打西城。崔胤当时在华州，率领部众进行抵抗，张居厚未能攻下西城，逃走到商州，被追上俘获。

朱全忠留下节度判官裴迪镇守大梁，王师范派遣差役送信到大梁，裴迪询问他东方的情形，差役有些惊慌失措。裴迪察觉到情况有变化，让左右的人退下后询问，差役把实情一一相告。裴迪来不及报告朱全忠，紧急请马步都指挥使朱友宁率军一万多人向东巡视兖州、郓州。朱友宁召回在邢州的葛从周，共同进攻王师范。朱全忠得知事变的消息，也分出一部分军队先行返回，让朱友宁一起统率他们。

【段旨】

以上为第十一段，写朱全忠后方空虚，平卢节度使王师范起兵勤王，分遣诸将偷袭各州，事皆不谐。

【注释】

⒀⒁ 甲辰：正月初二日。⒀⒂ 殿中侍御史：官名，御史台属官，员六人，从七品上。行监察等职，或奉使出外执行指定任务。⒀⒃ 供奉官：官名，在皇帝左右供职的人。⒀⒄ 丙午：正月初四日。⒀⒅ 为治有声迹：为治有政声且有实绩。⒀⒆ 沾衿：泪水沾湿衣襟。衿，同“襟”。⒀⒇ 藩屏：藩篱屏障。⒁⒈ 死生以之：不顾死生以赴之。⒁⒉ 期：预先约定。⒁⒊ 适：去；到。⒁⒋ 刘鄩（公元八五二至九一六年）：密州安丘（今山东安丘）人，先事王师范，为登州刺史、行军司马。后降朱全忠，为长安永平军节度使。传见《旧五代史》卷二十三、《新五代史》卷二十二。⒁⒌ 邢州：州名，治所在今河北邢台。朱全忠攻凤翔，使葛从周

【原文】

戊申[410]，李茂贞独见上，中尉韩全诲、张彦弘、枢密使袁易简、周敬容皆不得对。茂贞请诛全诲等，与朱全忠和解，奉车驾还京。上喜，即遣内养[411]帅凤翔卒四十人收全诲等，斩之。以御食使[412]第五[413]可范为左军中尉，宣徽南院[414]使仇承坦为右军中尉，王知古为上院[415]枢密使，杨虔朗为下院枢密使。是夕，又斩李继筠、李继诲、李彦弼及内诸司使韦处廷等十六人。己酉[416]，遣韩偓及赵国夫人诣全忠营。又遣使囊[417]全诲等二十余人首以示全忠，曰：“向来[418]胁留车驾[419]，惧罪离间[420]，不欲协和[421]，皆此曹也。今朕与茂贞决意诛之，卿可晓谕诸军以豁[422]众愤。”辛亥[423]，全忠遣观察判官[424]李振奉表入谢。

全诲等已诛，而全忠围犹未解。茂贞疑崔胤教全忠欲必取凤翔，白上急召胤，令帅百官赴行在。凡四降诏，三赐朱书御札[425]，言甚切至，悉复故官爵，胤竟称疾不至。茂贞惧，自致书于胤，辞甚卑逊。全忠亦以书召胤，且戏之曰：“吾未识天子，须公来辨其是非[426]。”胤始来[427]。

甲寅[428]，凤翔始启城门。丙辰[429]，全忠巡诸寨，至城北，有凤翔兵自北山下，全忠疑其逼己，遣兵击之，擒其将李继钦。上遣赵国夫人、冯翊夫人[430]诣全忠营诘[431]其故，全忠遣亲吏蒋玄晖奉表入奏。

领泰宁之兵屯邢州以防河东。㊱丙午：正月初四日。㊲水窦：水的出入孔道。㊳军城：泰宁军牙城。㊴省谒：拜见问候。㊵供亿：供应所需物品。刘鄩料定葛从周必还攻兖州，故善视其家。㊶剖：割开小车的包装。㊷在华州：崔胤于天复元年（公元九〇一年）十二月帅百官迁于华州。㊸商州：州名，治所在今陕西商洛市商州区。华州南至商州一百八十里。㊹节度判官：官名，节度使的僚属，佐理政事。㊺裴迪：字升之，河东闻喜（今山西闻喜北）人，善治财赋。朱全忠镇宣武，辟裴迪为节度判官，入梁，官至右仆射。传见《新五代史》卷四十三。㊻走卒：衙前奔走之亲兵、差役。㊼色动：变色；惊慌失色。㊽屏人：让左右的人回避。㊾不暇：没时间；来不及。

【语译】

正月初六日戊申，李茂贞单独进见昭宗，中尉韩全诲、张彦弘、枢密使袁易简、周敬容都不能到昭宗面前答对。李茂贞请求诛杀韩全诲等人，与朱全忠和解，护送昭宗返回京城长安。昭宗大喜，立即派遣内侍率领凤翔的士兵四十人收捕韩全诲等人，斩杀了他们。任命御食使第五可范为左军中尉，宣徽南院使仇承坦为右军中尉，王知古为上院枢密使，杨虔朗为下院枢密使。当天晚上，又斩杀李继筠、李继诲、李彦弼以及皇宫内诸司使韦处廷等十六人。初七日己酉，派遣韩偓及赵国夫人到朱全忠的军营。又派遣使者用口袋装了韩全诲等二十多人的首级出示给朱全忠看，说："以前胁迫扣留朕，害怕承担罪责而挑拨离间，不愿亲睦和解的，都是这些人。今天朕和李茂贞决心杀死他们，你可以明白告诉各路军队，以消解大家的愤怒。"初九日辛亥，朱全忠派遣观察判官李振捧着表章入宫向昭宗致谢。

韩全诲等人已经被杀，而朱全忠的包围还没有解除。李茂贞怀疑崔胤教朱全忠一定要攻取凤翔，便禀告昭宗紧急召见崔胤，命令他率领百官奔赴皇帝所在的凤翔。前后四次下诏，三次赐给朱笔御札，言语非常恳切周到，全部恢复他过去的官职、爵位，崔胤竟然推说有病不来。李茂贞害怕了，亲自给崔胤写信，措辞很谦恭卑下。朱全忠也写信召崔胤来，并且开玩笑说："我不认识皇上，必须公来辨别真假。"崔胤才前来凤翔。

正月十二日甲寅，凤翔才打开城门。十四日丙辰，朱全忠巡视各营寨，到城北，有凤翔军队从北山上下来，朱全忠怀疑他们要靠近自己，派兵攻击他们，擒获凤翔将领李继钦。昭宗派遣赵国夫人、冯翊夫人到朱全忠的军营查问是什么原因，朱全忠派遣亲吏蒋玄晖捧着表章入宫呈奏昭宗。

李茂贞请以其子侃尚[432]平原公主，又欲以苏检女为景王秘[433]妃以自固。平原公主，何后之女也，后意难之，上曰：“且令我得出[434]，何忧尔女！”后乃从之。壬戌[435]，平原[39]嫁宋侃[436]。纳景王妃苏氏。

时凤翔所诛宦官已七十二人，朱全忠又密令京兆搜捕致仕[437]不从行者，诛九十人。

甲子[438]，车驾出凤翔，幸全忠营。全忠素服待罪。命客省使[439]宣[40]释罪，去三仗[440]，止报平安[441]，以公服[442]入谢。全忠见上，顿首流涕，上命韩偓扶起之。上亦泣，曰：“宗庙社稷，赖卿再安；朕与宗族，赖卿再生。”亲解玉带以赐之。少休，即行。全忠单骑前导十许[41]里，上辞之。全忠乃令朱友伦将兵扈从，自留部分后队，焚撤诸寨。友伦，存[443]之子也。

是夕，车驾宿岐山。丁卯[444]，至兴平，崔胤始帅百官迎谒，复以胤为司空、门下侍郎、同平章事，领三司如故[445]。己巳[446]，入长安。

庚午[447]，全忠、崔胤同对。胤奏：“国初承平[448]之时，宦官不典兵预政[449]。天宝[450]以来，宦官浸盛。贞元[451]之初[42]，分羽林卫[452]为左、右神策军[453]以便卫从，始令宦官主之，以二千人为定制。自是参掌机密，夺百司权，上下弥缝[454]，共为不法，大则构扇[455]藩镇，倾危国家；小则卖官鬻狱[456]，蠹害[457]朝政。王室衰乱，职[458]此之由，不翦[459]其根，祸终不已。请悉罢诸司使，其事务尽归之省寺[460]，诸道监军俱召还阙下。”上从之。是日，全忠以兵驱宦官第五可范等数百人于内侍省[461]，尽杀之，冤号之声，彻[462]于内外。其出使外方者，诏所在收捕诛之，止留黄衣[463]幼弱者三十人以备洒扫。又诏成德节度使王镕选进五十人充敕使[464]，取其土风深厚，人性谨朴也。上愍[465]可范等或无罪，为文祭之。自是宣传诏命，皆令宫人[466]出入。其两军[467]内外八镇[468]兵悉属六军[469]，以崔胤兼判六军十二卫事。

李茂贞请求让他的儿子李侃娶平原公主为妻，又想把苏检的女儿嫁给景王李秘为妃，以此来巩固自己的地位。平原公主，是何后的女儿，何后对此感到很为难。昭宗说:“姑且让我能离开这里，何必担心你的女儿!”何后这才同意。正月二十日壬戌，平原公主嫁给恢复了本姓的宋侃。景王李秘娶苏氏为王妃。

当时在凤翔被杀掉的宦官已有七十二人，朱全忠又秘密命令在京兆地区搜捕退休没有随从昭宗到凤翔的宦官，杀死九十人。

正月二十二日甲子，昭宗出了凤翔，到达朱全忠的军营。朱全忠穿上素色衣服，等待处罚。昭宗命令客省使宣布免除朱全忠的罪责，去掉亲、勋、翊三卫立仗，只留下左、右金吾将军一人报平安，让朱全忠穿着公服入内致谢。朱全忠见到昭宗，磕头流泪，昭宗命令韩偓把他扶起来。昭宗也流着泪说:“宗庙社稷，全靠卿才能再次安定；朕与宗族，全靠卿再次逢生。”亲自解下玉带赐给朱全忠。稍加休息，就动身离开。朱全忠骑着马独自在前面引导了十来里路，昭宗向他告辞。朱全忠于是命令朱友伦率军护送昭宗，自己留下部分后队，焚烧撤毁各个营寨。朱友伦，是朱全忠二哥朱存的儿子。

当天晚上，昭宗住宿在岐山。正月二十五日丁卯，到达兴平，崔胤才率领百官迎谒昭宗。昭宗再次以崔胤为司空、门下侍郎、同平章事，依旧领户部、度支、盐铁三司事务。二十七日己巳，昭宗进入长安。

正月二十八日庚午，朱全忠、崔胤一同进宫奏对。崔胤上奏说:“建国初年天下太平的时候，宦官不掌管军队和干预朝政。玄宗天宝年间以后，宦官势力越来越强盛。德宗贞元初年，分羽林卫为左、右神策军以便侍卫随从，开始命令宦官掌管，以二千人作为定制。从此，宦官参与掌管机密事务，侵夺朝廷各司的权力，上下勾结掩饰，共同做出不法行为。从大的方面来说，串联煽动藩镇作乱，倾覆危害国家；从小的方面来说，卖官鬻爵，售讼得贿，败坏朝政。王室衰弱混乱，正是这个缘故，不铲除它的根源，祸乱终究不会停止。请全部罢免诸司使，把这些事务都归还省寺来管理，派往各道的监军也全部召回朝廷。”昭宗依从了他的建议。这一天，朱全忠用军队把宦官第五可范等几百人驱赶到内侍省，全部杀死，喊冤哀号的声音，响彻宫廷内外。那些出使到外地去的宦官，下诏命令所在地区官员把他们逮捕处死，只留下品秩卑微、年幼体弱的宦官三十人以备洒扫之用。又下诏命令成德节度使王镕挑选五十个人进宫充当敕使，因为那个地方风俗淳厚，人性谨慎朴质。昭宗怜悯第五可范等人有的没有罪过，便撰文祭奠他们。此后，宣读传达诏命，都是命令宫人出入办理。左、右神策两军所统辖的内外八镇军队，也都归属六军，以崔胤兼领六军十二卫的事务。

【段旨】

以上为第十二段，写朱全忠劫得唐昭宗返长安，韩全诲等大小宦官全被诛杀。

【注释】

㊶⓪戊申：正月初六日。㊶①内养：内侍宦官。㊶②御食使：官名，掌御膳。内诸司使之一。㊶③第五：复姓。㊶④宣徽南院：宣徽院，官署名，唐设置宣徽南、北院使，由宦官担任。总领宫内诸司及三班内侍的名籍和郊祀朝会宴飨供帐等事宜。㊶⑤上院：枢密分东西院，东院为上院，西院为下院。㊶⑥己酉：正月初七日。㊶⑦囊：口袋。此处指以口袋装纳。㊶⑧向来：以前；过去。㊶⑨胁留车驾：胁迫皇帝停留。㊷⓪离间：挑拨朱全忠与朝廷的关系。㊷①协和：调和融洽。㊷②豁：排遣；宣泄。㊷③辛亥：正月初九日。㊷④观察判官：李振原为天平军节度副使，现为四镇观察判官。㊷⑤朱书御札：皇帝的诏令。唐制，遇灾荒，国用不足，天子寻求治理经济的策略，则出朱书御札咨询群臣。㊷⑥是非：是与不是。此谓辨认天子真假。㊷⑦胤始来：唐昭宗数召崔胤而不起，他只是等待朱全忠之命，故朱全忠一封信就使他立即到任。㊷⑧甲寅：正月十二日。㊷⑨丙辰：正月十四日。㊸⓪赵国夫人、冯翊夫人：赵国夫人和冯翊夫人在内命妇的爵秩中有国夫人和郡夫人之别。㊸①诘：追问。责问既已和解为什么又遣兵相击。㊸②尚：娶帝王之女。㊸③景王秘：唐昭宗子。乾宁四年（公元八九七年）始王。㊸④得出：得以脱离。㊸⑤壬戌：正月二十日。㊸⑥宋侃：李茂贞之子。李茂贞原姓宋，现因公主姓李，嫌于同姓嫁娶，故复本姓。㊸⑦致仕：退休。这里指未从昭宗至凤翔，闲居京师的宦官。㊸⑧甲子：正月二十二日。㊸⑨客省使：官名，掌通知阁门事。㊹⓪三仗：唐制，正衙有亲、勋、翊三卫立仗。去三仗，恐朱全忠以羽卫之严不

【原文】

臣光曰："宦官用权，为国家患，其来久矣。盖以出入宫禁，人主自幼及长，与之亲狎㊼⓪，非如三公六卿㊼①，进见有时，可严惮㊼②也。其间复有性识㊼③儇利㊼④，语言辩给㊼⑤，善[43]伺候颜色㊼⑥，承迎㊼⑦志趣，受命则无违迕㊼⑧之患，使令则有称惬㊼⑨之效。自非上智㊽⓪之主，烛知㊽①物情㊽②，虑患深远，侍奉之外，不任以事，则近者日亲，远

敢入。441 报平安：唐制，左、右金吾将军以一人报平安。442 公服：官吏的简易礼服。唐章服之制，有朝服、公服。朝服为上朝时的官服，公服为平常官服。443 存：即朱存，朱全忠二兄。444 丁卯：正月二十五日。445 领三司如故：崔胤原为户部、度支、盐铁三司使，车驾至凤翔，贬崔胤官，现复之。446 己巳：正月二十七日。447 庚午：正月二十八日。448 承平：太平。449 典兵预政：领兵参与政事。450 天宝：唐玄宗年号（公元七四二至七五六年）。451 贞元：唐德宗年号（公元七八五至八〇五年）。452 羽林卫：皇帝卫军。唐设左、右羽林卫，掌统北衙禁军。453 左右神策军：神策军原为西北戍边军队，后因宦官鱼朝恩而入朝成为皇帝禁军。德宗时正式任命宦官统领，并分为左、右神策军。这支直属皇帝的武装力量，人数最多时达到十多万人。这也成为宦官控制朝政的武力基础。454 弥缝：掩饰不法行为。455 构扇：串联煽动。456 鬻狱：卖讼得贿。457 蠹害：侵害；祸害。458 职：主要。459 翦：消灭；除去。460 省寺：唐代中央官制，外朝为三省九寺。461 内侍省：宫廷内管理宦官的机构。设内侍四人，内常侍六人，掌管掖廷、宫闱、奚官、内仆、内府等五局。462 彻：响彻。463 黄衣：宦官品秩之卑者穿黄衣。464 敕使：皇帝的使者。465 愍：哀怜。466 宫人：宫女的通称。467 两军：指左、右神策军。唐中叶以后宦官以两军中尉统神策军。468 内外八镇：指左右神策军所统内外八镇兵。469 六军：即北衙左右龙武、左右神武、左右神策六军。

【校记】

［39］平原：原作“平原公主”。据章钰校，十二行本、乙十一行本皆无“公主”二字，今据删。［40］宣：原作“宣旨”。据章钰校，十二行本、乙十一行本皆无“旨”字，今据删。［41］十许：原作“十余”。据章钰校，十二行本、乙十一行本、孔天胤本皆作“十许”，今从改。［42］初：原作“末”。严衍《通鉴补》改作“初”，今据以校正。

【语译】

司马光说：“宦官掌权，成为国家的祸患，它的由来已经很久远了。大致说来，因为宦官出入宫廷，皇帝从小到大，和宦官亲近熟悉而态度随意，不像三公六卿那样，进入宫廷见面有规定的时间，有敬威畏惧的感觉。宦官中还有的性情敏捷伶俐，能言善辩，善于察言观色侍奉皇帝，迎合君主的志趣，接受命令就不必有违背抵触的担心，使唤差遣就会有称心满意的效果。除非是上等智慧的君主，能洞察事物的情理，考虑祸患深远，在侍奉之外，不委任宦官掌管事务，那么这些近在帝王身边的宦官会一天天亲密起来，不经常和帝王见面的

者日疏，甘言悲辞[44]之请[483]有时而从，浸润肤受之诉[484]有时而听。于是黜陟[485]刑赏之政，潜移[486]于近习而不自知，如饮醇酒，嗜[487]其味而忘其醉也。黜陟刑赏之柄[488]移而国家不危乱者，未之有也。

“东汉之衰，宦官最名[489]骄横，然皆假[490]人主之权，依凭城社[491]，以浊乱天下，未有能劫胁[492]天子如制[493]婴儿，废置[494]在手，东西出其意[495]，使天子畏之若乘虎狼而挟蛇虺[496]，如唐世者也。所以然者[497]非他[498]，汉不握兵，唐握兵故也。

“太宗鉴前世之弊，深抑[499]宦官无得过四品[500]，明皇[501]始隳[502]旧章，是崇是长[503]，晚节[504]令高力士[505]省决[506]章奏，乃至进退将相，时与之议，自太子王公皆畏事之，宦官自此炽[507]矣。及中原板荡[508]，肃宗收兵灵武[509]，李辅国[510]以东宫旧隶[511]参豫[512]军谋，宠过而骄，不复能[45]制，遂至爱子慈父皆不能庇[513]，以忧悸终[514]。代宗践阼[515]，仍遵覆辙[516]，程元振、鱼朝恩[517]相继用事，窃弄刑赏[518]，壅蔽[519]聪明，视天子如委裘[520]，陵[521]宰相如奴虏。是以[522]来瑱[523]入朝，遇谗赐死；吐蕃深侵郊甸，匿不以闻[524]，致狼狈幸陕[525]；李光弼[526]危疑愤郁，以陨[527]其生；郭子仪[528]摈[529]废家居，不保丘垄[530]；仆固怀恩[531]冤抑无诉，遂弃勋庸[532]，更为叛乱。德宗初立，颇振纲纪，宦官稍绌[533]。而返自兴元[534]，猜忌诸将，以李晟、浑瑊[535]为不可信，悉夺其兵，而以窦文场、霍仙鸣[536]为中尉，使典宿卫，自是太阿[537]之柄，落其掌握矣。宪宗末年，吐突承璀[538]欲废嫡立庶，以成陈洪志之变[539]。宝历[540]狎昵[541]群小，刘克明[542]与苏佐明[543]为逆[544]，其后绛王[545]及文、武、宣、懿、僖、昭六帝，皆为宦官所立[546]，势益骄横。王守澄[547]、仇士良[548]、田令孜、杨复恭、刘季述、韩全诲为之魁杰[549]，自[46]称‘定策国老[550]’，目[551]天子为门生，根深蒂固，疾成膏肓[552]，不可救药矣！文宗深愤其然，志欲除之，以宋申锡[553]之贤，犹不能有所为，反受其殃；况李训[554]、郑注[555]反覆小人，欲以一朝谲诈之谋[556]，翦[557]累世[558]胶

外朝大臣会一天天地疏远。宦官甘美话语、哀伤言辞的请求，帝王有时就会依允，浸润之谮，肤受之诉，有时就会听从。于是黜免、升迁、刑罚、奖赏等朝廷政令，不知不觉转移到亲近的宦官手中而帝王不能自知，好像饮用陈年的美酒，喜好它的味道而忘掉它会使人醉倒。这样一来，黜免、升迁、刑罚、奖赏等大权旁落而国家不陷入危险祸乱的，从来都没有过。

“东汉衰亡时，宦官最为骄纵横行，然而他们都是借助君主的权力，好像城狐社鼠倚势为奸，来扰乱天下，还没有能像唐朝这样劫持、胁迫天子如同控制婴儿，废立在于手中，往东往西全凭自己的意愿，使天子惧怕他们就像骑着虎狼挟着毒蛇一般。之所以会成为这样，没有其他的原因，就是东汉的宦官不掌握兵权，唐朝的宦官掌握兵权的缘故。

“太宗鉴于前代的弊端，对宦官深加抑制，他们的官阶不能超过四品。玄宗开始毁坏旧有的规章，尊崇宦官，重用宦官，晚年让高力士审阅批复章奏，甚至任免将军、宰相这样的军国大事，也常和高力士商量，自太子以下所有的王公都提心吊胆地侍奉他，宦官的势力自此旺盛起来。到了中原动荡不安的时候，肃宗在灵武收拢兵权，李辅国以东宫旧属的身份参与军事谋划，宠信过度，使他骄横放纵，不再能加以控制，竟至皇帝连爱子和慈父都不能庇护，在忧虑惊恐中去世。代宗登上帝位，仍然重蹈覆辙，程元振、鱼朝恩相继当政，窃取刑赏大权，堵塞蒙蔽皇帝的耳目，看待皇帝如同丢弃的裘衣，欺凌宰相好像对待奴仆俘虏一般。所以来瑱入朝为相，遭到程元振的谗言毁谤被赐死；吐蕃入侵深入到京城附近，宦官竟然隐匿不报，使得皇帝狼狈幸临陕州；李光弼受到危害猜疑，心中愤懑抑郁，以致丧命；郭子仪被排斥罢官，闲居在家，还保不住祖先的坟墓；仆固怀恩含冤受抑，无处申诉，于是抛弃功勋，反而叛变作乱。德宗刚即位时，大力整顿朝纲法纪，宦官的势力稍被抑制。但从兴元返京后，猜疑、嫉妒各将领，认为李晟、浑瑊都不可信，削夺他们的全部兵权，而以窦文场、霍仙鸣为中尉，让他们统领护卫宫廷的禁军，从此以后，禁军的兵权落在宦官手中了。宪宗末年，吐突承璀想要废黜皇帝嫡子遂王李恒，拥立庶子澧王李恽，终于酿成陈洪志的变乱。敬宗宝历年间过分亲近宦官，刘克明和苏佐明叛变为逆。这以后绛王李悟以及文宗、武宗、宣宗、懿宗、僖宗、昭宗六个皇帝，都是被宦官拥立的，宦官之势更加骄横霸道。王守澄、仇士良、田令孜、杨复恭、刘季述、韩全诲是宦官中的首领，自称是‘定策国老’，把皇帝视为门生，这种情况已是根深蒂固，病入膏肓，不可救药了！文宗深切愤恨这种情况，立志要铲除他们，但像宋申锡那样贤德的人，尚且不能有所作为，反而遭受祸殃；更何况李训、郑注这样的反复小人，想要用一个早晨的阴谋诡计，来剪除

固[559]之党，遂至涉血禁涂[560]，积尸省户[561]，公卿大臣，连颈就诛[562]，阖门屠灭[563]，天子阳喑[564]纵酒，饮泣吞气，自比赧[565]、献[566]，不亦悲乎！以宣宗之严毅明察，犹闭目摇首，自谓畏之。况懿、僖之骄侈，苟[567]声色球猎[568]足充其欲，则政事一以付之，呼之以父[569]，固无怪矣。贼污宫阙[570]，两幸梁、益[571]，皆令孜所为也。昭宗不胜其耻，力欲清涤，而所任不得其人，所行不由其道。始则张濬覆军于平阳[572]，增李克用跋扈之势，复恭亡命于山南，启宋文通[573]不臣之心；终则兵交阙庭[574]，矢及御衣，漂泊莎城[575]，流寓华阴[576]，幽辱东内[577]，劫迁岐阳[578]。崔昌遐[579]无如之何，更召朱全忠以讨之。连兵围城，再罹寒暑，御膳不足于糗糒[580]，王侯毙踣[581]于饥寒，然后全诲[582]就诛，乘舆东出[583]，翦灭其党，靡有孑遗[584]，而唐之庙社[585]因以丘墟矣！然则宦官之祸，始于明皇，盛于肃、代，成于德宗，极于昭宗。易曰：‘履霜坚冰至[586]。’为国家者，防微杜渐[587]，可不慎其始哉！此其为患，章章[588]尤著者也，自余[589]伤贤害能，召乱致祸，卖官鬻狱，沮败[590]师徒，蠹害烝民[591]，不可遍举。

“夫[47]寺人[592]之官，自三王[593]之世，载[48]于《诗》《礼》[594]，所以谨闺闼[595]之禁，通内外之言，安可无也？如巷伯之疾恶[596]，寺人披[597]之事君，郑众[598]之辞赏，吕强[599]之直谏，曹日升[600]之救患，马存亮[601]之弭乱，杨复光[602]之讨贼，严遵美[603]之避权，张承业[604]之竭忠，其中岂无贤才乎！顾人主不当与之谋议政事，进退士大夫，使有威福足以动人耳。果或有罪，小则刑之，大则诛之，无所宽赦。如此，虽使之专横，孰敢哉[49]！岂可不察臧否[605]，不择是非，欲草薙[606]而禽狝[607]之，能无乱乎！是以袁绍[608]行之于前而董卓[609]弱汉，崔昌遐袭之于后而朱氏篡唐[610]，虽快一时之忿而国随以亡。是犹恶[611]衣之垢[612]而焚之，患木之蠹[613]而伐之，其为害岂不益多哉！孔子曰：‘人而不仁，疾之已甚，乱也。’[614]斯之谓矣！”

积累数代凝聚坚实的朋党，最终导致鲜血流满宫廷道路，尸体堆积在台省门前，公卿大臣接连被杀死，全家满门被屠灭，皇帝装哑纵酒，饮泣吞声，把自己比作周赧王、汉献帝，不也是很可悲吗！以宣宗的严厉果断，明察秋毫，尚且闭目摇头，自称畏惧他们；何况懿宗、僖宗那样骄奢淫逸，只要有歌舞美女、踢球打猎来满足自己的欲望，那么把一切朝廷政事都交给宦官，称他们为父亲，本来就没有什么可奇怪的了。贼寇玷污宫殿，僖宗两次逃奔梁州、益州，都是田令孜所造成的。昭宗不能忍受这样的耻辱，竭力想要清洗，但是所任用的未得其人，所行未遵正道。开始是张濬在平阳全军覆没，助长了李克用嚣张跋扈的气势，杨复恭逃亡到山南，开启了宋文通不守臣节的想法；最后则在皇宫里激烈交战，箭头射中皇帝的衣服，使得昭宗到莎城流亡漂泊，在华阴寄居暂住，又被幽禁在东宫受辱，被劫持胁迫到岐阳。崔胤无可奈何，再召朱全忠发兵讨伐。朱全忠率军包围岐阳城，皇帝再度遭受经历寒暑的苦难，御膳连干粮也不能保障，王侯在饥寒交迫中倒毙，然后韩全诲才被杀死，皇帝东回长安，剪灭韩全诲的同党，没有一个遗漏的，但是唐朝的宗庙社稷也因此成为废墟！这样看来，唐朝宦官的祸乱，开始于玄宗，兴盛于肃宗、代宗，大成于德宗，到昭宗时达到极点。《易经》说：‘行于霜上而知道严寒冰冻将要到来。’治理国家的人，必须防微杜渐，怎么能不小心对待它的起始呢！以上这些是宦官所造成的灾祸中，特别明显昭著的事例。其余像伤害贤能、招致祸乱、出卖官职、收贿减刑、败坏军队、祸害百姓等事情很多，不可能全部列举出来。

“说到宦官的设置，开始于夏禹、商汤、周文王三王的时代，记载在《诗经》《礼经》中，这是为了谨慎遵守宫廷门户的禁令，沟通宫廷内外的意见，怎么能没有呢？比如巷伯痛恨谗言邪恶，寺人披忠诚侍奉君王，郑众推辞赏赐，吕强直言谏劝，曹日升解救患难，马存亮消除祸乱，杨复光讨伐贼寇，严遵美辞让权位，张承业竭忠尽力，他们中间难道没有贤能人才吗！只是帝王不应当与他们谋划商议朝廷政务和提拔贬黜官吏，使得他们能够作威作福，足以操控别人罢了。如果有人犯罪，小则处以刑罚，大则杀死他，不予宽恕赦免。这样，即使让宦官专横跋扈，又有谁敢呢！怎么能不明察善恶，不辨别是非，想要像割草、杀禽兽那样斩尽杀绝，能不造成祸乱吗！因此，前有袁绍实行屠杀导致董卓削弱汉室，后有崔胤承袭袁绍的办法而造成朱全忠篡夺皇位，虽然痛快地发泄一时的愤恨，但国家随之灭亡。这就像是厌恶衣服上的污垢就烧掉衣服，憎恶树木里的蛀虫就砍伐树木，这样造成的危害岂不是更多了吗！孔子说：‘人如果不仁爱，痛恨过分，就会引发祸乱。’说的就是这个意思啊！”

【段旨】

以上为第十三段，写司马光论唐代宦官之祸。

【注释】

⑷⑺⓪亲狎：亲近狎昵。⑷⑺①三公六卿：泛指王公大臣。太尉、司徒、司空为三公，吏、户、礼、兵、刑、工六部尚书为六卿。⑷⑺②严惮：畏惧；害怕。⑷⑺③性识：性情见识。⑷⑺④儇利：敏捷伶俐。⑷⑺⑤辩给：能言善辩。⑷⑺⑥善伺候颜色：善于观察皇帝的脸色进行侍奉。⑷⑺⑦承迎：奉承迎合。⑷⑺⑧违迕：违背忤逆。⑷⑺⑨称惬：称心满意。⑷⑧⓪上智：上等智力的人。⑷⑧①烛知：洞悉。⑷⑧②物情：事物的情理。⑷⑧③甘言悲辞之请：指宦官用甜言蜜语或哀伤的言辞请托君主。⑷⑧④浸润肤受之诉：意谓君主听从逐渐渗透的谗言诬告。语出《论语·颜渊》："浸润之谮，肤受之诉，不行焉，可谓明也已矣。"浸润，喻语言如物受水渗透，以渐而进。肤受，皮肤感受，喻粗浅不实之言。诉，此处义与"谮"同，即诬陷、中伤。⑷⑧⑤黜陟：进退人才。黜，贬、废免。陟，提升。⑷⑧⑥潜移：渐渐地转移。⑷⑧⑦嗜：爱好。⑷⑧⑧柄：权柄。⑷⑧⑨最名：最出名。⑷⑨⓪假：借。⑷⑨①城社：城墙和土地庙。比喻宦官在皇帝左右，有如城墙上的狐狸，土地庙里的老鼠，有所依凭，不怕熏烧，凭仗皇帝之势作恶。⑷⑨②劫胁：劫持威胁。⑷⑨③制：控制。⑷⑨④废置：废黜和拥立。⑷⑨⑤东西出其意：往东还是往西一切都按宦官的想法去做。⑷⑨⑥蛇虺：毒蛇。⑷⑨⑦所以然者：所以成这样的。⑷⑨⑧非他：不是别的原因。⑷⑨⑨抑：抑制。⑸⓪⓪四品：官吏的等级。唐代流内官分为九品，每品又分为正、从，正一品最高，正四品以下每品又分为上、下阶。唐太宗规定内侍省不设立三品官。内侍省长官为内侍，员二人，从四品上阶，只掌管宫内事务，不委任政事。⑸⓪①明皇：唐玄宗。⑸⓪②隳：毁坏。⑸⓪③是崇是长：借用《尚书·牧誓》之辞，指唐明皇如同殷纣王崇敬、尊重罪人一样，崇敬宦官，尊重宦官。崇、长，皆尊重之意。是，表示肯定判断。⑸⓪④晚节：晚年。⑸⓪⑤高力士：玄宗朝著名宦官。⑸⓪⑥省决：省视裁决。⑸⓪⑦炽：旺盛。⑸⓪⑧板荡：指政局变乱和社会动荡不安。⑸⓪⑨灵武：郡名，灵州灵武郡，治所在今宁夏灵武西北。肃宗在安史之乱中，即位于灵武。⑸①⓪李辅国：肃宗朝擅权宦官。⑸①①东宫旧隶：李辅国原为肃宗太子家令。⑸①②参豫：参与。⑸①③爱子慈父皆不能庇：爱子，指唐肃宗之子唐代宗李豫。慈父，指肃宗之父唐玄宗李隆基。李辅国擅权，幽禁玄宗，控制太子，使肃宗上不得庇慈父，下不得庇爱子。庇，保护。⑸①④以忧悸终：指唐肃宗在忧虑惊惧中死亡。⑸①⑤践阼：登基。⑸①⑥覆辙：指唐代宗仍宠用宦官程元振、鱼朝恩，重蹈唐玄宗、唐肃宗之覆辙。⑸①⑦程元振、鱼朝恩：皆为唐代宗朝擅权宦官。⑸①⑧窃弄刑赏：窃取刑赏大权。⑸①⑨壅蔽：堵塞、蒙蔽。⑸②⓪委裘：先帝的遗衣。此言程元振、鱼朝恩把天子只是当作一件裘衣侍奉而已。⑸②①陵：欺侮。⑸②②是以：因此。⑸②③来瑱（？至公元七六三年）：邠州永寿（今陕西永寿）人，唐玄宗朝任颍川太守，安史之乱时抗贼有大功，拜御史大夫，充山南东道十

州节度观察处置使。后入朝，受程元振诬陷，被代宗赐死。㉔吐蕃深侵郊甸二句：吐蕃于唐代宗宝应二年（公元七六三年）十月率吐谷浑、党项等二十余万众，一直打到奉天、武功，但程元振封锁消息，不让唐代宗知道。郊甸，京郊。㉕狼狈幸陕：吐蕃兵逼近长安，唐代宗仓促奔陕州。㉖李光弼：平定安史之乱的名将，因受制于宦官，愧恨成疾而卒。㉗陨：陨落；死亡。㉘郭子仪：平定安史之乱的名将，与李光弼齐名。封汾阳郡王。德宗即位，尊为尚父。㉙摈：排斥。㉚丘垄：坟墓。大历二年（公元七六七年）十二月鱼朝恩遣人盗发郭子仪父墓。㉛仆固怀恩：郭子仪的部将。平定安史之乱有功，一门死王事者四十六人，却遭宦官骆奉仙等构陷，愤怨殊深，于唐代宗广德二年（公元七六四年）反叛，被诛死。㉜勋庸：功勋。㉝稍绌：略微受到控制。绌，通"黜"，罢斥。㉞返自兴元：指德宗蒙尘，从兴元返回长安。兴元，府名，治所南郑，在今陕西汉中。㉟李晟、浑瑊：皆为中唐名将。德宗时朱泚叛乱，李晟与浑瑊协力收复京师。㊱窦文场、霍仙鸣：皆为唐德宗朝的擅权宦官。德宗为太子时，二人曾事东宫，故深受宠信。贞元十二年（公元七九六年）以窦文场、霍仙鸣为护军中尉监北军。㊲太阿：古代名剑名，此指军权。㊳吐突承璀：唐宪宗朝擅权宦官。宪宗元和十五年（公元八二〇年）任左军中尉，谋废宪宗嫡子李恒，而立澧王李恽为太子，激发宫廷政变，宦官梁守谦弑宪宗，杀澧王李恽和吐突承璀，而立太子李恒，是为穆宗。㊴陈洪志之变：应为陈弘志，受梁守谦之命弑宪宗。㊵宝历：唐敬宗的年号。此指敬宗。㊶狎昵：亲昵接近。㊷刘克明：敬宗朝宦官。㊸苏佐明：敬宗朝善击球的军将。㊹为逆：做叛逆之事。宝历二年（公元八二六年）十二月，刘、苏二人合谋，在夜宴上弑敬宗。㊺绛王：宪宗子，名悟。敬宗崩，刘克明等矫诏以王领军国事。㊻皆为宦官所立：即王守澄拥立文宗，仇士良、鱼弘志拥立武宗，马元贽拥立宣宗，王宗实拥立懿宗，刘行深、韩文约拥立僖宗，杨复恭拥立昭宗。即有唐一代，文、武、宣、懿、僖、昭六帝皆为宦官所立。㊼王守澄：唐宪宗朝擅权宦官。㊽仇士良：历仕唐宪宗、唐武宗朝的擅权宦官。㊾魁杰：首领。㊿定策国老：杨复恭在给杨守亮的信中发泄对唐昭宗的不满，说昭宗"废定策国老"，自己以"定策国老"自居。551目：视。杨复恭信中指责唐昭宗为"负心门生天子"，把天子看作是自己的"门生"。552膏肓：古代医学称心脏下部为膏，隔膜为肓。《左传·成公十年》载晋侯有病，请秦国医生诊治。医生说："疾不可为也，在肓之上，膏之下，攻之不可，达之不及，药不至焉。"后谓病极为严重，难以医治为病入膏肓。553宋申锡：文宗朝翰林学士。唐文宗患宦官专权不能制，以宋申锡为相，谋诛宦官。宦官王守澄等人诬告宋申锡谋立漳王，文宗怒，贬宋为开州司马，死于贬所。554李训：唐文宗朝宰相。555郑注：唐文宗朝工部尚书、凤翔节度使。二人合谋尽除宦官，但李训欲专其功又企图除掉郑注，李、郑皆为宦官所诛。556谲诈之谋：诡诈的计谋。指甘露之变。事详本书卷二百四十五唐文宗太和九年。557翦：消灭；剪除。558累世：好几代。559胶固：胶粘固结，喻宦官死党。560涉血禁涂：血流宫禁和道路。561积尸省户：尸体堆满台省门前。562连颈就诛：许多人一起被杀。563 阖门屠灭：满门处死。甘露之变仇士良大杀朝官，宰相大臣被捕杀，亲属连坐皆死，朝中几为之一空。564 阳喑：装哑。565 赧：周赧王姬延。566 献：汉献帝刘协。甘露之变后，唐文宗以赧、献自比，悲愤地说："赧、献受制于强诸侯，今朕受制于家奴！"567 苟：假如。568 球猎：踢球或打猎。569 呼之以父：对宦官以"尚父"或"阿父"呼之。570 贼污宫阙：指黄巢打入长安。571 梁、益：梁州和益州。黄巢入长安，僖宗出奔成都（益州治所）。后李克用进逼京城，田令孜挟僖宗至兴元（梁州治所，今陕西汉中）。572 平阳：即晋州（今山西临汾），隋曰平阳郡。大顺元年（公元八九〇年）宰相张濬会诸道兵于晋州击李克用，李克用大败官军，张濬丧师殆尽。573 宋文通：李茂贞的本名。李茂贞以讨杨复恭、杨守亮，尽有十五州，恃功骄横，乘胜兵逼长安。574 兵交阙庭：昭宗乾宁二年（公元八九五年）邠宁节度使王行瑜、镇国节度使韩建、凤翔节度使李茂贞三镇犯京师。凤翔将李继鹏与神策军捧日都头李筠战于承天楼，箭矢射及皇帝御衣。575 莎城：镇名，昭宗仓皇出奔至莎城，在长安城南近郊。576 华阴：县名，县治在今陕西华阴，时属华州。577 幽辱东内：此处指昭宗被幽禁在东宫事。见本书卷二百六十二。东内，即东宫。578 岐阳：县名，县治在今陕西岐山县北，时属岐州。579 崔昌遐：即崔胤，字昌遐。580 糗糒：干粮。581 毙踣：倒毙。582 全诲：即韩全诲。583 乘舆东出：昭宗出凤翔，还长安。584 靡有孑遗：一个不留。靡有，没有。孑遗，残存、剩余。585 庙社：宗庙社稷。586 履霜坚冰至：《易·坤卦·初六·爻辞》："履霜坚冰至。"意谓行走在有霜的地面上，便可知道凝结成坚冰的时节快要到了。喻唐代宦官之所以专横跋扈，酿成大祸，亦非一朝一夕之故。587 防微杜渐：在错误或坏事还未显著或刚刚发生的时候，就要加以防止，不让它发展。588 章章：昭著的样子。589 自余：至于其他。590 沮败：败坏。591 烝民：众百姓。592 寺人：宫廷内的近侍。593 三王：夏禹、商汤、周文武。594 载于诗礼：指宦官在《诗经》《礼经》中均有记载。《诗经·小雅·巷伯》："寺人孟子，作为此诗，凡百君子，敬而听之。"《周礼·天官·寺人》："寺人掌王之内人及女宫之戒令。"595 闺闼：宫禁或内室的门户。596 巷伯之疾恶：《巷伯》是一个表字孟子的寺人所作。作者遭人谗毁，写此诗发泄怨愤，诅咒进谗言的奸人。疾恶，憎恨坏人坏事。597 寺人披：寺人名，《左传·僖公二十四年》载，晋献公信谗言，派寺人披刺杀公子重耳于蒲城。重耳逾墙而逃，仅斩其衣袖。重耳即位后责怪他为献公卖力，他回答："君命无二，古之制也。除君之恶，惟力是视。"598 郑众：东汉宦官。南阳人，字季严。和帝时窦宪当权，郑众与和帝

【原文】

王师范遣使以起兵告李克用，克用贻书[615]褒赞之。河东监军张承业亦劝克用发兵救凤翔，克用攻晋州，闻车驾东归，乃罢。

定谋诛窦宪，以功授大长秋，封鄛乡侯。辞赏事见本书卷四十八汉和帝永元元年。⑸⑼吕强：东汉灵帝时宦官，字汉盛。黄巾起义时，吕强直谏，请求先诛左右贪浊者，大赦党人，被灵帝采纳。中常侍赵恽等诬陷他，他说："丈夫欲尽忠国家，岂能对狱吏乎！"因而自杀。事见本书卷五十七汉灵帝光和二年。⑹⑽曹日升：肃宗时宦官。至德二载（公元七五七年）山南东道节度使鲁炅守南阳一年，城中食尽，肃宗遣曹日升来宣慰，曹仅带数骑突围入城，后又至襄阳取粮，取道运粮而入，使鲁炅军备受鼓舞。⑹⑴马存亮：字季明，河中人，宦官。唐宪宗朝为左神策军副使、左监门卫将军。唐敬宗时，染署工张韶企图谋反，马存亮救驾，并尽捕乱党。⑹⑵杨复光：福建人，宦官。唐僖宗朝为忠武监军，中和元年五月，曾率忠武等兵八千人败朱温，后为天下兵马都监。⑹⑶严遵美：宦官。曾为左神策观军容使，认为宦官掌权肆横太过分。唐昭宗时任他为两军中尉、观军容处置使，坚辞，隐居青城山。⑹⑷张承业：字继之，唐僖宗朝宦官，为河东监军。李克用死后辅佐李存勖，李存勖要即帝位，他力谏不听，最后不食而卒。⑹⑸臧否：善恶。⑹⑹薙：除草。⑹⑺禽狝：杀戮禽兽。此句谓像除草捕兽一样杀尽宦官。⑹⑻袁绍：东汉末名士、军阀，与何进谋诛宦官，召董卓入京，导致祸乱。⑹⑼董卓：东汉末大军阀。他入京废少帝，立献帝，专断朝政，引发汉末大乱。⑹⑽朱氏篡唐：朱全忠于唐哀帝天祐四年（公元九〇七年）篡唐，即皇帝位，国号大梁，唐亡。⑹⑾恶：厌恶。⑹⑿垢：污秽；脏东西。⒀蠹：蛀虫。⒁孔子曰四句：引语见《论语·泰伯》。意谓对不仁的人，逼迫得太厉害，也会出乱子。疾，逼迫。

【校记】

［43］善：原无此字。据章钰校，十二行本、乙十一行本、孔天胤本皆有此字，张敦仁《通鉴刊本识误》同，今据补。［44］悲辞：原作"卑辞"。据章钰校，十二行本、乙十一行本皆作"悲辞"，今从改。［45］复能：原作"能复"。据章钰校，十二行本、乙十一行本、孔天胤本二字皆互乙，今从改。［46］自：原作"至自"。据章钰校，十二行本、乙十一行本皆无"至"字，今据删。［47］夫：原作"去"。据章钰校，十二行本、乙十一行本、孔天胤本皆作"夫"，张瑛《通鉴校勘记》、熊罗宿《胡刻资治通鉴校字记》同，今从改。［48］载：原作"具载"。据章钰校，十二行本、乙十一行本皆无"具"字，今据删。［49］哉：原作"焉"。据章钰校，十二行本、乙十一行本皆作"哉"，今从改。

【语译】

王师范派遣使者把起兵讨伐朱全忠的事告诉李克用，李克用写去书信赞扬他。河东监军张承业也劝说李克用发兵救援凤翔。李克用进攻晋州，听说昭宗已经东归京城长安，就停止了进攻。

杨行密承制[616]加朱瑾东面诸道行营副都统、同平章事，以昇州刺史李神福为淮南行军司马、鄂岳[617]行营招讨使，舒州团练使刘存副之，将兵击杜洪。洪将骆殷戍永兴[618]，弃城走，县民方诏据城降。神福曰："永兴大县，馈运所仰[619]，已得鄂之半矣！"

【段旨】

以上为第十四段，写李克用势弱，救援王师范不力。杨行密扩张势力，进兵鄂岳。

【注释】

⑮ 贻书：写去书信。⑯ 承制：指杨行密以唐昭宗名义下达任命书。⑰ 鄂岳：方镇名，唐宪宗元和五年（公元八一〇年）置鄂岳都团练观察使，治所鄂州，在今湖北武汉。后升为武昌军节度使，时杜洪在任。⑱ 永兴：县名，县治在今湖北阳新。⑲ 仰：仰仗。

【研析】

本卷研析汴、岐两镇争天子，李克用兵败晋阳，王师范讨逆，司马光论宦官之祸四件史事。

第一，汴、岐两镇争天子。公元九〇一年，朱全忠并河中，势力大盛，进兵五万围晋阳，李克用请和。朱全忠表请昭宗幸东都，发出了劫夺天子的信号，京都大骇，士民逃窜山谷。十一月，韩全诲与留京岐兵逼迫昭宗、皇后、嫔妃、诸王一百余人奔凤翔，崔胤搬起石头砸了自己的脚。朱全忠率众取华州，入关中，劫夺了百官。朝廷分裂，汴、岐两镇争天子，朱、李交兵关中整整一年，西川王建乘势夺取李茂贞山南。在朱全忠与王建夹攻下，李茂贞迅速瓦解，困守凤翔孤城，眼见大势已去，诛杀了韩全诲向朱全忠请降。公元九〇三年正月，朱全忠拥帝还长安，杀宦官第五可范等数百人，只留幼弱者三十人以备洒扫。昭宗诏令诸镇尽诛监军。朱全忠扮演了东汉末董卓入京诛宦官的角色，崔胤则扮演了何进与袁绍双重的角色，一是效何进招朱全忠入京，二是效袁绍力主杀尽宦官。崔胤虽如愿以偿，但不久自己也人头落地，唐王室也归于灭亡。

当时，唐王朝三大矛盾交织。其一，是藩镇与中央政权的矛盾；其二，是宦官与朝官的矛盾，南北司水火不容；其三，朝官之间的朋党之争，小人充斥朝廷。藩镇割据是当时最大的祸患。唐自安史之乱以后，藩镇坐大，黄巢乱起，推动藩镇布杨行密以昭宗名义加朱瑾为东面诸道行营副都统、同平章事，以昇州刺史李神福为淮南行军司马、鄂岳行营招讨使，以舒州团练使刘存为他的副手，率军攻打杜洪。杜洪的部将骆殷驻守永兴，弃城逃走。县民方诏占据永兴城投降。李神福说："永兴是大县，运输军用物资和粮食都要依仗这里，得到永兴等于已经得到鄂州的一半了！"

列全国，唐王室令不行于诸镇，京都成了一座困守的孤城。河北山东，列镇相望，战争最烈。唐昭宗时，藩镇气焰尤为嚣张。凤翔李茂贞、汴州朱全忠、太原李克用、邠州王行瑜、华州韩建、镇州王镕、幽州李匡威、同州王行约，个个有野心，无不虎视关中。当崔胤与韩全诲交恶之时，朱全忠据有郓、青、曹、棣、兖、沂、徐、宿、陈、许、郑、汴、滑、濮等十四州，李茂贞占有山南、梁、洋、凤、岐、陇、泾、原等州，身兼凤翔和山南两道节度使，李克用削弱，李茂贞与朱全忠成为最大的两个强镇。宦官韩全诲与李茂贞相结，崔胤与朱全忠交通，形成两大集团的斗争，把三大矛盾纠结在一起。等到李茂贞势蹙，朱全忠挟制天子，宦官尽数被诛，崔胤等百官亦被诛戮，唐王室积聚的三大矛盾冰消瓦解，唐王朝也就灭亡了。

第二，李克用兵败晋阳。李克用雄踞太原、河东，原本强于朱全忠。当秦宗权攻击朱全忠之时，李克用请命天子，失去夹击朱全忠的战机。公元八九五年，邠、岐、华三镇联兵犯阙，李克用得到昭宗授命为邠宁四面行营都招讨使，进兵关中，王行瑜授首，李茂贞势衰，李克用没有乘胜进击，丧失了挟天子以令诸侯的大好时机。李克用回师太原，从此走了下坡路。公元八九六年，李克用救援兖、郓朱瑾、朱瑄被魏博镇罗弘信拦击败还，魏博也就此归附于朱全忠。此后朱李争河北，连年大战，成德、义武两镇又倒向朱全忠。朱全忠得势，于公元九〇一年进兵河中，再逼河东，李克用城守晋阳，朱全忠围攻，李克用不敌求和。朱全忠放胆入关中，李茂贞求援于太原，以诏命征兵李克用，李克用发兵相救，与汴兵战于平阳北。朱全忠回师大举围攻晋阳，李克用连连败北，晋阳几乎不保。朱全忠退兵，李克用气馁，此后数年不敢与朱全忠交兵。所幸夫人刘氏有智慧谋略，嗣子李存勖英姿勃发，夫人与虎子意气洋洋，激励李克用奋发图强，才又振作起来。

李克用势衰有三大原因。其一，军无谋主，少了灵魂。其二，李克用缺失驭人之术，赏罚不公，杀大将李存孝，误用刘仁恭，鹰养李罕之，都是失着，削弱了自身力量。其三，李克用所领亲兵，遗留沙陀游牧习气，掠夺成性，没有纲纪。李存勖曾劝李克用整顿纪律，李克用说："这些部属跟随我征战几十年，我没有恩惠施及，若再用纪律约束，他们都跑散了，我拿什么来守河东。"由此可见，李克用本无帝王之志，仍是一个劫夺者，他之不敌朱全忠也就在情理之中。李克用值得欣慰的是其子李存勖青出于蓝而胜于蓝，最终实现了李克用的临终遗嘱，灭了朱梁。李克用地下有知，亦可瞑目了。

第三，王师范讨逆。王师范，青州人，平卢节度使王敬武之子，十分好学，以忠义自许。年十六父死，自称留后。朱全忠围凤翔，唐昭宗诏诸镇赴难，王师范得到消息哭曰："吾为国守藩，皇上遭危难，不去扶持，行吗?"于是与杨行密联盟，高举义旗讨逆。王师范趁朱全忠后方空虚，大胆地派出诸将，化装成商人，车载兵仗，包装成商品。刘鄩袭兖州，王师范入河南，徐、沂、郓等十余州同日并发，虽然只有刘鄩在兖州得手，其余各州的偷袭都没有成功，但王师范的讨逆行动，可圈可点，忠义精神难能可贵。王师范与入援的淮南大将王茂章并肩作战，杀了朱全忠派来讨伐的大将朱友宁。朱友宁是朱全忠的养子，一员骁勇善战的爱将。最后，朱全忠亲率大军臣服了王师范，等到篡唐之后再追究朱友宁之死，族灭了王师范一门二百余人，无论少长，全部坑杀。

朱全忠灭唐，没有赴难死国的人，王师范讨逆，以其行动实践了他的诺言："即使力量不足，唯有以死报国。"王师范讨逆时，尚不足二十岁，年少死国，忠义奋发，悲壮成仁，令人叹惋。

第四，司马光论宦官之祸。唐末宦官之祸是继东汉宦官之祸的一次重演，简直就是复制一样，宦官被杀尽，国随以亡。这只是一个现象，不能作为历史的结论。司马光引孔子的话说："人而不仁，疾之已甚，乱也。"(《论语·泰伯》)似乎在说，因为要杀尽宦官，激起宦官的强烈反抗，所以国家才灭亡；反过来说，不杀尽宦官，只诛首恶，国家就不亡了吗？司马光的这个逻辑是不能成立的。司马光认为，只要人主不要宦官参政，一发现过恶就加以惩治，宦官就不敢为非了。事实上这只是一种理想，一个集权纵欲的帝王，永远做不到。正如司马光所说，宦官出入宫禁，人主自幼及长与之亲狎，使唤起来没有违迕之患，办起事来极尽人主之意，近者亲，远者疏，人情之常。所以宦官时有卑辞之请，浸润肤受之诉，人主无不从，日渐成习，大权旁落。免除宦官之祸，只正人君子品行，靠其自律，根本办不到。废集权，禁绝宦官，这是司马光的时代办不到的。所以司马光总结的宦官之祸，罗列的经验教训，只能是纸上空谈，实际是做不到的。因为个人集权的制度不除，相伴的宦官制度不除，宦官之祸就必然要重演。万恶之源的个人集权不除，历史就没有教训的功能。即使没有宦官，个人集权的恶源还在，集权者的秘书、司机、保健医生都可以成为变种的宦官。历代宦官之祸的一再重演，其实就是个人集权者大权旁落的形式之一而已。

司马光指出，宦官中亦有善者，但这无补于大局。因为宦官制度，其实就是中国封建集权制度的肿瘤，它始终伴随着封建王朝的兴衰更替而周期性地为祸社会，流毒全国，给当时的政治带来危害，给当时的人民带来灾难。诚然，宦官中也不乏个别有识之士和杰出人物。在秦国发展史上有推荐商鞅变法的伯乐式宦官景监；西汉有大音乐家李延年；东汉有经学家郑众、改进造纸术的蔡伦、支持清流派朝官与十常侍作斗争的吕强；五代时后唐宦官张承业是一个辅弼贤臣；北宋宦官多有功于边陲，张崇贵、王中正、李宪都建功于西北，还有水利专家程昉；至于明代航海家郑和，七次下西洋的壮举和赫赫功业，更是青史垂名，光照千古。宦官不是一个阶级，他只是皇帝的家奴，宦官本身有压迫者和被压迫者。专权乱政的宦官只是宦官中的上层，宦官下层更遭受多重压迫。所以在清代竟发生了宦官参加天理教，有刘得财、杨进忠、王福禄、刘金等人起义反抗朝廷。入宫为宦官的人，情况也极为复杂。不少人怀有野心，自阉入宫，此类宦官既有野心，亦善权术，大多擅权乱政。更多的人是家贫为阉寺，或犯罪被阉发落为宦官，如专秦政的赵高就是一个罪犯。在乱世时代，战俘年轻秀俊者有许多被处置为宦官。所以被迫为宦官的人，其遭遇本是可怜可悯。不过就宦官的总体而论，百分之七八十乃至更多的宦官，都是自幼被阉。他们作为刑余之人，身心遭受了严重的摧残。阉寺处在深宫之中，目睹皇上和嫔妃花天酒地的豪奢生活和不可一世的权势，日久天长，怎不染上权力之欲。皇室的奢侈，使宦竖们不知稼穑之艰难，他们哪能体恤人民疾苦。阉宦不知书，如明代大宦官魏忠贤就目不识丁。在这种氛围之下的宦官，一旦擅权，十之八九皆为祸患。所以，个别宦官的贤明，不能改变整体宦官的卑污。宦官的身份是奴才，他们掌权本来不合法，而是假借皇帝之权以肆虐，如同狗仗人势。大多宦官奴性十足，是十足的“狗奴才”。尽管宦官多数遭遇可悯，但他们“狗奴才”之本性，也由其遭遇和地位所铸成，无法为他们唱赞歌。祸国之宦官，即使遭遇集体屠杀，命运可悲，但也是咎由自取，罪有应得。

卷第二百六十四　唐纪八十

起昭阳大渊献（癸亥，公元九〇三年）二月，尽阏逢困敦（甲子，公元九〇四年）闰月，凡一年有奇。

【题解】

本卷记事起公元九〇三年二月，迄公元九〇四年闰四月，载述史事凡一年又四个月，当唐昭宗天复三年二月至天祐元年闰四月。此时期最重大的政治事件是朱全忠东败王师范，西服李茂贞，完全掌控了唐王室。山东王师范奉诏讨朱全忠，杨行密遣将王茂章助王师范。二王联兵大败汴兵，杀大将朱友宁。朱全忠返回洛阳率二十万大军征讨，大破王师范，王师范请降，并以其弟为质。至此，江淮之北，黄河之南，西起关陇，东至大海，广阔中原尽为朱氏所有，太原李克用势衰，天下无人与之争锋。朱全忠谓天下已定，撕下面具，密表唐昭宗，以离间君臣为名杀崔胤，随后又以李茂贞进逼为辞迫使昭宗迁都洛阳。昭宗左右亲随全遭诛戮，宿卫兵及侍奉之人皆朱全忠心腹，昭宗成为一囚龙。西川王建奉诏勤王，借机兼并荆南。杨行密平定田頵叛乱，固有淮南，与北方李克用遥应，是牵制朱全忠的两支基本力量。

【原文】

昭宗圣穆景文孝皇帝下之上

天复三年（癸亥，公元九〇三年）

二月壬申朔[①]，诏："比在凤翔府所除官，一切停[②]。"时宦官尽死，惟河东监军张承业、幽州监军张居翰[③]、清海监军程匡柔、西川监军鱼全禋及致仕严遵美[④]，为李克用、刘仁恭、杨行密、王建所匿得全，斩他囚[⑤]以应诏。

甲戌[⑥]，门下侍郎、同平章事陆扆责授沂王[⑦]傅、分司[⑧]。车驾还京师，赐诸道诏书，独凤翔无之。扆曰："茂贞罪虽大，然朝廷未与之绝，今独无诏书，示人不广[⑨]。"崔胤怒，奏贬之。宫人宋柔[⑩]等十一人皆韩全诲所献，及僧、道士与宦官亲厚者二十余人，并送京兆[⑪]杖杀[⑫]。

上谓韩偓曰："崔胤虽尽忠，然比卿颇用机数[⑬]。"对曰："凡为天

【语译】

昭宗圣穆景文孝皇帝下之上

天复三年（癸亥，公元九〇三年）

二月初一日壬申，昭宗下诏："近来在凤翔府所任命的官员，全部罢免。"当时宦官都被杀死，只有河东监军张承业、幽州监军张居翰、清海监军程匡柔、西川监军鱼全禋以及退休家居的严遵美，因为被李克用、刘仁恭、杨行密、王建藏匿起来，才得以保全性命，李克用等斩杀其他的囚犯来应付诏令。

二月初三日甲戌，门下侍郎、同平章事陆扆受责被贬为沂王李禋傅、分司。昭宗回到京城长安，赐给各道诏书，唯独凤翔李茂贞没有。陆扆说："李茂贞的罪过虽然很大，但朝廷还没有和他断绝关系，如今只有他没有诏书，这显示出朝廷的心胸不宽阔。"崔胤大怒，上奏昭宗将陆扆贬斥。宫人宋柔等十一个人都是韩全诲进献入宫的，还有僧人、道士和宦官关系密切的二十多人，一起送交京兆尹用木杖打死。

昭宗对韩偓说："崔胤虽然尽忠，但是与你相比，多用权术。"韩偓回答说："凡

下者，万国皆属之耳目⑭，安可以机数欺之！莫若推诚⑮直致⑯，虽日计之不足⑰而岁计之有余也。”

丙子⑱，工部侍郎、同平章事苏检，吏部侍郎卢光启，并赐自尽⑲。丁丑⑳，以中书侍郎、同平章事王溥为太子宾客、分司，皆崔胤所恶也[1]。

戊寅㉑，赐朱全忠号回天再造竭忠守正功臣，赐其僚佐敬翔㉒等号迎銮协赞功臣，诸将朱友宁等号迎銮果毅功臣，都头㉓以下号四镇静难功臣。

上议褒崇㉔全忠，欲以[2]皇子为诸道兵马元帅，以全忠副之。崔胤请以辉王祚㉕为之，上曰："濮王长㉖。"胤承全忠密旨，利㉗祚冲幼㉘，固请之。己卯㉙，以祚为诸道兵马元帅。庚辰㉚，加全忠守太尉㉛，充副元帅，进爵梁王。以胤为司徒兼侍中。

胤恃全忠之势，专权自恣㉜，天子动静皆禀之㉝。朝臣从上幸凤翔者，凡㉞贬逐三十余人。刑赏系其爱憎㉟，中外畏之，重足一迹㊱。

【段旨】

以上为第一段，写朱全忠进爵梁王。崔胤仗朱全忠之势，专权自恣，韩偓等重臣遭贬逐。

【注释】

①壬申朔：二月初一日。②比在凤翔府所除官二句：近来在凤翔府所任命的官吏，全部罢免。除官，任命官员。停，罢免。③张居翰（公元八五七至九二八年）：字德卿，唐僖宗中和三年（公元八八三年）出监幽州军事。传见《旧五代史》卷七十二、《新五代史》卷三十八。④严遵美：时隐居蜀之青城山。⑤他囚：其他囚犯。⑥甲戌：二月初三日。⑦沂王：李禋，昭宗子。⑧分司：唐以洛阳为东都，分设在东都的中央官员称为分司。多安置贬降与闲废官员，一般无实权。⑨不广：心胸不广阔。⑩宋柔：宫女。天复元年（公元九〇一年），韩全诲求美女知书者数人，置于宫中，暗中侦探崔胤和昭宗的情况。⑪京兆：京兆尹。⑫杖杀：刑法之一。乱棍打死。⑬机数：机巧权变的

是治理天下的人，全国耳目都注视着朝廷，怎么可以用权术谋划来欺骗他们呢！不如推心置腹直率相待，这样虽然按日计算会感到不足，但按年来计算就有剩余了。”

二月初五日丙子，工部侍郎、同平章事苏检，吏部侍郎卢光启，一起被赐令自杀。初六日丁丑，中书侍郎、同平章事王溥被降为太子宾客、分司，这些人都是崔胤所厌恶的。

二月初七日戊寅，昭宗赐朱全忠名号为回天再造竭忠守正功臣，赐他的幕僚佐吏敬翔等人名号为迎銮协赞功臣，将领朱友宁等人名号为迎銮果毅功臣，都头以下名号为四镇静难功臣。

昭宗商议表彰尊崇朱全忠，想要以皇子为诸道兵马元帅，以朱全忠为副元帅。崔胤请求以辉王李祚为诸道兵马元帅，昭宗说："濮王李裕年长。"崔胤秉承朱全忠秘密的旨意，认为李祚年纪幼小对自己有利，坚持请求以李祚为元帅。二月初八日己卯，以李祚为诸道兵马元帅。初九日庚辰，加朱全忠摄理太尉，充任副元帅，进爵为梁王。以崔胤为司徒兼侍中。

崔胤依仗朱全忠的权势，独揽朝政，为所欲为，昭宗的言行动静都要禀报他。朝廷大臣跟随昭宗去凤翔的，被贬职和放逐到外地的一共有三十多人。刑罚、赏赐完全取决于他的喜好与憎恶，朝廷内外的官吏都惧怕他，重足而立，不敢迈动一步。

心计。⑭万国皆属之耳目：此句谓全天下（万国）耳目都在注视朝廷。属，专注。⑮推诚：以诚意相待。⑯直致：直率表达。⑰日计之不足：按日计算会感到不足。⑱丙子：二月初五日。⑲赐自尽：苏检、卢光启皆为在凤翔任命的宰相，崔胤恶其党附于韩全诲、李茂贞，故杀之。⑳丁丑：二月初六日。㉑戊寅：二月初七日。㉒敬翔（？至公元九二三年）：字子振，同州冯翊（今陕西大荔）人，朱全忠即位后，知崇政院事。乾化元年（公元九一一年），进位光禄大夫、行兵部尚书、金銮殿大学士。传见《旧五代史》卷十八、《新五代史》卷二十一。㉓都头：统兵官名，唐从田令孜将神策新军分五十四都，都为军队编制称号。以都将为长官，亦称为都头。每都约有兵士千人。㉔褒崇：表彰并给以恩崇。㉕辉王祚：昭宗子李祚，封辉王。即唐哀帝，更名柷。㉖濮王长：濮王年龄最大。新、旧《唐书》皆无濮王，据胡三省注，是德王裕改封。㉗利：利用。㉘冲幼：幼稚。㉙己卯：二月初八日。㉚庚辰：二月初九日。㉛太尉：官名，三公之一，唐代为加官。㉜自恣：放任；为所欲为。㉝天子动静皆禀之：昭宗的言行动静都要禀告崔胤。㉞凡：共。㉟刑赏系其爱憎：爱者赏之，憎者刑之。㊱重足一迹：两脚相叠站着，只有一个足迹，形容恐惧不敢移动的样子。

【校记】

[1]丁丑三句：原无此三句。据章钰校，十二行本、乙十一行本、孔天胤本皆有此三句，张敦仁《通鉴刊本识误》、张瑛《通鉴校勘记》同，今据补。[2]以："以"下原空一格。据章钰校，十二行本、乙十一行本、孔天胤本皆无空格，今据删。

【原文】

以敬翔守太府卿㊲，朱友宁领宁远㊳节度使。全忠表符道昭同平章事，充天雄㊴节度使，遣兵援送之㊵秦州，不得至㊶而还。

初，翰林学士承旨韩偓之登进士第也，御史大夫赵崇知贡举㊷，上返自凤翔，欲用偓为相，偓荐崇及兵部侍郎王赞自代。上欲从之，崔胤恶其分己权，使朱全忠入争之。全忠见上曰："赵崇轻薄之魁㊸，王赞无才用，韩偓何得妄荐为相！"上见全忠怒甚，不得已，癸未㊹，贬偓濮州司马。上密与偓泣别，偓曰："是人㊺非复㊻前来之比，臣得远贬及死乃幸耳，不忍见篡弑㊼之辱！"

己丑㊽，上令朱全忠与李茂贞书，取平原公主。茂贞不敢违，遽归之。

壬辰㊾，以朱友裕为镇国㊿节度使。

乙未(51)，全忠奏留步骑万人于故两军(52)，以朱友伦为左军宿卫都指挥使。又以汴将张廷范(53)为宫苑使，王殷为皇城使，蒋玄晖充街使(54)。于是全忠之党布列遍于禁卫及京辅(55)。

戊戌(56)，全忠辞归镇(57)。留宴寿春殿(58)，又饯之于延喜楼(59)。上临轩泣别，令于楼前上马(60)。上又赐全忠诗，全忠亦和进(61)，又赐[3]杨柳枝辞(62)五首。百官班辞于长乐驿。崔胤独送至霸桥(63)，自置饯席，夜二鼓，胤始还入城。上复召对，问以全忠安否。置酒奏乐，至四鼓乃罢。

以清海节度使裴枢为门下侍郎、同平章事，朱全忠荐之也[4]。

李克用使者还晋阳，言崔胤之横，克用曰："胤为人臣，外倚贼势，内胁其君，既执朝政，又握兵权。权重则怨多，势侔(64)则衅(65)生，

【语译】

朝廷任命敬翔摄理太府卿，朱友宁兼任宁远节度使。朱全忠上表奏请以符道昭为同平章事，充任天雄节度使，派兵护送他去秦州上任，没能到达而返回。

当初，翰林学士承旨韩偓考中进士时，御史大夫赵崇担任主考官。昭宗从凤翔返回长安，想任用韩偓为宰相，韩偓推荐赵崇和兵部侍郎王赞来代替自己。昭宗想听从他的意见，崔胤憎恨他们分散自己的权力，让朱全忠入朝争辩这件事。朱全忠进见昭宗说："赵崇是轻薄之徒的首领，王赞没有才干，韩偓怎么能随意推荐他们担任宰相呢！"昭宗看到朱全忠非常愤怒，不得已，二月十二日癸未把韩偓贬为濮州司马。昭宗秘密与韩偓挥泪告别，韩偓说："朱全忠这个人不能与以前那些人相比。臣能被贬到远地老死也算是幸运了，不忍心见到篡位弑君的耻辱！"

二月十八日己丑，昭宗命令朱全忠给李茂贞去信，要把平原公主接回来。李茂贞不敢违抗，赶快将平原公主送回。

二十一日壬辰，朝廷任命朱友裕为镇国节度使。

二月二十四日乙未，朱全忠上奏留下步兵、骑兵一万人驻扎在原来神策左、右军的营地衙署，派朱友伦担任左军宿卫都指挥使。又派汴州军将领张廷范担任宫苑使，王殷担任皇城使，蒋玄晖充任街使。于是朱全忠的党羽遍布宫廷禁卫和京辅地区。

二月二十七日戊戌，朱全忠向昭宗告辞返回大梁。昭宗留他在寿春殿设宴招待，又在延喜楼为他饯行。昭宗走到殿堂前的台阶与朱全忠挥泪告别，让他在楼前上马。昭宗又赐诗给朱全忠，朱全忠也和诗进献给昭宗，另外又献上《杨柳枝辞》五首。百官在长乐驿按班次列队送别。崔胤独自送到霸桥，自己置办饯行的酒席，到深夜二更，崔胤才返回城中。昭宗又召见崔胤，询问朱全忠是否平安。摆设酒宴，演奏音乐，直到四更时才结束。

任命清海节度使裴枢为门下侍郎、同平章事，是朱全忠推荐他的。

李克用的使者返回晋阳，讲述崔胤专横的情况。李克用说："崔胤身为臣子，外面依靠贼寇的势力，在内胁迫自己的君主；既执掌朝政，又握有军权。权重就结怨

破家亡国，在眼中矣！”

朱全忠将行，奏：“克用于臣，本无大嫌[66]，乞厚加宠泽[67]，遣大臣抚慰，俾[68]知臣意。”进奏吏[69]以白克用，克用笑曰：“贼欲有事淄青[70]，畏吾掎[71]其后耳！”

三月戊午[72]，朱全忠至大梁。王师范弟师鲁围齐州[73]，朱友宁引兵击走之。师范遣兵益刘鄩军，友宁击取之。由是兖州援绝，葛从周引兵围之。友宁进攻青州。戊辰[74]，全忠引四镇[75]及魏博兵十万继之。

【段旨】

以上为第二段，写崔胤排斥韩偓。朱全忠返回大梁兵伐王师范。

【注释】

㊲太府卿：官名，太府寺长官，员一人，从三品，掌库藏财物出纳。㊳宁远：方镇名，乾宁四年（公元八九七年）升容管观察使为宁远军节度使。当时容州为庞巨昭所据，朱友宁实际上是仅拥有名号。㊴天雄：方镇名，唐懿宗咸通五年（公元八六四年）升秦成两州经略、天雄军使为天雄军节度、观察、处置、营田、押蕃落等使。治所秦州。㊵之：往。㊶不得至：由于岐州兵塞道，故不能到达。㊷知贡举：官名，唐宋时特派主持进士考试之官。㊸魁：首领。㊹癸未：二月十二日。㊺是人：指朱全忠。㊻非复：已经不是。㊼篡弑：杀君夺位。㊽己丑：二月十八日。㊾壬辰：二月二十一日。㊿镇国：方镇名，光化元年（公元八九八年）以华州置镇国军节度，领华、同二州兼兴德尹。(51)乙未：二月二十四日。(52)故两军：时左、右神策军已散，而营署尚存。(53)张廷范：以优人为朱全忠所爱，后进金吾卫将军、河南尹。传见《新唐书》卷二百二十三下。(54)街使：左右街使的省称。掌京城街道的治安、巡逻等事务。多由左右金吾卫武官充任，故亦称金吾

【原文】

淮南将李神福围鄂州，望城中积荻[76]，谓监军尹建峰曰：“今夕为公焚之。”建峰未之信。时杜洪求救于朱全忠，神福遣部将秦皋乘轻舟至滠口[77]，举火炬于树杪[78]。洪以为救兵至，果焚荻以应之。

多，势力相当就会产生争端。家破国亡，就在眼前了！”

朱全忠将要动身时，上奏说：“李克用和我，本来没有多大的仇怨，恳请皇上对他厚加恩宠，派遣大臣去安抚慰问，使他知道臣的心意。”河东进奏吏把这情况报告李克用，李克用笑着说：“贼寇想要进攻淄青，怕我在后面牵制他罢了！”

三月十七日戊午，朱全忠到达大梁。王师范的弟弟王师鲁围攻齐州，朱友宁率军击退他。王师范派兵增援刘鄩的部队，朱友宁击败这些援兵。因此兖州的外援被断绝，葛从周率军包围兖州。朱友宁进兵攻打青州。二十七日戊辰，朱全忠统率四镇及魏博的军队十万人随后开赴青州。

街使。㊺京辅：即京畿地区。唐代北门禁卫之兵，皆屯于宫苑；百司庶府及南衙诸卫，皆分居皇城之内；百官私第及坊市居民，皆分居朱雀街之左右街。现朱全忠全部以他的心腹为使，则京辅之权已全归他手。㊻戊戌：二月二十七日。㊼归镇：辞归大梁。㊽寿春殿：唐大明宫内殿名。㊾延喜楼：唐皇城东面二门：南曰景风门，北曰延喜门。延喜楼即延喜门楼。㊿楼前上马：在延喜楼前上马，以示恩宠。(61)和进：和诗以进。(62)杨柳枝辞：汉横吹曲辞。本作《折杨柳》，至隋始为宫词。白居易依旧曲翻为新歌。诗人继和此曲，多为咏柳抒怀，七言四句。(63)霸桥：在长安（今陕西西安）东。汉朝人送客至此桥，折柳赠别。霸桥驿在长乐驿东三十里。(64)侔：相等。此指与朱全忠的势力相当。(65)衅：缝隙，感情上的裂痕、争端。(66)嫌：仇怨。(67)宠泽：恩宠；恩泽。(68)俾：使。(69)进奏吏：此为河东的进奏吏。(70)有事淄青：谓攻王师范。(71)掎：牵制。(72)戊午：三月十七日。(73)齐州：州名，治所历城，在今山东济南。在兖州北三百六十里。(74)戊辰：三月二十七日。(75)四镇：朱全忠时为宣武、宣义、天平、护国四镇节度使。

【校记】

［3］赐：原作“进”。据章钰校，十二行本、乙十一行本皆作“赐”，今从改。［4］朱全忠荐之也：原无此六字。据章钰校，十二行本、乙十一行本、孔天胤本皆有此六字，今据补。

【语译】

淮南将领李神福围攻鄂州，望见城中堆积着荻草，对监军尹建峰说：“今天晚上为您把这些荻草烧掉。”尹建峰不信他的话。当时，杜洪向朱全忠求救，李神福派遣部将秦皋乘坐轻快的小船到滠口，在树梢高举起火把。杜洪以为救兵到了，果然以焚烧荻草来响应他们。

夏，四月己卯[79]，以朱全忠判元帅府事[80]。

知温州事[81]丁章为木工李彦所杀，其将张惠据温州。

王师范求救于淮南。乙未[82]，杨行密遣其将王茂章以步骑七千救之，又遣别将将兵数万攻宿州。全忠遣其将康怀贞[5]救宿州，淮南兵遁去。

杨行密遣使诣马殷，言朱全忠跋扈，请殷绝之，约为兄弟。湖南大将许德勋曰："全忠虽无道，然挟[83]天子以令诸侯，明公素奉王室，不可轻绝也。"殷从之。

杜洪求救于朱全忠，全忠遣其将韩勍将万人屯滠口，遣使语荆南节度使成汭、武安节度使马殷、武贞节度使雷彦威，令出兵救洪。汭畏全忠之强，且欲侵江、淮之地以自广[84]，发舟师[85]十万，沿江东下。汭作巨舰，三年而成，制度[86]如府署，谓之"和州载[87][6]"，其余谓之"齐山[88]""截海[89]""劈浪[90]"之类甚众。掌书记李珽[91]谏曰："今每舰载甲士千人，稻米倍之，缓急不可动也。吴兵[92]剽轻[93]，难与角逐。武陵[94]、长沙[95]，皆吾雠也，岂得不为反顾之虑乎！不若遣骁将屯巴陵[96]，大军与之对岸，坚壁勿战，不过一月，吴兵食尽自遁，鄂围解矣。"汭不听。珽，憕[97]之五世孙也。

王建出兵攻秦、陇，乘李茂贞之弱也。遣判官韦庄[98]入贡[99]，亦修好于朱全忠。全忠遣押牙[100]王殷报聘[101]，建与之宴。殷言："蜀甲兵诚多，但乏马耳。"建作色[102]曰："当道[103]江山险阻，骑兵无所施，然马亦不乏，押牙少留，当共阅之。"乃集诸州马，大阅于星宿山[104]，官马八千，私马四千，部队甚整。殷叹服。建本骑将[105]，故得蜀之后，于文、黎、维、茂[106]州市胡马，十年之间，遂及兹数[107]。

五月丁未[108]，李克用云州[109]都将王敬晖杀刺史刘再立，叛降刘仁恭。克用遣李嗣昭、李存审[110]将兵讨之。仁恭遣将以兵五万救敬晖，嗣昭退保乐安[111]，敬晖举众弃城而去。先是，振武[112]将契苾[113]让逐戍将石善友，据城叛。嗣昭等进攻之，让自燔死，复取振武城，杀吐谷浑[114]叛者二千余人。克用怒嗣昭、存审失王敬晖，皆杖之，削其官。

成汭行未至鄂州，马殷遣大将许德勋将舟师万余人，雷彦威遣其

夏，四月初九日己卯，朝廷任命朱全忠主持元帅府事务。

知温州事丁章被木工李彦杀死，他的部将张惠占据了温州。

王师范向淮南杨行密求救。四月二十五日乙未，杨行密派遣部将王茂章率领步兵、骑兵七千人前去救援，又派遣其他将领率领军队几万人进攻宿州。朱全忠派遣部将康怀贞救援宿州，淮南军队逃走。

杨行密派遣使者去见马殷，述说朱全忠骄横跋扈，请马殷和朱全忠绝交，约定两人结为兄弟。湖南大将许德勋说："朱全忠虽然无道，但是他挟持天子以号令诸侯，明公一向尊奉王室，不可轻易与朱全忠绝交。"马殷听从他的意见。

杜洪向朱全忠求救，朱全忠派遣他的部将韩勍率领一万人驻扎在滠口，派遣使者前去告诉荆南节度使成汭、武安节度使马殷、武贞节度使雷彦威，让他们出兵救援杜洪。成汭畏惧朱全忠的强大，并且想要侵占江、淮的土地来扩充自己的地盘，便出动水军十万人，沿长江东下。成汭建造巨大的战舰，花费三年时间建成，战舰的规模样式就好像把府第官署载在上面，称为"和州载"，其余称为"齐山""截海""劈浪"之类的数量很多。掌书记李珽劝谏说："现在每艘战舰装载士兵一千人，稻米的重量又多一倍，遇到紧急情况战舰难以移动。杨行密的军队剽悍轻捷，很难和他们角逐。武陵雷彦威、长沙马殷都是我们的仇敌，怎么能不考虑后顾之忧呢！不如派遣骁勇的将领驻军巴陵，大军与他们隔岸相对，我们坚守营垒不出战，不过一个月，杨行密的军队粮食吃光就会自己退走，鄂州的包围就会解除了。"成汭不听。李珽，是李憕的第五代孙子。

王建出兵进攻秦州、陇州，是乘着李茂贞势力削弱的时候。王建派遣判官韦庄到长安进贡财物，也向朱全忠表示友好。朱全忠派遣押牙王殷到成都回访，王建设宴招待他。王殷说："蜀地的军械与士兵确实很多，只是缺少马匹而已。"王建变了脸色说："蜀地道路险恶，山河阻隔，骑兵无法施展，然而马匹并不缺乏。押牙稍许停留几天，我当与你共同检阅他们。"于是聚集各州的马匹，在星宿山进行大规模检阅，共计有官马八千匹，私马四千匹，部队非常整齐。王殷赞叹佩服。王建本来是骑将，因此占据蜀地以后，在文州、黎州、维州、茂州购买胡地出产的马匹，十年时间，就达到这个数目。

五月初七日丁未，李克用属下云州都将王敬晖杀死刺史刘再立，叛变投降刘仁恭。李克用派遣李嗣昭、李存审率军讨伐他。刘仁恭派遣大将率领五万名士兵去救援王敬晖。李嗣昭退守乐安，王敬晖率领部众放弃云州逃走。先前，振武军将领契苾让赶走驻守的将领石善友，据城叛变。李嗣昭等率军进攻，契苾让自焚而死，又夺回振武城，杀死叛乱的吐谷浑人二千多名。李克用恼怒李嗣昭、李存审没有擒获王敬晖，都处以杖刑，并削去他们的官职。

成汭率军还没有到达鄂州，马殷派遣大将许德勋率领水军一万多人，雷彦威派

将欧阳思将舟师三千余人会于荆江口[115]，乘虚袭江陵[116]。庚戌[117]，陷之，尽掠其人及货财而去。将士[118]亡其家，皆无斗志。

李神福闻其将至，自乘轻舟前觇[119]之，谓诸将曰："彼战舰虽多而不相属[120]，易制也，当急击之！"壬子[121]，神福遣其将秦裴、杨戎将众数千逆击汭于君山[122]，大破之，因风[123]纵火，焚其舰，士卒皆溃，汭赴水死，获其战舰二百艘。韩勍闻之，亦引兵去。

许德勋还过岳州，刺史邓进忠开门具牛酒[124]犒军，德勋谕以祸福[125]，进忠遂举族迁于长沙。马殷以德勋为岳州刺史，以进忠为衡州刺史。

【段旨】

以上为第三段，写朱全忠判元帅府事，天下兵权尽归全忠。荆南节度使成汭为湖南马殷所并。

【注释】

⑦⑥积荻：堆积荻草。⑦⑦滠口：在武口之上，对岸即夏浦。⑦⑧杪：树梢。⑦⑨己卯：四月初九日。⑧⓪判元帅府事：因辉王幼弱，以朱全忠判元帅府事，则天下兵权尽归朱全忠。⑧①知温州事：丁章原为温州将，去年逐刺史朱敖据温州。因未有朝命为刺史，故称知温州事。⑧②乙未：四月二十五日。⑧③挟：挟制。⑧④自广：自己扩大地盘。⑧⑤舟师：水军。⑧⑥制度：指船的大小、长短、规模。⑧⑦和州载：取义为船的规模巨大，简直像把荆州府衙载在船上一样。⑧⑧齐山：言船如山一样高。⑧⑨截海：言船如海一样广阔。⑨⓪劈浪：言船行驶轻疾。⑨①李珽（？至公元九一三年）：唐末举进士，为监察御史。后由成汭、赵匡凝辟为掌书记。朱全忠即位，除考功员外郎、知制诰。传见《旧五代史》卷二十四，并附见《新五代史》卷五十四《李琪传》。⑨②吴兵：杨行密时封吴王，故称其兵为吴兵。⑨③剽轻：剽悍轻疾。⑨④武陵：郡名，朗州武陵郡。光化元年置武贞军节度使，领澧、朗、溆三州。雷彦威时为武贞节度使，故以武陵指雷彦威。⑨⑤长沙：指武安节度使马殷。⑨⑥巴陵：郡名，岳州巴陵郡，治所在今湖南岳阳。巴陵东北至鄂州三百五十里。⑨⑦憕：李憕，并州文水（今山西文水县）人，唐玄宗朝为京兆尹，死于安史之乱。⑨⑧韦庄（约公元八三六至九一〇年）：字端己，长安杜陵（今陕西西安）人，乾宁进士，后仕蜀，官至吏部侍郎兼平章事，擅长诗词，有《浣花集》。⑨⑨入贡：入朝贡献。⑩⓪押牙：官名，

遣部将欧阳思率领水军三千多人在荆江口会合，乘虚袭击江陵。五月初十日庚戌，他们攻陷江陵，把江陵的百姓和财物全部抢掠一空而去。成汭的将士家破人亡，都没有了斗志。

李神福得知成汭率领水军将要到达，亲自乘坐小船前去侦察，对各将领说："他们的战舰虽多，但相互之间没有连接，容易制服，应当赶快攻击他们！"五月十二日壬子，李神福派遣部将秦裴、杨戎率领几千名士兵在洞庭湖君山迎击成汭，大破他的水军，乘着风势放火焚烧成汭的战舰，士兵都溃散逃跑，成汭投水自杀，缴获成汭的战舰二百艘。韩勍得知这一消息，也率兵退走。

许德勋返回途中经过岳州，刺史邓进忠打开城门拿出牛酒慰劳军队，许德勋对他陈述祸福利害，邓进忠于是带领全族迁往长沙。马殷以许德勋为岳州刺史，邓进忠为衡州刺史。

即押衙，管领仪仗侍卫。由府主亲信充任。⑩报聘：报答回访。⑫作色：脸上变色。⑬当道：本道；本地。⑭星宿山：山名，在成都郊区。⑮骑将：王建当初在杨复光部下为骑将。⑯文、黎、维、茂：皆州名。文州治所在今甘肃文县南，黎州治所在今四川汉源北，维州治所在今四川理县北，茂州治所在今四川茂县。地近蕃、羌，可以互市得马。⑰兹数：这个数。即一万二千匹。⑱丁未：五月初七日。⑲云州：州名，治所在今山西大同。⑪李存审：即符存审，李克用养以为子，改姓李。⑪乐安：地名，在蔚州界。退保乐安是畏燕兵之强。⑫振武：方镇名，唐肃宗乾元元年（公元七五八年）置振武节度押蕃落使，领镇北大都护府，麟、胜二州。治所在今内蒙古托克托。⑬契苾：古代民族名，敕勒诸部之一。后以部为姓。⑭吐谷浑：原为鲜卑的一支，西晋末首领吐谷浑率所部西迁今甘肃、青海间，后遂以吐谷浑为姓氏。自赫连铎与李克用为敌，赫连铎败死，其部落终未肯心服，故屡叛。⑮荆江口：长江自四川东流入荆州界，谓之荆江。荆江口，即洞庭之水与长江之水会合处。⑯江陵：县名，县治在今湖北荆州。⑰庚戌：五月初十日。⑱将士：指成汭将士。⑲觇：偷偷地察看。⑳属：连接。㉑壬子：五月十二日。㉒君山：山名，在洞庭湖中，时为四面临水的小岛，方圆六十里。㉓因风：趁着风势。㉔具牛酒：备有牛和酒。古时馈问、宴犒、祭祀多用牛酒。㉕谕以祸福：以祸福利害关系说服之。

【校记】

［5］康怀贞：原作"康怀英"。胡三省注云："'康怀英'当作'怀贞'，是时未改名也。"严衍《通鉴补》改作"康怀贞"，今据以校正。［6］和州载：原作"和舟载"。胡三省注云："'舟'当作'州'。"据章钰校，十二行本、乙十一行本皆作"和州载"，今从改。

【原文】

雷彦威狡狯[126]残忍，有父[127]风，常泛舟焚掠邻境，荆、鄂之间，殆至无人。

李茂贞畏朱全忠，自以官为尚书令，在全忠上[128]，累表乞解去。诏复以茂贞为中书令。

崔胤奏："左右龙武、羽林、神策等军[129]名存实亡，侍卫单寡。请每军募步兵四将[130]，每将二百五十人，骑兵一将百人，合六千六百人，选其壮健者，分番[131]侍卫。"从之。令六军诸卫副使、京兆尹郑元规立格[132]召募于市。

朱全忠表颍州[133]刺史朱友恭为武宁[134]节度使。

朱友宁攻博昌[135]，月余不拔。朱全忠怒，遣客将[136]刘捍[137]往督之。捍至，友宁驱民丁十余万，负木石，牵牛驴，诣城南筑土山，既至[7]，并人畜木石排而筑之[138]，冤号声闻数十里。俄而[139]城陷，尽屠之。进拔临淄[140]，抵青州[141]城下，遣别将攻登、莱[142]。

淮南将王茂章[143]会王师范弟莱州刺史师诲攻密州[144]，拔之，斩其刺史刘康乂[145]，以淮海都游弈使[146]张训为刺史。

六月乙亥[147]，汴兵拔登州。师范帅登、莱兵拒朱友宁于石楼[148]，为两栅[149]。丙子[150]，夜，友宁击登州栅，栅中告急，师范趣[151]茂章出战，茂章按兵不动。友宁破登州栅，进攻莱州栅。比明，茂章度[152]其兵力已疲，乃与师范合兵出战，大破之。友宁旁自峻阜[153]驰骑赴敌，马仆[154]，青州将张土枭[155]斩之，传首淮南。两镇兵[156]逐北[157]至米河，俘斩万计，魏博之兵殆尽。

【语译】

雷彦威狡猾残忍，有他父亲雷满的遗风，常乘船去焚烧抢掠四邻的地界。荆州、鄂州之间，几乎到了没有人烟的地步。

李茂贞畏惧朱全忠，自己认为所担任的尚书令位置在朱全忠之上，所以多次上表昭宗，要求解除这一职务。昭宗下诏又以李茂贞为中书令。

崔胤上奏说:“左右龙武、羽林、神策等军，名存实亡，侍从护卫力量单薄。请求每军招募步兵四将，每将二百五十人，骑兵一将一百人，总共有六千六百人，挑选其中健壮的人，分批轮换侍奉护卫。”昭宗同意他的建议。命令六军诸卫副使、京兆尹郑元规订立标准在街市招募。

朱全忠上表奏请任命颍州刺史朱友恭为武宁节度使。

朱友宁进攻博昌，一个多月还没有攻克。朱全忠大怒，派遣客将刘捍前往督战。刘捍到达后，朱友宁驱赶民夫十多万人，背着木头石块，牵着牛和驴，到博昌城南修筑土山，到了之后，把民夫、牲畜、木头、石块排挤在一起填土夯实，喊冤号叫声在几十里外都听得到。不久博昌城陷落，城中的百姓全部被杀死。又进兵攻取临淄，直抵青州城下，派遣别将攻打登州、莱州。

淮南将领王茂章会合王师范的弟弟莱州刺史王师诲进攻密州，攻取了密州，斩杀刺史刘康乂，任命淮海都游弈使张训为刺史。

六月初六日乙亥，汴州军攻取登州。王师范率领登州、莱州军队在石楼抵御朱友宁，修筑了两道栅栏。初七日丙子夜晚，朱友宁攻打登州城外的栅栏，栅栏中告急，王师范催促王茂章出战，王茂章按兵不动。朱友宁攻破登州栅栏，进攻莱州栅栏。天快亮时，王茂章估计朱友宁军队已经疲惫不堪，才与王师范合兵出战，大破汴州军。朱友宁从旁边高峻的土山上骑马奔驰杀敌，马突然跌倒，青州将领张土把朱友宁斩杀，将首级传送到淮南。王师范、王茂章的军队追杀败退的敌军一直到米河，俘虏和斩首的数以万计，魏博军队几乎丧失殆尽。

【段旨】

以上为第四段，写王师范与淮南将王茂章合兵大破汴兵，朱全忠将朱友宁战死。

【注释】

⑫⑥狡狯：狡猾奸诈。⑫⑦父：指雷彦威之父雷满。⑫⑧在全忠上：时朱全忠为守中书令，李茂贞为尚书令，官位在其上。⑫⑨左右龙武、羽林、神策等军：此为崔胤所判六军。⑬⓪将：军队编制单位。每将步兵为二百五十人，骑兵为一百人。⑬①分番：分批轮换值勤。⑬②格：唐代法有律、令、格、式之别。格是对律的补充和变通条例。⑬③颍州：州名，治所在今安徽阜阳。⑬④武宁：方镇名，治所在今徐州。⑬⑤博昌：县名，县治在今山东博兴，时属青州。⑬⑥客将：唐末藩镇置客将，掌赞导宾客。⑬⑦刘捍（？至公元九〇九年）：开封人，父为宣武军大将。捍少为牙职，后为朱全忠的亲军指挥。传见《旧五代史》卷二十、《新五代史》卷二十一。⑬⑧并人畜木石排而筑之：连人畜带木石排挤在一起填土筑山。⑬⑨俄而：不久。⑭⓪临淄：县名，县治在今山东淄博东北。时属青州。⑭①青州：州名，治所益都，在今山东青州。⑭②登、莱：皆州名，登州治所在今山东烟台市蓬莱区，莱州治所在

【原文】

全忠闻友宁死，自将兵二十万昼夜兼行赴之。秋，七月壬子[158]，至临朐[159]，命诸将攻青州。王师范出战，汴兵大破之。王茂章闭垒示怯，伺汴兵稍懈，毁栅而出，驱驰疾战，战酣退坐，召诸将饮酒，已而复战。全忠登高望见之，问降者，知为茂章，叹曰："使吾得此人为将，天下不足平也！"至晡[160]，汴兵乃退。茂章度众寡不敌，是夕，引军还。全忠遣曹州刺史杨师厚追之，及于辅唐[161]。茂章命先锋指挥使李虔裕将五百骑为殿[162]，虔裕殊死[163]战，师厚擒而杀之。师厚，颍州人也。

张训闻茂章去，谓诸将曰："汴人将至，何以御之？"诸将请焚城大掠而归。训曰："不可。"封府库，植旗帜于城上，遣羸[164]弱居前，自以精兵殿其后而去。全忠遣左踏白指挥使[165]王檀[166]攻密州，既至，望旗帜，数日乃敢入城。见府库城邑皆完，遂不复追。训全军而还。全忠以檀为密州刺史。

今山东烟台。⑭ 王茂章（？至公元九一四年）：庐州合肥（今安徽合肥）人，淮南名将。与杨行密之子杨渥有隙，行密死被杨渥所逐，投钱镠，表为宣州节度使。归梁为宁国军节度使，因避梁太祖朱晃之祖朱茂琳讳，改名王景仁。传见《旧五代史》卷二十三、《新五代史》卷二十三。⑭ 密州：州名，治所在今山东诸城。⑮ 刘康乂：朱全忠所置密州刺史。⑯ 都游弈使：使职名，唐中期以后置，掌巡视营寨，督察防务等。⑰ 乙亥：六月初六日。⑱ 石楼：镇名，在临淄附近。⑲ 栅：栅垒。筑栅栏与营墙，用作防御。⑳ 丙子：六月初七日。㉑ 趣：催促。㉒ 度：考虑；思忖。㉓ 峻阜：高峻的山岗。㉔ 仆：跌倒。㉕ 枭：斩首悬于木上。㉖ 两镇兵：王师范以平卢之兵，王茂章以淮南之兵。㉗ 逐北：追赶败兵。

【校记】

［7］至：原作"成"。据章钰校，十二行本、乙十一行本皆作"至"，张敦仁《通鉴刊本识误》同，今从改。

【语译】

朱全忠听说朱友宁死了，亲自率领军队二十万人日夜兼程赶往救援。秋，七月十四日壬子，到达临朐，命令诸将攻打青州。王师范率军应战，被汴州军打得大败。王茂章紧闭营垒，以表示惧怕，观察到汴州军稍显懈怠时，就毁坏栅栏率军出击，纵马驰骋，与敌军激战，战到酣畅淋漓时又退回来坐下，召集诸将领饮酒，不久又冲出去奋战。朱全忠登上高处望见这个情形，就问投降的人，知道是王茂章，感叹地说："如果我能得到这个人做将领，天下就不够我去平定了！"到黄昏时，汴州军才退了回去。王茂章估计敌众我寡，不能取胜，当天晚上，率军返回淮南。朱全忠派遣曹州刺史杨师厚追击他们，到辅唐追上淮南军。王茂章命令先锋指挥使李虔裕率领五百名骑兵殿后，李虔裕拼死作战，杨师厚抓住李虔裕并把他杀死。杨师厚，是颍州人。

张训得知王茂章已经离去，对诸将领说："汴州军将要到来，怎么来防御呢？"各将领请求焚烧城池，大肆掠夺后返回淮南。张训说："不可以。"于是封闭府库，在城上竖起旗帜，让老弱士兵先走，自己率领精兵殿后离去。朱全忠派遣左踏白指挥使王檀进攻密州，军队到达后，看到城上旗帜飘扬，几天后才敢入城。王檀看到府库、城邑全都完好无损，就不再追赶。张训全军返回淮南。朱全忠任命王檀为密州刺史。

【段旨】

以上为第五段，写朱全忠率二十万大军破王师范军，淮南兵遁走。

【注释】

⑮⑧ 壬子：七月十四日。⑮⑨ 临朐：县名，县治在今山东临朐。唐属青州，在州东南四

【原文】

丁卯[167]，以山南西道留后王宗贺为节度使。

睦州[168]刺史陈询叛钱镠，举兵攻兰溪[169]，镠遣指挥使方永珍击之。武安都指挥使杜建徽与询连姻[170]，镠疑之，建徽不言。会询亲吏来奔[171]，得建徽与询书，皆劝戒之辞，镠乃悦。建徽从兄建思谮[172]建徽私蓄兵仗，谋作乱；镠使人索之，建徽方食，使者直入卧内，建徽不顾，镠以是益亲重之。

八月戊辰朔[173]，朱全忠留齐州刺史杨师厚攻青州，身归大梁[174]。

庚辰[175]，加西川节度使西平王王建守司徒，进爵蜀王[176]。

前渝州刺史王宗本言于王建，请出兵取荆南。建从之，以宗本为开道都指挥使，将兵下峡[177]。

初，宁国节度使田頵破冯弘铎[178]，诣广陵谢杨行密，因求池、歙为巡属[179]，行密不许。行密左右下及狱吏，皆求赂[180]于頵，頵怒曰："吏知吾将下狱[181]邪！"及还，指广陵南门曰："吾不可复入此矣！"頵兵强财富，好攻取。行密既定淮南，欲保境息民，每抑止之，頵不从。及解释钱镠[182]，頵尤恨之，阴有叛志。李神福言于行密曰："頵必反，宜早图之。"行密曰："頵有大功[183]，反状[184]未露，今杀之，诸将人人自危矣！"頵有良将曰康儒，与頵谋议多不合，行密知之，擢儒为庐州刺史[185]。頵以儒为贰[186]于己，族之。儒曰："吾死，田公亡无日矣！"頵遂与润州团练使安仁义同举兵，仁义悉焚东塘战舰[187]。

十里。⑯0 晡：申时，即午后三时至五时。⑯1 辅唐：县名，县治在今山东安丘。时属密州，在州西北一百二十里。⑯2 殿：殿后；走在最后的军队。⑯3 殊死：拼死。⑯4 羸：瘦弱。⑯5 踏白指挥使：官名，踏白军的统领。掌搜索探路，防止敌军设伏和察明敌情。是处于军队最前端的侦察部队。⑯6 王檀（公元八六五至九一六年）：字众美，京兆人，少英悟，有韬略。随朱全忠征战，曾守密州刺史、邢州保义军节度使，封琅琊郡王。传见《旧五代史》卷二十二、《新五代史》卷二十三。

【语译】

七月二十九日丁卯，朝廷任命山南西道留后王宗贺为节度使。

睦州刺史陈询背叛钱镠，率军进攻兰溪，钱镠派遣指挥使方永珍攻击陈询。武安都指挥使杜建徽与陈询是姻亲，钱镠怀疑他，杜建徽也不辩解。正好陈询的亲信属吏来投奔钱镠，得到杜建徽写给陈询的书信，里面都是劝谏告诫的话，钱镠这才高兴。杜建徽堂兄杜建思诬陷杜建徽私自贮藏兵器，阴谋叛乱。钱镠派人前去搜查，杜建徽正在吃饭，使者直接进入他的卧室内，杜建徽没有看他一眼，钱镠因此更加亲近重用杜建徽。

八月初一日戊辰，朱全忠留下齐州刺史杨师厚攻打青州，自己返回大梁。

十三日庚辰，朝廷加封西川节度使、西平王王建摄理司徒，进爵为蜀王。

前渝州刺史王宗本向王建进言，请出兵攻取荆南。王建听从他的建议，任命王宗本为开道都指挥使，率军下赴三峡。

当初，宁国节度使田頵攻破冯弘铎，前往广陵向杨行密表示感谢，乘机请求把池州、歙州划为自己统属的地盘，杨行密没有同意。杨行密左右的亲信，下至狱吏，都向田頵索要贿赂，田頵发怒说："难道这些狱吏知道我将被关进监狱吗！"在回去时，指着广陵城的南门说："我不可再进入此城了！"田頵兵力强盛，财物充足，喜好攻打掠夺。杨行密平定淮南以后，想要保境安民，经常压抑阻止他，田頵不听。到杨行密解除对钱镠的包围，田頵就更加痛恨杨行密，暗中已有叛变的想法。李神福对杨行密说："田頵必反，应当早一点处置他。"杨行密说："田頵有大功，他谋反的形迹还没有显露，现在杀他，诸将领会人人自危了！"田頵有一个良将叫康儒，与田頵商议事情意见经常不相符合，杨行密得知这情况后，提升康儒为庐州刺史。田頵认为康儒对自己有二心，就杀灭他的全族。康儒说："我死了，田公你灭亡的日子也没有几天了！"田頵于是和润州团练使安仁义一同起兵，安仁义纵火焚烧杨行密在扬州东塘的全部战舰。

颙遣二使诈为商人，诣寿州约奉国节度使朱延寿，行密将尚公迺[188]遇之，曰："非商人也。"杀一人，得其书，以告行密。行密召李神福于鄂州，神福恐杜洪邀之，宣言奉命攻荆南，勒兵具舟楫。及暮，遂沿江东下，始告将士以讨田颙。

己丑[189]，安仁义袭常州，常州刺史李遇逆战，极口[190]骂仁义，仁义曰："彼敢辱我，必有备。"乃引去。壬辰[191]，行密以王茂章为润州行营招讨使，击仁义，不克，使徐温将兵会之。温易其衣服旗帜，皆如茂章兵，仁义不知益兵，复出战，温奋击，破之。

行密夫人，朱延寿之姊也。行密狎侮[192]延寿，延寿怨怒，阴与田颙通谋。颙遣前进士杜荀鹤[193]至寿州，与延寿相结。又遣至大梁告朱全忠，全忠大喜，遣兵屯宿州以应之。荀鹤，池州人也。

杨师厚屯临朐，声言将之密州，留辎重于临朐。九月癸卯[194]，王师范出兵攻临朐，师厚伏兵奋击，大破之，杀万余人，获师范弟师克。明日，莱州兵五千救青州，师厚邀击之，杀获殆尽，遂徙寨抵其城下。

朱延寿谋颇泄，杨行密诈为目疾[195]，对延寿使者多错乱所见[196]，或触柱仆地[197]。谓夫人曰："吾不幸失明，诸子皆幼，军府事当悉以授三舅[198]。"夫人屡以书报延寿，行密又自遣召之，阴令徐温为之备。延寿至广陵，行密迎及寝门[199]，执而杀之。部兵惊扰，徐温谕之，皆听命[200]，遂斩延寿兄弟，黜朱夫人。

初，延寿赴召，其妻王氏谓曰："君此行吉凶未可知，愿日发一使[201]以安我！"一日，使不至，王氏曰："事可知矣！"部分[202]僮仆，授兵[203]阖门[204]，捕骑至，乃集家人，聚宝货，发百燎[205]焚府舍，曰："妾誓不以皎然之躯[206]为仇人所辱。"赴火而死。

延寿用法[207]严，好以寡击众，尝遣二百人与汴兵战，有一人应留者，请行，延寿以违命，立斩之。

田頵派遣两名使者扮作商人，到寿州与奉国节度使朱延寿联络。杨行密的部将尚公迺遇到他们，说："你们不是商人。"杀死其中一人，搜到书信，把情况向杨行密报告。杨行密从鄂州召回李神福，李神福担心杜洪拦截他，扬言奉命进攻荆南，部署士兵准备舟船。到黄昏时，就沿江东下，这才告诉将士们是去讨伐田頵。

八月二十二日己丑，安仁义袭击常州，常州刺史李遇迎战，破口大骂安仁义。安仁义说："李遇敢辱骂我，必定是有了防备。"于是就率军离去。二十五日壬辰，杨行密任命王茂章为润州行营招讨使，去进攻安仁义，未能取胜，又派徐温率军与王茂章会合。徐温改换军队的衣服旗帜，都像王茂章的部众。安仁义不知道对方已经增兵，再次出战。徐温奋力猛击，大破安仁义。

杨行密的夫人，是朱延寿的姐姐。杨行密轻蔑戏弄朱延寿，朱延寿很怨恨，很生气，暗中和田頵串通谋反。田頵派遣前进士杜荀鹤到寿州去，与朱延寿相交结。又派遣杜荀鹤到大梁告知朱全忠。朱全忠大喜，派遣军队屯驻宿州以接应他们。杜荀鹤是池州人。

杨师厚驻军临朐，扬言即将前往密州，把辎重留在临朐。九月初六日癸卯，王师范出兵进攻临朐。杨师厚埋伏士兵奋击，大败王师范，杀死一万多人，俘获王师范的弟弟王师克。第二天，莱州军队五千人救援青州，杨师厚半路进行截击，几乎把他们全部斩杀俘获，于是迁徙营寨直抵青州城下。

朱延寿的阴谋逐渐泄露出来，杨行密假装患上眼病，接见朱延寿使者时看东西多所错乱，有时撞到柱子跌倒。杨行密对夫人朱氏说："我不幸失明，孩子们年纪都小，军府中的事务应当都委托三舅朱延寿管理。"朱氏多次写信告知朱延寿，杨行密又亲自派遣使者召唤朱延寿，暗中命令徐温做好准备工作。朱延寿到达广陵，杨行密迎到寝室门口，把朱延寿抓起来杀死了，朱延寿部下的兵士惊慌骚动，徐温晓谕他们，全都听从命令。于是斩杀朱延寿的兄弟，废黜了夫人朱氏。

起初，朱延寿应召前往广陵时，他的妻子王氏对他说："您这次去广陵吉凶难以预知，希望每天派一个使者来，让我心安！"有一天，使者没有到来，王氏说："情况可以知晓了！"于是部署家童仆役，分发兵器给全家。逮捕他们的骑兵一到，她就召集家人，聚拢珍宝财物，点燃上百支火炬焚烧府舍，说："我发誓不让自己清白的身体被仇人侮辱。"自己跳到火里烧死。

朱延寿执法严厉，喜好以少击多，曾经派遣二百人与汴州军作战，有一个人应当留下来，却请求前去杀敌，朱延寿以他违抗命令，立即把他斩杀。

【段旨】

以上为第六段，写田頵反叛杨行密，朱延寿与之通谋被诛。王建进爵蜀王。

【注释】

⑯⑦丁卯：七月二十九日。⑯⑧睦州：州名，治所在今浙江建德东。⑯⑨兰溪：县名，县治在今浙江兰溪市。在睦州西北五十五里。⑰⓪连姻：儿女亲家。⑰①来奔：陈询背叛钱镠，其亲吏不愿反叛，故来投奔钱镠。⑰②谮：诬陷。⑰③戊辰朔：八月初一日。⑰④身归大梁：朱全忠因朱友宁之死，愤怨之下发兵企图一举攻下青州，但因王师范兵力较强，一时难以攻下，故使杨师厚围守之，而自己回汴梁。⑰⑤庚辰：八月十三日。⑰⑥进爵蜀王：由西平王进封蜀王，是由郡王进至国王。⑰⑦峡：三峡。⑰⑧破冯弘铎：事见上卷天复二年。⑰⑨求池歙为巡属：池州治所在今安徽池州市贵池区，歙州治所在今安徽歙县。唐置宣、歙、池观察使，二州本由宣州统属，田頵因有功而求之。⑱⓪求赂：因破冯弘铎多得宝货，故向其索贿。⑱①吏知吾将下狱：因狱吏也索贿，故有此语。⑱②解释钱镠：解除对钱镠的包

【原文】

田頵袭昇州㉘，得李神福妻子，善遇之。神福自鄂州东下，頵遣使谓之曰："公见机㉙，与公分地而王；不然，妻子无遗！"神福曰："吾以卒伍㉑⓪事吴王㉑①，今为上将，义不以妻子易其志㉑②。頵有老母，不顾而反，三纲㉑③且不知，乌足与言乎㉑④！"斩使者而进，士卒皆感励㉑⑤。頵遣其将王坛㉑⑥[8]、汪建将水军逆战。丁未㉑⑦，神福至吉阳矶㉑⑧，与坛、建遇，坛、建执其子承鼎示之，神福命左右射之。神福谓诸将曰："彼众我寡，当以奇取胜。"及暮，合战，神福阳㉑⑨[9]败，引舟溯㉒⓪流而上；坛、建追之，神福复还，顺流击之，坛、建楼船大列火炬㉒①，神福令军中曰："望火炬辄击之。"坛、建军皆灭火，旗帜交杂，神福因风纵火，焚其舰，坛、建大败，士卒焚溺死者甚众；戊申㉒②，又战于皖口㉒③，坛、建仅以身免。获徐绾，行密以槛车㉒④载之，遗钱镠；镠剖其心以祭高渭㉒⑤。

頵闻坛、建败，自将水军逆战㉒⑥。神福曰："贼弃城而来，此天亡

围。天复二年（公元九〇二年），杨行密遣将田頵急攻钱镠，包围了杭州，至此，田頵被召回。⑱大功：田頵从杨行密起庐州，破赵锽、孙儒及冯弘铎，皆有大功。⑱反状：反叛的行迹。⑱擢儒为庐州刺史：杨行密提拔康儒，意在离间康儒和田頵的关系。擢，提升。⑱贰：有二心。⑱仁义悉焚东塘战舰：淮南战舰多聚于扬州东塘，对岸即润州界，故安仁义得焚之。⑱尚公迺：原为冯弘铎牙将，天复二年归杨行密。⑱己丑：八月二十二日。⑲极口：竭尽全力。⑲壬辰：八月二十五日。⑲狎侮：轻蔑戏弄。⑲杜荀鹤（公元八四六至九〇七年）：字彦之，自号九华山人，池州人，大顺二年进士。依附朱全忠，官至翰林学士知制诰，有诗名，兼工书法。传见《旧五代史》卷二十四。⑲癸卯：九月初六日。⑲目疾：眼病。⑲错乱所见：眼力错乱，看不清物品。⑲触柱仆地：撞在柱子上而摔倒。仆地，摔倒在地上。⑲三舅：即朱延寿。⑲寝门：卧室之门。⑳皆听命：都服从命令。⑳日发一使：每天派一使者。王氏认为延寿此行凶多吉少，故有此请。⑳部分：部署。⑳兵：武器。⑳阖门：全家。⑳百燎：上百支火炬。⑳皎然之躯：清白的身体。⑳用法：执法。

【语译】

田頵袭击昇州，俘获李神福的妻子儿女，对待她们很好。李神福从鄂州东下，田頵派人对他说："您能见机行事，我与您分地称王；不然的话，您的妻子儿女都不能活命！"李神福说："我以士兵身份奉事吴王，今天做了上将，从道义上讲不能因妻子儿女改变自己的志向。你田頵有老母，毫不顾念而反叛，连三纲尚且不知道，怎么值得与你说呢！"斩杀田頵的使者率军前进，士兵都因感动而受到激励。田頵派遣他的部将王坛、汪建率领水军迎战。九月初十日丁未，李神福到达吉阳矶，与王坛、汪建相遇。王坛、汪建捆绑他的儿子李承鼎给他看，李神福命令左右的人向他们射箭。李神福对诸将领说："敌众我寡，应该出奇兵来取胜。"到了傍晚，两军会战，李神福假装战败，率领战船逆流向上逃走。王坛、汪建追赶，李神福又掉转船头，顺流而下进行攻击。王坛、汪建的楼船排列着很多火炬，李神福命令军中士兵说："看到火炬就攻击他们。"王坛、汪建的兵士都纷纷熄灭了火炬，旗帜交错杂乱，李神福顺着风势放火，焚烧他们的战船，王坛、汪建大败，士兵被烧死淹死的很多。十一日戊申，又在皖口交战，仅仅王坛、汪建能免于一死。李神福俘获徐绾，杨行密用囚车押着徐绾，把他送给钱镠。钱镠挖出徐绾的心，用来祭奠高渭。

田頵得知王坛、汪建战败，亲自率领水军迎战。李神福说："贼寇抛弃守城前

也!”临江坚壁不战，遣使告行密，请发步兵断其归路；行密遣涟水制置使台濛将兵应之。王茂章攻润州，久未下，行密命茂章引兵会濛击頵。

辛亥[227]，汴将刘重霸拔棣州[228]，执刺史邵播[229]，杀之。

甲寅[230]，朱全忠如洛阳，遇疾，复还大梁。

戊午[231]，王师范遣副使李嗣业及弟师悦请降于杨师厚，曰:“师范非敢背德，韩全诲、李茂贞以朱书御札使之举兵，师范不敢违。”仍请以其弟师鲁为质。时朱全忠闻李茂贞、杨崇本[232]将起兵逼京畿，恐其复劫天子西去，欲迎车驾都洛阳，乃受师范降，选诸将使守登、莱、淄、棣等州，即以师范权淄青留后。师范仍言先遣行军司马刘鄩将兵五千据兖州，非其自专，愿释其罪，亦遣使语鄩。

田頵闻台濛将至，自将步骑逆战，留其将郭行悰以精兵二万及王坛、汪建水军屯芜湖[233]，以拒李神福。觇者言:“濛营寨褊小，才容二千人。”頵易[234]之，不召外兵。濛入頵境，番陈而进[235]，军中笑其怯，濛曰:“頵宿将[236]多谋，不可不备。”冬，十月戊辰[237]，与頵遇于广德[238]，濛先以杨行密书遍赐頵将，皆下马拜受。濛因其挫伏[239]，纵兵击之，頵兵遂败。又战于黄池[240]，兵交，濛伪走；頵追之，遇伏，大败，奔还宣州城守，濛引兵围之。頵亟召芜湖兵还，不得入。郭行悰、王坛、汪建及当涂[241]、广德诸戍皆帅其众降。行密以台濛已破田頵，命王茂章复引兵攻润州。

【段旨】

以上为第七段，写田頵连战皆败，王师范兵败降朱全忠，并以其弟为质。

来，这是上天要让他灭亡啊！”李神福临江坚守营垒不出战，派遣使者报告杨行密，请求出动步兵断绝他的归路。杨行密派遣涟水制置使台濛率军接应李神福。王茂章进攻润州，很久没有攻克，杨行密命令王茂章率军会合台濛一同攻击田頵。

九月十四日辛亥，汴州将领刘重霸攻取棣州，捉住刺史邵播，杀死了他。

十七日甲寅，朱全忠到达洛阳，患病，又返回大梁。

九月二十一日戊午，王师范派遣副使李嗣业及弟弟王师悦向杨师厚请求投降，说：“我不敢违背恩德，韩全诲、李茂贞用皇上朱笔撰写的御札命令我起兵，我不敢违抗。”还请求用他的弟弟王师鲁作为人质。这时朱全忠得知李茂贞、杨崇本将要起兵进逼京畿地区，恐怕他们再次劫持昭宗西去凤翔，想要迎接昭宗建都洛阳，于是接受王师范的投降，选用诸将领防守登、莱、淄、棣等州，就以王师范暂时代理淄青留后。王师范还说明先前派遣行军司马刘鄩率兵五千人占据兖州，并非他的擅自行动，希望朱全忠能宽免他的罪责，又派使者去告知刘鄩。

田頵听说台濛即将到达，亲自率领步兵、骑兵迎战，留下他的部将郭行悰率精兵二万人以及王坛、汪建的水军驻守芜湖，用以抵御李神福。侦察敌情的人报告说：“台濛的营寨狭小，才能容纳二千人。”田頵轻视台濛，没有召集外地的军队。台濛进入田頵的地界，把军队分成几部，轮流列阵前进。军中有人嘲笑他怯懦，台濛说：“田頵是老将多谋，不能不加以防备。”冬，十月初二日戊辰，台濛与田頵在广德相遇。台濛先把杨行密的书信遍赐田頵部下诸将，将领们都下马行礼接受。台濛乘着田頵部下将士的士气受到挫折，纵兵攻击，田頵的军队于是战败。双方又在黄池交战，军队一交锋，台濛假装逃走。田頵率军追击，遇到埋伏，大败，逃回宣州闭城防守。台濛率兵包围宣州，田頵赶紧召回驻守芜湖的军队，但不能入城。郭行悰、王坛、汪建以及当涂、广德各地戍守的将领都率众投降。杨行密因台濛已经击败田頵，命令王茂章再率军进攻润州。

【注释】

⑳⑧ 田頵袭昇州：天复二年，田頵克昇州，杨行密以李神福为昇州刺史。时杨行密遣李神福攻鄂，故田頵乘虚袭之。⑳⑨ 见机：认清形势，把握时机。㉑⓪ 卒伍：士兵。㉑① 吴王：杨行密。㉑② 义不以妻子易其志：田頵以杀害李神福妻子相威胁，李神福重与杨行密之义，不以妻子为念。易其志，改变志向。㉑③ 三纲：君为臣纲，父为子纲，夫为妻纲。㉑④ 乌足与言乎：此言田頵上有老母，轻易举兵，必然祸及老母，对杨行密为不忠不义，对老母为不孝，不足与言。乌，疑问助词。㉑⑤ 感励：感动激励。㉑⑥ 王坛：光化二年（公元八九

九年），田頵将康儒取婺州，王坛归田頵。㉑⑦丁未：九月初十日。㉑⑧吉阳矶：在今安徽东至县东流镇江滨。㉑⑨阳：通“佯”。假装。㉒⓪溯：逆着水流而上。㉒①大列火炬：排列很多火炬。船列火炬，自己不能望远，却使敌方洞见表里，故李神福集中兵力攻击。㉒②戊申：九月十一日。㉒③皖口：镇名，舒州怀宁县有皖口镇，当皖水入长江之口，在今安徽安庆西。㉒④槛车：囚车。㉒⑤高渭：湖州刺史高彦之子。天复二年，徐绾谋杀钱镠未遂，纵兵焚掠杭州外城，高彦闻变，派高渭入援，被徐绾杀于灵隐山。㉒⑥逆战：迎战。㉒⑦辛亥：九月十四日。㉒⑧棣州：州名，治所在今山东惠民东南。㉒⑨邵播：原朱全忠所署棣州刺史。朱全忠灭朱瑄，已得棣州，委任邵播为刺史。邵播又以州叛附王师范。至是，杀之。㉓⓪甲寅：九月十七日。㉓①戊午：九月二十一日。㉓②杨崇本（？至公元九一一年）：幼为李茂贞假子，名李继徽。光化中茂贞表为邠州节度使。天复元年（公元九〇一年）降朱全忠。后以朱全忠奸其妻而复与李茂贞联合反朱全忠。最后被其子杨彦鲁毒死。传

【原文】

初，夔州刺史侯矩从成汭救鄂州，汭死，矩奔还，会王宗本兵至。甲戌㉔②[10]，矩以州降之，宗本遂定夔、忠、万、施㉔③四州。王建复以矩为夔州刺史，更其姓名曰王宗矩。宗矩，易州㉔④人也。蜀之议者，以瞿唐㉔⑤，蜀之险要，乃弃归、峡㉔⑥，屯军夔州。

建以宗本为武泰㉔⑦留后，武泰军旧治黔州㉔⑧，宗本以其地多瘴疠㉔⑨，请徙治涪州㉕⓪，建许之。

葛从周急攻兖州，刘鄩使从周母乘板舆㉕①登城，谓从周曰：“刘将军事我不异于汝，新妇㉕②辈皆安居，人各为其主，汝可察之。”从周歔欷㉕③而退，攻城为之缓。鄩悉简㉕④妇人及民之老疾不足当敌者出之，独与少壮者同辛苦，分衣食，坚守以扞敌㉕⑤，号令整肃，兵不为暴，民皆安堵㉕⑥。久之，外援既绝，节度副使王彦温逾城出降，城上卒多从之，不可遏。鄩遣人从容语彦温曰：“军士非素遣者㉕⑦，勿多与之俱。”又遣人徇㉕⑧于城上曰：“军士非素遣从副使而敢擅往者，族之！”士卒皆惶惑不敢出。敌人果疑彦温，斩之城下，由是众心益固。及王师范力屈㉕⑨，从周以祸福谕之，鄩曰：“受王公命守此城，一旦见王公失势，

见《旧五代史》卷十三、《新五代史》卷四十。㉝芜湖：县名，县治在今安徽芜湖。时属宣州。㉞易：轻视。㉟番陈而进：分兵为数部，更番列阵，整兵而后进，以应付突然接战。番陈，即番阵。㊱宿将：老将。㊲戊辰：十月初二日。㊳广德：县名，在宣州东一百八十里，县治在今安徽广德。㊴挫伏：士气摧折。㊵黄池：镇名，在今安徽当涂东南八十里。㊶当涂：县名，县治在今安徽当涂。

【校记】

［8］王坛：据章钰校，十二行本、乙十一行本皆作“王檀”。〖按〗《新唐书》卷一百五十《田颙传》载“颙将王坛等以舟师蹑神福后”，本卷下文亦皆作“坛”。［9］阳：原作“佯”。据章钰校，十二行本、乙十一行本皆作“阳”，今从改。

【语译】

当初，夔州刺史侯矩跟随成汭救援鄂州，成汭战败身死后，侯矩逃回夔州，正赶上王宗本军队到达。十月初八日甲戌，侯矩献出夔州投降，王宗本于是平定夔、忠、万、施四州。王建又任命侯矩为夔州刺史，把他的姓名改为王宗矩。王宗矩，是易州人。蜀地论议的人，认为瞿塘峡是蜀地险峻的要冲，于是放弃归、峡两州，驻扎军队在夔州。

王建以王宗本为武泰留后。武泰军旧的治所在黔州，王宗本因为当地潮湿，多瘴气瘟疫，请求将治所迁徙到涪州，王建同意他的请求。

葛从周猛攻兖州，刘鄩让葛从周的母亲乘坐板舆登上城墙，对葛从周说：“刘将军侍奉我和你没有什么不同，你的妻子也都生活安乐，各人都为自己的主人效力，你要明白这个道理。”葛从周抽泣着叹气而退，攻城因此缓和下来。刘鄩挑选妇人及年老有病不能抗敌的百姓，让他们全都出去，只与年轻力壮的人同甘共苦，分享衣服食物，坚守城池来抵御敌军，他的号令整齐严肃，士兵不做残暴的事，百姓都能安居乐业。时间长了，外面的援助已然断绝，节度副使王彦温翻越城墙出去投降，城上的士兵很多跟随他前去，难以阻止。刘鄩派人从容地告诉王彦温说：“不是一向由你指挥的，不要多带出去。”又派人在城上巡行宣示，说：“不是一向跟随节度副使而胆敢擅自前往的军士，杀死他的全族！”士兵都惶惑恐惧，不敢出城。敌人果然怀疑王彦温，在城下把他斩杀，因此士兵防守的意志越发坚定。等到王师范兵力衰竭，葛从周用祸福得失来晓谕他，刘鄩说：“我受王公的命令守卫此城，一旦看到王公失

不俟其命而降，非所以事上也。”及师范使者[260]至，丁丑[261]，始出降。

从周为具赍装[262]，送鄩诣大梁。鄩曰：“降将未受梁王宽释之命，安敢乘马衣裘[263]乎！”乃素服[264]乘驴[265]至大梁。全忠赐之冠带，辞，请囚服入见，不许。全忠慰劳，饮之酒，辞以量小。全忠曰：“取兖州，量何大邪[266]！”以为元从都押牙[267]。是时四镇将吏皆功臣[268]、旧人[269]，鄩一旦以降将居其上，诸将具军礼拜于廷，鄩坐受自如，全忠益奇之[270]。未几，表为保大[271]留后。

【段旨】

以上为第八段，写刘鄩智计胆略超群，使朱全忠折服，虽身为囚虏被拔擢为保大留后。

【注释】

(242)甲戌：十月初八日。(243)夔、忠、万、施：皆州名，四州在今三峡地区。夔州治所在今重庆市奉节，忠州治所在今重庆市忠县，万州治所在今重庆市万州区，施州治所在今湖北恩施。夔、忠、万原为荆南统属，施州原为黔中统属。(244)易州：州名，治所在今河北易县。(245)瞿唐：即瞿塘峡，在夔州东一里，为长江三峡之首，两岸对峙，中贯一江。地当全蜀江路之口，为军事上攻守必争之地。(246)归、峡：皆州名，归州治所在今湖北秭归，峡州治所在今湖北宜昌。(247)武泰：方镇名，大顺元年（公元八九〇年）赐黔州观察使号武泰军节度。(248)黔州：州名，治所在今重庆市彭水苗族土家族自治县。(249)瘴疠：山林温湿地带湿热蒸发能使人致病的瘴气及由其引发的恶性疟疾等传染病。(250)涪州：州名，治所在今重庆市涪陵区。(251)板舆：古时老人的一种代步工具。一般由两个人来抬。(252)新妇：葛从周之妻。(253)歔欷：哀叹抽泣声。刘鄩用兵，十步九计。自得兖州，善待葛从周

【原文】

葛从周久病，全忠以康怀贞[11]为泰宁节度使代之。

辛巳[272][12]，宿卫都指挥使朱友伦与客击球[273]于左军，坠马而卒。全忠悲怒，疑崔胤故为之，凡与同戏者十余人尽杀之，遣其兄子友谅[274]代典宿卫[275]。

去权势，不等待他的命令就投降，这不是侍奉尊长的态度。”直至王师范的使者到达，十月十一日丁丑，刘鄩才出城投降。

葛从周为刘鄩备办行装，送他前往大梁。刘鄩说：“降将没有得到梁王宽宥释放的命令，怎么敢骑马，身穿裘衣呢！”于是穿着素色的衣服，骑着驴到达大梁。朱全忠赏赐给他衣冠腰带，刘鄩推辞不受，请求穿囚服进见，朱全忠不允许。朱全忠慰劳刘鄩，让他喝酒，他以酒量小来推辞。朱全忠说：“你攻取兖州，胆量多么大啊！”以他为元从都押牙。当时四镇的将领、官吏都是功臣和故旧，刘鄩一下子以降将的身份位居他们之上，诸将领在廷中行军礼拜见他，刘鄩坐着接受拜见，神态自如，朱全忠越发赏识他。不久，就上表奏请以他为保大留后。

之家眷，行此策以伐葛从周之心。㉔简：挑选。㉕扞敌：抵御敌人。㉖安堵：相安；安居。㉗军士非素遣者：此句意谓士兵不是一直由王彦温遣使的。㉘徇：向众宣示。㉙力屈：力量衰竭。㉚使者：王师范所遣通知刘鄩投降的人。㉛丁丑：十月十一日。㉜赍装：携带的行装。㉝衣裘：穿皮衣。㉞素服：白色衣服，此为囚服。㉟乘驴：渠帅（魁首）被俘，载以驴。㊱量何大邪：上言刘鄩酒量小，此言刘鄩胆量大，当时王师范派出众多将领，独刘鄩夺取兖州。朱全忠此言既是取笑，又是夸奖。㊲元从都押牙：武官名。㊳功臣：朱全忠迎车驾于凤翔，诸将皆赐迎銮果毅功臣。㊴旧人：跟随朱全忠最久者。㊵益奇之：越发感到惊奇。刘鄩是一降将，一下子提拔为元从都押牙，是为四镇衙前重要的职位。而刘鄩受之自如，是自知其才足以当之。㊶保大：方镇名，唐僖宗中和二年（公元八八二年），渭北节度赐号保大军节度。治所鄜州，在今陕西富县。

【校记】

［10］甲戌：原无此二字。据章钰校，十二行本、乙十一行本、孔天胤本皆有此二字，张瑛《通鉴校勘记》同，今据补。

【语译】

葛从周长期患病，朱全忠任命康怀贞为泰宁节度使来代替他。

十月十五日辛巳，宿卫都指挥使朱友伦与宾客在左军玩击球游戏，掉下马来摔死。朱全忠又悲痛又生气，怀疑是崔胤故意安排的。凡是与朱友伦一起游戏的十多个人都被杀死。朱全忠派遣自己哥哥的儿子朱友谅代为掌管皇宫中的值宿警卫。

山南东道节度使赵匡凝遣兵袭荆南，朗人弃城走㉗⑥，匡凝表其弟匡明为荆南留后。时天子微弱，诸道财[13]赋多不上供㉗⑦，惟匡明兄弟委输㉗⑧不绝。

杨行密求兵于钱镠，镠遣方永珍屯润州，从弟镒屯宣州㉗⑨。又遣指挥使杨习攻睦州㉘⓪。

凤翔、邠州㉘①屡出兵近京畿，朱全忠疑其复有劫迁㉘②之谋，十一月，发骑兵屯河中。

十二月乙亥㉘③[14]，田頵帅死士数百出战，台濛阳退以示弱。頵兵逾濠而斗，濛急击之。頵不胜，还走城，桥陷坠马，斩之。其众犹战，以頵首示之，乃溃，濛遂克宣州。

初，行密与頵同闾里㉘④，少相善，约为兄弟，及頵首至广陵，行密视之泣下。赦其母殷氏，行密与诸子皆以子孙礼㉘⑤事之。

行密以李神福为宁国节度使。神福以杜洪未平，固让不拜。宣州长史合肥[15]骆知祥㉘⑥善治金谷㉘⑦，观察牙推㉘⑧沈文昌为文㉘⑨精敏，尝为頵草檄㉙⓪骂行密，行密以知祥为淮南支计官㉙①，文昌为节度牙推。文昌，湖州人也。

初，頵每战不胜，辄欲杀钱传瓘㉙②，其母及宣州都虞候郭师从常保护之。师从，合肥人，頵之妇弟也。頵败，传瓘归杭州，钱镠以师从为镇东㉙③都虞候。

【段旨】

以上为第九段，写山南东道节度使赵匡凝袭取荆南，表其弟赵匡明为荆南留后。田頵败殁。

【注释】

㉗②辛巳：十月十五日。㉗③击球：一种对抗性游戏，类似于近代马球。㉗④友谅：朱全忠兄朱全昱之子朱友谅（？至公元九二三年），初封衡王，后嗣广王，多行不法。传见《旧五代史》卷十二、《新五代史》卷十三。㉗⑤代典宿卫：代朱友伦领宿卫军。㉗⑥朗人弃城走：朗州人，指雷彦威之兵。雷彦威时为武贞节度使。成汭既死，荆南无帅，朗人遂入荆州城守之，赵匡凝来袭，朗人弃城逃走。㉗⑦上供：唐代地方上交朝廷的赋税。《新唐

山南东道节度使赵匡凝派兵袭击荆南，雷彦威的朗州军队弃城逃走，赵匡凝上表奏请任命他的弟弟赵匡明为荆南留后。当时昭宗势力微弱，各道的赋税大多不向朝廷上供，只有赵匡明兄弟一直运送，从未间断。

杨行密向钱镠请求派兵支援，钱镠派遣方永珍驻军润州，堂弟钱镒驻军宣州。又派遣指挥使杨习进攻睦州。

凤翔的李茂贞、邠州的杨崇本多次出兵逼近京畿地区，朱全忠怀疑他们又有劫持昭宗的阴谋。十一月，出动骑兵驻扎到河中。

十二月初九日乙亥，田頵率领敢死队几百人出战，台濛假装败退以示势弱。田頵的军队越过壕沟作战，台濛急速反击。田頵未能取胜，转身向宣州城退去，桥梁坍塌，田頵落马，被斩首。田頵的部众还在战斗，直到台濛拿出田頵的首级来示众，才溃散逃亡，台濛于是攻克宣州。

当初，杨行密和田頵同乡里，从小很要好，相约结为兄弟。等到田頵的首级送到广陵，杨行密看了不禁感伤落泪。杨行密赦免田頵的母亲殷氏，并与自己的儿子以儿孙的礼节来侍奉她。

杨行密任命李神福为宁国节度使。李神福因为杜洪尚未平定，坚决推辞不肯接受。宣州长史合肥骆知祥善于管理钱财粮谷，观察牙推沈文昌写文章精妙快捷，曾经为田頵起草檄文辱骂杨行密。杨行密以骆知祥为淮南支计官，沈文昌为节度牙推。沈文昌是湖州人。

起初，田頵每次作战都不能取胜，就想要杀死钱传瓘，田頵的母亲和宣州都虞候郭师从经常保护钱传瓘。郭师从是合肥人，田頵的妻弟。田頵败亡后，钱传瓘返回杭州，钱镠以郭师从为镇东都虞候。

书·食货志》："分天下之赋以为三：一曰上供，二曰送使（节度使），三曰留州。"㉗⑧委输：运送。以物置于舟车上叫委，运转他处交卸叫输。㉗⑨镠遣方永珍屯润州二句：钱镠遣方永珍屯润州是助攻安仁义，遣钱镒屯宣州是助攻田頵。钱镒是钱镠的堂弟。㉘⓪攻睦州：陈询时据睦州，背钱镠而结田頵，故攻之。㉘①凤翔、邠州：指李茂贞和杨崇本。㉘②劫迁：劫昭宗西迁。㉘③乙亥：十二月初九日。㉘④闾里：乡里。㉘⑤子孙礼：杨行密以诸子礼事殷氏，其子以诸孙礼事殷氏。㉘⑥骆知祥：合肥人。初事田頵，后归杨行密。颇受重用，掌财赋，后曾掌选举。吴建国后，任中书侍郎。㉘⑦金谷：钱与米，指财务。㉘⑧观察牙推：官名，唐制，节度观察牙推在巡官之下，是幕府重要职位。㉘⑨为文：写作文章。㉙⓪草檄：起草檄文。㉙①支计官：官名，节度使下之支度判官。㉙②钱传瓘：钱镠之子，在田頵处为人质。㉙③镇东：方镇名，即浙江东道，治所越州，在今浙江绍兴。

【校记】

［11］康怀贞：原作“康怀英”。胡三省注云：“‘怀英’当作‘怀贞’。”今据严衍《通鉴补》改作“康怀贞”。［12］辛巳：原无此二字。据章钰校，十二行本、乙十一行本、孔天胤本皆有此二字，张敦仁《通鉴刊本识误》同，今据补。［13］财：原作“贡”。据章钰校，十二行本、乙十一行本皆作“财”，今从改。［14］十二月乙亥：原作“十一月乙

【原文】

辛巳㉔，以礼部尚书独孤损为兵部侍郎、同平章事。损，及㉕之从曾孙也。中书侍郎兼户部尚书、同平章事裴贽罢为左仆射。

左仆射致仕张濬居长水，王师范之举兵，濬豫其谋。朱全忠将谋篡夺，恐濬扇动藩镇，讽㉖张全义使图之。丙申㉗，全义遣牙将杨麟将兵诈为劫盗，围其墅㉘而杀之。永宁㉙县吏叶彦素为濬所厚，知麟将至，密告濬子格㉚曰：“相公祸不可免，郎君宜自为谋。”濬谓格曰：“汝留则俱死，去则遗种。”格哭拜而去，叶彦帅义士三十人送之渡汉㉛而还，格遂自荆南入蜀。

卢龙节度使刘仁恭习知契丹情伪㉜，常选将练兵，乘秋深入，逾摘星岭㉝击之，契丹畏之。每霜降，仁恭辄遣人焚塞下野草㉞，契丹马多饥死，常以良马赂仁恭买牧地。契丹王邪律［16］阿保机㉟遣其妻兄述律［17］阿钵将万骑寇渝关㊱，仁恭遣其子守光戍平州㊲，守光伪与之和，设幄㊳犒飨于城外，酒酣，伏兵执之以入。虏众大哭，契丹以重赂请于仁恭，然后归之。

初，崔胤假朱全忠兵力以诛宦官，全忠既破李茂贞，并吞关中，威震天下，遂有篡夺之志。胤惧，与全忠外虽亲厚，私心渐异，乃谓全忠曰：“长安密迩茂贞，不可不为守御之备。六军十二卫㊴，但有空名，请召募以实之㊵，使公无西顾之忧。”全忠知其意，曲从㊶之，阴使麾下壮士应募以察其变。胤不之知，与郑元规等缮㊷治兵仗，日夜不息。及朱友伦死㊸，全忠益疑胤，且欲迁天子都洛，恐胤立异㊹。

亥”。严衍《通鉴补》改作“十二月乙卯”。〖按〗查陈垣《二十史朔闰表》，唐昭宗天复三年十二月有“乙亥”，十一月有“乙卯”，且十二月丁卯朔，无乙卯日，疑严衍作“十二月乙卯”误。据《十国春秋》卷一《吴一》载“十一月乙亥，田頵帅死士数百出战”，故知“乙亥”是，“十一月”误，今据以校正。[15]合肥：原无此二字。据章钰校，十二行本、乙十一行本、孔天胤本皆有此二字，张敦仁《通鉴刊本识误》、张瑛《通鉴校勘记》同，今据补。

【语译】

十二月十五日辛巳，朝廷任命礼部尚书独孤损为兵部侍郎、同平章事。独孤损，是独孤及的从曾孙。中书侍郎兼户部尚书、同平章事裴贽被罢免，担任左仆射。

以左仆射退休的张濬住在长水县，王师范举兵攻打朱全忠时，张濬参与谋划。朱全忠将要谋划篡夺帝位，恐怕张濬煽动藩镇反对，就示意张全义设法除掉他。十二月三十日丙申，张全义派遣牙将杨麟率兵伪装成抢劫的强盗，包围张濬的住宅，杀死了张濬。永宁县吏叶彦一向受到张濬的厚待，知道杨麟就要到来，秘密告诉张濬的儿子张格说：“相公的灾祸不可避免，你应当自己谋求生路。”张濬对张格说：“你留下就要一起死，你逃走还能留下子孙后代。”张格哭着拜辞而去。叶彦率领义士三十人护送他渡过汉水才返回，张格于是从荆南进入蜀地。

卢龙节度使刘仁恭熟悉契丹的情况虚实，常常挑选将领训练士兵，乘着秋季深入敌境，翻越摘星岭去攻击契丹人，契丹十分惧怕他。每年霜降时，刘仁恭就派人焚烧边塞的野草，契丹的马匹饿死很多，经常用好马贿赂刘仁恭来买牧地。契丹王邪律阿保机派遣他的妻兄述律阿钵率领一万名骑兵入侵渝关，刘仁恭派儿子刘守光守卫平州。刘守光假装与阿钵和好，在城外设置帐篷犒劳款待他，酒喝到畅快时，埋伏的士兵把阿钵抓进城里。契丹部众失声痛哭，契丹人用贵重的财物来贿赂，向刘仁恭求情，这才把阿钵放回去。

当初，崔胤借助朱全忠的兵力来诛杀宦官。朱全忠打败李茂贞后，并吞关中，声威震动天下，于是有了篡夺皇位的想法。崔胤感到害怕，与朱全忠表面上虽然亲近和好，内心渐渐背离，于是对朱全忠说：“长安城紧挨着李茂贞，不能不做防守的准备。朝廷的六军十二卫，只有空名，请招募士兵来充实它，使您没有西顾的忧虑。”朱全忠知道崔胤的意图，表面上顺从他，暗中让属下壮士去应募，打入内部来观察崔胤的变化。崔胤没有察觉，与郑元规等人修缮整治兵器，白天黑夜不休息。等到朱友伦摔死，朱全忠更加怀疑崔胤，并且想迁徙昭宗到洛阳建都，担心崔胤提出不同的意见。

【段旨】

以上为第十段，写张濬、崔胤心系唐王室，朱全忠诛杀张濬，猜疑崔胤。

【注释】

㉙④辛巳：十二月十五日。㉙⑤及：独孤及，河南人，天宝末年与李华、萧颖士等齐名，善为文。事见本书卷二百二十三代宗永泰元年。㉙⑥讽：用含蓄的话示意。㉙⑦丙申：十二月三十日。㉙⑧墅：张濬在长水休养的园林房屋。㉙⑨永宁：县名，县治在今河南洛宁。㉚⓪格：即张格（？至公元九二六年），字承之，宰相张濬之子。朱全忠加害张濬，格更换姓名流转入蜀。后王建称帝，格为宰相。传见《旧五代史》卷七十一。㉚①汉：汉水。㉚②情伪：真假虚实。㉚③摘星岭：山岭名，当在平州境内。㉚④焚塞下野草：塞下，泛指边关关口之外。北方降温较早，至秋，草先枯死。而近塞地区气温尚高，草未尽衰。契丹每年秋

【原文】

天祐元年（甲子，公元九〇四年）

春，正月，全忠密表㉛⑤司徒兼侍中、判六军十二卫事、充盐铁转运使、判度支崔胤专权乱国，离间君臣，并其党刑部尚书兼京兆尹、六军诸卫副使郑元规，威远军㉛⑥使陈班等，皆请诛之。乙巳㉛⑦，诏责授胤太子少傅㉛⑧、分司，贬元规循州㉛⑨司户，班溱州㉜⓪[18]司户。丙午㉜①，下诏罪状胤等。以裴枢判左三军㉜②事、充盐铁转运使，独孤损判右三军㉜③事、兼判度支。胤所募兵并纵遣之。以兵部尚书崔远为中书侍郎，翰林学士、左拾遗柳璨㉜④为右谏议大夫，并同平章事。璨，公绰㉜⑤之从孙也。戊申㉜⑥，朱全忠密令宿卫都指挥使朱友谅以兵围崔胤第，杀胤及郑元规、陈班并胤所亲厚者数人。

初，上在华州㉜⑦，朱全忠屡表请上迁都洛阳，上虽不许，全忠常令东都留守佑国[19]节度使张全义缮修宫室。

全忠之克邠州也，质㉜⑧静难军节度使杨崇本妻子于河中。崇本妻美，全忠私焉㉜⑨，既而归之㉝⓪。崇本怒，使谓李茂贞曰：“唐室将灭，父㉝①何忍坐视之乎！”遂相与连兵侵逼京畿，复姓名为李继徽。

天到塞下放牧。刘仁恭尽焚野草，契丹的马匹多饿死。㉟邪律阿保机（公元八七二至九二六年）：即辽太祖，辽王朝的建立者。姓邪律氏，汉名亿。公元九〇七至九二六年在位，公元九一六年称帝。传见《旧五代史》卷一百三十七、《新五代史》卷七十二、《辽史》卷一。㊱渝关：即榆关，今山海关。㊲平州：州名，治所在今河北卢龙。㊳幄：帐篷。㊴六军十二卫：禁军。㊵实之：充实禁军。㊶曲从：委曲己意而从之。㊷缮：修治。㊸朱友伦死：十月，朱友伦击球坠马身亡。㊹立异：提出不同意见以阻挠迁都洛阳。

【校记】

［16］邪律：原无此二字。据章钰校，十二行本、乙十一行本皆有此二字，今据补。［17］述律：原无此二字。据章钰校，十二行本、乙十一行本皆有此二字，张瑛《通鉴校勘记》同，今据补。〖按〗孔天胤本“述律”在“阿”字下。

【语译】

天祐元年（甲子，公元九〇四年）

春，正月，朱全忠秘密上表给昭宗说，司徒兼侍中、判六军十二卫事、充盐铁转运使、判度支事崔胤专擅大权，扰乱国家，离间君臣，连同他的党羽刑部尚书兼京兆尹、六军诸卫副使郑元规，威远军使陈班等人，请求将他们全部诛杀。初九日乙巳，昭宗下诏责罚崔胤改任太子少傅、分司，贬郑元规为循州司户，陈班为溱州司户。初十日丙午，下诏公布崔胤等人的罪状。任命裴枢判左三军事、充盐铁转运使，独孤损判右三军事、兼判度支事。崔胤所招募的士兵全部遣散回家。任命兵部尚书崔远为中书侍郎，翰林学士、左拾遗柳璨为右谏议大夫，都任同平章事。柳璨，是柳公绰的从孙。十二日戊申，朱全忠秘密命令宿卫都指挥使朱友谅率军包围崔胤的住宅，杀死崔胤及郑元规、陈班和崔胤的亲信数人。

当初，昭宗在华州时，朱全忠多次上表请昭宗迁都洛阳，昭宗虽然没有同意，朱全忠却经常命令东都留守佑国节度使张全义修缮皇宫殿堂屋舍。

朱全忠攻克邠州时，把静难军节度使杨崇本的妻子作为人质留在河中。杨崇本的妻子容貌美丽，朱全忠和她私通，不久又把她还给杨崇本。杨崇本大怒，派遣使者对李茂贞说：“唐朝皇室将要灭亡，义父您怎么能忍心坐视不管呢！”于是与李茂贞联合出兵侵逼京畿地区，恢复姓名为李继徽。

己酉㉜，全忠引兵屯河中。丁巳㉝，上御延喜楼，朱全忠遣牙将寇彦卿㉞奉表，称邠、岐兵逼畿甸，请上迁都洛阳。及下楼，裴枢已得全忠移书，促百官东行㉟。戊午㊱，驱徙士民，号哭满路，骂曰："贼臣崔胤召朱温㊲来倾覆社稷，使我曹流离至此！"老幼繦属㊳，月余不绝。

壬戌㊴，车驾发长安，全忠以其将张廷范为御营使㊵，毁长安宫室百司㊶及民间庐舍，取其材，浮渭沿河㊷而下，长安自是[20]遂丘墟㊸矣。

【段旨】

以上为第十一段，写朱全忠密表崔胤专权乱国，离间君臣，请并其党皆诛之。崔胤死，朱全忠又以李茂贞进逼京师为名，迫使昭宗迁都洛阳，毁长安宫室及百官府衙、民舍，长安成废墟。

【注释】

⑮密表：秘密上表。⑯威远军：神策五十四都之一。⑰乙巳：正月初九日。⑱太子少傅：官名，东宫六傅之一，位在太子少师之下，太子少保之上。唐代仅为加官。⑲循州：州名，治所在今广东惠州东。⑳溱州：州名，治所在今重庆市綦江区东南。㉑丙午：正月初十日。㉒左三军：左龙武军、左神武军、左神策军。㉓右三军：右龙武军、右神武军、右神策军。㉔柳璨（？至公元九〇五年）：河东人，少孤贫好学，光化中登进士第，升迁甚快，数年而至宰相。依附朱全忠，参与诛杀朝廷大臣。后为朱全忠所杀。传见《旧唐书》卷一百七十九、《新唐书》卷二百二十三下。㉕公绰：柳公绰，历仕唐宪宗、穆宗、敬宗三朝，任御史大夫、京兆尹、山南东道节度使等职，性谨重，循礼法。柳公权之兄。传见《旧唐书》卷一百六十五、《新唐书》卷一百六十三。㉖戊申：

【原文】

全忠发河南、北诸镇丁匠㊹数万，令张全义治东都宫室，江、浙、湖、岭㊺诸镇附全忠者，皆输货财以助之。

甲子㊻，车驾至华州，民夹道呼万岁，上泣谓曰："勿呼万岁，朕

正月十三日己酉，朱全忠率军驻扎河中。二十一日丁巳，昭宗亲临延喜楼，朱全忠派遣牙将寇彦卿捧着奏表，说是邠州、岐州的军队已经逼近京畿地区，请求昭宗迁都洛阳。等到昭宗下楼，裴枢已经得到朱全忠的公文书信，催促文武百官东去洛阳。二十二日戊午，被驱赶迁徙的士民们，号哭满路，大骂道："贼臣崔胤召唤朱温来倾覆社稷，使得我们颠沛流离到这种地步！"老幼相属不绝，一个多月还没有走完。

正月二十六日壬戌，昭宗从长安出发，朱全忠任命他的部将张廷范为御营使，拆毁长安的宫室、百官和民间的房舍，取出木材，抛入渭水中顺着黄河漂浮而下。长安自此成为一片废墟。

正月十二日。㉗上在华州：乾宁三年、四年，昭宗在华州。事见本书卷二百六十、二百六十一。㉘质：作为人质。㉙私焉：与杨崇本妻子私通。㉚归之：遣杨崇本之妻回归邠州。㉛父：李茂贞养崇本为子，更姓名李继徽，故以父称之。㉜己酉：正月十三日。㉝丁巳：正月二十一日。㉞寇彦卿（公元八六一至九一八年）：字俊臣，大梁人，初为朱全忠元帅府押牙，入梁为华州刺史、右金吾卫上将军。传见《旧五代史》卷二十、《新五代史》卷二十一。㉟促百官东行：时裴枢为宰相，且为朱全忠所荐，故使之催促百官。㊱戊午：正月二十二日。㊲崔胤召朱温：谓天复元年崔胤召朱全忠诛宦官。㊳繦属：连续不断。繦，穿钱的绳索。老幼相随而东，若繦穿钱，相属不绝。㊴壬戌：正月二十六日。㊵御营使：官名，天子东迁，扈卫兵士为御营，置此官掌御营一切事务。㊶百司：朝廷大臣、王公以下百官的总称。㊷浮渭沿河：从渭水漂浮沿黄河而运往洛阳。㊸丘墟：废墟；荒地。

【校记】

［18］溱州：原作"凑州"。严衍《通鉴补》改作"溱州"，今据以校正。［19］佑国：原作"佑国军"。据章钰校，十二行本、乙十一行本皆无"军"字，今据删。［20］自是：原作"自此"。据章钰校，十二行本、乙十一行本皆作"自是"，今从改。

【语译】

朱全忠征发河南、河北各镇的工匠几万人，命令张全义修建东都的宫室。江、浙、湖、岭各镇依附朱全忠的，都运送钱物予以协助。

正月二十八日甲子，昭宗到达华州，老百姓夹道高呼万岁，昭宗流着眼泪对他

不复为汝主矣！”馆于兴德宫㊼，谓侍臣曰：“鄙语㊽云：‘纥干山头冻杀雀㊾，何不飞去生处乐。’朕今漂泊，不知竟落何所！”因泣下沾襟，左右莫能仰视。

二月乙亥㊿，车驾至陕(351)，以东都宫室未成，驻留于陕。

丙子(352)，全忠自河中来朝，上延(353)全忠入寝室见何后，后泣曰：“自今大家(354)夫妇委身(355)全忠矣！”

甲申(356)，立皇子祯为端王，祈为丰王，福为和王，禧为登王，祐为嘉王。

上遣间使(357)以御札告难于王建，建以邛州刺史王宗祐为北路行营指挥使，将兵会凤翔兵迎车驾，至兴平，遇汴兵，不得进而还。建始自用墨制(358)除官，云：“俟车驾还长安表闻(359)。”

三月丁未(360)，以朱全忠兼判左、右神策及六军诸卫事(361)。癸丑(362)，全忠置酒私第(363)，邀上(364)临幸。乙卯(365)，全忠辞上，先赴洛阳督修宫室。上与之宴群臣，既罢，上独留全忠及忠武节度使韩建饮，皇后出，自捧玉卮(366)以饮全忠，晋国夫人可证附上耳语(367)。建蹑(368)全忠足，全忠以为图己，不饮，阳醉而出。全忠奏以长安为佑国军(369)，以韩建为佑国节度使，以郑州刺史刘知俊为匡国节度使。

丁巳(370)，上复遣间使以绢诏(371)告急于王建、杨行密、李克用等，令纠帅藩镇以图匡复，曰：“朕至洛阳，则为所幽闭(372)，诏敕皆出其手，朕意不复得通矣！”

【段旨】

以上为第十二段，写洛阳宫未成，唐昭宗暂驻跸于陕，手诏四方诸镇勤王。

【注释】

(344)丁匠：在官府服役的工匠。(345)江、浙、湖、岭：江指鄂岳杜洪、洪州锺传，浙指钱镠，湖指潭州马殷、澧州雷彦威，岭指广州刘隐。此时皆依附于朱全忠。(346)甲子：正月二十八日。(347)兴德宫：光化元年（公元八九八年），昭宗自华州还长安，以华州为兴德府，以所居府署为兴德宫。(348)鄙语：俗语。(349)纥干山头冻杀雀：纥干山上终年积雪，鸟雀往往冻死，故有此俗语。纥干山，山名，又名纥真山、采凉山。采凉积雪在明清时曾

们说："不要高呼万岁，朕不再是你们的君主啦！"昭宗住在兴德宫，对侍臣说："俗语道：'纥干山头冻死雀儿，为何不飞到能活的地方去快乐。'朕今日漂泊，不知道究竟落脚到什么地方！"说着泪下，湿了衣襟，左右的人哭泣不能仰视。

二月初十日乙亥，昭宗到达陕州，由于东都洛阳的宫室尚未建成，就停留在陕州。

十一日丙子，朱全忠从河中来朝见昭宗，昭宗请朱全忠进入寝室见何皇后，何皇后哭着说："从今以后我们夫妇都托付给全忠了！"

十九日甲申，昭宗立皇子李祯为端王，李祈为丰王，李福为和王，李禧为登王，李祐为嘉王。

昭宗秘密派遣使者拿着亲笔书信向王建告知危难。王建以邛州刺史王宗祐为北路行营指挥使，率军会同凤翔李茂贞的部队来迎接昭宗，到达兴平，遇到朱全忠的汴州军，不能前进，退了回去。王建开始自己使用墨制任命官吏，说是"等皇上返回长安再上表报告"。

三月十二日丁未，任命朱全忠兼管左、右神策及六军诸卫的事务。十八日癸丑，朱全忠在私人府第摆设酒宴，邀请昭宗赴宴。二十日乙卯，朱全忠辞别昭宗，先去洛阳监督修建宫室。昭宗和他一起宴请群臣。宴会散后，昭宗单独留下朱全忠和忠武节度使韩建饮酒，何皇后出来，亲自捧着玉杯给朱全忠敬酒，晋国夫人可证在昭宗耳边小声讲话。韩建踩朱全忠的脚示意，朱全忠以为在图谋自己，不肯喝酒，假装喝醉出去了。朱全忠奏请将长安改为佑国军，任命韩建为佑国节度使，任命郑州刺史刘知俊为匡国节度使。

三月二十二日丁巳，昭宗又派遣密使用绢写的诏书向王建、杨行密、李克用等告急，命令他们集合各藩镇来图谋匡复，说："朕到达洛阳，就会被朱全忠幽禁起来，诏书敕令都出自朱全忠之手，朕的意愿再也不能通达了！"

被列为云中八景之一。在今山西大同东。㊿乙亥：二月初十日。351陕：陕州，治所在今河南三门峡市。352丙子：二月十一日。353延：引进。354大家：后妃对皇帝的称呼。355委身：托身。356甲申：二月十九日。357间使：走间道的密使。358墨制：即墨敕、墨诏。原本为皇帝直接发出不经外廷的亲笔手令。后演变为权臣或藩镇得到皇帝授权甚至假造授权自行任命官吏的方式。359表闻：上奏皇帝。360丁未：三月十二日。361兼判左右神策及六军诸卫事：崔胤既诛，朱全忠专总禁卫，安置了自己的人在昭宗左右。362癸丑：三月十八日。363私第：朱全忠在陕州的住所。364邀上：邀请昭宗。朱全忠以臣召君。365乙卯：三月二十日。366玉卮：玉制的酒杯。367附上耳语：附在昭宗耳边私语。368蹑：踩。369佑国军：光启三年（公元八八七年），置佑国军节度于洛阳。现迁都洛阳，故徙佑国军于长安。370丁巳：三月二十二日。371绢诏：以白绢写诏书。372幽闭：囚禁。

【原文】

杨行密遣钱传瓘及其妇并顾全武归钱塘[373]。

以淮南行军司马李神福为鄂岳招讨使，复将兵击杜洪[374]，朱全忠遣使诣行密，请舍鄂岳，复修旧好。行密报曰[375]:“俟天子还长安，然后罢兵修好。”

夏，四月辛巳[376]，朱全忠奏洛阳宫室已成，请车驾早发，表章相继。上屡遣宫人谕以皇后新产，未任[377]就[21]路，请俟十月东行。全忠疑上徘徊[378]俟变，怒甚，谓牙将寇彦卿曰:“汝速至陕，即日促官家[379]发来!”闰月丁酉[380]，车驾发陕。壬寅[381]，全忠逆于新安[382]。上之在陕也，司天监[383]奏:“星气[384]有变，期在今秋，不利东行。”故上欲以十月幸洛。至是，全忠令医官许昭远告医官使阎祐之、司天监王墀、内都知韦周、晋国夫人可证等谋害元帅[385]，悉收杀之。

癸卯[386]，上憩[387]于谷水[388]。自崔胤之死，六军散亡俱尽，所余击球供奉[389]、内园[390]小儿共二百余人，从上而东。全忠犹忌之，为设食于幄，尽缢杀[391]之。豫选[392]二百余人大小相类者，衣[393]其衣服，代之侍卫。上初不觉，累日乃寤[394]。自是上之左右职掌使令皆全忠之人矣。

甲辰[395]，车驾发谷水，入宫，御正殿[396]，受朝贺。乙巳[397]，御光政门[398]，赦天下，改元[399]。更命陕州曰兴唐府。诏讨李茂贞、杨崇本。

戊申[400]，敕内诸司惟留宣徽等九使[401]外，余皆停废，仍不以内夫人充使[402]。以蒋玄晖为宣徽南院使[403]兼枢密使，王殷为宣徽北院使兼皇城使，张廷范为金吾将军、充街使，以韦震为河南尹兼六军诸卫副使，又征武宁留后朱友恭为左龙武统军[404]，保大节度使氏叔琮为右龙武统军，典宿卫，皆全忠之腹心也。

癸丑[405]，以张全义为天平[406]节度使。

乙卯[407]，以全忠为护国、宣武、宣义、忠武四镇[408]节度使。

镇海、镇东节度使越王钱镠求封吴越王。朝廷不许。朱全忠为之言于执政，乃更封吴王。

更命魏博曰天雄军[409]。癸亥，进天雄节度使长沙郡王罗绍威爵邺王。

【语译】

杨行密遣送钱传璙和他的妻子以及顾全武返回钱塘。

杨行密任命淮南行军司马李神福为鄂岳招讨使，再次率军进攻杜洪。朱全忠派遣使者前往杨行密那里，请他舍弃攻打鄂岳，重修旧好。杨行密答复说："等陛下返回长安，然后停止征战重修旧好。"

夏，四月十六日辛巳，朱全忠上奏洛阳的宫室已经建成，请昭宗早日出发，表章接连不断。昭宗多次派遣宫人告诉朱全忠说，皇后刚刚生下婴儿，不堪上路，请等到十月再东去洛阳。朱全忠怀疑昭宗徘徊不前是等待事态变化，极为生气，对牙将寇彦卿说："你火速赶到陕州，当天就催促昭宗出发前来！"闰四月初三日丁酉，昭宗从陕州出发。初八日壬寅，朱全忠在新安县迎接昭宗。昭宗在陕州时，司天监上奏说："星气有变化，日期就在今年秋天，向东走不吉利。"所以昭宗想在十月去洛阳。这时，朱全忠命令医官许昭远告发医官使阎祐之、司天监王墀、内都知韦周、晋国夫人可证等策划谋害元帅朱全忠，把他们全部逮捕处死。

闰四月初九日癸卯，昭宗在谷水镇休息。自从崔胤被杀以后，六军全都溃散逃亡，所剩下来侍奉打球的和内园小儿共有二百多人，跟随昭宗一起东去洛阳。朱全忠仍然对他们有所顾忌，在帐幕中用饮食招待他们，把他们全都勒死了。朱全忠预先挑选二百多个大小和他们相似的人，穿上他们的衣服，代替他们侍从护卫。昭宗开始没有察觉，过了几天才明白过来。从此昭宗左右掌理事务、供给驱使的都是朱全忠的人了。

闰四月初十日甲辰，昭宗从谷水出发，进入皇宫，亲临正殿，接受文武百官朝贺。十一日乙巳，亲自到光政门宣布大赦天下，改年号为天祐。把陕州改称为兴唐府。下诏讨伐李茂贞、杨崇本。

闰四月十四日戊申，敕令宫内诸司除留宣徽等九使外，其余全部废弃；仍然不以内夫人充任诸司使。任命蒋玄晖为宣徽南院使兼枢密使，王殷为宣徽北院使兼皇城使，张廷范为金吾将军、充街使；任命韦震为河南尹兼六军诸卫副使，又征召武宁留后朱友恭为左龙武统军，保大节度使氏叔琮为右龙武统军，掌管宫中值宿警卫。这些人都是朱全忠的心腹。

闰四月十九日癸丑，朝廷任命张全义为天平节度使。

二十一日乙卯，朝廷任命朱全忠为护国、宣武、宣义、忠武四镇节度使。

镇海、镇东节度使越王钱镠请求封为吴越王。朝廷不同意。朱全忠在执政大臣前为钱镠说情，于是改封钱镠为吴王。

把魏博军改名为天雄军。二十九日癸亥，进封天雄节度使长沙郡王罗绍威为邺王。

【段旨】

以上为第十三段，写唐昭宗入洛阳，大赦天下，改元天祐。左右亲近遭屠戮，宿卫侍奉之人皆朱全忠心腹。

【注释】

㊿373 钱传璙及其妇句：钱传璙在杨行密处为人质，事见上卷天复二年。此时赴钱塘。钱塘，县名，杭州治所。374 击杜洪：时田頵已平，故复遣李神福击杜洪。375 行密报曰：杨行密之心在于扩大地盘，朱全忠之心在于篡夺皇位。此时朱全忠无力救杜洪，故要求复修旧好；而杨行密假借护卫天子名义而答复之。报，答复。376 辛巳：四月十六日。377 任：承受。378 徘徊：犹豫观望以待诸道勤王之师。379 官家：对皇帝的称呼。380 丁酉：闰四月初三日。381 壬寅：闰四月初八日。382 新安：县名，县治在今河南新安。在洛阳西七十里。383 司天监：官名，主管观察天象之官。384 星气：古代占星望气之术。385 全忠令医官句：阎祐之、王墀之死，因为言星气；韦周、可证之死，是因为附昭宗耳语。医官使，官名，主管医官。内都知，官名，知内侍省之职事。元帅，指朱全忠。386 癸卯：闰四月初九日。387 憩：休息。388 谷水：镇名，在洛阳西。389 击球供奉：在皇帝左右供职的人为供奉。击球供奉是陪侍皇帝击球的人。390 内园：内苑；皇宫园林。391 缢杀：勒死。392 豫选：事先选好。豫，通“预”。393 衣：穿。394 寤：醒悟。395 甲辰：闰四月初十日。396 正殿：时以贞观殿为正殿。397 乙巳：闰四月十一日。398 光政门：迁洛阳后，更改宫门名，改长乐门为光政门。399 改元：改年号为天祐。400 戊申：闰四月十四日。401 宣徽等九使：当时只留宣徽两院、小马坊、丰德库、御厨、客省、阁门、飞龙、庄宅等九使。402 充使：充当内诸司使。初诛宦官后，内诸司皆以内夫人领之，至此始用外人。403 宣徽南院使：官名，唐置宣徽南北院使，以宦官担任，总领宫内诸司及三班内侍的名籍和郊祀、朝会、宴飨、供帐等事宜。唐末、五代以大臣充任，因事简官尊，常以枢密院官兼任。404 左龙武统军：与下句右龙武统军皆北衙六军之一。405 癸丑：闰四月十九日。406 天平：方镇名，唐宪宗元和十五年（公元八二〇年）郓曹濮等州节度赐号天平军。治所郓州。407 乙卯：闰四月二十一日。408 四镇：朱全忠原为宣武、天平、宣义、护国四镇节度使，现因洛阳建都，徙张全义为天平军节度使，故朱全忠又兼忠武，仍为四镇。409 天雄军：方镇名，唐代宗时，为宠田承嗣，将魏博改为天雄军。德宗时，田悦叛命，后归顺，遂改为魏博节度使。今又复旧军号。治所魏州。

【校记】

[21] 就：原作“进”。据章钰校，十二行本、乙十一行本皆作“就”，今从改。

【研析】

本卷研析朱全忠迁昭宗于洛阳，崔胤、张濬之死两件史事。

第一，朱全忠迁昭宗于洛阳。迁昭宗于东都洛阳，直接掌控唐王室，便于就近禅代，这是朱全忠的政治构想，他分为三个步骤来完成。第一步，借崔胤之手排除异己，贬逐韩偓等唐室忠臣。天复三年（公元九〇三年）正月，李茂贞屈服，朱全忠拥帝唐昭宗还长安。朱全忠与崔胤杀灭宦官，帝室的一个基础完全毁除。朱全忠留兵万人守卫宫阙，留昭宗暂居长安。崔胤专擅朝政，大权独揽，排除异己，韩偓等忠臣被贬逐，唐昭宗真成了一个孤家寡人。崔胤自鸣得意，其实在为朱全忠做驱除。第二步，朱全忠臣服山东王师范，彻底解除后顾之忧，同时加冕头上光环，捞取政治资本。天复三年二月，昭宗给朱全忠加号为“回天再造竭忠守正功臣”，以辉王李祚为诸道兵马元帅，朱全忠为副元帅，加爵梁王。四月，以朱全忠判元帅府事，天下兵权尽归朱全忠。七月，朱全忠以诸道兵马副元帅之尊，大发兵征讨王师范，九月王师范请降，杨行密收缩回淮南。自此，中原再没有人敢与朱全忠抗衡。朱全忠的声威远在诸镇之上，可以放手来逼宫了。第三步，朱全忠杀崔胤，逼昭宗迁洛阳。天复四年正月，朱全忠密表崔胤专权乱国，离间君臣，请并其党皆诛之。朱全忠同时密令朱友谅杀崔胤。接着朱全忠称李茂贞逼京畿，逼迫昭宗迁往洛阳。长安宫阙被付之一炬。昭宗在途密诏告急于王建、杨行密、李克用等勤王，诸镇鞭长莫及。闰四月，昭宗到达东都，大赦，改元天祐。昭宗的贴身侍从，甚至击球供奉、内园小儿二百余人，全被朱全忠杀害，更换成新人。昭宗举目无故人。

第二，崔胤、张濬之死。崔胤、张濬两个祸国之臣，志大才疏，主观上想振兴唐王室，客观上酿成祸国之事，两人并非国贼，而是反对朱全忠篡逆，崔胤外结朱全忠，两人互相利用，彼此心里都十分明朗。朱全忠把崔胤尽诛宦官的信转送韩全海，欲假韩全海之手杀崔胤。韩全海首鼠两端，表面亲善朱全忠，骨子里是李茂贞同党，朱全忠最后选择了崔胤来诛除宦官，扫除唐王室的一个根基。宦官已被清除，留崔胤无益有祸，崔胤的大限也就到了。崔胤以应对李茂贞为名，扩充禁卫六军以自保，朱全忠选出汴兵以应募，崔胤全然不知。朱全忠兵围凤翔，此时闲居长水的张濬致书诸镇讨逆，王师范起兵，张濬预其谋。朱全忠逼迁昭宗于洛阳，阴谋篡夺，忧虑张濬煽动诸镇，密令张全义杀之。张全义派牙将杨麟装扮为盗匪劫杀张濬。张濬令其子张格逃逸留种，自己迎受灾难降临。崔胤、张濬，晚节死于国难，亦可谓义士。

朱全忠不仅是一个枭雄，在政治上的权谋诈术也冠绝一时，崔胤、张濬都不是对手。

卷第二百六十五　唐纪八十一

起阏逢困敦（甲子，公元九〇四年）五月，尽柔兆摄提格（丙寅，公元九〇六年），凡二年有奇。

【题解】

本卷记事起公元九〇四年五月，迄公元九〇六年，凡二年又八个月，当唐昭宗天祐元年五月至唐哀帝天祐三年。此时期朱全忠加紧逼宫，为禅代称帝而扫清道路。朱全忠的清道工作，在政治上分了三个步骤。第一步，弑昭宗，立幼帝，以便掌控。天祐元年八月，朱全忠弑昭帝，立辉王李祚为帝，改名李柷，年十三，是为哀帝。此举也是篡唐的预演，禅代前的火力侦察。第二步，大杀朝士。第三步，加官兵马元帅，这本是由皇太子储君担当的官职，朱全忠任此职，比封王、加九锡的禅代程序更为直接。名义上拥唐的诸镇，李茂贞与王建结亲，联合杨崇本、李克用、刘仁恭、杨行密、赵匡凝以兴唐为辞，共讨朱全忠，因各镇力弱，又无统属，讨逆行动雷声大雨点小，没有形成对朱全忠的军事征讨，朱全忠反而主动出击，攻没山南东道，扩张了势力。淮南杨行密病殁，其子杨渥继位，部属叛乱，自顾不暇。太原李克用自保。朱全忠篡唐条件，完全成熟。

【原文】

昭宗圣穆景文孝皇帝下之下

天祐元年（甲子，公元九〇四年）

五月丙寅①，加河阳节度使张汉瑜同平章事。

帝宴朱全忠及百官于崇勋殿②，既罢，复召全忠宴于内殿。全忠疑，不入。帝曰："全忠不欲来，可令敬翔③来。"全忠擿翔使去④，曰："翔亦醉矣。"辛未⑤，全忠东还。乙亥⑥，至大梁。

忠义节度使赵匡凝遣水军上峡⑦攻王建夔州，知渝州王宗阮等击败之。万州刺史张武作铁絙⑧绝江中流，立栅于两端，谓之"锁峡⑨"。

六月，李茂贞、王建、李继徽传檄合兵以讨朱全忠。全忠以镇国节度使朱友裕为行营都统，将步骑数万[1]击之，命保大节度使刘鄩弃鄜州，引兵屯同州⑩。癸丑⑪，全忠引兵自大梁西讨茂贞等。

【语译】

昭宗圣穆景文孝皇帝下之下

天祐元年（甲子，公元九〇四年）

五月初二日丙寅，朝廷加任河阳节度使张汉瑜为同平章事。

昭宗在崇勋殿宴请朱全忠和文武百官，宴席散去后，又召朱全忠到内殿宴饮。朱全忠心中疑虑，不肯进去。昭宗说："朱全忠不想来，可以让敬翔来。"朱全忠指使敬翔离去，说："敬翔也喝醉了。"初七日辛未，朱全忠向东返回大梁。十一日乙亥，到达大梁。

忠义节度使赵匡凝派遣水军逆流而上到三峡，进攻王建控制的夔州。知渝州事王宗阮等击败赵匡凝的水军。万州刺史张武制造铁索截断长江中央的航道，在两端建立栅栏，称为"锁峡"。

六月，李茂贞、王建、李继徽传布檄文联合军队以讨伐朱全忠。朱全忠任命镇国节度使朱友裕为行营都统，率领步兵、骑兵数万人攻打他们，命令保大节度使刘鄩放弃鄜州，率军驻扎同州。二十日癸丑，朱全忠统率大军从大梁出发，向西讨伐李茂贞等人。

秋，七月甲子⑫，过东都入见。壬申⑬，至河中。

西川诸将劝王建乘李茂贞之衰，攻取凤翔。建以问节度判官冯涓，涓曰："兵者凶器，残民耗财，不可穷⑭也。今梁、晋虎争⑮，势不两立，若并而为一，举兵向蜀，虽诸葛亮复生，不能敌矣。凤翔，蜀之藩蔽⑯，不若与之和亲，结为婚姻，无事则务农训兵，保固疆埸⑰，有事则觇其机事⑱，观衅⑲而动，可以万全。"建曰："善！茂贞虽庸才，然有强悍之名，远近畏之，与全忠力争则不足，自守则有余，使为吾藩蔽，所利多矣。"乃与茂贞修好⑳。丙子㉑，茂贞遣判官赵锽如西川，为其侄天雄㉒节度使继崇[2]求婚，建以女妻之。茂贞数求货及甲兵于建，建皆与之㉓。

王建赋敛㉔重，人莫敢言。冯涓因建生日献颂㉕，先美㉖功德，后言生民㉗之苦。建愧谢曰："如君忠谏，功业何忧！"赐之金帛。自是赋敛稍损㉘。

初，朱全忠自凤翔迎车驾还，见德王裕眉目疏秀㉙，且年齿已壮，恶之㉚，私谓崔胤曰："德王尝奸帝位㉛，岂可复留！公何不言之！"胤言于帝。帝问全忠，全忠曰："陛下父子之间，臣安敢窃议，此崔胤卖㉜臣耳。"帝自离长安，日忧不测，与皇后终日沈饮㉝，或相对涕泣。全忠使枢密使蒋玄晖伺察帝，动静皆知之。帝从容谓玄晖曰："德王，朕之爱子，全忠何故坚欲杀之？"因泣下，啮㉞中指血流。玄晖具以语全忠，全忠愈不自安。

时李茂贞、杨崇本、李克用、刘仁恭、王建、杨行密、赵匡凝移檄往来，皆以兴复㉟为辞。全忠方引兵西讨㊱，以帝有英气，恐变生于中，欲立幼君，易谋㊲禅代㊳。乃遣判官李振至洛阳，与玄晖及左龙武统军朱友恭、右龙武统军氏叔琮等图之。

八月壬寅㊴，帝在椒殿㊵，玄晖选龙武牙官㊶史太等百人夜叩宫门，言军前㊷有急奏，欲面见帝。夫人裴贞一开门见兵，曰："急奏何以兵为？"史太杀之。玄晖问："至尊㊸安在？"昭仪㊹李渐荣临轩㊺呼曰："宁杀我曹，勿伤大家㊻！"帝方醉㊼，遽起，单衣绕柱走，史太追而弑之。渐荣以身蔽帝，太亦杀之。又欲杀何后，后求哀于玄晖，乃释之。

秋，七月初二日甲子，朱全忠路过东都洛阳，入城朝见昭宗。初十日壬申，到达河中。

西川诸将领劝说王建乘李茂贞衰弱的机会，攻取凤翔。王建以此询问节度判官冯涓，冯涓说："军队是凶器，残害百姓，耗费钱财，不可穷兵黩武。现在梁王朱全忠、晋王李克用两虎相争，势不两立，如果他们合而为一，发兵攻打蜀地，即使诸葛亮再生，也无法抵挡了。凤翔这个地方，是蜀地的屏障，不如与李茂贞和睦亲善，结为儿女亲家；无事时就专注农业生产，训练军队，固守边界，有事时就探察机密事务，看见破绽再行动，这样可以万无一失。"王建说："好！李茂贞虽然是个庸才，但他有强悍的名声，远近的人都畏惧他，与朱全忠争胜虽然力量不足，但防守自保则绰绰有余，使他成为我的屏障，利益是很多的。"于是和李茂贞修好。七月十四日丙子，李茂贞派遣判官赵锽前往西川，为他的侄儿天雄节度使李继崇求婚，王建把女儿嫁给李继崇为妻。李茂贞一再向王建索求财物和兵器盔甲，王建都给了他。

王建征收的赋税很重，人们都不敢说此事。冯涓借王建生日的机会进献颂辞，先赞美他的功德，然后再说百姓的困苦。王建很惭愧，致谢说："能像你这样忠言直谏，何愁功业不能成就呢！"赏赐给冯涓金银绢帛。从此以后，赋税的征收稍有减轻。

当初，朱全忠从凤翔迎接昭宗返回长安，见德王李裕眉清目秀，并且已经成年，很厌恶他，私下对崔胤说："德王曾经伪居帝位，怎么能再留下他呢！公为何不与皇上说呢！"崔胤把这些话向昭宗说了。昭宗询问朱全忠，朱全忠回答说："皇上父子之间的事情，臣怎么敢私下里议论！这是崔胤在出卖我。"昭宗自离开长安以后，每天都担心发生意外，和皇后整天沉醉在酒中，有时会相对哭泣。朱全忠派枢密使蒋玄晖侦察昭宗的言行，一举一动都知道。昭宗闲谈时对蒋玄晖说："德王，是朕的爱子，朱全忠为什么缘故一定要杀死他？"说着流下了眼泪，咬破中指，血流不止。蒋玄晖把这些情况全部报告朱全忠，朱全忠更加感到不安。

当时李茂贞、杨崇本、李克用、刘仁恭、王建、杨行密、赵匡凝往来公文书信，都谈论到要兴复王室。朱全忠正率军西讨岐州、邠州，因为昭宗有英武之气，恐怕宫中产生变乱，想要另立幼主，以便于图谋用禅让方式取代皇室。于是朱全忠派遣判官李振到洛阳，与蒋玄晖以及左龙武统军朱友恭、右龙武统军氏叔琮等人谋划这件事。

八月十一日壬寅，昭宗在何皇后居住的椒殿，蒋玄晖挑选龙武牙官史太等一百人在夜里叩打宫门，说前线有紧急军事奏报，想面见昭宗。夫人裴贞一开门见到士兵，说："紧急奏报为什么要带士兵？"史太把她杀死。蒋玄晖问："皇上在哪里？"昭仪李渐荣走近殿前栏杆大声叫道："宁可杀了我们，不要伤害皇上！"昭宗正好喝醉，急忙起身，穿着单衣绕柱逃跑，史太追上把他杀死了。李渐荣用身子遮挡昭宗，史太也把她杀了。史太又想杀何皇后，何皇后向蒋玄晖苦苦哀求，才放过她。

癸卯[48]，蒋玄晖矫诏称李渐荣、裴贞一弑逆[49]，宜立辉王祚为皇太子，更名柷，监军国事。又矫皇后令，太子于柩[50]前即位。宫中恐惧，不敢出声哭。丙午[51]，昭宣帝[52]即位，时年十三。

【段旨】

以上为第一段，写李茂贞与王建结亲，联合杨崇本、李克用、刘仁恭、杨行密、赵匡凝以兴复为辞，共讨朱全忠。朱全忠西征，恐东都生变，弑昭宗，立辉王李祚为皇太子，改名柷，年十三，是为哀帝。

【注释】

①丙寅：五月初二日。②崇勋殿：洛阳宫前殿为贞观殿，内朝为崇勋殿。当在贞观殿北。③敬翔：朱全忠的心腹，时为检校右仆射、太府卿。入后梁，任光禄大夫、行兵部尚书、金銮殿大学士，知崇政院事。后梁亡，自杀。传见《旧五代史》卷十八、《新五代史》卷二十一。④全忠擿翔使去：朱全忠怀疑昭宗欲加害于自己和敬翔，故指使敬翔离去而不入。擿，指使。⑤辛未：五月初七日。⑥乙亥：五月十一日。⑦上峡：夔州在三峡上游，赵匡凝溯江而上进攻。⑧铁絙：铁索。⑨鏁峡：即锁峡。鏁，同“锁”。⑩屯同州：刘鄩在鄜州，靠近李茂贞、李继徽，故使其弃鄜州还屯同州，与朱友裕合势。⑪癸丑：六月二十日。⑫甲子：七月初二日。⑬壬申：七月初十日。⑭穷：穷兵。极其兵力，好战不休，为穷兵。⑮梁、晋虎争：两虎相争。梁指朱全忠，晋指李克用。⑯藩蔽：藩篱屏蔽。⑰疆埸：疆界。埸，边界。⑱机事：机密要事。⑲衅：缝隙；破绽。⑳修好：王建已并山南诸州，阻关而守，关外靠李茂贞为藩蔽，所以与之修好。㉑丙子：七月十四日。㉒天雄：此天雄军治秦州，属李茂贞。㉓茂贞数求货及甲兵于建二句：王建企图

【原文】

李克用复以张承业为监军。

淮南将李神福攻鄂州未下，会疾病，还广陵，杨行密以舒州团练使泌阳[53]刘存代为招讨使。神福寻卒。宣州观察使台濛卒，杨行密以其子牙内诸军使渥[54]为宣州观察使，右牙都指挥使徐温谓渥曰：“王寝

八月十二日癸卯，蒋玄晖假造诏书称李渐荣、裴贞一大逆不道杀死昭宗，应该立辉王李祚为皇太子，把李祚改名为李柷，监理军国事务。又假造何皇后的命令，让皇太子在灵柩前即位为皇帝。宫中惊恐，大家不敢出声哭泣。十五日丙午，昭宣帝即皇帝位，当时年龄只有十三岁。

以李茂贞为屏蔽，故通婚姻，又不厌其烦地给予兵甲物资等援助。数求，多次求取。㉔赋敛：征收赋税。㉕冯涓因建生日献颂：冯涓趁王建生日献上颂辞。因，趁着。献颂，奉献祝贺的颂辞。㉖美：称赞。㉗生民：百姓。㉘损：减少。㉙疏秀：疏朗清秀。㉚恶之：厌恶德王裕。朱全忠企图篡夺帝位，意欲立庸幼为君以便控制。见德王裕容貌清秀而且年纪长大，立之于己不利，所以讨厌他。㉛德王尝奸帝位：德王曾为刘季述所立。事见本书卷二百六十二光化三年、天复元年。奸，伪。㉜卖：出卖。此语可见朱全忠奸诈。㉝沈饮：即沉饮。沉溺于酒。㉞啮：咬。㉟兴复：兴复唐之社稷。㊱西讨：讨伐岐、邠。㊲易谋：容易图谋。㊳禅代：以禅让方式取代李氏皇室的帝王之位。㊴壬寅：八月十一日。㊵椒殿：后妃居住的宫殿。因汉皇后所居宫殿，以椒和泥涂壁，取温、香、多子之意，故有此称。㊶龙武牙官：龙武军的低级军官。㊷军前：西讨邠、岐的行营军前。㊸至尊：指昭宗。㊹昭仪：女官名，皇后、夫人之下有昭仪。㊺轩：殿前栏杆。㊻大家：对皇帝的称呼。㊼帝方醉：指昭宗皇帝正好喝醉。醉，醉酒。㊽癸卯：八月十二日。㊾弑逆：臣杀君、子杀父。㊿柩：已装尸体的棺材。51丙午：八月十五日。52昭宣帝：即唐哀帝。

【校记】

［1］数万：原无此二字。据章钰校，十二行本、乙十一行本、孔天胤本皆有此二字，今据补。［2］继崇：原作“继勋”。据章钰校，十二行本、乙十一行本皆作“继崇”，张敦仁《通鉴刊本识误》同，今从改。

【语译】

李克用再次以张承业为监军。

淮南将领李神福进攻鄂州，未能攻取，正赶上生病，返回广陵。杨行密以舒州团练使泌阳人刘存代他为招讨使。李神福不久去世。宣州观察使台濛去世，杨行密派自己的儿子牙内诸军使杨渥为宣州观察使。右牙都指挥使徐温对杨渥说：“吴王卧病在疾而嫡嗣[55]出藩[56]，此必奸臣之谋。他日相召，非温使者及王令书[57]，慎无亟来！”渥泣谢而行。

九月己巳[58]，尊皇后为皇太后。

朱全忠引兵北屯永寿[59]，南至骆谷[60]，凤翔、邠宁兵竟不出。辛未[61]，东还。

冬，十月辛卯朔[62]，日有食之[63]。

朱全忠闻朱友恭等弑昭宗，阳惊，号哭自投于地，曰：“奴辈负我，令我受恶名于万代！”癸巳[64]，至东都[65]，伏梓宫[66]恸哭流涕，又见帝[67]自陈非己志，请讨贼[68]。先是，护驾军士有掠米于市者。甲午[69]，全忠奏朱友恭、氏叔琮不戢[70]士卒，侵扰市肆[71]，友恭贬崖州[72]司户，复姓名李彦威，叔琮贬白州[73]司户，寻皆赐自尽。彦威临刑大呼曰：“卖我以塞天下之谤[74]，如鬼神何[75]！行事如此，望有后乎[76]！”

丙申[77]，天平节度使张全义来朝。丁酉[78]，复以全忠为宣武、护国、宣义、天平节度使，以全义为河南尹兼忠武节度使、判六军诸卫事[79]。乙巳[80]，全忠辞赴镇。庚戌[81]，至大梁。

镇国节度使朱友裕薨于梨园[82]。

光州[83]叛杨行密，降朱全忠，行密遣兵围之，与鄂州[84]皆告急于全忠。十一月戊辰[85]，全忠自将兵五万自颍州济淮[86]，军于霍丘[87]，分兵救鄂州。淮南兵释光州之围还广陵，按兵不出战，全忠分命诸将大掠淮南以困之。

钱镠潜遣衢州罗城使叶让杀刺史陈璋[88]，事泄。十二月，璋斩让而叛，降于杨行密。

初，马殷弟賨，性沉勇[89]，事孙儒，为百胜[90]指挥使。儒死，事杨行密，屡有功，迁黑云指挥使。行密尝从容问其兄弟，乃知为殷之弟，大惊曰：“吾常怪汝器度[91]瑰伟[92]，果非常人。当遣汝归。”賨泣辞曰：“賨淮西残兵[93]，大王不杀而宠任之，湖南地近，尝得兄声问，賨事大王久，不愿归也。”行密固遣之。是岁，賨归长沙，行密亲饯之郊。

賨至长沙，殷表賨为节度副使。他日，殷议入贡天子，賨曰：“杨

床，您是嫡子而被派到外地镇守，这必定是奸臣的阴谋。以后召您回来，不是我派遣的使者以及吴王的令书，您要谨慎小心，不要马上前来!”杨渥哭着道谢后去上任。

九月初八日己巳，尊何皇后为皇太后。

朱全忠率军北去驻扎在永寿县，南边到了骆谷。凤翔、邠宁的军队竟然不出战。九月初十日辛未，朱全忠率军向东返回。

冬，十月初一日辛卯，发生日食。

朱全忠得知朱友恭等人杀死昭宗，假装震惊，号啕大哭，自己扑倒在地上，说：“这些奴才们背弃了我，使我千秋万代蒙受恶名!”十月初三日癸巳，到达东都洛阳，伏在昭宗的灵柩上痛哭流涕，又进见昭宣帝，陈说这不是自己的想法，请求讨伐叛贼。先前，护卫皇帝的士兵有人在市场上抢米。初四日甲午，朱全忠上奏朱友恭、氏叔琮不能管束士兵，侵犯扰乱市场，朱友恭被贬为崖州司户，恢复原来的姓名李彦威，氏叔琮被贬为白州司户，不久都赐令自尽。李彦威临到受刑时大声呼喊说：“出卖我来杜绝天下人的指责，对鬼神怎么交代！像这样做事情，还能指望有后代吗!”

十月初六日丙申，天平节度使张全义来朝见昭宣帝。初七日丁酉，又任命朱全忠为宣武、护国、宣义、天平节度使，任命张全义为河南尹兼忠武节度使、判六军诸卫事。十五日乙巳，朱全忠辞别昭宣帝返回镇所。二十日庚戌，到达大梁。

镇国节度使朱友裕在梨园行营去世。

光州背叛杨行密，投降了朱全忠。杨行密派兵包围光州，光州与鄂州都向朱全忠告急。十一月初八日戊辰，朱全忠亲率军队五万人从颍州渡过淮河，驻军在霍丘县，分兵救援鄂州。淮南军解除对光州的包围返回广陵，按兵不动，不出来应战。朱全忠分别命令诸将领大肆掠夺淮南，使他陷于困境。

钱镠暗中派遣衢州罗城使叶让杀害刺史陈璋，事情泄露。十二月，陈璋斩杀叶让而叛变，投降了杨行密。

当初，马殷的弟弟马賨性情沉着勇敢，侍奉孙儒，担任百胜指挥使。孙儒死后，侍奉杨行密，多次立下战功，迁升为黑云指挥使。杨行密曾经闲谈时问到他的兄弟，才知道他是马殷的弟弟，大为惊讶地说：“我常常对你器度奇特伟岸感到惊讶。你果然不是常人，应当送你回去。”马賨哭着推辞说：“我只是淮西残留的士兵，大王没有杀我反而宠爱信任我，湖南距离不远，曾经得到哥哥的问讯。我侍奉大王很久，不愿回去。”杨行密坚决要他回去。这一年，马賨返回长沙，杨行密亲自到郊外为他饯行。

马賨到达长沙，马殷上表请求任命他为节度副使。有一天，马殷商量向天子进

王[94]地广兵强，与吾邻接，不若与之结好，大可以为缓急之援，小可通商旅之利。”殷作色曰：“杨王不事天子，一旦朝廷致讨，罪将及吾。汝置此论，勿为吾祸[95]！”

初，清海节度使徐彦若遗表荐副使刘隐权留后，朝廷以兵部尚书崔远为清海节度使。远至江陵，闻岭南多盗，且畏隐不受代，不敢前，朝廷召远还。隐遣使以重赂结朱全忠，乃奏以隐为清海节度使。

【段旨】

以上为第二段，写朱全忠得知昭宗被弑，佯惊，痛哭，还东都杀朱友恭、氏叔琮塞责以欺天下。

【注释】

㊸泌阳：县名，县治在今河南唐河县，唐时属唐州。㊹渥：即杨渥（？至公元九〇八年），字奉天，杨行密长子。杨行密卒，袭位自称吴王。后为大将张颢所杀。传见《旧五代史》卷一百三十四、《新五代史》卷六十一。㊺嫡嗣：享有继承权的嫡子。㊻出藩：指杨渥出为宣州观察使。㊼令书：诸侯下令于境内，称为令书。以区别于天子所下制、诏、敕等。㊽己巳：九月初八日。㊾永寿：县名，县治在今陕西永寿北。㊿骆谷：谷名，关中通往汉中的通道之一，在今陕西周至西南。61辛未：九月初十日。62辛卯朔：十月初一日。63日有食之：日食。64癸巳：十月初三日。65至东都：自军前还至东都洛阳。66梓宫：帝后所用以梓木制造的棺材。67帝：昭宣帝。68贼：弑昭宗之贼。69甲

【原文】

昭宣光烈孝皇帝[96]

天祐二年（乙丑，公元九〇五年）

春，正月，朱全忠遣诸将进兵逼寿州[97]。

润州团练使安仁义勇决得士心，故淮南将王茂章攻之，逾年不克。杨行密使谓之曰：“汝之功[98]吾不忘也，能束身[99]自归，当以汝为行军

贡的事，马賨说："杨行密地广兵强，与我们边界相邻，不如与他建立友好关系，从大局看可以作为紧急时的援助，从小处看也有互通商旅的利益。"马殷变了脸色，说："杨行密不能侍奉天子，一旦朝廷发兵讨伐他，罪责将会牵连到我们。你放弃这种主张，不要给我招来灾祸！"

当初，清海节度使徐彦若临终上表推举副使刘隐暂时代理清海留后。朝廷任命兵部尚书崔远为清海节度使。崔远到达江陵，得知岭南盗贼很多，又担心刘隐不肯接受替代，不敢前往。朝廷召崔远返回京城。刘隐派遣使者用贵重的财物去贿赂巴结朱全忠，朱全忠于是奏请任命刘隐为清海节度使。

午：十月初四日。⑩ 戢：制止；管束。⑪ 市肆：市场。因护驾军士有人在市场上抢米，故以此作为二人罪名。⑫ 崖州：州名，治所在今海南海口东南。⑬ 白州：州名，治所在今广西博白。⑭ 塞天下之谤：制止住全天下的指责、怨言。⑮ 如鬼神何：意谓天下人的嘴可以堵住，而鬼神是骗不了的，你将拿鬼神怎么办。⑯ 望有后乎：意谓此为断子绝孙之举。⑰ 丙申：十月初六日。⑱ 丁酉：十月初七日。⑲ 判六军诸卫事：朱友恭、氏叔琮既诛，现以张全义领宿卫。⑳ 乙巳：十月十五日。㉑ 庚戌：十月二十日。㉒ 梨园：朱全忠以朱友裕为行营都统，梨园为行营所在地。㉓ 光州：州名，治所在今河南潢川县。时刺史为柴再用。㉔ 鄂州：刺史杜洪。杨行密使其将刘存攻鄂州。㉕ 戊辰：十一月初八日。㉖ 济淮：自颍州颍上县由正阳渡淮。㉗ 霍丘：县名，县治在今安徽六安市霍邱县。在寿州西。㉘ 陈璋：原为衢州制置使。天复二年徐绾叛钱镠，陈璋夺地有功，钱镠以为衢州刺史。㉙ 沉勇：沉着勇敢。㉚ 百胜：马賨英勇善战，百战百胜，故以百胜为其军队名。㉛ 器度：才能风度。㉜ 瑰伟：魁伟奇异。㉝ 淮西残兵：马賨从秦宗权、孙儒起于淮西，故云。㉞ 杨王：杨行密封吴王，故称。㉟ 勿为吾祸：不要给我造成祸害。

【语译】

昭宣光烈孝皇帝

天祐二年（乙丑，公元九〇五年）

春，正月，朱全忠派遣诸将领率军进逼寿州。

润州团练使安仁义勇敢果断，深得军心，所以淮南将领王茂章攻打润州，过了一年还未能攻克。杨行密派遣使者对他说："你的功劳我不会忘记。只要你能把自己

副使，但不掌兵耳。”仁义不从。茂章为地道入城，遂克之。仁义举族登楼，众不敢逼⑩⑩。先是攻城诸将见仁义辄骂之，惟李德诚不然，至是仁义召德诚登楼，谓曰：“汝有礼，吾今以为汝功⑩①。”且以爱妾赠之，乃掷弓于地[3]。德诚掖之⑩②而下，并其子斩于广陵市。

两浙兵围陈询⑩③于睦州，杨行密遣西南招讨使陶雅将兵救之。军中夜惊，士卒多逾垒⑩④亡去，左右及裨将韩球奔告之，雅安卧不应，须臾自定⑩⑤，亡者皆还。钱镠遣其从弟镒及指挥使顾全武、王球御之，为雅所败，虏镒及球以归。

庚午⑩⑥，朱全忠命李振知青州事，代王师范。

全忠围寿州，州人闭壁不出。全忠乃自霍丘引归，二月辛卯⑩⑦，至大梁。

李振至青州，王师范举族西迁，至濮阳⑩⑧，素服乘驴⑩⑨而进。至大梁，全忠客之⑪⑩。表李振为青州留后。

戊戌⑪①，以安南⑪②节度使、同平章事朱全昱为太师，致仕。全昱，全忠[4]之兄也，戆⑪③朴无能，先领安南，全忠自请罢之。

是日社⑪④，全忠使蒋玄晖邀昭宗诸子德王裕、棣王祤、虔王禊、沂王禋、遂王祎、景王秘、祁王祺[5]、雅王禛、琼王祥，置酒九曲池⑪⑤，酒酣，悉缢杀之，投尸池中。

朱全忠遣其将曹延祚将兵与杜洪共守鄂州，庚子⑪⑥，淮南将刘存攻拔之⑪⑦，执洪、延祚及汴兵千余人送广陵，悉诛之。行密以存为鄂岳观察使。

己酉⑪⑧，葬圣穆景文孝皇帝⑪⑨于和陵⑫⑩，庙号昭宗。

三月庚午⑫①，以王师范为河阳节度使。

戊寅⑫②，以门下侍郎、同平章事独孤损同平章事，充静海⑫③节度使，以礼部侍郎河间⑫④张文蔚⑫⑤同平章事。甲申⑫⑥，以门下侍郎、同平章事裴枢为左仆射，崔远为右仆射，并罢政事。

捆上，前来归顺，我一定以你为行军副使，只是不掌握兵权罢了。”安仁义没有听从。王茂章挖地道进入城中，于是攻克润州。安仁义带领全族人登上高楼，众人不敢逼近。先前攻城诸将领看到安仁义就骂他，只有李德诚不这样做。到这时候，安仁义叫李德诚登上楼来，对他说：“你待人有礼貌，我今天把这作为你的功劳。”并且将自己的爱妾赠送给他，把弓箭扔到地上。李德诚挟持着安仁义下楼，连同他的儿子一起在广陵街市被斩首。

两浙军队在睦州围攻陈询，杨行密派遣西南招讨使陶雅率军救援。军营中夜里受到惊扰，士兵大多翻越营垒逃走。左右及裨将韩球跑来报告陶雅，陶雅安稳地躺着不理会。不久营中自行安定下来，逃亡的士兵全部返回。钱镠派遣他的堂弟钱镒以及指挥使顾全武、王球进行抵御，被陶雅打败，陶雅俘虏钱镒和王球返回广陵。

正月十一日庚午，朱全忠任命李振知青州事，代替王师范。

朱全忠包围寿州，寿州人关闭营垒，不出来应战。朱全忠就带领士兵从霍丘返回。二月初二日辛卯，到达大梁。

李振到达青州。王师范带领全族人西迁，到濮阳后，素服骑驴前往。到达大梁，朱全忠以客人的礼节接待他。朱全忠上表请求以李振为青州留后。

二月初九日戊戌，朝廷任命安南节度使、同平章事朱全昱为太师，退休。朱全昱，是朱全忠的哥哥，憨厚朴实，没有才能，原先兼管安南，朱全忠自己请求将他罢免。

这一天是社日，朱全忠派遣蒋玄晖邀请昭宗诸子德王李裕、棣王李祤、虔王李禊、沂王李禋、遂王李祎、景王李秘、祁王李祺、雅王李禛、琼王李祥，在九曲池摆设酒宴，酒喝到酣畅时，把他们全部用绳子勒死，尸体被扔入九曲池中。

朱全忠派遣他的部将曹延祚率军与杜洪共守鄂州。二月十一日庚子，淮南将领刘存攻取鄂州，捉住杜洪、曹延祚以及汴州兵一千多人送到广陵，把他们全部杀死。杨行密以刘存为鄂岳观察使。

二月二十日己酉，把圣穆景文孝皇帝葬在和陵，庙号为昭宗。

三月十一日庚午，朝廷任命王师范为河阳节度使。

十九日戊寅，朝廷任命门下侍郎、同平章事独孤损为同平章事，充任静海节度使，任命礼部侍郎河间人张文蔚为同平章事。二十五日甲申，任命门下侍郎、同平章事裴枢为左仆射，崔远为右仆射，都罢免同平章事职务。

【段旨】

以上为第三段，写杨行密攻拔润州，杀叛将润州团练使安仁义，又攻拔鄂州，杀武昌节度使杜洪。朱全忠杀德王裕等昭宗九子。

【注释】

⑯昭宣光烈孝皇帝：即唐末帝，昭宗第九子。名祚，后更名柷。公元九〇五至九〇七年在位。朱全忠篡国后封为济阴王，迁至曹州。后梁开平二年（公元九〇八年）为朱全忠所害。时年十七，谥为哀皇帝。后唐明宗天成三年（公元九二八年）立庙于曹州，改谥为昭宣光烈孝皇帝，庙号景宗。⑰寿州：州名，治所在今安徽寿县。是时朱全忠自霍丘遣诸将进逼。⑱汝之功：安仁义归杨行密，破赵锽、孙儒，平宣、润二州，皆有功。⑲束身：自缚其身。⑳众不敢逼：安仁义在淮南军中号称最善射者，众人害怕，故不敢逼。㉑以为汝功：以此作为你的功劳。㉒掖之：挟持。㉓陈询：睦州刺史，天复三年（公元九〇三年）六月叛钱镠。㉔逾垒：翻越营垒。㉕自定：自然安定下来。此谓陶雅以静制动。㉖庚午：正月十一日。㉗辛卯：二月初二日。㉘濮阳：县名，县治在今河南濮阳南。时属濮州。㉙素服乘驴：囚服乘驴，以示请罪。㉚客之：以客礼接待。㉛戊戌：二月初九日。㉜安南：方镇名，唐肃宗乾元元年（公元七五八年）升安南管内经略使为节度使，治所交州，在今越南河内。㉝戆：愚直。㉞社：古代祭祀土地神。以立春

【原文】

初，柳璨及第，不四年为宰相，性倾巧[127]轻佻[128]。时天子左右皆朱全忠腹心，璨曲意[129]事之。同列裴枢、崔远、独孤损皆朝廷宿望[130]，意轻之，璨以为憾。和王[131]傅张廷范，本优人[132]，有宠于全忠，奏以为太常卿[133]。枢曰："廷范勋臣[134]，幸有方镇[135]，何藉[136]乐卿[137]！恐非元帅[138]之旨。"持之不下。全忠闻之，谓宾佐[139]曰："吾常以裴十四[140]器识[141]真纯，不入浮薄之党，观此议论，本态露矣[142]。"璨因此并远、损谮[143]于全忠，故三人皆罢。

以吏部侍郎杨涉[144]同平章事。涉，收[145]之孙也。为人和厚恭谨，闻当为相，与家人相泣，谓其子凝式曰："此吾家之不幸也，必为汝累[146]。"

加清海节度使刘隐同平章事。

壬辰[147]，河东都押牙盖寓卒。遗书劝李克用省营缮[148]，薄赋敛，求贤俊。

夏，四月庚子[149]，有彗星[150]出西北。

后第五个戊日为春社。⑮ 九曲池：在洛阳西苑中。⑯ 庚子：二月十一日。⑰ 攻拔之：天复二年正月，淮南兵攻鄂州，至此时攻克。⑱ 己酉：二月二十日。⑲ 圣穆景文孝皇帝：即昭宗的谥号。⑳ 和陵：在河南缑氏县（今河南洛阳市偃师区南）㥣来山，是年更名太平山。㉑ 庚午：三月十一日。㉒ 戊寅：三月十九日。㉓ 静海：方镇名，唐懿宗咸通七年（公元八六六年）升安南都护为静海军节度使。以独孤损充静海节度使是罢免其执政权力。㉔ 河间：县名，为瀛州治所，在今河北河间。㉕ 张文蔚（？至公元九〇八年）：字右华，乾符初登进士第。僖宗朝除监察御史、中书舍人。昭宗朝为礼部侍郎。传见《旧唐书》卷一百七十八、《旧五代史》卷十八、《新五代史》卷三十四。㉖ 甲申：三月二十五日。

【校记】

[3] 乃掷弓于地：原无此五字。据章钰校，十二行本、乙十一行本、孔天胤本皆有此五字，张敦仁《通鉴刊本识误》、张瑛《通鉴校勘记》同，今据补。[4] 全忠：据章钰校，孔天胤本作“朱全忠”。[5] 祺：原作“琪”。据章钰校，十二行本、乙十一行本、孔天胤本皆作“祺”，今从改。

【语译】

当初，柳璨考中进士，不到四年就当上宰相。柳璨性情狡诈灵巧，举止轻浮。当时天子左右的人都是朱全忠的心腹，柳璨阿谀奉承去迎合他们。与柳璨同时位列宰相的裴枢、崔远、独孤损都是朝廷中素有德望的人，心中看不起他，柳璨因此怨恨他们。和王李福之傅张廷范原为俳优，受到朱全忠的宠信，柳璨上奏请求以张廷范为太常卿。裴枢说：“张廷范是功臣，希望委以方镇，为什么要以掌管礼乐的太常卿为荣呢！恐怕这不是元帅的本意。”意见相持不下。朱全忠得知这些话，对宾客僚佐们说：“我常认为裴枢的器度见识真诚纯朴，不会合于轻薄浮躁之流，现在看他这个议论，本来面目显露出来了。”柳璨因此在朱全忠面前连同崔远、独孤损一起诬陷，所以这三人都被罢免。

朝廷任命吏部侍郎杨涉为同平章事。杨涉，是杨收的孙子，为人平和宽厚，谦恭谨慎，得知要他出任宰相，杨涉和家人相对哭泣，对他的儿子杨凝式说：“这是我家门的不幸，一定会连累你。”

清海节度使刘隐加封为同平章事。

四月初四日壬辰，河东都押牙盖寓去世，遗书中劝李克用缩减营建费用，减轻赋税，征求贤俊。

夏，四月十二日庚子，有彗星出现在西北方。

淮南将陶雅会衢、睦兵攻婺州[151]，钱镠遣[6]其弟镖将兵救之。

五月，礼院[152]奏，皇帝登位应祀南郊[153]；敕用十月甲午[154]行之。

乙丑[155]，彗星长竟天[156]。

柳璨恃朱全忠之势，恣[157]为威福。会有星变[158]，占者[159]曰："君臣俱灾，宜诛杀以应之[160]。"璨因疏[161]其素所不快者于全忠曰："此曹[162]皆聚徒横议，怨望腹非[163]，宜以之塞[164]灾异。"李振亦言于全忠[7]曰："朝廷所以不理[165]，良[166]由衣冠[167]浮薄之徒紊乱纲纪。且王欲图大事[168]，此曹皆朝廷之难制者也，不若尽去之。"全忠以为然。癸酉[169]，贬独孤损为棣州刺史，裴枢为登州刺史，崔远为莱州刺史。乙亥[170]，贬吏部尚书陆扆为濮州司户，工部尚书王溥为淄州司户。庚辰[171]，贬太子太保致仕赵崇为曹州司户，兵部侍郎王赞为潍州[172][8]司户。自余[173]或门胄高华[174]，或科第自进，居三省[175]台阁[176]，以名检[177]自处，声迹稍著者，皆指为以[9]浮薄，贬逐无虚日[178]，缙绅[179]为之一空。辛巳[180]，再贬裴枢为泷州[181]司户，独孤损为琼州[182]司户，崔远为白州[183]司户。

甲申[184]，忠义[185]节度使赵匡凝遣使修好于王建。

六月戊子朔[186]，敕裴枢、独孤损、崔远、陆扆、王溥、赵崇、王赞等并所在赐自尽。

时全忠聚枢等及朝士贬官者三十余人于白马驿[187]，一夕尽杀之，投尸于河。初，李振屡举进士，竟不中第，故深疾缙绅之士，言于全忠曰："此辈常自谓清流[188]，宜投之黄河，使为浊流！"全忠笑而从之。

振每自汴至洛，朝臣[10]必有窜逐者[189]，时人谓之鸱枭[190]。见朝士皆颐指气使[191]，旁若无人。

全忠尝与僚佐及游客坐于大柳之下，全忠独言曰："此柳宜为车毂[192]。"众莫应。有游客数人起应曰："宜为车毂。"全忠勃然厉声曰："书生辈好顺口玩人[193]，皆此类也！车毂须用夹榆[194]，柳木岂可为之！"顾左右曰："尚何待！"左右数十人，捽[195]言"宜为车毂"者悉扑杀[196]之。

己丑[197]，司空致仕裴贽贬青州司户，寻赐死。

柳璨余怒所注[198]，犹不啻[199]十数，张文蔚力解之，乃止。

时士大夫避乱，多不入朝。壬辰[200]，敕所在州县督遣[201]，无得稽留[202]。前司勋员外郎[203]李延古[204]，德裕之孙也，去官居平泉庄[205]，诏下未

淮南将领陶雅会合衢州、睦州的军队进攻婺州，钱镠派遣他的弟弟钱镖率军救援婺州。

五月，礼院上奏，昭宣帝即位应该在南郊进行祭祀。敕令在十月初九日甲午举行祭祀典礼。

五月初七日乙丑，彗星的长度横贯整个天空。

柳璨依仗朱全忠的势力，肆意作威作福。正赶上彗星出现，占卜的人说："君臣都有灾祸，应该以诛杀来应和天意。"柳璨借此向朱全忠上书列举他平素所不满意的人，说："这些人都聚集徒众横加议论，怨恨不满，心怀诽谤，应该用他们来防止灾异。"李振也对朱全忠说："朝廷所以治理不好，都是因为朝廷官员中轻浮浅薄的人扰乱了国家法纪。况且大王想要图谋大事，这些都是朝廷中难以制服的人，不如全部除掉他们。"朱全忠认为很对。五月十五日癸酉，贬独孤损为棣州刺史，裴枢为登州刺史，崔远为莱州刺史。十七日乙亥，贬吏部尚书陆扆为濮州司户，工部尚书王溥为淄州司户。二十二日庚辰，贬以太子太保退休的赵崇为曹州司户，兵部侍郎王赞为潍州司户。其余有的门第高贵，有的以科举及第出仕，在三省台阁任职，注重自己名节、声望政绩稍微显著的，都被指责轻浮浅薄，没有一天不贬官驱逐的，朝中官员为之一空。二十三日辛巳，再贬裴枢为泷州司户，独孤损为琼州司户，崔远为白州司户。

五月二十六日甲申，忠义节度使赵匡凝派遣使者与王建建立友好关系。

六月初一日戊子，敕令赐裴枢、独孤损、崔远、陆扆、王溥、赵崇、王赞等人都于所在地自杀。

当时朱全忠在白马驿聚中裴枢等以及被贬斥的朝中官员三十多人，一个晚上把他们全部杀死，将尸体扔入黄河。起初，李振多次参加进士考试，竟然没有考中，所以非常嫉恨科举出身的高级官员。他对朱全忠说："这些人经常自称为清流，应该把他们投入黄河，使他们成为浊流！"朱全忠笑着采纳了他的建议。

李振每次从汴州到洛阳，朝中官员必定会有人被贬逐到远地，当时人称他为鸱枭。看见朝中官员，他总是颐指气使，旁若无人。

朱全忠曾经和幕僚佐吏以及游客坐在大柳树下面，朱全忠自言自语说："这一株柳树适合做车毂。"大家都没有回应。有几个游客起来附和说："适合做车毂。"朱全忠突然厉声说："书生们喜欢随声附和来戏弄人，全都像这类事一样！车毂须用榆木，柳木怎么可以制作呢！"回头看着左右的人说："还等什么！"左右几十个人，揪住说"适合做车毂"的人全部打死。

六月初二日己丑，把司空退休的裴贽贬为青州司户，不久赐死。

柳璨余怒之下所关注的人，还不止数十个，张文蔚竭力劝解，方才作罢。

当时士大夫躲避祸乱，大多不到朝廷里来。六月初五日壬辰，敕令所在州县督促遣送他们到京，不得停留各地。前司勋员外郎李延古，是李德裕的孙子，辞去官至，戊申⑳⑹[11]，责授卫尉寺主簿⑳⑺。

秋，七月癸亥⑳⑻，太子宾客致仕柳逊贬曹州司马。

【段旨】

以上为第四段，写柳璨倾巧轻佻，以浮薄之名谮害朝士，贬逐公卿，朱全忠一夕杀朝士三十余人，朝廷为之一空。

【注释】

⑫⑺倾巧：狡诈灵巧。⑫⑻轻佻：不稳重。⑫⑼曲意：委曲己意而奉承别人。⑬⑽宿望：素负重望的人。⑬⑴和王：李福，唐昭宗子。⑬⑵优人：以乐舞、谐戏为职业的艺人。⑬⑶太常卿：官名，九卿之一，掌礼乐郊庙社稷事宜。⑬⑷勋臣：功臣。有扈从东迁之功。⑬⑸幸有方镇：希望委任方镇。⑬⑹藉：凭借；依靠。⑬⑺乐卿：太常卿掌礼乐，故云。此言张廷范应出任方镇，不必以乐卿为荣。⑬⑻元帅：指朱全忠。时朱为诸道元帅。⑬⑼宾佐：宾客及僚佐。⑭⑽裴十四：指裴枢。排行十四，故称。⑭⑴器识：器度见识。⑭⑵观此议论二句：朱全忠对裴枢的意见不满，认为暴露了他浮薄的本来面目。本态，本来面目。⑭⑶谮：说坏话诬陷别人。⑭⑷杨涉：乾符二年（公元八七五年）登进士第。昭宗朝为吏部尚书，哀帝即位后任宰相。传见《旧唐书》卷一百七十七、《新唐书》卷一百八十四、《新五代史》卷三十四。⑭⑸收：即杨收，懿宗朝宰相，以罪贬死。传见《旧唐书》卷一百七十七、《新唐书》卷一百八十四。⑭⑹累：连累；牵连。⑭⑺壬辰：四月初四日。⑭⑻营缮：营造修建工程。⑭⑼庚子：四月十二日。⑮⑽彗星：太阳系中的一种小天体，主要由冰冻物质和尘埃组成，绕日运行。形状如扫帚，又叫“扫帚星”。古人认为彗星出现是灾祸的预兆。⑮⑴婺州：州名，治所在今浙江金华。光化三年（公元九〇〇年）田颙取婺州，后田颙反叛，钱镠助杨行密攻田颙而取之，派沈夏驻守。⑮⑵礼院：即太常寺，又称太常礼院。⑮⑶南郊：封建王朝皇帝即位，要到南郊圜丘祭天。唐玄宗定《开元礼》，遂合祭天地于南郊。⑮⑷甲午：十月初九日。⑮⑸乙丑：五月初七日。⑮⑹彗星长竟天：形容彗星长贯天空。当时认为这是除旧布新，政权将发生改换的征兆。⑮⑺恣：放纵；任意。⑮⑻星变：指彗星出现。⑮⑼占者：掌占卜卦兆吉凶的人。⑯⑽应之：顺应天命。⑯⑴疏：罗列。⑯⑵此曹：这伙人。⑯⑶腹非：即腹诽，口里不说，心里不以为然。⑯⑷塞：抵挡；防止。⑯⑸理：治理。⑯⑹良：确；真。⑯⑺衣冠：指朝官、士大夫。⑯⑻图大事：篡夺唐朝皇位。⑯⑼癸酉：五月十五日。⑰⑽乙亥：五月十七日。⑰⑴庚辰：五月二十二日。⑰⑵潍州：州名，唐高祖武德二年（公元六一九年）分青州北海县置潍州，八年州废，以北海还属青州，现复置潍州，治所在今山东潍坊。⑰⑶自

职住在平泉庄，诏令下达后没有到京城，二十一日戊申，责罚他担任卫尉寺主簿。

秋，七月初六日癸亥，以太子宾客退休的柳逊被贬为曹州司马。

余：其余。⑰门胄高华：指出身高贵者。门胄，世系。⑰三省：中书、门下、尚书三省。⑰台阁：原为尚书的别称。此处泛指朝廷机构。⑰名检：名声规矩。⑰贬逐无虚日：言没有一天不贬逐官员的。⑰缙绅：代指朝官士大夫。缙，插。绅，束腰的大带。⑱辛巳：五月二十三日。⑱泷州：州名，治所泷水，在今广东罗定南。⑱琼州：州名，治所在今海南定安东北。⑱白州：州名，治所在今广西博白。⑱甲申：五月二十六日。⑱忠义：方镇名，唐僖宗文德元年（公元八八八年）赐山南东道节度号忠义军节度，治所襄州，在今湖北襄阳。⑱戊子朔：六月初一日。⑱白马驿：在渭州白马县。⑱清流：负有时望的清高士大夫。⑱窜逐者：贬斥放逐的人。⑲鸱枭：鸱为猛禽，传说枭食母，古人以为皆恶鸟，喻奸邪恶人。⑲颐指气使：用面部表情和口鼻出气示意，使人奔走于前。此处形容李振依仗朱全忠的势力肆意骄纵，气焰之盛。⑲车毂：车轮中间车轴贯入处的圆木。安装在车轮两侧轴上，使轮保持直立不致内外倾斜。⑲好顺口玩人：喜欢随声附和戏弄人。⑲夹榆：树名，木质地坚硬，色赤，用来制造器具，坚固耐久。⑲捽：揪住。⑲扑杀：摔死；击杀。⑲己丑：六月初二日。⑲注：注目；关注。⑲不啻：不止。⑳壬辰：六月初五日。⑳督遣：监督遣送到京。⑳稽留：停留。⑳司勋员外郎：官名，吏部司勋司次官，员二人，从六品上阶。掌计算文武官员资历之依据。⑳李延古：即李敬义（？至公元九一五年），武宗朝宰相李德裕之孙。传见《旧五代史》卷六十，并附《新唐书》卷一百八十《李德裕传》。⑳平泉庄：李德裕的庄园，在河南府界，距洛阳城三十里。⑳戊申：六月二十一日。⑳卫尉寺主簿：官名，卫尉寺佐官，员二人，从七品上阶。掌印信及勾检稽失。卫尉寺掌器械文物，总武库、武器、守宫三署。实际所掌只殿廷之帷幕等琐事。⑳癸亥：七月初六日。

【校记】

［6］遣：原作“使”。据章钰校，十二行本、乙十一行本皆作“遣”，今从改。［7］全忠：原作“朱全忠”。据章钰校，十二行本、乙十一行本皆无“朱”字，今据删。［8］濉州：严衍《通鉴补》改作“濮州”。〖按〗《旧唐书》卷二十下《哀帝纪》载：“银青光禄大夫、兵部侍郎王赞可濮州司户。”［9］以：原无此字。据章钰校，十二行本、乙十一行本皆有此字，今据补。［10］朝臣：原作“朝廷”。据章钰校，十二行本、乙十一行本皆作“朝臣”，今从改。［11］戊申：原无此二字。据章钰校，十二行本、乙十一行本皆有此二字，张瑛《通鉴校勘记》同，今据补。

【原文】

庚午[209]夜，天雄[210]牙将李公佺与牙军谋乱，罗绍威[211]觉之。公佺焚府舍，剽掠，奔沧州[212]。

八月，王建遣前山南西道节度使王宗贺等将兵击昭信[213]节度使冯行袭于金州。

朱全忠以赵匡凝东与杨行密交通，西与王建结婚。乙未[214]，遣武宁节度使杨师厚将兵击之。己亥[215]，全忠以大军继之。

处州[216]刺史卢约使其弟佶攻陷温州[217]，张惠奔福州。

钱镠遣方永珍救婺州。

初，礼部员外郎知制诰[218]司空图[219]弃官居虞乡王官谷，昭宗屡征之，不起。柳璨以诏书征之。图惧，诣洛阳入见，阳为衰野[220]，坠笏失仪[221]。璨乃复下诏，略曰："既养高[222]以傲代[223]，类移山[224]以钓名。"又曰："匪夷匪惠[225]，难居公正之朝。可放还山。"图，临淮人也。

杨师厚攻下唐、邓、复、郢、随、均、房七州[226]，朱全忠军于汉北[227]。九月辛酉[228]，命师厚作浮梁于阴谷口[229]。癸亥[230]，引兵渡汉。甲子[231]，赵匡凝将兵二万陈于汉滨，师厚与战，大破之，遂傅[232]其城下。是夕，匡凝焚府城，帅其族及麾下士沿汉奔广陵[233]。乙丑[234]，师厚入襄阳。丙寅[235]，全忠继至。匡凝至广陵，杨行密戏之曰："君在镇，岁以金帛输朱全忠[12]，今败，乃归我乎？"匡凝曰："诸侯事天子，岁输贡赋乃其职也，岂输贼[236]乎！今日归公，正以不从贼故耳。"行密厚遇之。

【段旨】

以上为第五段，写朱全忠兼并山南东道，节度使赵匡凝奔淮南。

【语译】

七月十三日庚午夜里，天雄牙将李公佺与牙军谋划作乱，罗绍威察觉了他们的行动。李公佺焚烧官府房舍，大肆抢掠，逃往沧州。

八月，王建派遣前山南西道节度使王宗贺等率军在金州进攻昭信节度使冯行袭。

朱全忠因为赵匡凝东边和杨行密联络，西边与王建结成儿女亲家。八月初九日乙未，派遣武宁节度使杨师厚率军攻打他。十三日己亥，朱全忠带领大军继踵其后。

处州刺史卢约派遣他的弟弟卢佶攻下温州，张惠逃往福州。

钱镠派遣方永珍救援婺州。

当初，礼部员外郎知制诰司空图弃官居住在虞乡县王官谷，昭宗多次征召他，他都未出来任职。柳璨用诏书征召他，司空图害怕，前往洛阳入朝进见，假装衰老而又粗野，坠落朝笏，违失朝廷礼仪。柳璨于是又颁下诏书，大略是说："既自命修养高节以傲视世人，又类似夸口移山以沽名钓誉。"又说："不是伯夷，也不是柳下惠，难以立身在公平正直的朝廷里，可以放他返回到山里。"司空图，是临淮人。

杨师厚攻下唐、邓、复、郢、随、均、房七州，朱全忠驻军在汉江北岸。九月初五日辛酉，朱全忠命令杨师厚在阴谷口架设浮桥。初七日癸亥，率军渡过汉江。初八日甲子，赵匡凝率军二万人在汉江边列阵，杨师厚与他交战，把他打得大败，于是靠近襄阳城下。当天晚上，赵匡凝焚烧襄阳城，率领他的族人和部下将士沿汉江逃往广陵。初九日乙丑，杨师厚进入襄阳城。初十日丙寅，朱全忠相继到达。赵匡凝到达广陵，杨行密与他开玩笑说："您在藩镇时，每年将金银布帛输送给朱全忠，今天战败，才来归附我吗？"赵匡凝说："诸侯侍奉天子，每年输送贡品、上缴赋税是他的职责，怎么是输送给贼寇呢！今天归附您，正是因为不依附贼寇的缘故。"杨行密用厚礼接待他。

【注释】

⑳⑨庚午：七月十三日。⑳⑩天雄：即魏博节度。㉑①罗绍威：天雄节度使、邺王。附朱全忠，入后梁，为守太师，兼中书令。传见《旧唐书》卷一百八十一、《新唐书》卷二百十、《旧五代史》卷十四、《新五代史》卷三十九。㉑②沧州：时刘守文据沧州。㉑③昭信：方镇名，治所金州，在今陕西安康。时节度使为冯行袭，附朱全忠。㉑④乙未：八月初九日。㉑⑤己亥：八月十三日。㉑⑥处州：州名，治所在今浙江丽水市。㉑⑦温州：时为张惠所据。㉑⑧知制诰：官名，掌起草诏令。原为中书舍人之职，其后常以他官代行其职，称为某官知制诰。他官带知制诰者为外制，翰林学士带知制诰者为内制。㉑⑨司空图（公元八三七至九〇八年）：字表圣，临淮（今江苏盱眙）人，咸通进士，官礼部员外郎、中书舍

人，后隐居虞乡县（在今山西永济）中条山王官谷，自号知非子、耐辱居士。诗人、诗论家。著有《诗品》。传见《旧唐书》卷一百九十下、《新唐书》卷一百九十四。㉒⓪衰野：衰老朴野。㉒①坠笏失仪：掉落笏板，违失朝廷礼仪。㉒②养高：修养高尚志节。㉒③傲代：高傲自负，轻视世人。㉒④移山：愚公移山。故事见《列子·汤问》，后世多以愚公移山比喻有志者事竟成。但柳璨意谓司空图隐居是沽名钓誉，如同愚公移山一样。㉒⑤匪夷匪惠：司空图既没有伯夷之清，又没有柳下惠之和，难以与之相比。夷，指伯夷。惠，指柳下惠，春秋时鲁国贤大夫。㉒⑥七州：指唐、邓等七州，时为忠义军，为山南东道巡属。㉒⑦汉北：汉江以北。㉒⑧辛酉：九月初五日。㉒⑨阴谷口：地名，在今湖北襄樊西北汉江畔。㉓⓪癸亥：九月初七日。㉓①甲子：九月初八日。㉓②傅：靠近。㉓③广陵：杨行密时据广陵。赵匡凝沿汉入江，顺流东下而奔归。㉓④乙丑：九月初九日。㉓⑤丙寅：九月初十日。㉓⑥贼：指朱全忠。

【原文】

丙寅[237]，封皇弟禔为颍王，祐为蔡王。

丁卯[238]，荆南节度使赵匡明[239]帅众二万，弃城奔成都。戊辰[240]，朱全忠以杨师厚为山南东道留后，引兵击江陵[241]，至乐乡[242]，荆南牙将王建武遣使迎降。全忠以都将贺瓌为荆南留后。全忠寻表师厚为山南东道节度使。

王宗贺等攻冯行袭，所向皆捷。丙子[243]，行袭弃金州，奔均州，其将全师朗以城降。王建更师朗姓名曰王宗朗，补金州观察使，割渠、巴、开[244]三州以隶之。

乙酉[245]，诏更用十一月癸酉亲郊[246]。

淮南将陶雅、陈璋拔婺州，执刺史沈夏以归。杨行密以雅为江南都招讨使，歙、婺、衢、睦观察使，以璋为衢、婺副招讨使。璋攻暨阳[247]，两浙将方习败之。习进攻婺州。

濠州团练使刘金卒，杨行密以金子仁规知濠州。

杨行密长子宣州观察使渥，素无令誉[248]，军府[249]轻之。行密寝疾，命节度判官周隐召渥。隐性憃直[250]，对曰："宣州司徒[251]轻易信谗，喜击球饮酒，非保家之主。余子皆幼，未能驾驭诸将。庐州刺史刘威，

【校记】

［12］朱全忠：原作“全忠”。据章钰校，十二行本、乙十一行本、孔天胤本皆有“朱”字，今据补。

【语译】

九月初十日丙寅，敕封皇弟李禔为颍王，李祐为蔡王。

十一日丁卯，荆南节度使赵匡明率军二万人，放弃城池逃往成都。十二日戊辰，朱全忠任命杨师厚为山南东道留后，率军进攻江陵，到达乐乡，荆南牙将王建武派遣使者迎接，向杨师厚投降。朱全忠任命都将贺瓌为荆南留后。朱全忠不久上表奏请杨师厚为山南东道节度使。

王宗贺等攻打冯行袭，军锋所向，全都获胜。九月二十日丙子，冯行袭放弃金州，逃往均州，他的部将全师朗献城投降。王建改全师朗的姓名为王宗朗，补任金州观察使，分割出渠、巴、开三州隶属于他。

九月二十九日乙酉，昭宣帝下诏改在十一月十九日癸酉亲自举行郊祀典礼。

淮南将领陶雅、陈璋攻下婺州，俘获刺史沈夏返回。杨行密任命陶雅为江南都招讨使，歙、婺、衢、睦观察使，任命陈璋为衢、婺副招讨使。陈璋进攻暨阳，两浙将领方习打败了陈璋，方习进攻婺州。

濠州团练使刘金去世，杨行密任命刘金的儿子刘仁规为知濠州事。

杨行密的长子宣州观察使杨渥，素来没有好声誉，节度使府中的人轻视他。杨行密卧病在床，命令节度判官周隐召回杨渥。周隐为人愚钝朴直，回答说：“宣州司徒杨渥轻易听信谗言，喜好击球饮酒，不是能保全家业的人主。其余的儿子年龄都小，不能驾驭诸将领。庐州刺史刘威，从低贱时就跟随您，一定不会辜负您。不如

从王起细微[252]，必不负王，不若使之权领军府，俟诸子长以授之。”行密不应。左右牙指挥使徐温、张颢言于行密曰：“王平生出万死，冒矢石，为子孙立基业，安可使他人有之！”行密曰：“吾死瞑目矣。”隐，舒州人也。

他日，将佐问疾，行密目留[253]幕僚严可求。众出，可求曰：“王若不讳[254]，如军府何？”行密曰：“吾命周隐召渥，今忍死待之。”可求与徐温诣隐，隐未出见，牒[255]犹在案上，可求即与温取牒，遣使者如宣州召之。可求，同州[256]人也。行密以润州团练使王茂章为宣州观察使[257]。

【段旨】

以上为第六段，写杨行密病重，遗意部属立其长子杨渥为淮南节度使继任人。

【注释】

㉗ 丙寅：九月初十日。㉘ 丁卯：九月十一日。㉙ 赵匡明：赵匡凝之弟。天复三年（公元九〇三年），赵匡凝遣其据荆南，赵匡凝败，赵匡明便弃城奔成都。㉚ 戊辰：九月

【原文】

冬，十月丙戌朔[258]，以朱全忠为诸道兵马元帅，别开幕府[259]。

是日，全忠部署将士，将归大梁[260]，忽变计，欲乘胜击淮南。敬翔谏曰：“今出师未逾月，平两大镇[261]，辟地数千里，远近闻之，莫不震慑[262]。此威望可惜[263]，不若且归息兵，俟衅[264]而动。”不听。

改昭信军为戎昭军，仍割均州隶之[265][13]。

辛卯[266]，朱全忠发襄州。壬辰[267]，至枣阳[268]，遇大雨。自申州[269]抵光州，道险狭涂潦[270]，人马疲乏，士卒尚未冬服[271]，多逃亡。全忠使人谓

让他暂时代理节度使府事务，等几个儿子长大后再把权力交还他们。”杨行密不回答。左右牙指挥使徐温、张颢对杨行密说：“大王您一生出生入死，冒着矢石的危险，为子孙后代建立基业，怎么能让别人占有呢！”杨行密说：“我死也放心了。”周隐，是舒州人。

有一天，将领佐吏来探问病情，杨行密用眼睛示意留下幕僚严可求。众人出去后，严可求说：“大王如有不测，节度使府的事务如何处理呢？”杨行密说：“我命令周隐召回杨渥，如今强忍病痛等他到来。”严可求和徐温到周隐那儿，周隐没有出来见面，召回杨渥的牒文仍放在桌案上。严可求立即与徐温拿走牒文，派遣使者到宣州去召杨渥。严可求，是同州人。杨行密任命润州团练使王茂章为宣州观察使。

十二日。㉔①江陵：荆南军府治所，在今湖北荆州之江陵城。㉔②乐乡：镇名，在江陵府长林县，在今湖北荆门西北。㉔③丙子：九月二十日。㉔④渠、巴、开：皆州名，渠州治所在今四川渠县，巴州治所在今四川巴中，开州治所在今重庆市开州区。㉔⑤乙酉：九月二十九日。㉔⑥亲郊：帝王亲自举行郊祀。㉔⑦暨阳：县名，即越州诸暨县，县治在今浙江诸暨，与婺州东阳县接境。㉔⑧令誉：好名声。㉔⑨军府：将帅的幕府。㉕⓪惷直：愚钝憨直。㉕①宣州司徒：指杨渥。杨渥时守宣州，加官司徒。㉕②细微：低贱。㉕③目留：用眼光示意留下。㉕④不讳：死的含蓄说法。㉕⑤牒：杨行密召杨渥的文书。㉕⑥同州：严可求本同州人，父名实，仕唐后为江淮陆运判官，住家于江都。㉕⑦使王茂章为宣州观察使：王茂章为当时名将，杨行密因宣州地接杭州，地位极为重要，故以王茂章守之。但他没有料知王茂章与杨渥有矛盾，致使后来王茂章轻易地奔赴两浙。

【语译】

冬，十月初一日丙戌，任命朱全忠为诸道兵马元帅，另外开设元帅府。

这一天，朱全忠部署将士，准备返回大梁，忽然改变计划，想要乘胜攻击淮南。敬翔劝谏说：“现在出兵还不到一个月，平定襄阳、荆州两大藩镇，开辟疆域数千里，远近的人得知后，没有不震惊害怕的。这个威望需要珍惜，不如暂时回去停止征战，等待机会再发动攻击。”朱全忠不听。

朝廷改昭信军为戎昭军，并将均州划归给它管辖。

十月初六日辛卯，朱全忠从襄州出发。初七日壬辰，到达枣阳，遇到大雨。从申州到光州的道路险阻狭窄，到处积水，人困马乏，士兵还没有穿上冬衣，许多人

光州刺史柴再用曰："下，我以汝为蔡州刺史[272]；不下，且屠城！"再用严设守备，戎服登城，见全忠，拜伏甚恭，曰："光州城小兵弱，不足以辱王之威怒。王苟先下寿州，敢不从命！"全忠留其城东旬日而去。

起居郎[273]苏楷[274]，礼部尚书循[275]之子也，素无才行，乾宁中登进士第，昭宗覆试[276]黜之，仍永不听[277]入科场[278]。甲午[279]，楷帅同列[280]上言："谥号[281]美恶，臣子不得而私。先帝谥号多溢美[282]，乞更详议。"事下太常[283]，丁酉[284]，张廷范奏改谥恭灵庄愍孝皇帝，庙号[285]襄宗，诏从之。

杨渥至广陵。辛丑[286]，杨行密承制以渥为淮南留后。

戊申[287]，朱全忠发光州，迷失道百余里，又遇雨，比及寿州[288]，寿人坚壁清野以待之。全忠欲围之，无林木可为栅，乃退屯正阳[289]。

癸丑[290]，更名成德军曰武顺[291]。

【段旨】

以上为第七段，写朱全忠为诸道兵马元帅，别开幕府。改昭信军为戎昭军、成德军为武顺军。

【注释】

㉘丙戌朔：十月初一日。㉙别开幕府：另外开设元帅府。㉚将归大梁：将自襄阳归大梁。㉛两大镇：荆、襄两镇。㉜震慑：惊怕；惊惧。㉝惜：珍惜。㉞衅：机会。㉟割均州隶之：昭信军本置于金州，时已为王建所取，故改置于均州。㊱辛卯：十月初六日。㊲壬辰：十月初七日。㊳枣阳：县名，县治在今湖北枣阳。时属随州。㊴申州：州名，治所在今河南信阳。㊵涂潦：道路上流水或积水。㊶冬服：穿冬装。㊷蔡州刺史：柴再用汝阳（今河南汝南）人，所以朱全忠以衣锦还乡利诱之。㊸起居郎：官名，门下省属官，员二人，从六品上阶，掌记载皇帝的言行。㊹苏楷（？至公元九二八年）：苏循之子，与其父皆无行，历唐、后梁、后唐，官至后唐尚书员外郎。父子同传，见《旧

逃亡。朱全忠派人对光州刺史柴再用说:“献城投降,我以你为蔡州刺史;不投降,就要屠灭全城人!”柴再用严加守备,戎装登城,看见朱全忠,拜伏行礼,非常恭敬,说:“光州城小兵弱,不值得羞辱大王发威动怒。大王如果先攻下寿州城,我怎么敢不服从您的命令呢!”朱全忠在光州城东停留十天后离去。

起居郎苏楷,是礼部尚书苏循的儿子,向来无才无德,乾宁年间考中进士,昭宗复试后将他废黜,并且永远不准他再入科场考试。十月初九日甲午,苏楷率领同僚向昭宣帝上奏说:“谥号的好坏,臣子不能有所偏私。先帝的谥号有太多溢美之词,请求再详细商议。”事情交下给太常办理。十二日丁酉,张廷范上奏更改昭宗的谥号为恭灵庄愍孝皇帝,庙号为襄宗,昭宣帝下诏依从他的意见。

杨渥到达广陵。十月十六日辛丑,杨行密借皇帝名义任命杨渥为淮南留后。

二十三日戊申,朱全忠从光州出发,迷失道路一百多里,又遇上下雨,等到抵达寿州,寿州人坚壁清野来等待他。朱全忠打算包围寿州,但没有树木可以修建栅栏,于是撤退,屯驻正阳镇。

二十八日癸丑,朝廷改成德军叫武顺军。

五代史》卷六十、《新五代史》卷三十四。㉗⑤循:苏循,昭宗朝为礼部尚书。善阿谀苟容,无士行。㉗⑥覆试:重试。乾宁二年(公元八九五年)进士二十余人,中使奏云侥幸者半。唐昭宗命学士陆扆、冯渥复试,及格者十四人。苏楷等四人最下,不得再赴举场。㉗⑦不听:不接受;不允许。㉗⑧科场:科举考试的考场。唐人谓贡院为科场。㉗⑨甲午:十月初九日。㉘⓪同列:此谓起居郎罗衮、起居舍人卢鼎等。苏楷被黜不许入科场,唐昭宗遇弑后,朱全忠控制朝政,才得为起居郎。㉘①谥号:帝王、贵族、大臣、士大夫死后,依其生前事迹给予的称号。㉘②溢美:过分夸奖。㉘③太常:太常寺。官署名,掌礼乐郊庙社稷事宜。㉘④丁酉:十月十二日。㉘⑤庙号:帝王死后,在太庙立室奉祀,并追尊以某祖、某宗的名号,称庙号。㉘⑥辛丑:十月十六日。㉘⑦戊申:十月二十三日。㉘⑧比及寿州:当到达寿州时。㉘⑨正阳:镇名,在寿州西六十里。㉙⓪癸丑:十月二十八日。㉙①武顺:因朱全忠父亲名诚,故改成德军为武顺军,治所镇州。

【校记】

[13]仍割均州隶之:原无此六字。据章钰校,十二行本、乙十一行本、孔天胤本皆有此六字,张敦仁《通鉴刊本识误》、张瑛《通鉴校勘记》同,今据补。

【原文】

十一月丙辰㉒，朱全忠渡淮而北，柴再用抄其后军，斩首三千级，获辎重万计。全忠悔之㉓，躁忿㉔尤甚。丁卯㉕，至大梁。

先是，全忠急于传禅㉖，密使蒋玄晖等谋之。玄晖与柳璨等议：以魏、晋以来皆先封大国，加九锡㉗、殊礼㉘，然后受禅，当次第㉙行之。乃先除全忠诸道元帅，以示有渐，仍以刑部尚书裴迪为送官告使㉚，全忠大怒。宣徽副使王殷、赵殷衡疾玄晖权宠㉛，欲得其处，因谮之于全忠曰："玄晖、璨等欲延唐祚㉜，故逗遛㉝[14]其事以须㉞变。"玄晖闻之惧，自至寿春㉟，具言其状。全忠曰："汝曹巧述闲事㊱以沮㊲我，借使㊳我不受九锡，岂不能作天子邪！"玄晖曰："唐祚已尽，天命归王，愚智皆知之。玄晖与柳璨等非敢有背德㊴，但以今兹晋、燕、岐、蜀㊵皆吾勍敌㊶，王遽受禅，彼心未服，不可不曲尽义理㊷，然后取之，欲为王创万代之业耳。"全忠叱之曰："奴果反矣！"玄晖惶遽㊸辞归，与璨议行九锡。时天子将郊祀，百官既习仪㊹，裴迪自大梁还㊺，言㊻全忠怒曰："柳璨、蒋玄晖等欲延唐祚，乃郊天㊼也。"璨等惧。庚午㊽，敕改用来年正月上辛㊾。殷衡本姓孔名循，为全忠家乳母养子，故冒姓赵，后渐贵，复其姓名。

壬申㊿，赵匡明至成都，王建以客礼遇之。

昭宗之丧，朝廷遣告哀使[321]司马卿宣谕王建，至是始入蜀境。西川掌书记韦庄为建谋，使武定[322]节度使王宗绾谕卿曰："蜀之将士，世受唐恩，去岁闻乘舆东迁，凡上二十表，皆不报[323]。寻[324]有亡卒[325]自汴来，闻先帝已罹[326]朱全忠弑逆。蜀之将士方日夕枕戈[327]，思为先帝报仇。不知今兹使来以何事宣谕？舍人[328]宜自图进退。"卿乃还。

庚辰[329]，吴武忠王杨行密薨。将佐共请宣谕使李俨[330]承制授杨渥淮南节度使、东南诸道行营都统，兼侍中、弘农郡王。

柳璨、蒋玄晖等议加朱全忠九锡，朝士多窃怀[331]愤邑[332]，礼部尚书苏循独扬言曰："梁王功业显大[333]，历数[334]有归，朝廷速宜揖让[335]。"朝士无敢违者。辛巳[336]，以全忠为相国[337]，总百揆[338]。以宣武、宣义、天

【语译】

十一月初二日丙辰，朱全忠渡过淮河北进，光州刺史柴再用包抄他的后军，砍下三千首级，获得辎重数以万计。朱全忠后悔不听敬翔的话，更加暴躁愤怒。十三日丁卯，朱全忠到达大梁。

在这以前，朱全忠急于要通过禅让方式称帝，秘密让蒋玄晖等人谋划此事。蒋玄晖与柳璨等商议：从魏、晋以来，都是先封大国，加赐九锡，给予特殊的礼遇，然后再接受禅让，应当按这个顺序进行。于是，先任命朱全忠为诸道元帅，以表示循序渐进，并且派刑部尚书裴迪为送官告使，朱全忠大怒。宣徽副使王殷、赵殷衡嫉妒蒋玄晖擅权得宠，想要得到他的位置，因此向朱全忠诬陷他说："蒋玄晖、柳璨等想要延续唐朝政权，所以拖延此事以等待事变发生。"蒋玄晖得知后很害怕，亲自到寿春，对朱全忠详细解释具体情况。朱全忠说："你们巧言叙述一些不相干的事情来阻止我，假如我不受九锡之礼，难道就不能做天子吗！"蒋玄晖说："唐朝的气数已尽，天命归依大王，无论愚人还是智者都深信不疑。我和柳璨等人不敢违背大王的恩德，只是因为如今晋、燕、岐、蜀等地都是我们的劲敌，大王马上接受禅让，他们心里不服气；不能不设法慢慢地讲明大义道理，然后再取代皇位，想为大王创立万世的基业。"朱全忠责骂他说："奴才果然要造反了！"蒋玄晖惶恐告辞返回洛阳，与柳璨商议行九锡之礼。这时昭宣帝将举行郊祀大典，文武百官已经在学习礼仪，裴迪从大梁返回，转述朱全忠发怒时说的话："柳璨、蒋玄晖等人想要延续唐代的政权，所以才举行郊祀祭天。"柳璨等很恐惧。十一月十六日庚午，敕令改用明年正月上旬的辛巳举行郊祀祭天。赵殷衡本来姓孔名循，是朱全忠家奶妈的养子，所以冒充姓赵，后来逐渐显贵，才恢复原来的姓名。

十一月十八日壬申，赵匡明到达成都，王建用客礼来接待他。

昭宗发丧，朝廷派遣告哀使司马卿前往成都宣谕王建，到这时才开始进入蜀地境内。西川掌书记韦庄替王建谋划，派武定节度使王宗绾告诉司马卿说："蜀地的将士，世代蒙受唐朝皇室的恩惠，去年得知皇帝东迁洛阳，总共上了二十个表文，都没有得到答复。不久有逃亡的士兵从汴州到来，得知先帝已经被朱全忠杀害。蜀地将士正日夜枕戈以待，想为先帝报仇。不知如今使者到来，想要宣告什么事情？您应该自己考虑进退。"司马卿于是返回洛阳。

十一月二十六日庚辰，吴武忠王杨行密去世。淮南将领佐吏共同请求宣谕使李俨以皇帝名义任命杨渥为淮南节度使、东南诸道行营都统，兼侍中、弘农郡王。

柳璨、蒋玄晖等商议加朱全忠九锡之礼，朝中官吏大多私怀怨怒，抑郁不平，只有礼部尚书苏循扬言说："梁王功业显赫伟大，天命所归，朝廷应该迅速把帝位禅让给他。"朝中官吏没有敢于违抗的人。十一月二十七日辛巳，任命朱全忠为相国，

平、护国、天雄、武顺、佑国、河阳、义武、昭义、保义、戎昭、武定、泰宁、平卢、忠武、匡国、镇国、武宁、忠义、荆南等二十一道㉝为魏国，进封魏王，仍加九锡。全忠怒其稽缓㊵，让不受。十二月戊子㊶，命枢密使蒋玄晖赍手诏诣全忠谕指㊷。癸巳㊸，玄晖自大梁还，言全忠怒不解。甲午㊹，柳璨奏称："人望㊺归梁王，陛下释重负㊻，今其时也。"即日遣璨诣大梁达传禅之意，全忠拒之。

【段旨】

以上为第八段，写杨行密辞世，长子杨渥继为淮南节度使。朱全忠急于受禅，柳璨、蒋玄晖等人为之策划，认为应依魏、晋以来故事，先封大国，加九锡，殊礼，次第行之，然后受禅。

【注释】

㉒丙辰：十一月初二日。㉓悔之：后悔不用敬翔之言。㉔躁忿：急躁愤怒。㉕丁卯：十一月十三日。㉖传禅：以禅让方式传承皇位。㉗九锡：又名九赐。最初，本为帝王尊礼大臣所给的九种器物：一、车马，二、衣服，三、乐则，四、朱户，五、纳陛，六、虎贲，七、弓矢，八、铁钺，九、秬鬯。自王莽以后权臣篡位，建立新王朝之前，都加九锡，成为例行公事。㉘殊礼：特殊的礼遇。一般在禅让之前指的是赞拜不名、入朝不趋和剑履上殿等。㉙次第：依次。㉚送官告使：官名，亦作官告使，专送授官凭证及封赠临时设置的官职。㉛权宠：蒋玄晖时为枢密使，内专朝廷之权，外结朱全忠之宠。㉜延唐祚：延长唐的皇位。㉝逗遛：拖延。㉞须：待。㉟寿春：县名，寿州治所。时朱全忠在寿春行营。㊱巧述闲事：指蒋玄晖等所说受禅的做法。先封大国、加九锡、殊礼等皆为王莽所创，蒋玄晖是依旧例。㊲沮：阻止。㊳借使：假使。㊴背德：违背朱全忠的恩德。㊵晋、燕、岐、蜀：指李克用、刘仁恭、李茂贞和王建。㊶勍敌：劲敌；强大的敌人。㊷曲尽义理：多方尽量做到符合义理。㊸惶遽：惶恐慌忙。㊹习仪：唐制，皇帝行大祀，百官皆先习仪，受誓戒，然后行事。㊺自大梁还：裴迪先至寿春行营，从朱全忠还大梁，又自大梁返回洛阳。㊻言：转述。㊼郊天：郊外祀天。此所云郊天，朱全忠认为是柳璨、蒋玄晖为了拖延唐政权所采用的手段。㊽庚午：十一月十六日。㊾上

总揽朝廷政务。以宣武、宣义、天平、护国、天雄、武顺、佑国、河阳、义武、昭义、保义、戎昭、武定、泰宁、平卢、忠武、匡国、镇国、武宁、忠义、荆南等二十一道为魏国，进封为魏王，并加九锡之礼。朱全忠恼恨他们拖延迟缓，推辞不肯接受。十二月初四日戊子，命令枢密使蒋玄晖携带昭宣帝亲笔诏书到朱全忠处宣旨。初九日癸巳，蒋玄晖从大梁返回洛阳，说朱全忠怒气不解。初十日甲午，柳璨上奏说："民望归向梁王，陛下放弃这沉重的负担，现在正是时候。"当天派遣柳璨到大梁去传达昭宣帝禅让帝位的意思，朱全忠拒绝接受。

辛：每月上旬的辛日。⑳ 壬申：十一月十八日。㉑ 告哀使：朝廷派出报丧的官员。㉒ 武定：方镇名，治洋州，为蜀之东北边鄙。㉓ 报：回复。㉔ 寻：不久。㉕ 亡卒：逃亡至蜀的汴卒。㉖ 罹：遭遇。㉗ 枕戈：枕着兵器，随时准备战斗。㉘ 舍人：指司马卿。唐制中书通事舍人掌受四方章奏及宣传诏命。㉙ 庚辰：十一月二十六日。㉚ 李俨：天复二年，昭宗以金吾将军李俨为江淮宣谕使，拜杨行密为东面行营都统，淮南诸道立功将士，听用都统牒承制迁补，然后表闻。㉛ 怀：内心里的想法。㉜ 愤邑：愤恨抑郁。㉝ 显大：显著伟大。㉞ 历数：天道；朝代更替的次序。㉟ 揖让：谓让位于贤。㊱ 辛巳：十一月二十七日。㊲ 相国：官名，不常置，汉、魏以后位望尊于宰相。㊳ 总百揆：总领国政和百官。揆，事务。㊴ 二十一道：据胡三省注，二十一道领州凡六十九。宣武领汴、宋、亳、单；宣义领汝、郑、滑；天平领郓、曹、濮、济；护国领河中、晋、绛、慈、隰；天雄领魏、博、贝、卫、澶、相；武顺领镇、冀、深、赵；佑国领京兆、商、华；河阳领孟、怀；义武领定、祁、易；昭义领潞、泽；保义领邢、洺、磁；戎昭领金、均、房；武定领洋；泰宁领兖、沂、密；平卢领青、淄、齐、棣、登、莱；忠武领陈、许；匡国领同；镇国领陕、虢；武宁领徐、宿；忠义领襄、邓、随、郢、唐、复、安；荆南领荆、归、峡。㊵ 稽缓：拖延。㊶ 戊子：十二月初四日。㊷ 谕指：即谕旨。宣布皇帝的旨意。㊸ 癸巳：十二月初九日。㊹ 甲午：十二月初十日。㊺ 人望：人心所向，为众人所仰望。㊻ 释重负：此为劝哀帝让位之辞。

【校记】

［14］逗遛：据章钰校，孔天胤本作"逗留"。〖按〗"逗遛"同"逗留"。

【原文】

初，璨陷害朝士[347]过多，全忠亦恶之。璨与蒋玄晖、张廷范朝夕宴聚，深相结，为全忠谋禅代事。何太后泣遣宫人阿秋、阿虔[15]达意玄晖，语以他日传禅之后，求子母[348]生全。王殷、赵殷衡谮玄晖，云“与柳璨、张廷范于积善宫[349][16]夜宴，对太后焚香为誓，期兴复唐祚”。全忠信之。乙未[350]，收玄晖及丰德库使[351]应顼、御厨使[352]朱建武系[353]河南狱[354]。以王殷权知枢密，赵殷衡权判宣徽院事。全忠三表辞魏王、九锡之命。丁酉[355]，诏许之[356]，更以为天下兵马元帅，然全忠已修大梁府舍为宫阙矣。是日，斩蒋玄晖，杖杀应顼、朱建武。庚子[357]，省[358]枢密使及宣徽南院使，独置宣徽使一员，以王殷为之，赵殷衡为副使。辛丑[359]，敕罢宫人宣传诏命[360]及参随视朝[361]。追削蒋玄晖为凶逆百姓[362]，令河南[363]揭[364]尸于都门外，聚众焚之。

玄晖既死，王殷、赵殷衡又诬玄晖私侍[365]何太后，令阿秋、阿虔通导[366]往来。己酉[367]，全忠密令殷、殷衡害太后于积善宫，敕追废太后为庶人，阿秋、阿虔皆于殿前扑杀。庚戌[368]，以皇太后丧，废朝三日[369]。

辛亥[370]，敕以宫禁内乱，罢来年正月上辛谒郊庙礼。

癸丑[371]，守司空兼门下侍郎、同平章事柳璨贬登州刺史，太常卿张廷范贬莱州司户。甲寅[372]，斩璨于上东门[373]外，车裂廷范[17]于都市。璨临刑呼曰：“负国贼[374]柳璨，死其宜矣！”

西川将王宗朗不能守金州，焚其城邑，奔成都。戎昭节度使冯行袭复取金州，奏称[18]“金州荒残，乞徙理均州”。从之。更以行袭领武定军[375][19]。

陈询不能守睦州，奔于广陵[376]，淮南招讨使陶雅入据其城。

杨渥之去宣州也，欲取其幄幕[377]及亲兵以行，观察使王茂章不与，渥怒。既袭位，遣马步都指挥使李简等将兵袭之。

湖南兵寇淮南，淮南牙内指挥使杨彪击却之。

【语译】

当初，柳璨陷害朝中官员过多，朱全忠也厌恶他。柳璨与蒋玄晖、张廷范日夜宴饮聚会，深相结纳，为朱全忠谋划禅让皇位的事。何太后哭着派遣宫人阿秋、阿虔向蒋玄晖转达想法，告诉他将来禅让皇位以后，请求保全她母子性命。王殷、赵殷衡诬陷蒋玄晖，说他和柳璨、张廷范在积善宫夜宴，对着何太后焚香发誓，约定兴复唐朝皇室的统治。朱全忠相信他们的话。十二月十一日乙未，逮捕蒋玄晖以及丰德库使应顼、御厨使朱建武等关押在河南府的监狱中。任命王殷暂时主持枢密的事务，赵殷衡暂时代理宣徽院的职务。朱全忠三次上表辞让进封魏王并加九锡的诏命。十三日丁酉，昭宣帝下诏同意他的辞让，再次任命他为天下兵马元帅，然而朱全忠已经修建大梁的府舍为宫殿了。这一天，斩杀蒋玄晖，用木杖打死应顼、朱建武。十六日庚子，裁减枢密使和宣徽南院使，只设置宣徽使一名，任命王殷出任，赵殷衡为副使。十七日辛丑，敕令停止宫人宣布传达诏命以及参与朝会的引导等。追削蒋玄晖的官职，成为凶逆百姓，命令河南府把他的尸体挂在都门外，聚集百姓当众焚烧。

蒋玄晖死后，王殷、赵殷衡又诬陷蒋玄晖私通何太后，让宫人阿秋、阿虔联络并引导往来。十二月二十五日己酉，朱全忠密令王殷、赵殷衡在积善宫杀害何太后，敕令追废何太后为庶民，阿秋、阿虔都在殿前打死。二十六日庚戌，因为皇太后去世，停止上朝三天。

十二月二十七日辛亥，昭宣帝颁布敕令，因为宫廷内乱，停止来年正月上旬辛日举行祭祀天地和祖宗的典礼。

二十九日癸丑，守司空兼门下侍郎、同平章事柳璨贬为登州刺史，太常卿张廷范贬为莱州司户。三十日甲寅，在洛阳上东门外斩杀柳璨，在京城市场车裂张廷范。柳璨临刑，呼喊说："负国贼柳璨，死得应该啊！"

西川将领王宗朗不能守卫金州，焚烧金州城邑，逃往成都。戎昭节度使冯行袭再次攻取金州，上奏称"金州荒凉残破，乞求迁徙治所到均州"。朝廷同意他的奏请。改任冯行袭统领武定军。

陈询不能守卫睦州，逃往广陵，淮南招讨使陶雅进城占据了睦州。

杨渥离开宣州时，想要带着他的帐幕和亲兵随行，观察使王茂章不同意，杨渥大怒。等到他承袭父亲杨行密的职位后，派遣马步都指挥使李简等率军袭击王茂章。

湖南军队入侵淮南，淮南牙内指挥使杨彪击退了他们。

【段旨】

以上为第九段，写朱全忠改修大梁府舍为宫阙，三表辞封魏王、加九锡之命，怒其迟缓，改为天下兵马元帅，诛杀柳璨等人，又弑何太后。

【注释】

㉞⑦ 璨陷害朝士：天祐二年（公元九〇五年），柳璨列举与己不合的大臣名单给朱全忠，要求诛灭之以塞星变之祸。朱全忠将裴枢等三十余人杀害于白马驿。㉞⑧ 子母：指哀帝和太后。㉞⑨ 积善宫：洛阳宫城中宫殿，系何太后所居。㉟⓪ 乙未：十二月十一日。㉟① 丰德库使：官名。㉟② 御厨使：官名，掌御厨。㉟③ 系：关押；下狱。㉟④ 河南狱：河南府监狱。㉟⑤ 丁酉：十二月十三日。㉟⑥ 诏许之：上所云"表辞"是敬翔的主意，此所云"诏许之"，是王殷等人秉承朱全忠旨意所为。㉟⑦ 庚子：十二月十六日。㉟⑧ 省：裁减。㉟⑨ 辛丑：十二月十七日。㊱⓪ 罢宫人宣传诏命：天复三年诛宦官，以内夫人宣传诏命，现罢。㊱① 参随视朝：唐制，宫嫔司赞掌朝会赞相之事，凡朝，引客立于殿廷。现只令小黄门引从，宫人不得出内。㊱② 追削蒋玄晖为凶逆百姓：追削蒋玄晖一切官职，成为凶逆百姓。㊱③ 河南：即河南府。㊱④ 揭：举。㊱⑤ 私侍：私通。㊱⑥ 通导：联系引导。㊱⑦ 己酉：十二月二十五

【原文】

三年（丙寅，公元九〇六年）

春，正月壬戌[378]，灵武[379]节度使韩逊[380]奏吐蕃七千余骑营于宗高谷[381]，将击嗢末[382]及取凉州[383]。

李简兵奄[384]至宣州，王茂章度[385]不能守，帅众奔两浙。亲兵上蔡[386]刁彦能辞以母老[387]，不从行，登城谕众曰："王府[388]命我招谕汝曹，大兵行至矣。"众由是定。陶雅畏茂章断其归路，引兵还歙州[389]，钱镠复取睦州。镠以茂章为镇东节度副使，更名景仁。

乙丑[390]，加静海节度使曲承裕同平章事。

初，田承嗣镇魏博，选募六州[391]骁勇之士五千人为牙军，厚其给赐[392]以自卫，为腹心。自是父子相继[393]，亲党胶固[394]，岁久益骄横，小不如意，辄族旧帅而易之，自史宪诚以来皆立于其手[395]。天雄节度使罗绍威心恶之[396]，力不能制[397]。朱全忠之围凤翔也，绍威遣军将杨利言

日。㊳⑧庚戌：十二月二十六日。㊳⑨废朝三日：既废母为庶人，又废朝三日，既有悖人情，又不符合礼法，哀帝被朱全忠玩弄于股掌之上。㊳⑩辛亥：十二月二十七日。㊳⑪癸丑：十二月二十九日。㊳⑫甲寅：十二月三十日。㊳⑬上东门：洛阳外郭城东面三门，北边的叫上东门。㊳⑭负国贼：柳家自柳公绰世代仁孝谨重，动循礼法，至柳璨为人鄙野，丧尽家风，至死自悟为负国之贼。㊳⑮武定军：方镇名，治所洋州，在今陕西西乡。㊳⑯奔于广陵：陈询为两浙兵所逼而出走。㊳⑰幄幕：军中的营幕。

【校记】

［15］阿秋、阿虔：原作"阿虔、阿秋"。据章钰校，十二行本、乙十一行本二词皆互乙，今从改。［16］积善宫：原作"积善堂"。据章钰校，十二行本、乙十一行本、孔天胤本皆作"积善宫"，张敦仁《通鉴刊本识误》同，今从改。［17］廷范：原作"张廷范"。据章钰校，十二行本、乙十一行本皆无"张"字，今据删。［18］称：原作"请"。据章钰校，十二行本、乙十一行本皆作"称"，张敦仁《通鉴刊本识误》同，今从改。［19］武定军：原作"武安军"。胡三省注云："按《考异》，则'武安军'当作'武定军'。"严衍《通鉴补》改作"武定军"，今据以校正。

【语译】

三年（丙寅，公元九〇六年）

春，正月初八日壬戌，灵武节度使韩逊上奏说吐蕃七千多名骑兵扎营在宗高谷，将要攻击嗢末和夺取凉州。

李简的军队突然到达宣州，王茂章估计不能据守，率领部众投奔两浙钱镠。他的亲兵上蔡人刁彦能以母亲年老为借口，不跟随王茂章一起走。他登上城墙告诉士兵说："王府命令我召集晓谕你们，大军马上就要到了。"士兵们因此安定下来。陶雅害怕王茂章切断他的退路，率军返回歙州，钱镠再次夺取睦州。钱镠以王茂章为镇东节度副使，把他名字改为王景仁。

正月十一日乙丑，静海节度使曲承裕加封为同平章事。

当初，田承嗣镇守魏博，挑选、招募六州骁勇善战的士兵五千人组成牙军，供给赏赐丰厚，借此来自卫，作为心腹亲信。从此牙军父子传承相继，亲戚党羽如胶似漆般坚固，时间长了更加骄横跋扈，稍微不顺心意，就杀死旧主帅的全族再更换新的，从史宪诚以来，主帅都立于其手。天雄节度使罗绍威心中憎恶他们，但是力量不足以制服他们。朱全忠包围凤翔时，罗绍威派遣军将杨利言把情况秘密告诉朱

密以情告全忠，欲借其兵以诛之。全忠以事方急，未暇如其请，阴许之。及李公佺㊳作乱，绍威益惧，复遣牙将臧延范趣全忠。全忠乃发河南诸镇兵七[20]万，遣其将李思安将之，会魏、镇兵㊴屯深州㊵乐城㊶，声言击沧州，讨其纳李公佺也。会全忠女适㊷绍威子廷规者卒，全忠遣客将马嗣勋㊸实甲兵于橐㊹中，选长直兵㊺千人为担夫，帅之入魏，诈云会葬㊻。全忠自以大军继其后，云赴行营，牙军皆不之疑。庚午㊼，绍威潜遣人入库断弓弦、甲襻㊽，是夕，绍威帅其奴客数百，与嗣勋合击牙军，牙军欲战而弓甲皆不可用，遂阖营㊾殪㊿之，凡八千家，婴孺无遗。诘旦[411]，全忠引兵入城。

辛未[412]，以权知宁远[413]留后宠巨昭[21]、岭南西道留后叶广略并为节度使。

庚辰[414]，钱镠如睦州。

西川将王宗阮攻归州[415]，获其将韩从实。

陈璋闻陶雅归歙，自婺州退保衢州[416]。两浙将方永珍等取婺州，进攻衢州。

杨渥遣先锋指挥使陈知新攻湖南。三月乙丑[417]，知新拔岳州，逐刺史许德勋[418]，渥以知新为岳州刺史。

戊寅[419]，以朱全忠为盐铁、度支、户部三司都制置使。三司之名始于此。全忠辞不受。

夏，四月癸未朔[420]，日有食之。

【段旨】

以上为第十段，写天雄节度使罗绍威引汴兵诛灭魏博累世牙兵八千家，婴孺无遗。以朱全忠为盐铁、度支、户部三司使，三司之名始于此。

全忠，想要借他的军队来消灭牙军。朱全忠因为形势正紧，没有空闲满足他的请求，但暗中许诺了他。等到李公佺作乱，罗绍威更加恐惧，再次派遣牙将臧延范催促朱全忠。朱全忠于是征调河南各镇军队七万人，派遣他的部将李思安率领，会合魏博、镇冀的军队驻扎在深州乐城，声称要进攻沧州，讨伐刘守文接纳叛将李公佺的罪过。正赶上朱全忠嫁给罗绍威儿子罗廷规的女儿去世，朱全忠派遣客将马嗣勋在袋子里装满兵器铠甲，挑选长期警卫的士兵一千人为挑夫，率领他们进入魏博，假装说是前来会葬。朱全忠自己统率大军跟随在他们的后面，声称是到行营去，魏博牙军都没有怀疑他们。正月十六日庚午，罗绍威暗中派人进入武器库割断弓弦和铠甲系带。当天晚上，罗绍威率领家中的奴仆宾客数百人，与马嗣勋一起攻击牙军。牙军想要应战，但弓箭铠甲都不能使用，于是全营牙军都被杀死，一共有八千家，婴幼儿也没留下一个。第二天早上，朱全忠率军进入城中。

正月十七日辛未，任命暂时代理宁远留后的宠巨昭和岭南西道留后叶广略同为节度使。

二十六日庚辰，钱镠前往睦州。

西川将领王宗阮进攻归州，俘获归州将领韩从实。

陈璋得知陶雅返回歙州，从婺州撤退守卫衢州。两浙将领方永珍等攻取婺州，进兵攻打衢州。

杨渥派遣先锋指挥使陈知新进攻湖南。三月十二日乙丑，陈知新攻取岳州，赶走刺史许德勋，杨渥以陈知新为岳州刺史。

三月二十五日戊寅，朝廷任命朱全忠为盐铁、度支、户部三司都制置使。三司的名称从此时开始。朱全忠推辞不受。

夏，四月初一日癸未，发生日食。

【注释】

㊳⑱壬戌：正月初八日。㊳⑲灵武：方镇名，即朔方节度。㊳⑳韩逊（？至公元九一六年）：本灵州列校，唐末社会动乱，据有其地，为节度使。入梁，累加官至中书令，封颍川郡王。传见《旧五代史》卷一百三十二、《新五代史》卷四十。㊳㉑宗高谷：地名，在今青海西宁东。㊳㉒嗢末：一名浑末。原为吐蕃奴部，唐武宗时尚恐热作乱，这一部落数千人以嗢末自号，处甘、肃、瓜、沙等州间。㊳㉓凉州：州名，河西节度使治所，在今甘肃武威。灵武西至凉州九百里。㊳㉔奄：突然。㊳㉕度：估计。㊳㉖上蔡：县名，县治在今河南上蔡。㊳㉗辞以母老：以母亲年老为理由不能从王茂章奔两浙。㊳㉘王府：杨行密、杨渥父子均以王爵镇广陵，故称淮南军府为王府。㊳㉙歙州：州名，治所在今安徽歙县。㊳㉚乙丑：

正月十一日。㊴六州：魏博节度巡属之魏、博、贝、卫、澶、相六州。㊵给赐：供给赏赐。㊶父子相继：指牙兵的后代承袭父兄的位置。㊷胶固：胶粘固结，喻结成死党。㊸立于其手：指节度使皆由魏博牙军拥立，前后共六任。即：唐穆宗长庆二年（公元八二二年）立史宪诚；文宗太和三年（公元八二九年）立何进滔；懿宗咸通十一年（公元八七〇年）立韩允中；僖宗中和三年（公元八八三年）立乐彦祯；文德元年（公元八八八年）立赵文玠；不久又立罗弘信。㊹罗绍威心恶之：罗绍威心中憎恶魏博牙军的跋扈。心恶，内心厌恶。㊺力不能制：无力驾驭。力，声望、威信与力量。㊻李公佺：天雄牙将。去年七月谋乱，焚府舍，奔沧州。㊼魏镇兵：魏博、镇冀两镇之兵。㊽深州：州名，治所在今河北深州。㊾乐城：县名，县治在今河北献县东南。㊿适：嫁给。(403)马嗣勋（？至公元九〇六年）：濠州钟离（今安徽凤阳）人，为濠州牙将，遣杨行密攻击而投宣武朱全忠，时为宣武军元从押衙。此战受重伤，十余天后去世。传见《旧五代史》卷二十、《新五代史》卷二十三。(404)橐：盛物的袋子。(405)长直兵：长年值卫兵，一般选用骁勇善战的

【原文】

罗绍威既诛牙军，魏之诸军皆惧，绍威虽数抚谕之，而猜怨益甚。朱全忠营于魏州城东数旬，将北巡行营，会天雄牙将史仁遇作乱，聚众数万据高唐(421)，自称留后，天雄巡内诸州[22]多应之。全忠移军入城，遣使召行营兵还攻高唐，至历亭(422)，魏兵在行营者作乱。与仁遇相应。元帅府左司马李周彝、右司马苻道昭击之，所杀殆半，进攻高唐，克之，城中兵民无少长(423)皆死。擒史仁遇，锯杀之。

先是，仁遇求救于河东及沧州，李克用遣其将李嗣昭将三千骑攻邢州以救之。时邢州兵才二百，团练使牛存节守之，嗣昭攻七日不克。全忠遣右长直都将张筠(424)将数千骑助存节守城，筠伏兵于马岭(425)，击嗣昭，败之，嗣昭遁去。

义昌节度使刘守文(426)遣兵万人攻贝州(427)，又攻冀州，拔蓨县(428)，进攻阜城(429)。时镇州大将王钊攻魏州叛将李重霸于宗城(430)。全忠遣归救冀州，沧州兵去。丙午(431)，重霸弃城走，汴将胡规(432)追斩之。

镇南节度使锺传以养子延规为江州(433)刺史。传薨，军中立其子匡时(434)为留后。延规恨不得立，遣使降淮南。

兵士充任。㊻会葬：葬朱全忠之女。㊼庚午：正月十六日。㊽甲襻：甲上的带子。㊾阖营：全营。㊿殪：杀死。⑪诘旦：明旦；第二天早上。⑫辛未：正月十七日。⑬宁远：方镇名，唐昭宗乾宁四年（公元八九七年）升容管观察使为宁远军节度使。⑭庚辰：正月二十六日。⑮归州：州名，治所在今湖北秭归。时属荆南。⑯退保衢州：去年九月，淮南兵取婺州，陈璋本以衢州附淮南，现自婺州退保之。⑰乙丑：三月十二日。⑱许德勋：原为湖南将，唐昭宗天复三年（公元九〇三年）取岳州。⑲戊寅：三月二十五日。⑳癸未朔：四月初一日。

【校记】

［20］七：原作“十”。据章钰校，十二行本、乙十一行本、孔天胤本皆作“七”，熊罗宿《胡刻资治通鉴校字记》同，今从改。［21］宠巨昭：原作“庞巨昭”。据章钰校，十二行本、乙十一行本皆作“宠巨昭”，今从改。

【语译】

罗绍威诛灭牙军后，魏博属下各军都很恐惧，罗绍威虽然多次安抚晓谕他们，但是猜疑怨恨更加严重。朱全忠在魏州城东扎营几十天，将要北上巡视行营，正赶上天雄牙将史仁遇发动叛乱，聚集部众几万人占据高唐县，自称天雄军留后，天雄镇属下各州大多响应他。朱全忠调动军队入城，派遣使者召唤行营的军队回来攻打高唐县，到达历亭县，魏州士兵在行营内的人叛乱，与史仁遇相互呼应。元帅府左司马李周彝、右司马苻道昭进攻叛乱的士兵，杀死将近一半，进攻高唐县，攻克县城，城中的士兵、百姓不分年少年长都被杀死。活捉史仁遇，把他锯死了。

先前，史仁遇向河东李克用和沧州刘守文求救，李克用派遣他的部将李嗣昭率领三千名骑兵进攻邢州救援史仁遇。当时邢州的士兵只有二百人，团练使牛存节防守邢州，李嗣昭攻打七天未能攻克。朱全忠派遣右长直都将张筠率领几千名骑兵帮助牛存节守城，张筠在马岭埋伏军队，攻击李嗣昭，把他击败，李嗣昭逃走。

义昌节度使刘守文派遣军队一万人进攻贝州，又进攻冀州，攻取蓨县，进兵攻打阜城。当时镇州大将王钊在宗城进攻魏州叛将李重霸。朱全忠派王钊回去救援冀州，沧州军退走。四月二十四日丙午，李重霸放弃城池逃走，汴州将领胡规追击，斩杀李重霸。

镇南节度使锺传以养子锺延规为江州刺史。锺传去世，军中拥立他的儿子锺匡时为留后。锺延规怨恨自己未能成为留后，派遣使者向淮南杨渥投降。

五月丁巳[435]，朱全忠如洺州，遂巡北边，视戎备[436]，还，入于魏。

丙子[437]，废戎昭军，并均、房隶忠义军[438]，以武定节度使冯行袭为匡国节度使。

杨渥以昇州刺史秦裴为西南行营都招讨使，将兵击锺匡时于江西。

六月甲申[439]，复以忠义军为山南东道。

朱全忠以长安邻于邠、岐[440]，数有战争，奏徙佑国节度使韩建于淄青[441]，以淄青节度使长社[442]王重师[443]为佑国节度使。

秋，七月，朱全忠克相州[444]。时魏之乱兵散据贝、博、澶、相、卫州及魏之诸县[23]，全忠分命诸将攻讨，至是悉平之，引兵南还。

全忠留魏半岁，罗绍威供亿[445]，所杀牛羊豕[446]近七十万，资粮称是[447]，所赂遗[448]又近百万。比去，蓄积为之一空。绍威虽去其逼[449]，而魏兵自是衰弱。绍威悔之，谓人曰："合六州四十三县[450]铁，不能为此错[451]也！"

壬申[452]，全忠至大梁。

【段旨】

以上为第十一段，写魏州诸军愤怨罗绍威诛牙军，纷起作乱，朱全忠发兵往讨，军旅供应，耗尽魏州蓄积，罗绍威深悔之。

【注释】

㉑高唐：县名，县治在今山东高唐，时属博州，在州东北一百一十里。[422]历亭：县名，县治在今山东武城东。[423]无少长：无论年少与年长的，不分老幼。[424]张筠：海州（今江苏连云港市）人，先事时溥为宿州刺史，后投朱全忠为客将、长直军使，累拜宣徽使。梁亡事后唐，为京兆尹。传见《旧五代史》卷九十、《新五代史》卷四十七。[425]马岭：关名，在今山西太谷东南。[426]刘守文：刘仁恭之子。后为弟刘守光所杀。[427]贝州：州名，治所在今河北清河县。[428]蓨县：县名，县治在今河北景县，时属冀州。[429]阜城：县名，县治在今河北阜城，亦冀州属县。[430]宗城：县名，县治在今河北威县东，时属魏州。[431]丙午：四月二十四日。[432]胡规（？至公元九一一年）：兖州人。初事朱瑾，后归朱全忠。入后梁，官至右龙虎统军兼侍卫指挥使。后因罪赐死。传见《旧五代史》卷十九。[433]江州：州名，治所在今江西九江市。[434]匡时：锺传子，传死后立为留后，后被杨渥击败。

五月初五日丁巳，朱全忠前往洺州，于是巡视北边地区，察看军备情况，返回，进入魏州。

二十四日丙子，废除戎昭军，连同均州、房州划归忠义军，任命武定节度使冯行袭为匡国节度使。

杨渥以昇州刺史秦裴为西南行营都招讨使，率军前往江西进攻锺匡时。

六月初二日甲申，再次改忠义军为山南东道。

朱全忠由于长安邻近邠州、岐州，多次发生战争，上奏请求迁徙佑国节度使韩建到淄青，以淄青节度使长社人王重师为佑国节度使。

秋，七月，朱全忠攻克相州。当时魏博叛乱的士兵分别占据贝、博、澶、相、卫五州和魏博多个县，朱全忠分别派遣诸将攻讨，到这时全部平定，于是率军南还。

朱全忠留在魏州半年，罗绍威按需供应，所杀的牛、羊、猪近七十万头，物资粮食与此相当，用来贿赂赠送的财货又近百万钱。到朱全忠离开时，历年积蓄为之一空。罗绍威虽然除掉了威胁自己的牙军，而魏博军队从此衰弱下来。罗绍威对此很后悔，对人说："聚集六州四十三个县的铁，也铸不成这样的大错啊！"

七月二十一日壬申，朱全忠到达大梁。

传附《新五代史》卷四十一《锺传传》。㉟ 丁巳：五月初五日。㊱ 戎备：军备。㊲ 丙子：五月二十四日。㊳ 忠义军：方镇名，文德元年（公元八八八年）赐山南东道号忠义军节度。㊴ 甲申：六月初二日。㊵ 邻于邠、岐：邠州在长安西北二百七十五里，凤翔在长安西三百零九里。㊶ 奏徙佑国节度使韩建于淄青：因韩建原与李茂贞联结，朱全忠恐其复燃，故徙之淄青。徙，迁徙、调动。㊷ 长社：县名，县治在今河南许昌。㊸ 王重师（？至公元九〇九年）：材力兼人，初为朱全忠拔山都将，力战有功，授颍州刺史、佑国军节度使。后为刘捍诬陷而死。传见《旧五代史》卷十九、《新五代史》卷二十二。㊹ 相州：州名，治所在今河南安阳。㊺ 供亿：按需要而供应。㊻ 豕：猪。㊼ 称是：相当；相等。㊽ 赂遗：赠送财物。㊾ 去其逼：除掉威胁他的魏博牙兵。㊿ 六州四十三县：指魏博节度所领之魏、博、相、卫、贝、澶六州及其所属的四十三个县。(51) 错：又称鑢，即锉刀，锉铜铁所用之具。罗绍威后悔引朱全忠杀牙兵，致使魏博削弱，以铸错谐音为喻。"铸成大错"典出于此。(52) 壬申：七月二十一日。

【校记】

［22］州：原作"县"。据章钰校，十二行本、乙十一行本皆作"州"，今从改。［23］及魏之诸县：原无此五字。据章钰校，十二行本、乙十一行本、孔天胤本皆有此五字，张敦仁《通鉴刊本识误》同，今据补。

【原文】

秦裴至洪州，军于蓼洲[453]。诸将请阻水[454]立寨，裴不从，锺匡时果遣其将刘楚据之。诸将以咎[455]裴，裴曰："匡时骁将独楚一人耳，若帅众守城，不可猝拔[456]，吾故以要害[457]诱致之耳。"未几，裴破寨，执楚，遂围洪州，饶州[458]刺史唐宝请降。

八月乙酉[459]，李茂贞遣其子侃为质于西川；王建以侃知彭州。

朱全忠以幽、沧相首尾[460]为魏患，欲先取沧州。甲辰[461]，引兵发大梁。

两浙[24]围衢州，衢州刺史陈璋告急于淮南，杨渥遣左厢马步都虞候周本将兵迎璋。本至衢州，浙人解围，陈于城下，璋帅众归于本，两浙兵取衢州。吕师造[462]曰："浙人近我而不动，轻我也，请击之！"本曰："吾受命迎陈使君，今至矣，何为复战！彼[463]必有以待我[464]也。"遂引兵还。本为之殿，浙人蹑[465]之，本中道设伏，大破之。

九月辛亥朔[466]，朱全忠自白马[467]渡河。丁卯[468]，至沧州，军于长芦[469]，沧人不出。罗绍威馈运，自魏至长芦五百里，不绝于路。又建元帅府舍于魏，所过驿亭供酒馔[470]、幄幕、什器[471]，上下数十万人，无一不备。

秦裴拔洪州，虏锺匡时等五千人以归。杨渥自兼镇南节度使，以裴为洪州制置使。

静难节度使杨崇本以凤翔、保塞[472]、彰义、保义[473]之兵攻夏州，匡国节度使刘知俊邀击坊州[474]之兵，斩首三千余级，擒坊州刺史刘彦晖。

【段旨】

以上为第十二段，写淮南军攻下洪州，杨渥自兼镇南节度使。

【语译】

秦裴到达洪州，驻军在蓼洲。各将领请求依水建立营寨，秦裴不听，锺匡时果然派遣他的部将刘楚占据这个地方。各将领埋怨秦裴，秦裴说："锺匡时的勇将只有刘楚一个人了，如果他率领部众守城，不可能立刻攻下来，我故意以要害的地方引诱他出来。"不久，秦裴攻破营寨，俘获刘楚，于是包围洪州，饶州刺史唐宝请求投降。

八月初四日乙酉，李茂贞派遣他的儿子李侃到西川做人质，王建以李侃为知彭州事。

朱全忠由于幽州的刘仁恭、沧州的刘守文父子首尾相连，成为魏州的隐患，想要先攻取沧州。二十三日甲辰，率军从大梁出发。

两浙军包围衢州，衢州刺史陈璋向淮南告急，杨渥派遣左厢马步都虞候周本率军迎接陈璋。周本到达衢州，浙人解除包围，在城下布阵，陈璋率领部众归附周本，两浙军取得衢州。吕师造说："浙人靠近我们而按兵不动，是轻视我们，请攻击他们！"周本说："我奉命来迎接陈使君，今天他到了，为什么还要打仗！他们一定有抵御我们进攻的准备。"于是率军返回。周本走在最后，浙人随后跟踪，周本中途设下埋伏，大破两浙军。

九月初一日辛亥，朱全忠从白马渡过黄河。十七日丁卯，到达沧州，驻军在长芦县，沧州军队不出战。罗绍威运送供给，从魏州到长芦县五百里路，前后连绵不断。又在魏州建造元帅府舍；所经过的驿站、凉亭供给酒食、帐幕、各种日用器具，从上到下几十万人，没有一样不准备周全。

秦裴攻取洪州，俘获锺匡时等五千人返回。杨渥自己兼任镇南节度使，以秦裴为洪州制置使。

静难节度使杨崇本率领凤翔、保塞、彰义、保义四镇军队进攻夏州，匡国节度使刘知俊截击坊州的军队，斩首三千多级，擒获坊州刺史刘彦晖。

【注释】

㊹㊿ 蓼洲：在洪州（今江西南昌）百花洲西南南塘湾外，与百花洲相并，水自两洲间流入章江。㊹54 阻水：靠水立寨，以水为险。455 咎：归罪；埋怨。456 猝拔：很快攻下。猝，突然。457 要害：关系全局的重要地点，指蓼洲水寨。458 饶州：州名，治所在今江西鄱阳。459 乙酉：八月初四日。460 幽、沧相首尾：幽指刘仁恭，沧指刘守文，父子互相接应称之为相首尾。461 甲辰：八月二十三日。462 吕师造：杨行密部的行营都尉。天复元年（公元九〇一年）李神福攻杭州，派吕师造伏兵于青山下，夹击顾全武，大获全胜。吕师

造因此而轻视浙兵。⑷⑹彼：指两浙兵。⑷⑹有以待我：意谓两浙兵有埋伏。⑷⑹蹑：紧随在后。⑷⑹辛亥朔：九月初一日。⑷⑹白马：县名，滑州治所。在今河南滑县。⑷⑹丁卯：九月十七日。⑷⑹长芦：县名，县治在今河北沧州。⑷⑺酒馔：酒食；吃喝。⑷⑺什器：日常生活用具。⑷⑺保塞：方镇名，唐僖宗中和二年（公元八八二年）以延州置保塞军节度。⑷⑺保义：应为保大，因保义领邢、洺、磁等州，在山东，保大领鄜、坊，与邠、岐等镇皆在关西。⑷⑺坊州：州名，治所在今陕西黄陵。时属保大军管辖。

【原文】

刘仁恭救沧州，战屡败。乃下令境内："男子十五以上，七十以下，悉自备兵粮诣行营，军发之后，有一人在闾里⑷⑺，刑⑷⑺无赦！"或谏曰："今老弱悉行，妇人不能转饷⑷⑺，此令必行，滥刑者众矣。"乃命胜执兵者⑷⑺尽行，文其面⑷⑺曰"定霸都"，士人⑷⑻则文其腕或臂曰"一心事主"，于是境内士民⑷⑻，稚孺⑷⑻之外身[25]无不文者。得兵十万，军于瓦桥⑷⑻。

时汴军筑垒围沧州，鸟鼠不能通。仁恭畏其强，不敢战。城中食尽，丸土⑷⑻而食，或互相掠啖⑷⑻，朱全忠使人说刘守文曰："援兵势不相及，何不早降！"守文登城应之曰："仆于幽州，父子也。梁王方以大义服天下，若子叛父而来，将安用⑷⑻之！"全忠愧其辞直，为之缓攻。

冬，十月丙戌⑷⑻，王建始立行台⑷⑻于蜀，建东向舞蹈⑷⑻，号恸⑷⑼，称："自大驾东迁⑷⑼，制命⑷⑼不通，请权立行台，用李晟、郑畋故事⑷⑼，承制封拜。"仍以榜帖告谕所部藩镇州县。

刘仁恭求救于河东，前后百余辈⑷⑼。李克用恨仁恭返覆⑷⑼，竟未之许，其子存勖⑷⑼谏曰："今天下之势，归朱温者什七八⑷⑼，虽强大如魏博、镇、定，莫不附之。自河以北，能为温患者独我与幽、沧耳，今幽、沧为温所困，我不与之并力拒之，非我之利也。夫为天下者不顾小怨，且彼尝困我而我救其急，以德怀之⑷⑼，乃一举而名实附也。此乃吾复振之时，不可失也。"克用以为然，与将佐谋召幽州兵与攻潞州，曰："于彼，则[26]可以解围；于我，则[27]可以拓境⑷⑼。"乃许仁恭和，

【校记】

[24] 两浙：原作“两浙兵”。据章钰校，十二行本、乙十一行本皆无“兵”字，今据删。

【语译】

刘仁恭救援沧州，屡次战败。于是对境内下令说：“男子十五岁以上，七十岁以下，全部自备兵器、粮食前往行营。军队出发后，如果有一个人还在乡里，刑杀不赦！”有人劝谏说：“如今老弱全部出发，妇女不能转运粮饷。这命令一定执行的话，被滥杀的人太多了。”于是下令能拿得起兵器的人全部出发，在他们脸上刺“定霸都”三个字，读书人就在他的手腕或胳膊上刺“一心事主”四个字，于是境内的士人百姓，除了幼儿之外，身上没有不被刺字的。刘仁恭共得到士兵十万人，驻军在瓦桥。

这时汴州军修筑营垒围住沧州，飞鸟、老鼠都不能通过。刘仁恭惧怕对方军力强大，不敢出战。城中粮食吃光了，就把泥土搓成丸子吞食，有的互相掠夺来吃。朱全忠派人劝刘守文说：“援兵势必来不及了，为什么不早投降！”刘守文登上城墙答复朱全忠说：“我和幽州是父子关系。梁王您正以大义征服天下，假如儿子背叛父亲前来，将如何使用他呢！”朱全忠因为他的言辞坦率而感到惭愧，所以延缓攻势。

冬，十月初六日丙戌，王建开始在蜀地设立行台。王建面向东方按朝拜帝王的礼仪拜谒，放声痛哭，说道：“自从皇上东迁洛阳以后，皇上的制命不能通达。臣请求暂时设立行台，用李晟、郑畋的旧例，以皇上名义封拜官爵。”于是用榜帖文书告知所统辖的藩镇州县。

刘仁恭向河东李克用求救，前后派出使者一百多批。李克用憎恨刘仁恭反复无常，最后也没有答应他。他的儿子李存勖劝谏说：“如今天下的形势，归附朱温的已经占了十分之七八，即使像魏博、镇州、定州那样强大的藩镇，也没有不依附他的。自黄河以北，能使朱温感到忧虑的，只有我们和幽州、沧州了。如今幽州、沧州被朱温所围困，我们不与他们合力抵御朱温，不是我们的利益所在。谋取天下的人不该顾及小怨，况且他们曾困扰我们，而我们却解救他们的危急，以恩德安抚他们，这是一举两得，名声和实利都得到了。这是我们复兴振作之时，不可错失良机。”李克用认为很对，就和部将、佐吏商议召请幽州军共同进攻潞州，说：“对他们来说，可以解除包围；对我们来说，可以开拓疆土。”于是答应与刘仁恭和好，召请他的军

召其兵，仁恭遣都指挥使[28]李溥将兵三万诣晋阳，克用遣其将周德威、李嗣昭将兵与之共攻潞州。

【段旨】

以上为第十三段，写朱全忠大举围攻沧州，刘仁恭求救于李克用，李克用攻潞州以牵制朱全忠。

【注释】

⑮闾里：乡里，泛指民间。⑯刑：杀。⑰转饷：运送粮饷。⑱胜执兵者：拿得动武器的人。胜，胜任。⑲文其面：在脸上刺字。⑳士人：士大夫。㉑士民：士人和庶民。㉒稚孺：年幼的儿童。㉓瓦桥：关名，在今河北雄县南易水上。㉔丸土：揉土成丸。㉕啖：吃。㉖安用：如何使用。㉗丙戌：十月初六日。㉘行台：行尚书台的省称。在地方代表朝廷行尚书省事的机构。㉙舞蹈：古时朝拜帝王的礼仪。㉚号恸：失声痛哭。㉛大驾东迁：指唐昭宗迁洛阳。㉜制命：皇帝的诏命。㉝李晟、郑畋故事：指王建沿用李晟、郑畋先前权宜拜官的旧例，自行拜官授爵。李晟在德宗建中四年（公元七八三年）平朱泚之乱中，拜受裨将赵光铣、唐良臣、张彧为洋、利、剑三州刺史，以通

【原文】

夏州告急于朱全忠。戊戌⑩，全忠遣刘知俊及其将康怀贞[29]救之。杨崇本将六镇⑪之兵五万，军于美原⑫。知俊等击之，崇本大败，归于邠州。

武贞节度使雷彦恭⑬[30]屡寇荆南，留后贺瓌闭城自守，朱全忠以为怯，以颍州防御使高季昌代之，又遣驾前指挥使倪可福将兵五千戍荆南以备吴、蜀。朗兵⑭引去。

十一月，刘知俊、康怀贞乘胜攻鄜、延等五州，下之。加知俊同平章事，以怀贞为保义节度使。西军⑮自是不振。

湖州刺史高彦卒，子澧代之。

队。刘仁恭派遣都指挥使李溥率军三万人前来晋阳，李克用派遣他的部将周德威、李嗣昭率军与李溥一同进攻潞州。

蜀汉之路。后李怀光与朱泚连兵，李晟为调畿内刍粟，又拜受张彧为京兆尹，皆未尝承制。事见本书卷二百三十德宗兴元元年。郑畋在黄巢入长安时为京城四面诸军行营都统，他以泾原节度使程宗楚为副都统，前朔方节度使唐弘夫为行军司马，亦权宜授官。事见本书卷二百五十四僖宗中和元年。㊾④百余辈：派出的使者一百多批。㊾⑤返覆：刘仁恭以幽州叛李克用，又约朱全忠共同攻李克用，故李克用深恨之。㊾⑥存勖：即后唐庄宗李存勖。㊾⑦什七八：十分之七八。㊾⑧以德怀之：意谓以德行感召人。㊾⑨拓境：开拓疆界。

【校记】

［25］身：原无此字。据章钰校，十二行本、乙十一行本皆有此字，今据补。［26］则：原无此字。据章钰校，十二行本、乙十一行本、孔天胤本皆有此字，张敦仁《通鉴刊本识误》同，今据补。［27］则：原无此字。据章钰校，十二行本、乙十一行本、孔天胤本皆有此字，张敦仁《通鉴刊本识误》同，今据补。［28］都指挥使：原作“都挥使”。据章钰校，十二行本、乙十一行本、孔天胤本皆有“指”字，今据补。

【语译】

夏州向朱全忠告急。十月十八日戊戌，朱全忠派遣刘知俊和他的部将康怀贞救援夏州。杨崇本率领六镇的军队五万人，驻扎在美原县。刘知俊等攻击他们，杨崇本大败，返回邠州。

武贞节度使雷彦恭多次入侵荆南，荆南留后贺瓌关闭城门自我防守，朱全忠认为他胆怯，以颍州防御使高季昌取代他的职位，又派遣驾前指挥使倪可福率军五千人戍守荆南来防备吴、蜀的侵掠。朗州军退去。

十一月，刘知俊、康怀贞乘胜进攻鄜、延等五州，攻克五州。加任刘知俊为同平章事，以康怀贞为保义节度使。邠州、岐州的军队从此一蹶不振。

湖州刺史高彦去世，他的儿子高澧接替他的职位。

十二月乙酉⑯，钱镠表荐行军司马王景仁⑰。诏以景仁领宁国节度使。

朱全忠分步骑数万，遣行军司马李周彝将之，自河阳救潞州。

闰月乙丑⑱，废镇国军兴德府复为华州，隶匡国节度⑲，割金、商州隶佑国军⑳。

初，昭宗凶讣㉑至潞州，昭义节度使丁会帅将士缟素㉒流涕久之。及李嗣昭攻潞州，会举军降于河东。李克用以嗣昭为昭义留后。会见克用，泣曰："会非力不能守也。梁王㉓陵虐唐室，会虽受其举拔之恩，诚不忍其所为，故来归命㉔耳。"克用厚待之，位于诸将之上。

己巳㉕，朱全忠命诸军治攻具，将攻沧州。壬申㉖，闻潞州不守。甲戌㉗，引兵还。

先是，调河南北刍粮，水陆㉘输军前，诸营山积㉙，全忠将还，命悉[31]焚之，烟炎数里，在舟中者凿而沉之。刘守文使遗全忠书曰："王以百姓之故，赦仆之罪，解围而去，王之惠也。城中数万口，不食数月矣，与其焚之为烟，沈之为泥，愿乞其所[32]余以救之。"全忠为之留数囷㉚以遗㉛之，沧人赖以济。

河东兵进攻泽州，不克而退。

吉州㉜刺史彭玕遣使请降于湖南。玕本赤石洞蛮酋㉝，锺传用为吉州刺史。

【段旨】

以上为第十四段，写李克用攻拔潞州，朱全忠解沧州之围而去。

【注释】

⑳戊戌：十月十八日。㉑六镇：上文言静难节度使杨崇本以凤翔、保塞、彰义、保大之兵攻夏州，加上秦陇之兵为六镇。㉒美原：县名，县治在今陕西富平东北。㉓雷彦恭（？至公元九〇九年）：雷满子。昭宗朝，雷满任武贞军节度使，驻节朗州。雷满死，雷彦恭逐兄彦威自立，归附杨行密。传附《新唐书》卷一百八十六、《旧五代史》卷十七、《新五

十二月初七日乙酉，钱镠上表推荐行军司马王景仁。昭宣帝下诏任命王景仁领宁国节度使。

朱全忠分出步兵、骑兵几万人，派遣行军司马李周彝统率他们，从河阳出发救援潞州。

闰十二月十七日乙丑，废除镇国军兴德府，恢复为华州，隶属匡国节度使，割出金州、商州隶属佑国军。

当初，昭宗被害的讣告传到潞州，昭义节度使丁会率领将士们穿上丧服痛哭流涕很长时间。等到李嗣昭进攻潞州，丁会率全军向河东军投降。李克用以李嗣昭为昭义留后。丁会拜见李克用，哭着说："我丁会不是无力守卫潞州。梁王欺凌虐待唐朝皇室，丁会虽然受到他推荐提拔的恩惠，实在不能容忍他的作为，所以前来归顺罢了。"李克用厚待丁会，地位在诸将领之上。

闰十二月二十一日己巳，朱全忠命令各军队修整攻城的器具，即将进攻沧州。二十四日壬申，得知潞州失守。二十六日甲戌，率军返回。

此前，朱全忠征调河南、河北的粮食草料，通过水路、陆路运输到军中，各营的粮草堆积如山。朱全忠将要撤回，命令把粮草全部烧掉，浓烟、火焰蔓延数里，装在船上的粮草，就凿船沉入水中。刘守文派人给朱全忠送信说："大王为了百姓的缘故，赦免我的罪过，解围离开，这是大王的恩惠。沧州城中有几万口人，已经几个月没有粮食吃，与其把粮食烧成烟，沉入水中成为泥土，不如我们求得剩余的粮草来解救百姓。"朱全忠因此留下几个仓库的粮食送给他，沧州人依靠这个得到救济。

河东军进攻泽州，未能攻克而撤退。

吉州刺史彭玕派遣使者向湖南马殷请求投降。彭玕原本是赤石洞蛮人的首领，锺传任用他为吉州刺史。

代史》卷四十一《雷满传》。⑤⓪④朗兵：雷彦恭之兵。⑤⓪⑤西军：谓邠、岐之兵。⑤⓪⑥乙酉：十二月初七日。⑤⓪⑦王景仁：即王茂章。王茂章是年正月弃宣州归钱镠。⑤⓪⑧乙丑：闰十二月十七日。⑤⓪⑨匡国节度：治同州。废兴德府为华州，隶匡国节度，是并同、华为一镇。⑤①⓪佑国军：方镇名，光启三年（公元八八七年）升东畿观察防遏使为佑国军节度。以金、商隶佑国与同、华合并，都是为了加强抵御邠、岐的力量。⑤①①凶讣：死讯。告丧曰讣。⑤①②缟素：白色的丧服。此用如动词，意谓丁会全军将士皆着丧服。⑤①③梁王：朱全忠。⑤①④归命：归顺。⑤①⑤己巳：闰十二月二十一日。⑤①⑥壬申：闰十二月二十四日。⑤①⑦甲戌：闰十二月二十六日。⑤①⑧水陆：通过水路和陆路。⑤①⑨山积：言粮草堆积得像山一样。⑤②⓪囷：圆仓。⑤②①遗：送给；给予。⑤②②吉州：州名，治所在今江西吉安。⑤②③蛮酋：南方少数民族首领。

【校记】

［29］康怀贞：原作“康怀英”。严衍《通鉴补》改作“康怀贞”，今据以校正。［30］雷彦恭：原作“雷彦威”。据章钰校，十二行本、乙十一行本、孔天胤本皆作“雷彦恭”，今从改。［31］命悉：原作“悉命”。据章钰校，十二行本、乙十一行本二字皆互乙，今从改。［32］所：原无此字。据章钰校，十二行本、乙十一行本皆有此字，张敦仁《通鉴刊本识误》同，今据补。

【研析】

本卷研析朱全忠弑帝，柳璨、蒋玄晖之死，罗绍威诛杀牙兵三件史事。

第一，朱全忠弑帝。天祐元年朱全忠逼帝昭宗迁洛阳，昭宗诏令诸镇勤王。当时李茂贞、杨崇本、李克用、刘仁恭、王建、杨行密、赵匡凝移檄往来，皆以兴复为辞。八月，朱全忠西讨李茂贞，忧虑昭宗在洛阳生变，于是派判官李振到洛阳，密令枢密使蒋玄晖与左龙武统军朱友恭、右龙武统军氏叔琮弑杀昭宗，立幼君，以便禅代。八月十一日壬寅，蒋玄晖等选龙武牙官史太等一百余人夜叩宫门弑杀昭宗，以及夫人裴贞一、昭仪李渐荣。八月十二日，蒋玄晖矫皇后令嫁祸于李渐荣、裴贞一弑帝，宣立昭宗第九子辉王李祚为太子。李祚当年十三岁，八月十五日丙午在昭宗灵柩前即位，是为哀帝。

朱全忠闻讯昭宗已被弑，故作惊诧，号哭于地。十月初三日癸巳，朱全忠回到洛阳，拜伏昭宗灵柩前恸哭，又到哀帝面前表白自己不知情，发誓惩治奸贼。十月初四日，朱全忠奏称朱友恭、氏叔琮管束士卒不严，侵扰市铺，贬朱友恭崖州司户，复称原名李彦威，贬氏叔琮白州司户，随后又赐二人自尽。李彦威临刑高声叫骂说：“朱全忠出卖我李彦威来推托弑帝的罪责，堵塞天下民众的嘴，可是骗不了鬼神，姓朱的做事太恶毒，一定断子绝孙！”十月十五日，朱全忠回到大梁。

自古以来，弑帝篡国的野心家，不知天下有羞耻二字，个个心肠如蛇蝎，但像朱全忠这样卸磨杀驴的还是不多见。朱全忠狠毒而下作，难怪李彦威要骂他断子绝孙了。不过李彦威之死，也不令人同情。他的愤怒，可为那些替奸人做鹰犬的奴才者戒！

第二，柳璨、蒋玄晖之死。柳璨，字炤之，是唐忠臣柳公绰的族孙。柳璨年少好学，家境贫寒少孤，苦读成才，知名当世，任史馆直学士。昭宗好文，柳璨被人推荐，得到昭宗宠爱，拔擢为翰林学士。崔胤死后，昭宗一手提升柳璨为谏议大夫同中书门下平章事，柳璨从一个布衣升为宰相，前后四年，一路直升，为近世少有。柳璨受到昭宗的如此恩宠，不知图报，反以加倍地出卖灵魂投靠朱全忠，与蒋玄晖、张廷范沆瀣一气，策划篡夺事宜，柳璨不遗余力。天祐二年五月初七日乙丑，天空出现彗星，占星者说:“彗星现，君臣有灾，要用诛杀来消灾。”柳璨借机进言朱全忠大杀朝士。六月初一日戊子，朱全忠一夜诛杀朝士大夫三十余人于白马驿，投尸黄河，使为浊流。蒋玄晖，朱全忠心腹，昭宗东迁洛阳，朱全忠安置蒋玄晖为枢密使，监控昭宗及宫中动静。张廷范，以优人为朱全忠所爱，昭宗东迁时为御营使，跃级升职，旬月之间进位金吾卫将军、河南尹。柳璨为相，秉承朱全忠旨意，奏用张廷范为太常卿，掌礼仪。于是，柳璨、蒋玄晖、张廷范三人共议朱全忠受禅篡唐事宜。柳璨等建议朱全忠为相国，总百揆，先封魏王大国，以宣武等二十一道为魏邑，加九锡殊礼。朱全忠认为迟缓，一怒之下，诛杀三人。柳璨临刑大呼曰:“负国贼柳璨，早就该死了!”李彦威临刑大骂朱全忠断子绝孙，柳璨临刑大骂自己该死，可见柳璨、蒋玄晖等文奴才比李彦威等武奴才更要等而下之。柳璨等人之所为，恰如《庄子·列御寇》所讲寓言，宋人曹商使秦，得到从车一百辆的赏赐。庄子说:“秦王有病，请医生治疗，吸吮脓疮的医生，赏车一辆，吸吮肛门上痔疮的医生，赏车五辆。所治愈下，得车愈多。”柳璨等人，有奶便是娘，奴性十足，吸吮痔疮之徒，死得一点也不冤。柳璨自骂为“负国贼”，还算他有自知之明。

第三，罗绍威诛杀牙兵。魏博镇自田承嗣以来，牙兵皆选用魏博所属魏州、博州、贝州、卫州、澶州、相州等六州的壮士组成，世代相继，赏赐优厚，任节帅的心腹。这种家族亲兵，父子相继，亲党胶固，日渐骄堕，小不如意，就杀旧帅，立新帅，自史宪诚以来，魏博节帅都是牙兵所立。罗绍威十分厌恶牙兵的骄纵。他向朱全忠借兵十万，用阴谋手段诛杀牙兵八千多家，婴孺无遗。牙兵骄纵，应当整顿，但罪不至死。即使犯死罪，不是反叛大逆，也应只罪其身，婴孺无遗，实在过分。罗绍威此举，灭绝人性，激起六州士卒相继反叛，朱全忠拥兵十万，坐镇平叛，长达半年，罗绍威供给，杀牛、羊、豕近七十万头，资给相当，赠送的财物又是一百万。朱全忠退军之时，魏博镇的库藏积蓄，消耗一空。尤其是魏博镇六州士卒，被杀一空，魏博镇从此衰落，罗绍威只能依附朱全忠，仰人鼻息过生活。罗绍威后悔不迭，朱全忠大获其利。